J'élève mon enfant

Laurence Pernoud
avec la collaboration d'Agnès Grison

J'élève
mon enfant

Édition
2005

HORAY

Du même auteur, chez le même éditeur :

J'attends mon enfant

Sommaire

Un enfant entre dans votre vie

CHAPITRE 1

Bien nourrir votre enfant

CHAPITRE 2

La vie d'un enfant

CHAPITRE 3

3

3

4

L'enfant à la découverte du monde

Ce chapitre est la colonne vertébrale du livre : mois après mois, de la naissance à l'école, il raconte ce qui se passe dans la tête et le cœur de l'enfant, ce qui le pousse à faire tel geste, ce qui provoque telle attitude, ce qui crée tel besoin. Ainsi, vous y lirez qu'il est normal qu'à neuf mois un enfant jette vingt fois son jouet par terre, qu'à quinze mois il touche à tout, qu'à dix-huit mois il soit agressif, et qu'à deux ans et demi il rêve déjà de liberté, etc. Connaître ses goûts et ses besoins permet de mieux comprendre son enfant, de mieux l'élever et d'y prendre plus de plaisir. Ce chapitre est divisé en différents âges. Chacun est illustré par des dessins en couleurs montrant le développement et les nouvelles acquisitions de l'enfant.

CHAPITRE 5

L'éducation silencieuse

Ce chapitre propose quelques réflexions sur des questions qui nous tiennent à cœur, sur certains faits de société et sur quelques situations difficiles.

Un enfant en bonne santé

Mémento pratique

Index

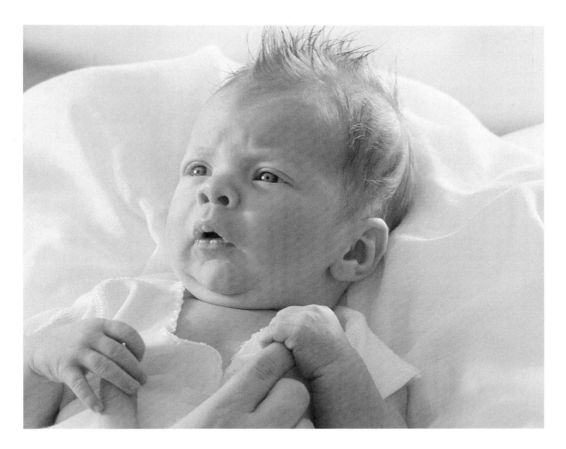

Chers parents,

Puis-je vous dire combien je suis heureuse de vous retrouver. Je finissais *J'attends un enfant* par ces mots : « Au revoir et j'espère à bientôt. » Mon souhait est exaucé puisque vous avez ce livre entre les mains et qu'ensemble nous sommes penchés sur le berceau de votre bébé.

J'ai beaucoup de choses à vous dire sur lui pour répondre à toutes ces questions qui affluent dès la naissance. « Mon bébé me voit-il ? Pourquoi pleure-t-il ? M'entend-il ? L'aîné sera-t-il jaloux ? Où déclarer sa naissance ? Comment choisir un pédiatre ? » etc.

Au début tout semble poser question. D'autant plus, lorsqu'il s'agit d'un premier enfant, qu'on voudrait tout bien faire, qu'on croit qu'un nouveau-né est très fragile.

Ce livre est ambitieux, il voudrait que chaque fois que vous vous posez une question, vous trouviez la réponse, soit en consultant l'index, soit en vous reportant au sommaire, soit en conciliant les deux.

Parler de tout ce qui concerne les premières années de l'enfance, au moins jusqu'à six ans, fait déjà un livre assez volumineux. Les lecteurs voudraient plus de photos, plus de dessins, plus de couleurs et des grandes marges. Nous les avons entendus : notre édition est maintenant entièrement en couleur, nous avons ajouté de nouvelles photos. Nous ne pouvons pas en mettre plus : dans notre livre, nous donnons quand même la priorité au texte ; nous espérons que vous approuverez notre choix.

Vous verrez que *J'élève mon enfant* est un livre à double lecture. Il y a d'abord la partie pratique, concrète : l'alimentation, la santé, la vie quotidienne, les différentes formalités. Cette partie est comme un manuel, mais c'est un préalable nécessaire. « Après l'avoir lue, m'a écrit une lectrice, je savais comment répondre aux préoccupations quotidiennes, je pouvais partir à la découverte de mon enfant. »

Cette découverte, vous, les parents, vous la ferez ensemble, jour après jour ; vous la ferez également avec nous en lisant le chapitre 4, l'autre partie de *J'élève mon enfant* qui raconte le développement psychomoteur et affectif des premières années et l'éveil de l'intelligence.

Ce qui au début rend parfois difficile la communication avec un enfant, c'est de ne pas comprendre ses réactions, de ne pas savoir ce qu'il éprouve.

« L'enfant à la découverte du monde » essaie précisément de décrire les réactions d'un bébé, et ce qui se passe dans la tête d'un enfant. Ce chapitre je l'ai écrit avec une tendresse particulière : cet éveil du cœur et de l'intelligence reste toujours pour moi un sujet d'émerveillement ; d'ailleurs vous allez le voir vous-même : c'est passionnant de découvrir un enfant jour après jour. En cela le chapitre 4 est la colonne vertébrale de ce livre.

C'est ainsi que les deux parties de *J'élève mon enfant* - celle qui est plus pratique et celle qui parle du développement psychomoteur et affectif - se font écho, se complètent. Par exemple, pour préparer les séparations, pour que l'enfant les supporte bien, il est nécessaire de comprendre ce qu'elles représentent dans le développement affectif de l'enfant et dans sa vie de tous les jours.

On pourrait citer d'autres exemples. C'est le développement psychomoteur et affectif qui devrait guider nos réactions devant les gestes d'un enfant, ses mots, sa sensibilité. C'est certes exaspérant d'entendre l'enfant de 2-3 ans dire toujours non. Mais lorsqu'on sait que ce « non » révèle en fait un nouveau moyen pour l'enfant d'affirmer sa personnalité, on le considère comme un progrès et non comme une provocation. Et quand au même âge l'enfant vous imite, c'est important de comprendre qu'il cherche à s'identifier à vous, qu'ainsi il met le monde à sa portée, ce qui lui permet de grandir épanoui.

Chers parents, au seuil de l'aventure unique que vous allez vivre maintenant, permettez-moi de vous faire une suggestion : essayez de bien « profiter » de votre enfant, ce que nos amis anglais appellent *enjoy*, prendre de la joie. La langue française n'a pas de mot équivalent ; profiter à une consonance très matérielle.

Au début, surtout avec un premier enfant, il faut un peu de temps pour se détendre. Je me rappelle l'inquiétude que j'ai éprouvée lorsque j'ai été seule la première fois pour donner le bain : j'ai vérifié dix fois la température de l'eau, je n'ai pas osé savonner mon bébé pour qu'il ne glisse pas, j'ai mis les serviettes à chauffer pour qu'il ne prenne pas froid en sortant de l'eau. Ouf ! Heureusement au bout de trois-quatre jours j'étais détendue, j'ai réalisé que mon bébé était heureux dans l'eau, j'ai commencé à profiter vraiment de sa présence, j'ai eu l'impression qu'il en était de même pour lui.

Profiter de son enfant, au début ce n'est pas facile, tous les gestes sont nouveaux, on s'inquiète lorsqu'il pleure, on pense qu'on n'aura jamais le temps de s'asseoir à côté de son enfant, sans rien faire, pour le regarder vivre, pour l'écouter, pour lui chanter une chanson. Rassurez-vous, les habitudes se prennent vite, l'expérience s'acquiert plus rapidement qu'on ne croit. Mais il faut quand même vraiment vouloir laisser de côté certaines tâches matérielles, pour être avec son enfant, lui consacrer du temps qui peut sembler inutile, et qui pourtant est essentiel : c'est en étant avec votre enfant que, peu à peu, vous le découvrirez, qu'il en sera heureux, et vous par lui.

Votre enfant va grandir plus vite que vous ne l'imaginez aujourd'hui. Ne laissez pas passer l'enfance. Profitez au maximum de ces années précieuses.

Laurence Pernoud

L'œuvre
d'une équipe

Lorsque vous regarderez la table des matières, vous verrez qu'il y a beaucoup à dire sur ces premières années qui vont de la naissance à l'école.

Pour traiter tous les sujets, j'ai, peu à peu, rassemblé une équipe, elle s'est constituée au fur et à mesure des éditions, des besoins, des rencontres faites lors de colloques tant en France qu'à l'étranger, des affinités personnelles, de l'évolution des techniques, des travaux et des découvertes sans cesse renouvelées autour de l'enfant, du courrier qui s'est développé de plus en plus venant des quatre coins du monde, et d'internet qui élargit encore un peu plus notre horizon.

Heureusement, l'habitude adoptée de faire une nouvelle édition chaque année apporte avec elle une grande souplesse. Nous sommes toujours prêts à répondre à l'importance de l'actualité. C'est ainsi que nous avons, chaque année, pu intégrer les urgences, les nouveautés, les nouvelles lois.

Nous avons aussi eu la satisfaction d'être rejoints par différentes personnalités qui considèrent qu'une voie sûre pour transmettre aux parents un message important est de passer par nos livres, *J'attends un enfant* aussi bien que *J'élève mon enfant.*

Et c'est ainsi que je me retrouve aujourd'hui entourée de toute une équipe que je voudrais maintenant vous présenter.

En tête, je citerai Agnès Grison, qui anime cette équipe.

Elle est devenue ma principale collaboratrice et j'ai été heureuse de l'associer chaque année un peu plus à tous les moments importants de la conception sans cesse renouvelée de ce livre. Aujourd'hui, c'est ensemble que nous prenons toutes les décisions concernant *J'élève mon enfant.*

Sans Jacques Boisse, pédiatre, ancien chef de clinique de la faculté de médecine de Paris, *J'élève mon enfant* ne serait pas né, car c'est, entre autres, avec lui que nous nous sommes lancés dans la grande aventure de ce livre.

Danielle Rapoport nous a rejoints depuis des années. Son expérience de psychologue à l'hôpital et dans des collectivités de jeunes enfants, enrichie par son travail permanent de recherche et son enthousiasme à communiquer, nous rend sa collaboration très précieuse. Avec elle nous avons en particulier approfondi les difficultés concernant l'enfant porteur de handicap, et celles de la mère qui élève seule son enfant, le sujet si douloureux de la maltraitance faite aux enfants et aujourd'hui celui de la « bien-traitance ».

Le docteur Béatrice Blaisse a rejoint l'équipe de *J'élève mon enfant* il y a quelques années. Je la remercie de faire bénéficier les chapitres médicaux de son expérience de pédiatre hospitalier.

14

Quant à Jacqueline Sarda, elle a l'art de traduire en termes clairs les textes administratifs réunis dans le Mémento pratique et qui concernent la Sécurité sociale, les allocations familiales, l'état civil, etc.

Christiane Laurent s'occupe plus particulièrement des questions juridiques, des renseignements pratiques et des mémentos pour la Belgique, la Suisse, le Québec et les pays du Maghreb.

Odile Pernier, assistante sociale à l'Assistance-Publique-Hôpitaux de Paris, a rejoint notre équipe et travaille au Mémento pratique, si utile aux lecteurs.

Dans cette équipe, Michelle Gries est la coordinatrice de nos travaux, elle est responsable en particulier des nombreuses relations extérieures.

Je voudrais également remercier les personnalités que nous avons consultées sur leur spécialité : le docteur T. Berry Brazelton sur les « compétences » du bébé et les interactions précoces ; Marie-Claire Busnel sur l'éveil sensoriel du nouveau-né ; le professeur Michel Dehan sur la mort subite du nourrisson ; le docteur Jean-Vital de Monléon, pédiatre, spécialiste de l'adoption internationale ; le docteur Luc Gabrielle, spécialiste de la médecine d'urgence ; le docteur Michel Hanus, président de la Société de Thanatologie, sur le deuil et le chagrin de l'enfant ; et le très regretté René Zazzo au sujet des jumeaux dont il reste le grand spécialiste.

Cette année je remercie particulièrement:

Le docteur Patricia Cornuau, pédiatre de ville, est en contact quotidien avec des jeunes enfants et leurs parents, ce qui est précieux pour la partie médicale de ce livre.

Brigitte Coudray, diététicienne au CERIN (Centre de recherche et d'information nutritionnelles) a participé au très important chapitre sur l'alimentation des premières années de la vie.

Aude Weill-Raynal, avocate, spécialisée en droit de la famille, nous a fait part de ses réflexions et des informations les plus récentes dans un domaine en perpétuelle évolution.

Comme pour *J'attends un enfant*, la maquette a été dessinée avec talent par Vincent Lever.

De nombreux dessins animent cette maquette. Ceux de Pascale Desmazières, pleins de charme et de l'esprit d'enfance, courent tout le long du livre.

Pour la toilette, les jouets, le développement psychomoteur de l'enfant, Noëlle Herrenschmidt a fait de jolis dessins en couleurs.

Et Danièle Molez, avec une précision digne des planches du Muséum d'histoire naturelle, a dessiné les plantes belles, mais dangereuses.

Enfin, je ne saurais terminer cette liste de remerciements sans dire ma profonde gratitude au professeur Robert Debré, fondateur de la pédiatrie française moderne. Pour honorer sa mémoire, le plus grand hôpital pédiatrique de Paris porte son nom. Le professeur Robert Debré a été le premier à croire à mon entreprise et à la soutenir ; aujourd'hui encore je suis honorée d'avoir bénéficié d'un tel appui.

L. P.

Un enfant entre dans votre vie

Et soudain tout change

Un enfant entre dans votre vie, et soudain tout change…

À vrai dire depuis neuf mois vos projets tournaient autour de l'attente de cet enfant, mais aujourd'hui le nouveau-né dans la maison va réellement bousculer vos jours, vos nuits, votre humeur, votre vie à deux, et susciter des questions.

Il pleure, pourquoi ? Il dort si profondément, est-ce normal ? Il s'agite, a-t-il faim ?

Faire connaissance avec le bébé, comprendre ses mimiques, chercher à savoir ce qu'il ressent, s'il reconnaît ceux qui l'entourent, deviner ses besoins : adoption réciproque, adaptation lente et passionnante, quête au jour le jour que vous ferez l'un et l'autre avec émerveillement.

Mais dans l'immédiat, le premier effet de l'arrivée de cet enfant dans votre vie, après le bouleversement émotionnel que cette naissance représente, ce sont aussi des tâches matérielles et des questions pratiques. L'allaiter à sa demande ou à vos heures ? Lui préparer un biberon, mais de combien de grammes ? Et le bain ? Et les sorties ?

Au début, tout est à découvrir si cet enfant est le premier. Lors de la naissance de leur premier enfant, souvent ni la mère ni le père n'ont jamais tenu un nouveau-né dans les bras. C'est ensemble que les parents vont partager les joies et les soucis, mais aussi les tâches matérielles. C'est donc au père et à la mère que je m'adresse.

Un enfant entre dans votre vie.

Des instants privilégiés aussi bien pour la mère que pour le père

▬▬▬▬▬▬▬ Cet enfant dont vous avez attendu la naissance avec tellement d'impatience, vous voulez, maintenant qu'il est là, jour après jour faire plus ample connaissance avec lui. Or, comme au début il dort au moins 20 heures sur 24, vous n'aurez de vrais contacts avec lui que lorsqu'il sera réveillé, lorsque vous le nourrirez, lui ferez sa toilette, ou le sortirez. Les tétées, le bain, les sorties, deviendront alors des moments privilégiés de rencontre entre vous et votre enfant où, à travers chaque geste, vous vous découvrirez l'un l'autre.

Ces rencontres seront l'occasion de suivre les progrès faits par le bébé - ils sont très rapides -, d'observer les changements de mine ou d'humeur, reflets de la santé. Elles vous permettront aussi de réagir à l'ambivalence que provoque toute naissance : plaisir de s'occuper du bébé, lassitude devant la répétition.

Pour les parents, le plaisir de la découverte ne se révèle parfois que peu à peu. Pour le nouveau-né, dès les premiers instants, plaisir et besoin sont étroitement associés : l'enfant naît, il a faim, mais avant toute nourriture, ce qu'il cherche en arrivant au monde, c'est d'abord que des bras l'entourent. Il a besoin de contact comme le petit chaton a besoin que sa mère le lèche. Et ce besoin d'attachement précède même le besoin de nourriture, c'est une observation faite aussi bien par les éthologistes, ces spécialistes du comportement de l'animal et de l'homme, que par les psychologues et les psychanalystes. Sûr d'être aimé, l'enfant aura toutes les audaces et grâce à cet attachement un jour arrivera à se détacher. Mais ceci est une autre histoire. Pour l'instant ce nouveau-né vous veut près de lui.

Sachant que vos soins quotidiens vont apporter à votre enfant le contact et les caresses dont il a besoin, ces soins prendront alors un autre sens. Parlez à votre bébé en le changeant, en lui faisant sa toilette, il reconnaîtra votre voix qu'il entendait avant la naissance. Et c'est ainsi que vous commencerez ce dialogue qui va durer des années.

Les premiers tête-à-tête d'une mère avec son bébé

▬▬▬▬▬▬▬ Au retour de la maternité, la première fois que vous vous retrouverez dans la maison avec votre bébé, vous apprécierez cette intimité, le plaisir d'être à nouveau chez vous. Même votre enfant d'une certaine manière retrouvera ses habitudes : *in utero*, avant la naissance, lui aussi avait monté les escaliers ou pris l'ascenseur, ou avait entendu le bruit de la clé dans la serrure.

Mais vous aurez peut-être un moment d'inquiétude, loin du personnel de la maternité qui pouvait vous conseiller. Votre mari, qui pourrait vous rassurer, n'est pas toujours là, vous avez peut-être aussi de ces accès de dépression particuliers à l'après-naissance qui sont si fréquents et dont nous avons parlé dans *J'attends un enfant*.

Tout cela fait que ce moment tant attendu du retour à la maison est parfois un peu difficile au début, et que vous risquez de douter de votre habileté à répéter les gestes et les soins appris à la maternité. C'est normal, chaque mère devant son premier enfant se sent maladroite et comme intimidée.

Dites-vous alors que le bain n'a pas d'importance si vous n'avez pas envie de le donner, que la tétée peut être bue en retard ; ce qui importe pour le moment c'est que vous vous habituiez à cette présence, que vous fassiez connaissance avec votre enfant, qu'il vous sente près de lui, détendue. L'angoisse inquiète les bébés ; on pense même que ces fameuses coliques (dont je vous parle plus loin) peuvent être dues à la nervosité de l'entourage.

Pour mieux faire connaissance avec votre enfant, mettez-le bien contre vous : ce contact sera réconfortant pour tous les deux. Puis, si vous vous sentez détendue, avant, après le bain, lorsque votre bébé est nu, massez-le légèrement le long de la colonne vertébrale, en remontant le long des jambes, derrière la nuque, etc. ; vous verrez comme vous en serez heureux tous les deux.

Le repas terminé, gardez votre bébé un bon moment près de vous. Même si d'autres occupations vous appellent dans la maison, oubliez-les, rien n'est plus important pour le moment que d'établir ce contact, ce dialogue, cette confiance qui vous rassureront tous les deux.

En parlant de ces premières relations parents-bébé, j'ai conscience des regrets qu'elles peuvent donner aux parents de prématurés si leur bébé est loin d'eux. Heureusement, dans la plupart des services de néonatologie, des dispositions sont prises pour que les parents puissent venir régulièrement voir leur bébé, le toucher pour qu'il sente leurs mains, lui parler pour qu'il entende leur voix et ainsi le lien n'est pas rompu. Et même plus, les parents peuvent donner le biberon et changer le bébé. On a enfin découvert que les parents n'apportaient pas plus de microbes que le personnel soignant...

Si léger dans les bras de son père

Pendant des mois, cet enfant vous le sentiez, sous vos mains, bouger dans le ventre de sa mère. Vous connaissiez les moments de la journée où il était le plus actif, et ceux où il dormait. Vous le voyiez sur l'écran de l'échographe, et vous entendiez, avec quelle émotion, battre son cœur.

Mais maintenant le grand moment tant attendu est arrivé. Il est là, cet enfant de vos rêves et de vos espoirs. Il est là, à la fois si léger dans vos bras et si fragile. Rassurez-vous. Très vite, vous entendrez ce petit bébé pleurer avec une vigueur dont vous l'auriez cru incapable un instant auparavant.

Avec cet enfant va commencer une longue histoire et un dialogue bien particulier ; l'intensité de la présence de ce tout petit bébé vous émeut et vous attendrit. Laurent s'arrange pour passer à la maternité avant de partir pour son travail. « J'ai remis la même cravate rouge qu'hier, dit-il à sa femme, j'ai vu qu'elle avait plu à Elisa ».

Vous vous surprenez à revenir plus tôt le soir à la maison, et le matin vous êtes souvent le premier réveillé pour embrasser votre bébé. Profitez au maximum de ces moments, les sourires et les expressions d'un bébé changent très vite. Et les quelques jours du nouveau congé de paternité sont particulièrement bienvenus pour que vous découvriez votre enfant, et réciproquement. C'est précieux.

La nouvelle vie d'un couple

Aujourd'hui, l'enfant n'est pas toujours inscrit rapidement dans la vie d'un couple. Un homme et une femme vivent souvent ensemble plusieurs années avant de penser à avoir un bébé. Parfois aussi, les mères comme les pères, sont plus âgés que ne l'étaient leurs parents à la naissance de leur premier enfant. Mais, quelles que soient les situations, chaque couple est bouleversé dans ses habitudes par l'arrivée d'un enfant. Soudain, toute la vie quotidienne tourne autour du bébé : les tétées, les changes, les sorties, la visite chez le pédiatre, etc. Les parents sont parfois surpris par la place que prend cet enfant dans la maison et dans leur emploi du temps. Ils se demandent si toute la petite enfance va être ainsi. Heureusement, du côté matériel les choses changent progressivement. L'émotion si forte qui a accueilli la naissance de cet enfant se transforme en un profond sentiment d'attachement qui se développe peu à peu. Ce qui

permet aux parents de répondre aux besoins de leur bébé, de s'adapter à son rythme. À chaque instant, ils ont le plaisir de la découverte, de l'échange. La simple présence du bébé les comble. Progressivement, autour de cet enfant, ils organisent leurs journées. Un couple avec un bébé, c'est vraiment une autre vie, une nouvelle vie.

Des moments parfois difficiles

En général, la connaissance progressive de l'enfant par ses parents se passe bien et fait grand plaisir. Plus rarement, mais cela arrive, c'est pourquoi je voudrais en parler dès maintenant, des difficultés apparaissent : soit l'enfant pleure beaucoup et énerve particulièrement ; soit le nouveau-né est plus fragile qu'on ne croyait et il inquiète ; soit les parents se désintéressent de leur bébé parce qu'il ne paraît pas assez éveillé, etc. Les pères et mères qui réagissent ainsi sont certainement plus fragiles que d'autres, mais il faut prendre en compte cette vulnérabilité. Or ces parents peuvent être aidés et ils ne le savent pas toujours : ils peuvent s'adresser au pédiatre, au service social de la mairie, à la consultation de PMI qui peut envoyer à domicile une puéricultrice, une travailleuse familiale ou une assistante sociale formée à ces problèmes. Cette aide est importante pour éviter les risques de maltraitance, de négligence, de délaissement. En revanche, si dès le début les parents sont compris et soutenus, les progrès du bébé sont alors rapides et rassurants ; l'enfant n'est plus une source d'angoisse, mais de joie.

●●

●Le bien-être
de votre enfant

Ce premier chapitre est consacré à des informations pratiques sur les changes, la toilette, les soins à donner au bébé. C'est normal car c'est par le corps du bébé, par la manière qu'on a de s'occuper de lui, de le porter, que vont passer les sensations de sécurité, de confort, qui vont lui donner confiance en lui, en vous. « Être bien dans sa peau », cette expression que nous utilisons souvent, prend ses racines dans ces premiers moments de l'enfance. Et le climat de tranquillité que crée le bien-être du bébé se ressent dans toute la maison.

La toilette : des moments d'échange entre les parents et l'enfant

Ce qui suit a pour but de répondre aux questions pratiques que les parents se posent. C'est important d'avoir ce qu'il faut sous la main, et d'être bien installé. Cela vous aidera à être détendu ; vous serez ainsi disponibles pour que les gestes de la toilette soient, d'emblée, des moments d'échange. De plus, les progrès si rapides du bébé provoqueront chez vous étonnement, émerveillement, complicité, évitant ainsi à la routine de s'installer.

Le bébé n'est pas aussi fragile qu'on le croit en général, mais il faut au début prendre quelques précautions pour bien le tenir afin qu'il se sente à l'aise. Que vous le teniez droit, ou horizontalement, vous soutiendrez bien la tête du bébé et vous aurez toujours une main sous ses fesses : il se sentira ainsi en sécurité dans son corps, dans ses mouvements. Voyez les dessins de cette page.

Dans la plupart des maternités, le bébé est baigné soit dès la naissance, soit dans les heures qui suivent. Il est donc possible de donner le bain dès le retour à la maison. Le bain n'est pas seulement le meilleur moyen de laver le bébé, mais surtout une merveilleuse occasion pour lui de se décontracter, de se déplier, de s'étirer, ce qu'il ne fait pas encore facilement dans son lit. On peut baigner le bébé même si le cordon ombilical n'est pas tombé, à condition qu'il n'y ait pas d'infection, et que la baignoire de l'enfant soit réservée au bébé et nettoyée après chaque usage.

Les produits de toilette

━━━━━━━━ Pour donner le bain, le plus pratique est d'utiliser une baignoire spéciale pour bébé. En plus de la baignoire, ayez une petite cuvette en matière plastique pour laver le siège de votre bébé chaque fois que vous le changerez.

Vous aurez besoin en outre pour sa toilette des objets et produits suivants :

▪ gel ou pain sans savon, sans parfum ni colorant ; d'une manière générale, pour les produits de toilette, choisissez les plus simples, ce sont souvent les meilleurs. Vous pouvez aussi utiliser du savon à base d'avoine, vendu en pharmacie. L'avoine est utilisée pour les peaux sèches, irritées, sensibles, en raison de ses propriétés hydratante, protectrice et adoucissante.

▪ thermomètre de bain ;
▪ boîte pour mettre le coton ;
▪ lait de toilette ;
▪ pommade pour le siège ;
▪ éosine à l'eau ;
▪ sérum physiologique.

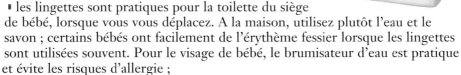

▪ les lingettes sont pratiques pour la toilette du siège de bébé, lorsque vous vous déplacez. A la maison, utilisez plutôt l'eau et le savon ; certains bébés ont facilement de l'érythème fessier lorsque les lingettes sont utilisées souvent. Pour le visage de bébé, le brumisateur d'eau est pratique et évite les risques d'allergie ;

▪ l'huile d'amandes douces est un produit très utilisé pour les massages du bébé. Malheureusement, les médecins la déconseillent aujourd'hui à cause d'un risque d'allergie (le produit étant absorbé par la peau, le corps peut réagir par la suite sous forme d'allergie alimentaire). Utilisez plutôt un produit à base d'huile d'olive, comme le liniment oléocalcaire (en pharmacie).

▪ C'est à dessein que nous ne mentionnons pas l'eau de Cologne ; il est préférable de ne pas utiliser d'alcool, même faible, sur la peau du bébé. Mais il existe de bonnes eaux de toilette pour bébés, sous différentes marques, souvent dénommées « eaux de senteur ».

Vous aurez également besoin de :

▪ deux ou trois gants de toilette en tissu très doux : le tissu éponge irrite la peau fragile des nouveau-nés. Les gants de toilette sont plus propres que les éponges car on les lave plus facilement et plus souvent ;

▪ deux serviettes-éponges assez grandes pour envelopper votre enfant lorsqu'il sort de son bain, ou un burnous de bain en éponge ;

▪ une paire de petits ciseaux spéciaux pour couper les ongles. Et si vous voulez acheter dès maintenant une brosse à cheveux, prenez-la en soie et pas en nylon.

▪ Il est bon d'avoir en plus un thermomètre médical personnel pour le bébé.

▪ Exceptionnellement, un pèse-bébé peut être utile, par exemple si votre bébé est prématuré et qu'il faut bien surveiller sa courbe de poids. Dans ce cas, vous pouvez louer le pèse-bébé chez le pharmacien. Mais la plupart du temps, le contrôle du poids fait à la consultation est suffisant.

Les soins de l'ombilic

████████████ À la naissance, le médecin, ou la sage-femme, coupe le cordon ombilical et le ligature ; le demi-centimètre qui reste attaché au bébé met environ sept jours à se dessécher ; en tombant il laisse une petite plaie, l'ombilic ou nombril, qui met quelques jours à se cicatriser : pendant 24 ou 48 heures l'ombilic est humide et suinte un peu, mais, au bout d'une semaine maximum, il est parfaitement sec. En attendant, il importe d'en prendre soin. Nettoyez-le doucement à l'éosine à l'eau, ou avec de la biseptine, puis recouvrez-le d'une compresse de gaze stérile. La compresse sera maintenue pendant quelques jours par un sparadrap spécial antiallergique. Dans certaines maternités, on nettoie l'ombilic avec de l'éosine, mais sans le recouvrir ensuite d'une compresse.

Tout suintement prolongé, toute rougeur de l'ombilic et autour de l'ombilic, toute odeur inhabituelle, toute cicatrisation longue à se faire doivent être signalés au médecin.

Les changes de la journée

████████████ La peau du nouveau-né est mince et fragile, elle est pleine de petits plis, la sueur et le frottement peuvent l'irriter, c'est pourquoi il est important qu'elle soit propre et bien séchée à chaque change. Changez le bébé à chaque repas ; changez-le également si vous pensez qu'il s'est sali car les selles sont irritantes pour la peau.

Pour nettoyer les fesses - le siège - de votre bébé, il vaut mieux se servir d'eau et de savon. Avec du coton hydrophile et en tenant le bébé comme indiqué figure 1, page 26, nettoyez avec soin le siège et les cuisses d'avant en arrière, particulièrement chez la petite fille. Ensuite, rincez l'épiderme de l'enfant avec un coton imbibé d'eau tiède. Vous pouvez aussi laver le siège avec du lait de toilette et le rincer à l'eau.

Si les fesses sont irritées, vous mettrez une pommade antiseptique et cicatrisante, ou vous badigeonnerez à l'éosine à l'eau (voir aussi au chapitre 6, l'article *Peau : Érythème fessier*). Quant à la manière de changer le bébé, regardez les figures page 28.

Lorsque vous changez votre bébé, ne jetez pas les selles sans les regarder. Comme vous vous en rendrez d'ailleurs vite compte vous-même, elles sont un bon indicateur de sa santé ; leur consistance, leur nombre, leur odeur, leur couleur sont autant d'indications sur la manière dont le bébé digère, indications qui vous guideront dans la façon de préparer les biberons ou les menus de l'enfant et qui seront utiles au médecin pour le cas où le bébé serait malade (voir au chapitre 2 comment sont les selles du bébé nourri au sein et celles du bébé nourri au biberon).

Le plaisir du bain

████████████ Le bain est un moment privilégié dans la vie de l'enfant ; on peut comprendre pourquoi. Avant de naître, il a vécu dans un milieu aquatique (et même très spacieux jusqu'au septième mois), dans une eau enveloppante, protectrice, qui filtrait et amortissait les bruits. Après la naissance, ces sensations agréables et sécurisantes, le bébé les retrouvera dans le bain. Il les retrouvera tout au long de l'enfance, et même plus tard. Ajoutons qu'à tout âge, le bain aide l'enfant énervé à se calmer.

Le bain est un moment privilégié pour le bébé, pour vous aussi d'ailleurs, dès que vous y serez bien habitué. Prenez votre temps, rien ne presse, faites vos gestes lentement, n'hésitez pas à les accompagner de ces mots qui viennent spontanément aux lèvres lorsqu'on est dans une relation affective et tendre, où l'on commente chaque détail à haute voix. Ce « bain » de paroles fait plaisir à l'enfant et le rassure.

Un enfant entre dans votre vie.

Le bain : à quel moment le donner ?

▬▬▬▬▬▬▬▬ Les premières semaines, le bain est souvent donné le matin. Plus tard, c'est le soir qui est le moment le plus pratique, en revenant de la crèche ou de chez la nourrice. Si votre bébé pleure beaucoup en fin de journée, le bain pourra aider à le détendre.

En général, le père aime donner le bain et jouer avec le bébé qui est si heureux dans l'eau : le bain c'est la fête, c'est gai, ça remue, ça fait du bruit.

Le bain est bon pour l'enfant, mais c'est en même temps l'occasion de voir si tout va bien : en baignant votre enfant, en le voyant tout nu, vous pouvez avoir le regard attiré par une rougeur, par un gonflement suspect ou par une attitude anormale.

Le premier jour, et surtout pour le premier enfant, vous aurez certainement peur de mettre votre bébé dans l'eau. Mais rassurez-vous, tous les parents font la même expérience, très vite vous prendrez à donner le bain autant de plaisir que le bébé lui-même en aura à le prendre. Pour que tout se passe bien :

▪ préparez avec soin et placez à portée de main tout ce qu'il faut pour le bain (voir pages suivantes) ;

▪ si vous le pouvez, donnez le premier bain en présence d'un tiers qui vous passera la serviette oubliée, le cas échéant ;

▪ mettez peu d'eau dans la baignoire et n'y mettez pas l'eau chaude en premier : si par hasard vous oubliez l'eau froide, votre bébé risquerait d'être brûlé ; cette précaution peut éviter l'accident ;

▪ tant que vous n'êtes pas très sûrs de votre « technique », procédez comme indiqué figure 2 page 26 : savonnez l'enfant avant de le mettre dans l'eau, puis ôtez soigneusement tout savon sur vos mains, ainsi vous tiendrez votre bébé fermement ;

▪ au début vous aurez hâte de sortir le bébé de l'eau ; après, tout en le soutenant, laissez-le gigoter, il sera ravi et ce sera excellent pour sa santé et son bien-être.

Pour éviter d'avoir mal au dos en donnant le bain, installez une planche en travers de la grande baignoire et posez la baignoire de bébé sur cette planche. Vous pouvez aussi trouver dans le commerce des modèles s'adaptant à la grande baignoire. Il existe des petites baignoires avec siphon de vidange que l'on peut poser sur une table, ou qui s'adaptent sur certaines tables à langer.

L'enfant a grandi, sa baignoire est devenue trop petite ; les fabricants proposent différents systèmes pour installer l'enfant dans la grande baignoire : transat, anneau de bain, coussin, etc. Aucun de ces systèmes ne nous paraît satisfaisant, ni pour la sécurité de l'enfant, ni pour le confort de l'adulte qui donne le bain. Nous conseillons de mettre au fond de la baignoire un tapis anti-dérapant, et surtout de ne jamais laisser l'enfant seul dans son bain. Ayez le réflexe de ne pas répondre au téléphone à ce moment-là.

▪ Changer Bébé, faire sa toilette, lui donner son bain, vous est maintenant raconté en images dans les pages qui suivent.

Bain, changes et toilette : en images

Avant de donner le bain, vérifiez que la salle de bains est suffisamment chaude pour que le bébé ne prenne pas froid : il doit y avoir au moins 20°. Préparez ce dont vous aurez besoin : matelas à langer recouvert d'une serviette éponge, coton, savon, gant de toilette, brosse ; et ce qu'il faut pour habiller bébé : brassières, changes, etc.

Puis faites couler l'eau du bain, d'abord l'eau froide, puis l'eau chaude, par prudence. Avec un thermomètre, vérifiez la température de l'eau, le mélange doit être agréable (environ 37°).

Très important.

Quand le bébé est sur la table à langer, ne le lâchez jamais ; ayez toujours une main posée sur lui. Il suffit d'une seconde où vous avez le dos tourné pour que le bébé, même tout petit, tombe.

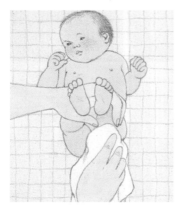 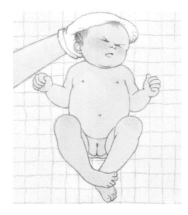 

1. Ôtez les couches puis nettoyez le siège du bébé, d'abord avec les coins de la couche, puis avec un coton mouillé (toujours d'avant en arrière) : le siège de l'enfant doit être bien nettoyé avant le bain pour que l'eau ne soit pas salie. Le body ôté, voici le bébé prêt pour le bain.

2. Maintenant, savonnez le bébé, d'abord le corps, puis les cheveux. Je vous conseille, au début, de vous servir d'un gant de toilette – bien doux – cela glisse moins. Lorsque vous vous sentirez plus habile, vous pourrez savonner le bébé directement avec la main. C'est plus agréable pour le bébé d'ailleurs. N'ayez pas peur de savonner la tête, la fontanelle n'est pas fragile : la peau est fine mais cache une membrane robuste qui supporte parfaitement une pression normale.

3. Avant de plonger le bébé dans l'eau, rincez votre main pleine de savon, vérifiez la température de l'eau, avec le coude qui est un point très sensible de la peau. Cette deuxième vérification n'est pas inutile, elle évite de plonger l'enfant dans l'eau trop chaude ou trop froide.

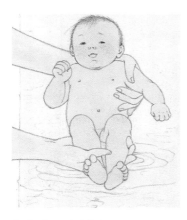

4. Soulevez le bébé en passant votre main gauche sous la nuque et votre main droite sous les chevilles, et mettez-le doucement dans l'eau. Si à ce moment-là, votre bébé est un peu contracté (le bébé se contracte fréquemment à tout changement de position), parlez-lui, votre voix accompagnant tendrement vos gestes va vite le détendre.

5. Maintenant, de la main gauche, tenez ferme le bébé, et de la droite rincez-le, sans oublier les cheveux et le derrière des oreilles. Mettez-lui l'arrière de la tête et les oreilles quelques instants dans l'eau. Dès que vous serez bien habituée à tenir le bébé dans l'eau et qu'il aimera son bain, laissez-le gigoter un moment.

6. Au bout de quelques jours, lorsque vous serez bien à l'aise pour tenir bébé dans l'eau, vous pourrez le mettre sur le ventre : les bébés aiment souvent cette position.

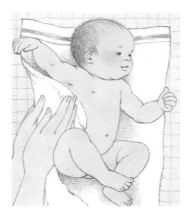

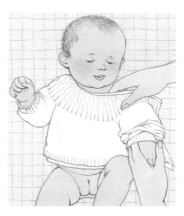

7. Sortez le bébé du bain en le tenant comme tout à l'heure (voir fig. 4) et posez-le sur la serviette-éponge. Essuyez soigneusement le bébé en commençant par les cheveux, séchez bien tous les plis, sous les bras, aux plis de l'aine, aux cuisses, aux genoux, etc.

8. Pour sécher le bébé, tapotez-lui légèrement la peau sans frictionner. Puis comme il est tout heureux d'être propre, laissez-le un peu gigoter tout nu. Cela peut aussi être le bon moment pour faire au bébé quelques massages, ou lui laisser faire un peu de « gymnastique », comme indiqué page 29.

9. Bébé est prêt à être rhabillé ; mettez-lui d'abord sa brassière de coton puis celle en laine. Si à la place de la brassière de coton, vous utilisez un body, commencez par fixer la couche, et enfilez-lui le body ensuite. Pour finir, mettez l'enfant sur le ventre pour croiser la brassière dans le dos.

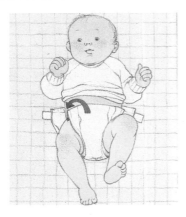

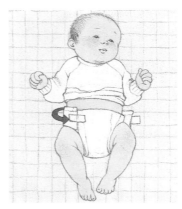

La couche

1. Bébé étant allongé sur le dos, passez la couche entre ses jambes.

2. Fixez les deux parties du change avec l'adhésif. Et n'hésitez pas à serrer un peu, sinon la couche va bâiller.

3. Mettez Bébé sur le ventre pour rentrer le haut de la couche afin d'éviter les « fuites ».

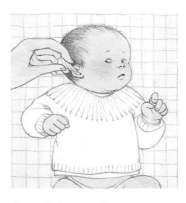

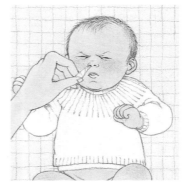

Pour finir sa toilette

Le visage. Le bébé habillé, vous pouvez faire la toilette du visage en passant sur sa figure un coton imbibé d'eau tiède, ou d'eau provenant d'un brumisateur.

Les oreilles. Nettoyez-les avec un morceau de coton que vous roulerez avec les doigts. Nettoyez le pavillon, la partie externe, mais pas le fond : le conduit interne de l'oreille est fragile et fonctionne par « autonettoiement »,

c'est-à-dire que les petits poils poussent la cire au-dehors. Ainsi, l'usage des bâtonnets est inutile, et même dangereux. La peau derrière l'oreille se fendille parfois. Dans ce cas, mettez-y de la vaseline.

Le nez. Là aussi de minuscules petits poils repoussent à l'extérieur mucosités et poussières. Si nécessaire, vous pouvez mettre quelques gouttes de sérum physiologique dans chaque narine.

Les yeux. Pour les nettoyer, passez sur les paupières un coton imbibé de sérum physiologique en allant de l'angle interne de l'œil vers l'angle externe (il est conseillé d'utiliser un coton différent pour chaque œil).

Voilà le bébé propre, net, joli pour le coup de brosse final.

Quelques questions sur la toilette et le bain

1. Faut-il faire une toilette spéciale au petit garçon ?

Elle n'est plus conseillée aujourd'hui. Les pédiatres préconisent d'attendre que le décalottage se fasse tout seul, parfois seulement vers 3-4 ans (le décalottage consiste à dégager le gland en tirant vers le bas le prépuce, ce repli de peau recouvrant le gland).

En ce qui concerne la toilette locale des petites filles, il n'est plus recommandé de trop nettoyer entre les petits plis.

2. Bébé a peur de l'eau, faut-il insister pour lui donner son bain ?

Oui, mais assurez-vous d'abord que l'eau n'est pas trop chaude (ou trop froide). Encouragez votre bébé en lui parlant doucement. Au bout de quelques jours l'enfant sera habitué et appréciera beaucoup son bain.

3. Faut-il baigner un enfant tous les jours ?

Oui, cela en vaut certainement la peine, non seulement pour l'hygiène, mais aussi pour la détente que le bain procure : les enfants aiment beaucoup l'eau. Si le bébé a une peau très sèche, il est conseillé de ne donner le bain qu'un jour sur deux.

4. Quand peut-on mettre un bébé dans la grande baignoire ?

Pas avant qu'il sache rester bien assis. Mettez au fond de la baignoire un tapis antidérapant pour éviter les glissades parfois dangereuses (rayon hydrothérapie des grands magasins). Cela dit, ne laissez jamais un enfant seul, même un instant, aussi bien soit-il installé dans la baignoire. Il peut se noyer dans 15 cm d'eau, ou ouvrir le robinet d'eau chaude.

5. Faut-il laver les cheveux du bébé tous les jours ?

Oui, au début, pour éviter la formation des croûtes car le cuir chevelu du bébé est parfois gras. S'il y avait quand même des croûtes, le soir les enduire d'huile d'amande douce ou de vaseline (et mettre un petit bonnet, sinon la vaseline se répandra sur l'oreiller) ; le lendemain, savonnage habituel, suivi d'un rinçage soigneux. À partir de 3-4 mois, il suffit de laver les cheveux tous les deux ou trois jours. Se servir d'un shampooing spécial pour bébé, qui ne pique pas les yeux.

6. La fontanelle est-elle fragile ?

Les os du crâne du bébé ne sont pas soudés ; il reste entre eux des espaces mous, non ossifiés. On les appelle fontanelles. Il y a six fontanelles, mais une seule est visible, la fontanelle antérieure, la plus grande. C'est un losange de 3 à 4 centimètres, qui se trouve au sommet du crâne, en arrière du front. À cet endroit, le crâne est souple et élastique. Quand l'enfant crie ou tousse, on voit la peau se tendre. La fontanelle rétrécira peu à peu ; elle aura complètement disparu entre le huitième et le dix-huitième mois. Cette fontanelle est fragile. Pourtant, n'ayez pas peur quand vous laverez votre bébé, la fontanelle est plus résistante qu'elle n'en a l'air (voir également page 384).

7. Faut-il couper les ongles ?

Sauf si le bébé se griffe, il ne faut pas les couper avant un mois, c'est-à-dire lorsqu'ils sont bien formés. Si le bébé bouge trop, on peut lui couper les ongles lorsqu'il dort ou les limer avec une lime en carton.

8. Faut-il faire faire de la « gymnastique » au bébé ?

Après le bain, vous pouvez faire faire au bébé quelques mouvements de flexion-extension des jambes qui aideront le ventre à se muscler : bébé sur le dos, mettez une main sur le ventre, de l'autre levez doucement les jambes à la verticale, puis rabaissez-les, et ainsi plusieurs fois de suite. Mais faites cela comme un jeu qui amusera l'enfant, et non pas

comme un exercice d'éducation physique. Sa gymnastique, votre enfant la fera lui-même en gigotant, en se déplaçant ; il suffit de favoriser ses mouvements.

Après le bain, avant de le rhabiller, laissez-le se donner de l'exercice et regardez-le faire, vous verrez vous-même comme il sera content.

La layette

La manière et le moment d'acheter le trousseau sont révélateurs d'une personnalité. Certains achètent tout avant, d'autres attendent la naissance par superstition ; certains choisissent la tradition du bleu ou du rose, d'autres préfèrent des couleurs plus vives. Mais quels que soient les choix, ces achats sont affectifs, on voit le bébé, on l'imagine, on est attendri. Bras dessus, bras dessous, le jeune couple qui choisit la layette le fait à deux, comme on accomplit un acte important (1).

Mais avant d'entrer dans un magasin, il faut penser - sous peine de trop acheter - aux besoins de l'enfant.

• Au début, votre enfant va grandir et grossir très vite.

Le poids et la taille d'un enfant changent si vite que l'on divise les six premiers mois en trois tailles : 1 mois, 3 mois et 6 mois. Voyez page 31 le tableau sur la « layette de base » qui propose des vêtements pour ces trois tailles.

Pour faire vos achats, tenez donc bien compte de la croissance d'un bébé, et n'achetez pas trop à l'avance pour ne pas risquer de vous retrouver avec des vêtements devenus vite trop petits. Certaines marques proposent une taille « naissance ». Cette taille peut être bien adaptée à certains

1. Ces pages sur la layette sont destinées aux parents qui en achetant ce livre n'ont pas encore préparé ce qui sera nécessaire pour leur bébé. Je suis obligée d'y reprendre certaines indications que j'ai données dans *J'attends un enfant*. Les lecteurs qui les ont déjà lues voudront bien m'en excuser.

Un enfant entre dans votre vie.

bébés, par exemple à des jumeaux qui sont souvent de petits poids. Mais cette taille « naissance » risque de ne pas servir longtemps à un bébé de poids moyen. Pour lui, il vaut mieux prévoir la taille « 1 mois ». Quant aux bébés prématurés, on trouve dans les magasins de puériculture, toute une layette adaptée à leur poids et à leur taille.

Par ailleurs, avant de faire vos achats, sachez que la manière d'indiquer les tailles n'est pas la même dans toutes les marques et pour tous les vêtements. Mais le plus souvent, les âges sont indiqués ainsi que la taille en centimètre. En plus, vous vous familiariserez vite avec les différentes marques : celles qui taillent plutôt petit, celle qui taillent un peu grand.

Pratique et confortable

Pour les premiers mois, je vous signale un vêtement très pratique (qui existe sous forme de pyjama, grenouillère, nid d'ange, etc.) : réalisé d'une seule pièce, il s'ouvre entièrement à plat et se referme par du velcro. Bébé est ainsi habillé facilement.

• Votre nouveau-né doit être assez couvert.

Au cours des premières semaines, il sera très sensible au froid et aux changements de température ; ainsi, même s'il naît en été, il sera bon de prévoir un petit lainage. Et le body qui couvre bien le ventre est très pratique. On peut les utiliser dès la naissance car certains bodys se croisent et se ferment par des petits liens ou des pressions : on n'a pas à les enfiler par la tête, ce que n'aime pas un nouveau-né.

• Un bébé est sensible à l'infection :

tout ce qui l'entoure doit être propre. Ayez suffisamment de vêtements faciles à laver, afin de pouvoir en changer souvent. En plus, au long de la journée, un bébé a de multiples occasions de se salir, en mangeant, en se traînant par terre, etc.

• Autant qu'à son confort, pensez à la sécurité de votre enfant :

pas de rubans pour serrer les brassières à la hauteur du cou, l'enfant pourrait tirer dessus et s'étrangler.

• Combien de pyjamas, de bodys, de grenouillères ?

Nous avons un peu augmenté les quantités car des lectrices trouvaient notre liste insuffisante. Vous adapterez, bien sûr, cette layette, à la saison où naîtra l'enfant et à la région que vous habitez. Vous pourrez y ajouter un petit peignoir de bain, avec capuchon pour essuyer la tête du bébé.

Et pour les sorties, une combinaison sera très pratique car elle enveloppe bien le bébé.

La layette de base	1 mois	3 mois	6 mois
Bodys en coton ou brassières en coton	4	6	6
Brassières de laine	2		
Pyjamas	3	4	4
Surpyjamas ou turbulettes	1	2	2
Grenouillères	2	4	4
Robes ou salopettes		2	2
Cardigans en laine ou vestes en laine	1	1	1
Cardigans en coton (molletonné)		1	1
Chaussons ou chaussettes	3	3	3
Serviettes (pour les repas)	3	3	3
Bonnet (ou chapeau)	1	1	1

• Ce que vous pourrez faire vous-même.

Presque tout si vous aimez coudre, tricoter, et si vous avez du temps : peignoir de bain, draps ; tout ce qui est en laine : brassières, vestes, chaussons, bonnets, etc. Vous trouverez des modèles dans les albums spéciaux de layette, ou dans les magazines féminins.

Les vêtements de cette liste vous serviront tant que votre bébé restera couché dans son berceau.

Lorsqu'il se mettra à ramper dans son parc, vous l'habillerez autrement. L'habillement de l'enfant qui marche est simplifié.

Il est inutile de vous donner une liste ; vous ferez vos achats selon votre budget et vos goûts ; rappelez-vous seulement que les vêtements d'un enfant doivent être :

▪ faciles à enfiler : de larges encolures et emmanchures (emmanchures américaines) vous éviteront une bataille quotidienne pour habiller votre enfant ;

▪ pratiques : les salopettes et les combinaisons fermées par des pressions à l'entre jambe facilitent les changes ;

▪ peu fragiles, sinon vous serez tenté de dire sans cesse « ne te traîne pas par terre, tu vas te salir ». Ce qu'il fera quand même.

De la tête aux pieds : quelques détails

• Les couches.

On ne parle plus de change-complet mais de couche. Et ces couches se perfectionnent tous les jours, hier, roses pour les filles, bleus pour les garçons, aujourd'hui compactes et unisexes, demain on trouvera certainement une nouvelle proposition. On peut aussi trouver en pharmacie des couches jetables tout en coton utiles en cas d'érythème fessier.

▪ les couches en tissu ne sont pratiquement plus utilisées aujourd'hui comme change pour le bébé. On y reviendra peut-être à cause de l'écologie, qui nous obligera à limiter nos déchets. En attendant, avec un petit bébé, on a souvent besoin de couches en tissu : pour la mettre sur l'épaule quand il fait ses renvois, pour la mettre sous sa tête, dans son berceau, et qu'il soit ainsi toujours au propre et au sec ; et demain la couche sera le « doudou » bien-aimé, etc.

• Coton ou synthétique ?

Parfois, l'épiderme délicat du bébé ne supporte pas les textiles synthétiques. Acrylique, Tergal, Crylor, Polyester, Courtelle, etc., provoquent en effet chez certains bébés des rougeurs, de l'urticaire, surtout en été. C'est pourquoi il est recommandé de ne pas mettre de tissus en matière synthétique directement sur la peau d'un

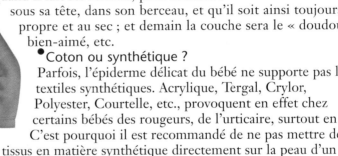

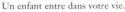

bébé, de ne pas les utiliser avant 3 ou 4 mois, enfin, de s'en servir avec précaution, c'est-à-dire sans insister dès qu'apparaît une réaction.

Pour ces raisons, il semble plus simple d'acheter des articles en coton ou en laine pour la layette du bébé et de réserver le synthétique pour les vêtements que l'enfant portera plus tard.

• L'entretien du linge

▪ **Coton.** Lavage dans une machine : c'est évidemment la solution la plus pratique. Lavage à la main : savon de Marseille ou en paillettes ; toujours bien rincer. Et si on tient à mettre de l'eau de Javel, rincer encore plus. Attention aux produits de lessive trop puissants qui peuvent irriter la peau du bébé. Pour cette raison, il est déconseillé d'utiliser des produits adoucissants.

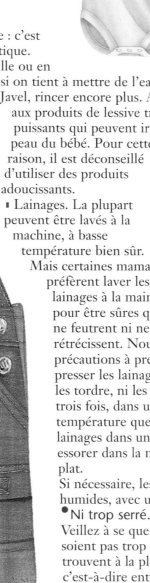

▪ **Lainages.** La plupart peuvent être lavés à la machine, à basse température bien sûr.

Mais certaines mamans préfèrent laver les lainages à la main pour être sûres qu'ils ne feutrent ni ne rétrécissent. Nous vous rappelons les précautions à prendre : laver à l'eau tiède, presser les lainages entre les mains, ne pas les tordre, ni les frotter. Rincer, deux fois, trois fois, dans une eau à même température que l'eau de lavage. Rouler les lainages dans une serviette (ou bien les essorer dans la machine), faire sécher à plat.

Si nécessaire, les repasser, légèrement humides, avec un fer à vapeur.

• Ni trop serré…

Veillez à se que les ceintures élastiques ne soient pas trop serrées, et qu'elles se trouvent à la place normale de la taille, c'est-à-dire entre le haut des hanches et le bas des côtes. Une ceinture trop serrée et trop haute est inconfortable.

•... Ni trop couvert.

Contre le froid et le chaud, le petit bébé est mal armé. Quand les adultes ont froid, leur température n'en reste pas moins stable : 37 °C, car ils possèdent un système de régulation thermique, thermostat si perfectionné qui leur permet de passer d'un appartement surchauffé à une température de moins 10 °C sans que leur température interne en soit sensiblement modifiée. Mais le thermostat du nouveau-né n'est pas bien réglé : son corps suit les variations de la température extérieure. Et ce n'est pas tout : devant la température extérieure, le nourrisson est encore handicapé d'une autre manière. La surface de sa peau, par rapport à son poids, est trois fois plus importante que chez l'adulte.

Il est donc trois fois plus exposé au froid et à la chaleur. Si l'on ajoute que le nourrisson a peu de graisse sous la peau – la graisse joue le rôle d'isolant – et qu'il remue peu, on aura une idée du danger que peut représenter le froid pour un petit enfant.

Contre la chaleur, le bébé est un peu mieux protégé. Il transpire (mal au début, puis de mieux en mieux) et la transpiration sert à rafraîchir la surface du corps. Il a une autre défense : une accélération de la respiration qui augmente les échanges au niveau des alvéoles pulmonaires, il fait comme le chien qui halète lorsqu'il a trop chaud.

Mais la chaleur représente une vraie menace pour le nourrisson : la déshydratation et la fièvre. Le bébé qui transpire perd ses réserves en eau. Or ces réserves sont minimes, et elles sont d'autant plus précieuses que le nourrisson a des besoins en eau beaucoup plus importants, en proportion, que les nôtres : 10 à 15 % de son poids, contre 2 à 4 % chez l'adulte. Il est d'ailleurs à remarquer que son alimentation est exclusivement liquide. C'est dire si le déficit en eau peut rapidement prendre chez le bébé un caractère de gravité. (Le problème se pose notamment en cas de vomissements et de diarrhées, comme vous le verrez à ces articles au chapitre 6.) Et cette importance vitale de l'eau pour le nourrisson explique que les « coups de chaleur » soient fréquents.

Dans la pratique, les bébés trop couverts sont beaucoup plus nombreux que ceux qui ne le sont pas assez. C'est pourquoi il y a presque autant de coups de chaleur en hiver qu'en été (voyez l'article *Coup de chaleur* au chapitre 6). Sans aller si loin, la transpiration peut provoquer chez le bébé des éruptions (voyez l'article *Peau* au chapitre 6).

Un enfant entre dans votre vie.

S'il fait très chaud, ne mettez à votre bébé qu'un body en coton et une couche, et même ne craignez pas de le laisser nu. Surtout, pensez à lui donner à boire. Ayez un biberon d'eau tout prêt et offrez-le-lui de temps en temps. Si la chaleur est accablante, faites-lui des compresses humides et fraîches sur la tête. Le brumisateur d'eau amuse le bébé et le rafraîchit bien.

Éviter de trop couvrir un enfant est valable aussi bien lorsqu'il est plus âgé ; dehors s'il est trop couvert et qu'il court, il transpire, ôte son chandail et prend froid. Et à la maison, trop couvert dans un appartement trop chaud, il n'est pas à l'aise.

En plus, lorsque vous habillez votre enfant, rappelez-vous que, d'une manière générale, les enfants sont moins frileux que les adultes et remuent davantage.

Les chaussures.

Lorsque l'enfant ne marche pas encore, on peut lui mettre des petites chaussures ou bottillons, en peau fine, pour qu'il n'ait pas froid aux pieds. Certains, en peau retournée, sont très confortables en hiver. Les chaussures sont inutiles si, pour sortir, vous mettez à votre bébé une combinaison avec pieds. C'est souvent plus confortable pour l'enfant qui ne marche pas encore.

Quand il marchera, quelles chaussures lui mettre ? Choisissez des chaussures :

▪ qui assurent un bon maintien de la voûte plantaire et de la cheville ;
▪ qui aient un contrefort interne pour bien soutenir le pied ;
▪ qui, en même temps, laissent une certaine liberté aux pieds.

C'est un faux calcul hélas, de vouloir acheter des chaussures trop grandes par mesure d'économie. Dans des chaussures trop grandes, l'enfant tombe plus facilement. Il prend une mauvaise posture. Mieux vaut prendre des chaussures moins chères, mais à la taille de votre enfant, c'est-à-dire dont la longueur intérieure dépasse seulement d'un centimètre le bout du gros orteil quand l'enfant est debout. Et choisissez-les de préférence à bout large et rond pour laisser les orteils remuer librement.

Évitez, si vous le pouvez, de faire porter les chaussures d'un frère ou d'une sœur aînée ; leur précédent propriétaire leur a donné une certaine forme. Il n'est pas dit que cette forme soit celle qui convient aux pieds du cadet.

Les pieds de l'enfant grandissent vite ; ces premières chaussures seront bientôt trop petites. Vous devez vous assurer souvent qu'il y est à l'aise, et, quand vous constaterez que le gros orteil touche le bout (l'enfant étant debout), il faudra malheureusement acheter une nouvelle paire de chaussures…

À la maison, s'il fait suffisamment chaud et s'il ne risque pas de se blesser (attention aux échardes), laissez l'enfant pieds nus ou en chaussettes. Être en contact avec le sol est bon pour lui, tant pour la prise de conscience de son corps que pour le contrôle de son équilibre.
Les adultes eux aussi aiment se déchausser et marcher pieds nus.

Une dernière recommandation : ne mettez pas à votre enfant (au moins jusqu'à 3-4 ans), d'une manière régulière et prolongée, des petites bottes en caoutchouc. Ces bottes retiennent la transpiration.

La chambre du bébé

Que vous ayez la possibilité de transformer une pièce de votre appartement ou que vous consacriez à votre enfant un coin dans une pièce, pensez suffisamment tôt à installer l'une ou l'autre. Si vous avez des peintures à y faire, laissez-leur le temps de bien sécher. On ne peut mettre un nouveau-né dans une pièce sentant encore la peinture fraîche sans risque de l'intoxiquer.

Si vous ne disposez pas d'une chambre pour votre enfant, réservez-lui un coin dans une pièce. Vous y réunirez ce dont il a besoin : lit, meuble à langer, etc. Installez ce coin dans la chambre la plus tranquille. Votre enfant aura besoin de calme les premiers mois. Isolez son coin si possible par un paravent. Si dans la journée le bébé doit dormir dans votre chambre, il vaut mieux pour la nuit que vous rouliez son lit dans une autre pièce, passées les premières semaines ; votre sommeil et le sien seront meilleurs. Et à ce sujet, lisez aussi la page 119 qui parle précisément de l'enfant qui dort dans la chambre de ses parents.

Si vous pouvez consacrer une chambre au bébé, pensez à l'âge où votre enfant sortira de son parc, se traînera à quatre pattes ou commencera à marcher : pour qu'il puisse le faire sans crainte et sans trop de dégâts, il faut que les angles de vos meubles ne soient pas trop aigus, les murs pas trop fragiles, les rideaux non plus, autant dire que dans la chambre tout soit solide, lavable, sans danger, pratique et propre ! Voici quelques suggestions.

Le berceau, le lit

Pour coucher votre enfant, vous aurez le choix entre le classique berceau taille 90 cm sur 40 cm, que vous achèterez tout garni ou que vous garnirez vous-même, et un vrai petit lit – longueur 1,20 m ou même 1,40 m, largeur 60 cm ou 70 cm - en bois ou en rotin.

Si vous n'avez pas déjà un lit ou un berceau, et que vous hésitez à acheter l'un plutôt que l'autre, choisissez plutôt le lit. Dans un berceau, le bébé ne peut dormir que quelques mois ; dans un lit, il peut rester jusqu'à 2 ans, mais si vous avez la possibilité qu'on vous prête un berceau, ne le refusez pas ! De tout temps, les berceaux ont bercé les bébés, et cela leur plaît beaucoup : ils s'y retrouvent entourés comme ils l'étaient dans le corps de leur maman, et cette continuité les apaise.

Une solution intermédiaire : le lit en toile monté sur tube métallique, qui est économique, facile à transporter, mais qui sert moins longtemps.

Quelle que soit la solution que vous adoptiez, choisissez un lit ou un berceau qui soit :
▪ d'un entretien aisé : s'il est en bois laqué, vous le savonnerez facilement ; s'il est entièrement garni de tissu, il faut que la garniture soit détachable et facile à laver ;
▪ stable et répondant à toutes les normes de sécurité ; si le lit est en toile, choisissez un modèle ne présentant pas d'espace entre les barres horizontales et le tissu pour que l'enfant qui se met debout ne risque pas de se coincer la tête. Si le lit a des barreaux, l'espace entre ceux-ci doit être compris entre 45 et 65 mm (c'est la norme européenne).

Et si vous décidez d'avoir tout de suite un vrai lit, achetez-le avec de hauts barreaux (lit anglais) : c'est d'ailleurs le grand classique des fabricants de lits, c'est le modèle le plus souvent proposé.

Comment coucher le nouveau-né : sur le dos ? sur le ventre ? Voir page 120.

La literie.

Dans les lits d'enfant, il n'y a pas de sommier, le matelas est posé directement sur un simple châssis de bois. Choisissez un matelas à ressorts recouvert de coutil. Une solution plus économique consiste à remplacer le matelas par une plaque de mousse assez épaisse, environ 10 cm. De toute façon, le matelas doit être ferme, et de taille bien adaptée aux montants du lit.

Pour protéger le matelas, il y a deux solutions : l'alèze molletonnée en coton imperméabilisé, douce, pratique, qui est confortable et qui peut bouillir, ou l'alèze en caoutchouc, que l'on

recouvre d'un molleton et d'un drap de dessous.

Quand le lit est à barreaux ou en bois, mettez un tour de lit en tissu molletonné : les bébés aiment que leur tête touche le bord du lit. Cet entourage peut aussi empêcher un bébé qui remue beaucoup d'aller glisser son pied ou sa jambe entre les barreaux, et de les coincer. Il existe des « réducteurs de lit », modulables en longueur. Ce sont des sortes de boudins en tissu qui évitent au bébé de glisser au fond du lit ; cela crée autour de lui un petit nid douillet.

▪ L'oreiller est dangereux pour le bébé. Il est formellement déconseillé d'en utiliser.
▪ Surpyjama ou couverture ?

La mode des vêtements de nuit a démodé la manière de coucher les bébés : on met dès leur plus jeune âge aux bébés des surpyjamas ou des turbulettes, petits sacs de couchage avec emmanchures. Ces vêtements se mettent par dessus le pyjama et ils ne nécessitent pas de couverture. Il suffit d'un drap de dessous, ou d'un drap-housse.

La couette est déconseillée chez le bébé car il peut la tirer sur la tête. Vers 2 ans, l'enfant mettra seulement un pyjama, ou une chemise de nuit, et il appréciera alors d'avoir une couette - ou un drap et une couverture - comme les grands.

Si votre bébé doit naître en été, prévoyez une moustiquaire.

L'enfant plus grand

C'est vers 2 ans - 2 ans et demi que l'enfant peut dormir dans un "lit de grand". A cet âge, certains enfants cherchent à enjamber les barreaux de leur lit car ils ne supportent plus d'y être "enfermés". Choisissez un modèle de lit assez bas.

Le meuble à langer

Pour changer votre enfant, vous avez plusieurs possibilités.

Vous pouvez utiliser une table à langer. Il en existe de nombreux modèles, à différents prix : pliantes, ou murales, à encombrement minimum, ou au contraire ayant une vaste surface, avec ou sans étagère de rangements, etc. Le modèle le plus simple consiste en un matelas à langer posé sur un support soutenu par des tubes métalliques.

Vous pouvez aussi utiliser une commode : soit spécialement prévue à cet effet (on en trouve dans tous les magasins de puériculture), soit une commode que vous possédez déjà. Les tiroirs serviront à ranger les vêtements de l'enfant. Et, sur le dessus, vous placerez le matelas à langer. Il en existe de nombreux modèles (rembourrés, avec des poches, etc.), dans des coloris variés. Posez sur le matelas à langer une serviette-éponge ou une couche : le contact du plastique est désagréable et peut faire pleurer le bébé.

N'oubliez pas de prévoir une bonne lumière pour éclairer le meuble sur lequel vous changerez votre bébé.

▪ Attention : sur une table à langer ou une commode, ne laissez jamais votre bébé seul ; il suffit d'un instant d'inattention pour que le bébé, même tout petit, tombe. C'est une cause fréquente d'accidents.

Une chambre saine

Une chambre saine, c'est avant tout une chambre propre. Mais les personnes, les animaux, peuvent aussi apporter microbes et maladies. Il est important de mettre le petit enfant à l'abri des microbes car si le corps humain dispose de certains mécanismes de défense, encore faut-il que ces mécanismes fonctionnent. Or leur mise en route est plus ou moins longue et délicate. Aussi le bébé est-il d'autant plus vulnérable qu'il est petit. Parmi ces microbes, le plus redoutable pour le nouveau-né est le staphylocoque : une personne ayant un furoncle ne devrait jamais s'occuper d'un nouveau-né.

Les personnes peuvent aussi transmettre des microbes et des virus au bébé en s'approchant de lui si elles ont un rhume, une grippe, ou toute autre maladie infectieuse. Une personne enrhumée ne devrait s'approcher du bébé que protégée par un masque : simplement en parlant, en toussant, en se mouchant, elle peut contaminer l'enfant.

Les chiens peuvent transmettre des larves de tænia (beaucoup de chiens ont le ver solitaire) et des tiques ; les chats, la maladie des griffes du chat (voir chapitre 6) et la toxoplasmose ; les oiseaux et perroquets, la psittacose ; les mouches, quantité de germes ; les moustiques et tous les insectes qui piquent peuvent transmettre des maladies (voir chapitre 6) et leurs piqûres entraîner irritation, grattage, infection, fièvre. En outre les poils et plumes (lit, édredon…) d'animaux peuvent causer des réactions allergiques chez les sujets prédisposés (voir au chapitre 6 les articles : Allergie, Asthme, Eczéma). Tant que l'enfant est encore un petit bébé, la présence d'un animal dans la chambre est vraiment déconseillée. Cela peut aussi être dangereux (voir page 157).

Pages 136 et suivantes, vous trouverez les précautions à prendre pour que l'environnement de l'enfant soit sans danger.

● **Une chambre saine, c'est aussi :**

▪ une chambre où il y a peu de bruit ; le bruit perturbe le nourrisson. Baissez le son des appareils de radio, de télévision ;

▪ une chambre chauffée le jour à 20°, pas plus, dont l'atmosphère est régulièrement humidifiée et dont les radiateurs sont éteints la nuit ; le bébé ne prendra pas froid si vous le couvrez en conséquence. Pour humidifier l'atmosphère, vous pouvez mettre soit un appareil électrique spécial, mais assez coûteux, soit des saturateurs aux radiateurs, soit un petit récipient rempli d'eau ;

▪ une chambre régulièrement aérée ;

▪ une chambre où l'on ne fume pas. D'ailleurs on ne devrait pas fumer dans un appartement où séjourne l'enfant car on sait aujourd'hui que la fumée est nocive pour ceux qui fument mais aussi pour ceux qui les entourent. C'est le « tabagisme passif ». C'est pourquoi on a récemment pris tant de mesures pour protéger les poumons de la population, partout il y a des zones non-fumeurs. Pensez aux poumons tout frais, tout neufs, de votre enfant (voir l'article *Tabagisme*, dans le dictionnaire du chapitre 6).

Pour sortir bébé

● **Landaus et poussettes**

Pour différentes raisons, le grand landau classique disparaît de plus en plus de la panoplie du bébé : il est cher, il n'a plus de place ni dans la maison où aucun endroit n'est prévu pour le ranger, ni dans la rue avec des trottoirs trop étroits ou trop encombrés. Aujourd'hui, pour faire des courses, aller à l'école chercher l'aîné, prendre l'air au jardin, rendre visite à des amis, passer une journée à l'extérieur, on emmène bébé dans un combiné « landau - poussette ». Celui-ci peut être très sophistiqué, et faire à la fois : « landau - poussette -

couffin - lit-auto ». C'est un tout-en-un, très pratique, facile à manipuler, mais assez cher. Si l'on ne peut disposer de la somme nécessaire, on peut choisir un combiné plus simple : une poussette position allongée pour le début qui, par la suite, se transformera en poussette classique.

Voici quelques indications générales, à chaque saison, il y a des nouveautés et des perfectionnements. C'est vraiment une question de goût et de budget.

- Et le sac porte-bébé ?

Les parents, c'est visible, sont heureux de porter ainsi leur bébé, de sentir sa chaleur, de lui communiquer la leur. C'est la solution à bien des problèmes de déplacement. Et souvent les parents ne peuvent pas faire autrement : en particulier lorsqu'il faut emmener bébé à la crèche ou chez sa nourrice, si le trajet est long ou s'il faut prendre un moyen de transport.

Et le bébé ? Affectivement il se sent bien également : le contact, on l'a souvent dit ici-même, est bon pour lui. Etre porté ainsi répond aux besoins de proximité, "d'accrochage" du petit bébé ; il retrouve des sensations éprouvées avant la naissance, le balancement, la chaleur du corps et cette continuité le rassure. Finalement, après en avoir parlé avec des pédiatres et des parents, le sac porte-bébé nous semble une bonne solution.

Lors de votre achat, assurez-vous que votre bébé sera bien blotti contre vous. On trouve dans le commerce des sacs porte-bébés classiques, et aussi des porte-bébés hamacs, des écharpes, des porte-bébés adaptés au portage sur la hanche, inspirés de ce qui se fait dans d'autres cultures.

Un enfant entre dans votre vie.

• À signaler : un petit siège à usages multiples

La première année, c'est un petit fauteuil pour la maison. En voiture, il fait siège-auto car il est agréé. Il permet d'emmener bébé en visite car il est très maniable. Plus tard, grâce à des roulettes ajustables, il se transforme en poussette. Mais ce petit siège est à utiliser avec modération car l'enfant y est presque assis. Or, le petit bébé, celui de quelques mois, ne doit pas rester trop longtemps dans cette position

Pour en savoir plus…

━━━━━━━━━ Comme je vous le disais au début de ce chapitre, c'est au cours des soins quotidiens que se nouent peu à peu les liens avec le bébé. Voici quelques livres qui vous en diront plus :

– Sur les interactions entre les parents et le bébé, nous vous conseillons les livres de T. Berry Brazelton, notamment *Points Forts*, paru aux éditions Stock.

– Sur les interrelations précoces au cours de la toilette et des changes, vous pouvez lire *Lorsque l'enfant paraît*, de Françoise Dolto, éditions du Seuil.

– Dans *L'Attachement*, ouvrage collectif présenté par René Zazzo, psychologues, psychanalystes, éthologistes, ont démontré l'importance des premiers contacts du bébé avec l'entourage, éditions Delachaux et Niestlé. Ce livre est actuellement épuisé.

– Dans *Loczy ou le maternage insolite* (éditions du Scarabée), Myriam David et Geneviève Appell ont été les premières à montrer comment l'évolution des gestes des professionnels d'une pouponnière avait transformé la vie des bébés dans une institution. Il existe une vidéo-cassette sur l'expérience de Loczy, réalisée par Bernard Martino : *Loczy, une maison pour grandir*. On peut se la procurer à l'association Pikler-Loczy-France, 20 rue de Dantzig, 75015 Paris, tel. : 01 53 68 93 50.

– Sur le massage des bébés, nous vous conseillons un livre plein de poésie et de tendresse, sur une technique venue de l'Inde : *Shantala, un art traditionnel, le massage des enfants*, de Frédérick Leboyer, éditions du Seuil.

●●

À propos des livres cités dans *J'élève mon enfant*

Nous nous sommes assurés que les livres cités étaient bien disponibles. Nous avons quand même maintenu les références de certains ouvrages épuisés, car vous pouvez les consulter en bibliothèque. Ou encore demander aux éditeurs si ces ouvrages ne sont pas en cours de réédition.

Bien nourrir votre enfant

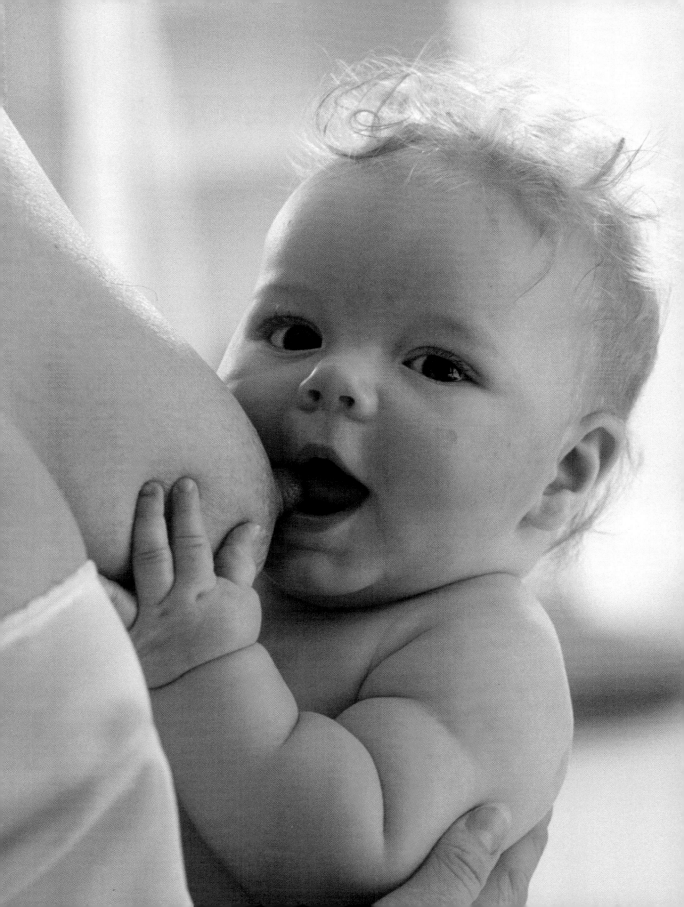

L'alimentation :
plaisir, découverte, difficultés, progrès…

« Il faut manger pour grandir. » Sur cette formule de base, il y a d'infinies variantes.
« Bois du lait si tu veux avoir de belles dents » (Clémence, 5 ans, a élargi les promesses
en disant : « Le lait, c'est bon pour tout… »), « Mange du poisson si tu veux être
intelligent », etc.

Cette fonction vitale de l'alimentation apparaît évidente à tous. Ce qui est moins
reconnu, c'est l'immense rôle que joue l'alimentation dans les autres domaines du
développement de l'enfant. Avant de parler quantités, vitamines et horaires, faisons
un petit inventaire, vous verrez, il est très riche.

D'abord manger fait plaisir ; c'est capital lorsqu'on sait le rôle de l'affectivité dans le
développement. Regardez les photos page 43 et page 48. Ces bébés n'ont-ils pas l'air
heureux ? Nos amis psychanalystes diraient même qu'ils tirent de leur tétée une vraie
jouissance.

Ce plaisir à deux – parent-bébé – va bientôt se transformer en plaisir partagé avec
toute la famille (à condition qu'il y règne un climat agréable). On le constate également
dans les crèches et chez les assistantes maternelles : le repas occupe une place
importante avec les préparatifs, l'organisation de l'espace, le choix des menus, etc.
Et le plaisir de l'alimentation durera toute la vie : les fêtes commencent toujours autour
d'une table.

Il y a aussi comme un jeu autour de la nourriture : l'enfant qui refuse un plat, alors
qu'il l'aime d'habitude et même le réclame, manifeste son pouvoir, son opposition :
on veut le forcer, il sait dire non. L'alimentation peut prendre alors des allures
de chantage, qui culpabilise les parents, mais aussi les enfants.

Pour le jeune enfant, l'alimentation est en plus une source infinie de sensations et de
découvertes : de couleurs, d'odeurs, de goût (ce goût qu'on cherche tant à développer
pour que les petits Français apprécient autre chose que les hamburgers au ketchup).

Se nourrir est le carrefour de nombreux progrès physiques, moteurs, intellectuels :
tenir seul son biberon, se servir d'une cuillère, puis manger sans aucune aide, faire
manger sa poupée ; plus tard préparer seul son repas, chemin de la totale dépendance
jusqu'à la liberté de préparer un jour le petit déjeuner de ses parents ; oui, cela arrive…

Vitale, affective, émotionnelle, source de découvertes, de sensations, de progrès,
terrain de pouvoir et d'opposition, sur l'alimentation, son rôle et ses plaisirs,
on pourrait écrire bien des pages ; mais revenons au quotidien pour parler des questions
que vous vous posez sur l'alimentation de votre bébé : des premières tétées à ses
premières frites qui décidément restent le plat favori des enfants.

L'allaitement **maternel**

Vaut-il mieux allaiter son enfant ou lui donner le biberon ? J'ai toujours été pour l'allaitement maternel, je l'ai défendu avec conviction, mais souvent avec difficulté, car pendant longtemps les opposants ont été plus nombreux que les partisans. Récemment, la tendance s'est légèrement inversée : il paraît régulièrement des livres consacrés à l'allaitement, et les magazines en parlent fréquemment. Je m'en réjouis bien sûr. Mais il y a des mères qui ne veulent ou ne peuvent allaiter. Et certaines n'ont pas encore pris leur décision : la présence du bébé, ou l'ambiance de la maternité où d'autres mères allaitent, peuvent modifier leur choix. C'est pourquoi je vous donne les arguments en faveur de l'allaitement maternel, puis ceux en faveur de l'allaitement artificiel.

Arguments pour l'allaitement maternel

▪ Le lait de chaque espèce est bien adapté au petit de l'espèce correspondante, et tous ces laits sont complètement différents les uns des autres. Ainsi c'est le lait maternel humain qui est le mieux adapté au bébé humain.
▪ Le lait maternel est facile à digérer et les intolérances n'existent pratiquement pas.

Son goût varie en fonction de l'alimentation de la maman et sa composition change au cours de la tétée. De plus, il est toujours à la bonne température, celle du corps.

▪ Avec le lait maternel, l'enfant ne risque pas l'allergie aux protéines du lait de vache qui se manifeste parfois.

▪ Le fer que le lait maternel contient est bien absorbé.

▪ Le lait maternel protège l'enfant contre de nombreuses infections en lui apportant les anticorps maternels. Il assure ainsi une protection naturelle au cours des premières semaines de la vie et les enfants allaités au sein pendant les premiers mois ont dans l'ensemble moins de rhino-pharyngites, d'otites, de diarrhées, etc. Le lait maternel est par ailleurs aseptique et ne risque donc pas d'apporter de microbes à l'enfant.

▪ C'est pratique : pas de biberons à laver, stériliser, préparer. Et économique.

▪ L'allaitement maternel est profitable à la mère et favorise le retour à la normale de l'appareil génital : il y a une connexion étroite entre les glandes mammaires et l'utérus. Lorsque l'enfant tète, il déclenche un réflexe qui provoque des contractions utérines. Celles-ci aident l'utérus à revenir à ses dimensions normales.

▪ Enfin les tétées sont des moments heureux pour la mère et pour l'enfant. Les mères parlent d'un plaisir partagé, d'un « corps à corps » exceptionnel qui leur apporte des sensations uniques.

Arguments pour l'allaitement au biberon

▪ De grands progrès ont été réalisés dans la fabrication des laits industriels. De plus, la grande variété des laits industriels permet de trouver un lait correspondant aux besoins particuliers de chaque enfant.

▪ Si la mère allaite, elle est prise par toutes les tétées, alors que si l'enfant prend des biberons, une autre personne peut se charger de quelques repas. C'est d'ailleurs un des avantages que certains pères trouvent aux biberons, ils apprécient ce contact supplémentaire qu'ils peuvent avoir avec leur bébé.

▪ Avec le biberon, les horaires et les quantités sont plus faciles à prévoir : cela rassure certaines mamans.

▪ L'allaitement maternel n'est pas facile quand la sécrétion lactée est insuffisante.

▪ L'allaitement maternel n'est pas toujours compatible avec une reprise rapide d'une activité professionnelle.

▪ Les hommes sont parfois contre l'allaitement maternel, ils se sentent exclus de ce rapport privilégié maman-bébé.

▪ Enfin, même si les sensations éprouvées par la mère qui donne un biberon sont différentes de celles que ressent la mère qui allaite, des relations fortes et profondes s'établissent tout naturellement entre la mère et l'enfant.

Réponses à trois questions

● L'allaitement abîme-t-il la poitrine ?

Beaucoup de jeunes mères posent la question. Je vais les décevoir : honnêtement, je ne peux répondre ni oui, ni non. Pour certains médecins, ce n'est pas l'allaitement, mais la grossesse qui peut abîmer la poitrine, puisqu'elle provoque une augmentation suivie d'une diminution du volume des glandes mammaires. En empêchant la brusque diminution de ces glandes, l'allaitement serait même plutôt bénéfique. Pour la même raison, arrêter la montée de lait sans précautions suffisantes peut abîmer la poitrine.

Ce qui peut également l'abîmer, c'est de trop manger, d'avoir un régime qui fait grossir (pâtisseries, etc.), ce qui est le cas chez beaucoup de femmes qui croient que plus elles mangeront « riche », meilleur sera leur lait. C'est alors le poids de la graisse qui fait tomber les seins. Mais si l'on porte un bon soutien-gorge et si l'on a une alimentation équilibrée, on a les meilleures chances de retrouver sa poitrine d'avant la grossesse.

Cela dit, il y a des tissus plus fermes que d'autres. Certaines femmes ayant allaité plusieurs enfants gardent une poitrine parfaite. D'autres ont des seins tombants et vergeturés sans avoir jamais allaité. Et puis il y a la gymnastique faite avant et après l'accouchement et le sport (la natation en particulier) qui contribuent à la fermeté des muscles soutenant les seins.

En conclusion, il est vraiment difficile d'établir un lien de cause à effet entre allaitement et poitrine abîmée, c'est la réponse des spécialistes que j'ai consultés.

• **Comment la femme qui travaille peut-elle allaiter ?**

Sans difficulté pendant les dix premières semaines puisque c'est la durée du congé postnatal. Après, la plupart des mères sèvrent leur bébé, mais plusieurs lectrices m'ont signalé qu'elles avaient pu continuer à allaiter : certaines complètement (par exemple en tirant leur lait et en le congelant), d'autres partiellement (par exemple en donnant une tétée le matin et une le soir pendant la semaine, et toutes les tétées pendant le week-end). Ces lectrices m'ont dit qu'ainsi elles étaient arrivées à allaiter leur bébé pendant quelques mois. L'idéal serait que les mères puissent obtenir que l'allongement du congé de maternité prévu pour le troisième enfant soit possible dès le premier.

• **Peut-on devenir enceinte si on allaite ?**

Les règles ne reviennent parfois qu'à la fin de l'allaitement, mais une ovulation peut survenir avant ce retour de règles ; on ne peut donc jamais être sûr qu'un rapport sexuel avant le retour de couches ne sera pas suivi de grossesse. Mais il est prudent de demander au médecin son avis sur le meilleur moyen de contraception pour les premières semaines : tous ne sont pas applicables pendant cette période (j'en ai parlé dans *J'attends un enfant*).

Comment choisir ?

Y a-t-il des contre-indications médicales à l'allaitement maternel ? Deux sont absolues et définitives :

▪ pour l'enfant, l'intolérance au lactose (qui est le sucre contenu dans le lait) et l'intolérance au galactose (qui est un composant du lactose), ou galactosémie ; ce sont deux maladies rares ;

▪ pour la mère, un cancer avec chimiothérapie.

Le risque de transmission d'une maladie virale (sida) est également une contre-indication à l'allaitement.

Il peut y avoir des contre-indications temporaires, par exemple si la mère prend certains médicaments ou souffre d'une affection particulière. Dans ces cas, si la mère désire allaiter, elle verra avec le médecin si c'est possible.

Pour le prématuré, le lait maternel est très conseillé.

À part ces cas, le choix reste possible entre allaitement maternel et allaitement artificiel.

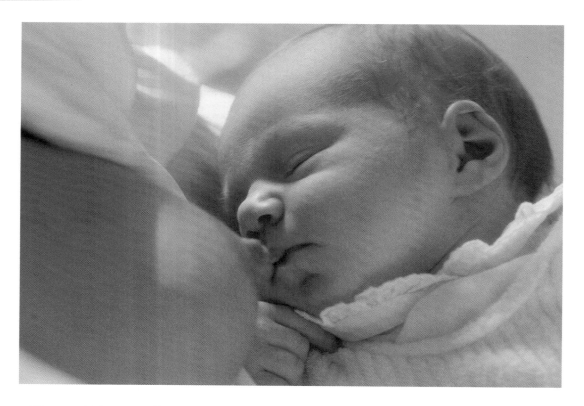

Vous ne désirez pas allaiter ? Ne vous forcez pas à tout prix à le faire. Il ne faut pas que ce soit une corvée, que cet enfant qui vient de naître commence sa vie en vous créant des contraintes. Pour l'enfant, il vaut mieux lui donner un biberon avec affection, que le sein à contrecœur. Plus encore que l'allaitement, ou au moins autant, ce qui compte pour le bébé, c'est d'avoir établi avec sa mère un lien étroit dès le départ.

Vous désirez allaiter ? Tant mieux, d'ailleurs vous n'êtes pas la seule : bien des mamans désirent allaiter leur enfant. Il faut dire que le résultat en vaut la peine. Mais il vous faudra tenir bon contre certaines résistances de votre entourage et peut-être aussi contre vous-même. Il y aura toujours autour de vous des personnes pour critiquer votre choix. Mieux vaut que vous le sachiez à l'avance pour prendre ces critiques avec philosophie.

Pour favoriser l'allaitement.
Depuis quelques années, une loi interdit la distribution d'échantillons gratuits de laits industriels dans les maternités.

Même si, après cette lecture, vous avez de la peine à prendre une décision, je vous suggère de commencer à allaiter, quitte à vous arrêter par la suite, ce qui sera toujours possible. En revanche, si vous avez commencé à donner le biberon, vous aurez de la peine à vous mettre à allaiter quinze jours plus tard.

Les débuts de l'allaitement

L'allaitement au sein n'a pas le côté « automatique » de l'allaitement au biberon. Les quantités que boit l'enfant ne sont pas inscrites sur des graduations. Cet allaitement implique donc une certaine aventure, une certaine incertitude, c'est-à-dire finalement une certaine philosophie, un certain optimisme, accepter de faire confiance au savoir-faire de la nature, de sa propre nature.

Par exemple, la montée de lait se produit au bout d'un délai variable selon les femmes. On ne peut pas dire au bout de combien de jours cette montée aura lieu. Mais on sait que le colostrum, que sécrète le sein avant le lait, a une grande valeur nutritive et qu'il est riche en anticorps. On peut noter par ailleurs que les premiers jours le bébé dort beaucoup, que souvent il n'a pas très faim, et que la production des seins suffit à le nourrir. Ceci inquiète les femmes et pourtant c'est « étudié pour » : en face d'un bébé qui n'a pas encore très faim, il y a des seins qui produisent juste ce qu'il faut…

Avec d'autres mères

Les débuts de l'allaitement exigent patience, persévérance et volonté, et souvent les mères se découragent et abandonnent alors que si elles étaient soutenues, elles reprendraient confiance en elles-mêmes et pourraient allaiter leur enfant.

Il existe de nombreuses associations qui aident les mères désirant allaiter. La plus connue est la *Leche League*, qui, dans le monde entier, s'est donnée pour tâche la défense et la promotion de l'allaitement maternel. Je vous signale aussi *Solidarilait* qui a des correspondants dans toute la France. Et renseignez-vous (auprès du médecin, de la sage-femme, au service social de la mairie, à la PMI) il y a peut-être un groupe d'aide à l'allaitement dans votre ville. Dans ces groupes les mères trouvent encouragement, soutien et conseils. Certaines mères se découragent dès les premiers jours, lorsqu'elles sont encore à la maternité : trop de conseils contradictoires, trop de visites (c'est parfois difficile d'allaiter en public). Pourquoi les maternités ne mettraient-elles pas à la disposition des mères une pièce où elles allaiteraient dans le calme et où elles pourraient communiquer entre elles ?

Installez-vous confortablement

Pour donner le sein, au début, choisissez un endroit calme sans trop d'allées et venues autour de vous. C'est pour l'enfant un instant privilégié, où il se détend, il s'épanouit, il s'éveille. Lorsque l'un et l'autre vous serez bien habitués aux tétées, vous pourrez allaiter n'importe où, sans gêne, ni pour l'un ni pour l'autre.

Pour commencer, lavez-vous soigneusement les mains : ce qui touche les seins doit être bien propre.

Ensuite installez-vous bien, c'est essentiel. La maman mal installée se fatigue anormalement, elle rend alors l'allaitement responsable de sa fatigue et attend avec impatience qu'il se termine. Et les tétées deviennent autant d'épreuves.

Pour les mamans qui allaitent, voici des adresses utiles.
Leche League, B.P.18, 78620 — L'Étang-la Ville. Tél. : 01 39 58 45 84. www.lllfrance.org
Solidarilait, Lactarium de Paris, 26, bd Brune, 75014 Paris. Tél. : 01 40 44 70 70. Pour obtenir des adresses de groupes d'aide à l'allaitement, écrivez au « Courrier inter-associations allaitement », 19, rue Dalhain, 67200 Strasbourg, Tél. : 03 88 27 31 72, avec une enveloppe timbrée (deux timbres) à votre nom et adresse, plus deux timbres pour frais de photocopie. Vous pouvez aussi vous adresser à la Coordination française pour l'allaitement maternel (COFAM) : www.coordination-allaitement.org ; cofam@wanadoo.fr

Au début, vraisemblablement, vous allaiterez dans votre lit, couchée ou assise. Et après, vous allaiterez assise dans un fauteuil, ou un canapé. Mais dans tous les cas, pour être à l'aise, pour ne pas vous fatiguer, l'important est d'amener la tête du bébé vers votre sein, et de ne pas avoir à vous pencher en avant.

Si vous allaitez allongée, vous serez naturellement bien installée : tournez-vous simplement sur le côté et posez le bébé à côté de vous. Si vous allaitez assise dans votre lit, mettez un – ou, si nécessaire, deux – coussins sous le coude, de manière que le bébé ait son visage près de votre sein, sans que vous ayez besoin de vous pencher vers lui. Vous pouvez aussi, après vous être assise et avoir bien calé votre dos, poser des oreillers sur vos genoux, installer votre bébé dessus, afin que sa bouche soit à la hauteur de votre mamelon. Dans le commerce, il existe des gros polochons de relaxation que la mère peut installer autour d'elle pour être à l'aise, pour allaiter ou pour se reposer.

Lorsque vous allaitez étant assise sur un siège, sachez que votre confort dépendra du siège dans lequel vous vous assiérez. Pour ne pas être obligée de vous pencher en avant, si vous avez une chaise basse, c'est parfait ; vous vous appuierez bien au dossier et vous serez bien installée. Ainsi, placé sur vos genoux, votre enfant aura la tête dans le creux de votre coude, et, sans effort, le visage tout près de votre sein. Essayez, vous verrez. Si vous n'avez pas de chaise basse, mettez un petit tabouret sous les pieds. Le modèle le plus simple – par exemple celui qui sert aux enfants à atteindre le lavabo – fera très bien l'affaire.

Enfin, lorsque vous allaitez assise sur un siège, votre bras au creux duquel l'enfant pose la tête, doit être soutenu sinon il se fatiguera vite. Pour cela, choisissez un siège qui ait des accoudoirs (ou l'angle d'un canapé) et, si nécessaire, rajoutez sous votre coude, un coussin.

La position du bébé est importante

Vous êtes installée bien confortablement, occupons-nous maintenant du bébé. Placez-le en position semi-verticale, la tête un peu plus haute que les pieds ; sa tête se trouve au creux de votre bras, à l'intérieur de votre coude, et vous maintenez ses fesses ou sa cuisse avec la main du même bras ; c'est tout le corps du bébé, et pas seulement la tête qui doit être tourné vers vous. On peut dire qu'il est « ventre contre ventre », la tête presque enfouie dans votre sein. Alors, au contact de cette peau douce, lorsque votre bébé sent l'odeur du lait, il remue les lèvres et ouvre la bouche comme s'il cherchait le sein, comme s'il voulait téter. C'est le premier et spectaculaire réflexe du nouveau-né. Instinctivement, dès les premières heures, il se tourne vers le sein de sa mère pour peu qu'on le place vers lui. Mais pour qu'il le saisisse, au début il faudra l'aider.

Avec votre main libre, soutenez votre sein, pouce au-dessus, les autres doigts en dessous ; et lorsque bébé ouvre grand la bouche, amenez-le contre votre sein avec le bras qui le soutient. Faites en sorte que bébé prenne dans la

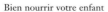

bouche tout le mamelon et le maximum de l'aréole (la partie brune autour du mamelon). Vous pouvez appuyer un peu sur le sein pour que le lait sorte. En général, à ce moment-là, l'enfant se met à téter... comme s'il l'avait fait toute sa vie. Ce réflexe est présent à la naissance. En fait, il l'est parfois même avant. Certains enfants naissent ayant déjà sucé leur pouce. Cela se voit au fait qu'ils ont le doigt tout rouge (d'ailleurs pendant la grossesse, on voit parfois lors d'une échographie, le bébé sucer son pouce).

Le nez et le menton de l'enfant touchent le sein pendant la tétée ; si vous avez l'impression que bébé a du mal à respirer, vous aurez peut-être tendance à appuyer légèrement sur le sein pour que bébé dégage son nez. En fait, c'est un geste à éviter car il peut entraîner des crevasses. Votre bébé trouvera lui-même la bonne position pour respirer. Comment savoir que la succion du bébé est efficace ? On voit bouger la tempe et l'oreille du bébé et on l'entend avaler à chaque mouvement ou tous les deux mouvements de succion.

Au début de la tétée, l'enfant suce très vigoureusement ; à la fin, il s'endort repu, satisfait. Mais si, lorsqu'il a fini de boire, il suçote et mordille le sein, arrêtez-le. Il avalerait de l'air, ce qui pourrait le faire vomir. En plus, si le bébé mordille trop les seins, il en ramollit les bouts, d'où risque de crevasses.

Les premiers jours, la tétée dure environ dix minutes par sein. Si le bébé ne lâche pas facilement le sein, pour lui ouvrir la bouche sans le brusquer, abaissez tout doucement son menton ou mettez-lui un doigt dans la commissure des lèvres, ou encore appuyez légèrement sur le sein.

Lorsque l'enfant est bien installé, la tétée ne doit pas faire mal ; éventuellement vous pouvez ressentir un petit pincement au début, mais cette sensation ne doit pas durer ; si au bout de trente secondes, vous avez encore mal, enlevez bébé du sein, et recommencez la mise au sein, en faisant en sorte que bébé prenne et garde dans la bouche la plus grande partie possible de l'aréole.

L'après-tétée

La tétée terminée, prenez l'enfant dans vos bras en le tenant bien droit, pour qu'il fasse son renvoi. S'il n'y arrive pas naturellement, tapotez-le légèrement dans le dos, pour qu'il se soit libéré de l'air avalé en tétant (voir au chapitre 6 l'article *Rot*).

Si, après la tétée, le bébé rejette un peu de lait, ne vous inquiétez pas : cette régurgitation est normale. Le bébé en fait souvent car chez lui le cardia, c'est-à-dire le système de fermeture qui se trouve entre l'estomac et l'œsophage, ne fonctionne pas encore très bien. D'ailleurs ne croyez pas que l'enfant rejette une partie importante de ce qu'il a bu : il élimine le surplus. Avant de prendre l'enfant pour qu'il fasse ce renvoi, pensez à mettre une couche sur votre épaule. Puis, si vous le changez, faites-le en le remuant le moins possible.

Après la tétée, laissez les bouts de sein sécher naturellement ; si vous perdez du lait entre les tétées, placez sur les mamelons une compresse, ou des coussinets d'allaitement, ou des mouchoirs en papier, vous les renouvellerez s'ils sont humides. Vous pouvez aussi placer sur les bouts de sein des petites coupelles en plastique (vendues en pharmacie). Ces coupelles recueillent le lait s'écoulant entre les tétées ; elles sont tout à fait efficaces contre les engorgements qui peuvent se produire dans les débuts de l'allaitement, mais elles ne sont pas à conserver toute la journée car elles peuvent trop stimuler le sein.

Tel est le scénario classique d'une tétée. Mais les premiers jours, les choses ne se passent pas toujours de cette manière. Il peut y avoir divers incidents, décrits plus loin.

Quelques jours pour un bon début

Les premières tétées sont courtes : environ dix minutes par sein, alors que, par la suite, elles dureront de quinze à vingt minutes. C'est normal : il faut moins de temps pour boire 10 grammes (à deux jours) que 100 grammes (à un mois). D'ailleurs, au début, les seins ne produisent pas encore du lait, mais un liquide – le colostrum – épais, jaune, très riche en protéines, en anticorps, en sucre et pauvre en graisses. Ce colostrum est un aliment de transition entre le sang qui l'a nourri avant la naissance et le lait, c'est ce qui fait sa valeur particulière.

Ce n'est que le troisième ou le quatrième jour, parfois même plus tard, que les seins commencent à sécréter du lait. Peu à peu, ils gonflent, deviennent fermes, se tendent et peuvent être douloureux. La sécrétion du lait est déclenchée par une hormone (la prolactine), mais elle est stimulée par la succion : pour que les glandes mammaires fonctionnent régulièrement, il faut que l'enfant tète. C'est pourquoi on n'attend pas la montée laiteuse proprement dite pour faire téter le bébé. En général, on met l'enfant au sein le plus tôt possible après l'accouchement. C'est en effet une notion importante à connaître : le sein n'est pas un « sac » plein de lait qui se remplit automatiquement entre les tétées, c'est la succion du bébé qui stimule la production du lait : plus et mieux le bébé tète, plus il y a de lait.

Soins des seins

Lorsqu'on allaite, il faut prendre quelques précautions pour éviter les crevasses, ces petites fentes de la peau des mamelons sont très douloureuses.
Pour éviter les crevasses :

▪ bien s'installer et veiller à ce que bébé prenne bien toute l'aréole du sein et la garde dans la bouche pendant toute la tétée ; c'est la position « ventre contre ventre »
▪ éviter les tétées trop longues : à la fin le bébé mâchonne le mamelon sans plus rien boire ; au début il vaut mieux donner le sein souvent (6 à 8 tétées par vingt-quatre heures en moyenne) et pas trop longtemps ;
▪ entourer la tétée d'une bonne hygiène ; tout ce qui est en contact avec les seins doit être propre, c'est essentiel ; pour les seins, la même hygiène que pour le reste du corps suffit, une toilette quotidienne avec un savon neutre, sans parfum ;
▪ porter un soutien-gorge en coton, les tissus synthétiques favorisant souvent les crevasses ;
▪ éviter la macération des seins, par exemple, en changeant régulièrement les coussinets d'allaitement.

Enfin, dernière recommandation : ne pas prendre froid ; quand on allaite, il est prudent de se couvrir suffisamment.

Une maman bien installée, un bébé heureux de téter : c'est un merveilleux moment d'intimité, un moment fait de chuchotements, de jeux de doigts, de mimiques, de regards, de sourires, de caresses. Les échanges de regards sont parfois si intenses que le bébé devient de plus en plus actif et éveillé au cours de la tétée et sa main se pose sur le sein.

Premières tétées : quelques incidents possibles

● **Les bouts de seins sont petits, peu saillants**

L'enfant a de la peine à les saisir : ils se « formeront » au fur et à mesure des tétées. On peut avoir recours au tire-lait ou parfois à un bout de sein en silicone (vendu en pharmacie). Les massages faits avant l'accouchement pour préparer les seins peuvent être efficaces, mais le plus efficace est celui des lèvres du bébé.

● **L'enfant ne peut pas téter**

Il n'en a pas la force, parce qu'il est trop faible (cas notamment du prématuré). Comme il a tout particulièrement besoin du lait de sa maman pour se fortifier, on tire le lait et on le donne au bébé au biberon, à la cuillère, ou à la tasse.

Il peut être gêné pour téter parce qu'il a une malformation (bec-de-lièvre ou fente palatine) ou une infection comme le muguet qui lui fait mal : on tire le lait, et on le donne au biberon (il existe des tétines spéciales), ou à la cuillère.

Le tire-lait

Il en existe différents modèles : électrique, semi-électrique, manuel. On peut l'acheter ou le louer (en pharmacie). Le matériel sera stérilisé si le lait est tiré pour le bébé, et non pas pour soulager la maman.

● **L'enfant ne veut pas téter**

Il est né à terme, mais il est somnolent et n'a pas l'air d'avoir faim. Ce cas est fréquent, et lorsqu'il se présente, il ne sert à rien de vouloir stimuler l'enfant par diverses manœuvres. L'enfant se « réveille » au bout de deux ou trois jours, et tète normalement. En attendant, pour que la sécrétion lactée se fasse, on peut porter des coupelles (dont j'ai parlé plus haut) pour stimuler les seins ; ces petites coupes en plastique (pas très esthétiques mais très utiles) ont une double action : en appuyant sur le sein, elles favorisent la sécrétion du lait ; en plus elles le recueillent.

● **La sécrétion du lait tarde à se faire,**

ou bien elle est très lente et insuffisante.

▪ Tout d'abord ne pas se faire de souci car il y a un rapport certain entre état d'esprit et sécrétion du lait, spécialement pendant les premières semaines où la sécrétion de lait est encore irrégulière : plus la mère se fait de souci, moins la sécrétion se fait bien. Et l'influence de l'état d'esprit est si directe que, pour certains médecins, vouloir forcer une mère à allaiter, c'est courir à l'échec ; au contraire, pour celle qui veut allaiter, tous les espoirs sont permis.

▪ D'autre part, se rappeler que la fatigue diminue la sécrétion du lait. En ce moment, vous avez besoin de repos.

▪ Ensuite, se souvenir que le moyen le plus efficace pour stimuler la lactation est de mettre régulièrement l'enfant au sein des deux côtés. On peut aussi porter des coupelles.

▪ Enfin, attendre le plus longtemps possible pour compléter l'allaitement au sein : le biberon est plus facile à prendre, l'enfant risque de s'y habituer et de refuser le sein, ce qui arrêterait définitivement une lactation déjà difficile. Et s'il était nécessaire de compléter par un biberon, choisissez une tétine à petit trou pour que le lait ne vienne pas trop facilement ni trop vite. Mieux encore, vous pouvez donner le lait à la tasse ou à la cuillère, ce qui se fait pour certains prématurés. Cela prend un peu de temps, mais cela vaut la peine.

Lorsqu'une maman prend ces précautions, il est rare qu'elle ne soit pas capable de nourrir son enfant. Et pourtant, au bout de cinq à dix jours d'essais infructueux, bien des mamans abandonnent, ce qui est dommage, car on peut voir des démarrages d'allaitement très lents : la sécrétion lactée ne se fait régulièrement qu'au bout de quinze jours, voire même trois semaines. Ajoutons enfin que, même avec des seins petits, une maman peut avoir beaucoup de lait. Seins abondants et abondance de lait ne sont pas synonymes.

Si au bout de trois semaines vous avez vraiment trop peu de lait, ne désespérez pas, rien n'est perdu ; prenez contact avec une association de soutien à l'allaitement (voir les adresses page 49). Ou adressez-vous à une sage-femme libérale qui peut se déplacer.

• Le lait s'écoule par un sein

lorsque le bébé tète l'autre : ne vous inquiétez pas, c'est normal et très fréquent.

• L'enfant a le hoquet

C'est également normal. Si le hoquet dure, donnez-lui un peu d'eau à la cuillère ou à l'aide d'une pipette, ou remettez-le à téter ; et… câlinez-le jusqu'à ce que ça passe.

• Le démarrage de l'allaitement est douloureux

Votre installation pour donner le sein, ainsi que celle de votre bébé, sont peut-être à corriger (voir page 49 « Installez-vous confortablement »). Veillez à ce que bébé prenne bien toute l'aréole et ne vous fasse pas mal en tétant.

• Vos seins sont engorgés :

ils sont tendus, douloureux, si vous les pressez peu de lait en sort et d'ailleurs votre bébé n'arrive pas à boire. Cela est fréquent. Que faire ? Méthode inattendue mais efficace : mettez-vous sous une douche chaude, ce qui favorise l'écoulement du lait. Pour vous soulager, vous pouvez aussi vous masser doucement les seins. C'est moins traumatisant que le tire-lait qu'on évite aujourd'hui d'utiliser dans ce cas.

Et voici un autre moyen efficace pour soulager en cas d'engorgement : mettre pendant vingt minutes des compresses d'eau bouillie chaude. Recommencer plusieurs fois dans la journée.

L'engorgement des seins est un incident passager, mais s'il dure il peut être suivi d'une baisse de la lactation ; et il peut provoquer une lymphangite qui, si elle est négligée peut parfois aboutir à un abcès ; c'est pourquoi il faut veiller à ce que l'engorgement ne s'installe pas.

• L'enfant vorace

Certains bébés sont si pressés de boire qu'ils tètent avec voracité. Dans leur hâte, ils avalent autant d'air que de lait, ils s'étouffent, éternuent, toussent, puis, en faisant leur renvoi, rejettent beaucoup de lait. Dans ce cas, essayez d'arrêter le bébé une ou deux fois au cours de la tétée pour lui faire faire un renvoi.

• Vous avez du lait mais vous ne pouvez nourrir

Comment le faire passer ? Voir au paragraphe « Sevrage brusque », page 63.

Premières tétées : quelques précisions

• **Faut-il changer l'enfant avant ou après la tétée ?**

Avant, disent les uns, l'enfant est plus à l'aise pour téter ; si on le change après, on le remue et on risque de le faire vomir. Après, disent les autres, car dès qu'il a bu il a souvent une selle ; vous l'aurez changé, il sera alors plus confortable pour dormir. Certaines mères le changent avant de passer au deuxième sein.

Vous verrez ce qui conviendra le mieux à votre bébé.

• **Un sein ou les deux ?**

Pendant les quinze premiers jours, jusqu'à ce que la sécrétion lactée soit bien établie, il faut donner les deux seins sans aucun doute. Par la suite, essayez d'alterner les seins, en donnant un sein à une tétée, l'autre à la suivante, votre bébé aura ainsi une nourriture bien équilibrée. En effet, la composition du lait varie au cours de la tétée. Au début, le lait est léger, désaltérant ; et au fur et à mesure que la tétée avance, le lait contient des éléments plus nourrissants (sucre et graisses). Si vous changiez de sein trop vite, le bébé risquerait de ne pas être rassasié. Ce système d'alterner les seins a en plus l'avantage de laisser un sein au repos à chaque tétée, ce qui diminue les risques de crevasses.

Lorsque la maman a peu de lait, il est conseillé de donner les deux seins à chaque fois. Commencer chaque fois par un sein différent. Pour ne pas se tromper, fixer une marque (bout de ruban, sparadrap…) à la bretelle du soutien-gorge : elle indiquera de quel côté commencer. Si la maman a trop de lait, laisser le bébé téter un sein complètement, et soulager l'autre sein en mettant une coupelle pendant la tétée.

Le meilleur sein : il arrive qu'un sein ait plus de lait que l'autre ; dans ce cas, si vous allaitez chaque fois des deux, commencez par le moins « bon » : au début de la tétée, l'enfant tète avec vigueur, cela stimulera ce sein.

• **Durée de la tétée**

Elle est variable selon les moments de la journée. La durée moyenne est d'une vingtaine de minutes. Les neuf dixièmes de sa ration, le bébé les prend en cinq minutes. Mais on doit quand même le laisser téter plus longtemps, pour qu'il puisse, en plus de sa faim, satisfaire son besoin de téter. L'enfant s'interrompt, rêve, s'amuse ? Tant mieux : ces moments sont pour lui des moments de bonheur parfait. Il est heureux, et en même temps il fait des progrès immenses : il vous découvre, et il découvre le monde à travers vous.

• **Comment allaiter des jumeaux ?**

L'idéal, au début, est de faire téter les bébés simultanément car cela stimule la lactation. Pour être bien installée, le coussin d'allaitement (genre polochon de relaxation, voyez page 50) est très utile. Par exemple, en position assise, vous pouvez installer les bébés face à vous, leur dos calé par le coussin. Ou bien les bébés sont placés dans le creux de chacun de vos coudes, leurs pieds se croisant sur votre ventre : dans ce cas, le coussin d'allaitement vous entoure la taille et vous soutient les coudes.

Mais ce n'est pas toujours facile de trouver seule la bonne position, si importante pour votre confort et le bon déroulement de la tétée. A la maternité, demandez à la sage-femme de bien vous montrer comment vous installer. Si ce sont vos premiers enfants, voyez si vous pouvez prolonger un peu votre séjour pour que l'allaitement ait le temps de bien démarrer. De retour à la maison, n'hésitez pas à faire appel à une sage-femme libérale, ou à une association d'aide à l'allaitement (voyez les adresses page 49).

Si au bout de quelques semaines vous passez à l'allaitement mixte, donnez un sein à un des bébés, un biberon à l'autre et inversez à la tétée suivante.

• Vitamine D, fer, fluor, vitamine K

Même les bébés nourris au sein en ont besoin. Le médecin prescrira à votre bébé :
  ▪ de la vitamine D ;
  ▪ du fluor ;
  ▪ de la vitamine K : le lait de femme n'en contient pas, c'est pourquoi il est conseillé d'en donner pendant les deux premiers mois de l'allaitement au sein tant que celui-ci est exclusif. La vitamine K est administrée sous forme d'ampoules à prendre une fois par semaine ;
  ▪ du fer s'il est prématuré, jumeau ou s'il est de petit poids.

Les horaires des tétées

• Horaire fixe ou à la demande ?

La question a été discutée longtemps : le bébé doit-il prendre ses tétées à heures fixes (6 h, 9 h, 15 h…), ou doit-on le nourrir chaque fois qu'il le demande ? Aujourd'hui l'accord s'est fait sur un horaire souple qui tient compte à la fois des désirs de l'enfant et des possibilités des parents. La question se pose d'ailleurs essentiellement pendant les premières semaines ; en effet, au début l'enfant demande souvent et irrégulièrement, ce qui oblige la maman à être assez disponible ; elle est parfois amenée à donner jusqu'à 10 tétées par jour. Mais au bout de quelques semaines, le bébé réclame à des heures plus régulières : dans la majorité des cas, à des intervalles de trois à quatre heures, rarement inférieurs à deux heures ou supérieurs à six heures. Il n'y a pas de risques de suralimentation car le bébé prend ce qu'il veut ; en outre le lait maternel se digère très vite.

A noter : le lait maternel peut être conservé au réfrigérateur (pas plus de 48 h) et même congelé (voir page 57). Cela permet d'être un peu moins dépendant des horaires des tétées.

• Faut-il donner une tétée la nuit ?

Dès le moment où on admet le principe de l'horaire souple, il est évident qu'on est amené à donner cette tétée que pratiquement tous les enfants réclament. Le bébé a besoin d'un peu de temps pour trouver le rythme nuit-jour. C'est en général vers 2-3 mois que le bébé ne réclame plus la nuit. En principe, c'est lorsqu'il pèse environ 5 kg qu'un enfant peut dormir neuf ou dix heures d'affilée. La tétée de nuit est une question de temps et de patience. Et pour éviter à la maman de se lever, c'est souvent le père qui va chercher le bébé dans son berceau pour cette tétée.

Combien de temps allaiter ?

En même temps qu'on observe un retour vers l'allaitement maternel, la durée pendant laquelle les femmes allaitent s'allonge un peu. Hier, pour encourager les mères, on leur disait : « Allaitez, mais dès 3 mois vous pouvez sevrer le bébé. » Aujourd'hui, spontanément, certaines mères allaitent facilement jusqu'à 4 mois, parfois même plus.

Combien de temps allez-vous donc nourrir votre bébé ? Cela dépend vraiment de vous, de votre bébé, du temps dont vous disposez. Même si vous n'allaitez que quinze jours, déjà votre bébé y trouvera son compte. Vous pouvez allaiter un mois, deux mois, ou plus. En général, à partir de 2 mois et demi à 3 mois d'un premier allaitement exclusif, sans contraception hormonale, la production du lait devient « automatique », la lactation n'a alors plus besoin d'être entretenue. À partir de ce moment, la mère peut diminuer le nombre des tétées et allaiter pendant aussi longtemps qu'elle le désire.

Si vous avez envie de continuer à allaiter votre enfant assez longtemps, mais que vous ne voulez pas lui donner toutes les tétées, vous pourrez peu à peu introduire des aliments variés, ce n'est pas incompatible avec l'allaitement maternel. Quels aliments ? Voyez page 76 et suivantes, tout est indiqué pour chaque âge.

La congélation
du lait maternel est possible, mais il faut prendre des précautions d'asepsie : lavage des mains et des mamelons, stérilisation des biberons, congélation à moins 30 °C, et conservation à moins 18 °C pendant trois mois maximum (pensez à mettre la date sur chaque biberon). La décongélation se fait au bain-marie.

Le régime de la maman qui allaite

Il faut mener, à peu de choses près, la même vie que pendant la grossesse, éviter la fatigue, dormir le plus possible, ne pas pratiquer de sports violents, mais marcher tous les jours ; avoir une vie calme ; d'ailleurs, vous ne pourrez guère mener une vie différente, pendant les premières semaines tout au moins, car vous sentirez vous-même un grand besoin de repos.

Continuez à suivre le même régime alimentaire (aliments variés, frais, nourrissants, faciles à digérer), mais mangez un peu plus. Enceinte, il vous fallait environ 2 300 kcal par jour, aujourd'hui il vous en faut 2700 à 2800. C'est normal puisque vous devez fournir à votre enfant, dès le 15e jour, près de 500 g de lait. Où trouver ces calories supplémentaires ?

▪ En faisant un solide petit déjeuner, et un goûter confortable.

▪ En ajoutant à votre régime habituel du lait, des laitages, c'est-à dire des aliments riches en calcium et en phosphore dont votre enfant a le plus grand besoin (les fromages à pâte pressée tels que emmental et hollande sont très riches en calcium) ; des aliments contenant des protéines (œufs, poisson, viande) ; des fruits pour leurs vitamines ; des légumes pour leurs sels minéraux.

Mais il ne vous faut pas seulement davantage de calories, il vous faut aussi davantage de liquides, davantage d'eau. Le lait que vous donnez à votre bébé contient 90 % d'eau. Il faut donc que vous buviez environ deux litres de liquide par jour. Buvez de l'eau plate, faiblement minéralisée. Avant une tétée, vous pouvez prévoir un verre d'eau à portée de main : les femmes qui allaitent connaissent bien cette sensation de sécheresse dans la bouche pendant l'allaitement.

Allergie à l'arachide.
On sait aujourd'hui que l'arachide est un allergène alimentaire fréquent. Pendant l'allaitement (et la grossesse), il est conseillé aux femmes ayant une allergie, ou des antécédents familiaux, de s'abstenir de consommer des aliments contenant de l'arachide : beurre d'arachide, cacahuètes, certaines pâtisseries ou biscuits industriels, etc. Paradoxalement, l'huile d'arachide n'est pas contre-indiquée dans cette prévention car elle ne contient pratiquement pas de protéines allergisantes.

Il était habituel de dire qu'il ne fallait pas manger d'aliments pouvant donner un goût au lait, tels que chou-fleur, ail, curry, etc. Mais maintenant on sait que le bébé a déjà été habitué *in utero* à ces différentes saveurs, et qu'il n'y a donc pas de précautions particulières à prendre en ce qui concerne l'alimentation de la maman.

Mais, si vous allaitez, voici ce qu'il faut éviter :

▪ les médicaments sans prescription du médecin. Certains peuvent soit tarir la sécrétion lactée, soit, en passant dans le lait, être éventuellement nocifs pour l'enfant. À signaler parmi eux les tranquillisants, les somnifères, les analgésiques – médicaments contre la douleur – et les hormones ;

▪ les excès de café, de thé ; l'alcool et le tabac sont vraiment déconseillés ;

▪ en cas de constipation, ne pas prendre de laxatifs qui dérangeraient l'enfant, mais des crudités, des fruits, des salades, du pain complet.

● **Y a-t-il vraiment des produits qui peuvent augmenter la sécrétion du lait ?**

Des produits à base de malt peuvent être efficaces, ainsi que le galactogyl (granulés à base de plantes). Mais, contrairement à une idée reçue, la bière (sans alcool) n'augmente pas la sécrétion lactée. Le médecin vous conseillera. Ce qui est certain, c'est que la fatigue ne favorise pas la sécrétion lactée. Si vous le pouvez, reposez-vous avant et après la tétée, un bon quart d'heure. Surtout au début.

Votre enfant est-il assez nourri ?

Comment le savoir ? En le regardant, en le pesant, en regardant ses selles.

● **Aspect et comportement du bébé**

L'enfant nourri au sein a la peau rose, marbrée, ferme. Après la tétée, il a l'air rassasié et satisfait. Il dort bien.

● **Poids**

Lorsqu'un enfant est assez nourri, sa courbe se rapproche sensiblement de la courbe moyenne (voir les pages 324 et suivantes). Un bébé grossit d'environ 200 g par semaine les trois premiers mois, 150 g les trois mois suivants.

● **Urines**

Un enfant qui boit suffisamment mouille ses couches régulièrement. Si la couche reste sèche 2 ou 3 tétées consécutives, c'est signe que l'enfant ne boit pas assez.

● **Selles**

Chez le bébé nourri au sein, les selles sont couleur jaune d'or ; elles verdissent à l'air ; elles ont l'aspect d'œufs brouillés, une odeur non fétide de lait aigri. Il y en a trois à six par jour : au début, une par tétée ; de deux à trois par jour entre 3 et 6 mois ; une par jour au-delà. Consistance ordinaire : semi-liquide. Mais, même lorsque les selles sont franchement liquides, s'il n'y a pas de signes tels que perte de poids, il ne faut pas s'inquiéter : le bébé nourri au sein a une diarrhée normale, appelée *diarrhée prandiale* (c'est-à-dire qui suit les repas).

▪ *Constipation.* Chez l'enfant nourri au sein, elle est rare. Ce n'est pas parce qu'un enfant a moins de selles que ce qui est décrit ci-dessus qu'il est constipé. Certains bébés n'ont pas de selles tous les jours, mais il n'y a pas à s'inquiéter tant que ce sont des selles molles, émises sans difficulté ; et tant que la prise de poids est régulière et l'état général bon. Si la constipation est réelle, elle est presque toujours due à un déséquilibre du régime de la maman, parfois à une ration insuffisante ou à un défaut de boisson de l'enfant.

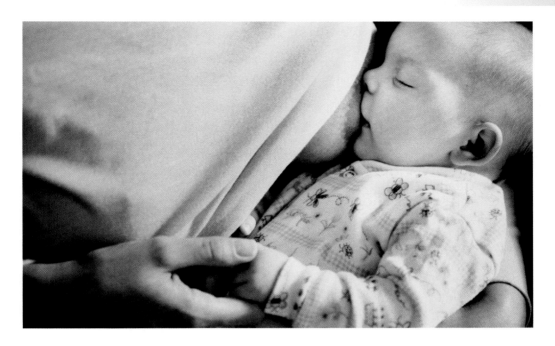

Le bébé dont l'aspect, le comportement, les selles et le poids correspondent à ceux décrits ci-dessus est un bébé bien nourri. Si, en revanche, le bébé a l'air d'avoir encore faim après la tétée – il cherche le sein, il tète dans le vide, il pleure –, s'il a de la peine à s'endormir, s'il se réveille au bout d'une heure ou deux, surtout s'il ne prend pas assez de poids, c'est qu'il est sous-alimenté. Dans ce cas, il a souvent aussi des vomissements et des coliques, provoqués par l'air qu'il avale en essayant de boire davantage.

Lorsqu'un enfant ne prend pas assez de poids, la raison la plus fréquente est que la maman n'a pas assez de lait. Voyez ce qu'il convient de faire avec le médecin, la sage-femme ou la puéricultrice de PMI.

Les autres questions que vous vous posez peut-être

● **Mon lait ne convient pas au bébé**

C'est un cas rarissime, vous l'avez vu. Pratiquement, on peut dire qu'il n'y a pas d'intolérance au lait de la mère.

● **Le bébé est constipé**

Voyez ci-dessus la différence entre constipation et selles rares. Voyez également au chapitre 6 l'article *Constipation*.

● **J'ai trop de lait**

Ne le jetez pas, mais donnez-le. En donnant votre lait, vous augmenterez peut-être les chances de survie d'un bébé fragile ou prématuré. Un lactarium – centre de collecte du lait maternel – sera heureux de le recevoir. Il y a en France plusieurs lactariums. La plupart de ces centres ont tellement besoin de lait maternel qu'on vient même le prendre à domicile sur un simple coup de téléphone.

Si vous désirez diminuer la sécrétion du lait, donnez un peu des deux seins à chaque tétée, et pour ne pas tacher vos vêtements, placez dans votre soutien-gorge quelques mouchoirs en papier pliés en quatre, ou une compresse, ou un coussinet d'allaitement.

Les lactariums en France :
Amiens, Bordeaux, Brest, Cherbourg, Dijon, Lille, Lyon, Marmande, Montpellier, Mulhouse, Nantes, Orléans, Paris, Poitiers, Saint-Brieuc, Saint-Étienne, Strasbourg, Tours. Pour tous renseignements, s'adresser à l'Institut de puériculture, Centre de coordination des lactariums, 26 bd Brune, 75014 Paris.
Tél. : 01 40 44 39 14

• **Bébé a soif. Puis-je sans inconvénient lui donner un peu d'eau ?**
En général un bébé exclusivement nourri au sein n'a pas besoin d'eau en plus. Mais si votre bébé semble avoir soif, vous pouvez lui proposer un peu d'eau minérale (plate, non sucrée) au biberon ou à la tasse. Vous pouvez aussi lui proposer le sein.

• **Bébé tète si énergiquement qu'il a une ampoule à la lèvre supérieure**
Ce n'est rien. Passez un peu de vaseline sur l'ampoule.

• **J'ai des crevasses**
Les crevasses (ou gerçures) ont pour origine essentielle le fait que le petit bout sensible du sein, le mamelon, n'est pas à sa place dans la bouche du bébé. Au lieu d'être au fond, il est un peu en avant et copieusement « raboté » entre la langue et le palais. Il est donc important que votre installation et celle du bébé soient bonnes ; veillez notamment à ce que bébé prenne dans la bouche toute l'aréole du sein et la garde pendant toute la tétée.
Continuez à nourrir avec l'autre sein si possible. De toute manière consultez le médecin : il vous indiquera un produit sans odeur ni saveur à appliquer localement après chaque tétée. Redoublez les soins de propreté avant et après la tétée car une crevasse, c'est la porte ouverte à l'infection.

• **La lymphangite**
Si vous avez mal à l'intérieur du sein, si vous avez de la fièvre, si vous avez une rougeur sur le sein, il peut s'agir d'une *lymphangite* : elle ne nécessite pas l'arrêt de l'allaitement, mais consultez le médecin pour être sûre qu'il ne s'agit pas d'un abcès débutant. En attendant, pour faire baisser la fièvre, vous pouvez prendre du paracétamol. Continuez à faire téter votre bébé et veillez à porter un soutien-gorge en coton.

• **L'abcès au sein**
Grâce aux antibiotiques, l'abcès est devenu une infection rare. L'abcès se manifeste par de la fièvre, des douleurs dans le sein puis sous le bras. Devant ces symptômes il faut consulter aussitôt le médecin et arrêter l'allaitement du côté malade. En effet, l'abcès est une infection microbienne, souvent à staphylocoques, qui peut être transmise à l'enfant et provoquer chez lui des infections graves.

• **Allaiter me fatigue**
Au début, c'est bien normal, la grossesse et l'accouchement sont un gros « travail » et il faut quelque temps pour récupérer. En plus, s'occuper d'un bébé demande du temps et de l'énergie. Vérifiez cependant que vous êtes bien installée. Par ailleurs votre régime est-il suffisamment riche ? Si oui, et si vous êtes quand même fatiguée, lorsque la lactation sera bien établie, remplacez une tétée par un biberon, celle de fin d'après-midi par exemple, c'est souvent la tétée la moins abondante ; et, si nécessaire, remplacez une seconde tétée. Si, malgré tout, vous êtes très fatiguée, avant d'envisager le sevrage, parlez-en au médecin, il peut s'agir d'un manque de vitamines et de fer.

• **Puis-je continuer d'allaiter en cas de retour de couches ?**
Certainement, car même si vous vous sentez un peu fatiguée par la réapparition des règles, votre lait garde toutes ses qualités. Si vous avez l'impression d'en avoir un peu moins (il y a parfois une baisse transitoire de quantité), essayez d'augmenter le nombre des tétées avant de compléter par un lait infantile.

● **... et en cas de maladie ?**

Il n'y a pas de réponse standard. Dans certains cas, on peut continuer à allaiter, par exemple en cas de rhume ou de fièvre. Mais il faut porter un masque, et se laver les mains avant de s'occuper du bébé. Exeptionnellement, il faut arrêter et tirer le lait régulièrement pour pouvoir reprendre l'allaitement après la guérison.

● **En cas de difficulté, à qui s'adresser ?**

Si l'allaitement a de la peine à démarrer, si vous n'arrivez pas à bien placer votre bébé pour qu'il tète efficacement, si vos seins sont engorgés, si vous avez des crevasses, etc., contactez une association d'aide à l'allaitement qui pourra vous conseiller (voir page 49 comment trouver des adresses), ou la maternité où vous avez accouché, ou bien une sage-femme.

● **Vous n'arrivez pas à allaiter,**

malgré votre désir, malgré tous vos efforts. Vous vous sentez coupable vis-à-vis de votre bébé, vous vivez cette situation comme un échec. Ne soyez pas démoralisée, cela peut arriver.

Vous cessez d'allaiter : le sevrage

Le sevrage est le passage de l'allaitement à une autre forme d'alimentation. Selon le moment, et donc l'âge de votre bébé, il s'agira soit de lait artificiel, soit d'une alimentation diversifiée.

Avant de commencer le sevrage, n'oubliez pas qu'il y a certaines contre-indications : grosse chaleur, percée d'une dent, maladie (même simple rhino-pharyngite) sont autant de conditions qui risquent de rendre l'enfant plus fragile, moins en forme pour un changement d'alimentation, qui exige de la part de son organisme un effort d'adaptation. Pour ces raisons, avant de commencer le sevrage parlez-en au médecin ou à la puéricultrice du centre de PMI.

Vous-même, au moment du sevrage, éprouverez peut-être le besoin d'être encouragée, car c'est une séparation pour vous aussi : un groupe d'aide à l'allaitement, une amie expérimentée pourront vous aider. Parfois les mères trouvent elles-mêmes le bon moment pour commencer à sevrer leur bébé. Certaines choisissent une baisse de la lactation, d'autres sentent que c'est le bébé qui se détache peu à peu du sein.

Vous avez décidé de sevrer votre bébé, comment procéder ? Sachez tout d'abord que le sevrage doit être progressif ; sevrer brutalement peut provoquer des troubles digestifs et affectifs chez le bébé, et créer une gêne pour la maman (engorgement des seins).

Pratiquement, voici comment vous pouvez procéder :

● **Votre bébé a moins de 3 mois**

Les premières semaines, le mécanisme de l'allaitement repose sur une stimulation régulière de la glande mammaire. Vous percevez des « montées de lait » et lorsque vous mettez votre bébé au sein la tension diminue peu à peu. Le rythme des montées de lait est variable d'un allaitement à l'autre, parfois même d'un jour à l'autre. Si vous « sautez » une tétée, vos seins sont tendus voire douloureux. Pour sevrer, il est donc conseillé de supprimer une tétée, et de la remplacer par un biberon de lait, à une heure de la journée où la montée de lait n'est pas trop importante : c'est souvent en fin de journée, mais ne supprimez pas la dernière tétée.

Quant à vos seins, vous prendrez soin de les détendre en les massant doucement sous la douche, ou bien avec un gant de toilette bien chaud aussi souvent que nécessaire jusqu'à la prochaine tétée.

2

Au bout de quelques jours, vous pourrez introduire le deuxième biberon, en alternance avec une tétée, en gardant de préférence la tétée du matin et celle du soir. A ce moment, il peut être nécessaire de compléter certaines tétées par un biberon de lait infantile, les montées de lait se révélant insuffisantes du fait de la baisse de la stimulation.

Vous continuerez à remplacer une tétée par un biberon, jusqu'à la suppression de l'allaitement maternel. Cela peut prendre de une à trois semaines. En procédant ainsi, la lactation se tarit en général toute seule. Réduisez un peu vos boissons. Dans certains cas — mais rarement — il peut être nécessaire d'avoir recours à des médicaments pour aider à tarir la lactation (sur prescription du médecin ou de la sage-femme).

▪ A noter : vous souhaitez poursuivre l'allaitement, mais vous devez vous absenter ponctuellement et donner votre bébé à garder. A l'heure habituelle, essayez de tirer votre lait pour maintenir la stimulation. Pour ce faire, un tire-lait manuel est tout à fait suffisant.

• Votre bébé a plus de 3 mois

Autour de 3 mois, le mécanisme de la lactation change : il n'y a plus de montées de lait, les seins répondent à la demande, à la stimulation du bébé. C'est confortable pour la maman qui n'éprouve pratiquement plus de tension dans les seins. Si c'était le cas, une douche chaude vous soulagerait. Remplacez progressivement les tétées, comme indiqué ci-dessus. Et si vous souhaitez faire un sevrage tout en douceur, gardez la tétée du matin et celle du soir ; c'est possible pendant plusieurs semaines et même plusieurs mois.

• Si votre bébé a de la peine à abandonner le sein,

et refuse catégoriquement le biberon, ne vous inquiétez pas : un bébé ne se laisse jamais mourir de faim. C'est une période transitoire. En attendant, voici quelques suggestions.
- Tout d'abord, expliquez à votre bébé la nécessité de ce passage au biberon, par exemple la reprise du travail. Vous lirez peut-être ce conseil pour la première fois. Mais essayez, vous verrez : parlez doucement à votre bébé, en confidence, il vous comprendra.
- Faites donner le biberon par une autre personne que vous-même et sortez de la pièce. S'il vous sent proche, le bébé risque d'attendre le sein.
- Si l'enfant doit aller chez une nourrice ou à la crèche, c'est bien que la personne qui va s'occuper de lui puisse lui donner le biberon de temps en temps pendant la période d'adaptation.
- Si c'est vous qui donnez le biberon, ne prenez pas le bébé contre vous, il sentirait l'odeur du lait; installez-le dans un petit siège en face de vous.
- Essayez différentes tétines (silicone ou caoutchouc, débit variable ou continu).
- A partir de 4-5 mois, certains bébés préfèrent passer directement à la cuiller.

• Au moment du sevrage, avec quel lait nourrir le bébé ?

Lisez pages suivantes « L'enfant nourri au biberon », vous verrez quel lait donner, comment préparer le biberon, etc.

• Précautions spéciales

Le sevrage n'est pas seulement un changement de lait : dans la vie affective de l'enfant c'est un événement important. C'est pourquoi je vous en parle aussi au chapitre 4.

• Sevrage brusqué (en cas de maladie, d'absence, etc.)

Si les seins sont très douloureux, mettez une vessie de glace, buvez le moins possible, prenez sur avis du médecin un médicament qui coupera votre montée de lait. En ce qui concerne le bébé, soyez attentive à ce qu'il soit entouré de beaucoup de tendresse.

•Soins après le sevrage

Quand vous n'allaiterez plus, vous soignerez ainsi vos seins : douches fraîches tous les jours et exercices de gymnastique faisant travailler les muscles qui soutiennent les seins (les pectoraux). Je vous rappelle que la natation est un excellent sport pour la poitrine.

Pour l'alimentation de l'enfant après le sevrage, s'il a moins de 4 mois, se reporter à la deuxième partie de ce chapitre : « L'enfant nourri au biberon » ; s'il a plus de 4 mois, à la quatrième partie du même chapitre : « Vers une alimentation variée ».

Comme dans les autres chapitres de ce livre, j'évoque toutes les questions qui peuvent se poser et les difficultés éventuelles. Mais il ne faudrait pas que cette énumération vous rebute. Une mère m'a écrit un jour : « Si c'est si difficile, je ne me lance pas dans cette aventure. » Rassurez-vous. De nombreux allaitements se passent sans incident.
Et précisément si une difficulté survient, j'espère que les pages qui précèdent vous aideront à la résoudre le plus vite possible, afin que vous puissiez profiter pleinement de ces moments exceptionnels. C'est ce que m'a écrit une maman : « Ces pages m'ont montré que je n'étais pas un cas isolé, que d'autres mères avaient des difficultés. Je relisais ces pages pendant les moments de découragement, et tout s'est bien passé ».

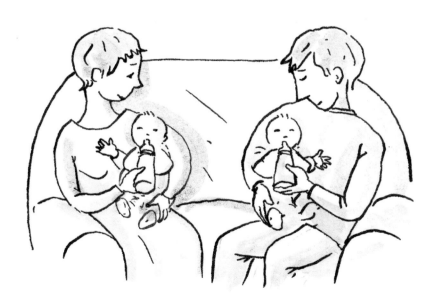

● L'enfant
nourri au biberon

● Au début, c'est le plus souvent la mère qui donne le biberon. C'est le moment privilégié entre tous, où dans ses bras l'enfant retrouve la chaleur, la tendresse, l'intimité dont il a tant besoin, où la mère et l'enfant se font mutuellement plaisir. Le père apprécie également de donner le biberon ; c'est une des choses qu'il fait d'ailleurs le plus volontiers, et dont il s'acquitte fort bien, même si les premières fois la mère se fait un peu de souci à propos de son habileté… Le plaisir là aussi est mutuel, et tout avantage pour le père et pour l'enfant.

Vous consulterez régulièrement le médecin au sujet de l'alimentation de votre enfant. En particulier, il est bon de retourner voir le médecin au cours du premier mois pour revoir le régime donné à la sortie de la maternité. C'est plus nécessaire que dans le cas du bébé nourri au sein. L'enfant qui tète sa maman prend la quantité qui lui convient d'un lait adapté à son organisme. Pour le bébé nourri au biberon, on a besoin d'être conseillé : il faut d'abord choisir le lait, voir comment l'enfant l'accepte – il y a parfois des incidents –, éventuellement changer les rations, etc., toutes choses que des parents inexpérimentés hésitent à faire seuls.

● Pour les biberons : le matériel à prévoir

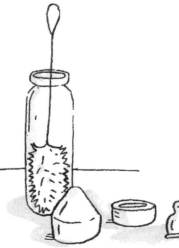

▮ Un stérilisateur pour les biberons. Aujourd'hui il existe toute une gamme de stérilisateurs, à tous les prix : à vapeur (électrique), à micro-ondes, à froid. Vous choisirez le modèle qui convient à votre budget et à l'équipement de votre cuisine ;
▮ des biberons gradués, à large goulot pour pouvoir facilement les nettoyer ; le nombre des biberons pouvant être stérilisés va de 4 à 9, selon le modèle du stérilisateur ;
▮ les protège-tétines et les tétines sont fournis avec les biberons ; le modèle le plus pratique de tétine est celui qui comporte une fente ;
▮ une brosse longue – goupillon – pour nettoyer les biberons. Il existe, pour les tétines, un petit modèle de goupillon.
Vous rendront également service :
▮ un thermos à biberon ;
▮ un chauffe-biberon électrique. Il existe des chauffe-biberons qui se branchent sur l'allume-cigares de la voiture, cela peut être pratique en voyage ;
▮ un mixer, car il permet en un minimum de temps d'obtenir un maximum de finesse pour les purées, la viande, le poisson, etc.

Les différents laits

Le lait de vache non modifié a une composition mal adaptée aux capacités de digestion et aux besoins de l'enfant, au moins jusqu'à 12 mois. C'est pourquoi les laits infantiles, qui sont préparés à partir de lait de vache, ont subi des modifications qui tendent à les rapprocher le plus possible du lait de femme. Ce sont les préparations pour nourrisson dits *laits premier âge*.

Ces laits premier âge sont en général des laits en poudre ; il existe aussi des laits premier âge, vendus en petites briques, donc sous forme liquide, très pratiques lors des déplacements. Ces laits premier âge assurent l'essentiel de l'alimentation dans les quatre à six premiers mois. Le relais sera pris par des préparations de suite dits *laits deuxième âge* jusqu'à la fin de la première année.

Mais il convient de rappeler que par rapport au lait de femme, le lait premier âge présente des différences importantes, il manque en particulier d'anticorps protecteurs contre les infections. D'autre part, l'alimentation exclusive au lait premier âge peut entraîner des difficultés de digestion : coliques, constipation, ou au contraire selles liquides, régurgitation, faim non calmée. C'est pourquoi il existe aujourd'hui toute une panoplie de laits premier âge ayant subi des modifications pour atténuer ces petits troubles : lait anti-reflux ou « confort » contre les régurgitations importantes, lait « transit » contre la constipation, lait « acidifié » contre les coliques. Ces laits sont vendus en pharmacie, grandes surfaces, épiceries, etc. C'est le médecin qui vous conseillera sur l'utilité, ou non, de changer de lait.

Certains laits ont une composition très différente des laits premier âge car ils ont une fonction particulière. Ils ne sont d'ailleurs vendus qu'en pharmacie :
- les laits pour bébés prématurés sont vendus uniquement sur prescription médicale et sont inutiles pour un bébé né à terme et ayant un poids normal.
- les laits hypoallergéniques sont donnés lorsqu'il y a des allergies familiales.
- Les laits à protéines hydrolysées sont utilisés en cas d'allergie au lait. Ce lait coûte cher. Il est aujourd'hui remboursé par la sécurité sociale lorsqu'il est prescrit par le médecin.
- D'autres laits sont utilisés ponctuellement chez le bébé. Ainsi les laits sans lactose sont mieux tolérés par l'intestin lors d'une diarrhée. Après guérison, l'enfant reprend le lait premier ou deuxième âge qu'il buvait auparavant.

La composition des laits infantiles est soumise à une réglementation. Les laits premier et deuxième âge sont enrichis en vitamines et en acides gras essentiels. Ils sont également supplémentés en vitamine D, mais en quantité insuffisante pour couvrir les besoins. Pour la prévention du rachitisme, l'administration quotidienne de vitamine D doit donc être maintenue (voir page 111). Le lait deuxième âge contient en plus du fer.

La préparation des biberons

Aujourd'hui, la plupart des familles vivent dans de bonnes conditions d'hygiène. Certains parents se demandent s'il est encore nécessaire de stériliser les biberons : ne suffirait-il pas de bien les laver ? Les premiers mois, tant que le bébé ne sait pas bien se défendre contre les microbes, il est vraiment conseillé de lui donner à boire dans des biberons stériles. Quand l'enfant commencera à manger à la cuiller, à grignoter des croûtes de pain, la stérilisation deviendra inutile. La stérilisation reste indispensable, quel que soit l'âge de l'enfant, si le biberon est préparé à l'avance et conservé au réfrigérateur.

Quant au lait, qui au début est l'alimentation principale du bébé, il doit aussi être stérilisé. Les laits en poudre et les laits de longue conservation le sont par le fabricant. La confection des biberons va donc comporter deux opérations : d'une part la stérilisation des biberons, des tétines, de tout ce qui est en contact avec le lait ; d'autre part la préparation du lait lui-même.

● Stérilisation

Avant de stériliser les biberons, il faut les nettoyer ainsi que les tétines et les protège-tétines.

Biberons : brosser soigneusement l'intérieur avec le goupillon, de l'eau tiède et du produit de vaisselle. Bien rincer.

Protège-tétines : les frotter, les rincer.

Tétines : les retourner comme un doigt de gant, éventuellement utiliser un petit goupillon, et, lorsqu'elles sont propres, s'assurer que les trous ne sont pas bouchés.

Une précaution utile : lorsque la tétée est terminée, bien rincer le biberon et le remplir d'eau, rincer également la tétine et le protège-tétine. Sinon, le lait séché colle et rend le nettoyage ultérieur plus difficile. Et surtout les germes vont se développer très vite si on laisse le fond du biberon à température ambiante.

Vous pouvez mettre dans le lave-vaisselle biberons, tétines et protège-tétines. Mais il faudra quand même les stériliser : la température de lavage en machine varie entre 45 °C et 65 °C, ce qui est insuffisant pour détruire les germes.

● Stérilisation à chaud

Installez dans le stérilisateur les biberons propres ainsi que les tétines et les protège-tétines, en suivant les indications données par le fabricant.

La durée de la stérilisation va de 30 minutes, parfois moins, pour les stérilisateurs à vapeur (électrique) à 10 minutes pour les stérilisateurs à micro-ondes. Pour ceux qui utilisent le classique fait-tout, on compte 20 minutes d'ébullition à partir du moment où l'eau commence à bouillir.

Vous pouvez soit laisser les biberons fermés dans le stérilisateur jusqu'à la tétée, soit les vider encore bien chauds, les égoutter et les fermer dès qu'ils sont secs. Vous avez ainsi vos biberons stériles et autant de tétines, prêts pour les repas de la journée. Vous les utiliserez au fur et à mesure de vos besoins.

● Stérilisation à froid

Pour cette stérilisation on se sert d'un bac de stérilisation et d'un produit vendu en pharmacie, qui se présente soit sous forme liquide, soit sous forme de comprimés. On remplit le bac d'eau froide, on ajoute le produit, on met les biberons propres dans l'eau, on referme le bac et on laisse tremper (bien suivre les indications). Pour se servir des biberons ainsi stérilisés, on les égoutte et on les rince soigneusement à l'eau bouillie ou à l'eau minérale. Des détails peuvent être différents d'un produit à l'autre mais le principe est le même. Certaines mères hésitent à utiliser cette méthode car elles sont rebutées par la légère odeur de chlore. Qu'elles se rassurent, il n'y a pas de risque.

La stérilisation doit s'accompagner de certaines précautions, sans quoi elle est inutile. Se laver les mains avant de préparer les repas du bébé devient vite une habitude. De même, ranger le matériel de l'enfant à l'abri de la poussière.

Préparation du lait en poudre

Voici maintenant comment préparer le lait en poudre qui doit être reconstitué avec de l'eau.

Quelle eau choisir ?

Aujourd'hui, l'eau du robinet est bien surveillée sur le plan bactériologique et chimique. Cependant, les pollutions accidentelles ne sont pas exceptionnelles et sont imprévisibles ; il est donc préférable pour préparer les biberons d'utiliser une eau peu minéralisée, ou une eau de source en bouteille, et portant sur l'étiquette la mention "convient aux nourrissons". L'eau du robinet ne sera utilisée qu'en cas de manque, et de préférence bouillie. L'eau de puits est à éviter formellement, elle peut contenir en excès

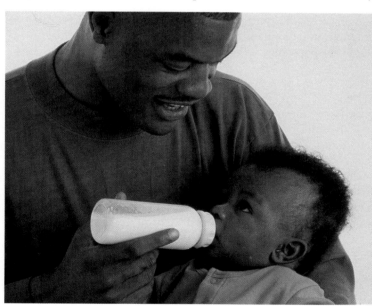

des nitrates – provenant des engrais chimiques – toxiques pour le nourrisson, et des germes entraînant des infections redoutables.

Comment procéder

Le lait en poudre se vend avec une mesure qui, arasée mais sans être bombée, contient 5 g de poudre. Pour reconstituer le lait, il faut ajouter à 30 ml d'eau une mesure de lait en poudre. Il est important de respecter cette proportion pour éviter une concentration trop élevée de lait. Cela veut dire qu'à 30 ml d'eau vous ajouterez une mesure de lait ; à 60 ml, 2 mesures ; à 90 ml, 3 mesures, et ainsi de suite. Selon l'âge de votre bébé, préparez un biberon de 60, 90 ou 120 ml ; il boira ce dont il a besoin. Ne tassez pas le lait dans la mesurette, cela reviendrait à augmenter la dose.

Pratiquement : mettez dans un biberon stérile l'eau nécessaire, faites tiédir dans le chauffe-biberon – la poudre se dissout mieux que dans l'eau froide –, ajoutez le nombre de mesures de lait correspondant à la quantité d'eau ; fermez le biberon et secouez. S'il y a quand même des grumeaux, secouez de nouveau. Remettez quelques secondes le biberon à chauffer pour que le lait soit à la température convenable, environ 35 °C. Vérifiez la température du lait en en versant un peu sur l'intérieur du poignet ou le dos de la main. Attention au four à micro-ondes qui chauffe parfois trop le contenu du biberon alors que le biberon lui-même reste froid. Le biberon peut également être donné à température ambiante, voir page 70.

Vous pouvez préparer d'avance les biberons de la journée en les laissant au réfrigérateur mais il est plus prudent de les préparer au dernier moment. Vous éviterez ainsi tout risque de multiplication de germes. Lorsque pour une sortie, ou en voyage, vous emportez un biberon, n'ajoutez la poudre qu'au moment du repas. Il existe des laits liquides 1er et 2ème âge, bien pratiques quand on doit se déplacer.

Le lait en poudre est déjà sucré. Lorsqu'une boîte n'a pas été ouverte, elle peut se conserver plusieurs mois (une date limite d'utilisation est indiquée sur la boîte). Ouverte, la boîte se conserve une quinzaine de jours dans un endroit sec ; ensuite, le lait devient rance et inutilisable.

Les laits de croissance

Il existe des laits dits de croissance pour les enfants de 1 à 3 ans. Leur composition est très proche de celle des laits deuxième âge. Ils sont enrichis en acides gras essentiels, en fer, en vitamines et pauvres en protéines. Ces laits sont disponibles sous forme liquide, en briques ou en bouteilles, sans ajout de sucre, et prêts à l'emploi ; ils peuvent assurer la transition entre le lait donné la première année et le lait de vache ordinaire dans les cas où l'alimentation de l'enfant n'est pas complètementdiversifiée ou est végétarienne ; ils ne sont pas indispensables si l'alimentation de l'enfant est suffisante et équilibrée.

Le lait entier et demi-écrémé

Après 12-14 mois, on donne du lait de vache pasteurisé, ou UHT longue conservation. Comme les besoins en graisses sont importants à cet âge, les diététiciens recommandent le lait entier ; après 3-4 ans, on passe au lait demi-écrémé.

Après un an, l'enfant a en général une alimentation diversifiée, le lait ne représente plus la totalité de son alimentation. Il en boit le matin, plus une petite quantité utilisée pour la préparation des purées et des potages.

Faut-il sucrer le lait ? Ce n'est pas conseillé car l'enfant a en général une alimentation suffisamment sucrée, et il est préférable de l'habituer au goût naturel des aliments.

Horaires et rations

Depuis l'introduction des laits premier âge, on peut envisager de nourrir l'enfant sinon à la demande du moins avec un horaire souple mais un intervalle minimum de 2 heures entre deux biberons est indispensable. Je vous renvoie donc à l'allaitement au sein pour cette question (page 56). Voyez également à cet endroit pour la tétée de nuit. Voilà pour la question horaires, nous allons maintenant voir de plus près les rations qu'il est courant de donner à un bébé selon son âge.

Important

Ces chiffres sont donnés à titre indicatif. Ils ont une précision qui ne correspond pas à la réalité. À certains bébés, il faudra plus, ou plus souvent, à d'autres moins. Le médecin indiquera les rations nécessaires à votre enfant en fonction de son âge, de son poids, de sa constitution. Mais votre enfant aura aussi son mot à dire, il est le meilleur juge de ses propres besoins. En fait, il n'y a pas de régime standard convenant à tous, sans distinction. Entre les biberons, l'intervalle est en général de 2 à 4 heures et les quantités prises à chaque repas peuvent varier car l'enfant prend la quantité dont il a besoin. Il ne faut donc pas le forcer, en particulier ne pas le réveiller pour boire mais ne pas non plus refuser avant l'heure ; tous les cas sont possibles, entre les bébés qui ont beaucoup d'appétit et ceux qui en ont peu, entre ceux qui spontanément et rapidement réduisent leur nombre de repas à cinq et même quatre, et ceux qui réclament huit ou dix repas par jour ; pour ces derniers, il s'agit plus souvent d'une simple période d'adaptation des premières semaines.

Combien donner au bébé ?

Voici les quantités de lait qui sont en général conseillées pour chaque âge à un bébé de poids moyen. Le nombre de biberons, et les rations de lait, ont été un peu modifiés par rapport aux éditions précédentes pour mieux tenir compte des différences entre les bébés.

Le 1er jour	Début de l'alimentation lactée.
1ère semaine	6 à 8 biberons de 30 à 90 millilitres*
2ème semaine	6 à 7 biberons de 60 à 120 ml
3ème et 4ème semaine	5 à 7 biberons de 90 à 150 ml
2 mois	4 à 6 biberons de 150 à 180 ml
3 et 4 mois	4 à 5 biberons de 150 à 210 ml

* 20 millilitres = 20 grammes

A la maternité, le lait est tout préparé dans des petits biberons appelés « nourettes ». Chaque nourette contient 90 ml. Le bébé boit à volonté, et la nourette est jetée après chaque repas. Les quantités bues par le bébé sont souvent variables d'un biberon à l'autre.

Pendant la première semaine, on vérifie que le bébé augmente ses rations tous les jours, même si c'est un « petit mangeur ».

Au retour à la maison, les biberons sont préparés avec du lait premier âge. Préparez 90 ml de lait par repas, l'enfant prenant une dose variable entre 60 et 90 ml. Les « gros mangeurs » peuvent passer à 120 ml à partir de la troisième semaine, voire la deuxième semaine.

Les premières semaines, les bébés ont parfois un peu de peine à boire les biberons du matin. Ils boivent souvent mieux la nuit. Il ne faut donc pas chercher à éviter les biberons de nuit tant que les rations de la journée sont un peu justes. Votre bébé fera une nuit plus longue quand il sera plus « gourmand » pendant la journée.

Pour que le bébé digère bien, il est important de lui donner des rations équilibrées pendant la journée : ne donnez pas à votre bébé 150 ml de lait sous prétexte qu'il a moins bu que d'habitude, ou qu'il pleure beaucoup, alors que sa ration habituelle est encore de 90 ml par repas.

L'heure du biberon

C'est le moment du repas. Lavez-vous bien les mains. Puis, préparez le biberon comme indiqué plus haut (voir page 67). Vérifiez que la tétine coule bien. Parfois le trou est trop large, parfois il est trop étroit ; parfois il est bouché. Parfois le lait ne coule pas parce qu'il n'y a pas de passage pour l'air : il ne faut pas visser le bouchon à fond.

Installez-vous dans une chaise ou un fauteuil bas avec des accoudoirs, pour être plus à l'aise. Placez le bébé au creux de votre bras et en position assez verticale. Puis mettez la tétine dans sa bouche ; vous verrez, il saura tout de suite téter. Tenez le biberon de telle sorte que la tétine soit toujours pleine de lait, sinon le bébé avalerait de l'air, et faites attention de ne pas appuyer la tétine contre son nez, sinon il ne pourrait pas respirer. Si vous voyez que la tétine s'aplatit, dévissez légèrement le bouchon pour qu'un peu d'air entre dans la bouteille : la tétine reprendra aussitôt sa forme.

Comment s'assurer que l'enfant tète bien ? En vérifiant que des petites bulles montent dans le biberon. C'est pratique : on se rend ainsi tout de suite compte s'il n'y a pas un grumeau par exemple qui empêche l'enfant de boire. Normalement, le repas dure entre quinze et vingt minutes. Et d'ailleurs, s'il ne tenait qu'à lui, l'enfant le prolongerait : pour lui ce moment est important, il est heureux et vous le sentirez vous-même.

Certains nourrissons font naturellement une « pause renvoi » à la moitié du biberon. Si ce n'est pas le cas, vous pouvez proposer cette pause à votre bébé.

Ne laissez pas un bébé boire seul son biberon, c'est dangereux. Il peut boire trop vite, s'étouffer, avaler trop d'air.

Le repas terminé, faites faire à votre bébé ses renvois, puis changez-le. Après la tétée, l'enfant nourri au biberon a fréquemment des régurgitations, c'est-à-dire qu'il rejette du lait. Ne vous inquiétez pas, mais pensez à mettre une couche sur votre épaule. Rappelez-vous que plus l'enfant boit vite, plus il a de renvois et plus il rejette de lait (voir au chapitre 6 l'article *Régurgitation-Rot*).

Comme pour l'enfant nourri au sein, le moment du biberon est un merveilleux moment d'intimité et de plaisir partagé : petits « bavardages » chuchotés, jeux de doigts et de mains de plus en plus élaborés. Bientôt le bébé va reconnaître son biberon, d'abord en le palpant, le touchant, puis en essayant de le prendre. Les échanges de regard témoignent de la complicité qui s'établit entre lui et sa mère, entre son père et lui.

Réponses à quelques questions

● Chaud ou froid ?

La tradition et l'habitude veulent que le biberon soit donné tiède, un peu en dessous de la température corporelle (entre 30 et 35 °C) ; mais l'expérience montre que bien des nourrissons acceptent des biberons à température inférieure. D'où la tendance de plus en plus répandue en maternité, dans les crèches et les services hospitaliers de donner le biberon à température ambiante (entre 15 et 20°) ; cela simplifie la préparation des biberons et élimine tout risque de brûlure. On évitera cependant d'utiliser le biberon (ou l'eau de préparation) sorti directement du réfrigérateur. Les mamans qui préfèrent réchauffer les biberons peuvent le faire, des chauffe-biberons sont en général disponibles dans les maternités.

Boit-il assez ?

C'est certainement une des questions que se posent le plus souvent les parents d'autant que les bébés, au début de leur vie, pleurent pas mal et qu'on croit toujours que c'est de faim.

Boit-il assez ? C'est une question à laquelle il est peut-être difficile de répondre lorsqu'il s'agit d'un enfant nourri au biberon : car lorsqu'un enfant tète sa maman, il prend lui-même la quantité dont il a besoin – l'expérience vous enseignera d'ailleurs que, d'une manière générale, les enfants savent mieux que quiconque ce qui leur est nécessaire. Mais avec l'enfant nourri

Quand le nouveau-né est de petit poids, ou qu'il est prématuré, le premier souci des parents est de le faire grossir pour qu'il prenne des forces et atteigne un poids suffisant. Mais, lorsque le bébé a atteint un poids honorable, les parents ont parfois de la peine à perdre le réflexe de le faire grossir et de le nourrir dès qu'il réclame. Le bébé a grandi et il peut apprendre à attendre.

au biberon, on n'est pas sûr que les rations de lait qu'on a décidé de lui donner (parce qu'elles correspondaient théoriquement à l'âge ou au poids de l'enfant) soient adaptées à ses besoins. Au même poids et pour le même âge, certains bébés ont besoin de plus de nourriture, quelquefois un tiers en plus.
Comment, dans ces conditions, savoir si votre enfant est bien nourri ?

▪ S'il prend régulièrement du poids (200 g par semaine les trois premiers mois, 150 g les trois suivants, 100 g entre 6 mois et 1 an) ;

▪ si ses selles sont normales (une à deux par jour), plutôt fermes, jaune clair et grumeleuses ; mais avec le lait infantile, les selles se rapprochent de celles de l'enfant qu'on allaite (voir page 58) ;

▪ s'il a bon teint et bonne mine, on peut raisonnablement conclure que le bébé est bien nourri. D'ailleurs, dans ce cas, il ne réclame pas ; il pleure et crie peu ; il dort bien ; en un mot, il a l'air satisfait de son sort.

On consultera le pédiatre lorsque le bébé ne finit pas ses biberons de façon régulière, car à côté de causes passagères (un rhume, une affection de la bouche, comme le muguet), il existe d'autres causes à l'origine de l'insuffisance d'appétit que seul l'examen médical pourra déceler.

Lorsque vous rentrerez de la maternité, vous constaterez que votre bébé prend un peu moins bien ses biberons ; pour diverses raisons, le retour à la maison s'accompagne souvent d'une période de flottement qui se traduit chez le bébé par une baisse d'appétit. Mais si cela vous inquiète, parlez-en au pédiatre qui vous conseillera peut-être de surveiller le poids de votre bébé en le faisant peser à la PMI.

Les mauvaises digestions

Cela dit, la digestion de l'enfant nourri avec un lait infantile peut poser quelques problèmes, les uns minimes, les autres plus sérieux, car le lait de vache (malgré les modifications qu'il a subies) reste parfois difficile à digérer, et tout incident doit être signalé au médecin. Vous trouverez, au chapitre 6, les articles *Vomissements, Diarrhée, Constipation, Coliques,* etc. ; mais sachez d'ores et déjà que, de ces divers troubles, celui qu'il faut prendre le plus au sérieux, c'est la diarrhée ; celui qui est le plus bénin et le plus fréquent, c'est la constipation ; sachez aussi qu'il ne faut pas confondre le vomissement avec la simple régurgitation que l'enfant fait souvent en même temps que le rot ; enfin que les coliques vont peut-être tracasser beaucoup votre enfant, et par contrecoup vous-même, mais qu'elles ne doivent pas vous inquiéter, car elles disparaîtront habituellement après trois mois lorsque l'alimentation va se diversifier.

Fesses rouges

Sauf en cas de diarrhée, les fesses rouges (érythème fessier) n'ont pas de rapport avec l'alimentation ; elles sont le plus souvent la conséquence de changes pas assez fréquents, d'une éruption dentaire. Lisez le paragraphe *Érythème fessier* à l'article *Peau* (chapitre 6).

Hoquet, enfant qui ne veut ou ne peut pas téter, enfant vorace

J'ai parlé de ces trois cas à propos de l'enfant nourri au sein, vous pouvez vous y reporter (page 54 et suivantes). Pour l'enfant vorace, je vous conseille en outre une tétine à petits trous.

Vitamines, fer et fluor

Pour couvrir tous les besoins de l'enfant, il manque au lait de vache certains éléments, c'est pourquoi les laits infantiles sont enrichis en vitamines D et C, en acides gras essentiels et en fer (pour le 2ème âge).

Le fer :
l'enfant, s'il est né à terme, en a une réserve suffisante dans son organisme pour « tenir » quatre mois, réserve qu'il tient de sa mère, et qu'il s'est constituée en fin de grossesse. Le lait de femme et le lait de vache n'en contiennent que de faibles quantités, mais le fer du lait maternel est bien assimilé par l'enfant, donc suffisant. La plupart des laits premier âge et tous les laits deuxième âge sont enrichis en fer pour couvrir les besoins du bébé. Et après 6 mois, d'autres aliments apportent du fer (poisson, viande, etc.).

La vitamine D :
les laits premier et deuxième âge sont enrichis en vitamine D, mais de façon insuffisante ; c'est pourquoi il est important d'en donner dès la naissance au bébé. La vitamine D prévient le *rachitisme* (voir ce mot au chapitre 6). Elle permet l'assimilation du calcium et sa fixation sur les os.

Prenez l'habitude de donner régulièrement à votre enfant une préparation contenant de la vitamine D, comme le médecin vous le prescrira, c'est-à-dire tous les jours ; elle lui est indispensable. Si vous croyez ne pas pouvoir donner régulièrement de la vitamine D à votre enfant, dites-le au médecin, il prescrira des doses plus élevées à donner en une fois, tous les trois mois par exemple (et faites-le inscrire sur le carnet de santé). Il ne faut pas donner des doses élevées sans prescription : il peut y avoir intoxication.

La vitamine D sera donnée directement dans la bouche. Ne la donnez pas dans un biberon, elle risquerait de rester au fond. Sur la vitamine D, voir également page 111.

Le fluor
est donné sous forme de comprimé ou de gouttes. Il est en général donné jusqu'à 2 ans. Après cet âge, la prescription du médecin tiendra compte d'éventuels apports de fluor par l'eau de boisson, les dentifrices, etc.

Peut-on donner un biberon commencé ?

Dix à quinze minutes après la tétée, oui. Mais il ne faut pas conserver un biberon d'une tétée sur l'autre.

Quand augmenter la ration ?

Lorsque vous constatez que votre bébé n'est plus rassasié : il pleure et cherche à continuer à téter alors que le biberon est terminé depuis quelques minutes.

Les tétines

Il y a un petit problème pratique qui tracasse souvent les parents, celui des tétines. Il y a celle qui coule trop vite, celle qui coule trop lentement. Comment être sûr que la tétine est convenablement percée ? Pour le savoir, renversez le biberon : il doit s'en échapper un goutte-à-goutte assez rapide. S'il s'en échappe franchement un jet, c'est que la tétine est trop percée. Le bébé boira trop vite, et il avalera autant d'air que de lait, ce qui le fera vomir. (Gardez les tétines trop percées pour les repas plus épais.) Si en revanche le débit est trop lent, l'enfant se fatiguera et n'arrivera pas à finir son biberon. Il y a enfin le cas de la tétine normalement percée et d'où le lait ne coule pas : c'est une question d'air.
Il faut que l'air entre dans le biberon (voir page 70).

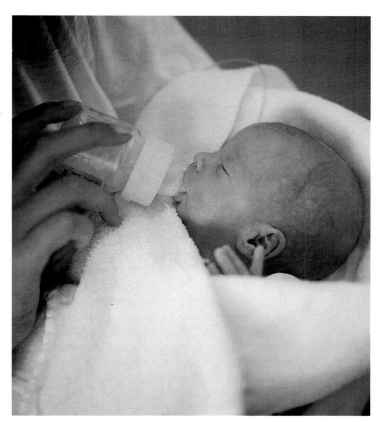

Les tétines à fente réglable sont pratiques aussi bien pour les bébés voraces que pour les bébés endormis ; suivant la position de la tétine, le débit du lait est lent, moyen ou fort.

Achetez des tétines de la même marque que les biberons car ils sont faits pour aller ensemble. Les tétines ramollissent vite, changez-les souvent.

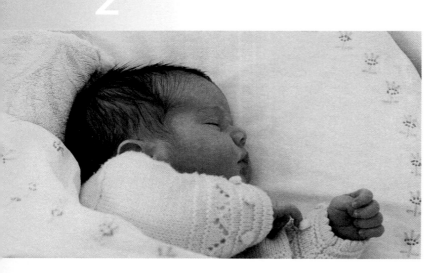

● L'allaitement.
mixte

● Il y a des cas où l'enfant n'a pas assez de lait de sa maman ; il faut alors lui donner en plus, à titre transitoire ou définitif, du lait infantile. C'est ce régime de deux laits que l'on appelle l'allaitement mixte. On peut le pratiquer de deux manières.

▪ Soit en complétant chaque tétée.
La mère donne le sein, puis elle propose à l'enfant un biberon. Pour les quantités à donner à chaque âge, reportez-vous au tableau page 69. L'enfant boira ce dont il a besoin. En tétant six fois par jour, l'enfant stimule la sécrétion du lait. C'est pourquoi on applique surtout cette méthode au début, quand la sécrétion est lente à s'établir.

Un conseil : préparez avant la tétée un biberon que vous garderez au chaud, soit dans un chauffe-biberon, soit enveloppé dans une serviette. Lorsque le bébé aura fini de téter, il sera pressé de boire son biberon.

▪ Soit en alternant tétées et biberons ; on remplace complètement une ou plusieurs tétées par un biberon. Il est bien recommandé de ne pas supprimer la première tétée, la meilleure, ni la dernière, pour que l'intervalle entre les tétées ne soit pas trop long.

Cette deuxième méthode est appliquée en général au bout de deux ou trois semaines, lorsqu'on sait que l'allaitement mixte devra être poursuivi. Certaines mamans se sentent coupables de ne pas donner à leur bébé autant de lait qu'elles le voudraient. J'aimerais leur dire que tout ce que leur bébé prend au sein est déjà très bon pour lui.

Avec l'allaitement mixte, les selles ressemblent alternativement à celles de l'enfant nourri au sein et à celles de l'enfant nourri au lait infantile : c'est normal, ne vous inquiétez donc pas de ce changement d'aspect. L'allaitement mixte est difficile à maintenir sur une longue période. En fait cet allaitement constitue le plus souvent la première étape d'un sevrage progressif.

● ●

Vers une • alimentation variée

La diversification est le terme médical qui désigne l'introduction d'aliments autres que le lait dans l'alimentation du nourrisson ; elle n'a rien d'une nécessité absolue, le lait maternel et les laits premier et deuxième âge peuvent rester l'aliment exclusif jusqu'à 6 mois. Cependant, une alimentation diversifiée va contribuer au développement général de l'enfant dans plusieurs domaines :
▪ développement sensoriel : goût, couleur, odeur, consistance des aliments ;
▪ développement moteur : en mastiquant et en manipulant les aliments, en apprenant à manger à la cuillère et boire à la tasse ;
▪ développement psychologique et social : un peu plus tard, lorsque assis dans sa chaise haute, l'enfant assiste ou participe au repas familial, il apprécie ces débuts de vie en société.

La diversification peut commencer au cinquième mois et se poursuivre les mois suivants de manière souple et progressive. Plutôt que « manger de tout », il vaut mieux dire que l'enfant doit « goûter de tout ». Les nouveautés (aliments, cuillère, etc.) seront introduites par « petites touches d'essai », sans insister en cas d'opposition, car la contrainte est le meilleur moyen de créer des refus et des dégoûts durables.

▪ La tendance actuelle est de retarder la diversification en raison de la fréquence croissante des allergies alimentaires dont elle pourrait être responsable. Chez les enfants de famille allergique, on conseille une alimentation exclusive au lait pendant les six premiers mois et certains aliments ne sont pas donnés pendant la première année. Voir page 92 et au chapitre 6 l'article *Allergie*.

Comment peu à peu
un enfant apprend à manger de tout

Sur l'alimentation, nos lecteurs demandent toujours plus de détails. Les bébés expriment leurs différences de goût devant l'abondance des aliments qui leur sont proposés. Les spécialistes ont bien sûr leur mot à dire, en particulier sur le changement de calendrier dans l'introduction de nouveaux aliments. Ce chapitre a été revu pour tenir compte de ces différents souhaits. Dans les pages qui suivent, vous trouverez les conseils alimentaires convenant à la plupart des bébés. Cela complètera les recommandations du médecin qui connaît votre enfant.

Entre 4 et 6 mois

Comme pour tous les âges que nous indiquons, il s'agit de mois révolus, par exemple 4 mois signifie le début du 5ème mois.

Au cours de cette période, des événements et des nouveautés importants : d'abord l'enfant a vraiment un horaire de grand puisqu'il va passer progressivement à quatre repas. Ce passage à quatre repas dépend du bébé. Nous vous signalons la règle générale mais il est possible que le médecin vous conseille d'attendre un peu plus tard pour ce changement ou au contraire vous ait conseillé de le faire plus tôt.

Puis l'enfant va peu à peu faire connaissance avec des saveurs et des consistances nouvelles.

Enfin, il peut commencer à manger à la cuillère. Essayez avec la purée de légumes pendant un jour ou deux, mais si votre enfant refuse, n'insistez pas, vous ferez un nouvel essai quelques jours plus tard.

• Lait

Tétée, ou quatre biberons de 210 ml, ou cinq biberons de 180 ml de lait 2ème âge.

• Légumes

Une nouveauté de cette période est l'introduction progressive des légumes donnés au repas de midi. Les premiers légumes à proposer sont d'abord les carottes et le blanc de poireau, puis les haricots verts, épinards, courgettes sans les pépins ni la peau, brocoli. Les petits pois extra-fins, les jeunes endives et les jeunes blettes peuvent être utilisés mais en quantité limitée du fait de leur teneur en fibres. Une bonne habitude est de ne donner qu'un seul légume à la fois, pour que l'enfant apprenne à connaître le goût de chacun. Un peu de pomme de terre peut être ajouté comme liant.

Vous pouvez utiliser les légumes frais (potager ou marché), ou surgelés nature sans sel, ou en petit pot pour bébé. En revanche, il est préférable d'éviter les conserves pour adultes, elles sont trop salées.

Si vous préparez les légumes vous-même, voici une façon d'habituer votre bébé : faites-les cuire à l'eau et utilisez le bouillon de cuisson pour faire le biberon de lait de midi, le bouillon remplaçant l'eau. Au cours des jours suivants, vous ajoutez au biberon une cuillère à café de légumes mixés sans sel, puis deux cuillerées, trois cuillerées… tout en diminuant légèrement la quantité de lait afin d'arriver au bout de deux à trois semaines à un biberon de soupe épaisse (donné avec une tétine 2ème âge), composé de 150 ml d'eau + 5 mesures de lait + 100 g de légumes.

Si vous utilisez un petit pot, procédez de la même façon : d'abord une cuillère à café de légumes, puis deux, etc, jusqu'à arriver au biberon de soupe épaisse (150 ml d'eau + 5 mesures de lait + 100 g de légumes en petit pot). Les légumes peuvent être donnés directement à la petite cuillère en complément du biberon ou de la tétée.

Pendant la première année de l'enfant, il est recommandé de ne pas saler les aliments (légumes, viandes, etc…) ; après un an, de les saler légèrement.

• Farines

Selon l'appétit de l'enfant, il est possible d'ajouter une à deux cuillères à café de farine 1er âge sans gluten dans le dernier biberon du soir (voir page 84).

• Le programme de la journée

- 1er repas : tétée ou biberon de lait.
- 2ème repas : tétée et légumes donnés à la cuillère ou biberon de lait et légumes.
- 3ème repas : tétée ou biberon de lait.
- 4ème repas : tétée ou biberon de lait + éventuellement farine sans gluten.

• Fruits

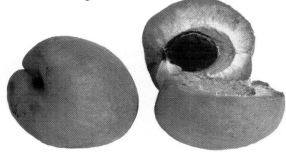

Environ deux à trois semaines après les premiers légumes, vous pourrez proposer à votre bébé des compotes de fruits (pomme, banane, poire, pêche, abricot, nectarine), en cuisant et mixant des fruits bien mûrs et épluchés (sans ajouter de sucre), ou en utilisant des petits pots de fruits. Vous commencerez par une à deux cuillerées de compote au repas de midi, ou de l'après-midi, en plus du biberon ou de la tétée.

Certains fruits risquent de provoquer des allergies, ils sont à éviter jusqu'à un an : fraises, kiwi, fruits exotiques. Comme pour les légumes, n'introduisez qu'un seul fruit à la fois, avec éventuellement un peu de banane ou de pomme comme liant.

Entre 6 et 7 mois

A partir de 6 mois, le bébé peut commencer à boire à la timbale ou à la tasse. Proposez-lui de l'eau plate en bouteille, ou de l'eau du robinet. Mais n'insistez pas si la timbale ne lui plaît pas, vous réessaierez plus tard.

• Viandes

Le bébé va goûter ses premières viandes : jambon cuit sans couenne, volaille sans peau, bœuf, agneau, veau ; il faut éviter la charcuterie (sauf le jambon), les viandes grasses et les abats. La viande sera mixée et si possible présentée à part des légumes pour que le bébé différencie saveurs et consistances. Vous commencerez par une cuillère à café puis vous augmenterez progressivement la quantité pour atteindre trois à quatre cuillères à café (10 à 20 g).

• Laitages

Le lait maternel, ou le lait 2ème âge, reste l'aliment de base de l'enfant. Il faut veiller à ne pas trop en diminuer les quantités.

Au goûter, il est possible de donner quelques cuillères de yaourt nature (sans ajouter de sucre, c'est mieux), ou un petit-suisse (30 g) "spécial bébé" ou "croissance", en remplacement de 100 à 120 ml de lait.

● Les menus de la journée

▪ Petit déjeuner : tétée ou un biberon de lait de 240 ml. Facultatif : une cuillère à soupe de farine 1er âge, sans gluten, dans le biberon.

▪ Déjeuner. Le repas est pris soit à la cuillère, soit dilué dans le biberon.
- Purée de légumes : 100 à 120 g.
- Viande mixée : deux à quatre cuillères à café.
Ou un petit pot de 130 g de légumes et viande.
- Compote de fruits : quelques cuillères.
Ou un petit pot de 130 g de fruits.
- Boisson : eau.

Les quantités des petits pots sont trop importantes pour certains bébés ; si c'est le cas du vôtre, respectez son appétit et ne l'obligez pas à finir le petit pot.

▪ Goûter : tétée ou un biberon de 240 ml de lait.
Ou un petit biberon de 120 à 150 ml de lait, complété de yaourt ou d'un petit suisse "croissance".

Vous pouvez aussi donner le laitage au déjeuner et la compote au goûter

▪ Dîner : tétée, ou un biberon de lait de 240 ml + une cuillère à soupe de farine sans gluten.
Ou un biberon de lait de 150 ml, complété par de la soupe, pour arriver à 240 ml.

Eventuellement : quelques cuillères de compote de fruits.

Toutes les quantités sont données à titre indicatif. Vous les adapterez, en un peu plus ou un peu moins, à l'appétit de votre bébé.

● Entre 7 et 8 mois

● Farines

La farine 1er âge sans gluten est remplacée par la farine 2ème âge avec gluten.

Une autre nouveauté est le biscuit qu'on écrase dans le lait du goûter et le croûton de pain sur lequel l'enfant se fait les dents. Attention ! Il faut le surveiller car le bébé est encore trop petit pour retirer le croûton au cas où il le mettrait en entier dans la bouche.

Bien nourrir votre enfant.

● **Matière grasse**

A cet âge, on peut ajouter aux légumes une petite quantité de beurre cru (une noisette) ou un peu d'huile (une cuillère à café).

● **Poisson**

A la place de la viande, l'enfant peut goûter du poisson frais ou surgelé (nature et non pas pané) : lieu, cabillaud, thon, colin, merlan, limande, carrelet, sole, bar, saumon… Le poisson sera cuit poché, au court-bouillon ou au four.

● **Oeuf**

Seul le jaune d'œuf bien cuit est introduit dans l'alimentation du bébé, le blanc d'œuf ne sera donné qu'après 9 mois pour éviter tout risque d'allergie.

● **Fruits**

De temps en temps, remplacez la compote par des fruits crus, bien mûrs et épluchés, écrasés ou mixés, sans ajouter de sucre. Le raisin sera épépiné et épluché. Les fruits à risque d'allergie restent toujours déconseillés jusqu'à un an (voir plus haut).

● **Fromage**

Une pincée d'emmental ou de gruyère râpé peut être ajoutée dans la purée ou la soupe : cela va habituer l'enfant à la saveur du fromage.

● **Les menus de la journée**

▪ Petit déjeuner : tétée ou un biberon de lait de 240 ml.
Facultatif : une à deux cuillères à soupe de farine dans le biberon.

▪ Déjeuner. Le repas est pris soit à la cuillère soit dilué dans le biberon.
- Purée de légumes + beurre ou huile.
- Viande ou poisson mixé : quatre cuillères à café (20 g) ou un demi-jaune d'œuf cuit dur.
Ou un petit pot de 200 g de légumes et viande ou poisson.
    - En dessert, des fruits crus mixés.

▪ Goûter : un yaourt ou un laitage "croissance" (petit-suisse, crème dessert).
Un biscuit (boudoir, biscuit à la cuillère, langue de chat), ou un croûton de pain, ou un peu de jus de fruits (100% pur jus ou fruit pressé).

▪ Dîner : tétée ou un biberon de lait de 240 ml + une à deux cuillères à soupe de farine 2ème âge avec gluten.
Ou un biberon de lait de 150 ml, complété par de la soupe, pour arriver à 240 ml.
Ou une purée de légumes à la cuillère puis un biberon de 150 ml de lait 2ème âge.
    - Et pour finir, une compote de fruits "maison" ou en petit pot.
        N'oubliez pas de donner à boire à votre bébé, de l'eau bien sûr.

Entre 9 et 12 mois

L'enfant va commencer à manger de petits morceaux. Progressivement, au lieu de donner les pommes de terre en purée, écrasez-les à la fourchette, d'abord finement, puis en morceaux plus gros, suivant la manière dont l'enfant mastique ou avale. Essayez aussi un petit morceau de banane ou de camembert, c'est-à-dire un aliment qui "fond" ; la viande en morceaux, ce sera pour plus tard. C'est au fur et à mesure que les dents sortent et que l'enfant va commencer à mastiquer que vous passerez de la consistance mixée à la consistance normale. Pour aider l'enfant, préparez dans une assiette des petits morceaux qu'il saisira lui-même avec les doigts. Le bébé aime porter tout seul des aliments à la bouche, au début il fait beaucoup de saletés , il ne faut pas lui en vouloir, peu à peu il mangera de mieux en mieux. Entre 18 et 24 mois, un enfant doit pouvoir mâcher sans peine tous les aliments.

Légumes

C'est la période où vous pouvez essayer de nouveaux légumes : pulpe de la tomate, artichaut, aubergine, céleri, poivron, fenouil, persil, betterave rouge, cardon, chou-fleur. Un peu de pomme de terre peut être ajouté comme liant.

Quand l'enfant accepte la cuillère, 2 ou 3 cuillerées de crudités mixées (tomate sans pépins ni peau, concombre, carotte) peuvent être proposées en début de repas.

Céréales

Pour compléter la farine 2ème âge, l'enfant peut commencer à découvrir d'autres formes de céréales : petites pâtes, vermicelle, perles du Japon, tapioca, floraline, semoule fine. Pensez à varier les farines (cacaotées, vanillées…).

Fromages

Proposez-lui de temps en temps des lamelles de fromage ou un morceau de pain tartiné de fromage fondu. L'enfant va peu à peu découvrir toute la gamme des fromages, même ceux à goût fort (camembert pasteurisé, bleus, brie, cantal…). Seuls les fromages au lait cru sont encore à éviter jusqu'à l'âge de 2-3 ans.

Les menus de la journée

▪ Petit déjeuner : tétée ou un biberon de lait de 240 ml. Facultatif : une à deux cuillères à soupe de farine dans le biberon.

▪ Déjeuner : légumes + beurre ou huile.
- Viande ou poisson mixé ou haché : quatre cuillères à café (20 g) ; ou un quart à un demi-oeuf dur (blanc et jaune).

Ou un petit pot de 230 g ou 250 g de légumes-viande ou poisson.
- En dessert, des fruits crus mixés ou écrasés.

▪ Goûter : un yaourt ou laitage "croissance" (petit-suisse, crème dessert) ou entremet "maison" préparé avec du lait 2ème âge.

Un biscuit ou un croûton de pain ou un peu de jus de fruits

▪ Dîner : tétée ou un biberon de lait de 240 ml + une à deux cuillères à soupe de farine.

Bien nourrir votre enfant.

Ou un biberon de lait de 150 ml complété par de la soupe pour arriver à 240 ml, éventuellement épaissi de floraline.

Ou des légumes en purée ou écrasés à la cuillère, avec une pincée de fromage râpé complétés par un biberon de 150 ml de lait.

Ou des petites pâtes, vermicelles, etc, préparés avec du lait 2ème âge.

Pour finir, une compote de fruits "maison" ou en petit pot.

Le biberon peut être remplacé par un bol ou une assiette creuse. Mais certains bébés sont fatigués le soir et préfèrent un biberon.

▪ Boisson : eau

Entre 12 et 24 mois

12 mois marque le début d'une étape importante dans le développement de l'enfant : il fait ses premiers pas, ce qui l'amène à plus bouger ; avec ses dents, de plus en plus nombreuses, il arrive à mastiquer des morceaux plus fermes ; enfin, grâce à la maturité digestive, il peut maintenant manger presque de tout (voir ci-dessous). L'alimentation de l'enfant devient très proche de celle de toute la famille à condition qu'elle soit équilibrée et variée. Restent quelques différences : les quantités sont moindres, la consistance passe progressivement du haché vers les petits morceaux.

• Lait

Trois portions de produits laitiers par jour sont recommandées sous forme de lait (voir page 83), laitages et fromages.

A 12 mois, le lait 2ème âge est remplacé soit par du lait entier, soit par du lait de "croissance" pris au biberon, ou au verre, selon le désir de l'enfant. Le lait de "croissance" et les laitages "croissance" sont particulièrement indiqués chez l'enfant qui mange peu varié, ou de petites quantités, car ils sont enrichis en fer et en acides gras essentiels. Les yaourts, fromages blancs et petits suisses nature sont à donner avec peu de sucre ou sans sucre. Si vous les achetez déjà sucrés, choisissez ceux qui en contiennent le moins (à vérifier sur les étiquettes). Variez les fromages.

● Viande, poisson, œuf

Entre 1 et 2 ans, 25 à 30 g par jour de viande ou de poisson ou un demi-œuf suffisent. Puis entre 2 et 3 ans, les quantités passent à 30 à 40 g ou un œuf par jour. Il est inutile de donner viande, poisson ou oeuf au dîner. La texture des aliments évolue : le "mouliné" cède peu à peu la place au "coupé en petits morceaux".

La place de la charcuterie, des poissons panés et autres fritures doit rester limitée, pas plus d'une fois par semaine. La teneur en graisse de ces aliments est en effet importante.

● Légumes et fruits

Les légumes, qui étaient jusque là écrasés ou mixés, peuvent eux aussi être peu à peu donnés en petits morceaux. C'est bien que le programme de la journée comporte au moins deux légumes (en accompagnement de la viande, en soupe, en crudités) et deux fruits (cru, cuit, et de temps en temps en jus).

Tous les légumes sont maintenant permis. Seuls les légumes secs (pois cassés, lentilles, haricots secs…) sont encore préparés mixés, en purée ou en soupe, à partir de 18 mois. La purée de pois cassés est souvent très appréciée. L'enfant peut goûter tous les fruits.

● Féculents, céréales

Au petit déjeuner, les farines laissent leur place aux tartines et aux céréales pour petit déjeuner. Les pommes de terre, les pâtes, la semoule sont à donner en alternance, ou mélangées avec les légumes cuits. Pour éviter que l'enfant ne l'avale de travers, on peut proposer le riz plus tard, vers 18 mois-2 ans. Par ailleurs, c'est bien de donner à l'enfant l'habitude de manger un peu de pain à tous les repas.

● Matières grasses

Variez les huiles végétales (olive, colza, tournesol…) pour l'assaisonnement des crudités et pour les cuissons et ajoutez du beurre cru en petite quantité.

● Boissons

La boisson de base est toujours l'eau. Les sirops, sodas et boissons sucrées doivent être occasionnels.

● Les menus de la journée

▪ Petit déjeuner : un petit bol ou un biberon de lait entier ou de « croissance ».
- Tartine de pain beurré, ou céréales.
- Un petit jus de fruit pressé.

▪ Déjeuner : crudités tendres (une cuillère à soupe) légèrement assaisonnées.

Bien nourrir votre enfant.

- Légumes ou féculents*.
- Viande ou poisson ou oeuf.
- Fruit, pain.
▪ Goûter : pain et confiture ou chocolat.
Un verre de lait ou un laitage "croissance".
▪ Dîner : soupe ou plat de légumes* ou de féculents*.
- Laitage "croissance" ou fromage.
- Fruit, pain.

*Alternez légumes et féculents entre le déjeuner et le dîner

Vers 2 ou 3 ans, la plupart des enfants traversent une période d'opposition et de refus de ce qui est nouveau. Si votre enfant refuse un plat, n'en concluez pas trop vite qu'il ne l'aime pas. Continuez à le lui présenter de temps en temps sous une autre forme. L'expérience montre qu'il faut donner le temps à l'enfant de se familiariser avec les aliments nouveaux pour qu'il les apprécie. Ce sera d'autant plus facile qu'il verra ses parents, frères et sœurs manger de tout, il suivra l'exemple.

Pages 93 et suivantes, vous trouverez quelques idées de menus.

Et à tous les âges, un aliment essentiel : le lait

Le lait est un aliment de base : il apporte protéines, calcium, sucre, graisses. Même lorsque l'enfant a une alimentation variée, il doit continuer à boire du lait et à prendre des laitages (yaourts, petits-suisses, fromages) : 500 ml de lait par jour (1/2 litre) ou équivalent. Les besoins en lait du jeune enfant sont considérables : seuls le lait et ses dérivés peuvent les satisfaire. On peut donner du lait dans les purées de légumes et les potages et dans les desserts : riz, flan, crèmes, etc. Lorsque l'enfant a sa ration de lait et de laitages dans la journée, il ne faut pas ajouter du lait comme boisson aux repas, sinon l'enfant serait trop nourri.

Vous savez maintenant par quelles étapes l'enfant passe avant de pouvoir manger de tout, ou presque. Les étapes indiquées correspondent à la tendance et à la moyenne générales, mais encore une fois de larges variations sont possibles autour de ce schéma selon les besoins de chaque enfant car il y a de grandes différences d'un enfant à l'autre. Dès le quatrième mois, tel enfant affamé sera satisfait d'un supplément de farine dans le biberon du soir, supplément qui calmera son appétit sans trop augmenter le volume du biberon, et assurera à toute la famille une nuit plus tranquille. Tel autre, jusqu'à 5 ou 6 mois, n'acceptera que du lait. Les appétits petits ou capricieux s'accommoderont d'une diversification précoce et rapide. Il en est de même pour la diminution du nombre de repas, le passage du liquide à l'épais puis aux morceaux, pour l'apprentissage du verre, de la cuillère… Il faut savoir saisir le moment favorable ou patienter si nécessaire.

Ce qu'apportent les différents aliments

● Les farines

Obtenues par broyage des graines de céréales (blé, orge, seigle, avoine, riz, maïs, sorgho…), de tubercules de pommes de terre, de tapioca, etc, les farines qu'on donne aux enfants contiennent essentiellement de l'amidon (sucre complexe) et elles sont enrichies en vitamine B1. Elles sont adaptées aux capacités digestives du bébé et elles répondent à la réglementation française et européenne. Il existe dans le commerce de nombreuses variétés de farines : instantanées ou à cuire, sucrées ou non, parfumées ou non….

▪ Les farines sans gluten. Le gluten est une protéine contenue dans certaines céréales (blé, seigle, orge et avoine). Certains enfants peuvent manifester une intolérance au gluten entraînant des troubles sévères pouvant perturber la croissance (voir le mot *gluten* au chapitre 6). Pour ne prendre aucun risque, il est fortement recommandé de n'utiliser que des farines sans gluten pendant les six premiers mois (mention "sans gluten" sur l'étiquette).

● Les légumes

Les légumes apportent un peu de glucides, des fibres et ils sont sources de vitamines (C, bêta-carotène, B9) et de minéraux. Pour conserver au mieux leur richesse en vitamine C, quelques précautions sont à prendre : lavez les légumes sous l'eau courante et ne les laissez pas tremper dans l'eau. Il est préférable de choisir un mode de cuisson rapide et dans peu d'eau, par exemple à la vapeur en autocuiseur, ou en "cuit-vapeur" et de les cuire en entier et non découpés en morceaux.

Jusqu'à l'âge de 6 mois, les besoins nutritionnels de l'enfant étant satisfaits avec le lait maternel ou infantile, l'introduction des légumes dans l'alimentation du bébé permet essentiellement de lui faire découvrir de nouveaux goûts, surtout chez l'enfant nourri au lait infantile. Certains légumes riches en fibres ne sont donnés qu'après l'âge de 1 an (choux vert , de Bruxelles, artichaut….).

La carotte est l'un des premiers légumes donné au bébé. Elle est particulièrement indiquée en cas de diarrhée sous forme de soupe ou de purée.

Elle est riche en carotène. Cette vitamine peut donner à la peau du nourrisson (visage, paume des mains) une teinte jaune orangée lorsqu'il mange souvent des carottes. Le fait est sans conséquence.

Il est normal que les selles de l'enfant qui a mangé des carottes en contiennent des petits fragments ; que les selles du bébé qui a pris des épinards soient vertes et qu'après les betteraves les selles et les urines soient rouges.

Les féculents (pomme de terre, pâtes, légumes secs, pain, riz)

Ce groupe d'aliments apporte essentiellement de l'amidon.

La pomme de terre tient une grande place dans l'alimentation du nourrisson par sa valeur calorique et par sa consistance qui permet de lier les purées de légumes. Les frites sont souvent très appréciées des enfants. Mais elles apportent 4 fois plus de calories que des pommes vapeur, leur consommation doit donc rester occasionnelle (pas plus d'une fois par semaine). Elles seront peu salées et molles pour ne pas être avalées de travers. Les mêmes remarques concernent les chips.

En plus de l'amidon, les légumes secs (lentilles, pois, haricots secs) contiennent des protéines et du fer mais ils sont plus difficiles à digérer du fait de leur teneur en fibres. Il est préférable de ne pas les donner avant 18 mois et de commencer par des purées ou des soupes mixées.

Le pain est un aliment de base contenant de l'amidon, des minéraux et des vitamines B. Donné d'abord sous forme de croûton à sucer, il remplace ensuite la farine du matin sous forme de tartine. Il est présent à tous les repas en accompagnement des plats et du fromage. Le pain complet peut être proposé mais avec modération et pas avant l'âge de 2-3 ans du fait de sa richesse en fibres.

Pour varier les petits déjeuners, les céréales (cornflakes, etc) peuvent être servies en alternance avec le pain à partir de 18-24 mois. Préférez les moins sucrées et les moins grasses.

Les fruits

Comme les légumes, les fruits sont riches en vitamines, vitamine C essentiellement. Ils contiennent également des glucides et des fibres qui régulent le transit intestinal.

Il est inutile de donner du jus de fruits avant 6 mois puisque les laits infantiles sont enrichis en vitamine C. Les premières cuillerées de compotes de fruits sont données entre 4 et 6 mois, les fruits crus un peu plus tard. Les fruits exotiques et les fraises sont proposés après 1 an.

En cas de diarrhée, trois fruits sont à privilégier : la pomme, la banane et le coing. Choisissez-les bien mûrs et donnez-les crus ou cuits, selon le fruit et l'âge de l'enfant. En cas de constipation, la pomme est encore le fruit de choix (crue ou cuite) ainsi que la compote de pruneaux.

Fruits secs et oléagineux : au début, les fruits secs (pruneaux, abricots) seront préparés en compote. Quant aux noisettes, amandes et cacahuètes, il est dangereux d'en donner au petit enfant ou d'en laisser à portée de main (attention aux apéritifs entre amis) : il risque de s'étouffer.

La viande, le poisson, les œufs

Ce groupe d'aliments représente la principale source de protéines et de fer (surtout les viandes de bœuf , de veau et le foie) de l'alimentation. Le bébé commence à manger de la viande vers 6 mois, le poisson et le jaune d'œuf cuit vers 7 mois, le blanc d'œuf cuit après 9 mois. Œuf poché ou à la coque ne seront donnés qu'après 1 an car le blanc non cuit est très allergisant.

La charcuterie, également riche en protéines et fer, apporte aussi beaucoup de graisses (sauf le jambon blanc), d'où sa place limitée dans l'alimentation du bébé.

Les viandes et poissons seront toujours donnés très cuits et cuits sans graisse. Les tartares de viande et de poisson crus sont totalement déconseillés jusqu'à 3 ans pour éviter tout risque d'intoxication.

Le yaourt

Le yaourt est obtenu à partir du lait soumis à l'action de bactéries lactiques qui transforment une partie du lactose (sucre du lait) en acide lactique : c'est la fermentation. Un pot de 125 g de yaourt apporte en protéines et en calcium l'équivalent de 150 ml de lait. Entre 6 et 7 mois, le bébé peut goûter quelques cuillerées de yaourt, de préférence nature ou peu sucré. Si l'enfant a un dégoût du lait, les yaourts et les laitages "croissance" (fromage blanc, petit suisse) constituent de bons aliments de remplacement.

Les fromages

La plupart d'entre eux représentent sous un faible volume une excellente source de minéraux, en particulier de calcium, indispensable pour la croissance de l'enfant : 30 g d'emmental apportent en calcium l'équivalent de 250 ml de lait. Comme le lait, les fromages contiennent des protéines et des graisses. A 7-8 mois, on commence la série des fromages à pâte dure et cuite par l'emmental ou le gruyère qui peut se râper. Puis entre 9 et 12 mois, les autres fromages sont donnés en lamelles, dès que l'enfant peut manger de petits morceaux.

Les matières grasses

Elles apportent essentiellement des graisses et des calories dont l'enfant a besoin pour assurer sa croissance et le développement de son cerveau et du système nerveux.

Le beurre contient des vitamines A et D. Certaines huiles végétales apportent des acides gras essentiels (colza, soja, noix…) et de la vitamine E (germe de blé, tournesol…). Les matières grasses sont indispensables mais il faut les consommer avec modération.

Les bonbons, les glaces, les biscuits

Les produits sucrés apportent beaucoup de sucre et de calories. Tout le monde sait que les bonbons favorisent les caries dentaires surtout le bonbon donné le soir parce que le sucre séjourne toute la nuit entre les dents. En plus, si l'enfant ne sait pas sucer ou croquer, il risque d'avaler de travers le bonbon qui part dans les voies respiratoires au lieu de prendre le chemin de l'estomac : ce qui est dangereux. On ne peut pas refuser tout bonbon à un enfant, mais il faut vraiment en user avec modération.

Il est préférable de ne pas donner de glace avant 2-3 ans et de choisir des glaces de bonne qualité. La chaîne du froid n'est pas toujours bien respectée lors des ventes ambulantes, il est parfois risqué d'acheter des glaces pour les tout-petits.

La grande majorité des biscuits du commerce sont gras et sucrés. Comme les glaces, il n'est pas conseillé d'en donner régulièrement aux enfants. Nous en parlons plus loin à propos de l'obésité (voir page 92).

Les boissons

La seule boisson indispensable est l'eau : plate, non gazeuse, non sucrée, sans arôme ni édulcorant. Les sodas et autres boissons sucrées, y compris les eaux aromatisées, sont à consommer occasionnellement, car ils sont riches en calories inutiles.

Les petits pots

Les petits pots sont préparés à partir de viandes, de légumes, de fruits dont la qualité est sévèrement contrôlée. Ils proviennent de producteurs n'employant aucun produit pouvant être toxique ; pesticides, engrais, nitrates ; enfin leur teneur en protéines, en sel, en sucre est réglementée. Il ne faut pas rajouter de sel ou de sucre, même si le goût paraît fade. Ils sont, en outre, préparés dans des conditions d'hygiène très surveillées. Les petits pots présentent un autre avantage : les aliments sont si finement broyés que le bébé peut les digérer très tôt.

Avec ces points de vue, tout est plus pratique avec un petit pot : une cuillerée de légume ajoutée à un biberon ne change vraiment ni le goût ni la consistance, l'enfant l'accepte facilement et on sait s'il tolère ce nouvel aliment. Après, il est facile en donnant 2, puis 3, puis 4 cuillerées de passer par paliers de l'alimentation liquide à l'alimentation semi-solide, puis solide.

On peut ainsi introduire tous les aliments nouveaux si on n'a pas le temps de préparer une purée de légumes « maison ».

Voilà pour les avantages. Mais il y a aussi des inconvénients.

D'abord, pour certains budgets, les petits pots sont chers. Puis, pour la plupart, les goûts se ressemblent, sauf pour les fruits. D'ailleurs, goûtez-les, vous verrez vous-même. En nourrissant votre enfant exclusivement de petits pots, vous n'en ferez pas un gastronome et vous ne l'habituerez pas facilement à manger de tout plus tard.

Il faut enfin éviter de lui donner trop longtemps une nourriture exclusivement en purée, sinon il risque de refuser tout ce qui est en morceaux. (À noter qu'il existe des petits pots « junior » contenant des morceaux.)

Conclusion, les petits pots sont utiles pour introduire une alimentation variée, ils sont pratiques comme aliment occasionnel, ils permettent souvent de gagner un temps précieux, mais il ne faut pas en faire un usage exclusif, ni trop prolongé.

Attention : un petit pot ouvert doit être consommé dans les 24 heures, même s'il a été conservé au réfrigérateur.

Les aliments surgelés

Vous pouvez utiliser les purées ou soupes de légumes sans sel. Respectez la date limite d'utilisation, le mode d'emploi et, en particulier, ne recongelez jamais un produit que vous avez décongelé, utilisez-le dans les 24 heures. Vous pouvez aussi, lorsque vous faites de la soupe ou de la purée de légumes, en préparer une plus grande quantité et en conserver quelques petits pots au congélateur.

La conservation par le froid garde à l'aliment ses qualités, conserve les vitamines, évite toute addition de conservateurs.

La cuisson doit être courte sinon les vitamines sont détruites, en utilisant un minimum d'eau ; l'idéal est le micro-onde (une minute) ou l'autocuiseur ; les surgelés peuvent être mélangés entre eux ou à des produits frais : par exemple, du poisson ou de la viande hachée dans de la purée de légumes frais.

Pour satisfaire les besoins de l'enfant : une alimentation variée et équilibrée

Pour satisfaire les besoins de l'enfant, l'alimentation doit être variée et équilibrée. Au début, on n'a pas le choix : le bébé ne boit que du lait ; aussi les repas se ressemblent-ils tous.

Entre 4 et 18 mois, vous l'avez vu, sans cesse de nouveaux aliments sont introduits dans l'alimentation ; et le médecin est là, consulté régulièrement, et qui vous conseille.

À 18 mois, le choix des aliments permis est vaste, on peut s'amuser à composer de vrais menus pour le bébé. Le médecin ne donne plus que des indications générales, sans rentrer dans le détail des menus. Aux parents de veiller à ce que l'alimentation de l'enfant corresponde à ses besoins.

● De quoi a besoin un enfant ?

En quantité, toutes proportions gardées, de plus de nourriture que nous, c'est-à-dire de plus de calories (voir ce mot au *Petit lexique diététique*, à la fin de ce chapitre). Ce qu'il mange doit servir à couvrir différentes sortes de dépenses ; les efforts qu'il fait dès le premier jour – téter, crier, pleurer – représentent plus de 25 % de ses besoins en calories. Et ces besoins iront en s'accentuant au fur et à mesure de son développement moteur.

Il lui faut aussi des calories pour le fonctionnement de son organisme, et surtout pour la croissance qui, pendant les premiers mois de la vie, est prodigieuse. En cinq mois, l'enfant double son poids de naissance ; en un an, il le triple. Mais – et ceci est important – l'organisme n'a pas seulement besoin d'une certaine quantité de calories : encore faut-il que ces calories proviennent d'aliments *variés*. Vous allez voir pourquoi.

Les aliments se répartissent en plusieurs groupes selon leur richesse en protéines, graisses, sucres, sels minéraux et vitamines (vous trouverez plus loin, pages 109 et suivantes, des explications sur ces différents groupes). Le régime de votre enfant doit comporter les uns et les autres. Le secret d'un bon régime, c'est la variété.

En plus, s'il y a de nombreux aliments qui apportent des protéines, chacun d'eux a une spécialité utile à l'organisme : le foie est riche en fer, les fromages sont riches en calcium ; et si les légumes sont d'une manière générale source de vitamines et de sels minéraux, les uns apportent essentiellement du carotène, comme les carottes, les autres du potassium, comme les choux, etc. Ainsi un enfant qui mangerait tous les jours un bifteck et des carottes aurait-il bien sa ration de protéines, de fer et de carotène, mais son alimentation manquerait d'autres éléments nécessaires.

Il n'existe pas de menu complet idéal. L'idéal, c'est de varier et d'équilibrer les menus. Et ce principe est d'ailleurs valable pour toute la famille.

Pour que les journées soient variées et équilibrées, reportez-vous à nos semaines de menus, pages suivantes. Par exemple, vers un an, le bébé prend en général le soir un potage suivi d'un dessert. Bien équilibrer le régime de la journée, c'est choisir ce potage en fonction du repas du midi : par exemple potage aux légumes, si à midi l'enfant a eu des pommes de terre ou du riz ; au contraire, petites pâtes, si à midi il y avait des haricots verts.

Voici un autre exemple : l'enfant prend le soir deux plats ; là il faut que le deuxième plat équilibre le premier : les compotes suivront le riz ou les pâtes, et le jour où l'enfant aura un potage de légumes, vous lui donnerez plutôt du riz au lait ou du flan, c'est-à-dire un dessert plus nourrissant.

Autrement dit, évitez : dans la même journée, à midi épinards, le soir pruneaux : trop laxatif. À midi, un œuf à la coque, le soir un flan : trop d'œufs. Au même repas, purée suivie de riz au lait : trop de féculents. Potage aux légumes suivi de compote de fruits : trop de végétaux, etc. Pour que votre enfant ait tout ce qui lui est nécessaire, pensez à cette formule : semaine variée, journées équilibrées.

Quand l'enfant est à la crèche ou à l'école, consultez les menus de la semaine qui sont affichés pour en tenir compte à la maison : cela vous évitera ainsi de lui donner des pâtes le soir, s'il en a déjà mangé à midi. De même si l'enfant va chez une nourrice.

Et surtout n'oubliez pas le petit déjeuner

À partir de 2 ans, âge d'ailleurs où certains enfants commencent à aller à l'école maternelle, il faudra veiller à donner à votre enfant des vrais petits déjeuners bien composés.

Il y a des enfants qui partent pour l'école en n'ayant quasiment rien avalé, ou très peu, ou trop vite. Or, après 11 à 12 heures de jeûne, le corps réclame, en effet, une bonne dose d'énergie pour démarrer la journée avec entrain et pour éviter le fameux creux de 11 heures, qui fatigue et gêne beaucoup l'activité. Mais si consommer un petit déjeuner équilibré est souhaitable pour les adultes, il l'est bien plus encore pour les enfants qui, en pleine croissance, ont des besoins accrus en protéines, glucides, vitamines et minéraux. C'est aux parents de montrer l'exemple et d'apprendre à l'enfant à manger le matin.

Sans comprendre obligatoirement, comme en Angleterre ou en Allemagne, des saucisses, du jambon, des œufs, etc., un petit déjeuner devrait comporter essentiellement :

▪ un laitage : d'abord du lait, voir page 83 les quantités indispensables et par quoi remplacer son apport en calcium si l'enfant refuse de boire du lait, cela arrive ;
▪ des céréales sous forme de pain, avec du beurre, du miel ou de la confiture ; ou de céréales croustillantes ou en flocons, il en existe une grande variété pour tous les goûts : riz, avoine, maïs, blé, nature, chocolatées, mélangées, avec des fruits comme le Muesli, etc. ;
▪ un fruit ou un jus de fruit frais.

Lorsque l'enfant a pris un petit déjeuner, il n'a pas besoin de collation dans la matinée. Mais, dans la plupart des écoles maternelles, cette collation est prévue à 10 heures. Certains proposent qu'elle soit adaptée à chaque enfant, par exemple donnée à ceux qui n'ont pas pris de petit déjeuner.

Bien nourrir votre enfant.

Quelques conseils pour prévenir l'obésité

L'obésité des enfants augmente dans tous les pays et la France n'est pas épargnée : 14 à 16% des enfants ont un excès de poids, soit deux fois plus en 15 ans. L'obésité est devenue un problème majeur de santé publique. Les facteurs de risque sont connus : une alimentation déséquilibrée, excessive et une trop grande sédentarité, ces deux facteurs de risque étant souvent associés. La meilleure façon de prévenir l'excès de poids chez les enfants est de leur donner de bonnes habitudes alimentaires et de les habituer à bouger, à se dépenser. Voici quelques suggestions.

▪ Il faut d'abord respecter l'appétit de l'enfant. Quel que soit son âge, quand l'enfant montre qu'il ne veut pas finir son biberon ou son assiette, n'insistez pas, c'est qu'il a assez mangé. Il sait quand il n'a plus faim. Le forcer lui donne l'habitude de manger plus que ce dont il a besoin. D'autre part, les portions du commerce ne sont pas toujours adaptées aux besoins de l'enfant, qu'il s'agisse d'un yaourt ou d'une tranche de poisson.

▪ Il est important de faire quatre repas par jour (petit déjeuner, déjeuner, goûter, dîner). Cela permet de mieux équilibrer l'alimentation et de ne pas grignoter entre les repas.

▪ Apprenez à l'enfant à manger de tout : plus il goûtera à des aliments différents, plus son alimentation sera variée et équilibrée. Cela ne veut pas dire qu'il faut forcer l'enfant, mais s'il voit que tout le monde apprécie un plat, il suivra l'exemple.

▪ A table ou entre les repas, l'eau est la boisson de base de tous les jours.

▪ Une recommandation importante, pas toujours facile à suivre, c'est d'éviter d'emmener l'enfant au supermarché : il a envie de tout, il le demande, les parents ont de la peine à ne pas céder.

▪ Attention au grignotage. Les enfants sont de plus en plus tentés par les produits sucrés très caloriques (biscuits, barres chocolatées, chips, sodas, etc.) qu'ils voient à la télévision. Le grignotage est un facteur important de risque d'obésité. Un autre inconvénient de l'excès de télévision est d'empêcher l'enfant de se dépenser.

▪ Bouger, marcher.... Dès que l'enfant marche, sortez-le de sa poussette, allez au square pour qu'il puisse courir. Plus grand, vous pourrez l'inscrire dans un club qui propose des activités adaptées à chaque âge. Emmenez-le à la crèche ou à l'école à pied. La meilleure façon d'inciter ses enfants à bouger, c'est de le faire avec eux.

Sur l'obésité, voir également pages 326 et 410.

Vous voyez que dans le domaine alimentaire, on retrouve des mots qui comptent dans l'éducation d'un enfant : l'exemple, la souplesse, la fermeté.

Quelques précautions à prendre dans les familles à risque allergique

Un enfant est « à risque allergique » si l'un des parents, ou les deux, ou un frère ou une sœur, souffrent d'allergie.

Pour éviter que l'enfant ne devienne à son tour allergique, la meilleure prévention passe par quelques mesures simples mais essentielles :

▪ l'allaitement maternel est recommandé, sinon utiliser un lait hypoallergénique (HA) ; éviter les formules au soja ;

▪ attendre 6 mois pour diversifier l'alimentation ;

▪ attendre aussi pour donner certains aliments à risque : œuf et poisson à 12 mois, arachide, noix, amande à 4-5 ans.

La cuisine faite à la maison est conseillée car les ingrédients sont connus tandis que les plats tout préparés peuvent contenir des produits cachés à risque allergique (comme des graisses, des conservateurs, etc). Ne vous inquiétez pas si votre enfant a une nourriture peu variée : une alimentation simple, associée à une quantité suffisante de lait, apporte tous les éléments nécessaires à la croissance.

En cas d'allergie sévère, de nombreux aliments peuvent être interdits à l'enfant ; dans ce cas, le médecin lui prescrira les vitamines qu'il juge utile.

Ces précautions sont importantes à prendre mais elles sont faciles à suivre : cela ne manquera pas à votre bébé de ne pas manger de fraises ou d'avocat à un an. Mais si votre enfant a été sensibilisé trop jeune à certains aliments, il risque de manifester une allergie alimentaire ; et cela le privera vraiment de ne pas pouvoir aller à la cantine comme les autres, ou d'être privé de certains goûters parce qu'il y a de l'œuf ou de l'arachide dans les gâteaux.

▪ L'allergie aux protéines du lait de vache se manifeste de façon précoce. Si un de vos enfants a présenté une telle allergie, il faut le signaler au médecin dès la naissance d'un nouveau bébé. On pourra ainsi lui donner un lait hypoallergénique. Dans ce cas, l'allaitement maternel est vivement recommandé (voir page 356).

▪ L'allergie à l'arachide est souvent grave (voir aussi page 356).

Bien sûr, s'il n'existe aucune allergie dans votre famille, vous pourrez dès 4-5 mois commencer à diversifier l'alimentation. Nous indiquons plus haut les aliments conseillés. Voyez aussi le mot *allergie*, au chapitre 6.

Des menus pour la semaine

9 à 12 mois

	Déjeuner	Dîner
Lundi	Jambon Purée de carottes Yaourt	Tapioca et lait 2ème âge Banane pochée
Mardi	Escalope de dinde Purée de courgettes et pommes de terre Camembert ou roquefort	Céréales infantiles et lait 2ème âge Compote de pêches
Mercredi	Jaune d'œuf dur Purée de brocolis Dessert au lait 2ème âge	Floraline + gruyère Pommes râpées
Jeudi	Bifteck haché Purée de pommes de terre + gruyère râpé Compote de pommes - pruneaux	Soupe au potiron + biscottes écrasées Petit-suisse
Vendredi	Poisson bouilli Epinards béchamel Yaourt	Semoule de lait 2ème âge Compote d'abricots
Samedi	Agneau Purée de chou-fleur Poire	Petites pâtes au beurre Port-salut ou Hollande
Dimanche	Bifteck hâché Salade cuite Fromage blanc	Floraline Pomme cuite

Des menus

12 à 18 mois

	Déjeuner	Dîner
Lundi	Agneau Pommes de terre vapeur Roquefort ou hollande Fruit	Potage de légumes Fromage blanc + biscuit
Mardi	Poisson Artichaut Petit-suisse Fruit	Vermicelle au lait Fruits au sirop
Mercredi	Œuf à la coque Carottes Yaourt Banane	Potage de légumes avec pâtes Pomme au four
Jeudi	Jambon Épinards Camembert ou gruyère Fruit	Potage avec flocons d'avoine Compote de fruits mélangés
Vendredi	Poisson Purée de pommes de terre Yaourt Fruit	Potage de légumes Semoule au lait (sucrée)
Samedi	Blanc de poulet Haricots verts Fromage blanc Fruit	Petites pâtes Fruit de saison
Dimanche	Bifteck hâché Brocolis Yaourt Fruit	Potage de légumes Flan

18 à 24 mois

	Déjeuner	Dîner
Lundi	Tomates Œuf coque et riz au gruyère Fruit	Potage de légumes Fromage Compote de fruits
Mardi	Carottes râpées Poisson Purée de pois cassés Fruit	Purée de courgettes Petits-suisses Fruit
Mercredi	Côte d'agneau Petits pois et carottes Yaourt Fruit	Concombre au fromage blanc Pâtes au beurre Fruits au sirop
Jeudi	Betterave rouge Poulet Haricots verts Flan	Potage à la Floraline Fromage fondu Fruit
Vendredi	Carottes râpées Poisson Jardinière de légumes Pruneaux	Vermicelle Demi-avocat Fromage de chèvre
Samedi	Concombres (assaisonnés de citron, huile, sel) Jambon, épinards Fruit	Potage avec flocons d'avoine Yaourt Fruit
Dimanche	Tomates Bifteck, frites Compote de fruits	Potage de légumes Riz au lait Fruit

●Quelques difficultés possibles de l'alimentation

● Dans la vie d'un enfant, l'alimentation joue un grand rôle ; il est donc compréhensible qu'elle devienne une préoccupation importante des parents : a-t-il assez mangé ? A-t-il bien digéré ? Pleure-t-il de faim, ou pleure-t-il parce que les haricots verts ne passent pas ? Mais pourquoi donc refuse-t-il de manger ? Ne faudrait-il pas le changer de lait ?

Ce sont autant de questions que, quotidiennement, se posent les parents.
C'est pourquoi nous leur consacrons les pages qui suivent.
Les pleurs, avant ou après les repas, que signifient-ils ?
Les changements d'horaires, de menus, de rations : quand et comment les faire ?
Le manque d'appétit, d'où peut-il venir ?
(L'alimentation de l'enfant *malade* est traitée au chapitre 6, celle du bébé en *voyage* au chapitre 3.)

Pourquoi pleure-t-il ?

Au début, la difficulté est de savoir si les pleurs du bébé, qui semblent avoir un rapport avec la tétée, sont dus à la faim ou à une mauvaise digestion, sinon on risque de donner davantage à un enfant qui digère mal, ce qui aurait pour effet d'aggraver la situation.

Comment reconnaître qu'un bébé pleure de faim ?

À la *régularité* de ses pleurs : il réclame toujours un quart d'heure avant la tétée et en général tout de suite après ; à la *voracité* avec laquelle il se jette sur le sein ou le biberon ; à la vigueur de ses cris ; au *timbre particulier* de ses pleurs : vous le reconnaîtrez très vite. Lorsqu'on a acquis la certitude que l'enfant pleure de faim, on peut :

▪ si l'enfant est au sein, proposer le soir un biberon de complément

▪ si l'enfant est au biberon, soit donner le soir 10 ml de plus ou même 20 ml, soit, après avis du médecin, donner des farines en petites quantités (pour le choix et les doses, voir page 82).

Comment savoir qu'un enfant pleure parce qu'il a mal au ventre ?

Il remonte ses jambes contre son ventre ; il a des gaz ; son ventre est ballonné ; quelquefois, son visage devient pâle ; enfin, il pleure généralement à heures fixes. Voyez à l'article *Coliques*, chapitre 6.

Il peut y avoir deux autres raisons alimentaires aux pleurs du bébé :

▪ il a bu trop vite ; c'est surtout le cas du bébé nourri au biberon. Diminuez les trous de la tétine, interrompez la tétée deux ou trois fois pour que l'enfant avale moins d'air ; aidez-le à faire ses renvois ;

▪ il a soif : on est en été, ou bien la chambre est surchauffée, ou encore l'enfant a de la fièvre. Donnez-lui à boire.

Il y a bien d'autres raisons possibles aux pleurs d'un bébé. Nous n'envisageons ici que les pleurs qui peuvent avoir rapport avec l'alimentation. Pour les autres, reportez-vous au chapitre 3, paragraphe « Il pleure ». Et à l'article *Cris du nourrisson*, au chapitre 6.

Comment faire accepter les changements ?

Entre 3 et 12 mois, le bébé ne cesse de changer d'horaires : il passe de six à cinq, puis à quatre repas ; il change d'aliments : à peine s'est-il habitué au sucré qu'on lui demande de manger salé ; il tétait sa maman, il faut qu'il apprenne à sucer une tétine, puis à se servir d'une cuillère, puis à boire dans une timbale.

Or, le changement peut dérouter le bébé. De plus, entre 6 mois et 12 mois, il ne cesse de percer des dents, ce qui le met souvent de fort méchante humeur, et le dispose mal à faire l'effort qu'exige cette adaptation continuelle à des nouveautés.

C'est pourquoi il y a certaines précautions à prendre pour introduire les changements ; vous les trouverez ci-après. Vous verrez aussi que faire lorsque le bébé refuse de changer ; cela arrive.

Quand changer ?

Voyons pour commencer *quand* il faut changer. Il y a d'abord les principes généraux adoptés pour les bébés de poids moyen : mis à la naissance à six repas, ils passent à cinq repas vers 3 mois, à quatre vers 4-5 mois. Ces chiffres donnent des indications, mais ils ne conviennent pas nécessairement à tous les bébés ; nous le répétons, mais ce n'est pas inutile ; c'est le médecin, qui verra si le bébé est prêt pour tel changement, s'il doit le devancer ou le retarder. Tel enfant sera mis à cinq repas dès 2 mois ; tel autre restera à cinq repas jusqu'à 5 mois. Et, bien sûr, le bébé saura aussi montrer ses désirs.

●Comment changer ?

Le grand principe pour tout changement, c'est de le faire progressivement, qu'il s'agisse d'introduire un nouvel aliment ou d'augmenter la quantité d'un aliment déjà donné. C'est nécessaire pour adapter le goût autant que l'estomac de l'enfant. Autrement dit, tout changement doit se faire par paliers. La manière dont les légumes sont peu à peu introduits dans l'alimentation de l'enfant en est un bon exemple.

Ce principe de la progression sera appliqué à tous les aliments ; on donnera successivement une cuillère à café, puis deux, enfin une cuillère à soupe. De même lorsqu'on voudra apprendre à l'enfant à mastiquer : on donnera de tout petits morceaux, puis des morceaux de plus en plus gros.

Parfois le bébé a un peu de mal à changer, voici quelques conseils.

▪ Ne faites qu'un changement à la fois ; par exemple, vous ne donnerez pas et de la viande et des haricots verts, pour la première fois le même jour.

▪ Vous choisirez des circonstances favorables : pas d'innovation le jour où l'enfant est fatigué ou au moment où il perce une dent.

▪ Donnez-lui la nouveauté au repas où il a le plus faim.

▪ En cas d'échec, n'insistez pas, mais ne renoncez pas pour autant. Vous referez d'autres tentatives à un moment qui vous semblera plus propice.

▪ Enfin, suivez le rythme de l'enfant en faisant des essais de temps à autre.

●Les changements : petits trucs pour petits problèmes.

Même si vous suivez ces conseils, vous aurez peut-être des difficultés. Voici quelques petits « trucs » qui vous aideront probablement à les résoudre.

Lorsque vous commencez l'alimentation à la cuillère, choisissez-en une petite et de préférence en matière plastique plutôt qu'en métal (le contact du métal peut faire mal). Et ne croyez pas, si le bébé recrache, qu'il refuse ; simplement, il est étonné par cet instrument nouveau. Pour aider votre bébé, ne mettez pas les aliments sur le bout de la langue, mais bien au milieu de la bouche. De toute manière, si l'enfant refuse la cuillère, n'insistez pas, mais recommencez un peu plus tard.

Associez l'aliment nouveau à un aliment déjà bien accepté.

Lorsqu'il en a envie, laissez votre enfant manger seul : dès 10-11 mois, le bébé peut prendre et mettre dans sa bouche des aliments qui fondent, comme la carotte cuite ou la banane. Commencez par un ou deux morceaux, puis augmentez les doses.

Le jour où votre enfant voudra se servir de sa cuillère, choisissez, pour ce premier essai, une purée bien consistante. Mettez un bon plastique, une serviette bien enveloppante et laissez votre enfant se débrouiller seul ; il se salira sûrement, mais il apprendra mieux s'il a l'occasion d'essayer.

●Il refuse tout changement,

tout ce qui est nouveau, qu'il s'agisse de l'aliment ou de l'instrument. Au début, c'est normal puisque le bébé aime rarement la nouveauté. Mais, s'il continue à refuser, peut-être avez-vous voulu aller trop vite soit en sautant trop brusquement du sucré au salé, soit en passant sans transition de la purée aux aliments en morceaux, soit en forçant l'enfant à manger à la cuillère.

Que faire ? Tout d'abord, ne pas vous énerver. La nervosité conduit à un échec certain dans l'immédiat, et représente une menace d'opposition permanente pour le futur.

Il refuse de boire à la timbale ? Avant de donner un biberon, insistez un peu. Le lendemain, le surlendemain, faites un nouvel essai, mais entre-temps laissez-lui la timbale vide pour qu'il joue avec elle. Il est à l'âge où il porte tout à sa bouche ; peu à peu il s'habituera à la forme, au contact de la timbale. Choisissez de préférence

Bien nourrir votre enfant.

un gobelet en plastique, plutôt qu'en verre ou en métal.

Il ne veut pas de la cuillère ? Vérifiez d'abord qu'en la mettant dans la bouche vous ne heurtez pas une gencive gonflée par une dent qui perce ; c'est fréquent. Puis, après une ou deux tentatives, laissez la cuillère de côté, reprenez-la quelques jours plus tard.

Il refuse l'artichaut ? Là encore, c'est qu'il faut un délai. Lorsque, quelques jours plus tard vous ferez un nouvel essai, mettez, pour commencer, très peu d'artichaut dans beaucoup de purée.

Tant que le poids de l'enfant reste bon, les problèmes alimentaires sont sans gravité ; ils sont momentanés et finissent toujours par s'arranger. Pour l'enfant, c'est une question d'habitude à prendre, pour les parents de patience à garder.

• À la crèche.

Ce qui précède concerne le bébé à la maison. À la crèche, c'est évidemment différent, car si on tenait compte des habitudes et des goûts particuliers de chaque enfant, l'organisation serait impossible.

Cela ne veut pas dire qu'il y ait une rupture totale entre la vie à la crèche et la vie à la maison. Les parents sont tenus au courant de ce que le bébé mange ; d'ailleurs les menus sont affichés, ils sont différents selon les âges et ils ont été diététiquement composés par une professionnelle.

De toute manière, les enfants sont moins difficiles ensemble que devant une mère qu'ils sentent prête à céder à toute demande, ils comprennent vite qu'ils font partie d'un groupe, et qu'ils doivent s'adapter. Tel enfant un peu difficile à la maison ne se fera pas prier pour goûter les carottes râpées de la petite section ou le couscous de la nourrice marocaine.

Bien entendu, si le bébé a un problème digestif, vous le signalerez et la crèche en tiendra compte.

Il n'a pas faim

Cas d'urgence. Le refus de boire et de manger n'est pas un symptôme nécessitant l'appel d'urgence au médecin. Il y a pourtant un cas où cet appel est nécessaire : lorsque le refus de boire est soudain et total (le bébé refuse le biberon ou la moindre cuillerée de nourriture), et lorsque ce refus s'accompagne de cris revenant à intervalles réguliers, et parfois de vomissements. Dans ce cas, appelez le médecin ; il peut s'agir d'une maladie chirurgicale : hernie étranglée, invagination intestinale – voir ces mots – qu'il faudra opérer d'urgence ; les présomptions seront renforcées s'il y a du sang dans les selles.

Nous avons mis ce cas d'urgence à part ; il n'y a pas un moment à perdre et, lorsqu'il se présente, il n'est pas question de lire trois pages sur le manque d'appétit, si intéressantes soient-elles.

Lorsqu'un enfant manque d'appétit, les parents s'inquiètent, la mère surtout. Qu'un enfant malade ne mange pas semble normal, mais qu'un enfant en apparence en bonne santé n'ait pas d'appétit semble suspect, sinon impossible.

Le manque d'appétit peut être accompagné d'autres symptômes ou rester isolé.

Le manque d'appétit s'accompagne d'autres symptômes.

Lorsque votre enfant refuse de manger, il faut avant tout chercher s'il n'y a pas d'autres symptômes. Commencez par prendre sa température, puis notez tout ce qui n'est pas normal : nez qui coule, toux, éruption, diarrhée, constipation, vomissements. Chez le tout-petit : courbe du poids stationnaire, etc.

En présence de l'un de ces symptômes ou d'autres, vous consulterez le médecin. C'est lui qui cherchera la maladie responsable du manque d'appétit de votre enfant. Les plus fréquentes sont les maladies infectieuses. Toutes les infections, même la plus bénigne – la rhino-pharyngite par exemple –, peuvent retentir sur l'appétit de l'enfant. Chez le tout petit bébé enrhumé, le manque d'appétit s'explique en outre par des raisons mécaniques : lorsqu'il a le nez bouché, le bébé respire par la bouche, mais lorsqu'il veut téter, il a du mal à respirer et il est gêné pour avaler ; alors il refuse de boire.

Les erreurs de régime peuvent retentir sur l'appétit : l'enfant a une ration trop forte (1) ou insuffisante, ou bien une nourriture trop ou pas assez concentrée (voir le dosage du lait dans la préparation des biberons) ; il ne supporte plus le lait, pas la farine ; il ne tolère pas certains aliments ; il manque de vitamines, ou de fer, etc. Il n'est pas toujours facile d'établir d'emblée le régime idéal d'un enfant.

1. Cela vous surprendra, mais voici ce qui se passe : parfois, l'enfant est vorace, il réclame davantage à manger. On force la ration. Plus il pleure, plus on lui donne. Jusqu'au jour où il n'arrive plus à digérer de trop grandes quantités. Il refuse de manger et la courbe de poids cesse de monter.

Une recommandation pressante. Si votre enfant ne veut pas manger parce qu'il a une maladie infectieuse ou que son régime ne lui convient pas, ne le forcez pas. Sa réaction est saine, la maladie diminue l'appétit. Suivez donc les indications de la nature. Lorsqu'il sera guéri, ne le forcez pas non plus à manger trop tôt, même s'il a maigri. Soyez patiente. Dès qu'il sera capable de digérer normalement, son appétit reviendra. Il mangera peut-être comme un ogre pendant une semaine ou deux.

• Manque d'appétit et poussée dentaire

Votre bébé a 6-7 mois ; il pleure, il dort mal ; ses selles sont irrégulières, son siège est irrité ; il salive. Regardez ses gencives : elles sont rouges et très gonflées ; une dent est en train de percer. C'est peut-être pour cela que l'enfant a moins faim.

L'appétit reviendra lorsque la dent sera sortie.

Le manque d'appétit est le seul symptôme

Votre enfant mange moins bien que d'habitude, c'est le seul symptôme qui vous frappe, et rien d'autre ne peut faire penser qu'une maladie se prépare. Ne vous faites pas de souci. Il arrive à l'enfant ce qui vous arrive à vous-même parfois. Il a moins faim que d'habitude, l'appétit des enfants est variable comme celui des adultes, d'un repas à l'autre, d'un jour à l'autre. Et, comme les adultes, les enfants ont leurs préférences pour certains aliments. De plus, leurs goûts changent. Les carottes qu'ils mangeaient hier avec plaisir, ils les refusent aujourd'hui. Parfois la fatigue est la raison du refus : l'enfant a plus sommeil que faim.

Enfin, chez tous les enfants, l'appétit fléchit à certaines périodes ou dans certaines circonstances.

Évolution de l'appétit de la naissance à 3 ans

• De la naissance à 5-6 mois :

le bébé est souvent affamé.
Il se jette sur son biberon,
n'en laisse pas une goutte.
On dirait qu'il met les bouchées doubles afin de grossir de 800 g ou d'un kilo par mois. Il peut, sans raison apparente, refuser un biberon de temps à autre. Mais c'est rare.
En revanche, il est courant que la faim diminue lorsqu'on change l'horaire des tétées
et au moment du sevrage. Après la période d'adaptation, qui peut durer quelques jours, le bébé mange normalement.

• De 6 mois à un an :

le bébé a encore très faim, mais il est quand même moins vorace. Il ne va d'ailleurs plus prendre que 300 g par mois.

Puis surviennent certains événements qui peuvent, de temps à autre, diminuer son appétit : les premières dents sortent, qui le font souffrir. On lui donne les premiers aliments solides : mastiquer est un véritable apprentissage.

• De un an à 18 mois :

la croissance très rapide des premiers mois s'est stabilisée et l'appétit se régularise. D'ailleurs maintenant apparaît l'appétit vrai, si l'on prend ce mot dans son sens premier : goût pour certains aliments.

Cette nouvelle faculté, l'appétit, l'enfant peut l'acquérir sans heurts, ou bien par sauts brusques et avec hésitation (il en est de même de toute acquisition : la marche, par exemple, ne sera pas d'emblée stable et assurée). Résultat : l'enfant refuse souvent un plat, soit parce qu'il ne l'aime pas, soit simplement pour affirmer sa personnalité qui se développe tous les jours, soit encore parce qu'il a vu que cela ennuyait sa maman qu'il ne mange pas et qu'il use ainsi de son pouvoir sur elle. Ainsi chez plus de cinquante pour cent des enfants, l'appétit varie d'un repas à l'autre.

Il fléchit comme à la période précédente lors des poussées dentaires, et lorsqu'on présente un aliment nouveau.

• À partir de 18 mois :

l'enfant est habitué à manger de tout et souvent tout seul. On ne lui offre plus guère d'aliments nouveaux auxquels il aurait à s'adapter. Son appétit se régularise.

• Vers 2 ans et demi,

au moment de la grande crise de personnalité dont nous vous parlons au chapitre 4, l'enfant risque, une nouvelle fois, de refuser de manger pendant quelque temps. Évidemment, c'est la manière la plus simple d'attirer l'attention sur lui. Plutôt que d'entrer en conflit avec lui à ce propos, il faut redoubler d'attention à son égard, mais dans d'autres domaines.

Je pense que ce qui précède vous évitera de vous inquiéter si votre enfant refuse de temps à autre un biberon ou un plat. Vous savez ce qu'il faut faire ces jours-là : ne le forcez pas à manger. Un enfant mange ce dont il a besoin. En le contraignant, vous risqueriez de prolonger ce manque d'appétit passager.

• Et voici quelques suggestions

▪ N'essayez pas de faire manger votre enfant en le menaçant de punitions, en lui promettant des récompenses, en faisant le clown pour le distraire. Lorsqu'un enfant découvre qu'il est capable de faire faire les pieds au mur à son père en échange d'une cuillère de soupe, il est ravi et les repas deviennent un vrai marchandage. Il est important de ne pas s'entêter : l'enfant n'a pas faim, ou ne veut pas manger, il se rattrapera au repas suivant. Il est important de respecter son appétit.

▪ Ne tombez pas dans le chantage aux aliments : « Si tu ne manges pas ta soupe, tu n'auras pas de dessert ». Cela aurait pour effet de renforcer l'attirance pour le sucré et le rejet de l'aliment proposé.

▪ Ne prolongez pas les repas plus d'une demi-heure. Ne les fractionnez pas non plus en offrant à votre enfant à manger une demi-heure plus tard ce qu'il a refusé. Il aurait d'autant moins faim au repas suivant. Et espacez les repas au maximum. Au besoin, n'en donnez que trois par jour.

▪ Si c'est le matin que votre enfant n'a pas faim, donnez-lui au réveil un verre d'eau sucrée, ou un jus de fruits ; c'est souvent efficace : un quart d'heure plus tard, l'enfant a faim.

▪ Essayez (j'emploie ce mot à dessein car certains parents supportent vraiment mal que leur enfant ne mange pas), essayez d'attendre avec calme que l'appétit revienne, mais avertissez le médecin dans les cas suivants : si la courbe de poids reste stationnaire plus de huit jours (dans le cas du nourrisson) ; si vous notez l'apparition d'un symptôme qui pourrait révéler une maladie à son début ; si le manque d'appétit, en dehors de tout symptôme, se prolonge au-delà d'un mois. Dans ces divers cas, le médecin prescrira des examens complémentaires. Et s'il ne trouve rien d'anormal, si le manque d'appétit devient un refus de s'alimenter, il s'agit probablement d'anorexie d'origine psychologique. Voyez ce mot au chapitre 6.

L'appétit capricieux

En dehors du manque d'appétit qui dure deux, trois jours mais qui disparaît en même temps que la cause qui l'avait provoqué (rhino-pharyngite, percée de dents, etc.), il y a l'enfant dont l'appétit est capricieux, temporairement, parfois même longtemps, mais sans raison apparente ni décelable : il ne refuse pas de manger par principe, mais il mange irrégulièrement. À un repas, rien ou presque, au suivant, beaucoup. Il demande le sucré avant le salé. Cet enfant, il ne faut pas non plus le forcer, son appétit finira par se régulariser. Ce qui convient à un appétit capricieux ce sont des menus variés.

De temps en temps, commencez le repas par un fruit qui ouvrira l'appétit, donnez d'abord le fromage ou le yaourt, proposez une rondelle de saucisson et un cornichon, on laisse parfois trop longtemps le nourrisson au régime bébé un peu fade : tout en purée, tout en petits pots…

Avec Nicolas, qui à 3 ans avait un très petit appétit, j'avais trouvé un petit « truc » : les sandwichs étrangers. J'avais devant moi un peu de gruyère, de jambon, de fromage blanc, de salade, etc., et je disais à Nicolas : « Je vais te faire un sandwich suisse, bouchée de pain, beurre, fromage ; maintenant, en voici un grec, bouchée de pain, fromage blanc, noix ; puis un russe, jambon, cornichon. » Nicolas se prenait au jeu, faisait son choix et mangeait…

Si vous ne trouvez pas d'aliment qui tente votre enfant, emmenez-le faire des courses, et c'est lui qui vous dira en voyant tel légume ou tel poisson : « J'en voudrais. » Autre « truc », mais évidemment valable seulement à partir de 3-4 ans : suggérez à votre enfant d'aider à préparer un plat. S'il tourne une sauce, bat des œufs ou écrase lui-même une banane, il sera très fier et mangera « sa » cuisine.

Mais si l'on peut laisser l'enfant dont l'appétit est capricieux manger avec fantaisie aux repas, il ne faut rien lui donner entre les repas, sinon vous ne vous en sortirez pas.

L'atmosphère des repas

Je vous ai parlé longuement de ce que vous pouviez mettre dans l'assiette de votre enfant, il me reste à vous dire deux mots de l'atmosphère des repas.

Il est souhaitable que les repas se déroulent dans le calme et à des heures régulières. Lorsque votre enfant commencera à manger seul à la cuillère, ayez un peu de patience ; le repas sera plus long, mais ne dites pas à votre enfant toutes les deux minutes : « Vite, dépêche-toi ! » Tant que l'enfant est à son régime de bébé, il est souhaitable qu'il prenne ses repas avant ou après le reste de la famille. En effet, jusqu'à deux ans un enfant ne mange pas proprement ; lui faire sans cesse des remarques ne sert à rien car il ne les comprend pas encore ; en plus, elles lui gâchent le plaisir de manger.

Que l'enfant prenne son repas avant ou après le vôtre, si vous voulez qu'il soit près de vous lorsque vous déjeunez ou dînez, installez-le dans sa chaise avec un petit morceau de pain à grignoter.

Pour finir, au risque d'être mal vue par certaines familles qui en ont l'habitude, je suggère de ne pas dîner devant la télévision.

Ce repas est souvent le seul moment où la famille se trouve réunie et peut parler de sa journée ; la télévision risque d'énerver les petits juste avant de se coucher, et, devant le poste, souvent les enfants ne font plus attention à ce qu'ils mangent, etc.

Je suis désolée, je ne vois que des inconvénients, et vraiment pas d'avantages à dîner devant le poste avec les petits, même les moyens, même les plus grands… Fermez le bouton, vous découvrirez ou redécouvrirez les joies de la conversation.

Il a soif

Le nourrisson a souvent soif. C'est bien naturel puisque ses réserves d'eau sont minimes, alors que ses besoins sont, en proportion, bien plus importants que ceux de l'adulte : songez qu'un bébé doit boire 100 à 125 g d'eau par kilo de son poids et par jour. Si l'adulte buvait autant en proportion, il absorberait – dans le cas d'une personne de 70 kg – 10 l de liquide par jour ; en réalité, 2 l seulement sont nécessaires à l'adulte en temps normal.

• **Comment reconnaître qu'un nourrisson a soif ?**

Il crie, pleure et s'agite. Touchez ses lèvres : elles sont sèches. Sa langue est sèche elle aussi. Montrez-lui le biberon : vous le verrez aussitôt tendre les mains ou essayer de se soulever pour s'en approcher.

• **Comment reconnaître qu'un bébé a suffisamment bu, et comment éviter qu'il ne boive avec excès ?**

Vous n'avez pas à vous faire de souci à ce sujet : le nourrisson règle exactement sa soif sur ses besoins en eau. Tant qu'il accepte de boire, c'est qu'il a besoin de boire. Dès que ses besoins en liquide sont satisfaits, il cesse de boire. S'il refuse, ne le forcez pas.

• **Quand les biberons normaux sont-ils insuffisants comme apport de liquide ?**

▪ Quand l'enfant a de la diarrhée ou des vomissements, il perd des liquides et se

déshydrate. Il faut donc lui donner plus à boire (voyez au chapitre 6 les articles *Diarrhée* et *Vomissements*).

▪ Quand l'enfant a de la fièvre ; quand il est trop chaudement vêtu ; quand il fait très chaud, en été à cause du soleil, en hiver à cause du chauffage (particulièrement les radiateurs électriques). Dans ces trois cas, l'enfant lutte contre l'excès de chaleur par la transpiration qui épuise ses faibles réserves en eau.

▪ Quand l'enfant urine abondamment. Souvent, le fait qu'un nourrisson ait toujours soif, accepte toujours le biberon d'eau qu'on lui présente, oriente le pédiatre vers une affection comme le diabète ou une maladie rénale.

● Que donner au nourrisson ?

De l'eau plate, en bouteille, non sucrée, portant la mention "convient aux nourrissons". D'ailleurs, pendant toute l'enfance, il est bien que l'eau plate soit la règle et les boissons sucrées l'exception.

Quelques préparations pour le bébé

● Bouillon de légumes.

Mettre dans 2 litres 1/2 d'eau froide, une cuillerée à café de sel, 2 pommes de terre et 2 carottes épluchées et de grosseur moyenne, un navet, un poireau, 4-5 feuilles de salade verte ou d'épinards. Cuire 1 heure et demie à petit feu et couvert, ou vingt minutes en autocuiseur. Passer le bouillon et le conserver au frais.

Le bouillon peut être utilisé comme eau de coupage de certains biberons. Il peut aussi servir de base de potage.

Pour faire un potage au bouillon de légumes, versez en pluie dans le bouillon chaud tapioca, Floraline ou petites pâtes, à raison d'une demi-cuillerée à soupe pour 100 g de potage. Temps de cuisson pour la Floraline, 2 mn ; pour le tapioca et les petites pâtes, 5 mn ; pour la semoule 15 mn.

Attention : avant de donner au bébé du bouillon de légumes cuit la veille, goûtez-le, il tourne souvent au cours du réchauffage. De toute façon, le bouillon de légumes ne doit pas être conservé plus de 24 heures au réfrigérateur.

- **Potage de légumes.**

Procédez comme indiqué à « Bouillon de légumes ». La cuisson terminée, passez les légumes à la moulinette fine ou au mixer, ajoutez du bouillon jusqu'à la consistance désirée, une noisette de beurre, et après 7 mois une pincée de fromage râpé.

- **Purée de légumes.**

Cuire les légumes. Les passer au mixer ou à la moulinette fine. Délayer la purée avec du lait ou de l'eau. Ajouter une noix de beurre.

- **Purée de légumes en petits pots.**

Les réchauffer. Suivant la consistance, rajouter un peu de lait ; certains légumes s'accommodent bien de quelques gouttes de citron. Ne pas ajouter de sel.

▪ Il existe aussi des purées de légumes congelées, non salées : carottes, pommes de terre, artichauts, brocolis, épinards, céleri, etc.

Comme nous l'avons dit plus haut, pendant la première année de l'enfant il est aujourd'hui recommandé de ne pas saler les aliments (légumes, viandes) ; et après un an, de les saler légèrement.

- **La viande.**

Pour cuire la viande sans matières grasses, utilisez une poêle spéciale, prévue pour ce genre de cuisson ou bien utilisez le four à micro-ondes.

- **Recommandations importantes pour que le bébé mange de la viande saine.**

▪ Le bifteck haché n'est sain que s'il est consommé *rapidement* après avoir été haché.

Bien nourrir votre enfant.

Pour le bébé (la première année), demandez au boucher de hacher un petit bifteck que vous ferez cuire rapidement. Par la suite l'enfant pourra manger de la viande hachée préemballée, en respectant, bien sûr, la date de péremption indiquée sur l'emballage.

▪ Toutes les viandes doivent être bien cuites, à coeur. La porc ne doit jamais être rose.

▪ Même le mouton doit être bien cuit, car il expose à la toxoplasmose, maladie donnée par un parasite microscopique, le toxoplasme.

▪ Quant au poulet qui apparaît aujourd'hui dans bien des menus, c'est vrai que c'est une viande maigre, mais évitez de donner la peau qui est trop grasse.

Le poisson

Pour le petit bébé, le poisson doit être poché, qu'il s'agisse de colin, de sole, de cabillaud. Mettre le poisson dans l'eau légèrement salée ou dans un court-bouillon, et lorsque l'eau frémit (attention de ne pas la laisser bouillir), laisser cuire 5 à 10 minutes. Retirer de l'eau, ôter soigneusement arêtes et peau ; passer à la moulinette fine ou au mixer, et mélanger à la purée. On peut aussi faire cuire le poisson au four à micro-ondes.

Lorsque l'enfant a un an, on peut lui donner le poisson sans le passer au mixer. L'assaisonner de beurre fondu, citron, persil, et le servir avec des pommes de terre blanches.

Après 2 ans on peut poêler le poisson : le passer dans du lait puis de la farine, faire chauffer un peu d'huile dans une poêle ; lorsque l'huile est chaude, y mettre le poisson à cuire 5 minutes de chaque côté. Retirer la peau si nécessaire. Assaisonner d'un jus de citron. Après 3 ans, on peut servir le poisson en sauce.

Mixer et micro-ondes

Le mixer va jouer un grand rôle dans la préparation des repas du bébé : grâce à lui, vous pourrez réduire tous les aliments – poisson, viande, légumes, fruits – en une purée fine et homogénéisée, facile à avaler par le bébé dès 4-5 mois.

Il existe un appareil qui cuit à la vapeur, mixe et réchauffe le repas de bébé, en un rien de temps. Un peu cher mais très pratique.

Pour faciliter le broyage, ajouter une cuillerée à soupe de liquide, ou deux, suivant la quantité, le genre d'aliments et la consistance désirée.

▪ Légumes : ajouter eau de cuisson, eau minérale ou lait. Attention : pour les pommes de terre, ne faites fonctionner le mixer que quelques minutes ; sinon la purée sera collante.

▪ Viande : c'est l'aliment le plus difficile à réduire en fine purée ; le plus simple est de la broyer en même temps que les légumes. Mais ne mettre dans le mixer qu'une petite quantité de légumes, sinon la viande sera perdue dans la masse. Si le bébé ne mange pas toute la purée passée, il n'aura pas sa ration de protéines. Si on ne veut pas mélanger viande et légumes, broyer la viande seule avec un peu d'eau minérale.

▪ Poisson : idem.

▪ Fruits : grâce au mixer, on peut obtenir de la pulpe de cerises, pêches, poires, abricots, pommes, fraises, etc. Peler, épépiner ou dénoyauter les fruits. Suivant leur consistance, ajouter un peu d'eau minérale ou de jus d'orange.

Le four à micro-ondes

Il est très utile pour réchauffer biberons, petits pots, surgelés ou produits frais, mais **attention** : même si le récipient est tiède, le contenu peut être trop chaud et provoquer des graves brûlures. Il faut vérifier systématiquement la température du liquide (ou du pot), par exemple en déposant quelques gouttes sur le dos de la main.

Contenances

Pour vous aider à préparer les repas de votre bébé, voici le poids correspondant aux mesures couramment employées.

Liquides		
lait, eau, jus de fruit, etc.	1 cuillerée à café	5 g
	1 cuillerée à dessert	10 g
	1 cuillerée à soupe	15 g
lait condensé	1 cuillerée à café	7 g
pour le lait en poudre	1 mesure de la boîte	5 g
Solides (aliments non cuits)		
sucre en poudre	1 cuillerée à café arasée	5 g
	1 cuillerée à soupe arasée	10 g
sucre en morceaux	n° 2=10g-n°3=7g-n°4=5 g	
farine ordinaire, riz, pâtes	1 cuillerée à soupe	20 g
semoule, tapioca	1 cuillerée à soupe	15 g
farine ordinaire, gruyère râpé	1 cuillerée à café	5 g
Solides (aliments cuits)		
purée de légumes, pulpe de fruits	1 cuillerée à soupe	35 g
jaune d'œuf dur	1 cuillerée à café	5 g
poisson, viande	1 cuillerée à soupe	20 g
beurre	une noisette	3 g

Les cuillerées s'entendent « arasées » avec une lame de couteau, c'est-à-dire ni tassées, ni bombées, ce qui est très important pour le petit bébé. Exemple : une cuillerée à soupe de sucre arasée = 10 g, bombée = 15 g. Pour les différentes farines, les indications sont en général données sur les boîtes. Reportez-vous à ces indications car certaines farines sont plus légères que d'autres.

Petit lexique diététique

Additifs alimentaires.

Beaucoup de produits alimentaires que l'on trouve dans le commerce contiennent un et souvent plusieurs additifs. Selon leur rôle, ce sont des colorants, des conservateurs, des modificateurs de consistance (épaississants, gélifiants, émulsifiants), des arômes. D'origine naturelle ou artificielle, l'utilisation de ces additifs est strictement réglementée. Ils peuvent être identifiés sur les étiquettes par un numéro de code : la lettre E suivie de 3 chiffres.

On peut s'interroger sur leur utilité réelle, et surtout sur leur innocuité à long terme ; il semble préférable d'éviter : les colorants (E 100 à E 180) souvent présents dans des confiseries, pâtisseries, yaourts, jus de fruits ; les sulfites (E 220 à E 227) utilisés dans les jus de fruits, les fruits secs ; et les nitrates et nitrites (E 250 et E 251), agents de salaison en charcuterie.

Calcium.

C'est lui qui donne aux os leur solidité. L'enfant, qui construit sa charpente osseuse, en a donc particulièrement besoin. Les principales sources de calcium dans l'alimentation sont le lait et les laitages. Le lait de vache contient trois à quatre fois plus de calcium que le lait de femme mais ce calcium est moins assimilable. Les fromages à pâte dure (gruyère, hollande, crème de gruyère, chester, cantal) sont plus riches que les fromages à pâte molle (camembert, brie, coulommiers) ou persillés (roquefort). On trouve également du calcium dans les fruits et légumes, dans l'eau (mais en quantité moindre), les haricots secs, le chou-fleur et le cresson.

Pour assimiler le calcium, l'organisme a besoin de phosphore et de vitamine D.

Calories.

On mesure en calories les besoins de l'organisme en énergie. L'unité de mesure est soit la *cal* ou *Cal* ou *kcal*, soit le *kilojoule* (kJ) a raison de 1 kJ = 4,18 kcal. Les besoins en énergie diffèrent selon l'âge, le sexe, l'activité physique. Exemples : les besoins d'un sportif de haut niveau sont de 4 500 kcal par jour, ceux d'un nourrisson augmentent progressivement de 65 kcal par kilo de poids et par jour à la naissance à 91 kcal/kg poids/jour à 12 mois ; à 2 ans l'enfant a besoin de 1 100 kcal par jour, à 3 ans de 1 200 kcal en moyenne. Ce sont les aliments qui fournissent les calories, par exemple un litre de lait maternel ou de lait de vache entier apporte 700 kcal.

Cellulose.

C'est une fibre qui est nécessaire, parce que, par son volume et par son poids, elle déclenche les mouvements rythmiques de l'intestin. Elle est fournie par les légumes et les fruits.

Chlorure de sodium.

C'est le sel de cuisine. Il est nécessaire, en petite quantité, à l'organisme : il joue un rôle dans les mouvements de l'eau au sein de notre organisme, et dans la transmission des influx dans le système nerveux et les muscles.

À l'heure actuelle, l'excès de sel dans l'alimentation est considéré comme néfaste car à l'origine de l'hypertension artérielle de l'adulte. Il est donc conseillé de ne pas saler les aliments pour les bébés et ensuite de les saler modérément.

Fer.

C'est un constituant de l'hémoglobine qui donne à notre sang sa couleur rouge, et dont nous avons besoin pour capter l'oxygène ; voir au chapitre 6 à l'article *Anémie*.

Principales sources de fer : les lentilles, le bœuf, le boudin noir, le foie et autres viandes et poissons.

Les laits premier et deuxième âge et les laits de croissance sont enrichis en fer.

Fluor.

Le fluor est un oligo-élément. On le trouve dans le squelette et dans les dents dont il renforce la résistance. Le fluor protège contre les caries dentaires. Voir page 365. Et également pages 56 et 72.

Glucides ou hydrates de carbone ou sucres.

Ce sont les aliments-énergie. Vivre – même en se dépensant aussi peu qu'un nourrisson dans son berceau – c'est user beaucoup d'énergie. C'est pourquoi nous avons besoin de sucres. Ils apportent 4 kcal par gramme.

On distingue les sucres simples (sucre de betterave ou canne, miel, confiture) et les sucres complexes (riz, pâtes, tapioca, pain, et d'une manière générale tous les féculents). Les premiers sont à consommer pour le plaisir et avec modération. Les seconds fournissent de l'énergie : ce sont eux qu'il faut utiliser de préférence.

Graisses ou lipides.

On distingue les graisses de constitution présentes dans les aliments (exemple : les viandes, les fromages, les noix, les olives, le chocolat...) et les graisses à l'état pur. Parmi ces dernières, les unes sont d'origine animale (beurre, saindoux) et les autres d'origine végétale (huile, certaines margarines).

Les graisses sont essentiellement constituées d'**acides gras**. Deux de ces acides gras sont dits **essentiels** car l'organisme ne peut pas les fabriquer, ils doivent donc être apportés par l'alimentation. Ils font partie des acides gras polyinsaturés ; ce sont l'acide linoléique (famille des oméga 6) que l'on trouve dans l'huile de tournesol, les viandes et l'acide alpha-linolénique (famille des oméga 3) dont les sources sont les huiles de colza, noix, soja. Le lait de vache en contient beaucoup moins que le lait maternel, c'est pourquoi ces acides gras sont ajoutés dans les laits infantiles. Le rôle des acides gras polyinsaturés est essentiel à la maturation et au développement du cerveau et du système nerveux du bébé.

Vous voyez qu'il est facile et peu coûteux de consommer ces acides gras essentiels dont on parle beaucoup aujourd'hui.

Les graisses sont très énergétiques : 9 kcal par gramme. Elles sont nécessaires au transport des vitamines A, D, E. Certaines sont peu digestes. C'est pourquoi, les aliments cuits ne doivent pas être imprégnés de graisse, il est préférable de les cuire sans graisse et d'ajouter celle-ci au moment de servir.

On insiste à l'heure actuelle sur le rôle néfaste d'apports excessifs en lipides (et en sucres) qui peu-vent être à l'origine d'une prise de poids trop importante. Mais, jusqu'à 3 ans, les besoins de l'enfant en lipides sont élevés (ils diminueront ensuite) : il ne faut donc pas trop restreindre les lipides.

Iode.

Constituant des hormones thyroïdiennes, l'iode intervient dans les processus de croissance et dans de grandes fonctions vitales. Les aliments les plus riches sont les poissons et les fruits de mer ; chez les enfants, les principales sources alimentaires sont le lait, les produits céréaliers et les œufs. Il existe du sel iodé.

Minéraux.

Les principaux minéraux apportés par l'alimentation sont : le sodium, le calcium, le phosphore, le magnésium, le chlore, le potassium.

Oligo-éléments.

Ce sont des minéraux présents dans l'organisme en faible quantité, mais dont le rôle est très important car ils sont indispensables à de nombreux processus biochimiques. Les principaux sont : cuivre, zinc, manganèse, fer, iode, fluor, molybdène, sélénium, etc. Leur carence peut résulter d'un manque dans l'alimentation ou d'une mauvaise absorption par le tube digestif ; en pédiatrie, les situations exposées sont la prématurité, la malnutrition, les malabsorptions intestinales (maladie cœliaque, mucoviscidose), les alimentations artificielles prolongées.

Phosphore.

Il est indispensable à l'assimilation du calcium. Une alimentation normale apporte la ration de phosphore dont l'organisme a besoin. Les aliments riches à la fois en protides et en calcium, par exemple les fromages, le lait et le jaune d'œuf, sont les meilleurs fournisseurs de phosphore.

Potassium.

Nécessaire à l'assimilation des glucides, mais surtout lié au sodium ; ils sont complémentaires, c'est-à-dire qu'un organisme qui absorbe peu de sel et beaucoup de potassium (cas du régime végétarien, les végétaux étant riches en potassium et pauvres en sel) perd son sel. C'est pourquoi les herbivores sont si amateurs de sel. Une alimentation normale apporte tout le potassium dont l'organisme a besoin.

Protéines ou protides.

C'est le matériau de construction de l'organisme. C'est pourquoi les protéines sont particulièrement nécessaires à l'enfant.

Les besoins en protéines ont été revus à la baisse car ils étaient surestimés. Ils ne sont que de 10 g par jour de la naissance à 3 ans alors que l'alimentation actuelle des enfants leur en apporte 2 à 3 fois plus (trop de viande et de laitages).

Les aliments les plus riches en protéines sont le lait, le fromage, la viande, le poisson, les œufs, les céréales, les légumes secs. La viande et le poisson contiennent 15 à 20 g de protéines pour 100 g. Les protéines apportent 4 kcal par gramme.

Dans ces conditions, peut-on élever un enfant sans protéines ? Sans aucune protéine animale, c'est-à-dire avec un **régime végétalien** excluant la viande bien entendu, mais aussi les produits d'origine animale (lait, fromage, œufs, etc.), et ne fournissant que des protéines d'origine végétale (soja, amandes, etc.). Ce n'est pas conseillé, c'est même néfaste.

Un être en pleine croissance ne peut se développer convenablement avec un régime aussi déséquilibré.

En revanche, on peut assurer une nourriture équilibrée à un enfant et ne prendre aucun risque de compromettre sa croissance en l'élevant avec un **régime végétarien** excluant la viande et le poisson mais apportant les protéines d'origine animale sous forme de lait, de fromage et d'œufs, etc.

Vitamines.

Glucides, lipides, protides sont des substances « calorigènes » : elles fournissent de l'énergie. Les vitamines, comme d'ailleurs les minéraux, ne fournissent pas de calories, mais elles sont indispensables car elles servent par exemple à assimiler, à utiliser les calories. Les vitamines sont nombreuses. Passons-les brièvement en revue.

● La vitamine A joue un rôle important dans la croissance et dans la résistance aux infections. On la trouve (sous forme de carotène) dans certains légumes (carotte, poivron), dans certains fruits (abricot, melon), dans les corps gras (beurre, huile de foie de morue), dans le jaune d'œuf, le foie, les sardines.

● Les vitamines B (il y en a plusieurs : B 1, B 2, B 6, B 12, etc.) règnent sur le bon fonctionnement des nerfs, des muscles, de l'appareil digestif, du sang. Les aliments végétaux et animaux contiennent presque tous des vitamines B mais les céréales (surtout le germe de blé), le foie et le lait en sont particulièrement riches.

● La vitamine C permet de lutter contre les infections, c'est la vitamine « anti-fatigue ».

Autrefois, les navigateurs étaient souvent atteints d'une maladie appelée scorbut : leurs dents tombaient, des taches de sang (purpura) apparaissaient sur leur peau, ils n'avaient plus de force. C'était la conséquence d'une carence en vitamine C. Aujourd'hui, on sait qu'il est indispensable, quand on se nourrit de conserves, d'absorber du citron, des oranges, etc.

Le scorbut a donc pratiquement disparu mais il reste toujours possible en cas de grande carence en vitamine C. Celle-ci est détruite par la chaleur et par l'air, mais une cuisson à la vapeur, en autocuiseur, laisse subsister une certaine quantité de vitamine C ; lire à ce sujet dans ce même chapitre : « Ce que vous devez savoir des aliments ». Aujourd'hui les laits infantiles sont enrichis en vitamine C.

Voici, par ordre décroissant, la teneur en vitamine C (qu'on appelle également acide ascorbique) des fruits de consommation courante (teneur comptée en milligrammes pour 100 grammes de fruits frais – c'est-à-dire ni séchés ni cuits) : fraise, litchi : 60 ; citron, orange : 50 ; clémentine : 41 ; groseille : 40 ; pamplemousse : 37 ; mûre : 32 ; framboise, melon : 25 ; myrtille : 20 ; ananas : 18 ; banane, abricot, pêche : 7 ; cerise : 6 ; prune, pomme, raisin, poire, figue : 5. Voici deux fruits exceptionnellement riches en vitamine C : le kiwi, 80 ; le cassis, 200.

● la vitamine D est celle dont la carence entraîne le rachitisme (voir ce mot au chapitre 6). En effet, elle est indispensable à l'assimilation du calcium. Elle est formée par l'action des rayons ultraviolets du soleil sur la peau. Mais, dans les villes et les climats brumeux, l'action du soleil est peu efficace ou inefficace parce que les rayons ultraviolets sont arrêtés par un écran de brouillard. En plus, on n'expose pas les bébés au soleil. C'est pourquoi on donne régulièrement aux enfants de la vitamine D sous forme synthétique.

Les enfants à peau pigmentée (enfants antillais, africains…) sont plus sensibles et ont besoin d'une dose plus importante.

Un aliment est particulièrement riche en vitamine D : l'huile de foie de morue qui a été si utilisée dans les générations précédentes.

● Il y a bien d'autres vitamines, en particulier la vitamine E qui protège les membranes des tissus grâce à son pouvoir antioxydant, ou encore la vitamine K qui favorise la coagulation du sang. En dehors des vitamines D et K qui nécessitent une supplémentation, les autres vitamines se retrouvent dans les différents aliments, un régime équilibré est suffisant pour couvrir les besoins de l'organisme.

3

La vie d'un enfant

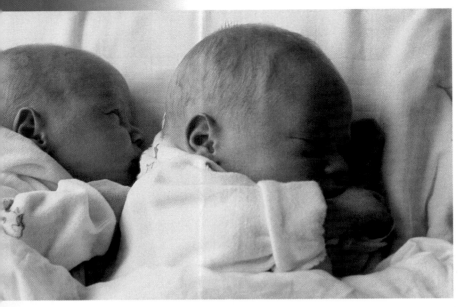

 # Une journée
bien remplie

Au début tout au moins, le déroulement de la journée d'un enfant est essentiellement déterminé par l'alternance des repas et des besoins en sommeil ; en effet, dans les premières semaines, le bébé consacre la plus grande partie de son temps à manger et à dormir. Mais même au début, si courts soient-ils, les moments d'éveil sont très intenses, pleins d'intérêt et de curiosité pour le monde extérieur, ce monde que déjà, fœtus, il avait commencé à percevoir. Puis, rapidement, à ces deux occupations principales, manger et dormir, s'en ajoutent d'autres, s'éveiller, communiquer, jouer, se baigner, sortir, etc. Ainsi la journée d'un enfant est-elle vite bien remplie.

Le sommeil, sa première « activité »

Votre bébé va dormir beaucoup pendant ces premiers mois, mais pas toujours très bien. L'un des motifs les plus fréquents de consultation auprès des pédiatres concerne les troubles du sommeil. Lorsqu'un enfant a de la peine à s'endormir, dort mal ou pleure la nuit, non seulement lui-même en souffre, mais cela perturbe toute la vie de la famille. On se relaie auprès de l'enfant, chacun a son idée pour l'aider à s'endormir : une histoire, une chanson, un peu d'eau. Les choses se gâtent avec le temps qui passe et la nervosité gagne. En revanche, un enfant qui dort bien rend la vie familiale facile, détendue.

Étant donné la place du sommeil dans la vie de l'enfant, et dans celle de son entourage, je voudrais vous en dire deux ou trois choses. D'abord son importance, et pourquoi il faut tout faire pour en préserver la qualité.

- **Importance du sommeil.**

Le sommeil est une part fondamentale de notre vie. Il nous permet de nous reposer et de récupérer nos forces ; il est essentiel à notre équilibre. Après une bonne nuit, on se réveille frais et dispos ; rien ne va plus après une nuit de mauvais sommeil ; c'est pareil chez l'enfant. Mais ce qui est propre à l'enfant, c'est que le sommeil joue un rôle important dans la croissance. C'est principalement au cours du sommeil qu'est sécrétée l'hormone de croissance. Et c'est pendant le sommeil paradoxal (voir plus loin) que s'inscrivent dans la mémoire les expériences, les découvertes, les acquis. C'est donc, en grande partie au cours du sommeil que se « construit » le cerveau et se développe le corps.

On connaît en général le rôle de la nourriture dans le développement, on est moins averti du rôle du sommeil pourtant essentiel.

- **C'est autour du sommeil**

que s'organise la vie du bébé. Chez le nouveau-né, le sommeil est encore peu structuré, bien qu'il occupe une part importante de la journée. Dans les premières semaines de vie, le sommeil et la faim sont étroitement liés. Le bébé se réveille pour réclamer sa tétée ; après le repas, il reste quelques instants éveillé, il écoute, regarde, entre en contact avec son entourage. Mais bien vite il se rendort. A cet âge, le nouveau-né réclame huit fois par jour, parfois plus.

Petit à petit, le bébé grossit, il a plus de réserves, il peut dormir plus longtemps. Il apprend à attendre avant de réclamer à nouveau, mais parfois il faut l'aider à s'habituer à cette attente en le laissant patienter un peu.

Le rythme de base, constitué par la faim et sa satisfaction, va peu à peu être influencé par les rythmes extérieurs : celui des échanges avec les proches, celui de la lumière du jour et de l'obscurité de la nuit. Le bébé acquiert ainsi progressivement un rythme de vie organisé autour d'un sommeil de nuit, et d'une journée avec des phases d'éveil de plus en plus longues.

- **Le sommeil de la nuit.**

Il faudra quelque temps au bébé pour qu'il « fasse ses nuits », c'est-à-dire pour qu'il dorme plusieurs heures d'affilée sans se réveiller. Cela se passe en général vers 2-3 mois. C'est en effet à partir du moment où l'enfant pèse 5 kg qu'il est « biologiquement » capable de supporter le jeûne de la nuit et d'attendre environ huit heures : il ne risque ni de maigrir ni de faire une hypoglycémie.

Mais si à cet âge le bébé ne « fait » pas encore ses nuits, et si c'est important pour la vie familiale que tout le monde puisse dormir (par exemple la maman va reprendre son travail), il faut alors apprendre au bébé à patienter pour qu'il acquiert ce rythme du sommeil de nuit. On peut le rassurer, sans le prendre dans les bras, puis le laisser pleurer quelque temps. Peu à peu, il comprendra qu'on ne vient pas dès qu'il appelle, et il se rendormira.

Bébé grandit, sa vie est maintenant bien rythmée, avec une nuit complète (8 à 12 heures vers 4-5 mois), et une vraie journée au cours de laquelle il profite de ses moments d'éveil.

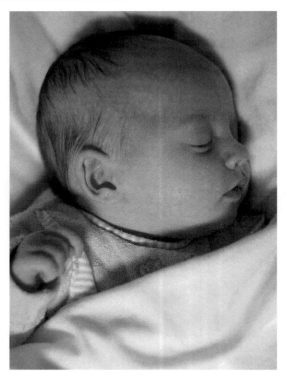

• Les siestes.

Les périodes de sommeil de la journée diminuent peu à peu. La sieste du matin disparaît spontanément dans le courant de la première année. Certains enfants ne font plus de sieste l'après-midi alors qu'ils ont à peine 3 ans, tandis que d'autres ont encore besoin de dormir après le déjeuner jusqu'à 4 ans, et même parfois plus. Chez la plupart des enfants, ce rythme « sommeil de nuit – activités de jour » s'installe spontanément, harmonieusement. Mais parfois, l'installation de ce rythme est moins facile : le bébé pleure en fin de journée, il a des coliques douloureuses, il est constipé et semble avoir mal au ventre. Ces troubles font souffrir le bébé, ils perturbent la vie familiale, mais il est important que les parents gardent à l'esprit que ces troubles sont transitoires, et que malgré eux, il faut essayer d'entourer le moment du coucher de calme, de sérénité. Après 3-4 mois, tout va aller mieux.

Quelques suggestions pour aider votre enfant à bien dormir vous sont données un peu plus loin.

•La durée du sommeil

raccourcit progressivement :
– le bébé dort entre 20 et 23 heures le premier mois,
– entre 18 et 20 heures à un mois,
– entre 16 et 18 heures à 4 mois,
– entre 14 et 16 heures à 8 mois,
– entre 13 et 15 heures à la fin de la première année,
– 11 heures vers 3 ans.
Ces chiffres ne sont que des moyennes ; d'une personne à l'autre, il existe de grandes variations, elles peuvent se manifester tôt : chez l'enfant comme chez l'adulte, il y a les grands dormeurs et les petits dormeurs.

Deux sommeils

Comme nous l'avons vu plus haut, le sommeil n'est pas un temps passif, inutile. C'est une période où l'enfant, comme l'adulte, « récupère » de ses efforts de la journée. Et pendant qu'il dort, l'enfant rêve, mémorise ce qu'il a vécu pendant la phase de veille. Ces deux fonctions majeures du sommeil – récupération et rêve – vont s'installer dès les premières semaines de la vie.

Cette organisation du sommeil se fait sous forme de cycles où se succèdent une phase de récupération et une phase de rêve. Ainsi chaque cycle de sommeil est constitué d'une phase d'endormissement, suivi d'un sommeil de plus en plus profond. C'est la phase de récupération. Puis, survient une phase de rêve. Durant la nuit, plusieurs cycles de sommeil se succèdent. Entre chaque cycle, il y a un court moment d'éveil dont, en général, on ne se souvient pas le matin.

Les cycles de sommeil du début de la nuit sont essentiellement consacrés à la récupération : ils ont une durée de sommeil profond plus longue que celle du rêve. En revanche, à la fin de la nuit, les cycles s'inversent : la durée de sommeil profond est plus courte que la durée du rêve.

Ces constatations ont pu être faites grâce à des enregistrements de l'activité du cerveau pendant le sommeil (par un electro-encéphalogramme). On a pu également observer les caractéristiques de chaque type de sommeil. Le **sommeil profond** est signalé par un ralentissement de l'activité cérébrale et l'existence de mouvements des membres. Au contraire, pendant la phase de rêve, le corps est totalement immobile, les yeux seuls sont en mouvement quasi incessant et l'activité cérébrale est très intense. La phase de rêve est appelée **sommeil paradoxal** car le corps ne bouge pas du tout, tandis que le cerveau et les yeux sont très actifs. Si l'on réveille quelqu'un pendant cette phase de sommeil paradoxal, il se souvient très bien de son rêve. Chez le nourrisson de moins d'un an, le sommeil paradoxal s'accompagne de mouvements, et il est difficile, sans enregistrement, de savoir dans quelle phase de sommeil se trouve l'enfant.

Entre les cycles de sommeil, l'enfant s'éveille un court instant. Il peut pleurer, gémir, faire du bruit, bouger, mais il va se rendormir bien vite dans un nouveau cycle de sommeil. Certains enfants se réveillent plusieurs fois dans la nuit, de façon très rythmée, toutes les deux heures environ, entre deux cycles. Il est rare qu'un bébé se réveille au milieu d'un cycle. Et pour que l'enfant se rendorme bien, il faut qu'il se trouve dans une ambiance de calme, d'obscurité, comme pour le moment du coucher. Sinon, il va avoir tendance à rester éveillé et à vouloir jouer ou être avec ses parents, et le cycle de sommeil suivant ne pourra pas apparaître normalement. Il est donc important d'éviter de se précipiter vers l'enfant, de le prendre dans les bras, de lui parler pendant ces courtes périodes d'éveil si l'on veut qu'il puisse se rendormir normalement. Il le fera tout seul et très bien s'il est dans un environnement propice au sommeil. Pour T.-B. Brazelton, apprendre à se rendormir tout seul entre deux cycles de sommeil est pour le bébé un réel apprentissage de l'autonomie.

● L'importance du rêve.

Le rêve est une période du sommeil durant laquelle les événements de la journée reviennent à la mémoire. Ils sont revécus par le cerveau, de façon involontaire. Ils sont reconstruits, et confrontés avec les événements déjà enregistrés de façon inconsciente. Ainsi est fabriqué petit à petit tout un monde, une vie, à partir des événements vécus, qui vont peupler et organiser la mémoire. C'est ainsi que le rêve joue un rôle important dans le développement de la mémoire.

C'est aussi pendant le rêve, ou par le rêve, que les événements de la journée s'installent dans cette partie de la mémoire inconsciente qui construit petit à petit la perception que l'enfant a du monde et qui sera plus tard sa référence inconsciente.

Même si la mémoire ne se construit pas qu'à travers le rêve, et même si l'inconscient ne peut être réduit au rêve, ces liens montrent l'imbrication et l'harmonie entre les phénomènes biologiques et psychologiques.

Le rêve parfois est désagréable : c'est un cauchemar. Chez l'enfant entre 2 et 5 ans, les cauchemars sont fréquents et l'enfant crie, semble terrorisé, même s'il ne se réveille pas. Le cauchemar est un événement normal, s'il ne se répète pas trop régulièrement (voir *Cauchemars et terreurs nocturnes*, au chapitre 6).

Comment aider l'enfant à bien dormir

Distinguons le bébé et l'enfant plus grand.

Chez le bébé, il y a d'abord adaptation aux différentes phases de sommeil : il lui faut parfois un certain temps pour passer du sommeil paradoxal au sommeil profond. Or, comme nous l'avons vu plus haut, si les parents croient que le bébé est réveillé, le prennent dans les bras, et lui proposent un biberon, l'enfant prendra l'habitude de ne pas pouvoir se rendormir sans que ses parents viennent.

Lorsque le bébé n'a plus de biberon de nuit, s'il pleure très fort une nuit, il faut bien sûr ne pas refuser d'aller le consoler, mais en essayant de ne pas le sortir du lit, et en ne mettant pas trop de lumière, pour qu'il puisse se rendormir.

Même très jeune, un bébé se rend compte de l'ambivalence de ses parents : si ceux-ci le couchent, tout en étant prêts à accourir au premier appel, le bébé le sent bien.

Durant leur première année, certains bébés n'arrivent pas à trouver leur rythme de sommeil : ils ont des réveils fréquents et ne peuvent se rendormir seuls. Si l'adulte ne vient pas, ils sont capables de pleurer pendant des heures. Ce sont souvent des enfants avec lesquels les parents ont, dans la journée, des échanges trop intenses : le bébé est porté, embrassé, sollicité sans cesse. C'est alors un rythme que les enfants s'attendent à retrouver la nuit. On comprend que ces parents aient envie de « profiter » de leur enfant, mais ils doivent se rendre compte qu'un bébé a besoin de calme, et que trop d'excitation, d'émotion, de paroles, peuvent perturber son sommeil.

Chez l'enfant plus grand, un problème peut se poser au moment du coucher. L'enfant commence à avoir l'habitude de vivre en société, il ne dort plus en fin de journée, il revient de la crèche, ou de chez l'assistante maternelle et il joue. Et on lui demande de tout quitter pour aller se coucher. C'est alors qu'il peut y avoir des difficultés ; d'autant plus que c'est le moment où la maison est le plus animée : les parents sont là, éventuellement les frères et les sœurs, on prépare le dîner, souvent la télévision est allumée, etc. L'enfant peut éprouver une véritable angoisse à l'idée de quitter ceux qui l'entourent et de se retrouver seul dans le noir, et c'est bien normal. Même l'enfant le moins anxieux aime rarement aller au lit. En tout cas, le besoin si profond de l'enfant – la sécurité affective – se fait sentir plus que jamais au moment d'affronter le grand vide du sommeil.

Il arrive que les réticences de l'enfant à dormir deviennent une véritable opposition et même une phobie du coucher. Là, comme ailleurs, ce n'est pas par la contrainte qu'on obtiendra que l'enfant se couche ; on n'aboutira qu'à un cercle vicieux qui accroîtra encore l'opposition de l'enfant. Il vaut mieux essayer de comprendre ce que ressent l'enfant au moment de se coucher pour pouvoir l'aider.

Que faire pour l'aider à aller se coucher ?

D'abord, le préparer à aller au lit. Lui dire un bon moment avant : « Il va bientôt être l'heure d'aller se coucher. » Rien de plus énervant, pour l'enfant occupé à jouer, que l'ordre subit d'avoir à tout laisser en plan pour aller prendre son bain, dîner et dormir. Vous l'avez prévenu, mais une fois que vous avez pris la décision, même si l'enfant demande un délai, soyez fermes. Dans ce domaine, ce n'est pas aux enfants à décider, mais aux parents.

Ensuite, respecter ses habitudes : certains sucent leur pouce, d'autres veulent leur poupée favorite, ou bien que les rideaux soient bien fermés, etc. C'est en se retrouvant dans ses habitudes que l'enfant se sent rassuré. Par exemple, un enfant peut avoir un sommeil agité uniquement parce qu'on aura changé la place de son lit.

La lumière du jour ne gêne pas le bébé pour dormir, tout au moins jusqu'à l'âge d'un an : il dort aussi bien dehors, dans son landau, que dans sa chambre. Après un an, il dort mieux et plus longtemps dans l'obscurité ou la pénombre.

Lors de l'endormissement, certains enfants ont des mouvements rythmés, qui par leur allure ou leur caractère répétitif, peuvent surprendre. C'est le plus souvent un rite de bercement qui aide l'enfant au moment de s'endormir. Il faut le laisser faire : l'enfant met sa tête dans l'oreiller et la secoue dans un mouvement de va et vient, un autre se balance d'avant en arrière ou tape sa tête contre le bord du lit. Ces phénomènes sont souvent surprenants pour les parents mais ils restent généralement discrets et cessent quand l'enfant grandit (voir aussi p. 408). Sachez aussi que le sommeil risque d'être moins calme aux âges des grandes découvertes : langage et marche.

Sur le sommeil,
je vous recommande, de Marie Thirion et Marie-Joséphe Challamel : *Le sommeil, le rêve et l'enfant* (éditions Albin Michel). Un bon livre, très complet (360 pages), pour en finir avec les « mauvaises nuits ».

Enfin, il faut essayer de coucher l'enfant à des heures régulières et qu'il soit entouré de calme. Pour l'enfant plus grand, se coucher et s'endormir sont deux choses différentes. On peut lui dire : « Tu n'es pas obligé de dormir tout de suite, tu peux regarder un livre. »

Quand l'enfant sera au lit, asseyez-vous près de lui : c'est le moment d'une histoire, d'une chanson. C'est surtout le moment du grand câlin du soir, ce moment tellement attendu, tellement apprécié.

Sur les troubles du sommeil, voyez les pages 427 et suivantes.

L'heure de dormir est arrivée, vous partez. Une fois que l'enfant est couché, il ne doit plus se relever, c'est une habitude à prendre, sinon tous les prétextes seront bons pour revenir : « J'ai trop chaud », « J'ai soif », « J'ai peur »… Si l'enfant a envie d'une veilleuse ou de la porte entrouverte, pourquoi pas. En revanche, soyez fermes quand vous le quittez. Comme vous serez obligés de l'être la nuit s'il appelle. Ce que nous avons dit pour le bébé s'applique aussi au grand enfant : il doit être autonome la nuit et s'habituer, s'il se réveille, à se rendormir seul.

À plusieurs reprises vous avez retrouvé le mot fermeté dans ce chapitre sur le sommeil. C'est vrai, il en faut, ce n'est pas toujours facile, mais pour l'enfant, cette séparation du sommeil et de la nuit est une étape vers l'apprentissage de l'autonomie. À signaler que pour beaucoup d'enfants, cela se passe sans problème.

•L'enfant qui dort dans la chambre de ses parents.

Les premières semaines, le bébé dort souvent dans la chambre de ses parents, c'est naturel et, en plus, pratique. Avec un nouveau-né, les parents sont inquiets, veulent être sûrs que le bébé dort et respire bien. De plus, souvent la mère a encore besoin de cette proximité physique. Et c'est plus commode pour donner facilement la tétée la nuit.

Mais passés les premièrs mois, lorsque le bébé a acquis un rythme régulier de sommeil, il a besoin de calme et d'un espace à lui.

La chambre des parents ne lui permet pas toujours un sommeil paisible. En effet, plus les mois avancent, plus on s'aperçoit que le bébé réagit aux heures de coucher de ses parents, à leurs allées et venues, à leurs relations sexuelles (quoi qu'en disent certains parents qui croient que parce que l'enfant a les yeux fermés, il n'est conscient de rien).

Si le bébé pleure, s'il se réveille, les parents sont facilement tentés de le prendre dans leur lit. Et lorsqu'il saura marcher, l'enfant viendra tout seul. Or l'enfant qu'on laisse empiéter sur le territoire qui ne devrait pas être le sien va devenir exigeant dans la journée face à d'autres interdits, il se mêlera de la vie des adultes, deviendra jaloux et exclusif. L'enfant a besoin de son territoire, de son lit, d'une nuit qui soit la sienne, et c'est la même chose pour ses parents : à chacun son domaine.

Il est des cas où certaines difficultés conjugales, certaines détresses, certaines situations de solitude poussent un adulte à dormir avec un de ses enfants. Très souvent cela déséquilibre l'enfant dans son développement ou dans son comportement : retard de langage, ou bien l'enfant devient exigeant, ou caractériel.

Mais il est des cas où les difficultés matérielles ou de logement sont telles qu'il n'est pas possible pour un jeune couple ou une mère seule d'avoir plus d'une pièce. Dans ce cas, le mieux est d'isoler le coin et le lit de l'enfant, de le marquer d'un paravent, d'étagères, ou d'un rideau. Les voiles du berceau, ce n'était pas autre chose…

Comment coucher le bébé

Sur le dos ? Sur le ventre ? Sur le côté ? Le débat ne date pas d'aujourd'hui. Selon les médecins, selon les pays, selon les époques, la réponse a été différente.

Traditionnellement, les enfants étaient couchés sur le côté ou sur le dos. Puis, dans les années 70, on a conseillé la position sur le ventre ; en particulier pour éviter que, en cas de vomissement, le bébé ne s'étouffe. Par la suite, on a accusé la position sur le ventre de provoquer des déformations des pieds du bébé.

Puis, cette position est venue au centre du débat sur les causes de la mort subite du nourrisson (voir page 407). Des statistiques récentes ont montré que la position sur le ventre était souvent retrouvée dans la mort subite. Et depuis l'abandon de cette position sur le ventre, dans les années 90, les chiffres de mort subite ont fortement diminué.

C'est pourquoi, à titre préventif, les pédiatres recommandent pour coucher le bébé d'éviter formellement la position sur le ventre et de revenir à la position sur le dos.

C'est ce que nous vous conseillons de faire, bien qu'ayant en son temps, proposé le contraire. Et si nous vous racontons un peu en détail l'évolution des directives dans ce domaine, c'est pour que vous soyez au courant, et le cas échéant que vous puissiez répondre à des interlocuteurs qui auraient lu des éditions précédentes.

De toute façon, après les premiers mois, le bébé change lui-même de position.

Lorsqu'on voit un bébé se coller la tête contre les parois ou le sommet du lit, on a tendance à le redescendre en pensant qu'il sera mieux. C'est inutile car cette position est volontaire, le bébé cherche un contact, il a besoin de se retrouver entouré comme il l'était dans le ventre de sa mère.

Certains enfants – comme certains adultes – ont un sommeil agité s'ils sont trop couverts. Vérifiez que votre bébé n'a pas trop chaud pendant la nuit (ses mains doivent rester fraîches). Une température un peu basse ne gêne pas le sommeil, au contraire. **Normalement le bébé dort dans un petit lit**. Si, exceptionnellement, vous deviez le coucher dans un grand lit, soyez particulièrement attentifs : il peut – car un enfant qui ne dort pas dans son lit habituel a souvent un sommeil agité – glisser sous les draps ou tomber du lit. Faites un barrage de traversins pour limiter le lit. Ce n'est guère avant 2 ans qu'un enfant peut, sans risque, dormir dans un grand lit.

Les repas

Lorsqu'il est tout petit, manger est une des occupations et préoccupations principales de l'enfant, c'est pourquoi nous avons consacré à l'alimentation tout un chapitre, le deuxième. Vous y trouverez non seulement ce que l'enfant peut manger, mais aussi l'atmosphère souhaitable pendant les repas, ce qu'il faut faire si l'enfant n'a pas faim, s'il pleure après les repas, etc. ; en un mot une réponse à toutes les questions que l'on peut se poser sur l'alimentation du petit enfant.

Lorsqu'il pleure

Entendre pleurer un enfant est l'une des épreuves quotidiennes des parents ; épreuve cruelle : pourquoi pleure-t-il ? Est-il malade ? Les autres bébés pleurent-ils autant ? Faut-il le prendre dans les bras, ou au contraire est-ce la chose à ne pas faire sous peine d'être réduits en esclavage ?

Dès que l'enfant pourra dire : j'ai faim, j'ai chaud, j'ai mal, les pleurs ne poseront plus de problème. Mais tant qu'il n'aura pas d'autre possibilité de s'exprimer, les cris et les larmes seront son seul langage, d'ailleurs souvent difficile à comprendre. Aussi l'inquiétude, s'ajoutant à la fatigue, cause-t-elle de la nervosité chez bien des jeunes couples.

Voici d'abord une pensée rassurante : dans quelques semaines, votre oreille aura appris à distinguer entre les pleurs-revendications, les pleurs-plaintes et les pleurs-routine. Vous oublierez alors vos angoisses passées, tant les pleurs de votre bébé parleront clair à votre instinct maternel ou paternel. Mais du moment que vous avez cherché dans ce livre des explications sur les pleurs, c'est sans doute que ceux de votre nourrisson vous causent du souci. Essayons de les comprendre.

D'abord, allez toujours voir un bébé qui pleure. Assurez-vous qu'il n'est pas dans une mauvaise position, que ses vêtements ne sont pas trop serrés, qu'il n'a pas trop chaud, qu'il n'est pas gêné par la lumière ; demandez-vous si un bruit (aspirateur, radio, télévision, chasse d'eau, sonnerie, avertisseur dans la rue) ne l'a pas réveillé.

A-t-il bien fait son renvoi après sa dernière tétée ? Est-il mouillé ? L'avez-vous changé ? N'a-t-il pas les fesses rouges et irritées ? N'est-ce pas bientôt l'heure de la tétée ? N'avez-vous pas remarqué que l'enfant émettait des gaz, avec bruit ?

Tout est-il normal, par ailleurs, dans la journée de votre enfant : nourriture, sommeil ?

Supposons que tout soit normal, qu'aucune des raisons citées ne soit en cause : alors, il y a de grandes chances pour que votre enfant soit simplement en train de se « défouler » ; c'est le cas le plus courant des pleurs du nourrisson, celui dont nous allons vous parler.

Les trois premiers mois

Certains nourrissons bien portants pleurent sans raison apparente. Après sa tétée, ou son biberon, l'enfant s'est endormi d'un sommeil profond et satisfait. Les pleurs surviennent quand il s'éveille ; il commence à pleurnicher ; puis les pleurs augmentent d'intensité : c'est la séance quotidienne.

L'âge classique des pleurs s'étend de la deuxième à la dixième semaine, le maximum d'intensité se situant à la sixième semaine.

À certaines heures, l'enfant pleure plus particulièrement. Ces heures varient suivant l'âge, mais durant les deux ou trois premiers mois, un grand nombre de bébés pleurent en fin d'après-midi.

Si ces pleurs sont « normaux », ce sont donc des pleurs sans cause ? Et pourtant il y en a une. Certes, l'enfant n'est pas malade, tous ses organes fonctionnent bien ; mais ces pleurs sont un moyen pour le bébé de décharger la nervosité qu'il a accumulée pendant les heures précédentes.

Supposons un bébé qui vient de rester deux heures dans des couches mouillées, ce qui lui a causé des démangeaisons ; un bébé qui a été réveillé en sursaut par une porte qui a claqué, un coup de frein violent, la radio du voisin ouverte au maximum.

Pendant deux, trois heures, le bébé est resté bien tranquille dans son berceau. Puis, à un certain moment, il éprouve le besoin de se détendre. Alors il se met à pleurer et de toutes ses forces ; on dirait vraiment qu'il lui arrive quelque chose de grave. Les parents accourent, inquiets, se penchent sur le berceau, vérifient que rien ne dérange le bébé, et finalement constatent que tout est en bon ordre. Et la même scène se répète le lendemain.

Il est certain que ces séances de pleurs sont éprouvantes pour les nerfs. Malheureusement, si l'entourage commence à s'énerver, le bébé le sent et ses pleurs redoublent.

Les pleurs ne sont pas dus à la seule nervosité, ils sont souvent la conséquence des coliques dont souffrent certains bébés. (Voir l'article *Coliques*, chapitre 6.)

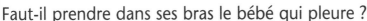

Faut-il prendre dans ses bras le bébé qui pleure ?

Spontanément, on en a envie, parce que ces pleurs, au lieu de les voir comme le langage avant la parole, on les interprète comme du chagrin et aussi parce que c'est irritant d'entendre pleurer. Mais ce qui arrête, c'est l'idée que le bébé va devenir un tyran ; et les réflexions culpabilisantes de l'entourage : « Vous n'allez quand même pas vous laisser mener par le bout du nez… »

Avant de sortir l'enfant de son lit, il y a différents gestes qui peuvent le calmer. On peut lui parler avec douceur, le changer de position. On peut le distraire en fixant à son lit un hochet ou un bout de tissu rouge – c'est souvent efficace – ou en poussant son berceau devant la lumière, ou encore en faisant marcher une petite boîte à musique, ou enfin en le berçant. Et la sucette ? Cela peut être une solution de dépannage (voir page suivante). D'ailleurs on a remarqué que l'enfant qui suçait son pouce et les enfants dont les tétées duraient plus longtemps pleuraient moins que les autres.

Malgré cela, certains bébés sont inconsolables, et ne se calment que lorsqu'ils sont portés. Alors, prenez votre enfant dans les bras, et n'ayez pas peur de créer de mauvaises habitudes, il a besoin d'être compris, rassuré et consolé. Une mère nous a dit comment elle calmait son bébé : elle mettait la tête de l'enfant sur son sein, peau contre peau, il retrouvait son odeur, entendait les battements de son cœur et se rassurait très vite.

Même si l'enfant n'est pas énervé, même s'il n'a pas de colique, il a d'autres difficultés à vaincre qui peuvent le faire pleurer : il essaye de s'adapter à sa nouvelle vie, ce n'est pas chose facile, ce n'est pas par caprice qu'il pleure. Songez-y : avant de naître, il était sans cesse bercé par les mouvements du corps de sa mère, il entendait les bruits du cœur qui lui tenaient compagnie, il était nourri sans avoir d'effort à faire, à la demande, et soudain le voici dans son berceau, dans un silence nouveau, et une solitude inquiétante. Alors, s'il pleure et que rien d'autre ne le calme, prenez votre enfant dans vos bras sans arrière-pensée et bercez-le. Bientôt capable de quelque occupation : jouer avec ses mains, avec ses draps, attentif à la succession des heures – celle de la tétée, celle du bain, celle de la sortie -, il pourra se distraire et vous attendre plus calmement. Ce n'est qu'à partir de ce moment qu'il vaut mieux ne pas le prendre chaque fois qu'il verse une larme, sinon il risque de vous tyranniser… un peu.

D'ailleurs, passé trois mois, tout ira mieux, les coliques vont disparaître, ainsi que les séances de défoulement : tout simplement parce que, son système nerveux étant moins fragile, l'enfant supporte mieux ce qui, nouveau-né, l'énervait si vite, et surtout parce qu'il va s'intéresser à ce qui l'entoure et sortir un peu de lui-même.

Il ne deviendra pas silencieux tout à coup ; il pleurera encore, mais pour d'autres raisons.

Vers 7-8 mois, il va pleurer de chagrin, lorsqu'il vous verra partir ; il pleurera aussi d'inquiétude en voyant des visages étrangers. Après la tristesse et l'angoisse, il va découvrir la colère : lorsqu'il essaiera sans succès de se faire comprendre, lorsqu'il n'arrivera pas à saisir un objet, il pleurera de rage contre lui-même. Un jour, il découvrira la peur, vers 2 ans. Et cette peur – de la nuit ou des animaux par exemple – le fera pleurer également. Mais au fur et à mesure qu'il grandira, qu'il fera des progrès pour s'exprimer, qu'il deviendra plus habile, qu'il aura acquis une plus grande maturité nerveuse, il pleurera de moins en moins.

Voici donc les causes classiques des pleurs. Ces causes se retrouvent chez tous les enfants, c'est normal puisqu'elles correspondent aux diverses étapes du développement, comme vous pourrez le constater en lisant le chapitre 5.

Cependant, certains enfants, pour des raisons personnelles, pleurent plus que d'autres. Je pense essentiellement à ceux qui vivent dans une atmosphère de disputes. Il est certain que la nervosité de l'entourage rejaillit sur le bébé.

La tétine

La tétine est encore très à la mode : dans la rue, dans le jardin, dans les trains, on en voit partout.

Je n'ai jamais été tellement partisane de la tétine : parce qu'elle tombe par terre, ramasse la poussière, fait saliver… et aussi pour une autre raison que l'on peut souvent constater : l'enfant ne fait plus ni sourire, ni gazouillis, il est comme verrouillé. Et souvent il a l'air triste. Regardez autour de vous. En plus, les tétines d'aujourd'hui sont devenues énormes, défigurant les plus jolis bébés, cachant leur bouche, c'est dommage.

Mais à certains moments, pour certains bébés, à certains âges, la tétine peut rendre service. Lorsqu'un bébé souffre de coliques et pleure à fendre l'âme, la tétine peut le soulager. Lorsqu'il a de la peine à dormir ou à se rendormir, la tétine peut l'aider à trouver le sommeil. Mais il faut l'ôter dès que le bébé est endormi. Enfin, certains bébés de caractère inquiet ont plus besoin de sucer que d'autres. À cet âge où de la bouche viennent tous les plaisirs, la tétine peut apporter des moments de détente. D'ailleurs, aux États-Unis, la tétine s'appelle *pacifier*, un objet qui procure paix et calme.

Ces exemples se situent durant les premiers mois : la vie de l'enfant n'est pas encore bien organisée, il a peu de distraction, il n'est guère autonome. Lorsque l'enfant aura des intérêts ailleurs, lorsqu'il jouera, il ne pensera plus à la tétine. Et ce n'est pas parce qu'on la lui aura donnée petit bébé, qu'il la réclamera longtemps. Pas plus que si les premiers mois on prend dans ses bras le bébé qui pleure, on ne sera condamné à le porter jusqu'à l'âge de l'école.

En fait ce qu'il faudrait éviter, c'est de mettre automatiquement à la naissance une tétine dans la bouche du bébé : la tétine ne fait pas partie du trousseau de base. Et même si vous avez déjà donné la tétine en cas de crise, il ne faudrait pas la redonner automatiquement à l'enfant dès qu'il pleure un peu ou qu'il est fatigué : il faut bien qu'un enfant puisse s'exprimer d'une manière ou d'une autre. Les adultes peuvent libérer leurs tensions, par exemple, en faisant du sport ou en se mettant en colère ; les bébés ont bien le droit d'en faire autant et de pleurer.

Tout rapport avec l'enfant demande souplesse et tolérance, la tétine est un bon exemple.

Les pleurs de l'enfant malade

L'enfant qui crie à des moments éloignés des repas, dont le visage pâlit et se crispe, qui se tortille, émet avec bruit des gaz malodorants, et dont les selles sont trop dures, difficiles à émettre, a probablement des troubles intestinaux. Si ces troubles durent, parlez-en au médecin.

Un rhume, une poussée dentaire (gencives rouges et enflées, salive abondante), mais aussi une otite, un abcès, une méningite peuvent être causes de pleurs. Si l'enfant qui pleure est agité ou prostré, somnolent, pâle, refuse de boire, il faut appeler rapidement le médecin. Auparavant, vous aurez pris la température de l'enfant car le médecin vous la demandera sûrement.

D'une manière générale, les pleurs d'un enfant malade se distinguent de ceux de l'enfant bien portant parce que ces derniers forment un cri sonore, incessant mais vigoureux, et qui ne semble pas fatiguer l'enfant, alors que les pleurs accompagnant une maladie sont soit un cri aigu, déchirant, survenant par accès, soit un cri plaintif, véritable gémissement, qui nécessite le recours d'urgence au médecin.

Voyez aussi sur les pleurs de faim la page 97, et les articles *Coliques* et *Cris du nourrisson* au chapitre 6.

La vie d'un enfant

124

Les sorties

Quand je parle de sorties, je pense ici à la sortie promenade : au jardin, en forêt.
Il ne s'agit pas de la sortie obligatoire pour aller à l'école chercher l'aîné, ou pour aller chez le pédiatre. Les enfants aiment sortir, même tout bébé.

- **Le bébé**

se rend très vite compte que l'heure de la promenade approche, il suit les préparatifs, il se montre impatient d'être dehors. Bien installé dans son petit landau, il regarde les fleurs, les enfants qui jouent. Les sorties sont incontestablement un bon stimulant pour son développement. En même temps, la promenade apaise le nourrisson énervé. Si le temps le permet, le bébé peut sortir dès la deuxième semaine.

- **Dans quels cas la promenade du nourrisson est-elle contre-indiquée ?**

S'il a été malade, le médecin vous aura probablement conseillé d'attendre quelques jours avant de sortir l'enfant. Le vent et le froid ne sont pas contre-indiqués, mais ne le sortez pas s'il pleut, s'il y a du brouillard.

- **L'enfant qui apprend à marcher**

apprécie de s'exercer dehors, mieux que dans un appartement. Au jardin, il aime faire avancer sa poussette ce qui lui fait faire de rapides progrès.

- **L'enfant qui marche bien**

a besoin de sortir, de se dépenser, il aime retrouver d'autres enfants.

- **Le tas de sable**

des jardins publics est souvent anti-hygiénique : souillures d'animaux (chiens, chats, pigeons) et aussi des adultes qui y jettent mégots et papiers gras. Avant de laisser votre enfant jouer au sable ; jetez-y un coup d'œil. Et si vous avez un tas de sable dans votre jardin, pensez à le recouvrir.

- **Quelques recommandations pour les sorties**

Par temps chaud, ne laissez pas votre bébé dormir dans son petit landau capote levée en plein soleil. C'est ainsi que se produisent les coups de chaleur : baissez la capote, mettez le landau à l'ombre et allez voir de temps en temps si le bébé n'a pas trop chaud.

▪ Ne laissez jamais le bébé dans votre voiture, ni au soleil ni à l'ombre (car celle-ci peut tourner). Voir l'article *Coup de chaleur* au chapitre 6. Ces recommandations vous semblent peut-être superflues ; en lisant les faits divers, vous verrez que régulièrement des parents les oublient, hélas !

▪ Lorsqu'il fait froid, pensez à mettre des moufles à l'enfant ; il ne les perdra pas si elles sont reliées par un lien passé dans la manche.

Si l'enfant est gardé par une assistante maternelle, assurez-vous auprès d'elle que les sorties figurent bien dans l'emploi du temps de sa journée.

Les jeux et les jouets

Lorsqu'un enfant joue, le jeu n'est pas pour lui seulement une distraction. Quand vous et moi faisons une partie de cartes ou de tennis, nous cherchons une détente : jouer, c'est le contraire de travailler. Pour l'enfant, jouer c'est faire travailler son esprit et exercer ses forces. Le jeu est son activité normale, l'enfant joue comme un pommier fait des pommes. Et en jouant, il vous apprend bien des choses sur lui-même : s'il est autoritaire ou fantaisiste, audacieux ou prudent ; comment il réagit à votre éducation : cette petite fille qui gronde sévèrement sa poupée « parce qu'elle a mouillé sa culotte » n'est-elle pas en train d'imiter votre sévérité ? En observant les jeux de votre enfant, vous voyez sa personnalité se développer, son vocabulaire s'enrichir ; enfin l'entrain qu'il met dans ses jeux vous renseigne sur son « tonus », son état général.

Les goûts aux différents âges

Les parents ne savent pas toujours quels jouets donner à chaque âge. Et, lorsqu'ils entrent dans un magasin, c'est plus souvent pour demander « un jouet pour une petite fille de deux ans, ou un petit garçon de trois ans », qu'une poupée ou une auto. Or chaque âge a ses préférences. C'est pourquoi nous espérons vous être utile en vous indiquant ci-après une liste commentée des jouets qui feront plaisir à votre enfant de un mois à 4 ans. Mais comme toujours, nous faisons précéder cette liste de la mise en garde classique : s'il n'aime pas les Lego ou les puzzles à l'âge où d'autres enfants s'y intéressent, n'en tirez pas des conclusions sur son développement, c'est qu'il a d'autres intérêts, vous les trouverez sûrement.

● **1 à 4 mois.**

Il découvre sons et couleurs. C'est l'âge des hochets : gros hochet à large poignée car un bébé a de la peine à saisir ; hochet à trois, quatre, cinq boules rouges, bleues, vertes ; boulier qui s'accroche au berceau ou au landau, etc. Vous pouvez également suspendre au berceau des animaux ; choisissez-les en caoutchouc, donc lavables : bientôt votre bébé les portera à sa bouche. Vous pouvez aussi suspendre un mobile, le bébé aime ce qui bouge. Il y a des poissons, des personnages, des oiseaux, de toutes les formes et de toutes les couleurs. A signaler : déjà à cet âge l'enfant remarque la différence entre le dur et le mou, entre une poupée de chiffon et un hochet en plastique ; regardez-le faire, c'est très amusant.

●**4 à 8 mois.**

Votre bébé apprend à se servir de ses mains de toutes les manières : il palpe, gratte, tire, appuie, lâche. Installez l'enfant sur un « tapis d'éveil » : il aura ainsi l'occasion de faire les gestes qui le tentent à cet âge.

Donnez-lui des animaux en caoutchouc, qui font du bruit lorsqu'on les presse, et des hochets plus savants qui lui procureront de nouvelles satisfactions comme le hochet musical. C'est aussi l'âge où l'enfant essaie de se soulever pour s'asseoir ; un petit portique accroché à son berceau ou à son parc l'amusera beaucoup et lui fera faire une très utile gymnastique. Et, le soir, une boîte à musique l'aidera à s'endormir.

●**8 à 12 mois.**

Jeter les objets le plus loin et le plus souvent possible, non pour vous ennuyer, mais pour voir où ça tombe, voilà ce qui amuse le plus votre enfant. Alors donnez-lui des jouets qui ne se cassent pas : animaux en caoutchouc, cubes en plastique, poupées en tissu, et toutes les peluches.

Assis sur un tapis d'éveil, ou sur une chaise haute, il aime le jeu des perles et des spirales : il faut déplacer de grosses perles le long de plusieurs axes. Ce jeu existe dans différentes tailles, à différents prix. Il est très apprécié et plusieurs enfants peuvent y jouer ensemble.

Sur la tablette de sa chaise, fixez un hochet à ventouse, ou posez des jouets mécaniques que l'on remonte ; ils feront rire l'enfant (ours qui danse, tortue qui bouge la tête, etc.). Les personnages en caoutchouc-mousse qu'on tord dans tous les sens lui plairont aussi. Pour le bain, des animaux qui flottent : poissons, canards, grenouilles…

●**12 à 18 mois.**

Pousser devant lui un jouet qui roule, et sur lequel il a l'impression de s'appuyer, donne de l'assurance à l'enfant qui fait ses premiers pas : animal en bois, rouleau musical, etc. ; il va aussi aimer tirer des jouets au bout d'une ficelle. Lorsqu'il est assis, de ses mains désormais plus habiles, il empile et emboîte cercles et gobelets. C'est aussi l'âge des premiers pâtés de sable. Offrez-lui des moules, un seau, un arrosoir, et le moulin à eau ou à sable.

Et des balles et des ballons en mousse.

●**18 mois à 2 ans.**

Il touche à tout, court partout, fait du bruit, déménage, transporte. Alors, pour satisfaire ces nouveaux intérêts, donnez-lui un cheval à roulettes, un train en bois qu'il traînera d'un bout à l'autre de sa chambre : pour lui, traîner est un progrès, c'est plus facile que pousser. Il sait aussi monter sur un camion et le faire avancer. Il aime renverser des quilles en plastique, remplir son camion de grandes briques en bois.

Et pour les moments de calme, donnez-lui de quoi exercer son adresse : puzzles en bois, œufs et tonneaux gigognes et « boîte aux lettres » (jouet en forme de boîte, dont le couvercle est percé de trous de différentes formes : des pièces correspondant

à ces formes y sont jointes,
l'enfant doit faire entrer chacune
d'elles dans l'ouverture qui
correspond). À cet âge, il aime aussi
frapper sur un établi en bois avec un maillet.
Enfin, et j'en reparle plus loin, dès 18 mois,
et même avant, un bébé apprécie les livres.
Il aime bien qu'on lui raconte une
histoire courte.

● **2 ans à 2 ans et demi.**

Jusqu'à cet âge, on donne généralement
les mêmes jouets aux garçons et aux filles.
Mais à partir de 2 ans-2 ans et demi, les habitudes,
l'environnement, les cadeaux traditionnels des
parrains et des marraines font qu'on donne des poupées aux filles et
des autos aux garçons. Et désormais chacun a maintenant son rayon chez le marchand
de jouets : à cet âge il choisit une auto de pompiers, un avion ; les préférences
de la petite fille vont au baigneur, aux perles de bois à enfiler sur une ficelle.

Mais si l'un désire des jeux en général attribués à l'autre sexe, pourquoi les refuser ?
D'abord, aujourd'hui, les hommes participent aux travaux qui étaient
traditionnellement réservés aux femmes, et il serait donc contradictoire de dire aux
garçons tentés par les panoplies de ménagère ou les dînettes : « Ce sont des jeux
de fille ! » En plus, observez un petit garçon jouer avec une poupée ou une dînette, il
ne le fait pas de la même manière que la petite fille ; d'ailleurs les hommes n'ont pas les
mêmes gestes que les femmes pour s'occuper des enfants ou pour les travaux ménagers.

À cet âge, garçons et filles ont en commun : le village en bois, les
animaux de la ferme, les personnages démontables, et, pour le jardin,
une brouette. Les enfants de cet âge commencent à aimer faire
des « dessins » sur du papier avec des feutres ou des crayons
de couleur. Quant à l'ours, de jouet il est devenu l'inséparable
compagnon.

● **2 ans et demi à 3 ans.**

C'est l'âge où les enfants imitent vraiment les parents :
conduire une voiture, téléphoner, partir en voyage, faire
la dînette, le ménage ou le marché et promener la poupée,
habillée cette fois, dans une poussette. Pour prendre
de l'exercice, ils aiment le tricycle,
le cheval à bascule et, quand ils sont fatigués,
regarder un livre d'images, pétrir de la pâte
à modeler, dessiner, exercer leur adresse avec
des boîtes gigognes.

● **3 ans.**

C'est l'âge de l'imagination et des panoplies.
Avec une trousse elle joue à l'infirmière, fait des piqûres
à sa poupée ou lui prend sa température, joue à la marchande ;
lui, devient un Indien, fait la guerre ; ou il est Zorro le
justicier, ou bien le héros du dernier feuilleton télévisé.
Les livres les intéressent de plus en plus : en regardant

les images, ils inventent eux-mêmes des histoires. Tous deux aiment les jeux de construction, les gros puzzles, les premiers coloriages ; au jardin, la balançoire ; au bord de la mer, les bateaux à voile.

Mais la poupée, pour elle – à condition qu'il y ait plusieurs robes, car elle sait très bien la déshabiller, l'habiller ce sera pour plus tard – et les petites voitures, pour lui, restent en faveur ; il aime particulièrement les bennes, grues, bulldozers, tracteurs. Également appréciés par les garçons de trois ans, les petits trains sur rails de plastique faciles à monter et démonter.

3 ans, c'est l'âge de l'imagination et aussi des histoires. L'enfant regarde les livres mais il aime qu'on lui raconte les histoires en suivant les illustrations. Ce goût va durer toute l'enfance et même au-delà : histoires regardées dans les livres, histoires inventées par les parents, contes de fées, etc. Vous trouverez quelques titres de livres que les enfants aiment pages 134-135 et, si vous cherchez des thèmes appréciés des enfants, voyez chapitre 4, page 244.

● Après 4 ans.

Maintenant, comme les grands, ils montent à bicyclette, jouent au ballon qu'ils savent lancer, font des jeux de patience (lotos, puzzles), des jeux de construction plus minutieux ; jouent avec des briques multifaces. Ils font de la peinture ; ils adorent jouer au « Memory » (cartes retournées à assembler par paires en faisant appel à la mémoire) ; ils écoutent des cassettes. Ils regardent de plus en plus de livres et les histoires qu'ils ont entendues, ils les racontent à leur tour à leur poupée, à leur ours, à un plus petit qu'eux.

Pour elle, vous choisirez des accessoires de poupée : elle sait donner à son baigneur un bain, puis le bercer en lui chantant des chansons.

Le garçon s'intéresse toujours aux voitures, mais il les aime plus perfectionnées ; il aime aussi les jouets téléguidés.

Mais l'enfant ne joue pas qu'avec des jeux élaborés : un carton vide, une cuillère en bois et une casserole, un bout de ficelle ou un ruban de couleur peuvent l'occuper des heures durant. Inventorier le contenu d'un tiroir, imiter la personne qui fait le ménage, regarder les passants dans la rue sont autant d'occupations appréciées. Elles sont liées aux différents stades du développement de l'enfant dont nous vous parlons au chapitre 5.

● « Range tes jouets ».

Les parents le disent souvent à leur enfant. On les comprend. Ce n'est pas agréable de voir traîner partout des petites voitures ou des cubes, et ce n'est pas facile de faire le ménage dans ces conditions. En plus, quand l'appartement est petit, cela dérange tout le monde. L'enfant, lui, n'a pas les mêmes critères, il vit dans son monde, dont ses jouets font partie, le désordre ne le dérange pas et il trouve le plus petit Lego dans le plus grand fouillis, c'est d'ailleurs intéressant et instructif à observer. En attendant que l'enfant découvre lui-même les bienfaits de l'ordre, ce qui arrivera un jour ou l'autre, comment concilier les désirs des parents et l'attitude de l'enfant ? De temps en temps, ranger la chambre avec lui, lui dire « aide-moi », lui donner des casiers, des paniers, des boîtes (un panier pour les peluches, une boîte pour les Lego, un rayonnage pour les livres, etc.) Mais la menace « Si tu ne ranges pas, je donnerai tes jouets » n'a jamais rien arrangé, d'autant plus qu'il est rare que les parents la mettent à exécution.

Sur les jouets, voir aussi page 302.

Attention aux jouets dangereux

Devant le grand nombre d'accidents dus aux jouets, des normes de sécurité ont été rendues obligatoires. Les normes concernent l'inflammabilité des jouets – c'est le feu qu'on redoute le plus – et leurs caractéristiques mécaniques et chimiques (matériau, toxicité, etc.). C'est un grand progrès, mais des jouets dangereux peuvent encore se trouver sur le marché, ceux qui sont encore importés plus ou moins clandestinement.

Aux parents donc d'être vigilants lorsqu'ils achètent le jouet le plus inoffensif. Les yeux des poupées, des ours, en verre ou en plastique, qui se brisent, peuvent blesser ou être avalés, les fils de fer qui arment les oreilles ou les pattes des animaux en peluche, les lunettes en plastique qui se cassent, les mobiles faits de petits éléments que l'enfant arrache et porte à sa bouche, un clou dans un jouet de bois, l'épingle qui sort d'un bonnet de poupée, une toupie ronflante qui perd son axe de fer, et voilà un accident grave. Beaucoup de jouets ne résistent pas aux coups, aux chocs, au mordillement ou à la succion d'un bébé. En se cassant, en se démoulant, en se décollant, leurs angles vifs deviennent de véritables armes. Attention aux ballons de baudruche : ils éclatent, les enfants peuvent en inhaler des morceaux, ce qui peut entraîner des accidents respiratoires graves.

Comment savoir que le jouet que vous achetez respecte bien les normes obligatoires ? La grande majorité des jouets est conforme aux normes officielles de sécurité ; vérifiez que le jouet comporte bien le marquage « C.E. », qui atteste cette conformité. S'il vous arrivait de constater, j'espère non pas un accident, mais un danger, un risque avec un jouet, la note vous indique où le signaler (1).

Il est conseillé d'acheter des jouets adaptés à l'âge de l'enfant ; de nombreux fabricants donnent d'ailleurs des âges d'utilisation. Ainsi, un jeu de construction destiné à un enfant de 5 ou 6 ans peut être dangereux lorsqu'il est manipulé par un bébé.

1. Commission de Sécurité des Consommateurs. Tél. : 01 43 19 56 50. Internet : www.securiteconso.org. Direction générale de la concurrence, de la consommation et de la répression des fraudes : dans chaque préfecture.

S'ajoute à cela la question de la taille : les jouets risquent d'être avalés par le bébé. « À petit enfant, gros jouets » dit souvent le docteur Guy Vermeil. Enfin, pour tous les âges sont déconseillés : les revolvers à flèche, les fléchettes et les pétards.

Un mot sur le traditionnel ours en peluche qui reste parfois pendant des années le compagnon de l'enfant : si un jour votre enfant tousse sans raison apparente, rappelez-vous que les jouets en peluche sont des nids à poussière, et peuvent être cause d'allergie. Le responsable de cette toux rebelle (ou de cette crise d'asthme) est peut-être l'ours bien-aimé. Pensez à le laver ; presque tous les animaux en peluche sont lavables en machine.

Attention aux piles-boutons. La multiplication des jouets électroniques utilisant des piles-boutons constitue un danger : le jeune enfant risque d'en avaler une. Dans ce cas, il faut conduire l'enfant à l'hôpital car la pile, qui contient des produits corrosifs et toxiques, doit être éliminée le plus vite possible.

La télévision

Que pensez-vous de la télévision pour les enfants ? Que faut-il leur laisser voir ? Que faut-il leur interdire ? Selon vos goûts, vos habitudes, vous risquez de trouver trop autoritaire, ou trop laxiste, mon opinion sur la télévision et les enfants, mais voici ce que j'ai envie de vous dire sur le sujet. Parlons d'abord de l'âge.

Avant 2-3 ans, la télévision est déconseillée. Certains parents mettent leur bébé devant la télévision pour le distraire ou le calmer. Ni les images, ni le bruit qui les accompagne ne sont bons pour la vue et pour l'équilibre nerveux du petit enfant. Et évitez de donner à votre bébé son biberon ou sa purée en regardant vous-même la télévision ; vous ne ferez pas attention à ce qu'il mange, et il se rendra compte que vous ne vous intéressez guère à lui.

Après 2-3 ans, voici quelques éléments à prendre en considération. Parlons de la durée : jusqu'à 4-5 ans, une demi-heure quotidienne suffit amplement. Entre 4 et 6 ans, et même au-delà, on ne devrait pas dépasser une heure par jour.

Mais, s'il vous plaît, n'allumez pas le poste le matin, avant l'heure d'aller chez la nourrice ou à l'école. Être submergé par un flot d'images et de bruits, ce n'est vraiment pas un bon départ pour la journée. À cette heure-là, ce qui fait le plus de bien à l'enfant, c'est de prendre, sans être bousculé, un bon petit déjeuner.

En ce qui concerne les programmes, le choix n'est pas toujours facile. Les grandes chaînes ne proposent pas grand-chose pour les petits enfants. Et les responsables qui parviennent, malgré tout, à faire des émissions de qualité voient souvent leurs réalisations diffusées à des horaires (entre 7 h et 8 h le matin) qui ne sont pas adaptés à la vie des enfants. Le fait de proposer des émissions à ces heures-là fait croire à certains parents que c'est la bonne heure pour les enfants : c'est un malentendu.

Les familles qui reçoivent les chaînes câblées sont plus favorisées, car elles bénéficient de meilleurs programmes, certains destinés aux plus petits tout au long de la journée.

Le meilleur moyen de concilier la qualité des émissions et l'heure d'écoute est incontestablement le magnétoscope. Grâce à lui, vous pouvez enregistrer les bonnes émissions, et aussi passer des cassettes achetées ou louées – certaines sont excellentes, il y a un grand choix -, et les proposer en plusieurs épisodes, comme un feuilleton.

Il y a un autre principe qui me semble important : dans la mesure du possible, ne laissez pas un petit enfant seul devant le téléviseur. Certaines images peuvent l'effrayer ; votre présence le rassurera, et l'incitera peut-être à vous poser des questions. Beaucoup d'enfants gardent leurs angoisses pour eux, de peur d'être privés de leurs émissions. Vous pouvez d'ailleurs encourager votre enfant à parler de ce qu'il a vu ; c'est une bonne façon de canaliser son énergie, car il a souvent accumulé une forte tension, cela lui apprend aussi à ne pas rester un spectateur passif.

Dans les familles avec plusieurs enfants, la difficulté c'est de concilier les envies de chacun et les limites que vous souhaitez établir. Essayez de faire comprendre aux enfants – surtout s'il y a une grande différence d'âge – que ce qui est possible pour l'aîné ne l'est pas pour le cadet. Il faudra sans doute que vous fassiez preuve de fermeté…

D'ailleurs, selon leur âge, et selon leur personnalité, les enfants n'ont pas le même intérêt pour la télévision. Certains abandonnent volontiers l'image pour retourner à leurs jeux ; d'autres aiment aller et venir devant l'écran, parfois en mimant l'action ; d'autres enfin sont subjugués et on a toutes les peines du monde à briser l'envoûtement provoqué par le spectacle. Ils s'irritent dès que l'adulte brise le charme par une remarque. Je connais une petite fille qui, prudente, s'assurait du silence de sa maman : « Tu restes, mais tu ne parles pas » disait-elle. Quoiqu'il en soit de vos enfants, laissez-les regarder leur programme comme ils l'entendent. Ne les forcez pas à rester immobiles s'ils ont envie de participer, ou de jouer en même temps. Quand c'est leur moment de télévision, ils peuvent en profiter à leur gré.

Pour éviter la fatigue des yeux, il faut se mettre à 3, 50 m de l'écran. Pour un petit écran, on peut se rapprocher à 2 m.

Un mot sur la place du poste de télévision : pourquoi ne pas le mettre dans la chambre des parents plutôt que dans la salle de séjour ? Pour l'enfant, la tentation sera moins grande, surtout au moment des informations qui, malheureusement, apportent chaque jour leur lot de cadavres, de sang et de violence. Les petits ne regardent peut-être pas activement ces images, mais ils les voient inévitablement si leurs parents sont devant le poste.

En conclusion, j'aimerais vous dire que dans ce domaine comme dans les autres, votre comportement sera déterminant : plus vous regarderez la télévision, plus votre enfant en aura envie. Mais ce qui est supportable pour un adulte ne l'est pas pour un enfant, surtout à ces âges si tendres. Finalement ce qui me gêne le plus dans la télévision, c'est que souvent elle ôte le temps précieux du sommeil, des jeux et du rêve.

• L'ordinateur

L'ordinateur fait aujourd'hui partie de la vie de nombreuses familles. Les parents se demandent alors à partir de quel âge leur enfant peut en comprendre le maniement. En fait, même très jeune – autour de 3-4 ans- un enfant est capable de s'y intéresser et de s'en servir. D'ailleurs, dans de nombreuses écoles maternelles, il y a maintenant des ordinateurs qui permettent aux enfants de se familiariser avec ces appareils.

Parmi les CD-Roms disponibles, certains sont destinés aux jeunes enfants, qui peuvent y jouer après que l'adulte leur a montré comment le faire. Il faut, par exemple, reconnaître les couleurs, ou les cris d'animaux, ou encore savoir à qui appartiennent ces traces de pas dans la neige. Avec la « souris » l'enfant apprend à se déplacer dans l'espace, à contrôler son mouvement, à « cliquer » au bon endroit.

Un peu plus grand, l'enfant apprécie de trouver sur Internet (toujours avec l'aide d'un adulte) des sites faits pour lui, renouvelés fréquemment.

Comme pour la télévision, il y a un bon usage de l'ordinateur : pas trop tôt, pas trop longtemps, et avec un adulte pas trop loin pour aider, participer, et aussi surveiller : que le petit enfant ne fasse pas de fausse manœuvre, que l'enfant plus grand ne tombe pas, avec Internet, sur un site inapproprié.

Voici quelques CD-Roms et sites pour enfants :
Le pique-nique de Loulou le pou, d'après Antoon Krings (Gallimard Jeunesse) : il faut cueillir des framboises, trouver les couleurs de l'arc-en-ciel, décorer des pains d'épices…

– Les CD-Roms *Clic d'Api* (pour se les procurer, consulter www.bayardweb.com) : avec Petit Ours Brun, des jeux d'adresse et de stratégie…

- La collection *Adiboud'chou* (Coktel) propose plusieurs CD-Roms : à la mer, à la campagne, sur la banquise, dans la jungle… Il faut placer les images dans le bon ordre, reconnaître des formes, écouter de la musique, trouver les instruments, etc.

- Le site www.clicdapi.com (accessible par abonnement) est celui de Bayard Presse destiné aux 3-7 ans : sur ce site, il y a tous les mois, de nouvelles histoires et de nouveaux jeux.

Les spectacles

Il reste enfin à dire un mot des spectacles – cirque, marionnettes, cinéma – bien qu'ils soient peu à peu remplacés par la télévision.

Le cirque

Aujourd'hui, il y a encore quelques beaux cirques, mais la plupart ont malheureusement dû renoncer devant le coût et les difficultés des spectacles.

Il n'empêche que chaque fois qu'un cirque est annoncé, à grand renfort de porte-voix dans les rues, les enfants demandent à y aller, et sont toujours un public chaleureux, enthousiaste, émerveillé par les numéros de clowns ou d'acrobates. N'hésitez pas à emmener vos enfants au cirque, mais quand même pas avant 3 ans, la musique, les applaudissements, les animaux peuvent leur faire peur.

Les marionnettes

Si vous avez la possibilité d'emmener vos enfants voir un spectacle de marionnettes, ils seront ravis : à partir de 3 ans, les enfants sont en général fascinés.

Ces personnages qui ont la taille de leur poupée ou de leur ours et qui évoluent dans un théâtre miniature sont tout à fait à leur mesure. Les enfants sont toujours très actifs à un spectacle de marionnettes : ils rient, manifestent bruyamment leur joie ou leur déception et, en s'identifiant aux personnages, participent réellement au spectacle.

Le cinéma

Le vrai film est déconseillé avant 5-6 ans. Et même à cet âge, l'attention de l'enfant tombe vite lorsqu'il est livré, passivement et dans le noir, à une projection un peu longue.

Le goût des livres se prend très tôt

Je ne dis pas cela pour vous pousser à faire lire très tôt votre enfant, je ne suis pas partisane de l'apprentissage précoce de la lecture. Des États-Unis arrivent régulièrement des méthodes qui conseillent aux parents d'apprendre à lire à leur bébé très tôt, en leur montrant trois minutes chaque jour des lettres et des mots. Cette surstimulation est préjudiciable à l'enfant. En revanche, l'enfant, le bébé, peuvent être élevés très tôt dans une ambiance où le livre ait sa place. Et c'est cela qui peu à peu leur donnera le goût des livres, puis l'envie de les lire.

La vie d'un enfant ne saurait se passer de livres, cette évidence s'impose de plus en plus, heureusement car le livre amuse, instruit, distrait à tout âge ; les crèches ont presque toutes une bibliothèque à la disposition des petits ; ceux-ci, dès leur plus jeune âge, s'habituent au contact, à la présence des livres. Ils tournent eux-mêmes les pages, ils sont sensibles aux couleurs, on leur raconte les histoires. Les livres stimulent l'imagination des enfants, ce que ne fait pas la télévision qui les laisse passifs.

La production de livres pour la jeunesse est de plus en plus importante. Je remercie Mireille Groos, libraire pour enfants, de m'avoir aidée à faire un choix.

▪ Les bébés apprécient les livres-objets, leurs formes variées, leurs couleurs vives, leur toucher différent en mousse et en relief (Gallimard Jeunesse).

Les petits enfants aiment un bel imagier colorié, facile à manipuler car il est en tissu : *Gros Doudou* (Albin Michel).

Les enfants aiment très tôt et très longtemps les albums du Père Castor : *Poule rousse*, *La chèvre et les biquets*, *Boucle d'or et les 3 ours*, *Perlette*, etc. (Flammarion).

À signaler pour sa qualité (également chez Flammarion) un grand classique : *L'Imagier du Père Castor* que les enfants peuvent regarder dès 12 mois. Le succès de *L'Imagier* a donné naissance à 5 traductions – allemand, anglais, arabe, espagnol, portugais – et à 2 nouveautés : *L'Imagier des animaux* et *L'Imagier de la nature*.

▪ Dès 18 mois, le très classique *Petit Ours Brun* (Petit Ours Brun joue dans la neige, Petit Ours Brun veut aider, Petit Ours Brun et son mouchoir chéri…), de Danièle Bour, Bayard.
- Toute la série de Jeanne Ashbé : *Coucou !*, *On ne peut pas*, *Au revoir* (Pastel-l'École des loisirs). De très jolis livres pour les petits, avec peu de texte. Et la série *Cachatrou*, également de Jeanne Ashbé.
- La collection des Mimi (à partir de 2 ans) : *La maison de Mimi*, *Mimi va dormir…*, de Lucy Cousins, Albin Michel. Le petit lecteur doit aider Mimi en tirant sur des languettes, en soulevant des rabats.
- À partir de 3 ans les enfants aiment : *Loulou*, de Grégoire Solotareff, École des loisirs ; *Arc-en-Ciel*, de Marais Pfister, Éditions Nord-Sud ; *Elmer*, de David Mackee, Kaléidoscope ; *Petit Bleu*, *Petit Jaune* et *Frédéric* de Léo Lionni, École des loisirs ; *Babar*, Jean de Brunhoff, Hachette, et tous les *Babar*.
- *Le Larousse des tout-petits*, d'Agnès Rosenstiehl, est une grande réussite, car chaque mot est associé à une image simple et colorée et à une citation poétique pleine de charme.
- *Mes premières découvertes* (Gallimard). Cette collection est destinée aux 3-6 ans. Ce sont de vrais petits livres d'art, sur l'arbre, la coccinelle, le chat, les couleurs, etc.

Avec un graphisme et des couleurs qui plaisent aux tout-petits, la collection « Bonhomme » (chez Hachette-jeunesse) propose des petits livres (plus de 30 titres) pleins de fantaisie. Chaque histoire raconte la vie d'un petit bonhomme bien surprenant : *Monsieur Maladroit*, *Monsieur Heureux*, *Monsieur Atchoum*, *Monsieur Rapide*, etc.

L'École des loisirs propose une série d'albums qui traitent avec imagination et humour de petits problèmes :
- pour les petits qui ne veulent pas aller se coucher ou qui ont peur la nuit : *C'est l'heure de dormir* d'Allancé ; *Tu ne dors pas petit ours ?* de Finth ; *Nuit blanche de Stehr* ; *Il y a un cauchemar dans le grenier* de Mayer, etc.
Et aussi *La lune, la grenouille et le noir*, de M. Ponti (Gallimard)
- pour les enfants à l'appétit difficile : *Pour qui le biberon ?* de Gay ; *Le petit déjeuner de la famille Souris* de Iwamura ; *Allons goûter de Karp*, etc.

▪ Et voici quelques livres pour les plus grands, à partir de 4-5 ans :
- *Timothée va à l'école*, Rosemary Well, École des loisirs.
- *Hulul et Porculus*, Arnold Lobel, École des loisirs.
- *Le géant de Zéralda*, *Les trois brigands*, *Flix*, Tomi Ungerer, École des loisirs.
- *Max et les maximonstres*, Maurice Sendak, École des loisirs.
- *Toi grand et moi petit*, *Le Diable des rochers*, deux superbes albums de Grégoire Solotareff (École des loisirs) ; le premier illustre cette maxime : lorsque les puissants deviennent misérables. Le second album traite du thème éternel de la belle et de la bête.
- *Quand tu seras petite* (de Anne Herbauts et Stephan Levy-Kuentz, Casterman) : c'est ce que peuvent dire à leur maman les enfants à qui on répète si souvent « quand tu seras grand ». Un livre charmant qui plaît beaucoup à Léa, 4 ans.

- *Apoustiak, le petit flocon de neige*, de Paul-Émile Victor, *Épaminondas*, de Odile Weurlesse et Kersti Chaplet : ce sont des classiques de la collection « Père Castor » (Flammarion), ils plaisent toujours aux enfants.
- La série des *comptines* (pour Noël, pour mon nounours…) chez Actes Sud Junior, une collection soignée et gaie.
- Les livres de Philippe Corentin (École des loisirs) : *L'Afrique de Zygomar*, *Mademoiselle Sauve-qui-peut*.
- *Mes premières découvertes d'Art* : Picasso, l'Impressionnisme, Fernand Léger… (Gallimard). Ces jolis petits livres permettent aux enfants de découvrir et d'apprécier de grands artistes.

▪ Les livres musicaux (un livre plus une cassette ou un CD) sont appréciés des enfants. Pour les petits, ce sont des « images sonores » avec, par exemple, les cris des animaux, les bruits de la ville ou de la maison. Ensuite, ce sont les histoires racontées (*Les 3 Petits Cochons, Boucle d'or…*), les comptines, les chansons. Pour les plus grands, une collection pour découvrir en musique l'enfance, la vie et les œuvres des grands musiciens : Mozart, Bach, Schubert… Et une autre collection pour explorer les musiques du monde : Cuba, les Tziganes, la musique celte, le raï, le reggae… (Gallimard)

Bien sûr, avant d'acheter un livre, feuilletez-le, lisez la quatrième de couverture, vous connaissez votre enfant, sa maturité, sa sensibilité, vous saurez quels livres peuvent lui plaire.

▪ Les tout-petits (à partir de 18 mois) ont leur première revue, *Popi* : des dessins charmants et une taille tout à fait adaptée aux lecteurs en herbe. Pour les plus grands (à partir de 3 ans), dans la même veine, *Pomme d'Api*. Pour tous : une histoire à raconter aux plus jeunes ou à faire lire aux plus grands : *Les belles histoires*. Ces publications de Bayard Presse sont vendues en kiosque. Et aussi par abonnements : les enfants adorent recevoir leur journal.

Et n'hésitez pas à emmener vos enfants, même les plus jeunes, dans une bibliothèque. Vous verrez, cela leur plaira beaucoup.

▪ Il y a une catégorie de livres à mettre à part, les contes de fées et les contes traditionnels. Certains enfants aiment qu'on leur en raconte très tôt (*Cendrillon, La Belle au bois dormant*, etc.) ; les garçons souvent préfèrent Grimm et les filles préfèrent Perrault (chez Albin Michel). Et de nombreux adultes trouvent un réel plaisir à lire ces contes à leurs enfants. Si c'est votre cas, cela vous intéressera peut-être de lire ces deux ouvrages qui donnent un éclairage inhabituel sur des contes classiques :

– *Psychanalyse des contes de fées*, de Bruno Bettelheim, Livre de poche.

– *Les contes de Grimm*, lecture psychanalytique, de Marc Girard, éditions Imago.

3

Attention danger !

La vie d'un enfant, à partir du moment où il commence à circuler dans la maison ou dehors, est semée d'embûches, parfois même de dangers. On constate hélas que les accidents, à la maison, ou à l'extérieur, tuent plus que toutes les maladies contagieuses réunies. Entre un an et quatre ans, les accidents constituent la première cause de décès.

De plus, les statistiques montrent que c'est entre 18 mois et 3 ans que le pic des risques d'accident est le plus élevé ; on le comprendra en lisant au chapitre 4 que, entre ces deux âges, le développement psychomoteur de l'enfant le pousse à toutes les découvertes alors qu'il n'a pas encore conscience des dangers qu'elles comportent. Ce sera à vous de trouver l'équilibre entre tout interdire et tout permettre, entre la surprotection et l'absence de limites. Et vous prendrez vite l'habitude de prévoir le danger, de tourner la poignée d'une casserole ou de ranger médicaments et produits dangereux, ces gestes deviennent familiers quand il y a un enfant dans la maison.

La maison dangereuse

Nous avons fait dessiner la « maison dangereuse ». Ces dessins, que vous voyez en pages 139 et 141, groupent les principales fautes contre la sécurité, celles qui, d'après les statistiques, causent le plus d'accidents d'enfants.

- Le bébé qui est sur une table à langer
  et dont on s'est éloigné : c'est devenu le risque numéro un.
- La casserole dont la queue est tournée vers l'extérieur.
  En outre, cette casserole pleine, en débordant, peut éteindre le gaz, créant le
  risque d'asphyxie.
- L'oreiller ou la couette sur le lit du bébé.
  Le risque est l'étouffement, ainsi que le coup de chaleur.
- La fenêtre sans barreaux ni grillage.
- L'eau qui sort trop chaude du robinet : elle peut brûler.
  Régler l'eau chaude à moins de 50°.
- L'armoire à pharmacie à portée des enfants.
- Les produits d'entretien mêlés aux comestibles,
  ou mis dans des emballages de comestibles (l'eau de Javel dans une bouteille de bière,
  etc.), ou rangés dans un placard accessible à l'enfant.
- La prise de courant non protégée.
  On peut mettre des cache-prises ou, mieux, installer des prises dans lesquelles un
  obturateur empêche l'enfant d'introduire un objet ; de telles prises sont
  systématiquement posées lors d'une nouvelle installation électrique.
- Le radiateur électrique non protégé.
- Le fil du rasoir électrique qui pend
  près de la baignoire ; l'enfant risque de jouer avec pendant son bain : danger de mort !
- La rallonge restée dans la prise
  après avoir débranché un appareil ménager : cette rallonge qui traîne par terre, l'enfant
  risque de la mettre dans la bouche.
- Le fer à repasser oublié.
- Les appareils de chauffage défectueux.
  Les intoxications provoquées par des émanations d'oxyde de carbone sont fréquentes.
  Vérifiez que votre appareil de chauffage (bois, charbon, gaz, chauffe-eau à gaz) marche
  bien, en le faisant contrôler tous les ans ; et faites ramoner une fois par an les conduits,
  c'est d'ailleurs exigé par les assureurs. Pour savoir à qui vous adresser pour faire
  ce contrôle, renseignez-vous auprès du vendeur de l'appareil. Le grand danger
  de l'oxyde de carbone c'est que c'est un gaz inodore, incolore, se diffusant facilement ;
  l'intoxication survient sournoisement, elle est parfois mortelle.

Sachez aussi qu'il ne faut jamais laisser un enfant seul à la maison, qu'il ait 4 mois
ou 4 ans, ni la nuit ni le jour. Tout peut arriver : la lecture des journaux le prouve.
Le nouveau-né qui s'étouffe ; l'incendie ; l'enfant qui pousse une chaise devant
la fenêtre pour voir rentrer sa maman et qui tombe dans la rue ; celui qui avale un
médicament croyant que c'est un bonbon, celui qui joue avec le fusil de papa, ou plus
simplement celui qui joue avec des boutons, des haricots secs, des cacahuètes et avale
« de travers ». Songez encore que l'enfant laissé seul à la maison peut faire un
cauchemar, s'éveiller, appeler ses parents et, dans la maison vide, connaître le premier
désespoir de sa vie.

Certaines circonstances favorisent les accidents : la faim d'abord (l'enfant qui a faim
avale n'importe quoi) ; la nervosité de l'entourage ; les problèmes que peut avoir
l'enfant, les jalousies secrètes par exemple. Tout ce qui trouble la sécurité de l'enfant
peut être mauvais : l'enfant qui a assisté à une dispute violente entre ses parents peut
sortir en courant de la maison et traverser sans regarder. Enfin les parents sont parfois
négligents ; il ne faut pas répondre au téléphone quand le bébé est dans son bain ; et on
ne doit pas demander à un grand avant l'âge de 10 ans d'être responsable de son petit

frère pendant que les parents font des courses. Ne pas laisser à la portée des enfants de moins de 3 ans des cacahuètes, noix, noisettes. Les cas d'enfants qui s'étouffent sont fréquents, surtout le samedi soir, jour où les parents offrent à leurs amis un verre.

Si on dessinait l'extérieur de cette maison dangereuse, on ferait figurer un **barbecue**. Un enfant sur cinq brûlé par flamme l'a été par barbecue, et les brûlures ainsi observées sont nettement plus graves que la moyenne. Saute de vent, courant d'air, ou feu mourant que l'on ranime imprudemment par de l'alcool à brûler, chemisette de nylon, et voilà l'enfant transformé en torche vivante. Des barbecues placés au ras du sol, éloignés des enfants, et l'interdiction absolue de tout liquide inflammable pour ranimer leur flamme permettraient d'éviter ces drames.

On pourrait aussi ajouter une **tondeuse à gazon** : les enfants doivent toujours en être tenus à l'écart.

Et il faudrait faire figurer une **piscine** : il y a de plus en plus d'accidents car il y a de plus en plus de piscines privées. La piscine privée est aujourd'hui le lieu où se produisent le plus fréquemment les accidents d'enfants de moins de 5 ans. Les parents ne sont pas suffisamment conscients du danger, ils ne se rendent pas compte à quel point l'accident se produit vite, ils ne savent pas que les conséquences sont le plus souvent dramatiques. Ces accidents sont d'autant plus graves qu'ils ne sont pas découverts dès leur survenue, et, que, en conséquence, les secours ne peuvent intervenir rapidement (voyez aussi page 155).

Maintenant voici plus en détail quelques précautions à prendre selon l'âge : pour le tout-petit, puis pour l'enfant plus grand.

● Avant un an,

la chute est, vous l'avez vu, l'accident le plus fréquent, et les statistiques précisent que, dans la majorité des cas, cette chute se produit à partir de la table à langer. Il n'est pas inutile de redire qu'un bébé ne doit jamais être laissé seul sur la table à langer. Il faut avoir le réflexe de prendre le bébé avec soi si on doit quitter la pièce, par exemple si le téléphone sonne. D'ailleurs lorsqu'on change le bébé, ou qu'on lui donne son bain, le répondeur est bien utile. Toujours à propos des chutes, attention à la chaise haute (ne pas y laisser l'enfant sans surveillance), au petit siège inclinable (ne pas le poser sur une table mais sur le sol), à la poussette (penser à attacher l'enfant).

Attention également à tout ce qui peut brûler le petit enfant :
▪ Le biberon réchauffé dans le micro-ondes : malgré les recommandations, on oublie trop souvent que le liquide peut être brûlant, même si le récipient est froid. Si vous utilisez le four micro-ondes, vérifiez systématiquement la température du liquide (ou du petit pot), par exemple en déposant quelques gouttes sur le dos de la main.
▪ Le bol de lait ou l'assiette de soupe que l'enfant renverse sur lui.
▪ L'eau chaude : lorsqu'elle sort trop chaude des robinets de la salle de bains (lavabo, mais surtout baignoire et douche), elle peut créer de graves accidents. De l'eau à 60 °C provoque une brûlure au troisième degré en moins d'une seconde. Si vous avez un chauffage individuel, réglez la température de l'eau à moins de 50 °C – température de sécurité. Si vous le pouvez (c'est un peu cher), équipez vos robinets de mélangeurs, c'est-à-dire de thermostats. Pour les précautions à prendre avant le bain du bébé, voyez page 26 et suivantes.

Enfin méfiez-vous de tout ce qui risque d'étouffer le bébé : pas d'oreiller, ni de couette (l'enfant risque en plus un coup de chaleur). Attention au chat qui peut monter dans le berceau, et prudence avec les chaînes de cou.

La chambre
L'enfant est seul sur la table à langer, la fenêtre est grande ouverte, le chat risque de sauter dans le lit : que d'accidents possibles en perspective ! Soyez vigilants.

À la salle de bains
Au centre de cette image, l'enfant se déshabille paisiblement, mais il est entouré de dangers : l'eau trop chaude, un vieux modèle de radiateur, un rasoir à portée de main, la clé sur la porte qu'il peut refermer sur lui, etc.

L'armoire à pharmacie
Ce dessin montre ce qu'il ne faut pas faire : placer l'armoire à pharmacie à portée de l'enfant. 60 % des intoxications chez l'enfant sont dues à des médicaments. Ne pas laisser traîner une rallonge branchée.

•Pour l'enfant qui commence à marcher.

Il part à la découverte du monde qui l'entoure. En le protégeant dans cette exploration, vous l'aidez à faire connaissance avec chaque chose et à en éviter les dangers. Comme votre enfant est curieux et pas encore conscient du danger, des précautions s'imposent.

▪ Rangez hors de sa portée tous les médicaments, même ceux qui vous paraissent parfaitement inoffensifs comme l'aspirine : peut-être justement parce qu'on ne la croit pas dangereuse, l'aspirine est responsable régulièrement de nombreux accidents. Méfiez-vous de votre sac à main qu'un enfant aime s'approprier, et au fond duquel il peut trouver un tube de médicaments. Vous ayant vu en avaler, il risque de chercher à vous imiter. La solution préventive est d'avoir une armoire à pharmacie hors de la portée des enfants, fermée à clé, et d'y ranger tous les médicaments, même ceux en cours d'utilisation. Pour éviter tout risque d'erreur, séparez les médicaments pour enfants de ceux pour adultes.

▪ Mettez hors d'atteinte les produits d'entretien : certains sont des poisons. Les intoxications ne sont jamais l'effet du hasard : des enquêtes montrent que, dans 60 % des cas, le toxique incriminé était à portée de main des enfants. Heureusement certains produits particulièrement toxiques (déboucheurs d'évier par exemple), disposent de fermetures de sécurité qui ne peuvent être ouvertes par les enfants. Ne les transvasez jamais dans un autre récipient (par exemple, l'eau de Javel diluée à partir d'un berlingot dans une ancienne bouteille de jus de fruit).

▪ Mettez aussi hors de sa portée les produits de jardinage (désherbant, insecticides, engrais, etc.), certains sont très toxiques.

Les intoxications par les médicaments (surtout tranquillisants et antidépresseurs) et les produits ménagers représentent 85 % des intoxications chez l'enfant (60 % pour les médicaments, 25 % pour les produits ménagers). Parce qu'en général, passé les premiers mois, la vigilance se relâche. Et les parents les plus attentifs au début laissent traîner des médicaments à portée de la main des enfants.

Attention aux brûlures

▪ Ne posez jamais sur le sol des récipients contenant de l'eau très chaude.

▪ Tournez vers le mur la queue des casseroles qui sont sur le feu.

▪ On peut fixer autour de la cuisinière une petite grille qui empêche l'enfant de toucher les plaques électriques qui restent chaudes longtemps.

▪ La porte du four est dangereuse car elle est brûlante et juste à hauteur de l'enfant. On peut la protéger par une grille ou par une porte supplémentaire (beaucoup de grands magasins en proposent). Il faut penser à refermer immédiatement la porte après avoir sorti un plat. Mais l'idéal serait que le four soit en hauteur, ce serait d'ailleurs plus pratique pour les adultes et moins dangereux pour les enfants.

▪ En ce qui concerne le petit appareillage électroménager, il y a aussi des précautions à prendre : le grille-pain peut brûler, le couteau électrique couper, etc.

▪ Attention aux lampadaires halogènes : ils ne sont pas stables, et l'enfant peut les faire facilement tomber.

▪ Voyez plus haut les précautions à prendre à propos de l'eau chaude qui sort des robinets.

Attention aux chutes : la chute par la fenêtre n'est pas un accident rare. Si vous laissez une fenêtre ouverte, surveillez votre enfant. Il existe des barrières de sécurité extensibles.

▪ Une chute fréquente est celle de l'enfant qui tombe d'un chariot à roulettes dans une grande surface : si on y installe l'enfant, il faut le surveiller. Les sièges de voiture "dos à la route" ne doivent pas être posés sur un chariot. Des accidents graves sont arrivés.

En attendant qu'il prenne la rampe

L'enfant a ouvert tout seul la porte de sa chambre. Vivement qu'on lui donne la main pour descendre l'escalier, puisqu'il n'y a pas de barrière.

Le panier à ouvrage est à ranger hors de la portée du bébé qui aime tout mettre à la bouche.

À la cuisine

La cuisine peut représenter un maximum de risques : bol brûlant posé sur le bord de la table, casserole avec la queue tournée vers l'extérieur, allumettes à portée de main, etc.

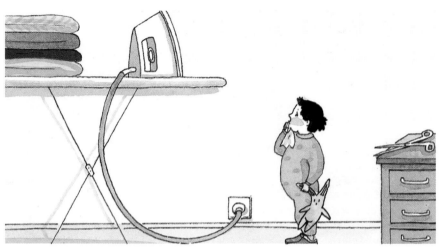

Le fer à repasser

Cet enfant est fasciné par le gros fer à repasser, dangereusement posé sur le bord de la planche. Et, s'il se retourne, les ciseaux ne sont pas loin. Attention, dangers !

▪ Un enfant qui tombe d'un lit superposé, cela arrive souvent : il vaut donc mieux éviter les lits superposés. Et si vous ne pouvez faire autrement, sachez qu'il ne faut pas installer dans le lit supérieur un enfant de moins de 4 ans.

▪ Ne laissez pas traîner de sac en plastique : l'enfant peut se le mettre sur la tête et s'étouffer.

Enfin pour les portes, deux idées parfois utiles : vous pouvez installer dans les chambranles des portes, des barrières permettant à l'enfant de rester dans son coin, tout en ne se sentant pas isolé. Pour éviter que votre enfant ne se pince les doigts, vous pouvez fixer la porte avec un crochet. Et si vous ne voulez pas que l'enfant aille dans une pièce particulière, je vous signale qu'il existe un système qui bloque la porte, en vente dans les grandes surfaces ou dans les magasins spécialisés en puériculture.

▪ Un mot sur les plantes d'appartement. Certaines sont dangereuses. Une précaution : apprendre à l'enfant, même très petit, qu'on ne touche pas aux plantes, et surtout qu'on ne les mange pas.

▪ Si malgré toutes ces mises en garde un accident se produit, pour les brûlures, voyez page 363, pour les chutes, page 366, pour les intoxications, page 398.

● **Ranger, surveiller, éduquer.**

Au fur à mesure que l'enfant grandit, des précautions s'imposent toujours, mais vous devez l'exercer, et surtout le laisser s'exercer, à utiliser les objets usuels. Ce n'est pas en lui en interdisant l'usage que vous le rendrez adroit de ses mains : faites-les-lui manier à votre exemple. Peu à peu, il s'initiera à sa propre protection. Donc, très peu de « Défense de toucher » quand vous êtes auprès de lui… mais donnez-lui le bon exemple en respectant les règles simples de la sécurité : remettez chaque chose à sa place ; prenez les précautions voulues avant certains gestes, certaines actions : pas de portes ouvertes brusquement, ne vous retournez pas soudainement si vous portez un objet qui, en tombant, pourrait blesser l'enfant, etc. Un des médecins du Centre antipoisons de Paris m'a dit : il y a trois mots qu'il faut répéter sans cesse pour prévenir les intoxications, c'est ranger, surveiller, éduquer. Cette phrase peut d'ailleurs s'appliquer à la prévention de la plupart des accidents domestiques.

Les morts d'enfants par accidents de la vie courante ont diminué depuis quelques années. Grâce à de nouvelles normes de fabrication (par exemple les bouchons de sécurité pour les produits toxiques). Grâce aussi aux campagnes d'information faites auprès des parents. Peut-être aussi grâce aux conseils de prévention que nous préconisons depuis des années dans ce livre. Mais les chiffres restent encore élevés. Ils peuvent baisser si l'effort se poursuit.

Les dangers hors de la maison

Les accidents de la circulation les plus fréquents arrivant aux jeunes enfants sont des accidents de piétons :

➤ l'enfant a traversé la route sans regarder ;

➤ il a lâché la main qui le tenait pour rattraper son ballon ;

➤ il jouait avec des petits amis, et il est descendu sur la chaussée.

Donc, dès que l'enfant sera en âge de comprendre, il faudra lui apprendre à traverser la rue. Mais jusqu'à l'âge qui nous intéresse ici (4-5 ans), seuls comptent la main qui tient fermement la sienne, et l'exemple : en vous voyant regarder à gauche et à droite avant de traverser, votre enfant apprendra à faire de même. Sur le trottoir, marchez côté rue, en lui donnant la main.

Par ailleurs, sur les dangers de l'enfant en voiture et la nécessité de le mettre dans un siège adapté, voyez page 150.

Après la voiture, le grand danger hors de la maison, c'est l'eau et le risque de s'y noyer, voyez pages 138 et 155.

La campagne aussi a ses dangers

Poisons : le laurier-rose, les fruits noirs produits par les plants de pommes de terre après leur floraison ; le figuier : le suc des tiges et des feuilles peut donner des brûlures de la peau et de la bouche.

Dans les prés : le colchique (fleurs roses et violettes), l'aconit (fleurs bleues, jaunes ou violettes, en pyramide), le genêt (fleurs jaunes).

Dans les terrains vagues : la ciguë qui ressemble au persil, la jusquiame (fleurs jaunes rayées de pourpre, plante comportant une seule tige), la stramoine (grandes fleurs blanches striées de violet, fruit couvert de piquants), la belladone (fleurs pourpres, baies noires grosses comme des cerises). Pour que vous reconnaissiez plus facilement ces plantes, d'autant plus dangereuses qu'elles sont souvent jolies, nous vous les présentons en couleurs dans les pages suivantes. D'ailleurs, vous verrez que certaines de ces plantes sont très répandues, même en ville.

Pour les fruits toxiques et les champignons, la surveillance et l'éducation sont les meilleurs moyens d'éviter les accidents.

Serpents. Voir au chapitre 6 l'article *Morsures : morsures de vipère.*

Arbres aux branches cassantes, le cerisier particulièrement. Là encore, il ne s'agit pas de faire vivre l'enfant dans un univers sans danger, ni de le faire vivre dans la crainte, mais de l'avertir du danger. Son esprit, très réceptif à l'idée de la maladie et de la mort, enregistrera vos avertissements ; et pour toujours l'image de l'endroit où il y a des vipères, de la fleur qui fait mourir, de l'arbre sur lequel il ne faut pas monter, restera gravée dans son esprit.

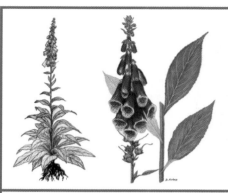

Digitale pourprée, doigt de sorcière

On la trouve à la lisière des forêts, dans les clairières, sur les talus, etc. Des feuilles inférieures s'élève, de juin à août, une hampe florale de 50 cm à 1, 50 m. Les fleurs, pourpres, en forme de doigt, sont disposées d'un même côté de la tige. Leur intérieur est ponctué de taches rouge sombre, bordées de blanc. Toute la plante est vénéneuse : elle renferme un violent poison pour le cœur.

Jusquiame

Plante à pilosité visqueuse des sols riches en azote, des décombres et friches. Elle est peu commune en France car, étant fort dangereuse, elle est détruite au voisinage des lieux habités. Ses fleurs jaunes veinées de violet, apparaissant entre mai et septembre, forment une crosse terminale (hauteur : entre 30 et 60 cm).

Laurier-rose

Petit arbuste ornemental (2 à 3 m de haut), cultivé dans les régions chaudes du sud de l'Europe. Les fleurs d'un rose vif apparaissent l'été et ses feuilles particulièrement dures sont groupées par trois. Toutes les parties de la plante sont toxiques mais, en plus, le miel que font les abeilles avec les fleurs du laurier-rose, est toxique également.

Grande ciguë

Plante très vénéneuse commune en Europe, dans les friches, chemins, talus des lieux humides (1,5 à 2 m de haut). Reconnaissable à sa tige cannelée, maculée à la base de taches pourpres, et à ses feuilles très découpées. Ses fleurs sont groupées en ombelles composées. Ses graines, typiques, sont pourvues de dix côtes légèrement ondulées.

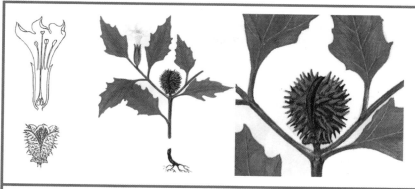

Stramoine

Plante des décombres répandue en France, très vénéneuse, de 30 à 60 cm de hauteur, à grandes fleurs blanches solitaires en forme d'entonnoir plissé, apparaissant entre juin et août. Son fruit épineux ressemble à celui du marronnier, mais il est très redoutable.

Solanum

C'est le nom scientifique de la pomme de terre. Il s'agit donc d'une plante très commune et très répandue, en France comme ailleurs. Les tiges souterraines forment des tubercules comestibles : les pommes de terre. Les fleurs de cette plante apparaissent en juillet et donnent des baies verdâtres très toxiques qu'il ne faut pas confondre avec les très jeunes baies de tomates.

Colchique d'automne

Plante à bulbe profondément enraciné dans le sol humide des prés (20 cm). Les feuilles sortent au printemps : lorsqu'elles sont fanées apparaissent les fleurs entre août et septembre. Le fruit s'ouvre alors et laisse apparaître les graines très toxiques. C'est une plante très dangereuse et difficile à éliminer. Diffère du crocus par son nombre d'étamines : 6 chez le colchique, 3 chez le crocus.

Belladone

Pousse dans toute l'Europe, dans les clairières, bois, sur sols calcaires. Plante à fleurs veloutées, pourpre sombre ou verdâtre, en forme de doigt de gant, qui apparaissent entre juin et septembre (environ 60 cm de hauteur). Sa baie ronde, noire, entourée d'une collerette verte et d'aspect engageant pour un jeune enfant est très vénéneuse.

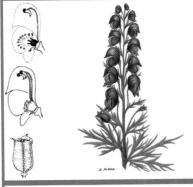

Aconit

Plante connue depuis l'Antiquité pour sa toxicité. Répandue dans les lieux humides des régions montagneuses de toute l'Europe. La plante se termine par une grappe allongée (60 cm environ) de fleurs bleues ou violettes ayant la forme d'un casque, qui apparaissent entre mai et septembre. Toute la plante est toxique : l'ingestion d'un petit fragment de racine est mortelle.

If

Arbre au feuillage vert foncé, persistant, atteignant parfois 20 m de hauteur. On le trouve souvent planté dans les parcs, jardins, bien que toute la plante soit vénéneuse. Les aiguilles sont disposées sur un même plan horizontal. À la base des rameaux, des baies apparaissent sur la face inférieure, constituées d'une graine brune, extrêmement toxique, entourée d'une enveloppe charnue, rouge à maturité (octobre).

Pommier d'amour, cerisier d'amour, faux poivre

Petit arbuste de 50 cm à 1,20 m de hauteur, à feuillage foncé, souvent cultivé en plante d'intérieur. Les fleurs blanches, sans attrait ornemental, produisent des fruits rouges en forme de petites pommes de la grosseur d'une cerise. L'ingestion de ces baies entraîne de nombreux troubles chez les jeunes enfants attirés par leur couleur.

Houx

Arbuste ou arbre à feuilles alternes, persistantes, coriaces, à pétiole court – et bords très ondulés et dentés. Les fruits, toxiques, sont des drupes orange ou rouges renfermant quatre graines oblongues. On le trouve dans les sous-bois, hêtraies, de contrées humides (Ouest surtout).

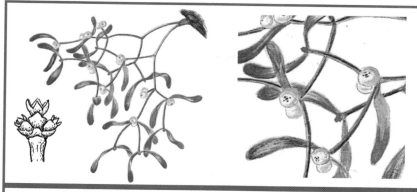

Gui

Plante parasite formant des « boules » sur les branches des arbres sur lesquels elle s'implante (souvent le pommier et le peuplier). Les fruits en forme de baies sphériques, de la grosseur d'un pois, mûrissent en hiver (décembre-février). Blanchâtres, translucides, les baies contiennent une seule graine entourée d'une pulpe visqueuse. L'ingestion de 10 à 20 baies provoque des accidents graves – parfois mortels.

Marronnier d'Inde

Grand arbre souvent planté dans les villes. Les feuilles atteignant parfois 20 cm de long et sont irrégulièrement dentées. Les fleurs sont dressées en pyramide. Le fruit, toxique, est une capsule vert pâle, garnie d'épines molles et contenant une à trois graines d'un brun luisant portant une cicatrice hilaire blanchâtre.

Buisson ardent

Arbrisseau touffu à rameaux épineux. La persistance de ses feuilles vert foncé et de ses grappes de baies rouges, apparaissant en septembre jusqu'au printemps, sont à l'origine de son nom. Cet aspect décoratif durant tout l'hiver entraîne sa culture dans de nombreux jardins (haies, massifs). Les fruits, toxiques et globuleux, ne dépassent pas un centimètre de diamètre.

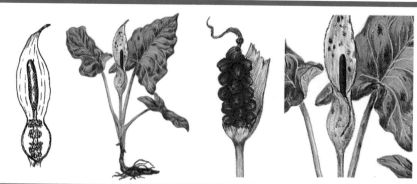

Arum tacheté, gouet, pied-de-veau.

Plante à rhizome de 20 à 50 cm de haut, vivace, située dans les bois humides. Les feuilles foncées, en forme de fer de lance ou de pied de veau, portent souvent des taches brunes. Elles apparaissent dès le printemps. Les fruits, très toxiques (mûrs de mai à octobre) sont portés par une tige isolée ; ils sont globuleux et contiennent une seule graine ronde.

Voyages et vacances

Bon voyage

En voyage, vous aurez à nourrir, à distraire et éventuellement à changer votre enfant. Voyons un peu comment ne rien oublier.

• Nourrir.

Votre bébé est petit et vous l'allaitez, donc rien à emporter sauf, en plein été, un biberon d'eau, il risque d'avoir soif. Emportez aussi suffisamment d'eau pour vous, vous savez combien l'allaitement donne soif.

Il est nourri avec un lait infantile : emportez de quoi préparer le biberon à l'étape (eau, lait en poudre, ou encore du lait liquide, prêt à l'emploi). Prenez une tétine de rechange. Avec les cahots du train ou de la voiture, vous risquez de la faire tomber. Ayez aussi un biberon supplémentaire et de l'eau minérale : les voyages en été, que ce soit en voiture ou en train, donnent soif.

Si votre enfant est à l'âge des purées, emportez des purées en petits pots, ainsi vous aurez son déjeuner tout prêt dans votre sac, un yaourt, une compote en petit pot également, une bouteille d'eau minérale, sa timbale et sa cuillère.

À partir de l'âge où votre enfant mange de tout, il aura la même alimentation que vous, aussi bien si vous pique-niquez que si vous allez au restaurant. D'ailleurs de nombreux snacks, cafétérias, restaurants proposent des menus spéciaux pour enfants.

Mais les repas ne sont pas tout. En voyage, les enfants (lorsqu'ils ne sont pas malades) mangent à toute heure. Avant le départ, l'excitation leur coupe généralement l'appétit ; mais ils n'ont pas fait dix kilomètres que déjà ils disent : « Maman, j'ai faim. » Il faut donc se munir de petits en-cas, nourrissants sans être bourratifs : pas de gros sandwichs qui donnent soif mais des sandwichs de fines tranches de pain de mie avec une feuille de salade et du jambon, des fruits secs, des fruits frais, des biscuits. Pour boire : petites briques avec paille (jus d'orange, lait, lait chocolaté, etc.). Et pour essuyer la bouche et les mains, des lingettes.

● Distraire.

Les heures de train ou de voiture, dans la journée, sont longues ; prévoyez des jeux : autos ou animaux, jeux de société, sac contenant un mélange de figurines variées. Pas de lecture, ni d'images pour l'auto : elles bougent et fatiguent les yeux ; en revanche elles seront les bienvenues pour le voyage en train ; les crayons de couleur également. Vous emporterez aussi les jouets préférés : l'ours, la poupée, etc. Ils feront d'ailleurs plaisir pendant toutes les vacances. Ainsi que des cassettes de chansons ou de musique. Mais votre esprit inventif sera une bonne ressource : les parents savent chanter, raconter, inventer, lorsque l'agitation grandit.

Il peut y avoir, au fond de votre sac ou dans la boîte à gants, la surprise de secours pour le cas d'urgence : grande scène de colère, dispute violente, crise de larmes. La surprise peut être modeste, mais si elle est dans une boîte et un paquet ficelé, l'enfant sera ravi.

Pour ne pas imposer à l'enfant une tension trop longue en train, emmenez-le de temps à autre se promener dans le couloir ou au bar ; en voiture, toutes les deux heures – plus si nécessaire, c'est à vous d'apprécier -, arrêtez-vous. Je ne parle pas de l'arrêt-minute dans le bruit et l'odeur des voitures qui vous frôlent à toute allure, non, c'est l'arrêt-promenade que je vous conseille, où vous emmènerez l'enfant, un bon moment, courir en pleine nature, ou bien se détendre sur une aire de jeux, il y en a de plus en plus sur les autoroutes. Ces pauses sont d'ailleurs indispensables pour le conducteur.

● Changer.

Pas de problème avec le change complet. L'enfant plus âgé, qui n'a plus besoin d'être changé, devra quand même en route faire un brin de toilette si le voyage doit être long : ici aussi les lingettes seront très utiles. Et un brumisateur d'eau minérale.

● Le mal des transports.

Il est courant qu'un enfant ait mal au cœur en voiture. Avant de chercher le médicament miracle, pensez à ceci :

L'enfant a besoin de calme : si vous lui parlez de son mal au cœur, s'il a un souci, s'il a assisté à une scène, subi des reproches, en un mot s'il est nerveux, l'enfant risque d'avoir mal au cœur.

Avant le départ, un repas léger : partir à jeun, avoir fait (la veille ou le jour même) un repas lourd, avoir expédié en vitesse une tasse de chocolat et des tartines dans l'agitation du départ, sont autant de causes de mal au cœur. Avant de partir, il faut un repas nourrissant mais léger : jus de fruit ou infusion, miel, fruits. Pendant le voyage et au besoin dès que vous êtes en route, donnez-lui un biscuit, une pomme. Pendant le trajet, vous continuerez les petits repas fréquents et sucrés.

Ne fumez pas dans la voiture. L'odeur du tabac donne d'ailleurs mal au cœur à tout le monde et le petit cubage d'une voiture augmente la gravité des conséquences du tabagisme passif.

Petits repas, calme et petits sommes, voilà les meilleurs antidotes au mal des transports.

Vous pouvez donner une demi-heure à une heure avant le départ des médicaments tels que Nautamine, Cocculine en homéopathie, etc. Le médecin ou le pharmacien vous indiqueront la dose. Si l'enfant refuse le médicament par la bouche, bien qu'on puisse toujours camoufler un comprimé dans du miel ou un autre aliment, donnez-lui un suppositoire. Et il existe des produits qui pénètrent par la peau, demandez au pharmacien. Cela dit, deux précautions valent mieux qu'une : munissez-vous quand même de sacs en papier fort, pour le cas où l'enfant vomirait.

• Conseils de sécurité pour le voyage en voiture.

Pour que toute la famille arrive à bon port, attention à la fatigue du conducteur. Il est conseillé de faire un arrêt toutes les deux heures, de se relayer au volant. Si des signes de fatigue apparaissent chez la personne qui conduit (baillements, picotements des yeux, crampes dans la nuque, tête qui tombe en avant), il faut s'arrêter et céder sa place, ou se reposer un peu.

Dans la voiture, arrimez bien tous les bagages, utilisez les ceintures de sécurité et installez vos enfants sur des sièges adaptés. L'usage de ces sièges (appelés officiellement "dispositifs de retenue pour enfants"-DRE) est obligatoire pour les enfants de moins de 10 ans. Cette obligation est heureuse, car leur utilisation évite à l'enfant d'être éjecté, amortit le choc et protège les parties du corps les plus vulnérables : tête, cou, colonne vertébrale.

Il est important de choisir un dispositif de retenue correspondant au poids de l'enfant.

▪ De la naissance à 9 kg, choisissez un siège "dos à la route" qui sera installé à l'avant ou à l'arrière de la voiture. Certains de ces sièges vont jusqu'à 13 kg. Ne pas l'installer à l'avant si la voiture est équipée d'un airbag passager.

▪ De 9 à 18 kg, l'enfant est installé à l'arrière de la voiture, face à la route, soit dans ce qui s'appelle un siège bouclier, soit dans un siège avec harnais 5 sangles.

▪ De 15 à 36 kg, l'enfant est installé sur un siège réhausseur. Il vaut mieux choisir un modèle équipé d'un dossier muni d'appui-tête et de protections latérales.

▪ Au-delà de 36 kg (environ 10 ans), l'enfant, comme l'adulte, utilise la ceinture de sécurité.

Pour la sécurité de vos enfants, n'achetez que du matériel homologué, fixez-le correctement en suivant les instructions du constructeur et veillez à ce que l'enfant soit bien maintenu. Sauf l'exception du bébé protégé dans son siège spécial, nous vous rappelons qu'il est interdit d'installer un enfant de moins de 10 ans à l'avant de la voiture.

Ces conseils concernent tous les déplacements, surtout ceux que l'on fait tous les jours : les 2/3 des accidents mortels surviennent à moins de 15 km du domicile. Soyez prudents, trop d'enfants voyagent encore en voiture sans être attachés.

Pour en savoir plus
Les associations de consommateurs font régulièrement des tests sur les meilleurs sièges pour enfants : *Que choisir*, 01 42 74 54 42, www.quechoisir.org ; *60 millions de consommateurs*, 01 45 66 20 20 ; www.60millions-mag.com. Vous pouvez aussi contacter *La ligue contre la violence routière*, 01 45 32 91 00.

À chaque départ, attention à la petite main qui s'accroche à la portière ! Ce n'est pas nous qui le disons, ce sont les compagnies d'assurances : les cas d'enfants rendus handicapés pour la vie parce qu'on a claqué une portière un peu trop vite ne sont, paraît-il, pas rares.

Enfin, assurez-vous que les portières arrière sont bien fermées, et que les enfants ne peuvent pas les ouvrir. Aujourd'hui les voitures sont équipées d'un système de fermeture spécial pour enfants.

Quand vous vous arrêtez au bord de la route, ne laissez jamais un enfant seul dans la voiture, même endormi : l'enfant peut se réveiller, ouvrir la portière, être happé par une voiture avant que vous n'ayez eu le temps de vous en apercevoir. Faites toujours descendre les enfants du côté du trottoir et non pas du côté de la chaussée.

Rappelez-vous enfin que le soleil frappant le toit d'une voiture à l'arrêt en fait une fournaise. Des bébés sont morts par déshydratation dans une voiture arrêtée en plein soleil, ou quand l'ombre a tourné.

• **Peut-on faire voyager un bébé en avion ?**

Rien ne s'y oppose, dès la deuxième ou troisième semaine, si l'enfant va bien. Pendant le voyage, veillez bien à ce que votre enfant n'ait pas trop chaud et, si c'est le cas, faites-le boire un peu plus qu'en temps normal.

Au décollage et à l'atterrissage, donnez à boire au bébé quelques gorgées d'eau ou de lait de temps en temps : comme le bonbon que vous offre l'hôtesse, le liquide provoquera des mouvements de déglutition qui favoriseront l'entrée ou la sortie d'air de l'oreille et éviteront d'avoir mal aux oreilles au moment des changements de pression atmosphérique.

En cas de rhino-pharyngite, de végétations importantes, d'otite en évolution, il est préférable de prendre l'avis d'un médecin ORL avant de faire voyager un bébé en avion.

Et un conseil pour finir. Si votre enfant est en âge d'apprécier ce cadeau, offrez-lui, la veille du départ, une petite valise, ou un petit sac à dos. Il sera très heureux d'y mettre ses affaires et les trésors qu'il voudra emporter avec lui.

Bonnes vacances

Il y a des parents qui, dans leur hâte de voir leur enfant « profiter », entreprennent, dès le premier jour des vacances, un programme d'exercice intensif. Ils oublient qu'être en vacances, c'est d'abord se reposer. C'est vrai même pour le jeune enfant : la seule adaptation à un nouveau climat exige quelques jours de détente, et cela d'autant plus que le changement d'habitudes crée de l'excitation chez les enfants. Même par la suite, quand cette « entrée en vacances » sera passée, vous ne devez pas oublier que le jeune enfant est vite fatigué. N'allez pas, sous prétexte de sport, l'entraîner dans des marches trop longues : à l'âge qui nous occupe, il n'y a pas vraiment de sport, il n'y a que des jeux.

• **À la mer.**

Je vous parle plus loin du soleil, de ses bienfaits et de ses dangers. En ce qui concerne la mer, vous devez savoir que le bord de mer immédiat, ce qu'on appelle « les pieds dans l'eau », est excitant. Si vous avez un enfant un peu nerveux, vous pouvez vous attendre à de nombreuses nuits sans sommeil. Cela dit, le climat marin est excellent pour la plupart des enfants. Il y a quand même quelques précautions à prendre.

Natation
On peut familiariser l'enfant avec l'eau très jeune, et lui apprendre à nager vers 4-5 ans : à cet âge, il peut commencer à coordonner ses mouvements et sa respiration, ainsi il saura bien nager vers 6-7 ans.

▪ Avant 6 mois, il est déconseillé d'emmener un bébé sur la plage : à cause de la chaleur, du vent, du sable, du soleil. Si vous ne pouvez vraiment pas faire autrement, une heure de plage par jour est un grand maximum pour votre nourrisson. Mais ne l'emmenez pas aux heures les plus chaudes ; ne le laissez pas dans son landau en pleine chaleur ; donnez-lui à boire régulièrement. Et installez-le à l'ombre.

▪ Entre un an et 4 ans, le risque numéro un est la noyade. Un enfant peut se noyer

dans 20 cm d'eau. S'il tombe et qu'il a le visage dans l'eau, il risque de ne pas se relever. Donc, laissez-le barboter, mais sans le quitter des yeux.

▪ Pas de séjour prolongé dans l'eau, surtout les premiers jours. À l'âge qui nous intéresse, le bain de mer n'est pas vraiment baignade, mais barbotage.
D'ailleurs, laissez-le faire : vous le verrez entrer dans l'eau, s'asseoir, se relever et courir sur la plage, faire des pâtés, retourner se tremper, etc. C'est bien suffisant.

▪ Votre enfant a peur de l'eau ? C'est bien normal : la mer, c'est grand, c'est dangereux et cela fait du bruit. Pas de méthode brutale. Habituez votre enfant à l'eau en jouant avec lui tout au bord de l'eau à la balle, en creusant un canal dans le sable, etc. Un beau jour sans se rendre compte, votre enfant sera dans l'eau, sans que vous l'ayez forcé.

▪ Méduses : l'enfant a touché une méduse. S'il est agité, incommodé, fiévreux, emmenez-le chez un médecin : il s'agit d'un tempérament allergique (voyez l'article *Allergie* au chapitre 6).

▪ Un enfant qui a été longtemps exposé au soleil, ou qui est en nage, doit entrer progressivement dans l'eau car il risque une *hydrocution* (voir ce mot au chapitre 6).

● À la montagne.

L'enfant en bonne santé supporte très bien le changement d'altitude et cela quel que soit son âge, même s'il s'agit d'un nourrisson. Les conséquences de la raréfaction de l'oxygène en altitude n'apparaissent qu'au-delà de 2 000-2 500 m ; les séjours occasionnels, plus ou moins prolongés, en moyenne montagne ne posent donc pas de problème d'adaptation, les stations climatiques ou de sports d'hiver dépassant rarement 2 000 m. Par ailleurs, l'air non pollué de la montagne a un effet très bénéfique chez les enfants asthmatiques ou qui ont des infections ORL à répétition. Mais attention au soleil : l'enfant doit porter des lunettes, être protégé par une crème solaire écran total et porter un chapeau.

L'enfant et le ski. À quel âge commencer, on nous le demande régulièrement. 5-6 ans, c'est une bonne moyenne, l'enfant peut déjà bien s'amuser. Certains apprécient de commencer plus tôt, vers 3-4 ans. Mais ne pas oublier cependant que l'enfant se fatigue et se refroidit vite. Certains parents portent sur leur dos leur bébé, même tout petit, qu'il s'agisse de ski de piste ou de ski de fond. Ceci est tout à fait déconseillé parce que, même bien couvert, l'enfant risque d'avoir très froid puisqu'il ne bouge pas. Ainsi, en Suisse, de grands panneaux rappellent que c'est interdit. Il y a eu des accidents (pieds gelés).

- **À la campagne.**

Les vacances, cela ne signifie pas nécessairement mer ou montagne.

Tout changement d'air est bon pour le petit enfant des villes. Un séjour à la campagne lui fera le plus grand bien. Peut-être plus que des vacances dans le Midi, où la foule et la circulation sont les mêmes qu'en ville, et dont le climat finit par fatiguer, si l'on abuse de la plage. Mais la campagne a aussi ses dangers. Le plus grand : le bain de rivière ; outre le risque de noyade, bien des rivières sont polluées, renseignez-vous auprès de la mairie.

Le téléphérique est déconseillé pour les nourrissons car la montée et la descente sont trop rapides et peuvent lui faire mal aux oreilles.

Si vous êtes dans une région à vipères, et si vous emmenez vos enfants se promener dans des terrains broussailleux, mettez-leur des bottes. Cela les protégera également des morsures de tiques.

Le soleil : bienfaits et dangers

La peau a besoin de respirer, le grand air lui est indispensable, le soleil aussi : la vitamine D se forme sous l'action des rayons ultraviolets, c'est elle qui contribue à la croissance des os. De plus le soleil donne une sensation de plaisir, de bien-être, il est bon pour le moral. Mais le bronzage est devenu synonyme de santé, de dynamisme, de bonnes vacances, de réussite sociale. À cause de cela, bien des gens en abusent et pour eux-mêmes et pour leurs enfants. C'est grave, car on sait que des expositions solaires répétées et excessives durant l'enfance, suivies de coups de soleil, sont un facteur d'apparition à l'âge adulte de cancers cutanés (mélanome malin).

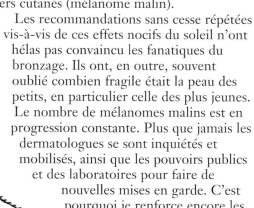

Les recommandations sans cesse répétées vis-à-vis de ces effets nocifs du soleil n'ont hélas pas convaincu les fanatiques du bronzage. Ils ont, en outre, souvent oublié combien fragile était la peau des petits, en particulier celle des plus jeunes. Le nombre de mélanomes malins est en progression constante. Plus que jamais les dermatologues se sont inquiétés et mobilisés, ainsi que les pouvoirs publics et des laboratoires pour faire de nouvelles mises en garde. C'est pourquoi je renforce encore les recommandations de prudence que je fais depuis longtemps déjà.

▪ En dessous de 6 mois, pas de bébés au soleil, même pas sous un parasol : le sable réfléchit les rayons dangereux.

▪ Entre 12 et 16 heures, évitez l'exposition au soleil, c'est l'heure où il est le plus dangereux, c'est le moment de faire la sieste, ou de rester à l'ombre.

▪ Protégez vos enfants : utilisez des écrans solaires d'un indice de protection maximum. Ces recommandations sont encore plus importantes pour les enfants à peau claire qui ont la peau plus fragile. En cas de baignade, renouvelez l'application de crèmes toutes les heures.

▪ En cas d'exposition prolongée (promenade en bateau par exemple), la meilleure protection est vestimentaire : laissez à l'enfant un tee-shirt.

▪ L'enfant arrivant en vacances sera dévêtu progressivement, il ne sera laissé torse nu qu'au bout de quelques jours.

▪ Le petit enfant ne restera pas immobile au soleil, il doit bouger, aller de temps en temps à l'ombre, ne pas s'étendre en position de bain de soleil.

▪ De toute manière, l'enfant aura un chapeau, et même des lunettes de soleil. C'est une habitude à prendre.

▪ Enfin, sachez que l'action des rayons solaires est plus puissante à la montagne à cause de la pureté de l'air, et à la mer à cause de la réverbération. Vous serez donc encore plus vigilants.

Vous allez peut-être trouver que ces précautions sont exagérées. Elles se justifient à cause du nombre d'enfants qu'on voit encore sur les plages, ou à la montagne, sans chapeau, sans tee-shirts, en plein soleil.

Des précautions contre la chaleur. Pour le bébé : bains rafraîchissants et biberon d'eau fraîche offert fréquemment ; s'il n'en a pas besoin, il le refusera. Ne pas changer de lait – sauf prescription du médecin – pendant les chaleurs.

Pour l'enfant plus grand : douches fraîches et boissons, l'enfant a de faibles réserves d'eau. Donnez-lui une alimentation d'été : crudités, fruits, fromages, laitages, etc.

• L'enfant à la piscine.

Les piscines privées. Depuis le 1er janvier 2004, les piscines privées venant d'être construites, de même que celles de maisons de location saisonnière et des copropriétés, doivent obligatoirement être équipées d'un dispositif de sécurité afin de prévenir les risques de noyades. Ces mesures s'appliqueront à toutes les piscines en 2006. Dans le cadre de cette nouvelle réglementation, quatre dispositifs peuvent être installés : barrière, ou alarme, ou couverture ou abri. L'association « Sauve-qui-veut » conseille une barrière et une alarme en dispositif complémentaire ; ces protections sont indispensables tant que les enfants ne savent pas bien nager.

Sauve-qui-veut
Cette association, créée par Laurence Perouème, a pour objet la prévention de la noyade chez le jeune enfant et l'assistance des familles de victimes. Elle donne aux parents différents conseils et informations.
Tél : 01 42 29 47 53
Fax : 01 42 29 41 81.
Internet : sauvequiveut.asso.fr.
Courriel : Perouemefamily@aol.com

Ne laissez jamais seul un enfant, ou plusieurs enfants (même sachant nager) dans l'eau. L'accident arrive très vite, souvent par méconnaissance du danger. Un enfant se noie en quelques secondes, sans aucun bruit : il suffit de 20 cm d'eau pour mourir noyé en moins de trois minutes. Si la loi sur la sécurité des piscines ne concerne pas les bassins hors-sol, les pataugeoires et autres piscines gonflables, elles sont tout aussi dangereuses et la même vigilance est donc de mise. Il faut absolument retirer l'échelle d'accès en dehors des heures de baignade et il est fortement recommandé d'installer une barrière de sécurité autour du bassin.

La vigilance constante et rapprochée des adultes est essentielle mais pas suffisante, parce qu'elle peut être prise en défaut (un oubli, un instant d'inattention, une erreur de jugement) ; en plus, à cet âge, l'enfant découvre et explore le monde, il est attiré par l'eau sans avoir conscience du danger, il se déplace vite et son comportement est souvent imprévisible. C'est pourquoi, afin de prévenir ces accidents, les adultes doivent être conscients du danger afin de mettre en place des gestes et des mesures de prévention simples : apprentissage précoce de la natation dès 4 ans, sensibilisation des enfants au risque de noyade, installation de dispositifs de sécurité, numéro d'urgence — 15 et 18 — sur un portable à côté de la piscine, bouée et perche à proximité du bassin, connaissance des premiers gestes de secours.

Les piscines publiques. Une tendance actuelle est d'emmener les enfants à la piscine dès leur plus jeune âge. Vous avez sûrement vu des reportages sur des **bébés nageurs** de quelques semaines qui évoluent dans l'eau avec plaisir, sous la direction de moniteurs compétents et qualifiés (1). Ces séances de bébés nageurs peuvent être commencées dès la deuxième injection de vaccin, si le nourrisson n'est pas sujet aux otites à répétition ou aux rhino-pharyngites. Les bébés peuvent rester sous l'eau grâce au réflexe d'apnée qui arrête la respiration lorsque l'eau est au contact du nez et du pharynx.

Attention à ce terme de bébés nageurs : cet apprentissage précoce aux plaisirs de l'eau est une familiarisation au milieu aquatique et un plaisir à partager avec les parents. Mais ces enfants doivent apprendre à nager eux aussi, d'autant plus vite d'ailleurs qu'ils n'ont pas peur de l'eau et qu'ils peuvent prendre plus de risques.

1. Pour avoir des adresses, écrivez à la Fédération des activités aquatiques d'éveil et de loisirs (FAEL),
5 cité Griset, 75011 Paris (joindre une enveloppe timbrée à son nom).
Tél. : 01 43 55 98 76.
Site internet: fael.asso.fr

En dehors des séances de bébés nageurs, la piscine n'est pas un bon endroit pour le petit enfant avant l'âge de 2 ans, en raison du bruit, de la bousculade, de la chaleur, de la foule, de la javellisation de l'eau. Dans les piscines publiques, la surveillance est assurée par les Maîtres Nageurs Sauveteurs. Par prudence, ne perdez jamais de vue votre enfant tant qu'il ne sait pas nager.

L'enfant et la nature

Tandis que l'enfant qui vit à la campagne rêve d'aller en ville profiter des activités culturelles et artistiques qui s'y trouvent en abondance, l'enfant des villes rêve de campagne. Lorsqu'on lui demande de dessiner l'endroit où il voudrait vivre, il montre une maison, petite, au milieu d'un pré, avec des arbres, des fleurs, souvent des oiseaux et plus loin une rivière.

En face de ce rêve de nature et d'air pur, que trouve-t-il le plus souvent dans la vie quotidienne ? Un square avec pelouse interdite, des fleurs que l'on ne peut pas toucher, un bruit de fond de voitures, des odeurs d'essence et un bac à sable plus ou moins pollué.

Autrement dit, si vous habitez une grande ville, chaque fois que vous le pourrez, emmenez vos enfants à la campagne ; cela demande parfois un effort, mais cela vaut la peine.

Et pour les grandes vacances, pourquoi ne pas aller dans une vraie campagne, cette campagne qu'ils imaginent dans leur rêve et qu'ils ont parfois vue dans des livres d'images ; c'est une basse-cour, des prés, des vaches, ce sont des bruits qu'ils ne connaissent pas, des odeurs qu'ils n'ont jamais senties, ce sont des gens qui font des métiers qu'ils ne voient pas dans les villes, c'est voir le soleil se coucher, en ville souvent les maisons le cachent. C'est aussi le silence qu'ils n'ont jamais rencontré.

Ce sont des pays où l'on peut courir dans les chemins creux et grimper aux arbres. Le rythme de vie est reposant, sans trop d'horaires, ni une foule de vacanciers. Vos enfants apprécieront de partir avec vous, à la découverte. Ils vous sentiront disponibles, loin du stress de la vie de tous les jours. Mais, soyez prudents : pour un enfant des villes, la campagne peut présenter des dangers inconnus : une mare un peu profonde, le sabot d'un cheval… Ne laissez pas l'enfant s'aventurer tout seul, surtout s'il est téméraire !

La nature, c'est aussi la mer, la montagne, où vont beaucoup d'enfants, mais nous avons parlé surtout de la campagne car c'est elle qui est souvent oubliée des projets de vacances.

A ne pas oublier. Si vous confiez votre enfant à des amis, donnez-leur le carnet de santé où sont inscrits les vaccins que l'enfant a reçus. Il faut penser à la blessure qui peut faire redouter le tétanos. Donnez-leur également une autorisation d'opérer, signée et datée, en cas d'intervention chirurgicale d'extrême urgence.

L'enfant et l'animal

Le monde de l'enfance est peuplé d'animaux, très tôt et sous toutes leurs formes ; dès la naissance, on donne à l'enfant des animaux en peluche, ce lapin ou cet ours qui accompagneront toute son enfance. Dans son bain, très jeune, il s'amuse avec un canard et des poissons. Les premiers livres d'images qu'il regarde représentent des animaux dont il demande qu'on lui raconte l'histoire et qu'on imite les cris qu'il répète à son tour. À la campagne, tout ce qui bouge l'intéresse, de la fourmi au cheval en passant par les animaux de la basse-cour, et aucun ne l'effraie. On peut lui raconter, sans que jamais il ne se lasse, *Les Trois Petits Cochons*, *Le Loup et les sept chevreaux*. La cruauté du loup ne l'arrête pas, il aime ce qui fait peur.

Mais il arrive un jour où l'enfant demande un animal, un vrai, pour lui. Faut-il le donner ? Faut-il le refuser ? Les parents sont souvent bien embarrassés. Voici quelques éléments qui vous permettront peut-être de décider.

Du côté des avantages, pédagogie d'abord, le sens de la responsabilité. En fonction de son âge, l'enfant s'occupera de l'animal qui lui est confié ; il apprendra à le respecter et à ne pas lui faire mal, à ne pas le faire obéir à tort et à travers, pouvoir tentant pour un enfant.

Aimer un animal, se sentir aimé, renforce la confiance que

l'enfant a en lui. Mais il ne faut pas croire qu'un animal puisse remplacer un frère ou une sœur, les liens fraternels sont de toute autre nature.

Décider de donner à l'enfant un hamster, un poisson ou une perruche est facile. Ce sont des animaux peu exigeants, peu encombrants. La question est plus délicate pour un chien ou un chat, ces animaux familiers qui deviennent de vrais compagnons.

Avoir un chat, c'est pouvoir le porter dans ses bras, l'observer quand il se nourrit, quand il fait sa toilette, quand il dort. Le chien est l'ami fidèle, toujours présent, joueur, le confident, celui qui console.

Mais il y a des réserves. Les risques d'allergie, et des griffures pour les chats. Et surtout les risques des morsures de chiens (si vous avez un animal, il sera bien sûr vacciné). Le petit enfant peut avoir des gestes brusques, ou inappropriés, envers un chien, et celui-ci va réagir en mordant, non parce qu'il est aggressif, mais pour se défendre. C'est pourquoi il ne faut jamais laisser un petit enfant seul avec un chien. Cet animal peut aussi avoir un comportement inattendu : bouleversé par la naissance d'un bébé, il peut par jalousie mordre l'aîné. Il faut être vigilant. De toute façon, il est bien d'apprendre à un enfant qu'on ne caresse jamais un chien qu'on ne connaît pas, sauf en présence du propriétaire de l'animal.

Il y a une limite au contact ou à l'intimité : l'animal dans le lit de l'enfant, c'est déconseillé et dangereux.

Enfin, il faut penser à la contrainte que représente un chien ou un chat : il n'est pas toujours possible de l'emmener en vacances.

Avoir un animal, c'est joyeux et vivant dans une famille, mais ce sont des responsabilités que et les parents et les enfants doivent connaître.

La **vie**
d'un enfant
lorsque
ses parents travaillent

Si vous travaillez tous les deux, à qui allez-vous confier votre enfant pendant la journée : à une assistante maternelle (que beaucoup de parents appellent encore « nourrice »), à une crèche, à une personne qui viendra chez vous ?
La question ne se pose pas vraiment en ces termes car vous avez peut-être des préférences mais votre choix est limité par les possibilités qu'offre votre quartier. Quoiqu'il en soit voici les différentes caractéristiques de ces modes de garde.

Chez une assistante maternelle

L'assistante maternelle propose aux parents que leur enfant ait chez elle une vie semblable à celle qu'il aurait dans sa famille au point de vue alimentation, sortie, jeux… Elle habite souvent près du domicile des parents, ses horaires sont souples, ce sont des avantages appréciables.

Il est conseillé de choisir une assistante maternelle agréée (voyez les détails au chapitre 7). Vous aurez ainsi des garanties sur la façon dont elle s'occupera de votre enfant. Malheureusement il n'y a pas assez d'assistantes maternelles et de nombreuses nourrices ne sont pas agréées, donc pas surveillées. Si vous ne pouvez pas faire autrement, et en attendant une meilleure solution, choisissez alors une nourrice qui ne prenne que deux ou trois enfants, dans des bonnes conditions d'accueil : aération, coin de jeux, coin de sommeil, etc.

Je ne vous étonnerai pas en vous disant que pour moi une des premières questions à se poser pour le choix d'une assistante maternelle est : aime-t-elle les enfants ? Est-elle prête à accepter leurs différents rythmes ? Vous verrez aussi comment l'assistante maternelle accueillera votre bébé lors de la semaine d'adaptation progressive qui est conseillée avant la reprise du travail.

Observez votre enfant au bout de quelques jours : s'il continue à bien dormir, « bien profiter de la vie », s'il ne pleure plus en franchissant la porte de la nourrice, s'il lui sourit, si elle vous fait part de détails de la journée avec gaieté et gentillesse, c'est gagné, faites-lui confiance. Par la suite veillez à ce que l'assistante maternelle accompagne et suscite les progrès de l'enfant, échangez vos idées sur l'éducation : donnez-lui des idées, et elle vous en donnera. (Et de temps en temps prêtez-lui ce livre…)

Mais si votre bébé est triste et grognon, ou au contraire s'il est agressif sans raison, ou bien s'il a des difficultés de sommeil ou d'alimentation, vous vous demanderez peut-être si votre enfant est heureux dans la journée. Rien ne vous empêche de venir une fois à l'improviste, ou d'interroger des parents qui viennent chercher leur enfant plus tôt et voient comment se comporte votre bébé. Cette « surveillance » peut paraître un peu gênante à exercer, mais il est normal d'être vigilant lorsqu'on confie son enfant.

Dans une crèche

Il y a beaucoup plus d'enfants que chez une assistante maternelle qui n'en garde en général que deux ou trois. Il y a également une structure d'encadrement professionnel. Il y a d'abord une puéricultrice diplômée d'État (D.E.), infirmière qui s'est spécialisée par trois ans d'études. C'est elle qui, comme directrice de la crèche, est responsable de la santé et du développement psychomoteur des enfants. À ses côtés, les auxiliaires de puériculture s'occupent des soins quotidiens des bébés. Il n'est pas rare qu'à partir de 2 ans, ce rôle soit tenu par une éducatrice (ou un éducateur) de jeunes enfants. Un pédiatre vient une à deux fois par semaine pour la surveillance médicale. Souvent un psychologue est également attaché à la crèche, aussi bien pour répondre aux

difficultés individuelles d'un enfant et de sa famille, que pour aider l'établissement à répondre aux besoins psychologiques de l'ensemble des enfants.

En effet, la vie collective à un si jeune âge nécessite certaines précautions psychologiques. Car même si l'on s'occupe bien de votre enfant à la crèche, et même si l'enfant n'a pas de difficultés particulières à s'adapter à un nouveau cadre, à un autre rythme que celui de sa famille, la collectivité porte en elle-même certaines caractéristiques que l'enfant a parfois de la peine à accepter.

Le nombre des enfants, donc du personnel qui s'en occupe, multiplie les points de repères auxquels l'enfant doit s'habituer ; cela peut entraîner pour certains une fatigue, un sentiment d'insécurité que les parents perçoivent ; alors ils s'inquiètent, deviennent anxieux, ils ont l'impression que leur enfant est perdu dans le groupe. L'enfant le ressent. Il peut aussi y avoir des difficultés si la mère a des réticences envers la reprise de son travail, et n'accepte pas vraiment que l'enfant soit gardé dans une collectivité. En général, la directrice de la crèche, l'auxiliaire qui s'occupe particulièrement de l'enfant, parviennent à lui faire franchir ce cap. Mais il peut arriver aussi que les parents cherchent un autre mode de garde.

Enfin, il n'est pas rare que les difficultés surgissent lorsqu'un bébé change de section, c'est-à-dire passe de son groupe à un groupe plus âgé, et alors change de cadre et d'auxiliaires de puériculture.

C'est pourquoi l'intégration en crèche se fait toujours progressivement, en une à deux semaines, avant la fin du congé de maternité, et les enfants changent de section également de façon progressive, et par petits groupes. Il existe même des crèches où le décloisonnement des âges est tout à fait réalisé : les enfants sont répartis en petits groupes d'âges mélangés. Il y a aussi des crèches où les auxiliaires de puériculture et les éducatrices suivent leur groupe d'enfants de leur arrivée à leur départ. N'hésitez pas à parler de ces différentes organisations avec la directrice qui vous accueillera.
Dans la majorité des cas, la crèche est stimulante à cause de l'environnement varié qui entoure l'enfant, de la socialisation précoce dont il bénéficie et de la compétence du personnel.

Une journée à la crèche

Lorsque vous aurez fermé la porte de la crèche et que vous aurez dit à votre enfant : « À ce soir », vous vous demanderez peut-être ce qu'il va faire.
Dans les grandes lignes, voici une journée à la crèche.

- Le petit nourrisson dort encore beaucoup,
  il fait de longues siestes. Les puéricultrices vont respecter ses besoins en sommeil, ses horaires, ses habitudes ; elles vont organiser autour de lui la vie la plus calme possible. Il en est de même pour les repas : les puéricultrices s'efforcent de respecter pour chaque enfant les variations de

son appétit et de ses goûts. Pour stimuler les progrès sensori-moteurs des enfants, tout un matériel est mis à leur disposition : mobiles musicaux, objets de couleurs vives à palper, à tirer, à encastrer. Un effort est fait par le personnel de la crèche pour être disponible et attentif aux enfants, pour établir avec chacun d'eux une relation affective.

• **Chez les enfants plus grands,**

de 1 à 3 ans, sont mis en avant des objectifs plus précis : acquisition de la marche, socialisation, expression (langage, dessins), préparation à l'école maternelle. Le sommeil se limite souvent à la sieste de l'après-midi, il est variable en durée d'un enfant à l'autre. Les repas deviennent de plus en plus un moment de plaisir auquel contribuent le confort (petites tables à leur taille), la diversité des menus (self-service) et la présentation (goûts et couleurs) : on trouve là l'occasion d'une véritable éducation du « bien manger » et du goût dont on espère qu'elle s'ancrera profondément dans le comportement de l'enfant. Les goûters sont souvent l'occasion de réjouissances où l'on célèbre fêtes et anniversaires (préparation de gâteaux, cadeaux…).

> **Si vous voulez en savoir plus**
> vous pouvez lire : *Crèches, nounous et Cie* de Anne Wagner et Jacqueline Tarkiel, éditions Albin Michel. Ce livre explique aux parents ce qu'ils peuvent attendre de la crèche et des autres modes de garde afin d'en tirer parti au mieux. Un autre livre, *La crèche* (éditions Hommes et Perspectives), la décrit de l'intérieur : organisation des équipes, méthodes utilisées pour permettre à l'enfant de s'épanouir, différentes formes d'accueil (enfants handicapés, mini-crèches, crèches d'entreprises), etc. Un livre préfacé par Danielle Rapoport.

Les activités proposées deviennent plus élaborées : exercices sensoriels et de psychomotricité variés ; rondes, comptines, « ateliers » de peinture, collage, projections de diapositives, déguisements… De plus la crèche s'ouvre sur l'extérieur grâce à des sorties diverses organisées pour les plus grands : ludothèques, bibliothèques, spectacles, promenades en campagne et en forêt, visite de ferme… Et quand ils le peuvent, les parents sont invités à participer à ces animations.

Un des objectifs principaux de la crèche, c'est d'être en continuité avec le milieu familial ; cette continuité trouve ses temps forts au moment de l'arrivée et du départ de l'enfant : de nombreuses informations utiles sont échangées entre parents et personnel de la crèche. Certaines puéricultrices notent sur un cahier des informations sur l'enfant, ce qu'il aime, ce qu'il n'aime pas : les parents apprécient ces échanges.

• **Lorsqu'un enfant est malade, peut-il aller à la crèche ?**

C'est une question à aborder au moment de l'inscription, car les crèches n'ont pas toutes les mêmes habitudes. Certaines par exemple acceptent les enfants ayant jusqu'à 38 °C de fièvre, s'ils ne sont pas contagieux. D'autres crèches sont moins tolérantes. De toute façon, il faut prévoir une solution de remplacement pour le cas où l'enfant serait malade, ce qui est fréquent les premières années. La loi prévoit des jours de congé, non rémunérés, en cas de maladie de l'enfant (voir le chapitre 7). Et certaines conventions collectives ont des dispositions analogues.

La crèche familiale

Elle se situe entre l'assistante maternelle et la crèche collective. Il s'agit d'un réseau d'assistantes maternelles encadrées par une petite équipe (puéricultrice, pédiatre, etc.) et qui est installée dans un local, un appartement privé, ou appartenant à la mairie.

La crèche familiale s'occupe du recrutement des assistantes maternelles, de leur formation, de l'accueil des parents, du paiement, des locaux, du matériel. C'est un système plus souple que la crèche collective puisque les enfants y sont peu nombreux. A partir de 18 mois, les enfants sont regroupés un à deux jours par semaine pour des séances de jeux et d'éveil collectifs.

Les crèches parentales

Ces crèches sont organisées sous la responsabilité des parents, ce sont eux qui prennent l'initiative de leur création et qui en assurent la gestion, mais en association avec des professionnels.

Les haltes-garderies

Elles ont pour vocation d'accueillir, pour une durée maximale de 10 jours par mois, les enfants (de 2 mois à 3 ans) dont les mères n'exercent pas d'activité professionnelle. Certaines haltes-garderies acceptent des enfants dont les mères travaillent à temps partiel ; c'est en effet difficile de trouver un mode de garde à mi-temps. Le mode d'accueil est différent d'une halte-garderie à l'autre : âge d'accueil, horaire, conditions d'admission, etc. Certaines équipes acceptent des enfants dont la santé est fragile ou qui ont un handicap. Pour certains enfants, les haltes-garderies sont le premier endroit où ils ont un contact avec d'autres personnes que la famille. Les enfants font ainsi en douceur l'apprentissage de la séparation.

▪ Quel que soit le mode de garde choisi, l'adaptation de l'enfant va dépendre de l'accueil qui lui est fait, de son tempérament, de la manière dont la séparation a été préparée, de la façon dont les parents la ressentent. C'est surtout cela qui compte, et qui permet à l'enfant de s'habituer quel que soit son âge.

L'enfant gardé à la maison

Une autre solution est d'avoir à la maison une personne qui sait s'occuper d'un bébé. Cette personne peut être la grand-mère de l'enfant, si vous vous entendez bien avec elle. Cependant, il faudra penser souvent à la fatigue de la grand-mère, et à la responsabilité que vous lui confiez.

Les étudiantes au pair
À notre avis, cela peut être une solution pour des enfants après 3 ans, mais nous trouvons que confier des petits enfants à des jeunes filles, en général inexpérimentées, c'est les charger d'une trop grande responsabilité.

Si vous choisissez une personne qui vienne à la maison, assurez-vous de ses qualités humaines, de sa compétence et de son état de santé. Il est souhaitable qu'elle vienne chez vous avant que vous ne repreniez votre travail, afin que l'enfant s'habitue peu à peu à elle, et qu'il sente aussi qu'elle a votre confiance : c'est important pour lui.

Cette personne va s'occuper de votre enfant toute la journée, sans avoir la visite régulière d'un membre de l'équipe de PMI, comme c'est le cas chez l'assistante maternelle. Il est donc particulièrement important de prendre des références sérieuses. D'autant plus que lorsqu'une personne est engagée, on ne peut s'en séparer si facilement.

Grand-mère ou aide à domicile, cette solution a l'avantage de laisser l'enfant dans son cadre habituel. Mais l'aide à domicile est une solution onéreuse, c'est pourquoi, souvent deux familles en partagent les frais.

Pour d'autres renseignements pratiques sur les modes de garde, consultez le chapitre 7.

De **plus** en **plus** autonome

Lorsque au début les parents vivent en symbiose avec leur enfant, dans un état quasi fusionnel (c'est particulièrement vrai de la mère pendant les premières semaines), ils rêvent parfois à ces moments où l'enfant commencera à se débrouiller seul, où il sera moins dépendant pour chaque acte de sa vie.

Pourtant, lorsque peu à peu l'autonomie se dessine, et une certaine indépendance, les parents ont souvent la crainte que l'enfant puisse se passer d'eux, se détacher d'eux.

Cette inquiétude – souvent inconsciente – pousse parfois les parents dont l'enfant veut faire seul tel ou tel geste, par exemple pour s'habiller, à faire tout à sa place sous prétexte que l'enfant n'y arrivera pas. C'est normal, c'est humain, c'est affectif, mais c'est une crainte infondée : votre enfant aura toujours besoin de vous, même très longtemps, mais différemment. Laissez-le faire seul ses expériences et ses preuves. Un autre obstacle fréquent sur le chemin de l'autonomie, c'est le fait que les parents sont pressés, qu'ils n'ont pas la patience d'attendre. Rien ne sert de les bousculer, certains enfants ont besoin de plus de temps que d'autres.

L'autonomie s'acquerra en fonction du développement de la compréhension, des progrès du langage, de la possibilité de nouveaux gestes, avec le développement de toutes les perceptions, visuelles, auditives, avec l'acquisition de la marche, etc. Ce lent, progressif, passionnant développement psychomoteur, nous en parlons au chapitre 4. Lisez-le en parallèle avec cette vie de tous les jours, et avec les détails qui vont suivre dans ces pages.

La demande sur « à quel âge un enfant peut-il faire ceci ou cela » est si forte que je me suis résolue à donner des âges dans quelques domaines. En rappelant le leitmotiv qui court tout au long de ce livre : aucun enfant ne ressemble à un autre ; chacun apprend à son heure ; il faut essayer de ne pas faire de comparaisons.

Ajoutons qu'un élément risque de bousculer un peu le schéma que nous donnons ci-après : certains enfants, trouvant qu'on ne s'occupe pas assez d'eux, font longtemps « le bébé » alors qu'ils pourraient faire bien des choses tout seul.

L'enfant apprend à manger seul

Voici les étapes qu'un enfant parcourt normalement de 4 mois à 4 ans dans sa manière de manger.

- **4-5 mois.**
Il met la main sur le biberon, mais ne sait ni le tenir ni le retirer de sa bouche.
Il commence à prendre la purée à la cuillère.

- **6 mois.**
Lorsqu'on prend l'enfant sur les genoux, on peut commencer à lui donner à boire à la timbale ; au début il en tète le bord.

- **8 mois.**
Assis dans sa chaise, pour la première fois il est « à table » : c'est un gros progrès.
Certains parents installent leur enfant plus tôt, mais il n'est pas à l'aise.

- **9 mois.**
Il sait tenir son biberon, le met dans sa bouche tout seul, le retire quand il est terminé. Au début, surveillez-le pour qu'il ne boive pas trop vite et ne risque pas de s'étouffer. Si on lui donne un biscuit, il le tient avec les cinq doigts, le suçote avec grand plaisir, mais en se salissant beaucoup. Prendre les aliments avec les doigts, ce que le bébé aime de plus en plus à cet âge, ne peut aller sans éclaboussures.

- **12 mois.**
Il tient le biscuit entre le pouce et l'index ; il sait retirer un objet de sa bouche : c'est rassurant quand on lui donne un croûton de pain. Il reconnaît les plats, en refuse certains.

- **15 mois.**
Il montre du doigt ce qu'il désire. Il peut tenir seul sa timbale des deux mains et essaie de se servir seul de la cuillère, mais la tient souvent à l'envers.

• **18 mois.**

Il se sert d'une cuillère pour les aliments solides, arrive à tenir un verre, ce qui est plus difficile qu'une timbale, mais le renverse fréquemment. Il aime manger seul une partie du repas, mais il se fatigue au bout d'un moment et veut qu'on l'aide.

• **21 mois.**

Maintenant il peut manger seul de tout, mais pas encore très proprement. Il apprécie de piquer les morceaux avec une petite fourchette.

• **2 ans.**

Il fait de grands progrès. Jusque-là, il fallait une serviette par repas ; il arrive maintenant que la serviette soit presque propre à la fin du repas. Mais attention : même lorsque l'enfant mange bien un jour, le lendemain il peut manger salement. Dans ce domaine comme dans les autres, l'acquisition n'est pas définitive.

À remarquer : dès qu'il veut qu'on s'occupe de lui, il fait semblant de ne plus savoir manger seul et veut qu'on le nourrisse comme un petit bébé. Lorsque votre enfant vous demande de le faire manger, ne refusez pas sous prétexte qu'il est grand. D'ailleurs, au bout de quelques cuillerées, il voudra probablement manger seul ; mais il voudra aussi s'assurer qu'il peut compter sur vous le cas échéant.

À cet âge, il peut tenir sa timbale d'une seule main.

Son goût du rite se manifeste également à table : il aime que les repas se déroulent toujours de la même manière, que les objets se retrouvent à la même place, timbale, serviette, etc. Cela tourne presque à la manie. Ne vous étonnez pas, c'est classique à cet âge.

• **2 ans 1/2.**

Il manie bien la fourchette. Pour la purée, il lui faut encore une cuillère. Il veut se servir lui-même dans le plat, cela lui donne quelques difficultés ; mais laissez-le faire : il sera si fier ! Et plus tôt vous le laisserez faire, plus vite il y arrivera. C'est d'ailleurs vrai dans de nombreux domaines.

• **3 ans.**

À partir de cet âge, il commence à se tenir correctement à table, vous pouvez l'emmener déjeuner avec vous chez une amie, ou même au restaurant, sans être gênée par sa maladresse. Il devient de plus en plus habile : il sait maintenant tenir une tasse par l'anse.

• **4 ans.**

Il se sert d'un couteau pour faire des tartines de beurre ou couper son fromage, mais n'a pas assez de force pour couper sa viande et les fruits durs. Il n'y arrivera pas avant 6 ou 7 ans. Il aime aider à mettre le couvert et à préparer le repas.

L'enfant apprend à s'habiller seul

Il faudra plusieurs années à votre enfant pour apprendre à se déshabiller et surtout à s'habiller tout seul (c'est plus facile d'ôter que de mettre) et chaque fois qu'il fera un progrès il en concevra une grande fierté : mettre une veste, fermer une boutonnière et surtout lacer ses chaussures seront pour lui de grandes satisfactions. Il est donc important de ne pas l'en priver. Il ne faut pas non plus lui demander des efforts trop tôt.

Même tout petit, il est bien de parler à l'enfant de ce qu'on fait quand on l'habille, quand il cherche à participer, en tendant une jambe par exemple, de se mettre à son rythme sans le presser. C'est ainsi que peu à peu il deviendra autonome.

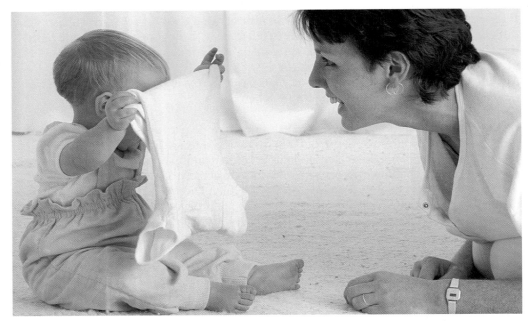

Voici en général par quelles étapes passe l'enfant pour s'habiller seul un jour.

● **1 mois.**

Il n'aime ni qu'on l'habille ni qu'on le déshabille ; il pleure quand on lui passe des vêtements étroits par la tête.

● **7 mois.**

Il s'amuse à ôter ses chaussettes pour aussitôt les porter à sa bouche.

● **1 an.**

Il commence à coopérer à la séance d'habillage, glisse lui-même son bras dans la manche qu'on lui tient, tend la jambe pour qu'on enfile sa culotte, et son pied pour qu'on lui mette sa chaussette.

● **15 mois.**

Trois vêtements l'intéressent plus particulièrement : le bonnet, les chaussures, la culotte. Quand il va sortir, il fait le geste de mettre son bonnet ; quand il a sommeil, celui d'ôter ses chaussures pour se coucher ; et quand il est sale, celui de retirer sa culotte.

Il n'arrive pas à enfiler des moufles, mais souvent parvient à les ôter. Cela dit, il est à l'âge où l'habiller donne souvent lieu à des scènes ; il faut le faire soit de force, soit… par jeu : « Coucou où est la petite main ? », « Voilà le pied ! »

● **18 mois.**

Il arrive à défaire une fermeture à glissière large.

● **2 ans.**

Jusque-là, il fallait habiller l'enfant, même s'il aidait la personne qui lui enfilait ses vêtements. Maintenant il commence à vouloir s'habiller seul. Mais sans succès : il met les deux pieds dans la même jambe du pantalon, place son bonnet de travers, etc.

● **2 ans et demi.**

Il aime qu'on l'habille et le déshabille dans le même ordre. Il peut ôter ses vêtements, si on les a déboutonnés au préalable. Il commence à mettre seul chaussettes et pantoufles sans brides ou sans lacets.

- 3 ans.

Il arrive à déboutonner une veste sans arracher les boutons ; il enfile seul sa robe de chambre ou son manteau, mais ne sait pas encore les fermer. Si on le lui demande, il aide à ranger ses vêtements, les plie, les met en tas.

- 3 ans et demi.

Il se déshabille pratiquement seul (si on le lui demande) ; les obstacles qui lui donnent encore du mal sont l'encolure, les manches et surtout les boutons.

- 4 ans.

Il peut s'habiller presque sans aide, car il distingue le dos du devant ; il sait boutonner les gros boutons, mettre correctement son bonnet et enfiler ses gants ; les lacets de chaussures représentent encore un obstacle, il ne saura les nouer que vers 5-6 ans. Et ce qui l'amuse, c'est de choisir lui-même les vêtements qu'il va porter.

L'apprentissage de la propreté

Vous le verrez au chapitre 4, la période 18-24 mois est l'âge où la propreté commence à s'acquérir. Chaque enfant a son calendrier. La vie affective y joue son rôle : tel enfant jaloux d'un frère ou d'une sœur, ou triste parce qu'il ne voit pas sa maman ou son papa autant qu'il le voudrait, ou perturbé pour toute autre raison, se disciplinera plus tard qu'un autre. La propreté s'apprend par degrés : l'évacuation de l'intestin se maîtrise en général avant celle de la vessie, l'enfant se mouille encore la nuit après qu'il ait appris à ne plus se mouiller le jour.

Votre attitude aura aussi une influence : selon que vous serez impatients ou détendus, votre enfant apprendra plus ou moins facilement, plus ou moins vite à être propre. Pour vous aider, le mieux est de vous dire ce qui se passe dans le corps et dans l'esprit d'un enfant à l'âge où l'on devient propre.

Être propre, cela signifie, en somme : se rendre compte qu'on a besoin de vider son intestin ou sa vessie, être capable d'attendre pour satisfaire ce besoin mais aussi accepter que ses parents souhaitent l'aider à grandir et à renoncer à cette couche si confortable.
Pour cela, il faut :

▪ que le cerveau et le système nerveux aient atteint un certain degré de développement qui, normalement, se situe vers 18 mois, en tout cas après que l'enfant sait bien marcher , monter et descendre les escaliers ; que les muscles de l'anus et de la vessie soient assez forts pour maintenir les sphincters fermés. Ce qui est possible également vers 18 mois ;
▪ que la vie affective de l'enfant ne soit pas troublée. De cela, je vous parle longuement au chapitre 4 ;
▪ bien entendu, il faut aussi que l'enfant soit capable de rester assis sur son pot cinq à dix minutes sans fatigue, ce qu'il ne peut faire au minimum avant un an (parfois même plus tard) ; avant cet âge il peut s'asseoir par terre, mais c'est bien plus facile que sur un pot.

L'apprentissage de la propreté commence en général à partir de 18 mois. Mais un enfant qui apprend à être propre à partir de 2 ans n'est pas en retard pour autant.

Il vaut mieux mettre l'enfant sur un pot indépendant, c'est-à-dire qui ne soit pas encastré dans un petit fauteuil pour qu'il ne confonde pas s'asseoir pour s'amuser ou se reposer, et s'asseoir pour faire dans son pot. Pour que l'enfant ne risque pas de tomber, choisissez un modèle bien stable. N'obligez pas l'enfant à utiliser le siège des W.C., inquiétant par sa taille et par le bruit de la chasse d'eau.

Observez l'enfant : peut-être demande-t-il à sa manière ? Souvent, l'enfant coopère de lui-même, mais les parents ne s'en rendent pas compte : votre enfant, quand il a un besoin à satisfaire, n'a-t-il pas un mot, une mimique, une attitude particulière ? Certains grognent, d'autres s'accroupissent, un autre tire sur sa culotte, etc.

• Combien de temps laisser l'enfant sur le pot ?

Mettez l'enfant sur le pot régulièrement, par exemple après chaque repas. Dès qu'il a satisfait son besoin, retirez l'enfant du pot. Ainsi, il comprendra pourquoi vous le mettez dessus. Mais si au bout de dix minutes, il n'a pas fait dans son pot, c'est inutile d'insister.

Ne faites pas du pot une menace, une brimade. Ne mettez pas l'enfant sur le pot pour le faire tenir tranquille.

Enfin, lorsque votre enfant est installé, n'intervenez pas ; s'il vous voit attendre un résultat, il sera contracté et ne fera rien.

Ôtez peu à peu les couches pour mettre à l'enfant une culotte ; mouiller sa culotte est plus gênant que mouiller des couches qui retiennent une humidité tiède. Cela peut l'inciter à vous alerter à temps par crainte d'être mal à l'aise. Commencez par lui mettre une culotte le matin (après l'avoir mis sur le pot). Si l'essai réussit, mettez-lui de nouveau une culotte après la sieste.

La culotte est pour l'enfant une promotion dont il est fier (« tu n'es plus un bébé ») et il se rend vite compte du rôle qu'il peut jouer lui-même pour rester sec. Félicitez-le chaque fois qu'il aura réussi à rester sec jusqu'à ce que vous le mettiez sur son pot.

À partir de 2 ans et demi - 3 ans, le petit garçon peut uriner debout : il en sera fier, et cela peut faciliter l'apprentissage de la propreté.

L'acquisition de la propreté est variable d'un enfant à l'autre.

Certains enfants sont propres presque du jour au lendemain, parfois la nuit et le jour en même temps. Chez d'autres, ce sera plus long, avec des rechutes. Les parents mettent souvent à profit les vacances d'été pour que cet apprentissage se fasse plus facilement.

Voyez également au chapitre 4, « 18-24 mois », les pages qui concernent cet apprentissage de la propreté.

Si l'enfant va à la crèche, les attitudes éducatives, l'âge de l'apprentissage, la tolérance peuvent être différents de ce qui se passe à la maison. Par exemple, la crèche aura peut-être tendance à mettre l'enfant sur le pot plus tard que vous, à lui laisser des couches plus longtemps car elle tient compte de l'ensemble du groupe et ne veut pas forcer les enfants. L'important est qu'il n'y ait pas de conflit entre vos demandes et celles du mode de garde qui l'accueille ; il faut aussi que vous informiez de vos essais et de vos réussites les personnes qui s'occupent de l'enfant. Mais s'il y a échec, ne vous obstinez pas, et procédez comme la crèche, pour que l'enfant ne soit pas tiraillé entre des demandes différentes.

Et si l'enfant va chez une nourrice, vous confronterez vos expériences, vos réactions, et vous vous mettrez sûrement d'accord.

- **Faut-il lever l'enfant la nuit ?**

La question est moins souvent posée aujourd'hui car la plupart des parents savent qu'il est inutile de lever un enfant la nuit : l'enfant devient propre tout seul lorsqu'il a atteint un degré suffisant de maturité. C'est inutile et même nuisible de lever l'enfant, car non seulement il n'apprend rien, mais souvent il n'arrive pas à se rendormir.

Beaucoup d'enfants deviennent spontanément propres la nuit entre 2 ans et demi et 3 ans, quelques-uns le sont plus tard ; mais on ne peut pas parler d'énurésie avant 5 ans (voir page 380).

- **L'enfant qui refuse de faire dans son pot.**

Il arrive parfois que des enfants refusent absolument de faire dans leur pot. C'est inutile de les forcer. Il s'agit simplement de cesser les séances du pot pendant quelque temps, puis d'essayer de nouveau et prudemment (seulement une ou deux fois par jour), à des heures régulières et pour quelques minutes seulement. C'est une question de patience…

- **L'enfant qui se retient.**

Un peu plus tard, à partir de 3 ans, lorsque l'enfant se laisse totalement prendre par ses jeux, par ses occupations, il lui arrive de ne pas pouvoir s'en détacher, et de préférer se retenir plutôt que d'être dérangé en allant aux toilettes. Au lieu de sans cesse le « rappeler à l'ordre », et de créer une opposition inutile (« Va aux toilettes », « J'ai pas envie »), on peut expliquer à l'enfant, à un autre moment, l'importance des selles et la nécessité de les éliminer pour être en bonne santé. On est parfois étonné que l'enfant comprenne si bien des notions qui paraissent difficiles pour son âge.

« As-tu pensé à te laver les mains ? » Dans la vie d'un enfant, l'apprentissage de la propreté a le sens particulier dont nous venons de parler : la maîtrise de la vessie et des intestins. Mais au sens strict du mot, l'apprentissage de la propreté doit aussi concerner les règles élémentaires d'hygiène. C'est bien de donner l'habitude à l'enfant de se laver régulièrement les mains. Aujourd'hui les Français aiment se laver les cheveux, ils les ont brillants, soyeux, agréables à regarder. Pour les mains, c'est moins évident… Je pense en particulier qu'il est nécessaire de rappeler aux enfants qu'on se lave les mains en sortant des W.C., avant de passer à table, en rentrant du jardin, etc. Ce sont des habitudes à prendre très jeune, en les associant au plaisir d'être propre.

L'école maternelle

De tous les signes d'indépendance : s'habiller seul, manger seul et être propre, c'est ce dernier qui est indispensable pour aller à l'école maternelle et c'est compréhensible.

L'entrée à l'école – qui est la marque la plus concrète de l'autonomie de l'enfant –, ses modalités, ce qui s'y passe, nous en parlons au chapitre 4 qui concerne le développement psychomoteur de l'enfant. En effet, la vie à l'école maternelle a des conséquences aussi bien psychologiques qu'affectives et intellectuelles. Voir pages 255 et suivantes.

Et si l'enfant ne va pas à l'école maternelle

Il peut y avoir différentes raisons qui empêchent les parents de mettre leur enfant à l'école maternelle à 3 ans : trajets trop importants, santé de l'enfant, parents vivant à l'étranger, etc. Les parents se demandent alors si leur enfant ne va pas « être en retard pour ses études » et s'ils ne peuvent rien faire à la maison pour remplacer l'école.

Il s'agit de questions à la fois différentes et pourtant liées. L'école maternelle n'est pas directement une préparation à la grande école, cette préparation ne se fait qu'en dernière section, c'est-à-dire lorsque l'enfant a entre 5 et 6 ans. Mais il est exact, les statistiques le montrent, qu'un enfant qui n'a pas du tout été à l'école maternelle est moins prêt à aborder le cours préparatoire. Parce que tout ce qui est fait à l'école maternelle stimule l'enfant, développe sa personnalité, le prépare à la vie sociale, et lui offre un matériel pédagogique varié et adapté à ses progrès. Ainsi par ces expériences et ces acquisitions, l'enfant est plus apte à la vie scolaire. Donc, si votre enfant ne va pas à l'école maternelle dès 3 ans, c'est cet apprentissage de la vie sociale, cet éveil, que vous chercherez à développer chez lui.

Déjà, rien qu'en participant avec vous à la vie à la maison, votre enfant va s'éveiller, s'épanouir. Quand il vient avec vous au marché, lorsqu'il vous voit faire la cuisine, il découvre tout : les fruits, les légumes, les fleurs, leurs couleurs différentes, leurs formes, leurs odeurs. Tout est pour lui nouveau, ce dont une grande personne se rend difficilement compte : un poisson, son odeur, un lapin ou un poulet qui pend à l'étal du boucher. Quelle meilleure leçon de choses ? Et ce ne sont pas simplement des objets qu'il va découvrir, mais des gens qui seront nouveaux pour lui : le postier, le boucher, le cordonnier, etc.

Plus tard, à l'école, il apprendra à emboîter, déboîter, visser, dévisser. En attendant, tous ces gestes qui le rendront adroit et lui donneront la notion de grandeur, l'enfant pourra s'y habituer à la maison en empilant une série de casseroles, en mettant ensemble cuillères, fourchettes, etc., en un mot, en vous regardant agir et en vous imitant. Laissez-le faire même si au début il vous semble un peu maladroit.

La vie de tous les jours lui apporte donc beaucoup, à condition bien entendu que vous ne le laissiez pas dans un coin et que vous le fassiez participer à certaines de vos activités en l'y intéressant, mais allons plus en détail.

Vous trouverez mille idées dans différents endroits de ce livre. D'abord, dans les pages consacrées au jeu, c'est le principe même de l'école d'apprendre en jouant. Ensuite, vous trouverez, au stade 3 ans (chapitre 4), tout ce qu'il aime, et surtout, pour 3 et 4 ans, le programme détaillé de ce qui est fait à l'école maternelle dans la section des petits et dans la section des moyens : par exemple à 3 ans (pages 260, 261), de la pâte à modeler, des perles, des coloriages. Évidemment cela suppose que vous consacriez le temps nécessaire pour montrer à votre enfant ce qu'il peut faire.

Enfin, vous pourrez également trouver du matériel éducatif correspondant aux âges de la crèche et de la maternelle chez différents éditeurs et fabricants.

Pour le langage, il ne s'agit pas d'apprendre des mots difficiles, il s'agit avant tout de parler avec l'enfant, de prendre le temps, d'avoir des petites conversations.

Enfance et musique.
Cette association réunit des parents et des professionnels, tous animés par le même but : l'éveil musical, culturel et artistique du tout-petit. Enfance et musique crée et diffuse des cassettes avec livrets de chansons, comptines et jeux de doigts, des livres et brochures.
Pour tous renseignements :
01 48 10 30 00.
Pour écouter les disques :
08 92 68 77 44

Les sujets sont faciles à trouver, un livre regardé, des gens aperçus, etc. Il faut lire le plus possible à ses enfants. Pages 134-135, vous trouverez quelques suggestions de titres. Ce qui éveillera aussi votre enfant, c'est que vous lui racontiez des histoires.

N'oubliez pas la musique. Dans un jardin d'enfants ou une école maternelle, elle tient une grande place sous forme de disques, de danse rythmique, de chansons (le rythme est important pour les petits enfants). Ce qui ne découle pas naturellement de la vie de tous les jours, c'est la socialisation et tout ce qu'elle apporte : des rencontres nouvelles et variées, l'envie d'imiter, le désir de faire aussi bien et même mieux que les autres. Là, surtout si votre enfant

est unique, il faudrait vraiment que vous essayiez de lui faire rencontrer des petits amis. La plus grande attention que vous puissiez lui porter ne remplacera pas les camarades de son âge. Saisissez toutes les occasions de faire faire à votre enfant la connaissance d'enfants de son âge. ●●

4

L'enfant à la découverte du monde

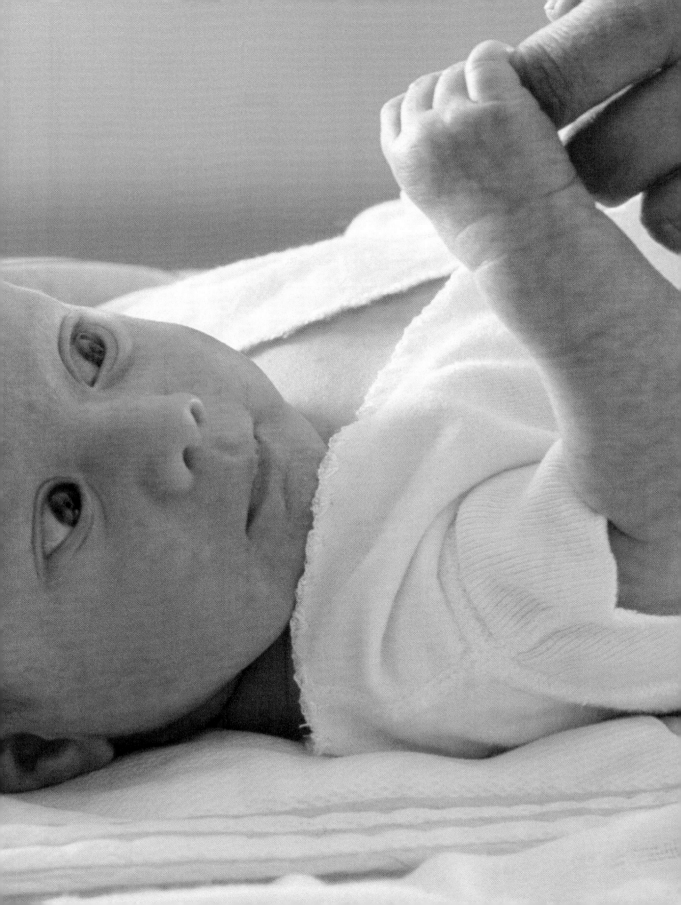

De 1 jour à 1 mois

Et l'enfant naît et sa petite tête mal fermée encore
Se met à penser dans le plus grand secret
Parmi les grandes personnes tout occupées de lui.
Jules Supervielle

« Pendant quelques secondes, j'ai eu une impression étrange : je croyais voir triple ; depuis des années j'avais dans la tête un enfant, celui dont je rêvais ; depuis neuf mois j'avais dans le ventre un bébé, celui qui remuait ; je lui parlais, je lui chantais ; lorsqu'il ne bougeait plus, je caressais fort mon ventre comme pour le « réveiller ».

Tout à coup, c'est le silence, et voici que dans le berceau je vois un nouveau-né qui ne ressemble pas à l'enfant que j'imaginais, qui ne bouge plus comme l'enfant dans mon ventre ! Ah ! vite, qu'il ouvre les yeux, qu'il me reconnaisse et que se renoue le dialogue. Passionnément je le regarde… »

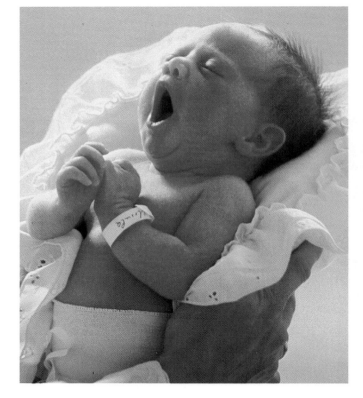

Plus ou moins confuse, plus ou moins consciente, plus ou moins fugitive, cette impression est souvent présente à la naissance. Les propos de cette mère l'expriment clairement, parfois aussi la mère ne se rend pas compte de ce qui provoque ces sensations inattendues ; elle ne sait pas non plus qu'il lui faudra un peu de temps pour accommoder le visage de l'enfant du rêve, de l'enfant porté et de l'enfant dans le berceau. Même si l'image vue sur l'écran de l'échographe a apporté une nouvelle dimension dans la perception de l'enfant avant la naissance, presque toute femme éprouve cette sensation d'étrangeté avec les « retrouvailles ».

« Que voit-il ? », « que sent-il ? » se demande la mère dès que l'enfant est là. La réponse aujourd'hui est différente de celle d'hier. Encore plus d'avant-hier : le nouveau-né était alors considéré comme fondamentalement passif, n'ayant ni sensibilité ni sensations, aveugle, sourd et muet, en un mot démuni pour communiquer avec son entourage.

Personnellement, je n'ai jamais cru à cette théorie du nouveau-né purement végétatif, et je n'ai non plus jamais pensé que les mères y croyaient : les mères savaient que le

bébé qu'elles tenaient dans les bras éprouvait des sensations et des émotions.
Et cela a été vrai à toutes les époques. Lisez ce récit qu'une jeune mère fait à son amie de son premier contact avec son enfant :

« Quels regards un enfant jette alternativement de notre sein à nos yeux ! Quels rêves on fait en le voyant suspendu par les lèvres à son trésor ! Il ne tient pas moins à toutes les forces de l'esprit qu'à toutes celles du corps, il emploie et le sang et l'intelligence, il satisfait au-delà des désirs. Cette adorable sensation de son premier cri, qui fut pour moi ce que le premier rayon de soleil a été pour la terre, je l'ai retrouvée en sentant mon lait lui emplir la bouche ; je l'ai retrouvée en recevant son premier regard, je viens de la retrouver en savourant dans son premier sourire sa première pensée. Il a ri, ma chère. Ce rire, ce regard, cette morsure, ce cri, ces quatre jouissances sont infinies : elles vont jusqu'au fond du cœur, elles y remuent des cordes qu'elles seules peuvent remuer ! »

Elle ne pensait pas, Renée de l'Estorade, tenir dans ses bras un petit être insensible. Renée est une des deux jeunes mariées dont Balzac raconte les mémoires. Avouez que ce texte écrit par un homme il y a plus de 160 ans est inattendu.

On peut alors se demander pourquoi la mère ne parlait pas de ses certitudes. Mais qu'aurait valu sa conviction intime de femme en face des affirmations catégoriques des hommes ?

Depuis que les chercheurs se sont intéressés aux bébés, ils l'ont regardé longuement, ils l'ont observé de plus près, avec leurs yeux mais aussi avec divers appareils, ils sont arrivés à cette certitude : dès la naissance, le nouveau-né est prêt à entrer en relation avec ceux qui l'accueillent ; il est compétent, c'est-à-dire capable de répondre et d'échanger avec son entourage ; il peut communiquer par tous les pores de sa peau, par l'audition, par l'odorat ; il est même, dans une certaine mesure, « acteur de son développement », comme le dit Hubert Montagner.

Ainsi, le nouveau-né naît équipé pour faire la conquête du monde, à commencer par celle de sa mère et de son père. Nous allons accompagner cette découverte, cette conquête pendant les premières années.

Pour le moment j'imagine que ce qui vous importe le plus, c'est de connaître les conclusions auxquelles on est arrivé, de savoir d'après les observations faites ce que peut ressentir votre nouveau-né, ce qu'il attend de vous, ce que vous pouvez attendre de lui, ce que vous pouvez lui demander et ce que vous pouvez lui apporter.

L'éveil des sens

Pour faciliter la compréhension, chaque sens va être décrit séparément, mais n'oublions pas que tous les sens participent ensemble à la reconnaissance par le bébé de ce qui l'entoure.

La vision.

Lorsqu'une mère demande « que voit-il ? », c'est surtout « me voit-il ? » sa vraie question. C'est un des premiers signes de reconnaissance qu'elle attend avec impatience.

Oui, votre bébé vous voit, mais à sa façon : vous l'appelez, vous insistez doucement ; sensible à votre voix, il tourne la tête du côté d'où elle vient, et il ouvre les yeux. On peut dire que son premier regard est associé au son de votre voix. Votre visage l'attire, il le fixe quelques secondes, s'en détourne, y revient et ainsi plusieurs fois de suite, et l'enfant semble dire « regarde-moi ». Le contact est établi.

En fait, lorsque vous tenez votre bébé dans les bras, votre visage est juste à la distance, 20 cm, où l'enfant peut le voir, car il ne sait pas encore bien accommoder, c'est-à-dire accorder sa vision à la distance.

Au début, le bébé est plus attiré par les contrastes (c'est-à-dire qu'il regardera d'abord la ligne de séparation visage-cheveux, les yeux et la bouche) et les formes arrondies plutôt que plates. En un mot, il est « programmé » pour s'intéresser aux visages. Mais il y a bien d'autres moyens de reconnaître que par les yeux : par l'odeur, par la voix, par le toucher. Et par ces sens-là, tout va plus vite : à 3 jours, un bébé reconnaît sa mère à son odeur. La vision n'est peut-être pas le sens le plus développé à la naissance mais il complète la reconnaissance de votre voix et de votre odeur. D'ailleurs toutes les perceptions sont si étroitement mêlées qu'il est difficile d'en isoler une.

De la vision nous pourrions ajouter ceci : le nouveau-né fait la différence entre le jour et la nuit ; en pleine lumière il ferme les yeux pour les rouvrir à la pénombre ; ne l'éblouissez pas avec des lumières trop violentes et trop proches ; une lumière trop vive, un flash lui font baisser les paupières ; dès la naissance ce qui est rouge, ce qui brille, l'attire.

La vision fera des progrès rapides ; vers 6 semaines l'enfant distinguera entre plat et volumineux ; vers 10 semaines, entre convexe et concave et à 3 mois, il accommodera aussi bien qu'un adulte.

La recherche d'un échange par le regard est très précoce aussi bien chez le bébé que chez la maman. On ne reconnaît pas encore suffisamment l'importance du premier échange visuel à la naissance. En plus il semble bien que cet échange par le regard (« se regarder dans les yeux ») soit spécifique à l'espèce humaine.

● L'audition.

Le nouveau-né entend, il entendait déjà avant de naître. Sur l'audition prénatale, de nombreuses recherches et constatations ont été faites. Et la musique de *Pierre et le loup* a été si souvent au centre des tests d'audition prénatale que le petit héros du livre de François Weyergans a fini par en parler de cette manière amusante et ironique :

« Ma mère vient de mettre *Pierre et le loup* ! Est-ce qu'elle a regardé l'heure qu'il est ? Elle croit me calmer en m'assommant avec ce disque que je connais par cœur. Le chat, c'est la clarinette. Le grand-père, le basson. Les coups de fusil des chasseurs : timbales,

grosse caisse. « Un beau matin, le petit Pierre ouvrit la grille du jardin… »
Bientôt, le loup va attraper le canard et il n'en fera qu'une bouchée. Je déteste écouter cette histoire. Pour qui me prend-on ? C'est de la musique pour enfants. » (*La Vie d'un bébé*, Gallimard).

Puisque avant de naître le bébé entend, lorsqu'il naît son audition est déjà aiguisée. C'est facile de s'en rendre compte : un bruit le fait sursauter, il se tourne vers la voix qui l'appelle. Des chercheurs ont démontré que le bébé reconnaît la musique entendue avant la naissance et la préfère à des musiques inconnues. Et qu'il reconnaît et préfère sa langue maternelle. Et qu'il distingue même les émotions à travers les intonations de la voix, à condition que ce soit dans la langue parlée par sa mère.

● **Le goût.**

Le Pr Steiner, de l'université de Jérusalem, a fait des photos devenues des classiques : au sucré, le bébé tout juste né sourit ; au salé, il fait la grimace ; avec une odeur d'ail, il prend vraiment une mine dégoûtée (vous pouvez voir ces photos dans *J'attends un enfant*, au chapitre 17).

Ce qui est peut-être encore plus raffiné : très vite le nouveau-né fait la différence entre diverses concentrations de sucre. « Il est sensible aux moindres variations, et deux ou trois gorgées lui suffisent pour faire la différence entre une eau contenant 5 pour cent de sucre, puis 10 pour cent – soit l'équivalent, dans un demi-litre d'eau, d'une cuiller à café de sucre, puis de deux ! »

Plus récemment, le chercheur Benoist Schaal a, par différents tests, constaté ceci : le nouveau-né reconnaît et préfère l'odeur de son propre liquide amniotique ; il reconnaît et préfère également l'odeur du colostrum de sa mère. Si le bébé est nourri au sein, pendant plusieurs jours il ne fera pas de différence entre le colostrum et le lait maternel. S'il est nourri au biberon, il lui faudra quelques jours pour préférer le lait de son biberon à son liquide amniotique. En d'autres termes, l'enfant reconnaît et préfère les sons, les goûts et les odeurs qu'il a connus avant de naître.

● **L'odorat.**

Les observations ont depuis longtemps montré que l'odorat se développe tôt chez le bébé et qu'il joue un rôle important dans la reconnaissance par l'enfant de sa mère et dans leur attachement réciproque. En 1975, pour le chercheur américain Mac Farlane, c'est à 6 jours que le nouveau-né reconnaît parmi deux compresses celle qui a été en contact avec le sein de sa mère. Aujourd'hui, pour Hubert Montagner et Benoist Schaal, le bébé peut reconnaître cette odeur dès le 3e jour !

D'ailleurs, et c'est valable pour tous les sens, au fur et à mesure que les observations deviennent plus fines, on se rend compte que l'éveil des sens chez le bébé est plus précoce que ce qu'on croyait : pour Gesell le bébé pouvait suivre des yeux la fameuse balle rouge vers 3-4 semaines, pour Brazelton, c'est dès les premiers jours.

Pour en revenir à l'odorat, la reconnaissance de l'odeur de la mère par le bébé peut même avoir une valeur thérapeutique. Benoist Schaal rapporte qu'un neurologue marseillais a utilisé les propriétés apaisantes des odeurs maternelles pour traiter des troubles du sommeil. Grâce à l'odeur d'un mouchoir porté par leur mère et placé sur l'oreiller, certains enfants ont réappris à s'endormir sans médicament. De même, des enfants prématurés sont calmés par l'odeur du sein maternel, comme par l'audition de sa voix ou de son rythme cardiaque.

● **Le toucher.**

Le nouveau-né est très sensible à la manière dont on le touche, aux manipulations. Certains gestes le calment, d'autres au contraire l'agitent. Cela, les parents le découvrent très vite, mais cette sensibilité de la peau et du contact remonte très loin dans la vie de l'enfant : dans le ventre de la mère, il a senti le liquide l'entourer ; il s'est frotté aux parois de l'utérus ; au moment de l'accouchement, ce n'est que par une action violente et répétée des contractions sur son corps, que l'enfant a pu sortir du ventre de sa mère. Autrefois, lorsqu'on langeait un bébé, c'était bien sûr pour qu'il soit au chaud, mais aussi pour qu'il sente autour de lui un cocon l'entourer, comme lorsqu'il était dans l'utérus. C'est ce que fait instinctivement une mère en prenant son bébé contre elle, en l'enveloppant doucement de ses bras. Et les petits berceaux ronds qui reviennent à la mode prolongent ces sensations rassurantes.

Lorsqu'on touche un bébé, chacun réagit différemment. Le père ou la mère s'en rendent vite compte car l'enfant exprime très bien plaisir et déplaisir. En observant ses mimiques, ses gestes, l'ouverture ou la fermeture de ses mains, la détente ou la crispation de son corps, les parents sauront aussitôt ce qu'apprécie leur bébé. De leur côté, par des observations très fines, les chercheurs ont remarqué à quel point le bébé était sensible à l'émotion qui entourait ces contacts.

● Un sixième sens

Le bébé naît aussi chargé d'émotions : celles qu'il a éprouvées dans le ventre de sa mère ; celles qu'il a vécues pendant l'accouchement (même sans beaucoup d'imagination, il est difficile d'admettre que ce passage se fasse sans bouleversements) ; celles qu'il éprouve, projeté dans ce monde tellement différent de celui d'où il vient. On pourrait dire que cet ensemble d'émotions et de sensations constitue un sixième sens, le sens émotionnel.

De l'échange à l'attachement

Voilà ce que « sait » en général le bébé en arrivant au monde.
T. B. Brazelton le montre très bien lorsqu'il pratique les tests de son examen sur le nouveau-né. Je l'ai vu faire plusieurs fois à Boston, et c'est fascinant : en 20 minutes et 40 gestes, avec douceur, sans élever la voix, T. B. Brazelton passe en revue toutes les réactions du nouveau-né, tous ses réflexes, tous ses sens. Le bébé suit des yeux la balle rouge, il réagit à une petite sonnette, à un hochet, il grimace si on lui touche la plante des pieds avec une plume, il cherche des lèvres les doigts qui les ont caressées, etc.

Cela, c'est un examen fait par un pédiatre en une seule fois, comportant de nombreux tests pour mettre au jour les possibilités de l'enfant car certaines ne se révèlent que si on les recherche expressément. Vous, vous n'allez pas agiter une sonnette aux oreilles du nouveau-né, ni lui chatouiller la plante des pieds avec une plume pour savoir si tous ses sens sont bien éveillés. Vous, les parents, vous ferez vos découvertes tranquillement jour après jour.

Le NBAS

L'examen du nouveau-né, que propose T.B. Brazelton, c'est le NBAS (*Neonatal Behavior Assessment Scale*) ; il s'agit d'une échelle d'évaluation des comportements néo-natals, destinée à évaluer les réponses du nouveau-né à divers stimuli sensoriels. Le NBAS est pratiqué dans la plupart des États d'Amérique, souvent au Japon, et commence à se répandre en France. L'échelle de Brazelton a été publiée en français aux éditions Médecine et Hygiène (78, avenue de la Roseraie, 15456. CH 1211 Genève. Tel : 00 412 270 293 11).

Il faut dire aussi que, dès le départ, les bébés sont très différents les uns des autres. Chacun a son rythme, certains sont plus éveillés, certains moins réceptifs ; des bébés à la naissance ont les yeux presque fermés et les paupières gonflées, d'autres les yeux entrouverts, d'autres grands ouverts dès le premier cri.

Dès les premiers jours, il y a le lent, le rapide, le « moyen ». À âge égal, les bébés sont déjà tous différents. Et pour chaque bébé, cet éveil plus ou moins grand dépend du moment de la journée : s'il a soif, faim, sommeil ou digère mal, il sera moins éveillé, et donc moins réceptif.

Mais ce qui vous importe c'est de connaître les possibilités « globales » d'un bébé à la naissance ; de savoir que par tous ses sens, par les yeux, par les oreilles, par l'odorat, par le toucher, par la bouche, il est prêt à entrer en contact avec vous, avec le monde extérieur. C'est cela que l'on a appelé la compétence, les compétences du bébé : l'enfant est capable de provoquer chez l'adulte qui s'intéresse à lui les réponses dont il a besoin. Votre enfant est prêt à communiquer, il n'y a plus qu'à lui répondre. Alors commencera le dialogue, ce dialogue inépuisable, fait de caresses, de paroles, de sourires, de vocalises, de jeux de miroirs où l'enfant appelle et la mère réagit, où l'enfant vocalise et la mère répond.

Vous allez voir d'ailleurs. Bébé a faim, il tète ; si vous le caressez, il s'arrête de téter ; si vous continuez à le caresser, il prolonge la pause tant il est heureux de ce signe de reconnaissance qui lui est plus cher que la satisfaction de la faim. Ou bien : son père parle doucement au bébé, « areu... gligli... », tendrement, et, s'il sait attendre, le nouveau-né, délicatement, presque imperceptiblement, réagit, clignote d'un œil, soulève légèrement un coin de lèvre. Comment le père ne serait-il pas bouleversé, et aussi conforté dans son rôle ?

Être avertis de la compétence du nouveau-né multiplie pour les parents les occasions d'un plaisir partagé : attendris, le père et la mère en deviennent encore plus attentifs ; écouté, le bébé gazouille de plus en plus et s'épanouit ; chaque nouveau geste, chaque nouveau baiser lui apporte un nouvel échange, une nouvelle sensation. Ceci est valable même si l'enfant est prématuré, comme en témoignent les travaux si intéressants du docteur A. Grenier et l'examen neurologique qu'il a mis au point, soutenant d'une certaine façon la nuque de bébés nés avant terme, leur « motricité libérée », leur éveil et leurs compétences peuvent être les mêmes que ceux des bébés nés à terme.

« À quoi sert de raconter la compétence du nouveau-né, m'a demandé une lectrice, cela se voit vite ». Pas toujours : certains parents sont intimidés, et leur dire que le nouveau-né est prêt à les écouter, qu'il attend leurs gestes, les aide à se manifester. Certains parents sont maladroits dans leurs sollicitations : cela peut arriver lorsque l'enfant n'a pas l'air très réceptif ; et de connaître la sensibilité de l'enfant peut encourager les parents à se rapprocher de lui, à s'intéresser à lui, à lui parler. Et j'ai vu des pères, qui pensaient ne pouvoir s'intéresser à l'enfant que lorsqu'il parlerait, fondre devant le sourire d'un bébé qui a été caressé, à qui l'on a parlé.

Les enfants d'Adam et d'Ève étaient compétents, et tous les bébés nés depuis le sont, puisque c'est inscrit dans la nature ; mais on ne l'a pas toujours su, sinon on aurait moins souvent séparé les mères de leur enfant. Aujourd'hui, heureusement, on ne sépare plus l'enfant de sa mère, sauf cas exceptionnels, et en prenant des précautions, car c'est de la qualité des échanges, des interactions, que vont se créer des liens, et que va naître l'attachement.

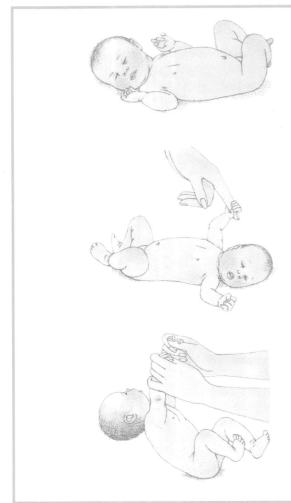

La position du nouveau-né est la même que celle du bébé avant la naissance. Si l'on étend ses jambes et ses bras, ils reviennent comme un ressort. Les mouvements de l'enfant, au début de la vie, sont des mouvements réflexes ; le bébé gesticule dans tous les sens, lançant en même temps, ou en alternance, bras et jambes à droite et à gauche.

Si vous touchez les mains de votre bébé, vous sentirez ses doigts se refermer sur les vôtres. Le nouveau-né peut serrer si fort que ses doigts en deviennent blancs. Le même réflexe existe à la plante des pieds. Le nouveau-né a plusieurs autres réflexes : marcher si on le maintient sur ses pieds, téter si on touche ses lèvres, etc. Le médecin vérifie ces différents réflexes pour s'assurer que tout est normal.

Les muscles du cou, chez le nouveau-né, ne sont pas contractés comme ceux des membres : si on le soulève, il ne peut pas redresser la tête. Vous verrez le pédiatre faire ce geste : il sert à se rendre compte si l'enfant commence à pouvoir redresser la tête ou fait des progrès dans ce domaine. Mais ne faites pas vous-même ce geste car la nuque du bébé est fragile, et à cet âge, il ne faut pas tirer sur ses bras.

• Le tissage des liens.

Mais revenons à votre nouveau-né : quand vont se passer vos premiers échanges ? Avec la tétée, et dans les moments qui suivent, lorsque le bébé en général encore éveillé est prêt à vous écouter ou à parler. Mais pour le moment il dort, allons le regarder.

Il dort d'un sommeil calme et profond, si profond d'ailleurs qu'il en est inquiétant, rien ne bouge des traits du bébé, on se penche pour vérifier qu'il respire…

Puis soudain changement total : l'enfant s'agite, tressaille, grimace, soupire, sourit ; un mauvais rêve l'agite ? Il plisse le front et fronce les sourcils, pleurniche, mâchonne, ronchonne, suce son pouce… On le croit en train de se réveiller, on est tenté de le prendre, il faut bien s'en garder, il est dans cette phase du sommeil qu'on dit précisément paradoxal, où il a l'air éveillé tout en étant encore endormi. Non, il n'a pas faim, laissez-le poursuivre son sommeil, le moment venu il saura bien le dire en pleurant assez fort jusqu'à ce que vous veniez.

Puis il retombe dans un sommeil profond, et ainsi plusieurs fois de suite il passe par ces différentes phases du sommeil, jusqu'au moment où il réclamera brusquement sa tétée.

C'est le moment qu'il faut attendre pour prendre le bébé, afin de ne pas risquer de dérégler son sommeil, ce qui troublerait ses nuits et les vôtres. C'est cette habitude de prendre l'enfant au premier soupir, en fait en plein sommeil, qui est souvent à l'origine de troubles du sommeil.

À l'approche du sein ou de la tétine, l'enfant tremble d'excitation. Alors ce bébé qui paraît encore si fragile tète avec vigueur, s'arrête pour reprendre son souffle, se remet à boire jusqu'au

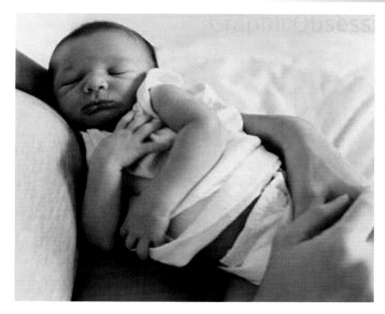

moment où véritablement épuisé il ferme les yeux, apaisé, avec aux lèvres un sourire de béatitude. C'est vraiment cela le sourire aux anges.

La tétée représente un maximum d'échanges entre la mère et son bébé car tout y participe : les gestes, l'odorat, la bouche, les mots, le regard.

Après la tétée, parfois le bébé se rendort aussitôt ; il lui arrive aussi de rester éveillé quelques instants, heureux. Son expression est « alerte », il semble dévisager sa mère et attendre quelques signes, quelques mots ; lorsqu'ils lui parviennent, l'enfant s'agite, cligne des yeux, semble se concentrer encore plus fort pour suivre à la fois le visage et la voix. Et il peut se montrer complètement absorbé pendant quelques minutes. Au bout d'un moment, fatigué, il tourne la tête comme pour dire : « C'est fini, je n'en désire pas plus… » Il faut respecter ce désir et attendre, pour reprendre la conversation, que l'enfant spontanément la recherche. Il le montrera par son expression à nouveau « alerte ».

Je ne voudrais pas tomber dans l'imagerie d'Épinal de la maternité, mais ce qui vient aux lèvres de la mère lorsqu'elle voit son bébé attentif, éveillé, c'est pourtant bien souvent tout l'éventail de la tendresse et des petits mots câlins. Des années d'imagination et des mois d'attente semblent alors se libérer. « Ma fée, ma biche, mon lutin », etc., ou tout autre mot complètement inventé, mais tous chargés d'affectivité et de tendresse.

Les premiers jours, l'état alerte du bébé ne dure que quelques minutes. Au fur et à mesure que les jours passent, les périodes d'attention s'allongent, l'éventail des échanges s'étend par l'œil, les mots, les gestes, les caresses, les chansons. Tout s'invente et se découvre. On guette chaque changement ; le bébé a de nouveaux « mots », de nouveaux cris, il ouvre plus souvent les yeux, il cherche, il *me* cherche sûrement, il s'agite, on dirait qu'il sourit, on note, on interprète.

Les liens deviennent chaque jour plus forts et déjà l'inquiétude mesure l'attachement. Il y a parfois des malentendus et des pleurs, mais peu à peu l'ajustement se fait ; « l'enfant fait la mère » pour reprendre la célèbre phrase de Juan de Ajurriaguerra, et la mère fait l'enfant.

Vous voyez surtout le mot « mère » dans tous ces échanges. C'est certain qu'elle est la personne privilégiée, pour des raisons évidentes : elle attend, elle accouche, elle allaite, c'est ainsi que naturellement, au début, elle est plus près du bébé que le père.

Mais le père est là aussi. Bien avant la naissance, il a été bouleversé par l'annonce de sa paternité. Il a vu avec émotion l'image de son enfant sur l'écran de l'échographe : ce cœur qui se soulève, ces membres qui bougent lui révèlent une présence. Il a parfois participé à des séances de préparation à l'accouchement. Certains pères ont été intéressés par une approche haptonomique. Beaucoup ont assisté à la naissance de leur enfant, ils ont peut-être coupé le cordon, donné le bain, assisté aux premiers soins. Ainsi l'homme s'est senti père avant la naissance. Lorsque son bébé est là, sa paternité peut s'exprimer dans les gestes et les échanges de la vie quotidienne. Dans cette continuité, le père prend naturellement sa place auprès de l'enfant, il le change, le lave, le câline, lui parle ; il se charge de la tétée de nuit ; au début la mère se lève, mais lorsqu'elle voit le père accomplir ces gestes avec habileté, elle a confiance et se rendort tranquillement.

Les pères qui attendent que leur enfant marche ou parle pour s'occuper vraiment de lui sont de plus en plus rares. Ils ne savent pas le plaisir dont ils se privent. Ces hommes n'ont en général pas connu dans leur petite enfance un père proche de son tout jeune bébé. D'autres ont peur de la fragilité que représente un nouveau-né, ou bien ils voient dans cette paternité le poids de nouvelles responsabilités. Dans bien des cas, la mère et l'entourage peuvent aider le père à occuper la place qui lui revient, et à découvrir les joies de s'occuper de son bébé, de lui apporter l'amour, la sécurité, un autre dialogue.

Ajoutons que, bien souvent, l'enfant vit ses premières années dans un monde essentiellement féminin : mère, nourrice ou puéricultrice à la crèche, puis institutrice à la maternelle ; il est important pour l'enfant qu'une présence masculine prenne place très tôt dans sa vie.

Les débuts dans la vie du bébé prématuré

Entre les parents et leur bébé, les liens se tissent dans les échanges quotidiens, dans les interactions partagées. Comment l'attachement parent-enfant, mais aussi enfant-parent, peut-il éclore lorsque le bébé est prématuré, et séparé de ses parents ? Comment faire la connaissance d'un bébé alors qu'il est en réanimation ou en néonatologie ? Les équipes hospitalières sont très sensibilisées à ces problèmes de séparation, elles font tout ce qu'elles peuvent pour en atténuer les effets.

Le service de réanimation

Le bébé très prématuré, ou celui qui a des difficultés de santé particulières, doit passer un temps plus ou moins long dans le service de réanimation. Il ne faut pas que ce mot inquiète les parents. Cela signifie que le bébé a besoin de soins très spécialisés, notamment parce qu'il ne peut pas respirer sans assistance.

Avant que le bébé ne soit transféré dans ce service, l'équipe pédiatrique essaie d'organiser un premier contact avec la maman (le papa se déplace plus facilement) : en lui amenant le nouveau-né, ou, si celui-ci ne peut être déplacé, en amenant la maman à son chevet. C'est un petit moment privilégié où la maman peut voir et toucher son bébé. Si ce n'est pas possible, l'équipe maintient le lien avec sa mère en prenant une photo du bébé.

Dans les jours qui suivent, si le service de réanimation est dans l'hôpital où est sa maman, celle-ci verra facilement son bébé. Mais le plus souvent, elle aura à se déplacer, car ces structures très spécialisées n'existent que dans quelques grandes villes. Dès que son état de santé le permettra, le trajet de la maman sera organisé. En attendant, la visite du papa permet de suivre l'évolution du bébé, d'avoir des explications médicales, et surtout, il peut toucher la petite main dans la couveuse, et faire le lien avec la maman absente.

Le service de réanimation des prématurés donne souvent aux parents la sensation d'un monde irréel : avec la lumière permanente, le déclenchement des alarmes qui surveillent la respiration, le rythme cardiaque, l'alimentation, la température, ces bébés minuscules dans leur couveuse transparente semblent retranchés dans leur univers, inaccessibles, au milieu du personnel qui s'agite pour leur prodiguer des soins compliqués. Tout cela donne aux parents une impression étrange.

Pourtant, toutes les équipes sont conscientes des besoins de contact et d'amour de ce si petit bébé. Chaque soignant, dans son travail, consacre un temps important pour dialoguer avec les parents, pour trouver chez le bébé le plus petit signe de la conscience qu'il a de la présence de ses parents auprès de lui : un mouvement de paupière, un visage qui se détend, des doigts minuscules qui cherchent. Il faut être attentif pour se rendre compte que l'enfant sent que ses parents sont là, qu'il reconnaît leur voix, leurs caresses, qu'il peut être sensible à l'odeur d'un foulard.

Avec l'aide de l'équipe soignante, les parents peuvent masser leur bébé, le changer, même dans la couveuse. Puis, dès que possible, on proposera le « peau à peau » (ou portage kangourou) : le bébé, juste vêtu d'une couche, le dos protégé du froid par une couverture, est posé contre le sein de sa maman, puis de son papa, le nez dans l'odeur connue, l'oreille contre le cœur. En s'occupant de leur bébé, en observant son comportement et ses progrès, les parents se sentent ainsi de plus en plus utiles et compétents. « J'ai eu de merveilleux contacts avec mon bébé dès sa première semaine de vie. Même si petit, malgré la sonde, malgré la perfusion, il souriait aux anges lorsque je le caressais doucement. Je le mettais contre mon cœur, tout nu, au creux de mes seins. Je le sentais respirer, détendu ». C'est ce que m'a écrit la maman de Théo né avec deux mois d'avance.

• Le service de néonatologie

Dès que le bébé va mieux – ou s'il s'agit d'un enfant ayant une prématurité modérée –, il est accueilli dans un service de néonatologie. Ces services existent dans tous les hôpitaux, les contacts avec les parents y sont plus faciles. Le bébé est installé dans un box, c'est un peu plus d'intimité pour lui et ses parents.

L'arrivée en néonatologie est une étape importante : le bébé respire tout seul, il est plus autonome ; c'est le « peau à peau » dès que la maman, ou le papa, arrive. Le peau à peau est possible, même avec une perfusion, même avec un « gavage » (cette manière particulière de nourrir les prématurés, voyez page 418). Dans les bras, bien au chaud, calme et apaisé, le bébé digère mieux. Mais quand les parents s'en vont, le bébé pleure, s'agite, il montre qu'il ressent la séparation.

• Les unités mère-enfant.

Ces unités existent dans certains services de pédiatrie où elles reçoivent en même temps le bébé et sa maman. Les mères peuvent y rester tant que leur bébé est hospitalisé. La couveuse est souvent dans la chambre de la maman qui donne le bain, et le sein. Le « peau à peau » se fait dans le lit. En évitant la séparation, en créant un lien fort avec leur bébé, les mères réparent le traumatisme de la naissance prématurée. Elles se familiarisent avec les soins particuliers à donner au bébé : rations alimentaires, stimulations pour l'éveil à l'heure du repas, surveillance de la température, soins de la peau, etc. ; cela leur permet d'envisager la sortie de l'enfant avec sérénité. Il faut souhaiter que de telles unités se créent dans tous les hôpitaux.

Il est parfois difficile pour une maman de passer quelques semaines à s'occuper exclusivement de son bébé, notamment s'il y a d'autres enfants à la maison. Si vous ne le pouvez pas, ou s'il n'y a pas une telle unité près de chez vous, maintenez – ainsi que le papa – un contact étroit avec votre bébé : organisez-vous avec l'équipe pour pouvoir donner le bain vous-même, calculez votre arrivée pour être là à l'heure du biberon, habillez-le avec les vêtements que vous aurez apportés de la maison, n'hésitez pas à appeler l'équipe de nuit pour prendre des nouvelles. Et, de temps en temps le soir, venez voir comment dort votre bébé. Ainsi vous maintiendrez le dialogue avec votre enfant, tout en préparant son retour à la maison.

• Un soutien pour les parents

Après une naissance prématurée, la plupart des parents se sentent angoissés et coupables : dans les premiers jours angoisse pour la vie de l'enfant, crainte du handicap que les médecins ne peuvent pas toujours évaluer à la naissance, peur de ne pas comprendre les explications données ; culpabilité de n'avoir pu mener la grossesse jusqu'au terme, de ne pas éprouver d'attachement pour ce bébé si fragile, si différent de celui qu'ils attendaient. Au lieu du bonheur espéré, les parents éprouvent de la tristesse.

Pour ces nombreuses raisons, la plupart des services de prématurés proposent dès les premiers jours aux parents une aide psychologique : ils peuvent exprimer leurs difficultés et se sentir rassurés dans leur capacité à élever leur enfant. Le retour à la maison est encadré par une infirmière puéricultrice de secteur, qui vient à domicile. Les visites médicales régulières sont l'occasion de faire le point sur ce que ressentent les parents. C'est le rôle de l'équipe soignante d'aider les parents à faire face à leurs problèmes afin qu'ils ressentent le plus tôt possible le sentiment de bonheur généralement associé à une naissance.

• Le retour à la maison

Quand un bébé a été hospitalisé depuis sa naissance, le retour à la maison est en effet un moment difficile pour les parents. Ils vont être maintenant seuls avec un bébé qui leur semble encore si fragile et cela les inquiète. Pour se rassurer, les parents doivent se dire que si le médecin a autorisé la sortie de l'enfant, même si celui-ci ne pèse pas encore 2 kg, c'est qu'il est en bonne santé. Bien sûr, il ne faut pas hésiter à appeler l'équipe qui s'est occupée du bébé si quelque chose vous tracasse ; et restez en contact avec la puéricultrice de secteur. Aujourd'hui, on sait mieux s'occuper des bébés de petit poids. C'est pourquoi, il vaut mieux s'adresser au personnel spécialisé car l'entourage, même de bonne volonté, n'est pas toujours au courant des soins qu'on donne à ces bébés.

Il est bien de prendre rendez-vous avec le pédiatre 8 jours après le retour à la maison. Cela permet de faire le point et… de se rassurer.

▪ Vous trouverez d'autres informations sur l'enfant prématuré (degré de prématurité, surveillance, alimentation, etc.) au chapitre 5, à l'article *Prématuré* (dans la santé de A à Z).

Les difficultés de l'attachement

Vous l'avez vu, l'attachement naît et se développe au cours d'une succession d'événements, en général heureux. Mais des difficultés peuvent retarder l'adoption réciproque des parents et du bébé.

Parfois le sentiment d'étrangeté qu'éprouve la mère, sentiment dont je vous ai parlé et qui est fréquent à la naissance, persiste : que vais-je faire de cet inconnu qui en plus me persécute par ses cris, se demande la mère. Elle a l'impression que cet inconnu l'agresse.

Parfois, tout simplement, le bébé est lent à s'éveiller, moins mature qu'on ne l'imaginait, il déçoit : pourquoi ne tient-il pas encore sa tête ? Pourquoi crache-t-il ? Pourquoi pleure-t-il toujours ? Le bébé qui pleure souvent – et il y en a – énerve beaucoup.

Ou bien la mère refuse de changer son bébé, l'odeur la dégoûte, elle attend le père et rend l'enfant responsable de la mésentente qui peut s'installer alors dans le couple.

Parfois, la mère est si déprimée après l'accouchement qu'elle ne s'intéresse pas à son bébé, qu'elle n'arrive pas à s'occuper de lui. Elle est dans le brouillard total, et le bébé manque de stimulations.

Dans ces divers cas, l'enfant en fait mal accepté n'est pas traité comme il le voudrait ; cela l'empêche de dormir, le fait pleurer et lui donne mal au ventre : il en perd sa capacité à attirer la sympathie et les bonnes réponses. L'enfant ne va pas bien, les parents non plus, c'est le cercle vicieux.

Certains parents s'attendent à ce que dès les premiers jours, ou les premières semaines, le bébé « fasse ses nuits », prenne son biberon à heures régulières et ne pleure plus. Comme c'est rarement ce qui se passe, ces parents s'énervent, deviennent de plus en plus exigeants. Alors que si les adultes comprennent qu'un bébé a besoin de temps pour s'adapter à sa nouvelle vie, l'enfant va acquérir peu à peu les rythmes du quotidien dans un climat de détente.

Lorsque se présentent ces difficultés, elles empêchent les parents de profiter des premiers mois de la maternité et de la paternité et le bébé en souffre. Il ne faut pas hésiter à faire appel à des professionnels de l'enfance. Une travailleuse familiale peut soulager dans les tâches matérielles. Une puéricultrice de PMI peut venir à domicile et donner des conseils. Le pédiatre peut aider à comprendre ce qui se passe et éventuellement conseiller de voir un psychologue. Ainsi les parents ne sont plus seuls face à des souffrances qui risquent d'entraîner culpabilité, agressivité ou refus d'accepter la réalité. On sait aujourd'hui que la prévention de difficultés ultérieures plus importantes commence par des aides d'autant plus efficaces qu'elles sont plus précoces.

Dans d'autres cas, le nouveau-né est loin des parents, il a dû être hospitalisé d'urgence dans un service de prématurés, nous en avons parlé plus haut.

À l'éloignement s'ajoute une autre difficulté à surmonter lorsque l'enfant naît avec un handicap, une malformation, petite ou grande, qui nécessite des soins particuliers. Contre toute raison la mère se croit coupable et souvent refuse d'aller voir l'enfant. La situation est particulièrement difficile pour le père qui doit soutenir sa femme et rendre visite au bébé. Aujourd'hui, heureusement, les parents ne sont plus seuls face à ces problèmes : l'équipe de la maternité est prête à les soutenir, à les aider.

Les retards, les difficultés ne signifient pas pour autant que l'attachement ne se fera pas. Les premières semaines représentent une période privilégiée certes, mais pas une période au-delà de laquelle tout est fini. Rien n'est jamais ni joué, ni perdu, il faut en être particulièrement convaincu lorsqu'on a un enfant ; les possibilités d'adaptation de l'être humain sont immenses.

Au chapitre 6, au mot *Handicap*, nous consacrons un article à l'enfant porteur d'un handicap, à son accueil, aux aides pour lui et ses parents, à une bibliographie.

● **Ce qui fera plaisir à votre nouveau-né.**

Son plus grand plaisir, c'est d'être avec vous, dans vos bras. Il aime la tétée, être bercé, être changé, être baigné, et, après le bain, pouvoir remuer librement ses jambes avant d'être rhabillé. Quand il gigote ainsi, il aime que l'on participe à sa joie. Il aime votre voix, le contact de votre main.

Il aime le calme, la lumière, mais pas trop vive.

Si vous voyez votre bébé « contracté » – les poings très serrés, ou se tortillant sans pouvoir se détendre – essayez de l'apaiser par quelques massages légers, par des effleurements, des tapotements très doux. Vous verrez, cela lui fera grand plaisir, à vous aussi d'ailleurs. Dans ce domaine également l'interaction joue : l'enfant nerveux irrite ceux qui s'en occupent, l'enfant calme les détend.

● **Ce qui lui sera désagréable.**

Avoir faim et soif. Être trop ou pas assez couvert. Avoir des vêtements serrés. Ne pas être changé quand il s'est sali. Qu'on le fasse sauter en l'air, car cela lui donne le vertige. Les allées et venues bruyantes dans sa chambre, les éclats de voix, la radio, la télévision, les portes qui claquent, la fumée de cigarette autour de son berceau. Et ne dites pas, s'il pleure la nuit, qu'il est capricieux et exigeant : il ne fait pas encore de différence entre le jour et la nuit et surtout, dans le ventre de sa mère, il a été nourri à volonté ; il ne peut pas encore rester à jeun plusieurs heures.

Pour en savoir plus...

Pour en savoir plus sur les premiers mois du bébé, lisez d'abord *L'Aube des sens*, car tout le développement sensoriel du nouveau-né y est traité (*Cahiers du nouveau-né*, n° 5, sous la direction de Étienne Herbinet et Marie-Claire Busnel, éditions Stock). Et sous la direction de Marie-Claire Busnel : *Le Langage des bébé*s, éditions Jacques Grancher. Une moisson de textes, témoignages, observations, dialogues, d'une quarantaine d'auteurs (scientifiques, parents) suggèrent, montrent ou démontrent une réalité : le nourrisson s'exprime, il a des choses à dire. Ce livre est actuellement épuisé.

Vous pouvez lire aussi : *Les Premiers Liens, ou l'attachement précoce parents-bébé* vu par un pédiatre et un psychiatre, de T. B. Brazelton et Bertrand Cramer (éditions Stock-Calmann-Lévy). Dans ce livre à l'approche originale, les auteurs ont confronté leur expérience et leurs travaux sur cette question si importante de l'attachement.

La « compétence » du nouveau-né est un des grands messages de *La Naissance d'une famille*, de T. B. Brazelton (éditions Stock et Points-Seuil).

Dans *Trois Bébés dans leur famille* vous verrez, exemples à l'appui, à quel point les enfants peuvent être différents les uns des autres (T.B. Brazelton, éditions Stock et Livre de Poche).

Sur le bébé prématuré, voici des livres intéressants : *A l'écoute du bébé prématuré*, de Catherine Druon (Aubier) : le témoignage sensible et réfléchi d'une psychanalyste travaillant dans un service de pédiatrie. *Le bébé prématuré*, du docteur Claude Beyssac-Fargues et de Sabine Syfuss-Arnaud (Albin Michel) : des explications médicales, des témoignages et des conseils pratiques.

Je vous parle, regardez-moi ! est un petit livre édité par Sparadrap (adresse page 352) qui peut aider les parents à observer et comprendre leur bébé prématuré afin de bien préparer son retour à la maison (3,5 €).

De 1 à 4 mois

> Incipe parve puer risu cognoscere matrem
> *Petit enfant, connais ta mère à son sourire.*
> Virgile

À un mois on peut dire que tous les bébés voient bien les ombres, les lumières, les contours, les visages, certaines couleurs ; c'est beaucoup. Avec plus ou moins d'intérêt, plus ou moins de vivacité, le bébé ne cesse d'exercer sa vue. Inlassablement, jusqu'à ce que ses yeux se ferment de fatigue, il regarde tout : le bord de son lit, les objets que l'on balance au-dessus de sa tête, ses mains, les feuilles des arbres lorsqu'on le promène.

À exercer ainsi son regard sur toutes choses, ce regard s'aiguise, il devient plus expressif. Aux environs du troisième mois, ses yeux changeront de couleur, ils prendront leur couleur définitive (beaucoup d'enfants ont les yeux bleus à la naissance). Dans les yeux, autre nouveauté : les larmes. De vraies larmes.

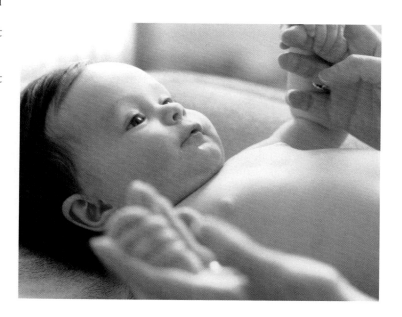

Très tôt, les bébés sont capables de tourner la tête ; alors, ils explorent leur horizon en tous sens. Mais il est vrai que tous les enfants ne réagissent pas aussi vivement aux mêmes excitations. Les bébés ne sont pas tous sensibles à ce qui les entoure de la même manière. Ce qui ne signifie pas que ceux qui réagissent moins rapidement à ce qu'ils voient soient moins éveillés ; ils se montreront peut-être plus précoces pour d'autres acquisitions (marche, langage).

L'enfant examine avec soin l'entourage, scrute avec attention les visages, et voilà tout à coup un événement important : parmi les objets que le bébé regarde, un jour, l'un d'eux lui paraît justement plus intéressant que les autres. Cet « objet » émet des sons, des sons qui lui rappellent beaucoup de bons souvenirs. Intensément, le bébé fixe les yeux dans sa direction. Et, un jour, le miracle se produit.

Ce visage qui se penche au-dessus du sien, « comme c'est curieux, semble dire l'enfant, ça bouge, les lèvres remuent, les yeux se plissent ». L'enfant essaie d'en faire autant. Sur le visage d'en face, le sourire s'étend, la bouche s'ouvre, il en sort un cri de joie. L'enfant a souri, sa mère aussi.

Qui a commencé ? Nul ne le sait. On peut bien appeler cela « une réponse par imitation » : pour la mère, pour le père, c'est simplement le bonheur. Leur enfant leur montre qu'il les reconnaît vraiment. Ce n'est pas la première fois qu'il sourit. Mais avant c'était « aux anges », aujourd'hui c'est à eux. Cette fois ils en sont sûrs.

Du premier sourire aux premières paroles, il se passera plusieurs mois. Qu'importe ! Il y aura d'autres manières de se « parler », de communiquer : des vocalises, des roulades, des éclats de rire, quelques syllabes, la musique, des chansons. Ce dialogue ne sera d'ailleurs pas le privilège des parents. Il en sera de même pour toutes les personnes de l'entourage du bébé : frères, sœurs, nourrice, etc.

Les rythmes

Au cours de cette deuxième étape de sa vie, l'enfant va donner des nuits calmes à ses parents que, jusque-là, il avait peut-être empêchés de dormir. Car peu à peu, entre un et quatre mois, les pleurs diminuent. Les chiffres le prouvent : l'enfant pleurait en moyenne trois heures par jour à six semaines ; il pleure une demi-heure à trois mois. Ces chiffres sont des moyennes, certains enfants pleurent plus que d'autres.

Les pleurs d'un petit bébé alertent toujours les parents : « Que se passe-t-il ? Tu as trop chaud mon bébé ? » Mais ces pleurs peuvent aussi épuiser les adultes qui se sentent agressés : « Ca suffit maintenant, tu est vraiment pénible. ». Si un petit enfant pleure, c'est un moyen de communiquer, c'est sa manière d'appeler pour qu'on le prenne dans les bras, ou de dire que quelque chose le dérange : il est trop couvert ou – c'est plus rare – pas assez ; il aimerait être changé car il est mouillé ; il a faim et la tétée ne vient pas ; il a des coliques, ses nerfs sont à fleur de peau, tout le fait sursauter, et, comble de malchance, il n'arrive pas à sombrer dans le sommeil profond qui lui ferait oublier tous ses malheurs. Il ne lui reste plus qu'un recours, appeler en pleurant pour qu'on vienne.

Si, entre trois et quatre mois, tout s'arrange, c'est que peu à peu l'enfant arrive à bien faire deux choses essentielles : dormir et manger, et qu'ainsi ses occupations principales ne lui donnent plus de soucis. La somnolence quasi permanente du début fait peu à peu place à des périodes de vrai sommeil, à d'autres de vrai réveil, surtout en fin de journée. Dormant mieux, l'enfant dort moins. Aux vingt heures de sommeil léger et fragile du début succèdent, à seize semaines, dix-huit heures d'un sommeil détendu et profond, dont sept à huit d'affilée, la nuit, sans larmes ni cris. Même la séance de pleurs de la fin de la journée, si régulière chez certains nourrissons, cède vers trois mois. Car à cette date disparaissent ces maux de ventre (coliques) qui tourmentent bien des bébés.

Tout d'ailleurs dans la digestion du bébé s'améliore : les vomissements et les renvois disparaissent pratiquement, en partie parce que le bébé ne se jette plus sur le sein ou le biberon avec la voracité des premières semaines, voracité qui lui faisait avaler autant d'air que de lait. Il commence par attendre sagement l'heure de son repas (sauf le matin, où il pleure encore parfois), trouve facilement le sein ou la tétine, prend le temps de bien téter sans s'étrangler, certains jours même s'offre le luxe de refuser une tétée.

Ainsi, pleurant moins, dormant mieux, mangeant bien, l'enfant de trois mois atteint déjà un certain équilibre. En plus, on remarque qu'à cet âge, lorsque l'enfant est réveillé, il commence à s'intéresser vraiment à ce qui se passe autour de lui.

Les journées s'organisent

À cet âge, la vie d'un bébé est bien réglée : les tétées sont suivies de changes, les changes de siestes, puis il y a les sorties, le bain, et cela recommence. Et à chaque fois, les mêmes gestes, les mêmes personnes, et la régularité est d'autant plus grande qu'il s'agit d'un premier enfant. À travers ces scènes et cette répétition, l'enfant va peu à peu se constituer une vision du monde cohérente et stable et cela va lui apporter un élément indispensable, on en reparlera, la sécurité affective. Ce sont ces scènes que Jean Piaget, a appelé des tableaux : pour le petit bébé de 5 ou 6 semaines, les personnes et les objets apparaissent comme des taches et des couleurs assemblées sur une toile. Mais ces taches et ces couleurs bougent continuellement : ces tableaux sont des tableaux vivants.

Sur Jean Piaget, son œuvre et ses principaux livres, reportez-vous page 196.

Bien sûr, le premier jour, l'enfant ne distingue pas bien les « tableaux », et encore moins leurs détails ; il lui faut du temps pour bien voir et tout voir. Mais à force de voir les mêmes tableaux reparaître avec régularité, il finit par distinguer les uns des autres, chacun accompagné de ses sensations particulières.

Il y a tout d'abord le « tableau tétée » : les bras, le sein, la chaleur, le parfum de la mère, le plaisir de téter qui se prolonge bien au-delà de la faim apaisée, et puis la « conversation » qui suit. La maman sourit, parle à son bébé, le bébé lui répond et fait des roulades.

Il y a le « tableau biberon » : papa s'installe, il sait tout de suite trouver le rythme qui convient, le bébé est comblé.

Il y a le « tableau bain » : le bruit de l'eau qui coule, l'eau tiède dans laquelle on est si bien, le plaisir de gigoter un moment tout nu après le bain.

Il y a le « tableau sortie » : la porte qui s'ouvre, maman qui porte un manteau, papa qui me met dans le landau au balancement que j'aime ; dans la rue, il y a beaucoup de bruit, mais cela me distrait ; au jardin, je regarde les feuilles bouger au-dessus de ma tête.

Il y a le tableau « crèche » ou « nourrice » : maman me déshabille, elle raconte à l'auxiliaire de puériculture mon réveil ; le soir, papa vient me chercher et j'entends « Tatie » lui raconter ma journée.

Pour l'enfant de cet âge, la vie est donc essentiellement une succession de tableaux centrés autour des mêmes personnes ; ils se reproduisent selon un rythme et des rites bien établis. Ces tableaux deviennent des habitudes, des repères qui rassurent l'enfant, qui lui permettent de se retrouver. En effet, l'enfant peut prévoir ce qui va se reproduire dans sa journée, il peut ainsi attendre son repas – évidemment s'il n'a pas trop faim – car il sait qu'il va arriver. Et c'est tout cela qui va créer la confiance qui le rassure. Mais si les repères sont brouillés, si les habitudes changent, l'enfant est désorienté.

Quelle conclusion pratique en tirer ? Que quel que soit le déroulement de la journée du bébé – chacun a sa manière de vivre – ce déroulement ne doit pas trop varier. Par exemple :

▪ qu'il n'y ait pas trop de changement parmi les personnes qui s'occupent de l'enfant ;
▪ que l'enfant ait un coin à lui, si petit soit-il, afin que son cadre soit le même.
▪ que le bain et la sortie soient réguliers, qu'ils se fassent sans précipitation, que la personne qui s'en occupe soit si possible la même. Bien sûr, au fur et à mesure que votre enfant grandira et que sa personnalité s'affirmera, il sera capable d'apprécier la nouveauté, il la recherchera même. Mais pour le moment il a besoin de régularité.

Et lorsqu'un changement est nécessaire, il faut le préparer. Justement, si vous allaitez votre bébé, vous allez, dans quelques jours ou dans quelques semaines, être obligée d'introduire dans sa vie un changement considérable, le sevrage. Et peut-être qu'il y aura un autre changement, c'est que vous allez retourner travailler, c'est-à-dire que votre enfant va être avec quelqu'un d'autre toute la journée s'il va chez une nourrice.

Il sera avec plusieurs autres personnes s'il va à la crèche, où, en plus, il découvrira d'autres enfants. L'enfant mettra un certain temps à s'habituer, certains pourront en souffrir, mais la vie ce sont des séparations répétées. Et c'est ainsi que l'enfant grandira. C'est par des détachements successifs, dans un climat de sécurité, qu'il acquerra son autonomie. L'important est que ces changements, ces séparations soient aménagés, préparés.

Mais revenons aux séparations du moment. Comment faire pour que l'enfant les supporte bien ?

Le sevrage

Le sevrage n'est pas qu'un changement de nourriture, ou que le passage du sein au biberon. C'est aussi un événement d'ordre affectif, et qui peut profondément retentir sur tout le comportement de l'enfant : vous l'avez vu, tout changement le déconcerte. Or celui-ci est de taille.

En effet, depuis le premier jour, le grand plaisir de l'enfant est de téter, parce qu'il a faim, parce qu'il est dans les bras de celle qu'il aime.

De plus, pour ce petit enfant qui ne sait pas encore s'asseoir ou se servir de ses mains, la bouche est vraiment le centre de toutes ses activités et de tous ses plaisirs : manger bien sûr, mais aussi appeler, sourire, vocaliser, crier. Et le sein de sa mère est pour lui un objet de consolation, de plaisir et même de progrès : le bébé le touche, le manipule et peu à peu le différencie de lui.

Ce sein qui est son bonheur, on va le lui retirer, le remplacer par un instrument de forme étrange, contenant des aliments au goût bizarre : un biberon. Le changement est d'ailleurs difficile aussi pour la mère qui souvent repousse le sevrage aussi longtemps qu'elle le peut.

C'est pourquoi, afin que mère et enfant ne se retrouvent pas dans une situation délicate, il est important de prévenir ce passage difficile en comprenant et en aidant l'enfant. Cela veut dire que puisque l'enfant a besoin d'un certain temps pour s'habituer à un nouveau mode d'alimentation, il faut étaler le sevrage sur plusieurs jours, parfois si nécessaire sur quelques semaines ; c'est le sevrage progressif dont je parle page 61.

Ainsi franchi, le sevrage est une étape positive du développement de l'enfant. Mais sachez que, même si l'enfant met quelque temps à s'habituer, s'il retrouve, ce délai passé, tout son équilibre, il sort grandi de cette épreuve et plus mûr pour affronter la suivante.

Les difficultés du sevrage.

Lorsqu'on a été obligé de le décider brusquement, le sevrage peut être difficile : l'enfant peut refuser tout autre lait que le lait maternel, ou refuser tout nouvel aliment, ou vomir (ou avoir la diarrhée), ou refuser la tétine, en un mot, l'enfant peut s'opposer à tout changement. Même si ces difficultés sont réelles, elles seront passagères : l'enfant s'habituera à son nouveau régime, mais ne le forcez pas, un enfant ne se laisse jamais mourir de faim.

En attendant, afin que ce sevrage brusqué ne reste pas dans sa mémoire comme une souffrance, une épreuve, vous et son père renforcerez autour de votre enfant votre présence et votre affection.

En prenant des précautions, les souvenirs inconscients associés à cette étape ne risqueront pas de resurgir et de provoquer des régressions ou de petites dépressions lors de situations semblables : séparation, maladie, perturbations familiales, éducation de la propreté, entrée à la crèche, à l'école, etc.

Le sevrage peut aussi être rendu difficile parce que la mère redoute cette nouvelle séparation, ou parce qu'elle hésite à renoncer au plaisir d'allaiter. Là aussi, c'est le sevrage progressif qui lui permettra de continuer à donner quelques tétées, et d'arriver ainsi en douceur à l'autonomie réciproque.

Il arrive que le sevrage se passe bien chez le bébé mais perturbe la mère et que, comme parfois après la naissance, elle se sente déprimée. C'est compréhensible, sevrer c'est une nouvelle séparation, et c'est également un bouleversement hormonal. En plus, ce moment chargé d'émotions, peut faire ressurgir chez la maman des souvenirs très anciens, inconscients, de sa toute petite enfance.

Un autre changement

Le congé de maternité se termine deux mois après la naissance, mais quand elles le peuvent, les mères attendent que l'enfant ait 4 mois, parfois même 6, pour reprendre leur travail ; elles sentent qu'à 2 mois leur bébé est encore très dépendant, que la période de « fusion » inévitable n'est pas encore totalement franchie ; c'est vrai qu'à 4 mois, le développement psychomoteur de l'enfant lui permet de supporter plus facilement la séparation. Je parlerai donc au stade prochain (4-8 mois) de la séparation à la suite de la reprise du travail de la mère. Et je vous ai parlé en détail dans le chapitre 3 des différents modes de garde, comment choisir, etc. Mais ici, je voudrais attirer l'attention sur certaines précautions à prendre.

Dans toute la mesure du possible il faut éviter que les changements, sevrage et garde de l'enfant, coïncident. Et comme pour le sevrage, l'enfant doit s'habituer progressivement à son nouveau mode de garde.

Progressivement, cela veut dire, par exemple, mettre son enfant à la crèche deux heures un jour sur deux pendant une semaine. Et la semaine d'après, à temps complet. Aujourd'hui, la plupart des crèches organisent une période d'adaptation. Cela veut dire agir de même avec les assistantes maternelles : il est en général possible de trouver

des aménagements. Et il est souhaitable, la première fois, de rester avec le bébé pour faire avec lui la connaissance des nouveaux visages et du nouveau décor.

Il est souhaitable aussi, pour des raisons psychologiques et matérielles, que le père participe à cette introduction de l'enfant dans un monde différent ; conduire son enfant à la crèche ou aller le chercher est un moyen pour le père de faire partie de la vie quotidienne de son bébé, et réciproquement. Cela permet également à la mère de ne pas avoir seule la charge de ces trajets et de partager la responsabilité de confier l'enfant à d'autres.

Il y a encore quelques années, lorsqu'on conseillait aux parents de parler à leur bébé, en expliquant que l'enfant comprenait le sens, même sans connaître les mots, les parents étaient souvent sceptiques. Aujourd'hui, cette notion a fait son chemin, elle commence à être généralement admise.

N'hésitez pas à parler à votre bébé de ces changements. Ce n'est pas la peine de lui donner des explications compliquées. Dites-lui tout simplement ce qui va arriver, et pourquoi vous devez vous séparer de lui. Dites-lui qui va le garder, comment cela se passera. Vous vous direz peut-être : « Mais il ne comprend pas les mots. » Nous n'en sommes pas si sûrs, et de toute façon, ainsi l'enfant se rendra compte que vous ne le traitez pas comme un paquet que vous avez l'intention de déposer à la crèche. D'ailleurs, les parents apprécient d'exprimer à leur bébé ce qu'ils ressentent. Comme dans tout vrai dialogue, ils en éprouvent du soulagement, du bien-être. Comme l'a bien montré Françoise Dolto, parler à un enfant, c'est éviter les comportements de fuite, c'est prendre son temps avec l'enfant, dans un échange paisible où le langage est bénéfique pour tous, celui qui parle et celui qui écoute.

Au cœur des progrès

Vers l'âge de 3-4 mois, le développement psychomoteur du bébé repose essentiellement sur les *réactions circulaires*, selon l'expression de Jean Piaget. Ce mot recouvre une réaction très concrète, observable par tous, et que vous avez sûrement déjà remarquée : la possibilité de refaire volontairement ce qui a été découvert par hasard, d'y mettre une intention, un but. Il y a deux types de réaction circulaire. Celle qui se produit avec son propre corps : je cherche mon pouce, je l'ai trouvé et je le suce avec plaisir, je recommence ; c'est pareil pour les vocalises : un jour l'enfant découvre qu'il peut faire du bruit avec sa voix, cela lui plaît, et il se rend compte qu'il peut recommencer quand il veut ; ou encore avec ses mains que le bébé fait bouger et bouger à nouveau, à volonté.

L'autre type de réaction circulaire se passe avec des objets extérieurs, ou des personnes : l'enfant tape par hasard sur le boulier, les boules se déplacent ; intrigué, l'enfant recommence et se rend ainsi compte que c'est lui qui a fait bouger le boulier.

Avec les personnes, l'exemple même de réaction circulaire, c'est le sourire : l'adulte sourit, l'enfant pour l'imiter, fait le même mouvement. Devant la réaction que ce mouvement involontaire provoque, l'enfant recommence.

Pour d'autres observateurs du bébé, les événements ne se déroulent pas tout à fait dans cet ordre : c'est le bébé qui sourirait le premier, et l'adulte qui lui répondrait ; dans ce cas, le dialogue serait engagé par le bébé.

Qui en fait a commencé le premier ? La discussion reste ouverte, mais toujours est-il que grâce à ces réactions circulaires l'enfant prend conscience de son pouvoir sur les objets et les personnes ; il commence à savoir adapter un moyen à une fin : agir d'une certaine façon pour provoquer une certaine réaction.

Les progrès que l'enfant fait à cet âge sont donc à base d'imitation, de répétitions et

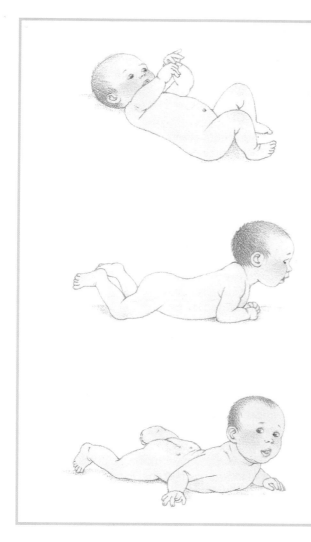

Il a desserré les poings. Ses mains commencent à lui obéir ; il sait les amener devant ses yeux, jouer longuement avec elles, agiter ses doigts, palper, griffer ou gratter. S'il voit un objet approcher, il tremble d'excitation ; il voudrait s'en emparer. Mais s'il commence à savoir saisir le portique qui est en travers de son lit, il laisse tomber le hochet qu'on lui a mis dans la main, et ne sait pas le reprendre.

Mis sur le ventre, le bébé relève vigoureusement la tête. Son cou est devenu ferme et, quand il est couché sur le dos, si on le soulève, il tient bien la tête. Ce contrôle de la tête, qui est le grand événement de ce trimestre, va avoir des conséquences importantes : le bébé peut s'intéresser à ce qui l'entoure, parce que maintenant il peut tout voir, ou presque. C'est un bon exemple de ce que les psychologues et les pédiatres appellent le développement psychomoteur : le bébé tient sa tête parce qu'il veut regarder, il peut regarder parce qu'il tient sa tête, c'est indissociable.

Le bébé suit des yeux une personne qui se déplace. Il commence à sourire d'un véritable sourire. Les expressions de son visage sont de plus en plus variées.

de découvertes : il s'exerce, il apprend, il comprend, il provoque des réactions.

Et lorsque l'enfant joue avec ses mains, sa voix, il aime que ses parents participent ; mais certains n'osent pas répondre aux « a-reu » de leur bébé, de crainte de bêtifier : qu'ils n'hésitent pas à se laisser aller, ils y découvriront un jeu et un plaisir réciproque.

Les réactions circulaires sont en fait des échanges d'un nouveau genre, de nouvelles interactions. Entre 1 et 4 mois, les échanges de toutes sortes se développent pour plusieurs raisons :

▪ autour du bébé le décor, les personnes, les bruits se renouvellent (par exemple, si le bébé va à la crèche ou chez la nourrice), et ainsi le bébé progresse un peu chaque jour ;

▪ le bébé dormant moins a de plus longs et plus fréquents moments d'éveil : il sourit, il tient sa tête, il maîtrise ses gestes, il gazouille, il s'intéresse à ce qui se passe ;

▪ enfin, voyant le bébé plus éveillé, on multiplie autour de lui les stimulations de tout genre : on lui parle de plus en plus, on lui chante de nouvelles chansons. Là, d'ailleurs, peut pointer un risque : c'est que voyant le bébé si bien réagir, on cherche à le stimuler un peu plus, un peu trop. Je parle de risque car la surstimulation peut fatiguer le bébé ; heureusement il a des moyens d'avertir que « c'est assez » et de se protéger : il ferme les yeux, tourne la tête et s'évade. Que se passe-t-il lorsque les parents ne tiennent pas compte des signaux ? L'enfant s'excite, se fatigue, à l'extrême il peut être vraiment perturbé, je vous en parle page 303.

L'inconscient

Toutes les sensations et les émotions qui jalonnent les premiers moments de notre vie ne sont pas perdues ; elles forment les fondations de notre personnalité, meublent jour après jour cette partie profonde, souterraine de notre affectivité que Sigmund Freud, le fondateur de la psychanalyse, a appelée l'inconscient : l'inconscient est en effet constitué d'événements dont notre conscience n'a pas souvenir. C'est probablement à cause de cette absence de mémoire consciente des premiers moments de la vie que l'existence même de l'inconscient suscite encore des réserves et des interrogations.

Si le tout petit enfant a une mémoire remarquable des premières années de sa vie, vers 4-5 ans, survient un phénomène universel que les psychanalystes appellent *l'amnésie infantile* : petit à petit les multiples émotions vécues intensément et passionnément par le bébé et le jeune enfant sont enfouies ou refoulées, voire réprimées selon les cultures ou l'éducation.

Notre propre naissance, le plaisir du sein ou du biberon, les premiers échanges, les premiers mots, l'apprentissage de la marche ou de la propreté, qui s'en souvient ? Et pourtant, la façon dont nous avons eu confiance ou peur pour faire ces découvertes et ces acquisitions, la façon dont nous avons été comblés ou frustrés dans nos échanges affectifs, verbaux ou même alimentaires, tout cela, on le sait bien maintenant, va modeler notre façon de réagir aux frustrations, va agir sur notre émotivité, notre fragilité. La satisfaction des besoins, la confiance en soi et dans les autres qu'on a donnée au petit enfant, vont retentir sur l'épanouissement du grand enfant, de l'adolescent, puis de l'adulte qu'il deviendra.

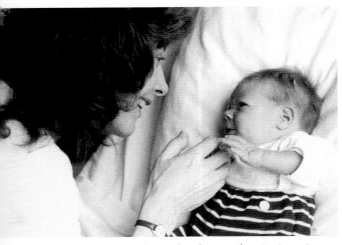

Ces réactions en chaîne laissent à chaque stade, à chaque étape du développement une trace dynamique, une empreinte, prêtes à faire remonter à la conscience ou dans le comportement quotidien des images, des sensations, des façons de réagir qui sont propres à l'histoire de chaque individu.

Ainsi, comme les racines de l'arbre, qui ne se voient pas mais nourrissent la plante, comme les fondations de la maison qui sont invisibles elles aussi, mais qui supportent tout l'édifice, l'inconscient, semblable à une source souterraine, alimente nos angoisses et structure nos mécanismes de défense. Dans une large mesure, l'inconscient influence nos désirs, nos capacités d'aimer, nos attirances, nos résistances, mais aussi nos échecs, nos rejets, tout un ensemble de comportements. Quand il s'agit de la période après 4-5 ans et que les souvenirs commencent à resurgir, on peut avoir un accès presque direct à l'influence des premières années.

L'enfant à la découverte du monde

Voyez ce père qui ne peut laisser pour une hospitalisation de 24 heures son petit garçon, bien que les examens à faire soient bénins, le service ouvert aux visites et le climat particulièrement sécurisant. Il s'en explique ainsi : « Je ne le laisserai que si je peux dormir avec lui. Je sais qu'il sera bien, mais c'est plus fort que moi. Cela me rappelle trop quand j'ai été placé à l'Assistance publique à 4 ans… » De même, cette mère qui pousse sa fille de 8 ans à être toujours dans les premiers, à sauter une classe. « J'ai été très choquée par le divorce de mes parents. Je ne faisais plus rien à l'école. On a même cru que j'étais débile, caractérielle. Puis à 11 ans, ma mère m'a confiée à ma marraine et à son mari, des gens extraordinaires qui m'ont sauvée et permis de rattraper mon retard. Il n'empêche que j'ai toujours peur pour la scolarité de ma fille. » Et cette maman qui éprouve une véritable dépression au moment du sevrage de son bébé qui, lui, va très bien. Sa propre mère lui raconte alors son sevrage et les circonstances brutales et douloureuses qui l'ont accompagné.

Mais dans bien des cas, l'amnésie infantile ne nous permet pas toujours de comprendre combien nos comportements d'adultes peuvent dépendre des premiers mois et des premières années de notre vie. L'importance de ces premières années est encore plus manifeste lorsque nous devenons parents : notre enfant réveille, à notre insu, l'enfant que nous avons été, les parents que nous avons eus, et qui nous ont transmis à travers les apprentissages de notre petite enfance, notre manière d'être parent à notre tour. Tout s'enchaîne, même si nous n'en prenons conscience que plus tard.

C'est aussi l'existence de l'inconscient qui explique ces « répétitions » qui marquent l'histoire de familles entières dans un cortège de malheurs, de séparations, de ruptures, ou au contraire de joies et de réussite. Les travailleurs sociaux de l'Aide sociale à l'enfance, les psychothérapeutes, les psychanalystes connaissent ces adultes qui parviennent, ou ne parviennent pas à un équilibre, selon la tonalité affective qui a marqué les événements de leur vie. Ces événements peuvent être apparemment et objectivement les mêmes d'une personne à l'autre, mais la façon dont ils les ont marqués sera chaque fois unique, et dépendra de nombreux facteurs.

Dans certains cas, seule une aide psychothérapique, voire une cure psychanalytique pourra aider ces adultes à retrouver leur équilibre et le bien-être avec autrui.

Tout ce que la conscience du bébé n'est pas encore capable d'ordonner, de contrôler, d'expliquer, va ainsi « s'engranger » : l'agréable et le désagréable, les satisfactions et les déceptions, les expériences heureuses, ou malheureuses, les attentes vaines et les attentes comblées. Dès les premiers jours, l'inconscient tisse notre avenir.

Ce qu'aime un enfant de 1 à 4 mois

Il aime sucer : le sein, la tétine, son pouce, le hochet qu'on lui met dans la main.

Et regarder : ce qui l'entoure, ses mains, les arbres, papa qui se penche sur le berceau, les autres enfants, un mobile accroché au-dessus de son lit.

Répondre aux sourires.

Dès la fin du deuxième mois, faire des roulades, des « a-reu », des vocalises qu'il écoute sans fin et auxquelles il aime qu'on réponde. Écouter la voix des autres. Écouter de temps en temps sa boîte à musique. Être porté, ou se promener dans les bras.

Quand il est bien réveillé, il aime être changé de position.

Être de temps en temps dans un petit transat pour participer à la vie familiale.

Vers 3 mois-3 mois et demi, le bébé éclate de rire : c'est ce que faisait Clémence à cet âge en regardant son frère Grégory faire le pitre.

Il aime qu'on le laisse tranquille et au calme avant de trouver le sommeil.

À la crèche, il n'aime pas changer de « Tatie ».

Lorsque son père ou sa mère l'accompagne le matin chez la nourrice – ou à la crèche –, il n'aime pas être bousculé, il aime que le « passage » d'une personne à l'autre se fasse sans précipitation.

Attention ! Si votre enfant n'a pas les réactions que nous avons décrites (réaction à la lumière, au bruit, au son de la voix), s'il ne montre pas qu'il reconnaît les différents « tableaux » de la journée (tétée, bain, promenade), il sera prudent de consulter un pédiatre. Bien sûr, il y a des différences importantes entre chaque bébé, mais un spécialiste peut se rendre compte de la nécessité d'une surveillance particulière.

Pour en savoir plus…

Pour en savoir plus sur l'inconscient, voici quelques livres : d'abord, un ouvrage de Sigmund Freud, *Introduction à la psychanalyse*, aux éditions Payot. C'est un ouvrage de base et plus facile à lire qu'on ne le croit.

Vous pouvez également lire *Les conférences de Harvard*, d'Anna Freud (PUF). Il s'agit d'un cycle de conférences sur les apports de la psychanalyse à la connaissance de l'enfant. Anna Freud est aussi l'auteur de : *Le moi et les mécanismes de défense* (P.U.F.).

Et vous pouvez lire : *Lorsque l'enfant paraît*, de Françoise Dolto (3 tomes aux Éditions du Seuil) ; ces ouvrages sont des réponses à des situations quotidiennes.

La Connaissance de l'enfant par la psychanalyse (P.U.F.), de Michel Soulé et Serge Lebovici, est un ouvrage plus complet mais plus dense.

Dans *La Sexualité « oubliée » des enfants* (éditions Stock), Danielle Rapoport et Simon Daniel Kipman abordent les aspects culturels, historiques, sociaux et psychanalytiques de l'amnésie infantile et de la sexualité de l'enfant.

Jean Piaget (1896-1980), biologiste, philosophe, psychologue de l'enfance, a laissé une œuvre considérable : plus de trente volumes qui ouvrent de multiples voies de recherches et de réflexion. Citons en particulier : *Langage et pensée chez l'enfant*, éditions Delachaux et Niestlé ; *La Psychologie de l'enfant*, Pocket.

Les applications de l'enseignement de Jean Piaget se sont avérées exceptionnelles, transformant notre approche du développement cognitif, nos méthodes pédagogiques, nos possibilités de rééducation des enfants handicapés mentaux. Même si aujourd'hui on nuance ou conteste certains points de l'œuvre de Jean Piaget, cette œuvre reste une source inépuisable de connaissances et d'observations.

De 4 à 8 mois

*Je n'aurais jamais cru
que ma main fût si grande.*
Paul Valéry

On serait tenté à chaque étape de dire que l'enfant fait des progrès à pas de géant. Ce serait vrai chaque fois ; mais à cette étape, c'est saisissant. Il n'y a plus guère de rapports entre le petit bébé de 4 mois, couché dans son berceau, qui suce ce qui est à portée de sa main et regarde autour de lui, mais qui dort encore dix-sept heures sur vingt-quatre, et le grand bébé de 8 mois, qui palpe, attrape, passe chaque jour plusieurs heures à jouer, et qui, bien calé dans son lit ou dans son petit siège, suit d'un œil vif les faits et gestes de son entourage.

Découvertes, plaisirs et jeux

▪ Entre 4 et 8 mois, l'enfant apprend à se servir de ses mains, comme les images de la page 201 le montrent. C'est l'âge de la « préhension » qui change tout dans la vie de l'enfant.

En premier lieu, la main lui permet de faire la connaissance de son corps : avec ses mains, il découvre ses pieds, ses cheveux, ses organes génitaux.

Quand l'enfant met ses pieds à la bouche, quelle jubilation ! C'est qu'il a fait le tour de son corps ; il est important qu'il le fasse avec plaisir, et que ce plaisir soit partagé par son entourage. En effet, l'enfant commence à construire ce que les pédiatres et les psychologues appellent le *schéma corporel*, et l'entourage contribue à cette connaissance en mettant des mots sur toutes les parties du corps de l'enfant et sur son visage. Il est fondamental que cette connaissance se fasse dans un climat de tendresse où l'enfant se sente aimé. C'est que, en même temps que ce schéma corporel se construit *l'image inconsciente du corps* (1), image que chacun porte en soi, émotionnellement, qui se construit et se modèlera toute notre vie.

La main a permis au bébé de faire la connaissance de son corps, elle va lui donner le plaisir de sentir les doigts de l'adulte qui s'occupe de lui et le plaisir de répondre ; plus

1. *L'Image inconsciente du corps*, Françoise Dolto, éditions du Seuil. C'est un des derniers ouvrages de Françoise Dolto, certains passages sont d'un abord difficile, mais c'est un livre fondamental.

tard, le bébé tendra ses mains, puis ses bras, vers celui qui se penche vers lui. La main va aussi procurer à l'enfant mille moyens de se distraire car il va pouvoir prendre, palper, jeter, tirer, lâcher, explorer, faire du bruit.

Enfin, la main fournit à l'enfant un nouveau plaisir : la possibilité de prendre tout ce qui l'entoure pour le sucer. La bouche reste en effet longtemps le premier instrument de connaissance de l'enfant, et lorsqu'il suce son pouce ou un objet, il se détend ; lorsqu'il a mal aux dents, sucer un objet dur le calme.

Devant une table, sur vos genoux, ou installé dans sa chaise haute, l'enfant commence à attraper ses petits jeux, d'abord en les grattant, en cherchant à les agripper car il évalue mal la distance. Si on intéresse l'enfant à un objet nouveau, il oublie tous les autres. Et à cet âge si l'objet tombe, l'enfant l'oublie également ; c'est pour cela que jusqu'à 9-10 mois les adultes du monde entier ramassent l'objet et le redonne au bébé ; mais bientôt, il va suivre l'objet des yeux, s'en souviendra, et si on pose l'enfant par terre, il ira chercher le jouet à quatre pattes.

▪ Entre 4 et 8 mois, l'enfant apprend à se tenir assis : couché sur le dos, il lève la tête et essaye de se redresser en s'appuyant sur les coudes. Pour l'habituer par paliers à la station assise, on peut, à partir de 4 mois, mettre le bébé dans un petit siège inclinable, une à deux fois par jour, mais pas trop longtemps. Et dès 5-6 mois, le bébé peut commencer à rester assis avec appui (chaise haute, coussin dans son lit) dix minutes au début, puis une heure à 8 mois. Vers 6 mois, il arrive à se tenir assis quelques instants, les jambes écartées et les mains posées devant lui. À partir de 8-9 mois, on utilisera de moins en moins le petit siège inclinable, car l'enfant va savoir s'asseoir tout seul et voudra commencer à ramper : le petit siège rend l'enfant passif si on l'y laisse trop longtemps. À partir du moment où l'enfant peut se tenir assis, il s'habitue à voir le monde à l'endroit. Il peut maintenant explorer toute sa chambre, à gauche, à droite, devant lui et au-dessus de lui.

Observez comment le bébé apprend à se retourner. Par exemple, couché sur le dos, il a un objet dans la main ; l'objet tombe à côté de sa tête ; alors, pour le voir et le reprendre, il se tourne ; cela n'est pas facile : ce n'est que petit à petit qu'il apprendra à

L'enfant à la découverte du monde

tourner les épaules, le tronc, puis les jambes, pour se retrouver enfin sur le ventre, saisir l'objet et jouer avec lui. Lorsque l'enfant saura bien se retourner, cela va l'amuser de se rouler sur lui-même, dans son lit, sur un tapis ou une couverture.

On peut de temps en temps mettre l'enfant debout et le faire sauter légèrement, les pieds bien à plat, cela l'amuse et il prend conscience d'un certain équilibre vertical, autrement que dans les bras des adultes, cet équilibre vertical qui est une caractéristique si importante de l'homme.

▌ De temps en temps, installez l'enfant dans un parc ou sur un tapis d'éveil : il apprécie un univers plus large, qui ne se limite plus au plafond ou aux mobiles accrochés au-dessus de son lit.

▌ L'enfant commence à reconnaître les particularités de chacun, leur voix, leur odeur, comment les appeler, communiquer avec eux, et petit à petit, à avoir des réactions différentes suivant les personnes : le bébé ne se comporte pas de la même façon avec la nourrice, son frère, ses parents.

Mais s'il sourit aux visages familiers, il n'est pas rare à partir de 7-8 mois de voir le bébé s'inquiéter devant des visages étrangers. Au stade suivant nous verrons que cette angoisse, cette peur devant la disparition de ceux qui l'entourent et le consolent, est une étape nécessaire pour que l'enfant prenne conscience de son individualité et de celle des autres ; c'est un petit pas vers l'autonomie.

▌ L'attitude de l'enfant devant un miroir a toujours été, pour les psychologues, révélatrice des étapes que l'enfant franchit dans sa découverte de lui-même, dans la reconnaissance de sa propre image et de celle des autres.

À 3 mois, lorsqu'on place le bébé devant un miroir, il regarde ce miroir comme n'importe quel objet.

Il a 6 mois. Si vous le tenez dans les bras et que vous vous placez devant un miroir, pour la première fois, le bébé manifeste une certaine surprise, comme s'il soupçonnait quelque rapport entre vous et l'image reflétée par le miroir. Si vous parlez, ses yeux vont du miroir à vos lèvres, sans comprendre encore, et ayant l'air de se demander comment il peut y avoir à la fois un visage de maman ici et un visage de maman là-bas. En revanche, il ne se doute pas encore qu'il y a un rapport entre son visage dans le miroir et lui-même, bien qu'il sourie à l'image qui est en face de lui. Il se reconnaîtra vers 18 mois.

▌ Le langage, appelons-le ainsi bien que ce n'en soit que le tout début, témoigne aussi de progrès très subtils : des progrès qui ne prendront leur valeur et leur force qu'à l'étape suivante, mais ils sont la base des futurs mots : c'est en effet vers 7-8 mois que l'enfant passe des vocalises aux syllabes. Ainsi « m m m mama » deviendra maman ; « p p p » deviendra papa ou pain ; « t t t tata » deviendra attends ou tiens ; « a ba a ba abe » à boire, ou la balle selon le sens que l'adulte va donner aux sons exprimés par l'enfant.

Ne laissez pas passer cette phase des syllabes, répondez-y, donnez-leur un sens, mettez des mots dessus (ceux-là ou les vôtres). La richesse ultérieure du langage de l'enfant en dépend beaucoup.

Attention : si votre bébé se replie sur lui-même, devient passif, triste, trop sage, il se peut qu'il vive un passage difficile. Il est important d'en prendre conscience pour pouvoir l'aider le plus tôt possible. On sait en effet aujourd'hui qu'un bébé peut être déprimé (voir page 374).

Les trois A : Amour, Affection, Attachement

Au fur et à mesure que les semaines passent, le bébé apprécie de plus en plus les joies du plaisir partagé et des découvertes personnelles. On dirait qu'il s'amuse de ces échanges qui chaque jour lui ouvrent un peu plus son champ de vision et ses possibilités d'agir.

En même temps que son entourage répond à ses besoins, il ouvre à l'enfant le monde infini des sentiments, et tout se passe dans la quotidienneté la plus ordinaire : l'enfant a faim, on lui donne à boire. Il est mouillé, on le change. Il pleure, on le prend dans les bras. Il ne trouve pas le sommeil, on le berce. Il esquisse un sourire, on lui sourit. Il vocalise, on l'écoute, on lui répond.

En un mot, c'est de son entourage que lui vient la satisfaction de tous ses besoins, que lui sont donnés tous ses plaisirs, même si on sait que l'enfant a en lui-même des possibilités d'éveil et de consolation remarquables. C'est-à-dire que l'enfant est entouré de personnes qui normalement ne demandent qu'à le satisfaire. De ce va-et-vient de demandes, de réponses, d'échanges naissent des liens affectifs.

L'affection, il y a des années, cela s'appelait tout simplement l'amour. Puis on a préféré un nom plus raisonnable, l'attachement, terme moins sentimental qui convenait mieux à une époque qui avait la pudeur des mots : le vocabulaire a suivi la mode…

Paradoxalement, en même temps qu'on prenait ses distances par rapport aux sentiments en choisissant des mots plus froids, on décrivait avec force détails (attendrissants) la genèse de l'attachement : une caresse légère, un baiser furtif et voilà que sur les lèvres du bébé s'esquissait un sourire.

Au-delà des nuances de vocabulaire remarquons que attachement, amour et affection, ces mots commencent tous trois par un A ; le début, l'alpha est toujours affectif ; c'est le premier besoin de l'enfant ; sans affection il ne peut vraiment vivre. Et cela sera vrai toute la vie. Et, conséquence importante sur la voie de l'autonomie, vers 4-6 mois, l'enfant dont les besoins d'attachement ont été comblés se sent suffisamment en sécurité pour commencer à se détacher, à se séparer.

Les séparations : les préparer et les aménager

Une des séparations les plus courantes à cet âge, c'est la reprise du travail de la mère. Je vous en parle dans les pages qui suivent. Mais cela peut être aussi un changement d'habitudes et l'obligation de laisser pour un temps le bébé à d'autres personnes moins familières : déménagement, vacances, difficultés matérielles, hospitalisation, etc.

Au début, certains enfants ont de la peine à s'habituer à la séparation et c'est bien normal : ils ont moins d'appétit, ils dorment moins bien ; ils peuvent devenir grognons ou coléreux, etc. Chaque bébé réagit aussi selon son tempérament, et selon les conditions de la séparation. Normalement au bout de quelques jours, l'enfant retrouve son appétit, son sommeil et son sourire.

Même si au début la séparation est un peu difficile pour le bébé – et pour les parents – ce n'est pas une raison pour se dire qu'on devrait l'éviter à tout prix ; d'abord c'est rarement possible et ce n'est même pas souhaitable. La séparation a des côtés positifs ; tous les progrès du développement psychomoteur impliquent de se détacher d'un stade antérieur, et se font dans le sens de l'autonomie : pour naître, il faut se séparer du monde intra-utérin, pour marcher, il faut renoncer à se déplacer à quatre pattes. Et la séparation sera peut-être une découverte pour l'enfant. Il s'apercevra avec plaisir qu'il

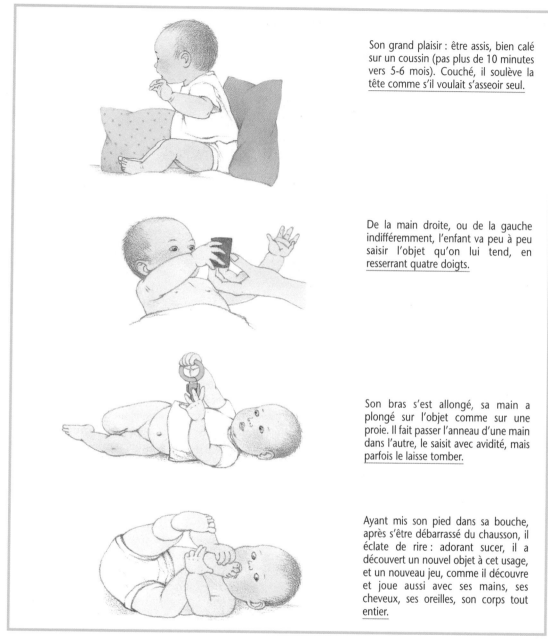

Son grand plaisir : être assis, bien calé sur un coussin (pas plus de 10 minutes vers 5-6 mois). Couché, il soulève la tête comme s'il voulait s'asseoir seul.

De la main droite, ou de la gauche indifféremment, l'enfant va peu à peu saisir l'objet qu'on lui tend, en resserrant quatre doigts.

Son bras s'est allongé, sa main a plongé sur l'objet comme sur une proie. Il fait passer l'anneau d'une main dans l'autre, le saisit avec avidité, mais parfois le laisse tomber.

Ayant mis son pied dans sa bouche, après s'être débarrassé du chausson, il éclate de rire : adorant sucer, il a découvert un nouvel objet à cet usage, et un nouveau jeu, comme il découvre et joue aussi avec ses mains, ses cheveux, ses oreilles, son corps tout entier.

existe par lui-même, et qu'il peut se distraire, jouer, rire, sans la présence de ses parents. Mais quelques précautions doivent être prises pour que ces expériences si enrichissantes pour le bébé ne soient pas perçues par lui comme des événements douloureux.

• Les précautions.

Quelle que soit la raison de la séparation, le point important c'est de prendre son temps pour que les parents et l'enfant s'y habituent. L'enfant a besoin de quelques jours pour connaître, en présence de ses parents, les personnes qui vont s'occuper de lui.

Pour vivre dans un nouveau cadre, il faut qu'il ait avec lui ses jouets, son ours,
les objets qu'il aime. Demandez gentiment à la personne à qui vous confiez votre enfant
de ne pas faire de zèle : « Je vais rendre service à ses parents et en profiter pour le
passer à la cuiller, ou lui supprimer cette affreuse sucette. » Ce n'est pas le moment.

Si pour s'occuper de votre enfant, vous avez le choix entre une personne peu habituée
aux enfants, mais les aimant, et une personne expérimentée, mais sans tendresse,
donnez la préférence à la première. Et il est souhaitable que la même personne s'occupe
de votre enfant pendant toute la durée de votre absence. « Les vrais soins d'un bébé ne
peuvent venir que du cœur. La tête ne peut les donner seule, et ne peut les donner que
si les sentiments sont libres », comme le dit le psychanalyste anglais D.W. Winnicott.

Aménager la séparation, c'est aussi prévenir l'enfant de ce qui va lui arriver, le lui
expliquer avec des mots simples.

Lorsque ses parents reviennent, il arrive que l'enfant ait l'air un peu désorienté.
Certains parents s'étonnent et sont déçus lorsque, par exemple, à un retour de vacances,
ils retrouvent leur enfant chez une grand-mère : celui-ci ne leur fait pas la fête,
et souvent se détourne, comme s'il leur en voulait. Probablement un peu.
L'enfant s'était bien habitué à un autre visage, s'était attaché à ceux qui l'avaient consolé
et stimulé. Les retrouvailles avec ses parents marquent alors une nouvelle séparation :
celle d'avec le milieu qui l'a accueilli. L'enfant peut parfois avoir cette réaction lorsque
ses parents viennent le chercher le soir chez la nourrice ou à la crèche.
C'est compréhensible, il a fait des efforts pour s'habituer à de nouveaux visages,
à un autre environnement. Il a besoin de temps pour y parvenir.

T.B. Brazelton explique les choses un peu différemment : pendant l'absence
de ses parents l'enfant a pris sur lui, et ravalé ses larmes. Les parents de retour, il se sent
en confiance et se laisse alors aller. Léa, 2 ans et demi, passe 8 jours avec ses grands-
parents. Le soir de son retour, elle ne dit rien, il est tard, elle a sommeil, elle se couche
dès son arrivée. Le lendemain, changement de décor et d'atmosphère. Léa mange mal,

tape sa cuillère dans l'assiette de soupe et en envoie partout. À la fin, les parents exaspérés haussent vraiment le ton. Léa éclate en sanglots bruyamment, disant à travers ses larmes : « Ça va ». L'orage était passé, elle avait eu besoin de se décharger de son angoisse d'absence. Mais, quelle que soit la réaction de l'enfant, avec un peu de temps tout rentre dans l'ordre.

D'autres parents constatent que leur bébé n'a plus le même rythme, ni les mêmes habitudes, et sont déroutés ; ou que leur bébé est devenu anxieux, fragile, exigeant, ce qui peut accroître la culpabilité des parents, ou leur agacement, ou leur fatigue.

Une séparation imprévue, comme une hospitalisation, va nécessiter quelques précautions particulières : nous en parlons pages 349 et suivantes.

Il y a aussi les cas de séparation des parents, qui sont malheureusement aujourd'hui de plus en plus précoces. Nous en parlons page 308.

Ce qui précède peut concerner toutes les séparations, qu'elle qu'en soit la cause, mais la séparation la plus courante à cet âge est la reprise du travail par la mère, et les parents se posent de nombreuses questions : à qui confier son enfant, comment va se passer sa journée, etc. Ce sujet est traité page 158 et suivantes au chapitre 3, *La vie d'un enfant*. Mais dans ce chapitre, qui concerne le développement affectif et psychomoteur de l'enfant, nous voudrions insister sur les précautions à prendre pour que cette séparation quotidienne soit bien supportée par l'enfant.

Quelques précautions particulières à propos des modes de garde

Tout d'abord, et c'est une chose que j'ai eu plusieurs fois l'occasion de dire, toute séparation doit être préparée, aménagée : il faut donc habituer l'enfant à être loin de vous ; cela peut prendre plusieurs jours.

▪ Il est important d'établir avec la crèche ou l'assistante maternelle un lien étroit. Pour que l'enfant se sente en sécurité, il a besoin de sentir une continuité. Il y a plusieurs manières de mettre son enfant à la crèche ou chez la nourrice. On peut le déposer, ou le confier. Dans le premier cas, on emmène son enfant le matin, on le reprend le soir, on rencontre éventuellement la puéricultrice ou le médecin, mais on ne cherche pas à savoir comment l'enfant se comporte, qui s'occupe de lui, s'il a fait des progrès, s'il a des difficultés, ce qu'il a mangé.

Le confier, c'est tout autre chose : ce n'est pas abandonner à d'autres son privilège et ses devoirs de parents, c'est partager les responsabilités, c'est aider les puéricultrices ou la nourrice, comme elles vous aident, à rendre l'enfant heureux. C'est questionner sur l'appétit, sur le sommeil de l'enfant, sur ses progrès, ses besoins particuliers ou ses difficultés ; c'est aussi raconter comment votre enfant se comporte à la maison. Ainsi vous entretiendrez l'intérêt de ceux à qui vous avez confié votre enfant, et, pour votre enfant, la crèche ou la nourrice continuera la maison.

De plus en plus souvent, les crèches sont ouvertes aux parents, elles organisent des réunions, et ainsi la continuité est facilitée pour le plus grand bien de l'enfant.

▪ Vous saisirez toutes les occasions pour être avec votre enfant, en sachant que ce n'est pas uniquement la quantité de temps qui compte, mais la qualité. Essayez de vous organiser pour préserver cette qualité.

Par exemple ce bébé revient de la crèche, fatigué, n'ayant qu'une envie : dormir ; ses parents disent : « Nous ne le voyons pas de la journée, il faut en profiter maintenant » ; alors ils le maintiennent éveillé, et le bébé ne veut pas manger, s'énerve, pleure. Les parents, voyant alors que quelque chose ne va pas, observent le bébé et comprennent son rythme ; désormais ils couchent l'enfant quand il revient de la crèche, et c'est le matin, avec un bébé réveillé et en forme, que parents et enfant peuvent profiter les uns des autres, pour le repas, la toilette, le trajet jusqu'à la crèche.

Tel autre enfant au contraire, en revenant de chez la nourrice, est tout content de retrouver ses affaires, et n'a qu'un désir : jouer.

Pour un autre enfant, son grand plaisir sera de rester longtemps dans le bain, ou bien de jouer avec son père et sa mère. L'essentiel est de comprendre et de s'adapter au rythme de l'enfant.

▪ Enfin, essayez d'être là pour les changements importants. Et s'ils ont déjà été faits à la crèche, ou chez la nourrice, profitez de votre présence à la maison pour les confirmer, par exemple la petite cuiller ou la première purée.

Les enfants délaissés, négligés, mal aimés

Avant de terminer ce chapitre où il a été souvent question d'amour et d'attachement, je voudrais parler d'enfants qui n'ont ni l'un ni l'autre.

Une des découvertes fondamentales de la psychologie dans cette période de la vie, c'est que très vite un enfant peut souffrir d'un manque d'amour ; la prévention de ces souffrances est aujourd'hui une des préoccupations majeures des professionnels de l'enfance et des pouvoirs publics, comme en témoignent les circulaires et textes de loi sur l'enfance négligée, maltraitée, délaissée. Et une action préventive est entreprise dès la grossesse lorsque les services sociaux savent que les futurs parents sont en difficulté. La carence affective, la négligence et le délaissement sont, pour l'OMS (Organisation mondiale de la santé), une forme de maltraitance à l'enfant, au même titre que les sévices corporels.

On lit souvent dans les journaux des drames de la carence affective qui se passent ailleurs, souvent dans des pays où la guerre ou la révolution ont laissé tant d'orphelins. On parle moins des situations de carence affective et éducative qui peuvent exister en France. Les enfants vivent chez leurs parents, mais ils en reçoivent des soins insuffisants parce que leur père et leur mère n'ont avec eux, en dehors des contacts indispensables (toilette, biberon), aucun échange affectueux. Laissés trop longtemps seuls dans leur berceau, avec une mère indifférente ou instable, un père qui n'apporte aucune compensation, ou bien confiés à une garde peu maternelle, ou encore ballottés entre diverses personnes, ces enfants font chaque jour l'expérience de la privation affective et éducative, et sont en fait moralement abandonnés. Il leur manque, jour après jour, la sécurité émotionnelle, les stimulations à l'éveil de leur intelligence, et une présence régulière indispensable à la construction de leur personnalité. Ils sont vulnérables dans tous les domaines, et fréquemment en retard dans leur développement.

La résilience est la capacité que toute personne, quel que soit son âge, a de surmonter une difficulté traumatisante. Dès le début de sa vie, jusqu'au dernier jour, le vilain petit canard peut, à tout moment, devenir le beau cygne du conte d'Andersen. Pour désigner cette capacité de résistance, Boris Cyrulnik a adopté le mot résilience, terme qui, à l'origine, qualifiait la résistance aux chocs de certains métaux. Rien n'est jamais joué, à tout moment un enfant, un adulte, peut surmonter une épreuve, par exemple, la maltraitance. Boris Cyrulnik en donne de nombreux exemples, c'est ce qui fait de son ouvrage un livre d'espoir : *Les vilains petits canards*, Ed. Odile Jacob.

C'est pourquoi, dans les crèches, dans les services hospitaliers, dans les consultations de PMI, on est particulièrement vigilant afin de pouvoir aider les parents ayant des difficultés avec un bébé.

Mais il arrive que les parents ne puissent répondre aux besoins de leurs enfants. Dans ces cas, le service de la protection de l'enfance (hôpital, PMI, juge des enfants) organise un accueil de l'enfant dans une famille ou dans une pouponnière.

Le personnel est formé pour répondre aux besoins de tendresse des jeunes enfants et leur procurer les meilleures possibilités d'éveil sans lesquelles ils ne pourraient s'épanouir.

Mais il ne s'agit pas de couper totalement ces enfants de leur famille et de leur histoire. Depuis quelques années on essaie d'*aménager* les séparations pour que les liens entre parents et enfants soient le plus possible préservés : en maintenant les visites, en organisant des retours temporaires mais réguliers à la maison, en soutenant psychologiquement et socialement les parents afin d'essayer de rétablir une vie normale et de maintenir des liens avec l'enfant. Si ce retour n'est pas possible, on en parle à l'enfant pour lui expliquer les raisons de cette impossibilité.

Ces situations particulièrement difficiles nous ont beaucoup appris sur ce qui peut se passer de façon atténuée dans certaines familles : des parents, aux prises avec trop de difficultés, ne répondent pas suffisamment aux besoins de leurs enfants, tout en les aimant.

Si vous rencontriez ce genre de difficultés, même passagèrement, il serait important pour votre enfant, pour vous-même, d'en parler. Confiez-vous à votre médecin, ou à la consultation de PMI.

Sur *l'enfant maltraité*, voyez la fin du chapitre 5.

Pour en savoir plus...

Sur les premières années de la vie de l'enfant, on a beaucoup écrit ces dernières années, mais il y a un nom qui est toujours d'actualité, c'est celui de D.W. Winnicott, pédiatre et psychanalyste anglais. Lors de leur parution (dans les années 1950 et 1960) ses ouvrages étaient révolutionnaires, aujourd'hui ils sont devenus de grands classiques, accessibles à tous et régulièrement réédités. Je vous signale en particulier : *L'Enfant et sa famille* et *L'Enfant et le monde extérieur*, éditions Payot. *L'enfant, la psyché et le corps* : un ouvrage très intéressant qui traite de sujets aussi divers que l'autisme, la famille, l'adoption, les problèmes psychosomatiques, etc.

Sur le travail des parents et les précautions à prendre pour l'enfant, vous pouvez lire de T.B. Brazelton : *À ce soir, comment concilier travail et famille*, éditions Stock et Marabout.

Dans *Enfants en souffrance* (éditions Stock) F. Dolto, B. This et D. Rapoport abordent, avec d'autres auteurs, l'ensemble des problèmes posés actuellement par les enfants de l'Aide sociale à l'enfance. Dans *Blanche-Neige, les 7 nains, et autres maltraitances. La croissance empêchée* (éditions Belin), Danielle Rapoport et le docteur Anne Roubergue traitent de la vulnérabilité de ces enfants en souffrance et dont la croissance et le développement psychologique s'arrêtent. Les auteurs insistent sur le rôle que tout hôpital devrait jouer pour les aider et pour accompagner leurs parents.

Les livres de John Bowlby, psychiatre et psychanalyste anglais : *Attachement et perte, Séparation et colère, Tristesse et dépression*, (éditions P.U.F.) sont des ouvrages de référence qui s'adressent plutôt aux professionnels.

Enfin, sur l'attachement et les premiers liens, les livres indiqués pour la période 1 jour-1 mois et 1-4 mois concernent également la période qui suit, 4-8 mois, et au-delà ; l'attachement se fait progressivement.

De 8 à 12 mois

Penser : du latin pensare…,
fréquentatif de pendere,
suspendre au bout de son bras…
Littré

Cela peut paraître arbitraire de découper la vie d'un enfant en tranches, et de décrire, pour chacune d'elles, les possibilités de l'enfant. Cela ne l'est guère plus que de dire qu'on est raisonnable à 7 ans et majeur à 18 ans.

Bien sûr, les enfants ne parlent pas tous à une date précise ou n'ont pas tous leur première dent au même âge, mais pour apprécier le développement de l'enfant, il est nécessaire d'avoir des points de repère. Ce qu'il faut, c'est ne pas devenir esclave des chiffres, les utiliser comme points de comparaison, et savoir que, passé certaines limites, on sort du normal. En cela les points de repère sont indispensables. Exemple : un enfant de 10 mois n'arrive pas à se tenir assis. Vu son âge, on s'inquiète. Heureusement, car le médecin découvre une faiblesse des os due à un rachitisme. Bien soigné, dans quelques mois il n'y paraîtra plus. Six mois plus tard, tout le développement de l'enfant risquait d'en souffrir. Les limites de ce que l'on peut considérer comme normal, nous vous les indiquerons chemin faisant. Et vous avez pu remarquer, que nous ne parlons pas d'un enfant de 4, 8 ou 12 mois, mais toujours de l'enfant de 4 à 8 mois, de 8 à 12 mois, etc. Ainsi, lorsque nous vous racontons ce qui se passe au cours de ces périodes, cela peut valoir aussi bien pour le début, le milieu ou la fin du stade. Et il peut y avoir de grands décalages selon les enfants : certains parlent à 18 mois, d'autres à 15, d'autres à 24 mois. Ces différences tiennent d'une part à l'hérédité biologique, d'autre part à l'influence de l'environnement. De toute manière les acquisitions sont progressives, elles peuvent prendre quelques mois comme pour la marche, ou quelques années comme pour le langage.

L'objet et moi

Au stade précédent, nous avons parlé des besoins affectifs de l'enfant, ici nous voudrions aborder le développement de l'intelligence.

L'enfant en face d'un objet, ce qu'il en fait au fur et à mesure que les mois passent, cela pourrait illustrer l'histoire de l'intelligence, son éveil, ses progrès. Une histoire si passionnante que nous allons vous la raconter. Elle pourrait s'intituler : « L'objet et moi. »

Et dans ses rapports avec l'objet, l'enfant va exprimer toute la gamme des sentiments connus, de la joie de pouvoir saisir à la tristesse de devoir lâcher, du contentement à réussir un nouveau geste à la colère de ne pas y arriver.

Le premier chapitre de cette histoire nous fait faire un bref retour en arrière.

1er mois : l'enfant ne distingue que les personnes, les objets, ce qui bouge près de lui.

Entre 1 et 4 mois, son plus grand plaisir, c'est de voir, de regarder tout, inlassablement. Vers la fin de ce stade, il commence à s'agiter pour saisir, mais n'y parvient pas.

De 4 à 8 mois : il peut enfin prendre. Dès qu'on approche de lui un objet, il fait tout pour le saisir. Lorsqu'il y est arrivé, il le palpe longuement, ou, le portant à sa bouche, il le suce.

À 8 mois, on peut dire que les sens de l'enfant concourent à lui faire connaître l'objet sous tous ses aspects : ses yeux le renseignent sur sa couleur, ses mains sur sa forme et sa taille, sa bouche sur son goût, son nez sur son odeur. Ainsi, peu à peu, il se familiarise avec les objets qui l'entourent. Il les connaît et les reconnaît. Souvenez-vous : 4-8 mois, c'est la pleine période de reconnaissance des tableaux familiers. Mais à ce stade, et ceci est important, l'objet disparu n'existe plus pour l'enfant. Il ne le cherche pas, pas plus la cuiller tombée par terre que le cube qu'on a caché sous sa serviette.

Passons maintenant au deuxième chapitre de cette histoire de l'intelligence : 8-12 mois est un stade important. C'est vers 8 mois en effet que, pour la première fois, l'enfant cherche la cuiller tombée ou le cube caché.

Qu'est-ce à dire, si ce n'est que la cuiller est devenue un objet dont l'enfant garde une image et le souvenir ; il est donc capable de faire le raisonnement suivant : « J'avais une cuiller ; elle n'est plus là. Elle doit être ailleurs. » Et alors il se penche pour regarder par terre.

Vous pourrez faire avec votre enfant l'expérience que j'ai faite avec Nicolas, 9 mois. Je jouais avec lui, me servant d'une petite balle rouge. Tout à coup, profitant de ce qu'il regardait ailleurs, je cachai la balle sous la couverture. Nicolas, se retournant, ne vit plus la balle, me regarda, l'air stupéfait. Il eut un

moment d'hésitation, puis il se mit à soulever la couverture : un coin, puis l'autre. Arrivé au troisième, il aperçut la balle. Il me la tendit d'un air qui signifiait : « Regarde de quoi je suis capable ! » À côté de moi, son frère traduisit : « Il est malin ! » En termes simples, il avait raison : Nicolas venait de me prouver son intelligence avec sa main.

Avec les personnes, l'enfant fait la même découverte qu'avec les objets. Il sait maintenant que sa mère existe même lorsqu'il ne la voit pas, ce qu'il ignorait hier. C'est pourquoi il pleure lorsqu'elle part. C'est pourquoi aussi il peut maintenant jouer à cache-cache : on peut bien chercher des objets ou des personnes, lorsqu'on a découvert qu'ils continuaient à exister même hors de notre vue. « Coucou ! Le voilà », nous songeons rarement à reconnaître dans ce jeu bien classique une preuve de l'intelligence de l'enfant. « Coucou » est d'ailleurs un jeu universel qui, lorsqu'on réapparaît, fait rire l'enfant ; et s'il rit, c'est qu'il est rassuré de nous revoir.

À cet âge, un enfant a encore bien d'autres manières de montrer l'éveil de son intelligence. Alexandre, 10 mois, a pu attraper la télécommande de la télévision. Il appuie au hasard sur un bouton et regarde si l'appareil s'allume. Il a maintenant fait le lien entre les boutons et la mise en marche, mais il est encore trop petit pour appuyer au bon endroit, et il abandonne vite la télécommande. Son papa comprit alors qu'il ne fallait plus laisser cet objet à sa portée.

Mathilde, 11 mois, découvre avec plaisir qu'elle peut attraper sa jolie brosse à cheveux rose. Elle essaie de se coiffer. Fanny, sa grande sœur, passe dans la pièce. Mathilde l'appelle en vocalisant, mais sans résultat. Très à l'aise, Mathilde cherche sa brosse, la retrouve, montrant ainsi qu'elle ne l'avait pas oubliée : la mémoire est une des facettes de l'intelligence.

Anne, 10 mois, laisse tomber son jouet une fois, cinq fois, dix fois. Autant de fois, patiemment ou non, sa mère ramasse le jouet, mais sans toujours réaliser qu'à chaque fois l'enfant l'a lancé d'une manière différente, et à chaque fois a regardé où le jouet tombait, comme si elle voulait vérifier les lois de la pesanteur.

D'ailleurs, au cours de son développement, l'enfant est tour à tour Newton en découvrant la pesanteur (8-12 mois), Nietzsche (2 ans-2 ans 1/2) lorsqu'il veut affirmer son pouvoir et sa volonté de puissance ; enfin Descartes, vers 3 ans, quand il découvre le Je : « Je pense, donc je suis. »

La main a révélé l'intelligence, elle va maintenant se mettre à son service. Permettant au bébé d'explorer tous les coins, elle sera son organe de renseignements. Cette exploration, ces renseignements apprendront à l'enfant mille choses qui lui seront utiles et de jour en jour développeront son intelligence : entre 12 et 18 mois, son esprit se livrera à un jeu de puzzle, cherchant à assembler les objets qui l'entourent, à établir

entre eux des rapports. Et un jour, l'enfant parviendra par exemple, à mettre le plus petit cube dans le plus grand. Une autre fois, il arrivera à enfiler un anneau sur une tige prête à le recevoir, alors que, jusque-là, il posait l'anneau à côté de la tige. Jean Piaget a appelé cette période, qui va de la naissance à 18 mois, la *période sensori-motrice de l'intelligence* ; car c'est par des activités mettant en jeu la perception des objets que l'enfant résout ces problèmes : emboîter, empiler, etc.

Les semaines passeront, les expériences se compliqueront. C'est à 18 mois que Paul éclaircit un mystère qui le tracasse depuis quelque temps : comment faire sortir de la musique de cette boîte ? Il touche tous les boutons de la radio jusqu'au jour où - *eurêka* ! – il trouve la solution.

À 14 mois, Catherine voit une montre sur un coussin, veut l'atteindre, n'y parvient pas, tire le coussin, remarque qu'ainsi la montre s'approche, tire encore jusqu'à pouvoir la toucher. Elle a obtenu ce qu'elle voulait et découvert le rapport « posé sur ».

Emma, 17 mois, est avec sa maman dans la salle d'attente du pédiatre. Elle réclame à boire (« a ba aba »). Mais, devant tout le monde, sa maman n'ose sortir le biberon de son sac, elle trouve que sa fille est un peu grande. Emma ne peut attraper le sac car sa mère l'a posé sous sa banquette. Elle tire la bandoulière, le sac suit et Emma peut se saisir du biberon qui dépasse. Elle a réinventé le « test de la ficelle », comme Catherine a réussi le « test du support. » (1)

Plus tard, le stade 18-24 mois sera le règne du bébé-touche-à-tout. Comme, à cet âge, l'enfant saura marcher, il n'y aura plus de limites à sa curiosité. À chaque instant, il fera une nouvelle découverte, une nouvelle expérience, et son intelligence accomplira ainsi un nouveau progrès.

À force d'essais, d'échecs, de tâtonnements, de hasards et d'imitations, les gestes de l'enfant deviendront de plus en plus adroits, et il trouvera des solutions aux problèmes qu'il n'avait pu résoudre quelques mois plus tôt. Ainsi, pour attraper la boîte de biscuits placée sur la table, Emma poussera une chaise contre la table. Ce sera l'âge de l'intelligence empirique : c'est en faisant les choses qu'on apprend à les faire.

1. La plupart de ces expériences ont été faites par Jean Piaget ; et ont été depuis reprises par les psychologues lorsqu'ils examinent un enfant.

Avant de terminer ce petit chapitre sur « l'objet et moi », nous aimerions insister sur l'importance des objets dans la construction du moi chez l'enfant, et dire combien la notion d'objet est présente dans l'affectivité. C'est pour cela que les psychanalystes ont parlé de relation d'objet pour désigner le lien fondamental qui s'établit entre l'enfant et sa mère, « objet » de toutes ses attentes émotionnelles. D'ailleurs ne dit-on pas « il est l'objet de toutes ses préoccupations » ?

Nous avons anticipé afin de ne pas interrompre le récit de l'intelligence vue à travers l'enfant et l'objet. Mais ici, il faut nous arrêter. Car, lorsque votre enfant aura deux ans, sa main aura guidé son intelligence déjà bien loin. Elle continuera à la développer mais le langage prendra le devant de la scène. Les mots, peu à peu, ouvriront l'esprit de l'enfant ; une nouvelle étape de l'intelligence commencera. Nous vous donnons rendez-vous à 2 ans. En attendant, revenons à notre petit nourrisson à la fin de sa première année.

Du gazouillis au premier mot

En fait de mots, pour le moment il n'en connaît (en général) qu'un seul, et même pas toujours : ce mot, c'est *papa* ou *maman*. C'est d'ailleurs à peine un mot, plutôt une double syllabe, qu'un jour l'enfant a prononcé par hasard, et auquel l'entourage a donné un sens en le reprenant. Nous avons eu l'occasion d'en parler brièvement au stade précédent.

Nouveau-né, le bébé vagissait, mais les sons n'étaient guère harmonieux. Puis, nourrisson, il gazouilla, il prit plaisir à émettre certains sons que les linguistes appellent des *phonèmes*. Ces phonèmes sont identiques chez tous les bébés du monde quelle que soit leur culture. Cependant, on a remarqué que la façon de moduler ces phonèmes est déjà imprégnée des tonalités de la langue maternelle. Un bébé n'imite pas tout de suite ce qu'il entend, il joue avant tout avec sa voix et les vibrations de son gosier, même s'il ne s'entend pas : ainsi les enfants sourds gazouillent pendant plusieurs mois ; et, alors que les adultes anglais ne prononcent pas les *r* comme nous, leurs bébés disent *a-re* comme les nôtres.

Vers 4 mois, le gazouillis fait place à ce que les spécialistes du langage appellent le préverbiage. L'enfant n'imite pas vraiment, mais des observateurs attentifs ont noté que certaines modulations se rapprochent de ce qu'entend le bébé. Ces exercices vocaux s'enrichissent des syllabes qu'il répète en les rythmant : « ba-ba, da-da… » Il brode à l'infini sur les sons qui plaisent à son oreille. Il essaie les consonnes, dit : « be-be, ba-ba ». Puis, un jour, on l'entend s'exercer à « pa-pa », ou « ma-ma ». Ce jour-là l'émotion de la famille est considérable : les deux syllabes, même mal articulées, plongent les parents dans le ravissement.

Les spécialistes sont là pour dire que c'est pur hasard : que ce pa-pa ou ce ma-ma, n'a pas plus de sens au départ que les da-da, ou les ta-ta. Mais, rapidement, devant l'émotion qu'il provoque, les sourires qu'on lui prodigue, les encouragements qu'il reçoit, l'enfant finit vraiment par établir un lien entre sa maman et les deux syllabes qu'il a prononcées par hasard. Après quoi, il les répète, et c'est naturel puisque, visiblement, elles font tellement plaisir ! En plus, le bébé avait découvert qu'elles étaient très utiles pour appeler, attirer l'attention. Signalons en passant que lorsque l'enfant dit pa-pa plutôt que ma-ma, ou ma-ma plutôt que pa-pa, cela ne traduit pas une préférence, mais simplement une plus grande facilité à prononcer les *p* ou les *m*. Si votre enfant n'est pas passé par cette période où il répétait les syllabes, il serait prudent de consulter un spécialiste (voir au chap. 6 l'article *Surdité*).

Il s'écoulera plusieurs semaines avant que l'enfant ne prononce d'autres mots. Normalement, son vocabulaire à 18 mois n'en comprendra que six à huit. Car, pour parler, il faut pouvoir imiter les sons entendus. Cela, le bébé n'en est pas encore capable. Il ne le sera que vers 1 an, parfois plus tard, mais dans l'intervalle, ce premier mot va prendre de l'importance, grossir comme la grenouille de la fable, et bientôt il aura plusieurs sens ; à lui seul, maman va signifier : « Je veux maman… maman arrive… Je suis content de voir maman… » Un peu plus tard, ce mot pourra même désigner toutes les personnes du sexe féminin, comme papa signifiera tous les hommes.

Ce qu'aime un bébé entre 8 et 12 mois

▪ Il aime que l'on fasse cercle autour de lui. Maintenant il lui faut un public. Confortablement installé dans sa chaise, il participe à la vie de famille, rit aux éclats – et recommence lorsqu'on a apprécié sa gaieté. De la vocalise et du geste, il indique ce qu'il veut, et, lorsqu'on lui propose quelque chose qui ne lui plaît pas, il fait non de la tête ou de la main.

▪ Avec son père, ou un adulte qu'il connaît bien, avec ses frères et sœurs, il aime jouer aux marionnettes, à coucou, à cache-cache, à dire au revoir de la main et bravo ; lorsqu'il est à quatre pattes, il est ravi si l'on court derrière lui en faisant semblant de l'attraper. Ces premiers jeux à deux l'amusent un moment, mais le fatiguent vite.

▪ Il passe la plus grande partie de son temps – très heureux d'ailleurs – à jouer seul, à condition qu'on lui donne de quoi le faire. Il s'amuse à taper sur sa table avec un crayon ou une cuiller, à agiter un objet bruyant ; il adore secouer les clés. À certains moments au contraire, il apprécie particulièrement la compagnie de ses frères et sœurs, ou d'enfants de son âge, et leur manifeste une très grande joie.

▪ Dans son bain, il éclabousse tout autour de lui en battant l'eau vigoureusement des pieds et des mains. À table, il joue avec sa tasse et son assiette, essaie de se servir de sa cuiller, et voudrait manger seul, n'y arrive pas et plonge ses doigts dans le potage.

▪ Il aime mordiller tout ce qu'il peut (fût-ce à l'occasion celui qui le porte). Antonin joue avec les cheveux de sa maman, et comme elle les rejette en arrière, il essaie de lui mordre la joue. « Quel coquin, ça suffit maintenant » lui dit-elle en lui tendant un objet à mordiller. Sa maman a senti qu'il fallait éviter de traiter de méchant un enfant qui mord. C'est un passage fréquent, à cet âge. Un peu plus tard, mordre prendra une autre signification, voir page 219.

▪ À la crèche, chez sa nourrice, il adore explorer le visage des autres bébés qui rampent avec lui sur un tapis ; il touche les cheveux, les mains, la bouche ; mais ses petits amis se défendent bien lorsque l'enfant atteint leurs yeux.

▪ Dans ses déplacements sur les fesses ou sur le ventre, il attrape tout ce qui est à sa portée, et si l'objet qu'il a trouvé l'intrigue, il s'assoit et le manipule longuement.

À la crèche, l'enfant aime se diriger vers les pieds des lits à barreaux, s'y agripper, puis passer sous les lits comme autant de tunnels. Mais s'il est fatigué, ou s'il rencontre un coussin ou une grosse peluche, il ne se prive pas d'un petit temps de repos que respectent ses petits voisins grâce aux adultes qui l'entourent.

▪ Vers 8-10 mois, le bébé tend les mains vers son image dans le miroir, mais s'étonne du contact dur qu'il rencontre ; il croit encore que l'image qu'il voit est celle d'un autre bébé, et cherchant à toucher cet autre, il est surpris de ne pas y arriver, comme il le fait dans ses jeux.

À 1 an, il voit son papa dans le miroir, le regarde attentivement, puis se tourne vers son papa, « le vrai » comme disent les enfants, et dit « papa » aux deux.
Un pas est fait dans l'identification et la permanence des personnes. L'enfant a découvert qu'une même personne pouvait être *devant* et *dans* le miroir.

De lui-même, il n'est pas encore question, mais nous sommes sur la bonne voie.

Au stade suivant, l'enfant saura se reconnaître dans le miroir, et ce ne sera d'ailleurs pas un hasard si à cet âge lorsqu'on l'appellera, il reconnaîtra bien son prénom.

● Ce qu'il n'aime pas

▪ L'enfant n'aime pas ce qui est soudain, ce qui fait du bruit (par exemple les appareils ménagers : aspirateur, moulin à café, mixer, etc.) ; les vibrations d'une perceuse électrique ou d'un marteau-piqueur lui font peur ; elles peuvent aussi être douloureuses pour ses tympans.

▪ Il n'aime pas attendre son repas.

▪ Qu'on change quelque chose à ses habitudes.

▪ Qu'on le laisse avec un étranger : cela va de la simple crainte à la peur panique.

▪ Qu'on le laisse seul en face de son assiette.

Vous savez maintenant ce qu'un enfant a dans la tête entre 8 et 12 mois et ce qu'il aime ou n'aime pas, mais ce n'est pas si simple car l'enfant peut changer de comportement, d'attitude, dans la même journée, vouloir qu'on l'aide et faire tout seul. C'est en effet à partir de cet âge que se manifeste la coexistence de deux tendances en apparence contradictoires, mais conformes à la nature humaine : le désir qu'il y ait du nouveau et le souhait que rien ne change.

Sa peur est un progrès

À cet âge on peut faire une autre observation : lorsqu'il est dans une maison qu'il ne connaît pas, l'enfant est inquiet ; lorsqu'une personne inconnue veut l'embrasser, il se détourne. Depuis les travaux de René Spitz – grand précurseur dans le domaine du développement de l'enfant –, c'est ce qu'on appelle « l'angoisse du 8e mois ». Mais on peut l'observer parfois plus tôt : dès 6-7 mois. Et parfois aussi cette angoisse persiste jusqu'à l'âge où l'enfant marche. Enfin, il peut arriver qu'elle laisse des traces, elle peut expliquer, par exemple, la crainte de certains enfants en face d'une nouvelle institutrice ou la peur de certains adultes devant des inconnus.

Lorsqu'il est angoissé, lorsqu'il a peur de s'endormir, ou lorsqu'il a peur de voir partir sa mère, ou la personne qui a l'habitude de s'occuper de lui, l'enfant serre contre lui son ours qui n'a plus de poils ni de forme, une couche toute mâchonnée, ou simplement un bout de tissu de laine, qui sont devenus en quelques semaines son trésor. Comment ?

Au début l'ours était un simple objet qu'il avait sous la main, et peu à peu il s'est chargé de toute une gamme de sentiments et de sensations : il est à moi, j'en suis devenu propriétaire, il faut qu'on me le laisse, je l'aime, je le défendrai à tout prix, et surtout avec mon ours je ne suis plus seul quand on me quitte. C'est cet objet que D.W. Winnicott a appelé *l'objet transitionnel*, car, dit-il, « il représente la transition du bébé d'un état de fusion avec la mère à un état de relation avec la mère en tant que personne extérieure et séparée ».

« Doudou, ninnin, ptissu, moufoir », entrés dans le petit monde de votre enfant, ne le quitteront pas avant de nombreux mois, parfois même jusqu'à l'entrée à l'école. Même plus âgé, lorsque l'enfant est fatigué, il peut encore rechercher son « doudou ». C'est un besoin de beaucoup d'enfants, jusqu'au jour où ils s'en débarrassent spontanément. Il n'y a vraiment à faire de zèle ni pour le donner ni pour le retirer.

Mais que signifient ces craintes ? D'abord que l'enfant s'est si bien habitué à reconnaître ses « tableaux » (le cadre de sa vie quotidienne, le visage de sa mère, de son père, celui des familiers de la maison, des éducatrices de la crèche) que tout changement le désoriente. Pour cette raison, dans les crèches, on essaie d'éviter les changements de section entre 7 et 10 mois.

Ensuite, cela signifie, non pas que l'enfant régresse, mais au contraire qu'il fait des progrès en distinguant maintenant l'inconnu du connu. S'il tient tant aux rites établis, aux habitudes prises, c'est qu'ils lui apportent le confort du déjà-vu. Le fait que les choses ne se déroulent pas comme d'habitude l'inquiète : pourquoi papa ne vient-il pas me chercher comme tous les soirs ? Pourquoi y a-t-il un nouveau bébé chez la nourrice ? Pourquoi m'a-t-on changé de lit ? Mais il est bien difficile d'éviter tout changement. Ce qu'il faut, c'est parler à l'enfant, lui expliquer ce qui se passe.

Cette peur de l'inconnu, de ce qui n'est pas familier, est bénéfique ; elle est la preuve que l'enfant commence à prendre conscience de lui-même et des autres ; elle montre qu'il fait maintenant la différence entre les personnes familières et non familières, entre les lieux ou les objets qu'il connaît et ceux qu'il ne connaît pas. Cette prise de conscience est fondamentale en ce sens qu'elle fonde les premières différenciations sociales et affectives ; ces différenciations permettront à l'enfant de faire des choix dans ses attirances, et de manifester sa prudence dans d'autres occasions. Face à cette peur nouvelle, l'enfant va construire des mécanismes de défense qui lui seront précieux plus tard : il sera réservé avec les inconnus, acceptera les interdits nécessaires, et comprendra les situations de danger ; plus tard en société, il fera la différence entre la familiarité possible et les limites à respecter. Lorsqu'un enfant de cet âge ne fait pas ces différences (il va avec tout le monde,

Son grand plaisir : jeter les objets par-dessus bord. Quand il saisit, la main n'est pas encore très sûre (parce qu'il n'évalue pas bien la taille des objets), mais l'index acquiert du « doigté » et lui permet de prendre de tout petits objets, même une miette de pain.

Capable de s'asseoir seul, il peut rester assis longtemps. Il sait aussi, sans tomber, se tourner et se pencher pour attraper un objet.

C'est l'âge des premiers déplacements. Pour aller chercher l'objet qu'il convoite, l'enfant tend la main. S'il n'arrive pas à l'attraper, il cherche à s'en rapprocher : il rampe sur le ventre, il arrive à se déplacer assis sur le côté, à reculons, ou même sur le dos. Peu importe la façon d'avancer, l'enfant a un but à atteindre et il y arrive. Petit à petit, il va se déplacer à quatre pattes, il pourra aller partout. Puis il se redressera sur les genoux, s'accrochera aux chaises, aux barreaux de son lit, pour se relever et se mettre debout. Tous ces efforts pour attraper, mieux voir ce qui l'intéresse, et qui n'est pas à sa portée, préparent la marche (celle-ci n'est généralement pas acquise avant un an).

Pour aider l'enfant qui commence à marcher, de temps en temps soutenez-le en mettant vos mains sous les aisselles, l'enfant trouvera ainsi plus facilement son équilibre. Cette position est un peu fatigante pour l'adulte, mais confortable pour l'enfant.

il passe de bras en bras sans aucune inquiétude) il faut être vigilant. Il risque de reproduire plus tard cette attitude en ayant, par exemple, des difficultés à s'attacher de façon stable.

En même temps que cette crainte de l'inconnu, l'enfant a des aspirations vers l'indépendance, c'est dans la nature des choses. Son avenir, c'est de s'éloigner. Résultat, il est sans cesse tiraillé entre le confort du connu et le désir de l'aventure. Les adultes se trouvent souvent dans ce cas, eux aussi. Mais ils peuvent être heureux en choisissant l'une ou l'autre voie. Un bébé, lui, a besoin des deux. Et, pour les concilier, il a besoin de vous.

Ces changements de cadre, d'horaire, de nourriture, l'enfant les accepte s'il se sent en sécurité près de vous, s'il les comprend, en un mot s'ils ont été préparés. Il les refuse s'il est brusquement plongé dans une situation angoissante ; sûr de votre présence, il veut bien s'aventurer seul. À moins que l'enfant ne cherche à s'opposer à vous, ce qui est aussi une manifestation d'indépendance.

« Sûr » : c'est l'un des mots-clés de l'enfance. Lorsqu'il se sent en sécurité, l'enfant est confiant, heureux, entreprenant à tous les âges. Paul rentre de l'école. Il s'assure que sa mère est là, l'embrasse très vite, ôte son blouson, se précipite sur un livre, goûte en lisant, entend à peine les questions qu'elle lui pose sur l'école, y répond distraitement. Mais lorsqu'il l'entend dire : « Je sors », il laisse tout et s'écrie : « Non ! ne sors pas ! Reste avec moi ! » La sécurité affective : c'est tellement capital que nous lui avons consacré un article dans le chapitre 5.

Déjà un an ! Pour vous c'est émouvant de repenser à l'accouchement, à la naissance. Pour votre enfant, pour toute la famille, cette première bougie est une fête. Mais ce n'est pas une étape très significative dans le développement de l'enfant. On voudrait qu'à un an un enfant sache déjà tout faire, en particulier marcher. Patientez, attendez le chapitre suivant, tout va arriver à son heure.

Quelques suggestions

L'enfant de cet âge a autant besoin de mouvement qu'il avait besoin de sommeil pendant les premiers mois. Il reste volontiers dans son parc si vous ne lui donnez pas l'impression de l'y abandonner. Mais, assez vite, il sera heureux d'en sortir. De temps en temps installez-le à côté de son parc, à l'extérieur ; il continuera à utiliser les barreaux pour se lever et pour s'amuser à attraper les jeux à l'intérieur.

Si vous voulez acheter un parc, prenez le modèle le plus simple et le plus classique : en bois, carré, avec des barreaux. Dans un parc rond à filet, l'enfant a de la peine à s'agripper au filet et à se relever ; en outre il a moins d'espace.

Il commence à beaucoup s'agiter dans sa chaise haute : ouvrez l'œil.

Ayez à votre disposition suffisamment d'objets à lui procurer, mais pas trop à la fois : il aime toucher, sucer, manipuler, cacher, à condition que son intérêt soit en éveil. Et un panier débordant de jouets posé au milieu de la chambre ne l'intéressera pas nécessairement.

Pour en savoir plus...

Sur l'objet transitionnel, reportez-vous au livre de D.W. Winnicott, *L'Enfant et sa famille*, Petite Bibliothèque Payot (livre déjà cité page 205).

Dans *Le Journal d'un bébé*, Daniel Stern, pédopsychiatre, fait parler un bébé et nous livre son journal de l'âge de 6 semaines jusqu'à 4 ans. Un livre original, à la fois scientifique et poétique, qui vient d'être réédité (Odile Jacob).

De 12 à 18 mois

Un jour j'arracherai l'ancre
Qui tient mon navire loin des mers.
Henri Michaux

Le grand événement des six mois qui vont maintenant se dérouler, c'est la marche. Elle donne l'impression de s'acquérir d'une minute à l'autre, tant le premier pas que l'enfant fait seul est spectaculaire et chargé d'émotion. Pourtant ce premier pas s'est préparé depuis longtemps, et la façon dont l'enfant va marcher dans les jours qui suivront dépend souvent de la période qui a précédé. Certains vont être « châteaux branlants », se laisser tomber, redémarrer à quatre pattes, se relancer. D'autres vont partir tout de suite, d'un bon pied calme et assuré.

Il faut environ six mois à l'enfant pour passer du « je-m'accroche-aux-barreaux-du-parc-pour-me-redresser » au « je-lâche-la-main-de-papa-pour-marcher-tout-seul ». Six mois avec des hauts et des bas : certains jours l'enfant fait de grands progrès, d'autres il sait à peine se tenir debout. Et le bébé mettra tant d'ardeur à apprendre à marcher, qu'il ne fera guère de progrès dans d'autres domaines, ou qu'ils seront très subtils, en particulier dans le domaine du langage.

À un an, avec le premier mot, le langage avait l'air de démarrer ; entre 12 et 18 mois, il semble stagner. Certains enfants disaient par exemple « ci » – pour merci – et ne le disent plus. Les parents ont l'impression que l'enfant l'a oublié, en fait il s'intéresse à autre chose. À un an, l'enfant dormait très bien ; lorsqu'il se met à marcher, la qualité de son sommeil peut varier. C'est d'ailleurs une notion qui sera valable pendant toute la croissance : lorsqu'un enfant fait un progrès dans un domaine, il ne faut pas s'étonner des pauses qui peuvent se produire dans les autres, et parfois même des régressions.

Lorsque l'enfant saura marcher seul, pendant un certain temps il semblera ne rien apprendre de nouveau. En fait il enregistre tout ; de nouvelles acquisitions se mettent en place qui ressortiront plus tard. Ainsi le stade 2 ans-2 ans et demi marquera un autre bond en avant : l'enfant fera d'énormes progrès de langage.

L'âge de la marche

12-18 mois, c'est donc pour la grande majorité des enfants l'âge de la marche, ce que les spécialistes appellent une « période sensible ». Mais nous ne le répéterons jamais trop, les étapes sont élastiques. Ajoutons que l'âge de la marche n'a pas de rapport avec le développement de l'intelligence, alors que la préhension en avait, ainsi que vous l'avez vu.

Période sensible, c'est une expression due à Maria Montessori (psychiatre et pédagogue italienne) et que vous retrouverez tout au long de l'enfance : c'est l'âge où l'enfant apprend avec le plus de facilité quelque chose de nouveau. Il y a une période sensible pour toutes les acquisitions : marche, langage, couleurs, comme, plus tard, lecture et calcul. Mais c'est particulièrement vrai pour le langage : sans aucun effort, l'enfant apprend sa langue maternelle. Adulte, il lui faudra des années pour apprendre, avec effort, une langue étrangère qu'il parlera d'ailleurs rarement aussi bien que sa langue maternelle.

Et ce que l'expérience enseigne, c'est qu'il ne faut pas laisser passer les périodes sensibles sans encourager l'enfant ; sinon, plus tard, il aura plus de mal à apprendre. Il est donc dommage d'empêcher un enfant d'apprendre, mais il est tout aussi vain de le presser. L'enfant apprend mieux lorsqu'il en a envie.

Ces périodes sensibles sont très riches et on comprend que Myriam David les ait qualifiées de fécondes. Ce sont des périodes pendant lesquelles l'enfant va organiser ses acquis. Par exemple l'enfant avait découvert la permanence des personnes et des objets ; il va maintenant sans cesse « s'exercer » pour les faire apparaître et disparaître. Mais attention, tant que les acquis ne sont pas tout à fait maîtrisés par l'enfant, ils sont fragiles, et au moindre échec l'enfant peut y renoncer et régresser à un stade plus confortable.

Apprendre à marcher veut d'abord dire apprendre l'équilibre, puis savoir avancer ; cela ne va pas sans difficultés. Ne relevez pas votre enfant chaque fois qu'il tombe ; l'effort qu'il fait pour se relever fortifie ses muscles ; en plus il ne tombe pas de haut, et s'il ne se cogne pas, il ne se fait pas mal. Il tombe, il se redresse en s'appuyant sur les mains, il se relève, retombe. C'est un apprentissage, comme tous les autres. Pour apprendre à parler, il va aussi répéter indéfiniment les mêmes syllabes, comme, pour apprendre à saisir, il a passé des semaines à s'exercer. Ce qui aidera votre enfant, c'est que vous compreniez ses efforts sans intervenir à tout propos. Un enfant a besoin de se prouver à lui-même ce dont il est capable, cela lui donne confiance.

La marche va transformer votre enfant. Jusqu'alors, il était complètement dépendant de son entourage, maintenant sans rien demander à personne, il est capable d'aller voir de près ce qui l'intéresse, ce qui l'intrigue, et de faire ainsi chaque jour mille découvertes et expériences. Il devient un personnage remuant, actif, incroyablement occupé, jamais fatigué.

Grâce à la marche votre enfant va vraiment réaliser qu'il peut conquérir l'espace bien au-delà de ce que le « quatre pattes » lui permettait : il se rend compte qu'à son tour il peut atteindre, parce qu'il est debout, ce qui n'était alors accessible qu'aux grands.

Dans la prise de conscience de son corps, la marche est une nouvelle étape importante ; lorsque l'enfant fait des petites chutes, se cogne à un meuble ou se pince dans une porte, cette expérience de la douleur lui fait prendre conscience de ses limites et des dangers : à 18 mois, il fait un détour pour éviter le meuble qui pourrait lui faire mal, ou le radiateur qui est chaud.

Ses mains apprennent à être indépendantes l'une de l'autre, alors qu'au début l'une se contentait d'aider l'autre.

Jambes écartées, torse en avant, bras en balancier, il marche. Les virages sont encore difficiles et les chutes fréquentes. Les escaliers se montent encore à quatre pattes. Dans sa chaise, l'enfant se met debout ; il essaie de grimper sur les autres chaises.

Il sait tourner les pages d'un livre (mais plusieurs à la fois), pointer l'index sur les images. Quand il en a assez, il repousse le livre.

Il peut donner un cube, ne sait pas lancer une balle, sait mettre un petit objet dans un grand, essaie en vain de faire, avec ses cubes, une tour.

Ainsi, ayant fait des expériences se rapportant à son corps, il s'y intéresse maintenant beaucoup : s'il voit sur son bras un petit bouton, il le regarde fréquemment d'où l'effet magique du pansement qui « recolle » les morceaux. Mais si le bouton sèche et que la peau se détache, l'enfant pleure, il a l'impression qu'une partie de lui-même s'en va. Une égratignure, une goutte de sang l'inquiètent également, et il est important que l'entourage, sans aller jusqu'à les ignorer, n'exagère pas l'importance de ces petits incidents.

Quatre mots pour tout dire

Boileau disait : « Ce qui se conçoit bien s'énonce clairement, et les mots pour le dire arrivent aisément. »

Notre petit de 12-18 mois n'est pas de l'avis du poète : il comprend beaucoup, mais il a peu de mots pour le dire. Paul a 15 mois. Il ne sait dire que quatre ou cinq mots ; mais lorsque son père lui demande le mouchoir rouge qui est dans son lit, il se dirige vers le lit, soulève l'oreiller, prend le mouchoir rouge (ne touche pas au jaune) et le rapporte à son père, très à l'aise. Et l'on pourrait citer bien d'autres exemples de ce genre.

L'enfant fait peu de progrès de langage, car, pour le moment, c'est la marche qui mobilise ses forces. Pour se faire comprendre, il se sert des quelques mots qu'il connaît, mais qui sont essentiels car il les charge des sens les plus variés en s'aidant de gestes et de mimiques. Par exemple, quelque chose lui déplaît : il fait la moue et un geste très net de la main pour signifier son refus. En général, un ou deux mois plus tard, il sait dire « pas » puis « veux pas » (1). En valorisant ces quelques mots, en les reprenant, on habitue l'enfant à échanger, à communiquer avec son entourage.

Cela dit, la compréhension est en général, à cet âge, en avance sur l'expression parce que, en présence de leur bébé, les parents commentent ses faits et gestes. Écoutez ce père qui aime bien donner le bain à son bébé : « Viens ma jolie, ton bain est prêt, regarde le poisson et le canard, ils sont déjà là.

1. Dans *Le non et le oui* et *De la naissance à la parole* (P.U.F.), Spitz a été le premier à mettre en valeur la possibilité qu'a l'enfant de dire non, en en faisant même un moment « organisateur » de la personnalité.

On va se laver et après on mettra le beau pyjama bleu… »

Et cette mère à l'heure du déjeuner : « Ne t'impatiente pas, ton déjeuner sera bientôt prêt. Ne bouge pas, je vais chercher la purée. La voilà. Oh, la jolie serviette avec le petit chat ! Regarde le chat. Mange mon bel ange, encore une cuiller… Attends, je vais chercher une pomme… », etc.

Et l'enfant, ravi, écoute ces paroles qui sont pour lui comme une musique qu'il reproduit en chantonnant. Il est vraiment avide d'écouter, non seulement ce que lui disent ses parents, mais aussi ce qui se dit autour de lui. Ainsi peu à peu, son oreille enregistre certains mots ; à force de les entendre, il comprend « chat », « pomme », « purée », « bain », « pyjama ». Puis il reconnaît les objets que ces mots désignent, et, un beau jour, il est capable d'aller tout seul chercher la pomme que sa mère lui a demandée.

L'enfant qui mord. Quelques mots pour s'exprimer ce n'est pas beaucoup et l'enfant peut faire comprendre ses chagrins, ses tensions de bien d'autres façons : petites colères, gestes de rejet, oppositions diverses. L'enfant peut aussi mordre, d'autant que les poussées dentaires l'y incitent un peu naturellement ; mordre prend alors une autre signification qu'à 8-9 mois. Cela peut être un mécanisme de défense de l'enfant, en particulier lorsqu'il est en compagnie d'autres enfants (au jardin, à la crèche, etc.) et qu'il ne s'y sent pas à l'aise.

Mais l'enfant qui mord peut aussi « se décharger » de tensions que des adultes qui l'entourent font peser sur lui. Par exemple : à la crèche, une « Tatie » enlève brusquement un jouet à Guillaume pour l'obliger à se mettre à table en même temps que les autres. Frustré, furieux, l'enfant se tourne vers son voisin et le mord, n'osant pas agresser l'adulte. Isabelle, au jardin public, ne supporte pas que sa mère la freine sans cesse alors qu'à la maison elle a le droit de tout faire ; la petite fille ne comprend pas cette incohérence et se venge en tapant et mordant son petit camarade de jeux.

Cette réorientation d'agression est une attitude que nous, adultes, pouvons bien comprendre car nous la pratiquons sans cesse : par exemple, en restant aimables et soumis avec ceux qui ont de l'autorité sur nous et qui nous ont agressés, et en défoulant tension et inquiétudes en famille, ou dans les embouteillages… par des mots vifs ou des gestes trop brusques. Plutôt que de se fâcher contre l'enfant qui mord, ce qui ne fait qu'augmenter son agressivité, mieux vaut chercher à comprendre la cause de cette attitude pour en atténuer les effets.

Une acquisition très attendue

Comme bien des parents, vous êtes sans doute impatients que votre enfant devienne propre. Mais entre 12 et 18 mois, il est encore trop jeune. Cet apprentissage nécessite un certain développement aussi bien physique que psychologique et même affectif ; c'est pourquoi il ne débute en général que vers 18 mois. Nous en parlerons au prochain stade.

Conseils pour l'apprentissage de la marche

Il existe, pour l'âge où l'enfant commence à marcher, toute une gamme de « trotteurs » qui ont pour but de préparer à la marche. Que peut-on en penser ?

Certains parents trouvent ces trotteurs pratiques, même amusants. Personnellement, nous ne les conseillons pas, ils ne sont pas dangereux, mais ils privent l'enfant du plaisir d'apprendre, et des efforts à faire. Il est important que l'enfant découvre seul différentes positions, un équilibre et passe par des étapes successives avant d'acquérir la marche.

Un bon moyen de faciliter l'apprentissage de la marche est de laisser l'enfant pousser sa poussette au jardin, et une chaise à la maison. Il existe aussi des jouets que l'enfant peut pousser comme les petits chariots. Et lorsque votre enfant apprendra à marcher, tenez-le alternativement d'une main et de l'autre pour assurer son équilibre.

À la crèche, les enfants sont également stimulés : ils ont un matériel varié à leur disposition, petites échelles, petites tables, ils ont envie d'imiter les plus grands qu'ils voient évoluer autour d'eux, mais ils ne sont pas pressés par les éducatrices, elles savent que chacun marchera à son heure.

Ne vous étonnez pas que l'enfant ait le pied plat à cet âge, ceci est normal. Laissez-le marcher pieds nus ou en chaussettes de temps en temps, cela contribuera à fortifier sa voûte plantaire (voir aussi l'article *Pieds plats* au chapitre 6).

Attention ! 12-18 mois : c'est un stade « moteur » pour tous les enfants. Si votre enfant ne marche pas à 18-20 mois, il faut en parler au médecin. Certains parents disent que leur enfant est « paresseux », se laisse vivre. Mais un enfant qui ne marche pas à cet âge n'est pas paresseux. Il est important de trouver la cause de ce retard.

Les plaisirs et les jeux

Vers 1 an-1 an et demi, l'enfant aime les animaux et s'y intéresse : des poules aux vaches en passant par les chiens, les chats, les chevaux, aucun ne lui fait peur.

Il aime jouer avec le sable et l'eau, la pâte à modeler, pas très proprement. D'abord parce qu'il est encore maladroit ; ensuite parce qu'il ne fait pas la distinction entre le sale et le propre : ce sont les adultes qui trouvent que c'est sale.

Toutes les activités de jeux avec l'eau (transvaser, remplir, vider, etc.) sont essentielles à cet âge. L'eau a un rôle calmant pour l'enfant ; jouer avec des entonnoirs, des bouteilles, le détend et mobilise sans effort son attention. Observez votre enfant jouer avec de l'eau, vous verrez qu'il y prend un grand plaisir. L'eau est plus qu'un élément naturel, elle fait partie de nos origines, du premier milieu dans lequel on a vécu ; sa fluidité, son manque de résistance en font un élément rassurant : le plaisir du bain n'est pas seulement celui d'être propre, mais aussi de jouer dans l'eau, de s'y détendre et d'y rester. Et cela durera toute la vie.

Le matériel est simple : l'équivalent de 3 à 4 verres d'eau dans une petite cuvette, des éponges, des entonnoirs, des gobelets, etc. Dans la baignoire : des gobelets ou des petites bouteilles en plastique. L'enfant va indéfiniment les remplir et les vider, il maîtrise ainsi facilement la disparition et la réapparition de l'eau : c'est la permanence des objets dont nous avons parlé au stade 8-12 mois.

Bien que capable d'une étonnante persévérance, par exemple lorsqu'il veut mettre un cube dans l'autre, l'enfant aime changer souvent de jeux ; et s'il en a assez à sa disposition, il peut jouer longtemps. Il aime construire une tour, ça l'amuse aussi de la détruire, d'ailleurs à ce stade il commence à démolir et déchirer.

Attention ! Il commence à escalader les barreaux de son lit ; c'est l'âge « acrobate et déménageur ». C'est aussi le signe qu'il lui faut un « lit de grand », c'est-à-dire un lit sans barreaux ; choisissez-le assez bas et, en vue de chutes éventuelles, mettez par terre un tapis ou une plaque de mousse. Dans les services de pédiatrie, c'est vers 18 mois qu'on change le lit des enfants.

Pour en savoir plus…

– Myriam David est psychiatre d'enfants. Elle a fondé et dirige le Centre familial d'action thérapeutique (75013 Paris) et l'Unité de soins spécialisés pour jeunes enfants (Fondation Rothschild). Entre autres livres, elle a écrit : *L'Enfant de 0 à 2 ans* (éditions Dunod).

Le numéro de mars 2003 de la revue Spirale (éditions Eres) lui est consacré : *En chemin avec Myriam David.*

– T.B. Brazelton a écrit un ouvrage important sur les poussées du développement et les périodes de régression qui les accompagnent ; il les appelle les *Points forts* (qui est le titre du livre) et les considère comme des signes pouvant éclairer les parents, les aider à mieux comprendre le développement de leur enfant (éditions Stock et Livre de Poche).

Le tome 2 de *Points forts, 3 à 6 ans* est paru. Le Dr Brazelton l'a écrit avec le Dr Sparrow. Le tome 2 est divisé en deux parties. La première est chronologique et suit l'évolution entre 3 et 6 ans de quatre enfants très différents. La deuxième partie est thématique, et traite des problèmes pouvant surgir à ces âges. Un des buts de ces deux livres est d'aider les parents à faire la distinction entre les variations normales du comportement et les problèmes qui demandent l'avis d'un spécialiste.

De 18 à 24 mois

> *… Toujours se vautrait par les fanges, se mascarait le nez,*
> *se chaffourait le visage, éculait ses souliers…*
> *patrouillait par tous lieux et buvait en sa pantoufle…*
> *ses mains lavait de potage,*
> *mordait en riant, riait en mordant…*
> Rabelais

Maintenant que l'enfant sait marcher, va-t-il se reposer sur ce progrès tant attendu ? Ce serait mal connaître son extraordinaire vitalité et surtout son intense désir de tout voir, de tout essayer, de tout examiner. Jusqu'alors, il palpait ce qui était à portée de sa main ; maintenant qu'il peut toucher tout ce qu'il voit, il ne va pas se priver de cette nouvelle possibilité. Il va au contraire s'en donner à cœur joie.

À gauche, à droite, en haut, en bas, toucher à tout, quel plaisir ! Rien n'arrête un bébé de cet âge : il grimpe sur les chaises, les canapés, les fauteuils, au risque de tomber dix fois. Il glisse sous les lits pour rattraper sa balle, monte les escaliers, essaie de les redescendre – mais n'y arrive pas toujours. Ouvre les portes, allume les lumières, vide les tiroirs, ouvre un tube de rouge à lèvres, met les cigarettes dans la bouche pour jouer au grand. Il pousse sa chaise vers la commode pour attraper une pomme rouge dans le compotier : le plat tombe, les pommes aussi, le bébé avec. Qu'importe : il se relève. Il tire son petit camion, traîne sa poupée par les cheveux. Mais il peut aussi dévisser la bouteille d'eau de Javel, ouvrir un tube de somnifères, essayer de mettre une épingle à cheveux dans la prise de courant, jeter sa tartine par la fenêtre et essayer de regarder pour voir où elle tombe.

Toute cette activité fait beaucoup de bruit et de désordre, mais cela ne dérange absolument pas l'enfant, il ne les remarque même pas. Il parcourt des kilomètres dans la journée. On a l'impression qu'il ne se fatiguera jamais. Puis, tout à coup, plus un son. Le silence semble alors plus inquiétant que le bruit qui précédait. On se précipite. L'enfant s'est endormi par terre, épuisé.

Un appartement livré à un enfant qui sait bien marcher et qui est un peu turbulent, fait au bout d'un moment penser à un vrai champ de bataille. Les enfants de cet âge ne sont pas tous aussi remuants. Certains sont plus calmes, les filles en particulier, mais c'est quand même l'âge de l'enfant touche-à-tout. Et il ne faut pas se féliciter mais plutôt s'inquiéter d'avoir un enfant de 2 ans exceptionnellement calme, qui reste dans son coin sans toucher à rien (« Lui, on ne l'entend jamais ! »). Le silence n'est pas de cet âge.

On doit d'ailleurs préciser que l'enfant de cet âge n'est pas spécialement destructeur. Lorsqu'il casse un objet, c'est par maladresse. Il le laisse tomber, simplement parce que ses mains ne savent pas encore bien tenir. Mais il est vrai aussi qu'il peut s'énerver et le jeter avec colère.

Le goût de l'aventure et le besoin de sécurité

Que doit-on faire lorsque l'enfant touche à tout et court partout, que ce soit chez vous, chez la nourrice ou à la crèche ? Tout interdire ou tout permettre ? Ni l'un ni l'autre. Dans le premier cas, ce serait contrarier une tendance essentielle de la croissance. Grimper, découvrir, explorer, palper, courir développent sens, muscles et intelligence. L'enfant qui pousse une chaise pour attraper une pomme posée sur la commode prouve par là son intelligence, et en même temps développe ses muscles. Dans une pièce sans objets et sans meubles, l'enfant ne peut rien abîmer, mais son intelligence sommeille, ses muscles aussi. En revanche, tout permettre serait dangereux.

Ce qu'il faut, c'est créer une atmosphère de liberté « aménagée ». À la crèche, c'est facile car tout est conçu en fonction des enfants : jeux et meubles sont adaptés à leur taille et à leurs besoins. Dans un appartement, c'est plus difficile. Pour mettre l'enfant à l'abri des dangers, il faut des barrières aux escaliers et aux fenêtres, des caches aux prises de courant ; les meubles fragiles à l'abri, les bibelots préférés dans les placards, et les produits dangereux hors d'atteinte ; puis laisser l'enfant jouer dans un coin, que celui-ci soit petit ou grand. Et d'ailleurs, on se rend bien compte lorsqu'on va chez quelqu'un qu'il doit y avoir un enfant de cet âge dans la maison : tout est placé hors de portée des enfants, plantes vertes, disques, lampes, livres, bibelots. Attention : les accidents domestiques dont sont victimes les enfants deviennent particulièrement fréquents à partir de 18 mois jusqu'à 4 ans, âge où ils décroissent d'une manière spectaculaire (sur les accidents domestiques, voyez au chapitre 3, « la maison dangereuse », page 136 et suivantes.). Votre enfant maintenant bien installé, et à l'abri des dangers dans toute la mesure du possible, tendez l'oreille pour surveiller ce qui se passe, mais ne venez pas lui dire toutes les deux minutes : « Attention, tu vas te faire mal ! » Il a besoin d'un peu de liberté. Laissez-le partir à l'aventure, cela lui donnera confiance.

L'aventure, à cet âge, c'est de grimper tout seul sur la petite chaise, ouvrir tout seul une boîte. En un mot, il a besoin de savoir que la personne qui s'occupe de lui est à portée de main ou de voix, mais pas toujours dans son dos. D'ailleurs, de temps en temps, il viendra vérifier qu'elle est bien là ; rassuré, il retournera à ses occupations. Puis il appellera pour montrer sa dernière découverte, ou pour avoir une aide en vue de la prochaine.

Depuis quelques mois, et pour longtemps encore, se mêlent chez l'enfant le goût de l'aventure et le besoin de sécurité. Or, la sécurité, c'est vous. Mais souvenez-vous que la curiosité de l'enfant est inlassable, qu'elle l'emporte sur sa peur, que son imagination est débordante, qu'il n'a d'ailleurs pas encore le sens du danger, et que les goûts bizarres et les odeurs désagréables ne le rebutent pas.

Puis, peu à peu, expliquez à votre enfant ce qui est permis, ce qui est défendu, ce qui est dangereux. L'enfant comprend tous les jours davantage, mais ce qu'il a le droit de faire et ce qui lui est interdit, il ne peut le deviner. Comment voulez-vous qu'il sache qu'il est normal d'ouvrir une boîte pour voir ce qu'il y a dedans, mais qu'il est mal d'essayer d'ouvrir un réveil pour voir d'où vient le tic-tac ? Vos explications le lui apprendront ; mais ne lui en demandez pas trop. Si vous voulez vraiment qu'il n'aille pas dans une certaine pièce, rendez cela impossible par un obstacle matériel et expliquez-en à l'enfant le pourquoi. L'enfant apprend vite à respecter le monde des adultes.

Et le jour où il fera une bêtise, ne le grondez pas trop fort ; votre colère l'inquiéterait et lui ferait peur. En grondant souvent un enfant de cet âge, en criant beaucoup, on finit par lui donner le sentiment qu'il est sans cesse coupable. D'ailleurs, à cet âge, les parents appellent souvent bêtises un geste de l'enfant dicté par son intelligence, et qui signifie pour lui une nouvelle découverte. Lorsqu'un enfant déplace un meuble pour chercher la balle qui s'est glissée dessous, ce n'est pas une bêtise, c'est de l'ingéniosité. Et si vous grondez votre enfant, que votre colère ne soit pas proportionnelle à la valeur de l'objet cassé ; un enfant ne fait pas de différence entre une porcelaine de Sèvres et un bol ordinaire.

Certains adultes qualifient automatiquement un enfant de méchant ou de vilain, lorsqu'il touche à tout. Mais c'est sa manière d'apprendre. Les adultes eux-mêmes adorent toucher ce qu'ils voient pour la première fois ; la preuve : dans tous les musées du monde, il y a des écriteaux « Défense de toucher ». Et dans les magasins, voyez comme, pour apprécier un objet, on est tenté de toucher, de retourner, de palper.

Ainsi, bien guidé par ses parents, l'enfant acquiert en six mois une grande aisance. Pour son deuxième anniversaire, il est devenu habile de ses mains, adroit de son corps, il sait bien se faire comprendre, il devient plus sociable. Cela est vrai dans tous les cas. À 2 ans, le peloton s'est reformé, les retards se sont rattrapés. Jusque-là il y avait, à côté du bébé classique (première dent, 6 mois ; premiers pas, 12 mois ; première « phrase », 2 ans), le petit phénomène qui marchait à 9 mois, le plus lent qui n'avait fait ses premiers pas qu'à 18 mois, la petite fille qui ne souriait pas encore à 4, celle qui avait reconnu son entourage à 2 mois, etc. Tous ces enfants étaient normaux : simplement, leur constitution, leur tempérament, leur environnement étant différents, les acquisitions ne s'étaient pas faites au même âge. De la même manière ils n'avaient pas percé leurs dents tous au même moment. Maintenant, la tortue a rejoint le lièvre ; à 2 ans, tous les enfants savent faire la même chose ; une seule différence subsiste, elle concerne le langage : tel enfant connaît vingt mots, tel autre au même âge cinquante, un troisième cent. Ils ont un point commun cependant : le verbe ; ils en usent abondamment.

Le « parler bébé »

Le verbe exprimant l'action, il est normal que l'enfant s'en serve à l'âge où il est si actif. Pour commencer, il l'emploie à l'infinitif et au participe : *Bébé p(r)omener*, *Papa pa(r)ti*, etc. Les personnes, les temps, viendront plus tard. Pour l'instant, la phrase se compose donc essentiellement d'un mot ou de deux, plus le verbe. Exemple : *Papa ouv(r)i(r) tic-tac*. À l'étape précédente, le mot était à lui seul la phrase. A cet âge, l'enfant a parfois du mal à prononcer les « r ». Cela étonne les parents qui se souviennent des « a-reu » que le bébé prononçait si facilement. En fait, pour ces roulades, les a-reu, le bébé utilisait son gosier, ce qui n'est pas le cas pour le son « r ».

Ce « parler bébé » dure jusqu'à un an et demi-deux ans, mais il se prolonge lorsque les parents pensant se faire mieux comprendre parlent eux-mêmes « bébé ». L'enfant dit *poupe* car il ne sait pas dire *soupe*, mais il a très bien compris que la soupe était ce liquide qu'on lui donnait au repas. Peu à peu, à force d'entendre dire soupe, il y arrivera bien, puisque le langage est avant tout affaire d'imitation. Mais si l'adulte imite l'enfant, il ne remplit pas son rôle, et s'il déforme les mots, l'enfant répétera longtemps *poupe*, *sisite*, *lolo*, etc. C'est dommage, car, à cet âge, l'enfant commence à s'intéresser aux noms des objets qui l'entourent. Il est ravi quand il entend des mots nouveaux. Certains même le fascinent. Lorsque à 22 mois Frédérique pleurait, il suffisait de lui dire *saladier*, pour arrêter ses larmes.

Il ne s'agit pas de parler à un enfant comme un dictionnaire, mais de ne pas simplifier tous les mots délibérément sous prétexte qu'un enfant comprend mieux *lolo* que lait, *dada* que cheval. L'enfant n'a pas de préférence.

Mais s'il dit *poupe* parce que le *s* lui est encore difficile à prononcer, ne le reprenez pas, ne le faites pas répéter (vous n'en finiriez pas, sans aucun profit d'ailleurs, avec le risque de décourager l'enfant ou qu'il se mette à bégayer) ; continuez à dire soupe et spontanément un beau jour, il dira *soupe*.

Il tient bien son crayon (indifféremment de la main droite ou de la main gauche), mais le trait qu'il tente de tracer verticalement est encore bien incertain. D'ailleurs, il n'y attache pas de prix, il froisse et déchire le papier avec le même plaisir qu'il a pris à le griffonner.

L'enfant sait tenir sa cuillère et sa timbale mais se salit beaucoup en mangeant. Il mange d'ailleurs avec bruit, et quand il boit, entre deux gorgées, il aspire bruyamment.

Il aime les jouets qui se tirent.
Courir est sa grande joie : il aime qu'on le poursuive, et se heurte beaucoup aux meubles. Il tire, pousse, arrache, frappe, en criant.

Pousser du pied un ballon, marcher à reculons, monter un escalier en tenant la rampe, et le descendre quand on est tenu par la main sont les conquêtes de cet âge.

Plaisir de découvrir, plaisir de transporter : les mains et les jambes sont maintenant assez sûres d'elles pour permettre au jeune explorateur de s'en donner à cœur joie.

À cet âge également, les enfants aiment jouer avec l'eau. Ils ouvrent tous les robinets qu'ils voient (attention aux inondations et aux robinets d'eau chaude) ; ils transvasent sans se lasser un gobelet dans l'autre et font barboter leur canard.

Et puis il y a des mots « affectifs », créés par chaque enfant, ceux-là n'y touchez pas. Nounours, pour Benjamin, ce n'est pas *un* ours (de la famille des plantigrades qui vivent dans les montagnes), c'est le compagnon sans lequel il ne peut pas s'endormir, qui est si doux et qui sent si bon. Chaque famille a ses mots à elle, c'est comme un patrimoine affectif, et on se les répète : « Tu te souviens quand tu disais ma *temise* au lieu de ma chemise ? » Ces mots sont importants, ils créent une connivence attendrie. D'autres enfants, au contraire, éprouvent un plaisir évident à prononcer des sons difficiles. Gaspard, 20 mois, vient dans la cuisine pour le plaisir de dire *machine* ou *chaud* puis va dans le salon et répète fièrement *cheminée*.

Un progrès bien apprécié

Entre 18 mois et 2 ans, l'enfant va atteindre une maturité musculaire et des possibilités de s'exprimer telles, que l'apprentissage de la propreté pourra être commencé : ses muscles sont bien développés, par exemple, il sait maintenant monter et descendre les escaliers. Et pour se « retenir », ou au contraire « pousser » (qu'il s'agisse d'urines ou de selles), il faut des muscles suffisamment développés. On peut comprendre qu'avant l'âge où il marche bien, l'enfant ne soit pas encore capable de contrôler ses sphincters.

Côté langage, c'est pareil : maintenant que l'enfant commence à parler, il saura plus facilement demander lui-même le pot ; et s'il ne parle pas encore bien, il saura s'exprimer par un geste, en tirant sur sa culotte par exemple, ou en se tortillant.

Certes, comme pour toutes les acquisitions, le contrôle volontaire des sphincters prend ses racines dans les stades précédents. Ainsi, chaque fois qu'on l'a changé, l'enfant a pu apprécier le confort d'être propre. De même beaucoup d'enfants, dès qu'ils savent s'asseoir et bien se relever, acceptent de rester quelques minutes assis sur le pot, tout en continuant à avoir des couches le reste de la journée. Et après 18 mois, les besoins sont moins fréquents et donc plus faciles à régulariser.

Alors si ses parents s'y prennent avec souplesse, tout se passera bien : devenu propre, l'enfant partagera la satisfaction de son entourage qui apprécie, à l'évidence, cette nouvelle étape (vous trouverez au chapitre 3, page 167 et suivantes, des suggestions pratiques pour l'apprentissage de la propreté).

L'acquisition de la propreté se fait plus ou moins vite selon les enfants. Comme c'est l'âge où précisément l'enfant s'intéresse à tout ce qui se rapporte à son corps, sans se donner de limites, il peut par exemple explorer ce qu'il a mis dans le pot et son plaisir se heurte à un interdit. Quelque chose semble illogique à l'enfant. On lui demande de faire dans son pot ; lorsqu'il s'exécute on le félicite, mais aussitôt on vide ce pot qu'il est si fier d'avoir rempli.

Résister à l'apprentissage de la propreté est aussi pour l'enfant un moyen de s'opposer à ses parents et de s'affirmer. Antonin a presque 3 ans. C'est un petit garçon facile, heureux de vivre, mais il n'est pas encore propre et la rentrée à l'école approche. Il se rend très bien compte de ce qu'attendent ses parents et il résiste. « Tu me fais vraiment tourner en bourrique » lui dit un jour sa maman alors qu'il vient de se salir juste après être allé sur le pot. Le soir, sa maman l'entend chanter dans son bain : « Tourne-bourrique, tourne-bourrique... » Ses parents sont restés patients et calmes et, au moment de la rentrée, Antonin était propre le jour. « Je suis grand, dit-il à tout le monde, je n'ai plus de couches. »

Mais les choses ne se passent pas toujours ainsi.

Certains parents sont trop pressés. D'autres sont trop sévères et grondent l'enfant qui n'apprend pas assez vite. D'autres, incommodés par l'odeur, manifestent leur dégoût lorsqu'ils vident le pot. Certains parents, au nom du respect de la liberté ou pour « laisser

faire la nature », se refusent à une éducation de la propreté. D'autres parlent avec jovialité de la production attendue. L'enfant trône sur son pot au milieu de la famille ; c'est vraiment à éviter car il est important de faire prendre conscience à l'enfant de la dimension intime de cet apprentissage qui touche aussi à la pudeur. Enfin, si l'enfant est chez une nourrice ou dans une crèche, les attitudes éducatives à ce sujet peuvent être en totale contradiction avec ce qui se passe en famille et l'enfant ne s'y retrouve plus.

Les réactions de l'enfant sont alors diverses. Il peut manifester son refus de faire ce qu'on lui demande de deux manières : soit en salissant ses couches ; soit en se retenant : c'est pire, car il devient constipé et lorsqu'il essaye finalement d'aller à la selle, il a mal ; il se retient encore davantage, la constipation s'installe. Pour la soigner, les parents emploient des suppositoires. La séance du pot devient une affaire de famille : chacun s'en mêle, chacun suggère un nouveau moyen pour obtenir un résultat. Les uns menacent, d'autres humilient, d'autres promettent une récompense. Le but recherché est différent, mais c'est le même scénario qui préside aux repas de l'enfant qui refuse de manger.

L'enfant peut devenir agressif. Il a envie de frapper ceux qui le forcent à quelque chose qu'il n'a pas envie de faire. Une certaine dose d'agressivité est normale ; elle va tomber assez vite, si l'on adopte une attitude compréhensive et souple. Si l'agressivité persiste au-delà de 2 ans, 2 ans et demi, ou si au contraire l'enfant témoigne d'une certaine angoisse, au point par exemple de réclamer sa couche pour évacuer ses selles, cela a une signification affective ; n'hésitez pas à consulter à ce sujet le pédiatre ou un psychologue d'enfants.

Même lorsque l'atmosphère entourant l'apprentissage de la propreté est tendue, l'enfant finira quand même par devenir propre, mais il risque d'avoir enfoui en lui-même sa rancœur. Certains enfants peuvent développer plus tard des réactions de trop grande méticulosité, d'inhibition ou de timidité. Cette étape concerne directement le corps, mais les liens entre le corps et les émotions sont indissociables. C'est pourquoi, dans la construction de notre personnalité, le stade anal a autant d'importance, pour les psychanalystes, que le stade oral des premiers mois.

Enfin, cet acquis apparent peut être fragile et se perdre lors d'une nouvelle difficulté d'adaptation : nouvelle naissance, entrée à l'école, etc.

L'apprentissage de la propreté pose donc certaines fois des problèmes. Mais dans l'ensemble, on peut dire que dans ce domaine la situation s'est beaucoup améliorée. L'information est passée : les parents ont aujourd'hui une attitude plus sereine, plus adaptée à la personnalité et à la maturité de leur enfant. Ils réalisent que l'acquisition de la propreté commencée trop tôt est un dressage qui a toutes les chances d'échouer, alors que si elle est envisagée plus tard comme un apprentissage, elle se fait naturellement.

Les crèches ont également évolué : on ne voit plus ces séances de pots, interminables, et à heures fixes, où tous les enfants étaient assis en rang d'oignon, sans trop savoir pourquoi. Les auxiliaires de puériculture et les assistantes maternelles font un apprentissage progressif et adapté à la maturité de chacun, en collaboration avec la famille.

Ce qu'il aime

▪ Manger seul, taper aussi avec sa cuillère dans la soupe en éclaboussant.

▪ Glisser des objets dans les fentes du parquet, dans le trou de la serrure.

▪ Dire non, par opposition certes, mais aussi par jeu. Pour obtenir ce que l'on veut, à cet âge, on peut parfois distraire son attention. Exemple : il refuse de se déshabiller ? Allez à la fenêtre et dites : « Oh ! la belle voiture bleue, le gros pigeon gris ou le petit chien brun », suivant les cas. L'enfant accourt, regarde par la fenêtre ; pendant ce temps, vous lui ôtez sa chemise…

▪ Pour taquiner, il aime faire le contraire de ce qu'on lui dit. Si vous voulez qu'il vienne, dites-lui : « Au revoir » en faisant mine de partir.

▪ Il continue à aimer imiter les adultes. Romane, 2 ans, trouve l'agenda de sa mère et va le mettre dans la corbeille car elle a souvent vu ses parents y jeter des papiers.

▪ Faire des câlins à sa mère et l'embrasser, sauf quand elle le demande.

▪ Faire le clown pour faire rire ceux qui le regardent. En un mot, il est taquin, câlin, comédien.

▪ Il aime qu'on comprenne vite ce qu'il désire. Ce n'est pas toujours facile, car si ses goûts sont précis, son vocabulaire est encore limité.

Attention !

▪ Il ne faut pas s'inquiéter de la mauvaise articulation, de la prononciation défectueuse de certaines lettres ou syllabes. Avant 4 ans, ce type de difficulté de langage n'est ni significatif ni inquiétant. Lorsque l'enfant ira à l'école maternelle, il va être obligé de se faire comprendre de ses camarades et de l'institutrice. Cela va le stimuler, cela va l'aider à varier son mode d'expression et son vocabulaire. Mais si à 4 ans des difficultés d'articulation, la structuration des phrases et son vocabulaire restaient défectueux, vous pourriez consulter un orthophoniste pour prendre conseil. D'une part l'orthophoniste évitera que l'entourage ne devienne le rééducateur de l'enfant d'une façon qui n'est pas bonne pour lui, et qui risque d'entraîner blocage et bégaiement. Et surtout, l'orthophoniste pourra décider si une rééducation s'impose, ou si on peut attendre un autre bilan quelques mois plus tard pour comparer. À cet âge en effet, si on laisse l'enfant s'exprimer spontanément, il se corrige souvent de lui-même.

▪ À ce stade d'activité motrice très intense, certains enfants sont particulièrement turbulents : il faut veiller au sommeil et à la régularité des horaires. Il faut aussi le protéger des accidents domestiques (voir pages 140 et suivantes).

De 2 ans à 2 ans et demi

Tu découvres tout seul des tas de mots savants
Des mots qui prononcés font du bien à tes lèvres
René Guy Cadou

2 ans-2 ans et demi représente une période de calme, d'équilibre, entre le stade de l'enfant touche-à-tout et remuant et l'étape de l'enfant volontaire et exigeant (2 ans et demi-3 ans) dont nous parlerons plus loin.

Entre 2 ans et 2 ans et demi, l'enfant commence à être plus sociable et plus facile à comprendre car il s'exprime mieux.

En effet, ce qui l'intéresse avant tout maintenant c'est de parler, comme au stade précédent il ne se lassait pas de toucher. Après avoir bien repéré les personnes et les objets, il veut maintenant mettre sur tout une étiquette. Pour connaître le nom des objets, il les désigne de l'index en disant : « Et ça ?… et ça ?…» Et lorsqu'on lui a répondu, il répète la réponse en écho. Puis il pose la même question à une autre personne, pour entendre encore une fois le mot nouveau. Répéter, faire répéter, c'est sa façon d'apprendre.

L'explosion du langage

Tout lui est bon pour enrichir son vocabulaire. Il récite les noms des personnes qu'il connaît, il énumère ses jouets, ceux de ses frères et de ses sœurs : « Toto Bébé… Toto Jé(r)ôme… » désignant les objets qui l'entourent. Il en nomme le propriétaire : « Chaussures maman… Livre papa… » Avec sa logique d'enfant, il n'aime pas voir les objets changer de propriétaire. Nicolas, 2 ans et demi, s'étonne de voir sa grand-mère porter le foulard de sa mère. C'est vraiment le magasinier en train de dresser l'inventaire. Il fait la liste de ce qu'il a mangé, à midi, le soir, hier, tout ce dont il se souvient. Il veut savoir où se trouvent son père, sa sœur, l'ami qui a l'habitude de venir jouer avec lui. Le langage l'aide à s'affirmer. La maman de Mathieu tente de lui ôter des mains un coupe-papier. L'enfant le serre contre lui : « A moi, à moi ». De tout ce qu'il dit se dégage un intense désir de s'orienter dans ce monde, de s'y retrouver, de s'y reconnaître ; et, lorsqu'il est seul, il répète les mots qu'il a appris et commente tout ce qu'il fait. C'est le début d'un long monologue qui durera des années, jusque vers 6-7 ans.

Écoutez Maxime, 2 ans et demi, il fait rouler son auto : « Allez, toto… (l'auto s'arrête). Vilaine toto !… Tiens !…» Il la jette en l'air, l'auto retombe. Maxime la ramasse. « Pauvre toto… pleure pas… » Il l'embrasse : « Dodo toto… » Il la pose sur un rayon, etc.

Passant des heures à parler avec les uns ou les autres, ou à sa poupée, l'enfant fait de grands progrès de langage. Ce ne sont pas seulement des mots nouveaux que l'enfant acquiert, c'est une manière plus aisée de s'exprimer. Peu à peu, il s'éloigne du langage bébé.

D'abord interviennent les liaisons *de*, *pour* ; il les a apprises au cours de ses inlassables interrogatoires et énumérations. Il dit à présent « la poupée *de* Frédérique », « l'auto *de* Paul ». Puis il s'amuse à dire ce qu'il a entendu cent fois « une cuillère *pour* Papa, une *pour* Maman… ».

Un beau jour enfin surgissent les adverbes : *bientôt, maintenant, alors, ensemble, aussi, tout à l'heure*. Ils font une entrée timide, mais très remarquée. Le lendemain, c'est le pronom qui entre en scène. Souvent d'ailleurs il double le sujet : « Corinne, *elle* est sage. »

Ainsi, de jour en jour, le vocabulaire s'enrichit-il ; mais les verbes dominent : on en dénombre jusqu'à quatre-vingt-dix ou cent quelquefois.

Parmi ces mots nous comptons, bien sûr, les mots déformés : ils sont encore nombreux, soit parce que l'enfant ne prononce ni les *f*, ni les *r*, ni les *v*, soit parce qu'il imite mal (parapluie devient *ta'apie*, cornichon et artichaut font un seul légume, le *fornichau*). La phrase naguère esquissée (*Papa veni'auto*) se structure : « *Papa veni' dans l'auto* », « *aussi Maman a un manteau bleu pour deho'*». Les mots, remarquez-le, sont à leur place.

Que de progrès accomplis en six mois ! 2 ans à 2 ans et demi, c'est une étape particulièrement importante pour le langage.

Mais attention ! Ce que nous vous avons souvent dit est valable ici encore : il n'y a pas de domaine où les différences d'un enfant à un autre soient plus grandes que dans celui du langage. Tel enfant connaît soixante-dix mots à 2 ans et trois cents à 2 ans et demi. Tel autre n'en connaît que cinquante à 2 ans et cent à 2 ans et demi. Dans les deux cas, il s'agit d'enfants parfaitement normaux. Et ces différences pourront subsister toute la vie : le vocabulaire de base de l'adulte moyen contient mille cinq cents mots, celui de l'adulte cultivé trois mille, celui de l'érudit cinq mille.

Ces différences viennent d'abord des dispositions individuelles : certains enfants parlent très tôt, comme d'autres marchent plus tôt. Il arrive qu'un enfant en avance pour le langage ne soit pas précoce pour la marche. Dans une même famille, avec la même éducation, c'est particulièrement sensible : la sœur aînée connaissait cinq mots à 1 an, le frère cadet dit deux mots à 1 an et demi.

Sur le langage
Pour ceux qui s'intéressent particulièrement à l'acquisition du langage chez le jeune enfant, signalons le livre de Bénédicte de Boysson-Bardies : *Comment la parole vient aux enfants* (éditions Odile Jacob). Des explications théoriques, des comptes rendus d'expériences scientifiques, des exemples de cas individuels, des comparaisons du français avec d'autres langues, font de cette étude une référence. Lecture parfois un peu difficile mais passionnante.

Sur une image, l'enfant reconnaît la tasse, l'ours ou la balle et les montre triomphalement. Il tourne une à une les pages d'un livre.

S'aidant de ses mains – l'une qui tient le papier, l'autre le crayon – il trace grossièrement un cercle qui ne s'arrête pas, comme un escargot infini. Si l'enfant est gaucher, sa latéralisation commence à s'affirmer et il faut la respecter.

Imitant sa maman, l'enfant donne à manger à son ours ou à sa poupée. D'ailleurs, tous les gestes familiers l'intéressent : tourner un bouton de porte, par exemple, ou imiter les gestes de celui qui conduit une voiture.

L'enfant est capable, en courant, de regarder à droite et à gauche. Il sait lancer une balle avec la main et donner un coup de pied dans le ballon. Pour se lever, quand il est assis par terre, il se penche en avant, pousse de l'arrière-train, puis de la tête. Il aime sauter d'un banc ou d'une marche d'escalier, pourvu qu'on lui donne la main.

Entourage et langage

Mais les dispositions individuelles n'expliquent pas tout. Le rôle de l'entourage est essentiel. Pour qu'un enfant parle normalement, il faut qu'il vive entouré d'affection et de compréhension. Il faut aussi qu'il entende parler et qu'on lui parle, qu'on réponde à ses questions, qu'on encourage ses efforts, le tout sur un ton gentil et sans déformer les mots.

Il est évident qu'un enfant auquel on dit gentiment : « Va te laver les mains, ensuite viens m'aider à mettre le couvert… C'est très bien. Va vite t'asseoir. Je vais t'apporter ta soupe… Attention, tu vas te brûler !… Bravo ! tu manges maintenant comme une grande fille », il est évident que cet enfant fera des progrès de langage beaucoup plus rapides que la petite fille livrée à un adulte indifférent, et qui n'entend tout le jour que des phrases de ce genre : « Mange ta soupe… Fais pipi… Dépêche-toi… Tu n'as pas honte ! Lave-toi les mains, vite !… Hou, la vilaine ! Encore une tache !… Tu as sali ta serviette, tu n'auras pas de dessert ! »

De même dans certaines collectivités, lorsque le personnel n'a pas le temps de s'adresser individuellement à chaque enfant (c'est : « Venez, c'est l'heure de déjeuner » mais pas « Clémence, viens te mettre à table »), les enfants ne font pas de progrès de langage, ils peuvent se replier peu à peu sur eux-mêmes et devenir taciturnes, surtout si à la maison on ne leur parle guère plus. Les psychologues voient parfois dans ces retards du langage dus à un manque d'intérêt de l'entourage, l'origine de difficultés qui se présenteront au moment où l'enfant apprendra à lire et à écrire.

Lorsque vous sentirez que votre enfant a atteint la période sensible du langage, vous lui parlerez souvent et clairement, et vous essaierez de lui répondre avec patience. Ce qui n'est pas toujours facile. Et quand il connaîtra les mots courants, ceux qu'il entend tous les jours, vous élargirez son vocabulaire en employant des mots nouveaux ; ils éveilleront son intelligence.

Il vient un moment où l'intelligence a besoin de mots pour se développer, de même que le corps a besoin de nourriture pour s'épanouir. La comparaison n'est pas exagérée. Vous allez voir comment cela se passe.

La force des mots

L'enfant pose sans cesse des questions, même si elles sont encore formulées d'une manière bien sommaire ; vous l'avez vu, sa curiosité est inlassable. Il a envie de connaître les noms des choses comme il a eu envie de voir celles-ci, puis de les toucher. Cette curiosité est normale, elle manque à l'enfant en retard ou à l'enfant déficient.

Lorsque l'enfant demande : « Et ça ?… C'est quoi ?… T'as vu ? » en désignant un objet, on lui en donne le nom, mais presque toujours en ajoutant une explication : « Ça s'appelle un aspirateur et ça sert à enlever la poussière. » Puis, même si on ne fait pas une démonstration exprès pour lui, l'enfant regarde mettre la prise, presser le bouton, aller d'une pièce à l'autre. Et bientôt « aspirateur » est, pour l'enfant, non seulement un mot nouveau, mais le nom d'un objet blanc ou vert qui fait du bruit, qu'on roule dans l'appartement pour faire le ménage ; pendant qu'il marche, on ouvre la fenêtre, etc. Ainsi, l'enfant augmente son vocabulaire d'un mot, mais sa mémoire enregistre en même temps tout ce qui entoure le mot « aspirateur » : les gestes, les images, les circonstances, etc.

Les questions reviennent, et à chaque fois le même scénario, le même mécanisme se déroule : *curiosité* qui pousse l'enfant à demander : « Et ça ?… C'est quoi ?… » ; *compréhension* qui permet à l'enfant de saisir l'explication donnée ; *mémoire* qui enregistre le mot et tout ce qui l'accompagne : circonstances, décor, etc.

À faire sans cesse cette gymnastique, l'esprit y devient très habile et le mécanisme fonctionne de plus en plus vite, car :
la curiosité grandit : avec l'âge, l'enfant pose de plus en plus de questions ;
la compréhension augmente : plus l'enfant sait de mots, mieux il comprend ce qu'on lui explique ; *la mémoire se perfectionne* : plus elle fonctionne, plus elle se développe, c'est sa caractéristique bien connue.

Ainsi, chaque jour, l'enfant ajoute un mot ou plusieurs à son vocabulaire, et étend le champ de ses connaissances.

Langage et pensée

Avec ce bagage, l'intelligence se développe. L'enfant s'intéresse à des choses de plus en plus difficiles, à des mots bizarres, il s'essaie à des situations inconnues, il les compare à des expériences déjà faites, il tire des conclusions.

Exemple : Maxime veut dormir avec son nouveau jouet. Sa maman refuse. Elle prend le jouet et le pose sur une commode. Maxime ne dit rien ; il attend qu'elle ait quitté la chambre, que sa sœur soit endormie, puis il se lève, prend le jouet, le pose sur son oreiller où sa maman le retrouve le lendemain. Ainsi Maxime a remarqué que, lorsque Maman dit bonsoir, elle ne revient plus, que lorsque sa sœur dort, elle ne l'entend pas bouger. Il en a conclu : « Pour réaliser mon désir, il suffit d'attendre. » Il a trouvé une solution dans sa tête. C'est la grande nouveauté. Avant, il n'avait que ses mains pour l'aider.

D'empirique, l'intelligence est devenue réfléchie. Voyez d'ailleurs comme elle a vite évolué. À 1 an, voyant l'objet sur la commode, l'enfant ne trouvait aucun moyen pour l'atteindre. À 18 mois, il poussait une chaise, montait dessus, prenait l'objet, ou s'emparait d'un bâton pour le faire tomber. Mais lorsqu'on l'en empêchait, il n'avait pas encore l'idée d'attendre pour exécuter son projet. Aujourd'hui il attend la nuit pour se glisser vers l'objet désiré. Ainsi l'enfant ne trouve plus seulement les solutions en tâtonnant, mais en réfléchissant.

Lorsque l'enfant a à sa disposition le langage, son intelligence se développe rapidement. Ce langage va être l'expression privilégiée de ce que Jean Piaget a appelé les nouvelles images mentales, c'est-à-dire la possibilité de se représenter mentalement un objet, une personne, une situation (*L'image mentale chez l'enfant*, Jean Piaget, PUF). Grâce au langage l'enfant va pouvoir organiser ces représentations dans l'espace et dans le temps.

Par exemple, Simon rencontre des difficultés avec son chat qui ne veut pas se laisser faire. Simon prend alors un animal en peluche, lui attribue le nom de son chat et commence avec lui tout un dialogue, en le manipulant à sa guise. Et ce jeu concret, pourtant différé dans le temps (en l'absence du chat) et dans l'espace (cela se passe à un autre endroit dans la maison), l'enfant va pouvoir le faire pour les autres situations de sa vie quotidienne.

Le langage va accélérer les processus de mentalisation et de réflexion. L'enfant va ainsi utiliser des mots qui étaient attachés à une seule situation pour les attribuer à d'autres situations et cela d'une façon très adaptée. Simon ne disait le mot « tombé » que lorsque cela lui arrivait à lui. À 2 ans, si sa maman fait tomber une cuillère, Simon dit : « Tombée la cuillère. Elle est cassée ? Ah non, pas cassée. »

L'élan est donné. L'intelligence maintenant révèle quelques-unes de ses possibilités :
▪ Suite dans les idées, Maxime vient de nous le prouver.
▪ Capacité d'enregistrer deux ordres : Nicolas, 27 mois, comprend : « Va dire bonsoir *et* viens te coucher » ; « Ôte ta serviette *et* sors de table ». Faire une chose, *puis* une autre, c'est avoir déjà le sens de la succession dans le temps.
▪ Association des idées : après son vaccin, Marie a reçu une sucette parce qu'elle n'avait pas pleuré. Deux jours plus tard, elle dit à sa mère : « Encore piqûre, encore sucette. »

À partir du moment où intelligence et langage sont à ce point liés, on ne peut plus parler de l'un sans l'autre. Ils s'aident, ils s'épaulent, ils se développent mutuellement. C'est surtout remarquable maintenant que l'enfant fait des progrès quotidiens de langage.

Pour vous en donner une idée, voici quelques-unes des acquisitions que l'enfant fait en six mois :
▪ La phrase s'affine : l'imparfait apparaît ; la négation aussi, d'une manière parfois inattendue : « Papa pas coucher Raphaël. »
▪ Les précisions affluent : *trop, un peu, assez, autant, plus, moins, beaucoup* (il y a longtemps qu'il dit *encore*, c'est un de ses premiers mots). D'ailleurs, à travers toutes ces phrases qu'il prononce avec un plaisir évident, l'enfant montre que ce qui l'intéresse le plus, ce n'est pas tant le nom des choses que leur raison d'être. Et il demande si souvent *pourquoi*, qu'à son tour, vers 4 ans, il prendra l'habitude d'employer le *parce que*.

À 3 ans, il y aura un « boom » sur les adjectifs : nous vous donnons rendez-vous à cet âge.

À noter que la petite fille est en avance pour la parole sur un petit garçon du même âge. Elle conservera cette avance pendant plusieurs années.

« C'est fou ce qu'il a changé. »

Il n'y a pas d'âge où l'expression soit plus vraie que lorsqu'elle s'applique à cet enfant de 2 ans-2 ans et demi comparé à ce qu'il était six ou neuf mois plus tôt. Pouvoir parler transforme complètement la vie, l'horizon d'un enfant. Grâce au langage, il pénètre dans le monde des adultes. Jusqu'alors, il ne pouvait guère se faire comprendre que de ses parents ou des familiers, seuls habitués à son babillage. Maintenant, avec son vocabulaire plus élaboré, plus compréhensible, l'enfant peut communiquer avec d'autres ; par exemple, dans un magasin, il est capable de répondre ou de questionner.

Demander, exprimer, recevoir, répondre, ces nouvelles possibilités donnent à l'enfant de 2 ans et demi une plus grande confiance en lui-même et une certaine aisance. Il s'en rend compte, et de temps en temps, il va se fâcher si on ne lui répond pas assez vite. Mais n'anticipons pas. En attendant, il est très gai, très content de cette nouvelle marque d'indépendance comme il l'a été lorsqu'il a su marcher. La marche et la parole ont fait de lui un membre de la communauté à part entière.

Quelques suggestions

2 ans et demi, c'est l'âge des jeux parallèles ; chacun s'affaire de son côté avec ses cubes, ses autos, ses poupées, monologuant sans arrêt. Les enfants ne s'ignorent pas pour autant, et, sans jouer ensemble, parfois s'observent, s'imitent : par exemple à la crèche un enfant s'écrit sur la figure avec un feutre ; sidéré son voisin l'observe puis essaie de l'imiter.

Lorsque les enfants de cet âge jouent ensemble, parfois il pleurent, mais ils peuvent quand même être heureux ensemble, surtout si l'adulte, sans intervenir dans leurs activités, évite qu'elles ne dégénèrent ; en effet à cet âge-là les enfants ne comprennent pas encore les règles des jeux. Ne forcez donc pas votre enfant à jouer avec les autres, mais faites-le jouer, s'il le souhaite, parmi les autres. C'est d'ailleurs ce qui est fait dans les crèches, comme le décrit bien le professeur Montagner (dans *L'Enfant acteur de son développement*, voir page 237).

À cet âge, la société que l'enfant recherche, est celle de ses aînés et des adultes, car il peut leur poser des questions. Et c'est cela qu'il aime.

Si le frère ou la sœur s'irrite que le cadet de 2 ans ne puisse pas jouer avec lui à des jeux plus compliqués, avec des règles précises, expliquez-lui : « Ce n'est pas qu'il ne t'aime pas ou ne s'intéresse pas à toi, il est encore trop petit pour des jeux difficiles. »

Il ne veut pas prêter sa voiture ? Ne vous fâchez pas. Il est en train de découvrir ce qui est à lui, ce qui est aux autres. Il est normal qu'il refuse de se séparer de son jouet.

S'il monologue dans son coin tranquillement, ne l'interrompez pas à chaque instant. Il apprend à se concentrer et il exerce son imagination.

Il commence à se déshabiller seul ? Encouragez-le. Il veut aider à faire le ménage ? Donnez-lui une brosse, un chiffon, un balai ; montrez-lui comment s'en servir. Un enfant est fier de pouvoir aider.

Vers 2 ans, il a une période de sensibilité à la musique ; il prête une oreille attentive à un disque. Il commence à chanter. Les progrès qu'accomplit son oreille sont sensibles à la manière dont il imite la phrase de l'adulte. Il chantonne des syllabes privées de sens, mais dont le rythme et l'intonation reproduisent ceux de la langue qu'il entend. Chez un enfant en retard pour la prononciation, cette mélodie est un bon signe : elle prouve que l'enfant est capable d'entendre et d'imiter. C'est la base même du langage.

C'est souvent vers 2 ans-2 ans et demi que s'accentue la différence entre garçon et fille. En effet, c'est l'âge où l'enfant imite, de façon de plus en plus fine et évoluée, les adultes, et s'identifie à celui du même sexe que lui. Par exemple, la petite fille de la mère un peu coquette aime se regarder dans la glace, et elle est sensible aux bijoux, aux chaussures – vers 4 ans, elle s'intéressera aux vêtements qu'elles porte. En général les filles aiment s'occuper de leur poupée : elles les lavent, les couchent, les promènent, les grondent, et cela va durer des années.

Le petit garçon, lui, se tourne plus volontiers vers tout ce qui a un moteur et fait du bruit : avions, camions, tracteurs, bulldozers. Il collectionne les petites voitures. Il fait un train avec trois boîtes ; d'un carton, il fait un garage, une gare, ou un hangar pour avions. Et l'entourage renforce ces choix spontanés en donnant des dînettes aux filles et des Playmobil aux garçons.

Il n'empêche que certains garçons aiment jouer à la poupée (en jouant toujours le rôle du papa), ce qui étonne, voire parfois inquiète les parents. Qu'ils se rassurent. Cela prouve seulement que l'enfant de cet âge a besoin d'un compagnon, ours ou poupée, et qu'il éprouve le besoin de jeux affectifs et tendres. Cela peut montrer aussi qu'il s'identifie à son père si celui-ci s'est occupé de lui quand il était bébé. Et il existe des petites filles qui préfèrent les petites voitures ou les avions aux poupées.

Cette remarque sur la séparation entre jeux de filles et jeux de garçons est valable surtout pour l'enfant élevé chez lui, sauf si les parents n'ont fait aucune différence, comme c'est le cas dans les crèches : là on propose les mêmes jeux à tous, et ce n'est que vers 4 ans que filles et garçons ont chacun leurs préférences.

Comprendre ses nouvelles peurs

À remarquer qu'à cet âge, apparaissent souvent, même chez les enfants les plus intrépides, des craintes nouvelles, des peurs inhabituelles : de la nuit, de l'obscurité, de la pluie, des moteurs, de l'avion, de certains animaux ou même de certaines personnes. On retrouve ici les craintes qui accompagnent toute prise de conscience nouvelle, tout progrès qui fait grandir l'enfant, mais face auxquelles au début, il n'a pas encore de réactions adaptées qui le rassurent. Certes, comme on l'a vu, ses peurs sont un progrès, mais cela ne se manifeste pas tout de suite, l'enfant doit d'abord les surmonter (voir page 212).

L'enfant lutte souvent contre ses peurs et son insécurité en se créant des habitudes, des rites, et même parfois des manies. À table il proteste si l'on change sa timbale de place ou si on lui donne une nouvelle assiette. Mais c'est surtout au moment du coucher qu'il se montre exigeant, qu'il s'agisse de la place des vêtements sur sa chaise, ou de la fermeture de la porte, ou de la manière dont le lit est bordé, ou de la présence d'une lumière dans le couloir, ou bien encore de l'inséparable « doudou » que l'on retrouve chaque soir ; l'enfant veut que chaque soir tout se déroule de la même manière.

Ces habitudes, ces rites, qui sont d'ailleurs propres à chaque enfant, lui permettent de faire la transition entre le rythme et les activités de la journée, et le moment où tout va s'apaiser. Aux parents de respecter ces habitudes du coucher. (D'ailleurs, avant de s'endormir, les adultes ont souvent les mêmes besoins : lire un journal, faire des rangements pour que la chambre soit en ordre, écouter le dernier flash d'information, etc.).

Si l'enfant retarde l'heure du coucher, s'il est long à s'endormir, c'est que la nuit met fin à une journée pleine d'événements et de personnes. Au moment de se coucher, son esprit est assailli par les multiples expériences de la journée. Fatigué, souvent surexcité, c'est comme s'il appréhendait le sommeil qui le laissera brusquement seul, face à ses découvertes qu'il ne parvient ni à mettre en ordre ni à emmagasiner.

Pour certains enfants, cette appréhension se transforme en anxiété lorsque leurs parents les quittent ; à ce moment-là l'enfant réalise que lui va rester seul, et qu'eux vont se retrouver ensemble. Cette idée lui devient insupportable, il se sent exclu.

Pour le rassurer, racontez-lui, chacun à votre tour, une histoire qu'il aime, laissez, s'il le désire, la porte entrouverte, avec une lumière dans le couloir, mais ne le prenez pas dans votre lit pour l'endormir : il faut que peu à peu, et avec votre aide, il accepte de rester seul. Faire dormir seul un enfant, c'est lui faire admettre le couple que forment ses parents, c'est l'aider à franchir un pas important vers son autonomie et lui donner des limites bénéfiques pour son équilibre. C'est le genre de situation où le « Non, c'est comme ça » est une aide pour l'enfant.

Si vous voulez en savoir plus sur l'attitude de l'enfant de cet âge en face d'autres enfants, et sur les comportements sociaux des jeunes enfants en général, vous pouvez lire le livre du Professeur Hubert Montagner, *L'Enfant acteur de son développement* (éditions Stock). En plus, ce livre ouvre la voie à des processus de soins nouveaux, et montre que les enfants en difficulté, ou handicapés, ont des potentialités sociales, affectives et interactives insoupçonnées, dès lors que les espaces dans lesquels ils vivent sont aménagés de façon appropriée.

2 ans et demi à 3 ans

Pourtant, quand je me tâte et que je me rappelle,
Il me semble que je suis moi.
Molière

Un événement important survient à ce stade, qui va changer la vie de votre enfant et donc la vôtre. Il avait d'abord découvert sa mère. Puis il s'était rendu compte qu'à côté, une autre personne jouait un rôle important : son père. Il va maintenant découvrir un troisième personnage : lui-même. Et peu à peu il va se rendre compte de la place qu'il occupe dans la famille. Il ne fait pas cette découverte en un jour : les acquisitions sont toujours progressives. Mais c'est vraiment entre 2 ans et demi et 3 ans qu'un enfant réalise qu'il est une personne au même titre que celles qui l'entourent. Ainsi peut-on dire qu'à 3 ans l'enfant sait qu'il est un garçon ou une fille, que les garçons sont différents des filles, qu'il est votre enfant, qu'il a des cheveux blonds et des yeux bruns (il se reconnaît depuis longtemps déjà dans la glace et il connaît maintenant toutes les couleurs). À cet âge, il a pris conscience de ses possibilités physiques. Il dit : « Je suis grand. » De « A moi », il est passé à « Je ». Il connaît son prénom et le répète. Il sait qu'il est une personne distincte de sa mère, de son père. Deux mots dont il se sert sans arrêt le prouvent : « je » et « non ».

« Je », c'est son rôle, indique la personne : moi qui vous parle, je suis différent de vous qui m'écoutez.

On dit « non » pour s'opposer à quelqu'un.

« Je », « non » marquent définitivement la place que votre enfant occupe dans le monde des adultes, place qu'il entend maintenant agrandir, quitte à vous bousculer.

Il y a trois ans à peine, il était un nouveau-né qui n'avait pas encore conscience d'exister, qui ne se distinguait pas vraiment de vous, qui ignorait que la main qu'il contemplait était la sienne, qui mordait son pied comme si c'était un objet, et lorsqu'il entendait une personne prononcer son prénom, il était à cent lieues de réaliser qu'il s'agissait de lui-même. Il aura fallu près de 3 ans à ce bébé pour se rendre compte qu'il existait, pour prendre conscience de son corps, pour découvrir ce qu'il pouvait en faire, et pour manifester qu'il avait une intelligence capable de raisonner, de se souvenir et de vouloir.

Ces découvertes que l'enfant fait entre un jour et 3 ans, cet apprentissage qui d'un nouveau-né fait un être conscient de ses émotions et de ses pensées, ont donné lieu à d'innombrables travaux, recherches, observations. Les processus étudiés sont délicats à observer, les progrès parfois difficiles à percevoir, d'autant plus que, au début, l'enfant ne parle pas (enfant, du latin *infans*, veut d'ailleurs dire « qui ne parle pas »). En attendant les mots, ce sont dès les premiers jours, un geste, un regard, une mimique, une réaction qui ont permis peu à peu, de savoir le degré de conscience atteint par l'enfant.

Depuis la prise de conscience, vers 8 mois, de la différence qui existe entre lui et les autres, et l'accomplissement de la découverte de lui-même telle qu'elle se manifeste à 3 ans, quel chemin a parcouru l'enfant ! Les jeux de miroirs vont nous donner de précieux renseignements pour savoir comment l'enfant se situe par rapport à autrui et construit son identité ; le langage, et particulièrement l'usage des pronoms, va aussi nous éclairer.

Jeux de miroirs, jeux de mots

Lorsqu'un bébé est en face d'un miroir, on se demande s'il se reconnaît vraiment. La réponse se passe en plusieurs étapes : l'enfant s'interroge, hésite, croit que c'est un autre, et un beau jour il se voit, cela se passe en général vers 18 mois (nous avons raconté pages 199 et 211 les étapes qui jalonnaient cette découverte).

Vers 18 mois, l'enfant découvre donc que ce bébé qu'il voit dans le miroir (et qui l'intrigue depuis longtemps) et lui-même sont un seul et même personnage. Ravi, il commence à faire des grimaces, des mimiques de toutes sortes, devant toutes les glaces de la maison.

Se reconnaître dans un miroir est un grand progrès. La première année, l'enfant n'avait de lui qu'une image fragmentaire, il ne se connaissait pas encore sous toutes les coutures.

À présent, les morceaux du puzzle se sont rapprochés et l'image s'est complétée Mathilde, 2 ans, est le plus souvent en pantalon. Aujourd'hui sa maman a sorti les affaires d'été et lui a mis une robe. Mathilde arrange longuement les plis de sa jupe, la soulève, la rabaisse, se regarde dans le miroir avec une satisfaction visible, telle la Marguerite de Faust (« Je ris de me voir si belle en le miroir »). Ce n'est pas seulement vrai des filles ; les garçons aussi s'examinent devant les miroirs en essayant des mimiques variées. Thomas, 3 ans, est visiblement ravi de son nouveau blue jeans et fait de multiples contorsions pour essayer de se voir de dos dans la glace.

À 3 ans, le miroir n'a plus de mystère pour l'enfant, mais il garde son attrait et le gardera toute notre vie : à tout âge on l'interroge.

Ainsi à 8 ans, à la suite de difficultés scolaires et lors de la naissance d'un petit frère, Florence a manifesté des troubles du comportement, parmi lesquels des vérifications constantes de son image dans le miroir, associées à des commentaires négatifs et destructeurs. Florence doit être suivie par un psychologue de façon approfondie. On découvre alors que ces manifestations ont des racines plus lointaines. Florence est une petite fille qui a été maltraitée par sa maman entre 1 an et demi et 3 ans. Née après

Il réussit à faire une tour de plusieurs cubes et, quand il tient un crayon, ce n'est plus avec le poing serré, mais avec les doigts.

Jusqu'alors, il montait l'escalier en posant sur chaque marche les deux pieds : à présent il alterne. Il sait aussi marcher sur la pointe des pieds, sauter à pieds joints.
Il met ses chaussures seul, mais se trompe souvent de pied.

Pas encore très maître de ses gestes, il s'élance sans être capable de s'arrêter aussi vite qu'il le faudrait, d'où quelques plaies et bosses... et des pleurs. Heureusement une main rassurante est souvent là.

Il monte seul sur le tricycle et sait pédaler tout en se guidant, donc associer plusieurs gestes.

une grossesse très rapprochée de la précédente, alors que sa maman n'avait pas fini ses études et que son père était au service militaire, Florence fatiguait son entourage par un comportement exigeant, insatisfait et parfois dépressif. Et sa maman réagissait par des violences verbales, des cris, mais aussi certaines brutalités qui avaient fait penser à Florence qu'elle était rejetée, qu'on ne l'aimait pas.

Mais l'image de soi n'est pas seulement liée au miroir, elle l'est aussi aux photographies : lorsque l'enfant de 3 ans les regarde, il se reconnaît. Jusqu'à présent, il reconnaissait les autres. Cela rejoint ce que nous avons déjà dit : l'enfant reconnaît les autres avant de se reconnaître lui-même. Ces photos, il les regarde et dit : « C'est moi petit. » Il sait donner son prénom, son nom ; il peut commencer à apprendre son adresse. Il ne dit pas seulement « je », il retrouve le mot « moi » : « Moi, je suis une grande. »

Mais parfois, le « je » semble long à venir. Cela arrive lorsque les adultes s'adressant à l'enfant parlent d'eux-mêmes à la troisième personne, en disant par exemple : « Papa fait ceci, ou cela » ; l'adulte parle ainsi croyant mieux se faire comprendre, et il est normal que l'enfant l'imite.

« Nous », l'enfant ne le dit que vers 3 ans et demi-4 ans : alors, il fait vraiment son entrée dans la société. En disant « nous », il s'assimile aux autres.

Remarquons en passant la manière bien personnelle dont un enfant apprend à conjuguer les verbes. Il commence par la troisième personne, ensuite il emploie la seconde, il termine par la première, d'abord au singulier, ensuite au pluriel. Cet ordre montre bien les étapes parcourues par l'enfant à la découverte des autres et de lui-même :
▪ dans un premier stade, il emploie la troisième personne pour parler de sa mère aussi bien que de lui-même. Cette troisième personne englobe donc tout le monde, indistinctement ;
▪ deuxième stade : « toi » (l'enfant dit rarement « tu » avant 3 ans) c'est maman et papa, en un mot tous ceux qui ne sont pas lui. « Viens, papa, regarde. » Et le bébé parle encore de lui à la troisième personne, comme s'il s'agissait aussi de quelqu'un d'autre ;
▪ troisième stade : « je », c'est moi, bébé. « Moi, j'ai un beau manteau » ;
▪ dernier stade : « nous ». L'enfant prononce fièrement « nous ». C'est une promotion. Il a l'air de dire : « Vous et moi avons maintenant laissé loin derrière nous tous ces bébés qui ne savent pas qui ils sont. »

La découverte du « je », la prise de conscience de soi, s'acquiert donc peu à peu comme la marche ou le langage, et, comme eux, peut être précoce ou tardive. Par exemple, elle est plus tardive chez les jumeaux : parce que ce double de leur personne empêche chacun d'eux de se découvrir distinct des autres. Ils sont déjà deux à être pareils ; pourquoi pas tous ? Cette prise de conscience dépend aussi de l'ambiance dans laquelle est élevé l'enfant : ce qui lui est nécessaire, c'est un milieu stable, stimulant, affectueux.

Stable, car si les personnes, le cadre, les choses changent sans cesse, l'enfant n'a plus de repères ; il n'arrive pas à s'y reconnaître et à se connaître.

Stimulant, car l'enfant prend peu à peu conscience de lui grâce aux expériences qu'il fait sur les objets, grâce à la marche, grâce au langage s'il a en face de lui un interlocuteur patient, intéressant et intéressé.

Enfin, ces passages délicats (sevrage, propreté, etc.), ces petites périodes de crise ne seront bien franchies que si l'enfant se sent aimé. C'est le regard affectueux, admiratif de l'autre qui va aider l'enfant à se construire une bonne image et à avoir confiance en lui. Les enfants mal aimés disent « je » beaucoup plus tard que les autres : ils continuent longtemps à parler d'eux à la troisième personne.

« Aide-moi à faire tout seul »

On pourrait croire que cette découverte de lui-même va donner à l'enfant une certaine sagesse. Il n'en est rien. Au contraire. Il n'est pas du tout « raisonnable ». C'est à cet âge qu'il offre le tableau classique de l'enfant rouge de colère qui refuse de faire un pas de plus, et qu'un père horriblement gêné tire par la main. Il refuse de manger, de se coucher, il ne sait plus dire oui, il dit non à tout : « Veux-tu jouer ?… sortir ?… prendre un bain ?… » C'est toujours : « Non !… Non !… » Mais le cri qui suit explique tout : « Moi tout seul ! Moi tout seul ! »

Il dit non parce qu'il voudrait pouvoir décider lui-même de ce qu'il va faire, le faire sans aide, par exemple décider que c'est l'heure du bain et se déshabiller seul. Or, il ne peut pas encore y arriver, on doit l'aider. Il en pleure, et c'est la scène classique. C'est cela son drame. Il a découvert qu'il était quelqu'un. Cela lui donne des goûts d'indépendance. Or, il a encore grand besoin des adultes.

« Aide-moi à faire tout seul ». C'est ce que disait un enfant de 3 ans à Maria Montessori. Et cette phrase a été donnée comme titre à un film fait par Jeanine Lévy et Danielle Rapoport (Service du film de recherche scientifique).

Ce n'est pas la première fois que l'enfant est tiraillé entre ces deux désirs : partir et rester. « C'est dommage que je pars, mais c'est bien que je m'en vais », disait un enfant de 4 ans, au moment de s'en aller. Adrien, 4 ans également, ne veut pas sortir de son bain. « Je veux trop bien rester », puis il ajoute « mais Virginie va tout boire mon coca ».

L'enfant avait déjà souffert de cette contradiction auparavant. Mais cette fois-ci la crise est plus sérieuse. Il en sortira grandi avec votre aide et au prix de beaucoup d'efforts, d'échecs et de larmes. Mais ne croyez pas qu'il va pleurer pendant des mois. De même qu'il est tiraillé entre deux tendances contradictoires, de même il est capable d'être tour à tour odieux et charmant. Il peut vous tyranniser, donner des coups, des vrais ; un moment après, sans transition, être tendre et câlin.

Versatile dans ses sentiments, il l'est aussi dans ses occupations. Il joue avec un jouet dix minutes, puis le jette. Il est un instant calme dans son coin, puis fait beaucoup de bruit, exprès. Certains jours, il fait une longue sieste, d'autres jours il s'assoupit dix minutes. Un jour, il dévore ; le lendemain, il fait la petite bouche. D'ailleurs, d'une manière générale, il ne veut plus d'une nourriture de bébé (purée, viande hachée, yaourt, compote) ; il veut aussi les plats des grands : steak-pommes frites et lorsqu'on lui donne des rillettes, il dit : « C'est délicieux ! » De même, pour les vêtements, il ne veut plus voir le pull-over qu'il a mis toute l'année. En tout, on dirait qu'il veut faire peau neuve ; c'est comme une première puberté. Un jour, il mouille son lit et parle comme un bébé, le lendemain il dit sans erreur une phrase de six mots.

Selon les enfants, la crise dure quelques jours, quelques semaines ou quelques mois. Parfois, elle se limite à deux ou trois scènes mémorables. Mais dans tous les cas, la crise, qu'elle soit courte ou longue, pose à l'entourage des problèmes. On dirait d'ailleurs que l'enfant sent que les rapports entre les adultes et lui-même ont changé. Il essaie de les attirer dans ces redoutables pièges que sont les épreuves de force. Il tâte le terrain pour savoir si les « non » sont des « non non », des « non peut-être », ou des « non » qui ne demandent qu'à se transformer en « oui ». Il cherche à connaître leurs points faibles pour savoir « jusqu'où il peut aller trop loin », à faire l'inventaire de ce qui est défendu et impossible, de ce qui est permis et possible. Il est d'ailleurs stupéfiant de voir avec quelle rapidité un enfant sait qu'il faut pleurer cinq minutes avec grand-mère, dix minutes avec la nourrice, quinze avec maman, pour obtenir un bonbon alors qu'avec papa ça ne vaut même pas la peine de commencer ! Comment réagir ?

▪ Ne vous laissez pas tyranniser si votre enfant demande quelque chose d'impossible. Dites non fermement. Si vous accordiez tout, il perdrait vite pied. Un enfant a besoin qu'on lui donne des limites, nous en reparlerons dans le chapitre suivant.

▪ En revanche, si au jardin il veut circuler librement et courir tout seul, assurez-vous seulement qu'il reste dans les limites de la sécurité.

▪ Il veut se servir tout seul ? Montrez-lui comment faire. Il veut lacer ses chaussures ? Laissez-le prendre son temps. Il essaiera, vous l'aiderez peut-être pour finir. Mais si vous faites tout pour lui, sous prétexte qu'il ne sait pas, il n'apprendra jamais, et vous le dégoûterez de l'effort.

« Regarde, Babeu, j'ai réussi. » Rien ne fait plus plaisir à Clémence, 3 ans, que de montrer qu'elle est arrivée à remboîter toutes ses poupées russes. Les enfants de cet âge, et même plus grands, sont heureux d'arriver à faire les choses tout seuls, alors que les adultes sont souvent un peu trop pressés et veulent faire les choses à leur place.

▪ Il dit toujours non : n'en faites pas un drame. Il ne le fait pas pour désobéir ou contrarier. Il a en tête bien d'autres soucis. Il veut prouver qu'il existe, qu'il a ses goûts, ses idées, qu'il est capable de décider lui-même. Vous lui avez d'ailleurs si souvent dit non vous-même depuis qu'il marche, touche à tout et trotte, qu'il est bien en droit de considérer que dire non est un des privilèges des adultes. Il se croit grand, il veut dire non à son tour.

Pour éviter l'épreuve de force, il suffit parfois de détourner l'attention, de distraire, de raconter une histoire, mais il faut choisir avant les pleurs ou la colère, sinon l'enfant n'entend plus rien.

– Nicolas, viens te laver les mains.

– Non.

– Eh bien ! nous allons d'abord laver les mains de ton ours. Tu n'as jamais vu un ours se laver les mains ? Regarde… ! etc.

Variante (il y en a dix autres possibles) :

– Quand tu étais petit, tu ne voulais pas te laver les mains. Alors je faisais comme ça…

Nicolas, fier d'être traité en grand, tendait les mains sans s'en rendre compte. A partir de cet âge, on peut commencer à donner de petites explications : quand on a joué au square, on se lave les mains pour ôter les saletés qu'on risque de porter à sa bouche ou de déposer sur des aliments.

Et si un jour l'enfant fait un gros caprice, ne le grondez pas trop, il traverse une crise. Il y a bien des fièvres de croissance. En ce moment, tous les soirs, votre enfant a – au moral – 38°. Si vous restez tendres mais fermes, il sera plus vite « guéri ».

Pour conclure, montrez à votre enfant que vous ne le considérez plus comme un bébé. Laissez-le jouer avec des objets de grands : un ancien porte-monnaie avec des pièces, un stylo bille, etc. Si vous partez en voyage, envoyez-lui des cartes postales. Il ne sait pas lire, mais il regardera l'image, et l'idée que le facteur est venu aussi pour lui le ravira.

C'était un bébé. Il est en passe de devenir un petit compagnon, une petite compagne. Mais pour l'aider, évoluez en même temps que lui, il a besoin de moins de protection, de plus d'indépendance. Comme le dit Arnold Gesell : « Trois ans est une sorte de majorité. »

● Pour en savoir plus…

Sur les rapports entre l'enfant et le miroir, je vous conseille le livre de Françoise Dolto et J.D. Nasio, *L'Enfant du miroir* (éditions Payot), et aussi *L'Image inconsciente du corps*, de Françoise Dolto (éditions du Seuil), déjà cité.

3 ans et après 3 ans

*Il lui demandait la cause de toutes choses,
et toujours savoir le pourquoi.*
Amyot

Les étapes précédentes avaient apporté les émotions du sourire et du cœur, les plaisirs de la découverte du monde, les progrès du langage. 3 ans est l'âge de l'imagination, une imagination tout de suite exigeante, tyrannique même. Pour l'alimenter, l'enfant réclame des histoires ; il lui en faut souvent, et beaucoup. Parfois il est satisfait de toutes celles qu'on lui raconte ; d'autres fois, il a des goûts très précis. Nicolas fournissait les thèmes principaux. Il disait : « Raconte-moi l'histoire d'un lion, d'un crocodile et d'un singe », ou celle « d'un petit lapin bleu perdu dans la forêt ». Paul était plus sensible à l'ambiance. Il voulait « des histoires tristes mais vraies », ou des histoires qui faisaient peur. Hélène voulait que chaque soir sa grand-mère raconte *La Belle au bois dormant*. Le héros de Clémence était le petit chien Spot ; celui de Pauline Boucle d'Or et ses trois ours. Quant à Grégory, son histoire préférée, c'était : *Choura et la baronne Oczy* (de Patrick Modiano).

Les belles histoires

Le meilleur moment pour raconter des histoires, c'est en général le soir. Papa, ou maman, s'assied près du lit, nous prend la main, nous parle d'une voix douce. Eux, si occupés dans la journée, ont enfin l'air disponible. Et on peut vraiment dire que les histoires sont le meilleur moyen de donner envie à un enfant de se coucher.

L'art d'un enfant pour retenir sa mère, son père ou une sœur aînée est stupéfiant. Pour les garder, il met tout en jeu, astuce, charme, intelligence, flatterie. Il commence par manier avec habileté le « Et alors ?… » pour montrer l'intérêt prodigieux qu'il porte à vos paroles et faire rebondir l'action. Puis, d'un air pénétré, lorsque celle-ci a l'air de faiblir, il demande des détails, des précisions : « Où ? Quand ? Comment ? »

(son vocabulaire a fait de grands progrès ; il en est aux circonstances). Pour finir, lorsque décidément vous avez l'air de vouloir partir, il ne reste qu'un moyen brutal, demander une autre histoire : « Une seule, la dernière, je te le promets, je te le jure ! »

À partir du moment où l'enfant s'intéresse aux histoires, « Il y avait » ou « Il était une fois » deviennent des formules magiques.

« Il y avait dans la rue une dame verte qui promenait un chien noir… »

« Il y avait un chat qui courait derrière un pigeon… »

« Il était une fois une petite fille qui partait dans la forêt… »

Pour sortir des histoires connues, à vous d'en inventer : toutes les personnes, toutes les situations peuvent donner lieu à des histoires. À vous de trouver la suite et la fin. Ce n'est pas difficile. L'enfant est un public charmant qui écoute bouche bée. Il est prêt à tout croire, à tout apprécier, à tout accepter, pourvu que l'histoire qu'il entend vienne meubler son imagination, et pourvu qu'on respecte les règles.

• Si vous aimez raconter, sachez que, comme au cinéma à la dernière image, le méchant doit avoir payé. D'ailleurs, l'enfant demande souvent des personnages dont on lui parle, ou qu'il voit sur des images : « Est-il gentil ? Est-il méchant ? »

Lorsqu'à un même personnage il arrive de nombreuses aventures, l'enfant aime que le personnage garde les mêmes qualités, les mêmes défauts. Tintin ne peut pas être courageux un jour, peureux le lendemain.

L'action doit être rapide : si trop d'explications sont nécessaires, c'est que l'histoire n'est pas bonne. Il faut qu'on comprenne, et que « ça bouge ». Mais un peu de mystère est indispensable ; l'attention doit être en suspens : « Tout à coup, on frappe à la porte… »

Un personnage un peu ridicule, intervenant épisodiquement, est un élément de détente qui n'est pas à négliger.

On peut employer des mots clés et des phrases qui reviennent périodiquement dans la bouche d'un même personnage.

L'enfant à la découverte du monde

Éléments qui plaisent : ce qui roule, ce qui vole, la route, le train ; les gros animaux qui font peur : crocodiles, hippopotames, lions, etc. ; les petits animaux gentils, les héros légendaires.

Les enfants aiment que dans les histoires un enfant, ou au moins un faible, soit vainqueur du méchant costaud (David et Goliath sont transposables à l'infini), ou encore qu'un enfant sauve la situation. Le danger couru par un innocent, les difficultés surmontées par le courageux sont des éléments éternels de toute histoire.

L'enfant aime écouter des histoires, il aime aussi les inventer. Les personnages sont tout trouvés. Il y a l'ours, la poupée. L'enfant les habille, les lave, les nourrit, les couche, leur raconte… des histoires, les punit.

L'enfant ne parle d'ailleurs pas qu'à son ours ou à son cheval, il s'adresse aussi bien aux objets qui l'entourent. Il se heurte à la table : « Méchante table ! M'as fait mal ! Vais te punir ! » Car, pour l'enfant, tous les objets vivent, les cailloux comme les arbres ou les nuages.

Ils parlent du « papa des étoiles », du « lit du soleil » ; c'est d'ailleurs normal puisqu'on leur dit que le soleil se couche.

Écoutez cet enfant de 3 ans : il est petit pour son âge et il l'entend souvent dire. Un jour il se promène sur le chemin, au soleil. Apercevant soudain son ombre, qui le dépasse, il s'écrie, triomphant : « Mais alors, le chemin, lui, il me croit grand ! »

Un autre personnage tout trouvé pour être le héros des histoires les plus variées, c'est lui-même. L'enfant raconte les aventures qui lui sont arrivées, soit qu'il les invente de toutes pièces : « J'ai tué le loup avec mon pistolet », et donne les détails ; soit que ses aventures, il les vive vraiment, il les mime, alors il devient acteur.

L'enfant est souvent un acteur-né, cela commence à cet âge mais cela va durer longtemps. Plus tard nous encouragerons son goût de se mettre dans la peau d'un autre en lui offrant des panoplies, cow-boy, ou princesse. Il sera alors tour à tour, et « en vrai », cosmonaute, pilote de voiture de course ; elle sera infirmière, danseuse…

Et quand il sera avec des petits amis, l'enfant se mettra à distribuer des rôles :
« On dirait que je serais le chef, toi l'ennemi. Je serais la maman, tu serais le bébé… » Pour lui, l'enfant essaiera toujours de se réserver le beau rôle.

● **Le compagnon imaginaire.**

Lorsque ni les jouets, ni les objets, ni ses propres aventures ne suffisent à peupler son imagination, l'enfant s'invente un compagnon à qui il parle beaucoup. Le compagnon imaginaire est soit le vilain qui fait toutes vos sottises, qui a cassé l'assiette, mis ses doigts dans la confiture et désobéi à papa, soit l'ami fidèle qui partage votre vie, sort avec vous, s'amuse avec vous.

Delphine avait inventé Madeleine et Jacques. Ces deux personnages l'accompagnaient tout le temps. Lorsqu'elle prenait le bus, elle exigeait qu'on leur laisse une place, et hurlait si quelqu'un cherchait à s'asseoir. Quand elle n'avait pas envie d'aller se coucher, elle disait que Madeleine n'avait pas sommeil. Et quand elle n'avait pas faim, c'était parce que Jacques avait trop goûté.

Certains parents croient que le compagnon imaginaire est inquiétant. Non, lorsqu'il reste cet ami, ce camarade de jeux avec lequel l'enfant s'amuse. Oui, lorsqu'il est trop envahissant, lorsqu'il devient le centre de la vie de l'enfant, lorsque l'enfant, à cause de lui, ignore son entourage, délaisse ses jouets habituels. Pour aider l'enfant à oublier cet ami imaginaire, mais tyrannique, le meilleur moyen, c'est de lui trouver un vrai ami. D'ailleurs, lorsqu'un enfant invente un compagnon imaginaire, c'est en général qu'il est à l'âge de l'école et qu'il a besoin de camarades.

Dans d'autres cas, si l'enfant a besoin de s'inventer un compagnon, c'est pour combler certains manques, certaines angoisses, ou pour résoudre un conflit.

L'enfant croit-il vraiment à ce compagnon imaginaire ? Plus ou moins ? Il arrivait à Delphine d'oublier Madeleine et Jacques. Pour la taquiner, ses parents s'étonnaient : « Tiens, ils ne sont pas là aujourd'hui ? ». Delphine se rattrapait vite : « Vous savez bien qu'ils sont à l'école ». Delphine savait jusqu'à un certain point que Madeleine et Jacques n'existaient que dans son imagination.

Lorsque les enfants sont plus grands, vers 5-6 ans, ce compagnon imaginaire disparaît de leur vie : soit ils l'oublient complètement, soit ils en parlent pour dire « C'était un ami de quand j'étais petit ».

L'imagination de l'enfant a des limites, elle ne lui masque pas la réalité. Nicolas s'est occupé de son ours toute la journée. Il l'a fait manger. Il lui a mis un manteau, car il faisait froid. Le soir, sa mère lui dit : « Couche d'abord ton ours parce qu'il est fatigué. Puis tu feras ta toilette. » Il lui répond : « Il peut pas être fatigué puisqu'il est en « p'tissu ».

Laura, 4 ans, joue dans sa chambre avec sa maman. Elle prend ses affaires de « docteur », pousse sa maman vers le lit, commence à l'ausculter ; elle tape son genou pour obtenir un réflexe (« ça fait pas mal, crie pas, tu es grande »). Puis elle veut lui prendre la température. Sa maman, qui s'était prêtée au jeu, l'arrête. Laura comprend les limites et dit : « Mais c'était pour de rire, pour faire semblant. » On dirait que l'enfant veut montrer qu'il n'est pas dupe de son imagination, qu'il ne se laisse pas prendre à toutes ces histoires d'enfant. Quelle est la vérité ?
Y croit-il ou non ? La réponse est : oui et non. C'est comme vous. Au cinéma, vous êtes capable de pleurer aux malheurs de l'héroïne. L'instant d'après, sur le trottoir du même cinéma, vous dites : « Elle joue bien », ou « Elle doit gagner tant par film… » Vous étiez pris, mais vous n'êtes pas dupe. Pour l'enfant, c'est pareil.

La ressemblance va même plus loin. Vous ne tenez pas tellement à montrer que vous avez pleuré. L'enfant non plus : il fait la guerre, il attaque l'ennemi, il monte à l'assaut, il est complètement pris par l'action. Vous entrez. Il s'arrête net et, suivant son caractère, il est furieux, ou gêné, que vous l'ayez surpris en plein « faire semblant ».

L'enfant a parfois tellement d'imagination que quand il dit la vérité, on a de la peine à le croire. Par exemple votre enfant rentre de promenade et raconte : « J'ai vu un singe dans la rue », ne dites pas : « Ce n'est pas vrai ». Ou bien il a inventé : 3 ans, c'est l'âge d'or de la fabulation. Ou bien il a vraiment vu un singe et il sera très choqué que vous ne le croyiez pas. Ne traitez pas ses fabulations de mensonges. Imaginer des personnages extraordinaires dont il raconte les aventures est une façon pour l'enfant de mettre le monde à sa portée, de maîtriser les situations qu'il invente.

Les adultes oublient souvent à quel point l'imagination remplit leur propre vie quotidienne et alimentent leurs projets. Ils regardent une photo de la Martinique, ils se voient aussitôt allongés sur la plage, bronzés et détendus. Ils achètent une ferme en ruines dans un terrain en friches, ils voient déjà les enfants courir dans le jardin en fleurs. Et qu'auraient trouvé les chercheurs sans imagination ? À tout âge, l'imagination nourrit et égaie notre vie.

Il acquiert le sens de l'équilibre : plus de gestes brusques, ni désordonnés. Il marche déjà avec le même balancement qu'un adulte, et descend l'escalier en se tenant à la rampe (mais pose encore les deux pieds sur chaque marche, à la descente).

Autres preuves de maîtrise de ses gestes : l'enfant remplit un verre d'eau sans le faire déborder, et peut dessiner une croix sur un papier.
L'enfant commence à se brosser les dents et en est fier.

Les mots...

3 ans, c'est vraiment le monde enchanté de l'enfance. L'imaginaire, le féerique le peuplent. C'est le triomphe de l'imagination. C'est elle qui donne cette poésie et cet humour à son langage. « La fumée, c'est pour dire aux gens qu'on peut venir se chauffer dans la maison... »

Les mots d'enfants, toutes les familles les conservent précieusement. On les raconte aux amis, on se les répète entre soi en disant d'un air faussement naïf : « Mais où va-t-il donc chercher tout cela ! » (On s'étonne tout haut, mais on s'émerveille tout bas.) C'est vers 3 ans que commence l'âge d'or des mots d'enfants. La plupart de ces mots d'enfants, qui ravissent d'autant plus qu'on les croit le fruit d'une imagination débordante, souvent proviennent tout simplement de la manière de penser et de voir de l'enfant à cet âge.

Comment procède cette pensée ? Elle emprunte à l'adulte ses formes, et, dans ce contenant, met son propre contenu. En effet, que répond l'adulte aux questions de l'enfant ? Presque toujours ses réponses commencent par « C'est pour... » ou « C'est comme... »

C'est pour : explication d'un objet par l'usage qu'on en fait. Exemples :
– Dis, papa, le moteur, c'est pour quoi faire ?
– C'est pour faire avancer la voiture.
– Dis, maman, l'électricité, c'est pour quoi ?
– C'est pour nous éclairer.

C'est comme : explication d'un objet inconnu de l'enfant par un objet qu'il connaît.
Exemples :
– Dis, papa, c'est quoi, un hélicoptère ?
– C'est comme un avion, mais sans ailes et avec l'hélice au-dessus.

Entendant sans cesse ces explications, « C'est pour… », « C'est comme… »,
l'enfant est prêt à adopter ces deux manières d'expliquer les choses qui l'entourent :
par l'usage et par l'analogie.

Mais, par ailleurs, l'enfant a une manière très personnelle de voir les choses.
Par exemple, il remarque des détails infimes. Il est fasciné par certains objets, certaines
couleurs : on lui montre des capucines géantes d'un orange éclatant, il remarque le
minuscule puceron posé sur un pétale.

Le résultat, c'est que l'enfant va
procéder par comparaison comme fait
l'adulte, mais qu'il rapprochera entre eux
des objets qu'il ne vous viendrait jamais
à l'idée de rapprocher. La mer, c'est une
grande piscine ; un caillou, c'est un noyau
très dur. J'ai entendu un enfant dire :
« Une souris, c'est comme un éléphant. »
Il avait vu entre ces deux animaux
un trait commun : la couleur grise.

Mais l'enfant ne se borne pas à imiter
l'adulte. Il a sa propre manière de
raisonner. Et cette manière est une
logique très cartésienne, la fameuse
logique enfantine. L'enfant enregistre
ce qu'il a entendu dire, et il en tire
ses propres conclusions. Exemple, il a
demandé : C'est qui la maman du veau ?
On lui a répondu : – La vache. – C'est
qui, la maman du poussin ? – La poule.
Sur quoi, il déclare : – La maman
de l'eau, c'est le robinet !

Il y a aussi des cas où, ni l'imitation de
l'adulte, ni la logique n'expliquent
les propos de l'enfant. Il lui arrive de dire
une phrase absolument gratuite,
incompréhensible et poétique.
L'explication est alors le plaisir qu'il
éprouve à prononcer un certain mot. Un
mot l'a enchanté, il cherche une occasion de l'employer, et il fera alors une phrase qui
n'a aucun rapport avec la réalité, ni la vôtre ni la sienne.

Il est sensible à la magie des mots. Paul ayant entendu l'électricien dire d'un de ses
collègues : « C'est un pote à moi », inventa « la potamona », et ce mot servit pendant
des années à désigner tout ce qui lui arrivait d'heureux. Georges avait, d'une histoire
racontée par son grand-père, gardé une peur obsédante des Uhlans. Qui d'entre nous
n'a pas, gravé dans sa mémoire, de ces mots magiques attrapés au vol jadis dans des
conversations d'adultes et revêtus d'un prestige intact ? Les contes de fées sont pétris

de cette magie verbale ? (« Est-ce vous, mon Prince, dit-elle. Vous vous êtes bien fait attendre… »)

Cette sensibilité aux sons a d'ailleurs donné lieu à un véritable genre littéraire : les comptines (Am, stram, gram). Et les Anglais, peut-être plus fidèles que nous à l'esprit de l'enfance, ont inventé le *nonsense*, sorte d'incantation, d'essence nettement enfantine.

Ainsi l'enfant de 3 ans se grise de mots ; son vocabulaire est d'ailleurs de plus en plus riche, en particulier d'adjectifs. En les utilisant, l'enfant développe son sens critique, son aptitude à avoir des opinions personnelles. « Tu vois bien que c'est dégoûtant », dit Cécile, 4 ans et demi, à son père qui veut lui faire prendre une cuillerée de sirop. Son papa lui propose alors une paille. Cécile sourit : « Tu es trop blagueur. »

Par ailleurs, les temps qu'emploie l'enfant, de même que les adverbes, prouvent qu'il commence à mieux distinguer hier, aujourd'hui, demain. Quand on dit « hier soir », il comprend qu'il s'agit d'un fait passé. Il demande : « Est-ce que c'est l'heure de… » Quand on dit « demain », il comprend qu'il s'agit d'une chose à venir, sans cependant distinguer entre demain et dans quinze jours.

Enfin, l'enfant affectionne le conditionnel. Il dit : « Si je serais sage, tu me donneras une surprise. » Il a aussi, nous l'avons vu, une formule favorite : « On dirait que tu serais… » Son esprit vagabonde.

Vous voyez qu'ayant bouclé notre tour d'horizon de la pensée à 3 ans, nous voilà revenus par le biais du langage à notre point de départ : l'imagination.

… et les autres

Avant 3 ans les enfants savent bien que les autres existent, mais ils ne leur prêtent pas beaucoup d'attention, ils s'intéressent surtout aux familiers. À 3 ans, l'intérêt de l'enfant s'élargit. Pour ceux qui sont allés à la crèche ou chez une nourrice, la socialisation est plus précoce et la découverte des autres moins spectaculaire.

Après 3 ans, les enfants voient au-delà du cercle des familiers, observent les autres, leurs expressions, cherchent à les imiter ; et surtout ils essaient de les situer et d'entrer en relation avec eux :
– L'oncle Pierre, c'est le frère de qui ?
– Grand-mère, c'est ta maman ?
– Et pourquoi Nounou, elle, a ses enfants à la maison ?

Il veut savoir leur âge, ce qu'ils font dans la vie, les rapports qui les unissent les uns aux autres. Puis il découvre une chose qui a l'air de le surprendre : que ces personnages, si familiers qu'ils font presque partie de lui-même, papa et maman, ont des points communs avec d'autres personnes qu'il ne connaît pas : papa est un monsieur, maman est une dame, comme ceux et celles que l'on croise dans la rue.

Le goût de l'enfant pour la société se marque d'une autre manière. Avant il disait « Moi tout seul », maintenant on l'entend parfois dire « Tous les deux. » Il aime rendre des services, aider à mettre le couvert, ou desservir. Il recherche l'approbation des autres. Il demande souvent : « C'est bien comme ça ? » Il est prêt à inventer des moyens de plaire. En six mois il a vraiment beaucoup changé.

Bien qu'il ait découvert les autres, il continue néanmoins à penser que la personne la plus intéressante qu'il connaisse, c'est lui-même. Cela pourrait paraître contradictoire avec sa sociabilité naissante, mais ne l'est pas. Écoutez un enfant de 3 ans ; il dit : « Je veux quelqu'un pour jouer avec moi. » À 6 ans, il dira : « Je veux jouer avec les autres. » À 3 ans, sociabilité et égocentrisme se concilient fort bien.

Puis, de même qu'il a cherché les tenants et aboutissants de son entourage, de même il recherche les siens. Il demande : « Où j'étais quand j'étais pas né ? » et il s'étonne de ne pas être dans l'album de photos de mariage de ses parents. La naissance des bébés, celle des animaux commence d'ailleurs à l'intéresser. Il pose des questions à ce sujet. Il remarque parfois une femme enceinte ou demande à sa mère si elle l'a allaité.

Il se sent déjà de l'autre côté de la barrière, chez les grands, et aide volontiers les petits à manger. D'ailleurs, après avoir découvert les adultes, il va s'intéresser de moins en moins à eux et de plus en plus aux enfants.

Cet intérêt qu'il porte aux autres, le désir qu'il manifeste de nouer des contacts avec l'extérieur font que l'enfant de 3 ans se plaît en général à l'école.

Ce qu'il aime à 3 ans

Jouer avec un enfant plus âgé.

Les travaux que l'on peut voir faire dans la rue ou sur un chantier avec ses grues immenses. Il aime soigner un animal familier : chat, chien, oiseau, poisson…

Il aime dessiner ces personnages étranges et classiques, les yeux près des oreilles et dont la tête rappelle le fœtus qu'il a été. Prévoyez du papier et des crayons pour qu'il ne soit pas tenté de dessiner sur les murs.

L'âge de grâce

Certains parents, devant le charmant compagnon de 3 ans, disent : « Ah ! s'il pouvait rester ainsi ! » Mais rester serait le contraire de grandir. L'enfant ne reste pas à quatre pattes, il se relève, il marche, il court. Adolescent, il passera par un « âge ingrat », qui lui aussi n'aura qu'un temps, mais qui est une étape nécessaire. D'ailleurs, les crises surmontées font progresser chaque fois d'un cran, et entre elles, il y a des pauses. De même après 3 ans l'enfant aura aussi de temps en temps des moments un peu difficiles à passer (pour lui et pour vous). Ce sont les fameux « points forts » dont parle T.B. Brazelton (voir page 221).

3 ans est un âge charmant non seulement parce que l'enfant a franchi une étape dans la construction de sa personnalité, mais aussi parce que dans tous les domaines, il a atteint une sorte d'équilibre : il marche, il parle, il a des échanges variés aussi bien avec les adultes qu'avec les autres enfants.

Physiquement, la gaucherie du bébé a disparu ; l'enfant de 3 ans est habile de ses mains, de ses jambes ; il est à l'aise pour faire tous les mouvements, il les fait même avec adresse : si l'on prend le temps de lui montrer comment manger son œuf coque avec des « mouillettes » et une petite cuillère ou comment s'habiller, il y arrive très bien.

Intellectuellement, il s'exprime bien, ce qui facilite les rapports avec l'entourage. Autrefois, quand on ne le comprenait pas, il était furieux. Maintenant il commence à utiliser toutes les facettes de l'intelligence : mémoire, compréhension, logique, volonté, imagination.

Affectivement, il est moins tiraillé entre son envie de rester petit et son désir de partir à l'aventure. Il a vu qu'il pouvait concilier les deux ; à l'école, il en aura une preuve tangible. L'entrée à l'école va d'ailleurs être un des paliers importants que l'enfant va franchir, un peu comme le sevrage, l'apprentissage de la propreté ou les premières séparations. Maintenant il est moins tyrannique dans ses besoins de répétition. Pour « être bien avec quelqu'un », il est capable de renoncer à une habitude ; il est plus obéissant, il cherche à faire plaisir. Il est devenu le petit compagnon qu'on tient par la main pour se promener, avec lequel on échange questions et explications dans un dialogue qui annonce déjà une vraie conversation. Trois ans, c'est vraiment « l'âge de grâce ». Mais bientôt la vie affective de l'enfant risque d'être troublée par une découverte qu'il fait et qui le rend perplexe. Cette découverte provoque des réactions certaines fois incompréhensibles pour l'entourage : exigence, colère, régressions.

Le complexe d'Œdipe

Vous l'avez vu, autour de 3 ans l'enfant atteint une sorte de maturité, de conscience de sa propre personne qu'il traduit d'ailleurs dans son langage en disant « moi » et « je » ; il ramène tout à lui : « À moi, à moi. »
Il ramène tout à lui, en particulier sa mère et son père, avec lesquels il a des liens très tendres.

A cet âge, le petit garçon devient très possessif avec sa mère, exigeant, il lui demande plus de démonstrations, plus de baisers ; il l'interrompt lorsqu'elle s'adresse à quelqu'un d'autre que lui. Son père devient une sorte de rival qu'il veut écarter, tout en cherchant à l'imiter.

La petite fille fait du charme à son père, se blottit dans ses bras, et par tous les moyens cherche à attirer son attention. Comme le père pour le petit garçon, sa mère devient à la fois une rivale et un modèle.

Et tous deux, la fille avec sa mère, le fils avec son père, sont souvent tyranniques, agressifs ; parfois, moitié par jeu, moitié sérieusement, ils essaient de les frapper. L'enfant peut s'y prendre autrement et essayer à tout prix d'empêcher ses parents de se retrouver seuls ; ou bien il essaie de les séparer : dès qu'il les voit ensemble, il se jette dans leurs bras pour être avec eux deux, entre eux deux.

Le soir, c'est le grand jeu, l'enfant a peur de se retrouver seul alors que ses parents sont ensemble. C'est le chantage aux histoires : « Une autre, encore une autre. » Tous les soirs, Nathalie demande à sa mère des histoires de plus en plus longues. La mère est heureuse, elle voit dans cet intérêt une marque particulière d'affection. Jusqu'au jour où elle découvre le vrai désir de sa fille : « Je veux que tu restes avec moi, je ne veux pas que tu ailles avec papa. »

L'enfant réalise peu à peu que ces relations qu'il a avec chacun de ses parents ne lui sont pas réservées, que son père et sa mère ont également entre eux des rapports tendres et intenses : l'enfant s'aperçoit que sa mère ne fait pas un duo qu'avec lui, que son père n'est pas seulement disponible seulement pour lui. Et ce qui va le plus choquer l'enfant, c'est qu'il ne fait pas partie des relations privilégiées de son père et de sa mère : leur lit, leur chambre sont leur domaine exclusif, ils ont une intimité qui lui échappe complètement.

Comme dit le docteur Léon Kreisler : « L'enfant se sent envahi par des sentiments multiples, ambivalents, contradictoires : intérêt passionné et curiosité pour les relations qui lient ses parents entre eux, sentiments de jalousie, d'exclusion, d'abandon. »

L'enfant tente alors de rompre le duo des parents. Pour cela, il essaie d'attirer à lui le parent du sexe opposé et, chaque fois que possible, il tente de séparer ses parents.

Toutes ces « stratégies » entraînent souvent un sentiment de culpabilité et d'impuissance. C'est pourquoi, à cet âge, l'enfant a fréquemment des cauchemars, parle moins bien : soit qu'il cherche à attirer l'attention puisqu'il se croit délaissé, soit qu'il veuille simplement retrouver le temps où il se sentait le centre du monde. La naissance d'un frère ou d'une sœur à ce moment-là peut aggraver la crise. Vous devez y penser et être attentif à ces difficultés.

Comment l'enfant va-t-il se sortir de cette situation « complexe » ? A partir du mythe

d'Œdipe, Freud a décrit une situation complexe vécue par tout enfant et que tout parent peut observer : le désir de l'enfant d'écarter le parent du même sexe pour accaparer l'autre parent. C'est ce que Freud a appelé le complexe d'Œdipe. Pour les psychanalystes, ce complexe est un croisement de relations enchevêtrées comme un nœud ; mais comme un nœud ferroviaire qui, avec de bons aiguillages, permettra de s'en sortir et de passer à l'étape suivante.

Puisqu'il ne peut éliminer son père ou sa mère, pour se sortir de la situation compliquée dans laquelle il se trouve, l'enfant va renoncer à prendre leur place et va « refouler » dans son inconscient ses émotions et ses passions. Il va tout faire pour ressembler à son rival, la fille à sa mère, le garçon à son père. Cette étape permet à l'enfant de se « sexualiser », et par là de grandir.

Se sexualiser, c'est-à-dire qu'il se rend compte qu'il est un garçon, qu'elle est une fille, que l'un est différent de l'autre. On le remarque à des attitudes, à des jeux, à des mots : la petite fille jouant à la poupée n'accepte pas d'autre rôle que celui de la maman ; réciproquement du côté du garçon : il est le papa, sans hésitation.

À cet âge également les enfants réalisent mieux les différences anatomiques. La petite fille voit bien maintenant, si elle ne l'a pas déjà remarqué plus tôt, qu'elle est différente du petit garçon, et réciproquement.

La légende d'Œdipe
est, comme beaucoup de mythes, le symbole des sentiments inconscients que chacun porte en soi. Avant la naissance d'Œdipe, un oracle prédit à ses parents, le roi et la reine de Thèbes, que leur enfant tuerait son père et épouserait sa mère. Pour conjurer la prédiction, Œdipe est abandonné. Il est recueilli par des bergers, puis adopté par le roi et le reine de Corinthe ; il grandit sans connaître ses origines. Devenu adulte, il vient à Thèbes, et au cours de diverses péripéties, il tue son père et épouse sa mère. Sans que personne ne le sache, la prédiction se trouve réalisée.

• Quelques suggestions.

Pour les parents, dire à l'enfant agressif, en paroles ou en gestes :
« Vilain ! Tu es méchant ! », serait ajouter à ses difficultés. Si
l'enfant demande plus d'affection, c'est qu'il en a besoin.
N'hésitez pas à la lui manifester. Mais, par ailleurs, ne croyez pas
que pour aider l'enfant il faille supprimer tout geste de tendresse
entre vous. Dès cet âge, les parents peuvent commencer à
apprendre à leur enfant à respecter les relations qui existent entre
eux : il ne faut pas laisser un enfant s'interposer systématiquement
entre son père et sa mère.

Si l'on est le parent momentanément moins aimé, le plus simple
est de faire comme si de rien n'était. Mais si on est le parent préféré,
mettre en valeur l'autre en disant, par exemple : « Va vite embrasser
maman », ou « C'est papa qui a eu la bonne idée de faire un
pique-nique. »

Si vous mettez votre enfant à l'école au moment où il traverse cette
crise, il peut, dans la méfiance qu'il éprouve alors à votre égard,
croire que vous cherchez à l'éloigner. Soyez attentifs à ses
réactions ; dans certains cas, il est même conseillé de retarder
l'entrée à l'école dans la mesure du possible. Parfois, au contraire
– la réaction est moins fréquente, mais il faut quand même la
signaler – chez un enfant sociable, l'école, par la nouveauté et les
distractions qu'elle apporte dans sa vie, peut l'aider à sortir d'une
situation difficile.

Voici, brièvement raconté, le complexe d'Œdipe, ses causes, la
manière dont l'enfant le vit et ses conséquences.

Pour certains enfants, la crise passe presque inaperçue :

ils admettent facilement le partage. Pour d'autres, plus
passionnés, la crise peut être difficile, l'enfant déçu en veut à
tout l'univers. Mais, avec ou sans problème, cette situation
« complexe » est une étape que l'enfant doit connaître : il faut
qu'il soit passé par là pour avoir des relations normales, non
seulement avec sa famille, mais aussi avec ses semblables.
C'est précisément lorsque l'enfant découvre que son père
et sa mère ont des liens particuliers, qu'il découvre aussi
que c'est la même chose pour son entourage. Jusqu'alors
centré sur lui-même, l'enfant ramenait tout à lui ;
maintenant, il voit que les autres ont des liens entre eux,
dont il est exclu, que les autres ont une vie à eux.
Quand il aura franchi cette étape, l'enfant sera prêt à
sortir de sa petite enfance, toute-puissante, exigeante et
dépendante, pour devenir ce petit garçon, cette petite fille
qui quittera l'école *maternelle* pour entrer au cours
préparatoire. Il entrera alors dans ce que les psychologues
appellent la *période de latence*, période plus calme qui durera
jusqu'à la *puberté*.

Votre enfant ne ressemble à aucun autre

Ainsi s'achève l'histoire des premières années. Mais votre enfant ressemble-t-il à ceux que nous venons de décrire ? S'il grandit dans des conditions favorables, tout enfant parcourt le cycle que nous venons de vous raconter. Mais alors, penserez-vous peut-être, à faire au même âge, ou à peu près, les mêmes gestes, les mêmes découvertes, les mêmes progrès, les enfants ne vont-ils pas tous se ressembler ? Non. Pour commencer, même dans leur berceau (nous en avons longuement parlé) ils sont déjà très différents les uns des autres. Car chacun d'eux arrive au monde nanti de l'héritage de deux familles, un héritage unique pour chaque enfant, différent pour chaque frère et sœur.

Et peu à peu on découvre que l'enfant tient tel trait de sa mère, tel autre de son père, quand il ne ramène pas au jour des particularités familiales très lointaines. Ainsi l'hérédité dessine-t-elle déjà à grands traits un caractère tant physique que moral.

Puis, sur cette base, tous les événements, toutes les circonstances de la vie de l'enfant viennent se conjuguer peu à peu pour former une personnalité. Qu'il habite la ville ou la campagne, qu'il ait une mère gaie ou mélancolique, qu'il soit enfant unique, seule fille au milieu de garçons, ou l'aîné de quatre, que ses parents soient bohèmes ou conformistes, qu'il vive dans un pays de soleil ou de brouillard, qu'il soit élevé par une grand-mère ou par sa mère, il n'y a pas un fait, pas un décor, pas une circonstance qui ne contribue à former la personnalité de l'enfant. Comme pour l'hérédité, l'histoire de chacun, ses relations avec les autres, seront uniques par chaque enfant. C'est pourquoi votre enfant ne ressemble à aucun autre.

Les enfants sont différents en tout : taille, poids, appétit, rythme de croissance, âge des acquisitions (langage, marche, comportement, etc.) vous l'avez vu tout au long de ce chapitre. Et comme le dit Hubert Montagner, ces différences apparaissent comme des avantages dès que les enfants se trouvent en société : « L'imitation des autres, les interactions et les jeux qu'ils développent ensemble et de façon complémentaire à la crèche, le regard attentif et confiant des éducatrices, donnent à chacun l'envie de faire comme l'autre, ou avant l'autre, ou encore mieux que l'autre. »

●●

L'école maternelle

J'ai appris à chanter en allant à l'école,
Les enfants joyeux aiment les chansons,
Ils vont les crier au passereau qui vole,
Au nuage, au vent, ils portent la parole,
Tout légers, tout fiers de savoir des leçons.
Marceline Desbordes-Valmore

Votre enfant va entrer à l'école ; ce sera un grand moment et pour vous et pour lui. Et comme souvent ni l'un ni l'autre ne savez très bien ce qui se passe à l'école, voici quelques indications.

Entre la famille et l'école

L'école maternelle veut apporter à l'enfant un nouvel univers en dehors de la famille, qu'elle ne cherche pas à remplacer. L'institutrice (1) est là pour stimuler l'intelligence, pour développer l'imagination, la sociabilité de l'enfant, ce qu'elle fait avec compétence et affection.

L'école maternelle est un lieu entièrement conçu pour les enfants avec de l'espace pour jouer, des pièces où le mobilier est à leur taille (étagères, porte-manteaux, casiers), des jeux variés, où tout est prévu pour créer une atmosphère gaie et accueillante. Le bac à sable ou à laver, les animaux et les plantes à soigner, la maison de poupée, tout rappelle la vie à la maison.

L'école maternelle, c'est aussi une structure adaptée aux jeunes enfants. Il y a une directrice, des institutrices et des ASEM (agents spécialisés des écoles maternelles). Ces dernières aident les enseignants sur le plan matériel : préparation du goûter du matin, habillage et déshabillage des enfants pour les siestes et les récréations, pose des tabliers pour les activités salissantes, etc. Il y a aussi des horaires d'entrée et de sortie, et une discipline. Les enfants sont déjà de petits élèves : ils ont une table et des crayons, et ils vont apprendre à se servir de leurs mains, de leurs yeux, de leurs oreilles, de leur voix, en exécutant toutes sortes d'exercices.

1. J'emploie le mot d'institutrice plutôt que celui d'instituteur car, à l'école maternelle, les femmes sont plus nombreuses que les hommes.

255

•Les avantages de l'école…

L'école maternelle, d'une manière générale, cela veut dire des amis de son âge, et la mixité garçons-filles. Pour l'enfant unique qui vit parmi des adultes, c'est un univers d'enfants. L'école maternelle, cela signifie des jeux qu'on n'a pas chez soi, des jeux de groupe et également des jeux pédagogiques conçus spécialement pour cet âge.

L'école maternelle, c'est aussi apprendre à bien s'exprimer. Plus d'enfants qu'on ne pense arrivent à l'école avec un langage pauvre car chez eux, on les a peu encouragés à s'exprimer ; comme le dit une institutrice, on voit très vite ceux à qui on dit « tais-toi » et ceux à qui on dit « raconte », ceux qui vivent dans une famille où le langage est valorisé, et ceux qui n'ont pas cette chance. Ces enfants seraient très capables de parler comme les autres si on leur en donnait l'occasion et le goût, ce qui est indispensable pour apprendre à lire par la suite.

L'école offre des activités nouvelles, que l'on essaie toutes avant de trouver celle qui plaît le plus : la terre glaise, les marionnettes, la peinture, les gommettes, les découpages, avec une maîtresse pour guider et encourager chaque enfant. Les enfants peuvent aussi s'initier à l'informatique au fur et à mesure que les écoles s'équipent en ordinateurs. De nombreux logiciels pédagogiques sont utilisés dans les classes, et permettent à certains enfants de réussir des exercices qu'ils n'auraient pas su faire sur une feuille.

L'école « dégourdit ». C'est l'apprentissage de la vie en société. On devient indépendant. La maîtresse ne se consacre pas à un seul enfant. Il faut apprendre à s'habiller seul, à ranger ses affaires, à attendre son tour. C'est une grande découverte qui rend souvent l'enfant moins exigeant en famille.

L'école apprend à se maîtriser, à se concentrer. Lorsque l'institutrice dit de coller des gommettes jaunes à l'intérieur du dessin, cela veut dire que l'enfant doit : écouter ce qu'on lui dit, le comprendre, le réaliser, ce n'est pas facile au début.

À l'école, l'enfant apprend également à coopérer avec les autres enfants et avec les adultes ; ainsi, peu à peu, il s'insère dans le groupe ; ce sera particulièrement bénéfique pour les émotifs, les timides, les agressifs.

Enfin, à l'école maternelle, on découvre le plaisir d'apprendre, ce plaisir qui est le meilleur stimulant pour les acquisitions futures.

● **... mais quelques précautions à prendre.**

L'école peut être une source de fatigue. Il faut se lever plus tôt, aller et venir quatre fois par jour si l'enfant ne va pas à la cantine. Le rythme est le même pour tous ; si l'enfant éprouve le besoin de se reposer le matin, il ne peut pas le faire dans le dortoir, mais simplement s'allonger dans un coin de la classe : l'institutrice ne pourra pas l'isoler davantage.

L'école, c'est le bruit et le nombre : même aujourd'hui où on essaie de les réduire, les effectifs des classes sont encore trop importants, y compris dans les sections des petits. Trente-cinq enfants, le chiffre autorisé actuellement, c'est trop, il n'en faudrait pas plus de la moitié. C'est pourquoi l'institutrice la mieux préparée à son métier ne peut pas toujours remplir sa tâche comme elle le souhaiterait et avoir assez de contacts avec chacun des enfants, ce dont ils auraient vraiment besoin étant donné qu'ils sont si petits.

Si vous êtes enceinte, essayez, si c'est possible, de mettre votre aîné à l'école pendant votre grossesse pour qu'il n'ait pas l'impression que vous l'éloignez au moment de la naissance du bébé. Si cela n'a pas été possible et que la jalousie de votre enfant pour le nouveau-né est grande, soyez souple : maintenez l'inscription de votre enfant à l'école, mais retardez de quelques semaines son entrée ; les directrices d'école maternelle sont en général compréhensives pour ce genre de situation.

De même, si l'enfant vient d'être éloigné de vous et de sa famille pour une raison quelconque (maladie, difficulté familiale ou autre), il a besoin de combler un manque d'affection, et de retrouver son équilibre avant d'aller à l'école.

● **Et la cantine ?**

Les menus sont variés et équilibrés, composés par des diététiciens. Cependant, certains enfants supportent mal la cantine à cause du bruit et du nombre d'enfants. Dans ce cas, il serait souhaitable que l'enfant puisse déjeuner chez une nourrice, ou chez la maman d'un autre enfant. En revanche, un enfant, qui habite loin de l'école, peut être fatigué de faire un long trajet aller-retour. Pour lui, la cantine est plus adaptée. Chaque cas est particulier, n'hésitez pas à en parler avec l'institutrice.

Plein temps ou mi-temps ?
La structure de l'école maternelle heureusement est assez souple, l'enfant peut y aller à plein temps ou à mi-temps. La première année, le mi-temps est souvent souhaitable compte tenu de la fatigue dont on vient de parler. En plus à cet âge tendre, tout proche de la petite enfance, le mi-temps permet de ne pas ressentir l'école comme une obligation pesante à laquelle l'enfant a de la peine à faire face, mais comme un plaisir adapté à ses possibilités.

● **Comment préparer la rentrée ?**

En famille, on va parler de l'école bien avant la rentrée. Pour préparer l'enfant, vous tiendrez compte de son caractère, de sa sensibilité. Certains enfants sont sensibles au côté « promotion » de l'école : « Tu es grande maintenant, tu vas aller à l'école, tu auras des amis comme ton frère ou ta sœur, la maîtresse te fera faire des dessins que tu nous montreras. » D'autres préféreront qu'on leur parle de l'école comme d'un endroit où on joue (ce qui est vrai) : « Tu trouveras de nouveaux jeux, des livres, vous écouterez de la musique ; peut-être verrez-vous des films, ou des marionnettes, etc. » Et bien sûr il ne faudrait pas faire de menace du genre : « Tu verras, la maîtresse, elle au moins, saura te faire obéir... Si tu ne manges pas, je te laisse à la cantine. »

De nombreuses écoles maternelles organisent une « journée portes-ouvertes » en juin : les futurs petits écoliers peuvent ainsi faire connaissance avec les institutrices, ils visitent les locaux, ils admirent le matériel et les jeux mis à leur disposition. Depuis que Léa, 2 ans et demi, a visité l'école où elle doit aller à la rentrée, elle ne veut plus retourner à la crèche… Aujourd'hui la rentrée se passe en deux ou trois jours : les enfants de petite section ne rentrent pas tous en même temps, cela leur permet de s'adapter en douceur à ce nouveau cadre.

● Et s'il pleure ?

Le jour de la rentrée, conduisez vous-même, le père ou la mère, votre enfant à l'école, même si les autres jours c'est une voisine ou la nourrice qui s'en charge. Si, au moment de vous quitter, il pleure, c'est classique ; je dirais presque normal. Mais partez bravement. Si vous restez, votre enfant s'attendrirait sur son sort (et vous sur le sien). Si vous partez, il sera distrait par la nouveauté. Puis allez le chercher à la sortie. Au début, c'est vraiment nécessaire.

Il est normal que les parents soient émus par la rentrée scolaire. C'est à la fois une fête, on a acheté de nouveaux vêtements à l'enfant, des crayons de couleur ; c'est aussi une étape importante dans son développement. Même si l'enfant a déjà été gardé par d'autres, l'école c'est vraiment le début d'une vie plus autonome.

Si, au bout de quinze jours, votre enfant pleure encore au moment de partir, voyez avec l'institutrice la conduite à tenir. Il est possible qu'il ne soit pas encore mûr pour l'école. La directrice vous dira s'il lui serait possible de le reprendre en cours d'année.

Votre enfant semble bien adapté ? C'est parfait. Mais sachez que parfois des difficultés

surgissent trois semaines, un mois après la rentrée. Un matin, sans raison apparente, au moment du départ l'enfant fond en larmes, ou bien il a des cauchemars, ou encore, parce qu'on l'a gardé un ou deux jours à la maison pour un rhume, le troisième jour il refuse de se lever.

Que se passe-t-il ? Les quinze premiers jours, ou le premier mois, il y avait l'attrait du nouveau, le plaisir d'être avec les autres, la fierté d'aller à l'école comme les grands. Puis, l'enfant a été un peu trop vite livré à lui-même ou à d'autres (c'est une voisine qui l'emmène le matin, ou le ramène le soir) ; ou bien il reste à la cantine ; il a pu se sentir perdu au milieu de tous ces enfants ; ou encore il a attaché trop d'importance à une petite réprimande faite à lui-même ou à un autre enfant ; soudain l'enfant mesure ce qu'il n'a plus depuis qu'il va à l'école : des habitudes confortables, un petit groupe chez la nourrice ou à la crèche, les courses avec sa mère, etc. Et ce sont des pleurs au moment où l'on ne s'y attendait plus.

En fait, l'adaptation d'un enfant à l'école dure quelques semaines. Et, pendant cette période, il faut prendre certaines précautions pour que l'enfant n'ait pas l'impression d'une nette coupure avec la vie d'avant l'école. Par exemple : accompagnez ou allez chercher vous-même l'enfant le plus souvent possible. S'il reste déjeuner à l'école, soignez ses repas le soir et, le mercredi, si vous êtes là, faites-lui faire son menu. Montrez-lui que vous vous intéressez à ce qu'il fait à l'école ; écoutez ce qu'il raconte ; gardez les dessins qu'il rapporte : la curiosité et l'enthousiasme naissent et se cultivent, comme le langage ou la marche, dans l'affection et grâce aux encouragements.

Maintenez des contacts avec l'école. Il est important que le père et la mère soient présents lors des réunions qui sont régulièrement organisées. Les institutrices regrettent souvent que dans cet univers très féminin de l'école maternelle, les pères ne se manifestent pas plus. Et, bien sûr, s'il y a un problème n'hésitez pas à demander un rendez-vous. L'institutrice vous dira sûrement sur votre enfant des choses que vous ignorez et qui vous intéresseront. Souvent les enfants ont à l'école un comportement différent et révélateur de petits problèmes que l'institutrice peut aider à résoudre. Et vous-même, en parlant avec elle, vous pourrez l'aider à mieux comprendre les réactions de son petit « élève ».

• L'adaptation de l'enfant qui vient de la crèche.

Lorsque l'enfant est déjà allé à la crèche, on pense qu'il n'aura pas de problème d'adaptation à l'école maternelle puisqu'il était déjà séparé de sa famille, et habitué à la compagnie des autres. Ce n'est pas aussi simple, l'adaptation est parfois plus facile, mais elle existe quand même. La vie de la crèche et celle de l'école sont différentes. Les « grands » de la crèche sont au maximum douze ou quinze, en première section de maternelle, ils se retrouvent en général à trente ; à la crèche les horaires sont souples, en maternelle il faut arriver à l'heure ; à la crèche les enfants ont un matériel « bébé », à l'école c'est déjà un matériel d'écolier. Tout cela fait un vrai changement de cadre de vie.

L'âge de l'école maternelle

Près de 93 % des enfants de 3 ans sont scolarisés. En effet, l'enfant de 3 ans a suffisamment le goût des autres, les moyens de se débrouiller seul, il est propre, il a un vocabulaire assez riche, pour entrer à l'école maternelle. Aujourd'hui, c'est à propos de l'enfant de 2 ans qu'on se pose des questions sur son entrée à la maternelle : est-ce souhaitable ?

D'abord est-ce matériellement possible ? En principe oui, car l'école maternelle est ouverte aux enfants de deux ans, mais il n'y a pas encore de place pour tous les enfants de cet âge. Bien que cette entrée à l'école soit officiellement possible dès 2 ans, nous vous la déconseillons. En effet, dans sa structure actuelle, l'école maternelle n'est pas faite pour l'enfant de moins de 3 ans : il y a trop d'enfants, les locaux ne sont pas aménagés, en particulier pour son sommeil ; l'enfant de 2 ans a souvent besoin de dormir encore dans la journée et, pour cela, il faut des locaux de repos disponibles en permanence.

Il existe un vrai problème dans notre équipement social pour les enfants de 2 à 3 ans : qui peut s'en charger lorsque les parents travaillent ? En général les crèches sont trop peu nombreuses pour garder les enfants de plus de 2 ans ; et la solution de l'assistante maternelle représente un coût financier que bien des familles ne peuvent assumer. Il faut vraiment souhaiter qu'une solution soit trouvée pour les enfants entre 2 et 3 ans : soit qu'ils puissent rester à la crèche un an de plus, soit qu'on adapte l'école à leurs besoins.

Au programme de l'école maternelle

Et maintenant entrons dans la classe. Les parents aimeraient bien savoir ce que l'enfant fait loin d'eux pendant tant d'heures. Et en général l'enfant raconte peu. C'est pourquoi vous trouverez détaillé ci-après ce qui est fait dans chacune des trois sections de l'école maternelle. Toutes les activités sont basées sur le développement global de l'enfant, tant sur le plan moteur que sur le plan sensoriel et cognitif. Ces activités variées sont toujours organisées à partir d'un « projet pédagogique » bâti autour des enfants. Ce projet fait l'objet d'une réunion organisée par l'institutrice en début d'année avec les parents. Au cours de cette réunion, l'institutrice décrit le déroulement d'une journée de classe. Elle dit aux parents l'aide qu'elle attend d'eux : apporter des objets de récupération pour certaines activités, des gâteaux pour le goûter du matin, participer à des sorties en dehors de l'école, etc. Il est important que les parents soient présents à ces rencontres avec l'enseignant, et chaque année a son importance. De leur côté, les enfants sont sensibles à cet intérêt vis-à-vis de leur école.

Un des principes importants de l'école maternelle française, et qui a d'ailleurs fait son succès, c'est que chaque institutrice est libre d'organiser les activités de la semaine en fonction de ses propres idées pédagogiques et du nombre de ses élèves.

Une journée à l'école maternelle

Les enfants arrivent le matin à l'école entre 8 h 20 et 8 h 40. Ils ont un temps de jeux libres jusqu'à 9 h environ. Ensuite, tout le monde range la classe et se rassemble autour de l'institutrice. Chacun raconte, s'il le souhaite, ce qu'il a fait à la maison ou parle d'autres sujets. C'est une façon d'apprendre à bien s'exprimer. Puis la maîtresse organise les ateliers de la matinée : écriture, graphisme chez les plus grands, peinture, collage, modelage, jeux de société…

Avant la récréation, les enfants prennent un petit goûter : gâteaux, pain et fromage… apporté par les parents ; ils peuvent boire du lait ou de l'eau. Après la récréation (30 minutes), les enfants ont une séance de motricité (gymnastique, danse, expression corporelle) avec du matériel approprié.

L'après-midi, les petits font la sieste, puis participent à des activités manuelles selon l'heure du réveil. Les grands ont différentes activités : manuelles, motrices, chants, musique, graphisme…

Une récréation de 30 minutes coupe l'après-midi, généralement entre 15 h et 15 h 30. On se rassemble vers 16 h pour parler de ce qu'on a fait dans la journée, puis c'est « l'heure des mamans » tant attendue ! L'expression reste même s'il y a aussi des papas à la sortie de l'école.

Le déroulement d'une journée à l'école maternelle est toujours la même. C'est important pour aider l'enfant à se repérer dans le temps (après le goûter, il y a la récréation ; le vendredi, c'est le jour de la chorale) et à se repérer dans l'espace (la danse se fait toujours au même endroit).

La section des petits

accueille les enfants de 3 ans mais aussi, vous l'avez vu, parfois ceux de 2 ans ; elle cherche à habituer l'enfant à vivre loin de sa famille, avec des enfants de son âge, tout en étant heureux à l'école. Les premières activités sont conçues dans ce but. On veut aider l'enfant à acquérir peu à peu son autonomie, à se déshabiller tout seul, à lacer ses chaussures. On veut l'aider à être à l'aise dans le groupe : jeux collectifs, rangements communs, etc.

On veut aussi qu'il acquière une certaine aisance physique, on lui fait faire des mouvements variés (grimper, sauter, courir, franchir), de la danse ; on cherche à développer son adresse par divers jeux de fabrication, de modelage et d'enfilage. On lui apprend à manier des matériaux variés : colle, peinture, sable. Parler de mieux en mieux aide à communiquer avec les autres : on aide l'enfant à enrichir son vocabulaire, en lui racontant des histoires, en lui chantant des chansons. L'enfant commence à compter. On monte ensemble l'escalier en disant 1, 2, 3. « J'ai 3 ans » dit-il en montrant ses doigts. C'est aussi le début des activités avec papier, crayons et feutres.

Toutes ces activités prennent la forme de jeux individuels ou collectifs, l'enfant n'est pas encore vraiment un élève. Le but est d'éveiller les enfants dans les différentes directions indiquées et de leur donner confiance en eux-mêmes.

Dans la section des moyens,

qui accueille les enfants de 4 ans, toujours dans le même but d'éveiller l'enfant dans toutes les directions et d'enrichir ses moyens d'expression, on trouve les mêmes activités mais développées : l'exercice physique devient plus difficile, il faut coordonner les mouvements ; on demande à l'enfant une plus grande habileté manuelle en lui faisant faire des collages, des puzzles, des emboîtements. Les activités graphiques sont plus développées pour préparer l'enfant aux gestes qui permettent de maîtriser l'écriture.

Les fruits et les fleurs de saison, une sortie au musée, un voyage fait par un des enfants, fournissent des thèmes de conversation. Dans le domaine du langage, l'enfant retient en général facilement les poèmes ou chansons qu'il entend ; et on commence une petite initiation aux mathématiques en lui demandant de grouper les objets de même catégorie.

- **La section des grands :**

là débute vraiment la préparation au cours préparatoire, d'autant plus que ces deux années (dernière section de maternelle et CP) font partie du premier cycle primaire, avec le CE1 (le deuxième cycle étant constitué du CE2, CM1 et CM2).

On commence vraiment à faire des exercices d'initiation à la lecture, à l'écriture. En fait, il ne s'agit pas tant d'apprendre les lettres à l'enfant que de lui montrer d'abord l'intérêt et le plaisir de l'écriture et de la lecture : par exemple, l'institutrice chante une chanson, elle en inscrit les paroles au tableau. Les enfants voient le lien entre la chanson et l'écriture. Puis la maîtresse lit les paroles écrites sur le tableau ; les enfants voient l'intérêt de la lecture qui permet de retrouver les mots. Initiation aux mathématiques également (toujours par groupement d'objets). Et des exercices de langage en posant des questions sur des histoires racontées.

Et bien sûr, la plus grande partie de la journée est occupée par le dessin, la peinture, la musique, l'exercice physique.

A la fin de chaque année de maternelle, une évaluation des connaissances et des acquis de l'enfant est prévue. Cette évaluation peut (mais ce n'est pas obligatoire) être communiquée aux parents. Ce n'est pas un système de notation, comme à l'école élémentaire : il s'agit de tableaux indiquant si tel apprentissage est acquis, non acquis, ou en cours d'acquisition.

À la fin de la dernière année de maternelle, l'évaluation est plus détaillée. À bien des parents, faire un tel bilan à l'âge de 5-6 ans semble prématuré, la pression leur paraît trop forte. Et souvent les termes employés pour cette évaluation les inquiètent lorsqu'ils évoquent des échecs possibles, ou des difficultés dans la vie de groupe. Avant de s'inquiéter, il faut se rappeler que chaque enfant a son rythme de développement. Et que l'évolution d'un enfant se fait par stades successifs.

Si vous en avez, vous pouvez parler de vos préoccupations soit avec le pédiatre qui suit l'enfant, soit avec un psychologue qui proposera, si nécessaire, une aide adaptée. Et certainement, l'un comme l'autre, désireront revoir l'enfant quelques mois plus tard.

Quelques difficultés

- **L'enfant qui ne raconte rien en rentrant de l'école.**

Cela ne signifie pas qu'il soit malheureux à l'école. Il considère peut-être pour le moment que c'est son domaine réservé. Ou bien, il est naturellement peu expansif.

Ou encore, c'est sa manière de prendre du champ vis-à-vis de vous, de devenir grand.

Assurez-vous auprès de l'institutrice que tout va bien, et respectez sa discrétion.

- **L'enfant qui ne s'intéresse et ne participe à rien.**

Il est en petite section : n'est-il pas trop jeune ? Il est plus grand : vous l'avez peut-être habitué à trop d'attentions ; maintenant, livré à lui-même, anxieux et craintif, il n'ose rien entreprendre seul ou avec d'autres. De santé fragile, il a peut-être du mal à supporter le bruit et l'agitation d'une classe et choisit de s'isoler. Ou encore c'est sa manière d'attirer sur lui l'attention de l'institutrice. Il faut, sans dramatiser, essayer de sortir de cette situation en ayant un entretien avec l'institutrice. Si c'était nécessaire, celle-ci pourrait vous mettre en relation avec un réseau psycho-pédagogique lié à l'école maternelle (orthophonie, psychomotricité, psychothérapie).

Mais un enfant qui s'isole est peut-être un enfant qui ne voit pas bien, ou n'entend pas bien. Parlez-en au médecin, il fera faire un contrôle de la vue ou de l'audition.

L'année d'avance

Certains parents mettent leur enfant à l'école dès 2 ans pour qu'il puisse entrer au cours préparatoire un an plus tôt ; d'autres, dans le même but, demandent que leur enfant « saute » une année de maternelle.

Lorsque des parents me demandent ce que j'en pense, je leur déconseille en général cette année d'avance : quel que soit le temps que l'enfant ait passé en maternelle, ce qui compte c'est que l'enfant ait atteint un certain degré de maturité pour les acquisitions de base. Cette maturité, les enfants l'ont en général à 6 ans. C'est pourquoi 6 ans est l'âge légal d'entrée au CP. Mais de nombreux enfants, qui n'en sont pas moins normaux pour autant, n'atteignent cette maturité qu'à 6 ans et demi, 7 ans, voire plus tard.

C'est vrai qu'il existe des enfants très précoces et équilibrés, qui révèlent un goût réel pour les apprentissages du CP, qui montrent qu'ils ont envie d'apprendre à lire, écrire, compter, et qu'ils en sont capables entre 5 et 6 ans. Il est important de reconnaître ces enfants qui, sans être surdoués, ont une réelle avance, car les freiner pourrait les démotiver.

C'est pourquoi l'avis d'un psychologue est souhaitable, je dirais plus, nécessaire, car d'autres facteurs entrent en jeu pour savoir si un enfant est prêt pour prendre une année d'avance : il faut que l'enfant distingue bien sa droite de sa gauche, se situe dans le temps proche et dans l'espace familier, etc.

Il faut en plus que l'enfant ait acquis une certaine maturité sociale et affective, ce n'est pas toujours le cas. On en voit qui sont précoces sur le plan intellectuel mais encore « bébés » : ils ont plus besoin des jeux, de la liberté, de la spontanéité de l'école maternelle que de l'enseignement plus structuré de l'école primaire. En plus, imposer à l'enfant de faire sa scolarité avec des camarades plus âgés que lui peut le gêner.

Donc, sauf exceptions, l'année d'avance risque d'être plus une source de difficultés qu'un gain de temps. Les enfants peuvent avoir des difficultés au CM1 ou à l'entrée en 6e, lors de certains paliers du programme.

Les classes à double niveau font cohabiter plusieurs sections, par exemple la petite et la moyenne. Cela peut donner l'idée aux parents que l'enfant de petite section pourrait passer directement dans la grande section, en sautant la moyenne section. En réalité, l'enseignant propose des activités différentes à chaque âge. Et même s'il arrive qu'un enfant particulièrement éveillé passe au niveau supérieur et saute ainsi une classe, cela est rare.

Un univers à deux :
les jumeaux

L'expérience montre que, lorsque des parents ont des jumeaux, ils se préoccupent d'abord du travail supplémentaire qu'entraîne cette double naissance.

Bien sûr, les jumeaux donnent double travail, et, lorsqu'ils sont les premiers-nés, c'est souvent affolant. Mais, passé le cap difficile des premières semaines, le stade d'organisation, aucun parent de jumeaux ne céderait sa place. Comme l'a dit une mère : « C'est deux tendresses à la fois et une famille d'un seul coup. Ça vaut bien la fatigue que ça coûte ! »

Mais c'est surtout au sujet de l'éducation qu'il y a quelques remarques à faire. En élevant des jumeaux, il faut tenir compte de leurs rapports particuliers ; c'est ce que je vous propose d'observer.

Un fait domine : le jumeau n'est jamais seul, qu'il soit à table, dans son bain ou en promenade, qu'il prononce ses premiers mots, ou qu'il découvre ses premiers jouets. À toutes ses activités, à toutes ses expériences et toutes ses découvertes, un autre assiste et participe, à la fois spectateur et complice. C'est le fait essentiel qui va influencer tout le comportement et le développement des jumeaux.

C'est donc un univers à deux que les jumeaux découvrent et construisent tout au long de leurs premières années. Ils se sentent tellement solidaires que, lorsqu'on appelle l'un, tous les deux arrivent. Parfois même, ils s'inventent un seul prénom pour se désigner. Guy et Dominique, vingt-sept mois, s'appellent tous deux Tity, et répondent l'un pour l'autre. Ou, pour parler de lui-même, l'un des jumeaux dit « nous » (ces propos sont cités par René Zazzo, voir page 267).

La manière dont les jumeaux utilisent les pronoms témoigne de cette difficulté à se différencier l'un de l'autre : ils utilisent les pronoms mal et plus tard. Certains se disent « vous », entre eux, imitant l'entourage, qui s'adresse trop souvent aux deux en même temps. « Je », qu'ils disent plus tard que les enfants non jumeaux, ils le confondent souvent avec « tu ». Parfois, ils disent « moi tous les deux », ou, pour indiquer un objet qui appartient à l'un d'eux, « mon tien », « ton mien », bien au-delà de cinq ans, alors que les non-jumeaux disent « je » à 3 ans, et dès cet âge disent « c'est à moi ». En somme, les vrais jumeaux se comportent longtemps en « nous » et non comme deux « je » distincts.

Cette difficulté à se distinguer se retrouve ailleurs. Tandis qu'un enfant se reconnaît dans le miroir autour de 2 ans, le vrai jumeau ne le fait que plus tard. Et, sur une photo où ils sont tous les deux, il leur arrive fréquemment de ne pas se reconnaître. Les « vrais jumeaux » sont ceux qui se ressemblent « comme deux gouttes d'eau » : ils proviennent du même œuf (voir *J'attends un enfant*).

Aux yeux de la psychologie, ces faits sont de la plus grande importance pour l'avenir de l'enfant. Renfermés dans leur univers, presque tous les jumeaux ont un langage secret, incompréhensible pour l'entourage, dont ils conservent certains termes parfois jusqu'à l'âge adulte. Les spécialistes appellent ce langage secret : la *cryptophasie*. Se comprenant, se complétant, ils se suffisent à eux-mêmes, et ne font pas le même effort que les non-jumeaux pour comprendre leur entourage, ou pour être compris de lui. Or, c'est par cet effort qu'un enfant apprend à parler et fait des progrès.

La conséquence est que les jumeaux parlent plus tard. Et lorsque les parents n'y prennent garde, le retard peut s'aggraver.

Mais, dans la petite société qu'ils forment, les jumeaux s'organisent. Ils se répartissent très tôt les tâches, utilisent leurs talents respectifs : l'un est plus fort, l'autre plus adroit ; l'un assure le contact avec l'extérieur – c'est le « ministre des Affaires étrangères », comme dit un psychologue allemand -, l'autre est le « ministre de l'Intérieur » : pour l'instant il répartit les jouets, plus tard il gérera la tirelire. Dans le cas de jumeaux de sexe différent, la fille est presque toujours le leader du couple. Parfois aussi, les rôles s'alternent. On voit un jumeau accomplir la punition imposée à son frère, ou mieux, des jumeaux se substituer l'un à l'autre pour assurer chacun la moitié de la sanction.

Ayant à tout instant un compagnon de jeu et de conversation qui le comprend et qu'il comprend, le jumeau a moins besoin qu'un autre enfant de contact extérieur. C'est pourquoi il n'est pas toujours sociable : il observe une attitude de retrait par rapport aux autres membres de la famille, même vis-à-vis de ses parents. Il devient timide et s'attache de plus en plus à l'autre.

À vivre ainsi en couple, étroitement liés l'un à l'autre dans tous les domaines, les jumeaux ne se plaignent pas de cette situation. Mais c'est en général aux approches de la puberté qu'ils se révoltent, qu'ils cherchent à se libérer (et c'est bon signe d'ailleurs : les jumeaux qui ne se rebellent pas sont ceux que cette vie de couple a littéralement asphyxiés). Ils se plaignent d'être confondus, surtout les filles. Comme disait l'une d'elles : « Je voudrais être seule et non pas toujours deux. »

Mais lorsque les parents n'ont pas préparé la séparation, celle-ci devient difficile, parfois impossible. Certains jumeaux n'arrivent jamais à se détacher, surtout chez les femmes.

Vous voyez donc dans leurs grandes lignes les caractéristiques du développement des jumeaux : ils ont de la peine à se dégager du couple qu'ils forment, à acquérir chacun une personnalité, à s'intégrer aux autres, et, plus tard, à faire leur vie séparément.

Maintenant, la plupart des parents savent qu'il faut tout faire pour favoriser la personnalité de chacun et préparer la séparation.

Pour les aider, voici quelques suggestions.

▪ Donnez-leur des prénoms bien distincts. À éviter : les prénoms jumelés (Odile-Cécile, Patrice-Fabrice, Victor-Hugo !). Efforcez-vous d'appeler chacun par son prénom, et évitez le plus possible l'expression « les jumeaux ». Elle sera de toute manière employée par l'entourage, mais c'est important que les parents au moins ne l'emploient pas.

▪ Essayez de les habiller différemment, car de porter tout le temps des vêtements identiques ne les aide pas à se différencier. Les jumeaux du même sexe sont encore souvent habillés de la même manière. Les jumeaux de sexe différent ont plus de chance car leurs vêtements sont en général différents.

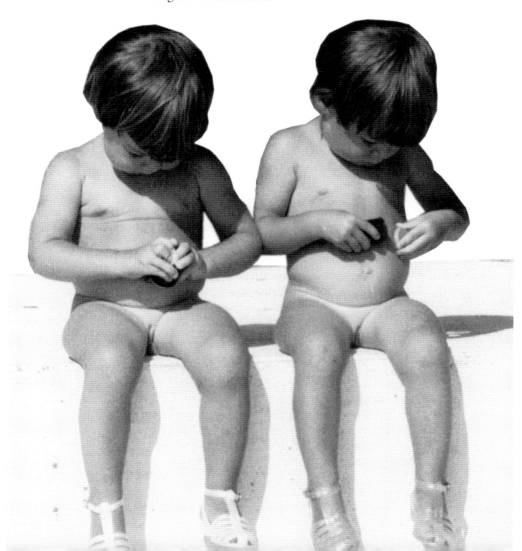

Pour la layette, le plus simple est de choisir deux couleurs. D'ailleurs, au début, cela vous permettra de reconnaître vos jumeaux si vous avez une petite hésitation. Et cela rendra service à l'entourage qui a plus de peine à les différencier.

▪ Le plus tôt possible, couchez-les dans des lits différents et, de temps en temps, si vous le pouvez, dans deux pièces séparées.

▪ Dès le plus jeune âge, donnez-leur des jouets différents, et à chacun d'eux un tiroir pour les ranger.

▪ À partir de 3 ans, faites-leur faire l'expérience de la séparation : si vous devez vous absenter quelques jours, confiez-les si possible à deux personnes différentes : l'un à sa marraine, l'autre à sa grand-mère par exemple.

Mais avant cette séparation, prenez des précautions car vos enfants ont tellement l'habitude de la vie à deux, que cela peut les perturber ; il faut donc bien les prévenir de ce qui va se passer. Et prévoir de les réunir si cela se passe vraiment mal.

▪ Ménagez-vous des moments avec chacun d'eux, pour qu'ils aient un contact plus personnel, qui les incite à s'exprimer ; et cela, dès les premières semaines de la vie, c'est important pour qu'ils se différencient.

▪ À éviter : le père qui s'occupe d'un enfant, toujours le même, la mère de l'autre (ce qui est fréquent). Ou encore, le père qui s'occupe du garçon, la mère de la fille, ou inversement. Chacun des jumeaux a droit à ses deux parents.

▪ Ne vous forcez pas à donner à chacun des jumeaux le même sourire, le même biscuit, ou la même punition. C'est une contrainte inutile, qui renforcerait leur identité. Il faut, au contraire, les habituer tout jeunes à avoir chacun un objet différent, chacun une attention particulière. D'ailleurs, naturellement les jumeaux ont le sens du partage puisque, entre eux, ils partagent déjà tout.

En agissant ainsi, vous aiderez vos enfants à se différencier, à acquérir l'autonomie qui leur permettra plus tard de se séparer.

Or, l'expérience prouve ceci : si de vrais jumeaux (ceux qui ont exactement la même hérédité) se trouvent séparés par des circonstances fortuites, ils arrivent à être aussi différents l'un de l'autre que peuvent l'être un frère et une sœur nés à des années d'intervalle.

En revanche, qu'arrive-t-il à des faux jumeaux si on leur fait mener exactement la même vie, cette vie « en double » décrite plus haut ? Ils finissent par avoir les mêmes intérêts, les mêmes opinions, les mêmes manies ; et pourtant leur hérédité est différente.

Qu'est-ce que cela signifie ? Que le milieu, la manière de vivre ont autant d'influence, si ce n'est plus, que l'hérédité. L'hérédité, c'est l'ensemble des caractères physiques et intellectuels que les deux lignées de parents transmettent à leurs enfants, en un mot, c'est l'héritage. Le milieu, ce sont les personnes, les objets, le pays parmi lesquels nous vivons : aujourd'hui, dans telle région, parmi des gens d'une certaine catégorie sociale, d'une certaine culture, vous êtes dans votre milieu. Le milieu peut-il modifier les effets de l'hérédité ? Grâce à l'étude des vrais jumeaux, donc soumis à la même influence héréditaire, on a pu répondre à cette question.

Les vrais jumeaux, issus d'une même cellule, d'un même œuf, lorsqu'ils sont séparés, acquièrent des personnalités bien distinctes. Au bout d'un certain nombre d'années de séparation, s'ils continuent à se ressembler physiquement, ils sont différents par le caractère, les goûts, la manière d'agir, etc. : en un mot, par la personnalité.

Cela dit, René Zazzo a pu faire une constatation très importante ; il y a un domaine où le fait de vivre ensemble détermine des différences chez les jumeaux, comme d'ailleurs chez toute personne vivant en couple : par exemple l'un se replie sur lui-même, l'autre s'extériorise de plus en plus, l'un est plus introverti, l'autre au contraire extraverti. C'est ce que René Zazzo a appelé « l'effet de couple ».

Et c'est ainsi que, par un effet paradoxal, de vrais jumeaux vivant ensemble peuvent être plus différents que de vrais jumeaux vivant séparément.

Toutes ces nuances montrent qu'il ne faut pas enfermer les jumeaux dans un cadre trop rigide.

Vos enfants arrivent au monde avec certaines ressemblances, et certaines tendances, mais, par la manière dont vous les élèverez, ou bien vous les rapprocherez encore plus - les empêchant ainsi d'avoir leur personnalité – ou bien vous leur permettrez de se développer en ayant chacun ses possibilités propres.

Le petit enfant n'a pas conscience de sa gémellité, il se voit comme un être différent de son jumeau, unique comme tous les enfants. Ce n'est que progressivement, entre 5 et 7 ans, qu'il va prendre conscience de la différence et se rendre compte que son jumeau et lui sont dans une situation qui n'est pas la même que celle d'autres frères et sœurs. Savoir cela vous encouragera à différencier vos enfants, tout en respectant l'attachement qu'ils éprouvent l'un pour l'autre.

Pour en savoir plus...

▮ René Zazzo (1910-1995) a été un des grands spécialistes de la psychologie de l'enfant. Ses contributions les plus importantes concernent la notion d'attachement, les réactions de l'enfant devant le miroir et surtout la gémellité. Ses deux principaux livres sur ce sujet sont : *Le Paradoxe des jumeaux* (éditions Stock), qui est un livre pour le grand public ; et *Les Jumeaux, le couple et la personne* (P.U.F.), un livre également passionnant, mais d'un abord moins facile.

▮ *Les Jumeaux*, du professeur René Frydman et du docteur J.C. Pons, paru dans la collection « Que sais-je ? » (P.U.F.)

▮ *Le Guide des jumeaux*, de Régine Billot, éditions Balland. L'auteur, qui est elle-même mère de jumelles, répond aux nombreuses questions que se posent les futurs parents et les parents.

L'éducation
silencieuse

Le chapitre précédent a été écrit pour vous faire faire la connaissance de votre enfant, pour vous parler de lui surtout pendant ces années où il ne peut encore le faire lui-même. Il est certain que lorsque vous lirez qu'il est normal qu'un enfant de 9 mois jette par terre son jouet pour voir où il tombe, et non pas pour vous provoquer, vous n'aurez plus la même attitude vis-à-vis de lui. De même si l'on vous dit que le non de l'enfant de 2 ans-2 ans et demi marque une étape importante dans la conquête de son autonomie, vous n'aurez pas envie de considérer ce non comme une attitude agressive envers vous. Et ainsi dans bien d'autres domaines.

Je pense qu'avec ces connaissances, complétées par votre sensibilité et votre instinct, vous saurez l'essentiel pour bien élever votre enfant. J'ai quand même souhaité vous proposer dans ce court chapitre, « L'éducation silencieuse » (vous verrez plus loin pourquoi je l'ai intitulée ainsi), quelques rubriques où je parle de questions qui me tiennent à cœur, de quelques faits de société ou de certaines situations difficiles.

Les parents

● Du côté des mères

La plupart des mères reprennent aujourd'hui leur travail dès la fin du congé de maternité, et le pourcentage ne cesse de grandir. Souvent, la femme aime ce qu'elle fait, ou elle a peur de perdre sa situation. Et le chômage a amplifié cette crainte. Toujours est-il que la femme se sent capable de mener tout de front : s'occuper de ses enfants et avoir un métier. Cela ne va pas sans poser des problèmes parfois difficiles à

résoudre. Mais le choix est fait, il semble irréversible : les femmes sont de plus en plus nombreuses à travailler.

Je voudrais quand même dire deux mots à cette nouvelle maman heureuse d'avoir un enfant et qui envisage de reprendre rapidement son travail. Cet enfant vient de naître, vous commencez à faire connaissance. Si vous le pouvez, donnez-vous, donnez-lui six mois pour profiter l'un de l'autre. Ces six mois seront des moments exceptionnels et pour vous et pour lui. Vous verrez l'éveil de votre bébé, ses découvertes, ses progrès quotidiens. Cela vous rassurera dans votre rôle de mère, ce sera pour lui l'occasion de « démarrer » en douceur dans la vie.

Même si votre travail vous passionne, et, bien sûr, si vous en avez la possibilité matérielle, j'aimerais risquer ce conseil : ne partez pas si vite, j'ai peur qu'un jour vous regrettiez de vous être privée de ces quelques mois. Écoutez ceux qui disent qu'un bébé c'est passionnant, voyez tous ces spécialistes qui font des colloques pour dire que dès le début de la vie un bébé a beaucoup à dire, à communiquer : découvrez-le vous-même. Six mois donnent déjà le temps de faire bien connaissance, et six mois, qu'est-ce dans une vie ? Si vous prenez cette pause-bébé, je ne pense pas que vous le regretterez. Après, lorsque vous reprendrez votre travail, n'oubliez pas qu'un enfant a besoin de sa mère, comme de son père, et que plus vous pourrez lui consacrer de temps, plus il sera heureux. Vous le savez, mais il est important de le redire.

▮ A côté des mères qui ne souhaitent pas s'arrêter de travailler, il y en a d'autres qui au contraire en rêvent, celles qui ont des métiers épuisants : la caissière de grande surface, la vendeuse de grand magasin, l'employée aimeraient pouvoir consacrer du temps à leur bébé mais elles ne le peuvent pas car elles ont besoin de leur salaire.

▮ Pour certaines mères, le travail à temps partiel semblait hier encore une bonne solution. Mais l'heure du choix et des hésitations est dépassée. Les circonstances économiques actuelles, le chômage font que les femmes hésitent à demander des aménagements qui risqueraient de rendre leur situation précaire. Le temps partiel, les horaires aménagés ne peuvent être envisagés facilement que dans certains secteurs : fonction publique, grandes entreprises, etc. Avant de prendre une décision, renseignez-vous sur les garanties proposées.

▮ À côté de toutes ces mères qui travaillent à l'extérieur, il y a des mères qui ont fait d'emblée leur choix : être à la maison avec leur enfant. Pour parler de ces mères, vous remarquerez peut-être que j'évite d'employer les mots « rester au foyer » ; c'est à dessein, car ces mots sont devenus dévalorisants. Aujourd'hui la « mère au foyer » est souvent mal vue (« Ah ? Vous ne travaillez pas ? » Et la remarque est faite d'un ton mi-étonné, mi-condescendant.)

Être chez soi, c'est pouvoir organiser sa vie et ses journées à sa guise, c'est avoir plus de temps pour être avec son enfant. Pour l'enfant, c'est la stabilité, ce sont des nuits sans réveil brutal, ni trajets endormis vers la crèche.

Il y a des inconvénients : solitude lorsque les amis travaillent et que la famille est loin ; difficulté de pouvoir faire garder ses enfants de temps en temps ; il n'y a pas assez de halte-garderies, etc. En plus, être éloigné du monde du travail risque, un jour, de rendre difficile à la mère de retrouver une activité professionnelle, par exemple, lorsque les enfants auront grandi, ou si la situation familiale change.

Différents cas, différents souhaits, différentes mères… les solutions ne sont pas toujours faciles. La société devrait, pourrait faire un effort supplémentaire pour que la mère puisse choisir le mode de vie le mieux adapté à sa situation, à ses besoins, à ses goûts. C'est encore elle qui a la plus grande charge des enfants, même si les pères sont aujourd'hui plus présents. Une société qui se veut avancée, qui se dit préoccupée par le sort des femmes, se doit de s'occuper de ses enfants – le capital d'une nation – et cela passe d'abord par leurs mères.

- **Mères fatiguées, mères énervées.**

Si vous êtes fatiguée, énervée, vous avez toutes les raisons de l'être. Levée tôt, couchée tard, travail à l'extérieur, travail à la maison, soins des enfants, courses, cuisine, ménage, peu de temps pour faire du sport ou aller au cinéma, c'est éreintant, même lorsqu'on est jeune. Les statistiques confirment les faits. D'après une enquête (dont les résultats n'étonneront d'ailleurs pas), les femmes les plus fatiguées sont celles qui ont des enfants de 18 mois à 3 ans, donc n'ayez ni complexes ni culpabilité.

Mais alors que faire ? Dans l'immédiat, au sommet de l'énervement, dire franchement à l'enfant, pour éviter une punition qu'il n'aurait pas méritée : « Je suis énervée, laisse-moi tranquille. » Croyez-moi, il comprendra, et vous verrez pour vous-même comme c'est parfois soulageant de pouvoir exprimer son énervement.

Si vous êtes fatiguée, si votre énervement retentit sur votre enfant, ce qui est bien compréhensible, c'est peut-être le moment d'envisager avec votre mari, avec votre compagnon, une réorganisation au sein du couple, de voir ensemble de quelles autres tâches il pourrait se charger. On dit facilement que les hommes ne font pas grand chose à la maison. Mais certains ne se rendent pas compte de tout ce que font les femmes dans une journée. Une bonne conversation est toujours bénéfique. Quant aux femmes, elles se plaignent parfois, et en même temps, elles n'aiment pas être remplacées, elles craignent que l'on ne fasse pas aussi bien qu'elles. C'est une réaction fréquente, mais pour être plus détendues, pourquoi ne pas accepter que les choses soient faites un peu différemment ?

- ## Père aujourd'hui

━━━━━━━━━━ En une génération, les rapports entre le père, la mère et l'enfant se sont transformés, dans tous les domaines. Sans entrer dans le détail, citons : la contraception, l'interruption de grossesse, la législation sur le nom, l'autorité parentale, l'autonomie financière des femmes, etc.

De leur côté, les pères se sont intéressés de plus en plus tôt à leur bébé : en suivant des séances de préparation, en assistant à la naissance, en prenant un congé de paternité, en s'occupant de leur nouveau-né.

Et le père aujourd'hui ? Régulièrement on fait des enquêtes pour savoir quelle est sa participation dans les soins au bébé, dans le partage, avec sa femme, des tâches de la maison. La répartition n'est pas encore égale. Les pères veulent bien donner le biberon, emmener le bébé à la crèche, jouer avec lui. Mais ils ne sont pas très nombreux à s'occuper de la maison et à se lever la nuit. Il y a encore beaucoup à faire pour arriver au partage « à la suédoise » qu'on nous donne toujours en exemple. Mais je suis optimiste car les mentalités sont en train de changer. Les jeunes ont envie d'égalité.

Pour eux, aujourd'hui, la vie familiale et personnelle compte beaucoup. Pour le bien-être de nos enfants, souhaitons que l'évolution se poursuive.

Différents pères

Il y a encore le père traditionnel, moins fréquent, mais qu'on rencontre quand même dans certaines familles : la femme est en général à la maison, tandis que l'homme travaille à l'extérieur. Certains couples sont heureux de cette situation. Mais parfois les femmes voudraient que le père participe plus à la vie de l'enfant. C'est peut-être à elles de faire en sorte que le père découvre le plaisir de s'occuper d'un bébé, de jouer avec lui, de participer à ses apprentissages, dans lequel l'enfant aura une large place.

Il y a le père qui rêve de tout faire exactement comme la mère : pour l'enfant, c'est trop ; il n'a pas besoin de deux mères, une lui suffit, mais il lui faut un père. Et les rôles ne sont pas interchangeables. Un père, une mère, deux personnes de sexe différent, c'est nécessaire car chacun apporte à l'enfant d'autres gestes, un autre comportement, d'autres intérêts. C'est nécessaire aussi, car l'enfant a besoin de deux modèles, de deux références, d'une identification sexuelle différenciée.

Il n'est pas non plus souhaitable que la relation père-enfant soit exclusive. L'enfant a besoin par rapport à son père comme par rapport à sa mère de « s'individuer », de se vivre comme une personne autonome qui va lentement vers son indépendance.

Un « papa trop poule » n'est pas meilleur pour l'enfant que la « trop bonne mère » dont parlait D. Winnicott (1). L'enfant a besoin de s'épanouir, non pas seulement dans un duo avec l'un ou l'autre de ses parents, mais dans un trio où chacun des adultes a son rôle à jouer.

1. Dans *L'Enfant et sa famille* et *L'Enfant et le monde extérieur*, éditions Payot.

Ainsi le père peut faciliter l'indépendance de l'enfant vis-à-vis de la mère en empêchant que la symbiose naturelle des premières semaines de vie devienne trop exclusive et se transforme en surprotection.

On dit que la place du père dépend de celle que lui donne la mère. C'est vrai. Comme le dit le docteur Aldo Naouri : "C'est la mère qui, désignant à l'enfant son père, fonde, fabrique ce père en même temps qu'elle introduit son enfant au monde du symbolique".

Mais c'est aussi aux pères de trouver la place qu'ils souhaitent prendre : un équilibre entre l'autorité et la confiance dont les enfants ont besoin.

Les pères séparés.

Cette place du père est d'autant plus nécessaire à préserver dans les cas de divorce et de séparation, situation difficile à vivre par tous, parents et enfants, situation malheureusement fréquente aujourd'hui.

Lors d'une séparation du couple, 85 % des enfants sont confiés à leur mère. Cela correspond à la vision traditionnelle de la maternité : la mère porte et nourrit l'enfant, c'est elle qui est la plus apte à s'en occuper. C'est aussi, dans une grande majorité des cas, la mère qui a organisé sa vie professionnelle, et a parfois renoncé à sa carrière, pour s'occuper des enfants.

Autre chiffre préoccupant : après un divorce, ou une séparation, plus d'un quart des pères ne voient plus leurs enfants, et 23 % ne les voient qu'une fois par mois. Cette perte de contact est la conséquence d'un droit de visite trop réduit, de difficultés matérielles rencontrées par les pères pour accueillir l'enfant (éloignement, problèmes financiers, fragilité psychologique).

Ces statistiques sont impressionnantes. Des associations de défense des pères se sont créées pour dénoncer ce qu'elles considéraient comme une injustice de voir trop souvent les enfants confiés à leur mère, d'une façon presque systématique et exclusive.

Ces revendications ont été entendues. Aujourd'hui, les juges essaient de préserver la place du père, tout en donnant la priorité à "l'intérêt de l'enfant". Mais l'intérêt de l'enfant c'est d'abord aux parents de l'organiser dans la vie quotidienne. Par exemple, chaque fois que l'un confie l'enfant à l'autre, la précaution la plus élémentaire à prendre est de le faire d'une façon sereine et chaleureuse. Et non comme un objet qui passe de l'un à l'autre. Pour leur enfant, les parents doivent accepter de dépasser leurs difficultés conjugales.

Le couple

Même lorsque le trio père-mère-bébé a atteint un bon équilibre, le duo des parents doit savoir préserver son intimité, sa vie de couple, au fur et à mesure que le bébé grandit. Cela demande une certaine attention.

Par exemple, si le bébé dort dans la chambre de ses parents – c'est normal au début – il ne doit pas y rester trop longtemps. Les parents d'un côté, l'enfant de l'autre, ont chacun besoin de leur espace, et de leur temps : le temps des parents n'est pas le même que celui du bébé.

Parfois, le bébé comble ses parents de tellement de tendresse, que les parents peuvent perdre l'habitude de leur intimité, de leur bonheur à deux. Ils se laissent envahir par l'enfant. C'est ainsi qu'une naissance peut parfois fragiliser la vie d'un couple tellement est grande la réorganisation qu'elle provoque dans sa vie privée, son emploi du temps, son avenir, etc.

En échange, une naissance peut renforcer l'amour et l'attachement entre un homme et une femme : ils sont reconnaissants l'un envers l'autre de la naissance de ce bébé, expression de leur amour.

L'éducation

Une des premières appréciations sur l'éducation se traduit par : « Oh, il est très bien élevé ! ». Traditionnellement, être bien élevé c'est dire, comme il faut, bonjour, bonsoir, merci ; c'est se tenir bien à table, savoir écouter sans interrompre, etc.

Un temps, on s'est moqué de ces conventions. Aujourd'hui, on y revient. Et c'est bien. Un enfant simplifie la vie des autres, et la sienne, en se comportant comme un être social, civilisé. Il se prépare aussi un avenir plus facile à une époque où tout passe par la communication. « Ne parle pas la bouche pleine. » Il faut le répéter.

L'éducation n'est pas que l'apprentissage de la politesse et des manières à table, mais c'est déjà beaucoup, et si j'en parle en premier, c'est pour me conformer au jugement traditionnel. En plus, ce respect des formes traduit un respect des autres, sans lequel les relations en société sont difficiles. Mais, après ce préalable nécessaire, parlons du fond.

Essayer de définir l'éducation en quelques pages semble une impossible gageure. Ou alors il faudrait s'en tirer par une pirouette et dire comme Freud : « De toute manière, quoi que vous fassiez, vous ferez toujours mal. »

Même s'il n'y a pas de parents parfaits, je ne partage pas le pessimisme de Freud, mais je crois que la marge de manœuvre est faible. Quoi qu'on lise, voie, ou entende, on élève en général ses enfants *comme* ou *contre*. *Comme* ou *contre* l'éducation reçue. En lisant des récits d'enfance, je suis frappée de constater ceci : même si l'auteur raconte que l'éducation qu'il a reçue a été ferme, voire stricte, il en parle avec tendresse lorsqu'il s'est senti aimé, et élèvera ses enfants comme. En revanche, si l'on a souffert, si l'on a trouvé ses parents injustes, on ressassera sans cesse les principes qui vous ont heurté et l'on élèvera ses enfants contre.

Dans une certaine mesure, les parents sont donc conditionnés. Mais leur part de liberté, d'initiatives, à mon avis ils pourront en user s'ils ont en tête ces quelques notions.

D'abord, qu'élever un enfant c'est avant tout l'aider à devenir autonome. Cela passe par des détachements successifs et qui commencent très tôt.

Naissance, sevrage, école, c'est peu à peu que l'enfant apprend à se passer de vous. Comme s'il sentait que son destin est de vous quitter, à peine sait-il faire deux pas, ce petit enfant, que déjà il s'irrite que vous lui donniez la main. À peine sait-il dire deux mots que déjà il crie : « Moi, plus bébé ! » Et dans ses propos revient comme un refrain : « Quand je serai grand… » C'est pour faire comme papa, comme maman, ou comme une grande sœur, qu'il a envie d'agir tout seul. Ce n'est pas un caprice s'il veut prendre sa timbale sans votre aide. Si, dans la rue, il veut vous lâcher la main, ou si demain il veut aller à l'école sans vous, son désir est normal. C'est d'ailleurs ce désir de grandir qui lui fait faire, jour après jour, des progrès.

Les parents ne sont pas toujours pressés de favoriser l'indépendance. Matériellement cela prend du temps : c'est plus vite fait de boutonner soi-même la veste que d'attendre que l'enfant y parvienne ; et psychologiquement, c'est souvent difficile pour une mère d'accepter que son enfant essaie de se passer d'elle. C'est pourquoi certaines femmes ont plusieurs enfants. « Je les aime bébés. » Sous-entendu, tout à moi.

Il faut de la patience pour laisser un enfant faire ses essais. Mais chaque fois que l'enfant tente et réussit un geste d'indépendance, il est heureux. Et c'est à ce prix qu'il grandira.

Pour vous consoler, si vous êtes mélancolique à la pensée de ces inévitables détachements, je vous dirai mon intime conviction : plus tôt on laisse l'enfant prendre son autonomie, plus profonds sont les liens qu'on tisse avec lui. Ce n'est pas une vision optimiste par principe, je l'ai maintes fois constaté.

Une idée reçue risque d'amener bien des déceptions : les parents croient généralement que lorsqu'une nouvelle acquisition est faite, elle est définitive, que le passage de cet état inachevé de l'enfance à la maturité de l'âge adulte se fait par l'addition des conquêtes, des progrès. Ce n'est pas si simple ; un progrès dans un domaine amène souvent un retour en arrière ou un arrêt : l'enfant commençait à bien marcher ; soudain, il fait de gros progrès de langage, alors s'arrêtent les progrès de la marche. En réalité la croissance se fait par à-coups, c'est vrai dans tous les domaines : un pas en avant, deux en arrière, puis on rencontre des obstacles.

Les deux rêves.

De l'avenir de son enfant, on rêve très tôt, parfois même avant qu'il naisse. On le voit champion de ski, pilote d'avion, chef d'orchestre ; on la voit médecin, actrice, danseuse ou ingénieur. Et l'on pense rarement à des carrières banales, mais à celles qu'on n'a pas pu, ou pas osé faire. On charge en quelque sorte son enfant de réaliser un rêve enfoui.

Mais votre enfant pourra-t-il réaliser vos ambitions ? N'est-ce pas d'emblée l'aiguiller dans une direction qui n'est pas nécessairement la sienne ? Qui lui préparera peut-être des déceptions, et doublerait les vôtres. Parfois au contraire, c'est l'enfant qui rêve : petit, il se voit très souvent pompier, puis plus tard champion de foot ou danseuse étoile, je n'oserai dire écrivain, c'est rarement un rêve d'enfant…

Winnicott disait dans ces cas, rêvez avec votre enfant.

Je voudrais ajouter ceci : rêvez avec votre enfant mais gardez les yeux ouverts. Tâchez de voir s'il a quelque aptitude pour son choix, car sinon son échec risquerait d'être aussi le vôtre.

En fait, dans les deux cas, il faut d'abord aider votre enfant à trouver ce pour quoi il est fait. Ce n'est pas facile, c'est même une des difficultés majeures de l'éducation.

Vous me direz que de toute façon essayer de donner corps à des rêves d'avenir alors que l'enfant est si jeune, c'est bien prématuré. Mais le propre des rêves est d'ignorer le temps. Et vous n'empêcherez personne au monde, devant un enfant qui commence sa vie, d'imaginer que tout lui sera possible.

L'éducation silencieuse

Rien n'est plus délicat que de donner des conseils sur l'éducation. Ils ont un caractère général qui s'accorde mal avec l'infinie variété des enfants et des parents. J'aimerais pourtant en risquer un.

Les paroles comptent bien sûr, mais ne vous faites pas trop d'illusion sur leur valeur : ce n'est pas ce que vous direz à votre enfant qui le marquera le plus, mais ce que vous ferez en sa présence, la manière dont vous vivrez, vos occupations, vos préoccupations, vos goûts, les conversations que vous aurez devant lui, le cadre dans lequel vous le ferez vivre, votre humeur, votre sourire, vos attentions pour les uns et les autres, vos lectures, les journaux qui seront posés sur la table et les disques que vous écouterez, les émissions de télévision que vous regarderez.

Bien entendu, on ne peut pas se répéter sans cesse "je dis ce mot, je fais ce geste pour élever mon enfant sans peine". Mais au fur et à mesure que passe le temps, tout me convainc de cette force qu'on évalue mal au départ, mais qui a son importance dans tous les domaines : la politesse, le langage, l'honnêteté, la culture, les goûts, etc. L'enfant entend, répète, imite, copie les mots, les gestes, les expressions de ceux qui l'entourent. Attirer l'attention sur la force de l'éducation silencieuse, ce n'est pas donner une recette, mais faire un constat renouvelé tous les jours.

Sans s'adresser directement à l'enfant, sans émettre de grands principes, mais en vivant sous ses yeux, on lui transmet l'essentiel de ce qu'il devrait savoir. Et si les faits sont en contradiction avec les paroles, ce sont les faits qui priment. L'éducation qui marque le plus, c'est l'éducation silencieuse. C'est pourquoi j'ai souhaité donner ce titre à ce chapitre.

La sécurité affective

S'il fallait, parmi les besoins de l'enfant, choisir le plus important, je choisirais la sécurité affective. Donner la sécurité à un enfant, c'est bien sûr lui donner à boire et à manger, s'assurer qu'il est à l'abri du froid, de la maladie, etc. La sécurité matérielle est indispensable à la survie. Mais se sentir en sécurité, pour un enfant, c'est bien plus.

Voyez ce nourrisson qu'un bruit soudain fait sursauter et qui se blottit instinctivement contre sa mère, ou ce bébé à la marche mal assurée dont la main se crispe sur la vôtre lorsqu'il entre dans le cabinet du pédiatre… Ce petit garçon qui cherche le regard de son père avant de se lancer pour la première fois sur le toboggan, ou cette petite fille qui s'assure que « vrai de vrai » vous viendrez la prendre à la sortie de l'école : que recherchent-ils tous ? Votre présence pour les réconforter, l'assurance qu'ils peuvent compter sur vous pour affronter la nouveauté. C'est cela, leur sécurité.

Selon son âge, le besoin de sécurité de l'enfant prend d'ailleurs des formes différentes. Tantôt il a besoin de votre sang-froid, tantôt il a besoin de votre compréhension. Quand il sera plus grand, ce sera peut-être à votre fermeté qu'il en appellera pour se protéger de lui-même. Sûr de vous, sûr de votre affection, l'enfant est capable de toutes les audaces, il peut supporter le changement, la maladie, la séparation.

D'ailleurs, vous avez vu la naissance de ce besoin de sécurité avec la reconnaissance des « tableaux » (voir le chapitre 4,

Les besoins essentiels des enfants

La sécurité affective est un des besoins indispensable à chaque enfant pendant les premières années, ainsi que le besoin de relations chaleureuses, d'expériences adaptées à chacun, de limites, d'ambitions, etc... Ces besoins essentiels des enfants sont le sujet du livre de T.B. Brazelton et S. Greenspan : *Ce que tout enfant doit avoir pour grandir, apprendre et s'épanouir*, Editions Stock. Un livre original par deux grands spécialistes de l'enfance.

p. 189). Vous l'avez retrouvé au moment des habitudes du coucher où l'enfant a besoin, chaque soir, que dans le même décor, se reproduise le même rite ; et tout au long de ce chapitre, vous avez pu constater ce besoin de sécurité ; il recouvre les autres, qu'ils soient physiques ou psychologiques ; il domine complètement la structure affective de l'enfant.

L'écueil, quand on écrit un livre pour les parents, c'est qu'après leur avoir donné une information, on est tenté de la corriger par une restriction, mais c'est souvent inévitable. Par exemple, je voudrais ajouter ceci : pour se sentir en sécurité, votre enfant a besoin de vous ; cela ne veut pas dire qu'il faut être sur son dos 24 heures sur 24 : cela deviendrait vite, pour l'enfant, une insupportable surprotection.

La surprotection

Les parents ont naturellement tendance à protéger leur enfant : il est si petit, si fragile en apparence, et sa dépendance est totale. On a envie de répondre à ses pleurs, à son inconscience des dangers, à son ignorance des interdits qu'il ne peut pas encore connaître. Chacun a peur qu'il arrive quelque chose à son enfant : quand il dort, on vérifie qu'il respire bien, on s'inquiète à la moindre fièvre, on craint la chute, l'accident.

Ces peurs, les parents les connaissent tous. Mais lorsqu'on se laisse envahir par elles, lorsque l'enfant devient une préoccupation de tous les instants, le poids de la surprotection et de l'angoisse étouffe l'enfant.

À la surprotection, l'enfant peut réagir de différentes façons : ou il se renferme sur lui-même, n'ose plus rien faire, redoute toute nouveauté, tout changement, même amusants, comme un nouveau jeu ; ou l'enfant devient nerveux, agité, s'oppose à toute intervention, même justifiée, de l'adulte. Dans ce cas, les parents disent : « il n'obéit à rien, on ne peut quand même pas le laisser tout faire », ne se rendant pas compte que ce sont eux qui ne lui laissent rien faire…

Lorsqu'on élève un enfant, surtout lorsque c'est le premier et qu'on manque d'expérience, il faut un temps pour trouver la juste mesure. Mais si votre enfant correspond à l'une des descriptions ci-dessus, réfléchissez et posez-vous la question : ne le surprotégez-vous pas ?

Voyez au chapitre 4 s'il a des activités correspondant à son âge ; par exemple, ne devrait-il pas être sorti de son parc ? Voyez au chapitre « Jeux » ceux qui correspondent à ses intérêts du moment. Pensez aux bienfaits de l'eau : les enfants aiment jouer avec l'eau et cela les détend. Faites-le participer à vos activités le plus souvent possible : au marché, donnez-lui un porte-monnaie, à la cuisine, donnez-lui une casserole et une cuillère en bois, pour qu'il vous imite.

Ainsi peu à peu votre enfant se rendra compte que vous avez de la considération pour lui et pour ses besoins d'autonomie, et que vous ne le regardez pas comme quelqu'un à qui il faut tout interdire de peur qu'il ne fasse tout mal.

L'autorité

Aux parents qui craignent de se montrer fermes avec leurs enfants, à ceux qui ont mauvaise conscience de manifester leur autorité, à ceux qui craignent d'être moins aimés en exigeant quelque chose, nous disons ceci : pouvoir compter sur la fermeté de ses parents rassure un enfant, l'aide à se structurer. Si pour la forme, il s'oppose, il n'en a que plus de confiance. Cette autorité, non seulement il l'admet, mais il la recherche si elle fait défaut. Ainsi des enfants deviennent de plus en plus insolents, pour voir jusqu'où on les laissera aller. Car cette autorité est nécessaire pour leur équilibre. Aucun parent ne peut faire l'économie de la fermeté à un moment ou à un autre.

De même si les parents sont incapables de maintenir une décision, s'ils cèdent chaque fois, l'enfant peut bien être satisfait sur le moment, mais il ne se sentira pas protégé par ses parents, il ne se sentira pas en sécurité.

Les décisions, l'enfant les admet si elles sont justes. En revanche, ce qu'il n'admet pas, c'est l'arbitraire ; c'est en cela que l'autorité est bien différente de l'autoritarisme, qui, lui, est une volonté déterminée de ne jamais céder à l'enfant, même s'il a raison. Cette notion, « l'enfant doit obéir par principe parce qu'il est petit », peut amener à la révolte justifiée de l'enfant, et un jour, peut-être, à sa fuite.

Pour en savoir plus
sur les besoins de limites qu'ont tous les enfant, nous vous conseillons le livre de Suzanne Robert Ouvray : *Mal élevé, le drame de l'enfant sans limite* (éditions Desclée de Brouwer).

A partir de quel âge l'enfant a-t-il besoin d'autorité ? La première année, un bébé a avant tout besoin qu'on réponde à ses demandes : on ramasse les objets qu'il a jetés et qu'il ne peut pas attraper, on le prend dans les bras, on le rassure quand il a peur… Tout en trouvant un équilibre entre la réponse immédiate et l'apprentissage d'une petite attente : lorsqu'un bébé de 5-6 mois réclame bruyamment son biberon, on peut lui apprendre à attendre l'heure prévue en lui proposant un jouet, en lui montrant son boulier. Puis, en grandissant, à partir de l'âge de la marche et de l'apparition du « non », c'est-à-dire au début de la conquête de l'autonomie, l'enfant a vraiment besoin que les adultes lui donnent des limites, lui manifestent de l'autorité, lui montrent qu'il y a des choses permises, d'autres défendues (toucher une prise, allumer la télévision, etc.).

C'est ainsi que peu à peu il apprendra à se maîtriser. S'il a le droit de faire tout ce qui lui plaît lorsqu'il est petit, il sera très difficile de lui imposer une règle plus tard. Il aura

des difficultés à vivre en société, ne fût-ce qu'à l'école, pour commencer. La non-directivité rend les choses plus faciles, plus agréables sur le moment. Mais, comme l'a dit le docteur Daniel Kipman, psychanalyste : « À manger son pain blanc trop tôt, il ne reste que le pain noir des conflits de l'adolescence, avec des jeunes adultes qui ne savent pas maîtriser leurs désirs, car ils n'ont pas appris à le faire. » En plus, les limites qu'on donne à l'enfant lui évitent de se sentir dans un rapport d'égalité avec ses parents : un enfant à qui on a appris à respecter la différence entre les générations se sent en sécurité. Les parents peuvent avoir des rapports d'égalité avec de jeunes adolescents ; les enfants, eux, ont besoin de sentir que leurs parents sont des adultes sur qui ils peuvent compter, ce qui n'exclut pas bien sûr souplesse et humour.

L'autorité, pour garder toute sa valeur, doit s'adapter à l'âge de l'enfant. Il y a un moment où celui-ci subit l'autorité sans comprendre : s'il éloigne brusquement sa main de la prise de courant lorsque vous le grondez, c'est uniquement parce qu'il a confiance en vous. Dès qu'il commence à comprendre, il faut lui donner la raison de vos ordres ou de vos interdits. Il acceptera mieux d'obéir. Mais n'inventez pas chaque jour de nouvelles exigences sous prétexte que l'enfant grandit. Il finirait par ne plus obéir du tout. Fixez-vous quelques règles essentielles, et soyez indulgents pour le reste.

Tenez compte du caractère de l'enfant, et des circonstances. Par exemple, un enfant va d'habitude se coucher sans difficulté. Naît une petite sœur. Désormais, tous les soirs, c'est la scène pour se coucher. Sévir ? Il faut d'abord comprendre que l'enfant jaloux fait tout pour garder près de lui plus longtemps sa mère qu'il croit avoir perdue. Plutôt que de gronder, il faut comprendre et rassurer.

Certains parents confondent autorité et sévérité. L'autorité ne se distribue pas à coup de gifles, ni d'éclats de voix. Elle est même d'autant mieux acceptée par l'enfant qu'elle ne s'accompagne pas de ces manifestations.

Cela dit, une punition, si elle est juste, n'a jamais traumatisé un enfant. Elle n'entamera ni sa confiance, ni son affection, elle assainira parfois mieux l'atmosphère que ces situations indéfinissables qui culpabilisent et les parents et les enfants parce que la sanction n'a pas été immédiate.

Pour ou contre la fessée ? C'est ce que m'ont demandé certains lecteurs. La lecture de ce livre montre que je n'en ai jamais été partisane. J'ajouterai qu'aujourd'hui, à une époque où la violence est de plus en plus présente, il n'est pas possible de se comporter de façon violente envers les enfants.

Mais le jour où vous trouverez que vous avez été injuste envers votre enfant, que la punition était disproportionnée avec ce qu'il avait fait, dites-le-lui, il vous en sera reconnaissant, et il comprendra que les adultes peuvent aussi faire des erreurs et le dire tout simplement.

Il n'est pas toujours facile d'exercer son autorité sur un enfant. La tentation est souvent grande de le laisser faire. Mais ce n'est pas dans l'intérêt de l'enfant : il aura de la peine à s'affirmer s'il ne rencontre jamais d'opposition ; s'il n'apprend pas à surmonter une difficulté, il cherchera à tout prix à éviter le moindre obstacle. Je vous dirai autre chose : des parents qui savent manifester leur autorité sont des personnes qui contrarient parfois, mais sur qui on peut compter ; c'est important pour un enfant.

Voilà ce qu'il faut se rappeler le jour où l'on n'a pas envie d'être ferme.

•L'enfant gâté.

Le parent est là pour donner des limites. D'instinct, l'enfant n'en a aucune : il peut manger en entier la boîte de chocolat, venir tous les soirs dans le lit de ses parents, allumer sans cesse le téléviseur, si l'adulte n'est pas là pour l'arrêter.

Un enfant qui ne se heurte pas aux interdits des adultes devient vite un enfant anxieux. On le dit *gâté*, en fait c'est un enfant qui gêne mais qui souffre, il est à la recherche de sécurité, de limites. Mais, comme nous l'avons dit plus haut, pendant la première année, on ne peut pas parler d'enfant gâté : le bébé est en pleine adaptation, pour l'aider les adultes doivent répondre à ses demandes.

L'éducation religieuse

Un enfant commence à marcher vers un an ; il apprend à parler entre 12 et 18 mois. À l'école chaque classe a son programme. Aussi a-t-on tendance à lier chaque nouvel apprentissage à un âge déterminé.

L'éducation religieuse échappe à ce critère d'âge même si le catéchisme des catholiques, l'école biblique des protestants, l'instruction religieuse des juifs ou des musulmans commencent à des âges précis fixés selon les différentes confessions. Avant ces âges, c'est d'abord une imprégnation, un environnement qui favorisent et développent un éveil de la sensibilité aux mystères de la religion.

Je dis cela pour répondre à la question que me posent certains parents : quand commencer l'éducation religieuse ? Je réponds : au berceau, aujourd'hui, tous les jours.

Pour le chrétien, le musulman, le juif, la religion c'est une foi, une morale, une pratique, des coutumes. Y associer l'enfant, même tout petit, c'est l'habituer tout naturellement à vivre dans cette foi. Je dis associer, ce n'est même pas aussi actif. Que l'enfant soit simple spectateur, c'est déjà un début. Même avant de comprendre, un enfant est sensible à un changement de ton, d'attitude, il contemple et enregistre beaucoup.

Emmenez votre enfant au temple, à la mosquée, à la synagogue, à l'église, même un court instant. En Grèce, le pays de ma mère, on entre dans une église, on met un cierge, on fait une prière, on repart au marché, la foi est vraiment intégrée dans la vie quotidienne.

Racontez à votre enfant les histoires de l'Ancien Testament, montrez-lui des livres illustrant la vie de Jésus ; faites-lui entendre une musique sacrée. Dites-lui sa prière avant qu'il ne puisse la faire lui-même. Peu à peu votre religion entrera dans la vie de votre enfant. Et le jour voulu, l'instruction religieuse trouvera alors normalement sa place dans sa vie en lui apportant des éclaircissements et des réponses aux questions qu'il se pose devant les mystères de la foi. Ces réponses lui permettront alors de participer en pleine conscience et connaissance à la vie de la communauté à laquelle il appartient, et de trouver dans la pratique religieuse l'épanouissement de sa personnalité.

Certains parents ne souhaitent pas, disent-ils, influencer leur enfant, et préfèrent le laisser, le moment venu, choisir lui-même sa voie. J'aimerais dire à ces parents qu'il est difficile de faire un choix sans avoir de point de comparaison éprouvé. Il me semble donc plus simple d'élever ses enfants dans sa propre religion, quitte à les laisser, plus tard, s'ouvrir à d'autres spiritualités.

À une époque envahie par les considérations matérielles, l'important c'est d'introduire une dimension spirituelle dans la vie quotidienne, c'est de favoriser l'éveil de l'enfant aux mystères de la vie, de l'existence, de certains engagements, éveil propre à susciter peu à peu chez lui d'autres besoins et d'autres exigences.

L'instruction religieuse proprement dite débute à des âges variés, et selon des modalités différentes suivant les religions. Pour répondre à des parents qui demandent de leur indiquer des titres de livres à lire eux-mêmes, ou à donner à leurs enfants, je vous indique ci-après, une petite bibliographie pour les principales religions pratiquées en France : le christianisme, avec ses trois confessions, catholique, protestante et orthodoxe ; le judaïsme et l'islam.

● **Pour les catholiques**

- Collection *Si tu savais le don de Dieu* ; 4 livres pour les enfants (7-8 ans, CE2-9e, CM1-8e, CM2-7e), avec un livre d'accompagnement pour les parents et éducateurs. Éditions Le Senevé / Cerf, Paris.
- Collection *La vie spirituelle des enfants*, 3 livres : pour les 4-7 ans, pour les 5-8 ans et pour les parents et éducateurs, de Noëlle Le Duc, Éditions du Micocoulier, 84120 Venasque.

● **Pour les protestants**

- *Pour raconter une histoire vraie* à des enfants de 5-7 ans : 4 mini-dossiers, éditions Société des Écoles du dimanche.
- *De fêtes en fêtes, découvrir, aimer, célébrer* de 7 à 11 ans : 4 dossiers pour les fêtes chrétiennes, Noël, Épiphanie, Rameaux, Pâques, etc. Éditions Société des Écoles du dimanche.
- *La Bible en 365 histoires* racontée par Mary Batchelor, illustrée en couleurs, 416 pages, Société biblique française.

● **Pour les orthodoxes**

- *Dieu est vivant*, catéchisme pour les familles par une équipe de chrétiens orthodoxes, éditions du Cerf, Paris.

● **Pour les juifs**

- *Anne et Daniel, le judaïsme dans la vie quotidienne des jeunes* par Claude Annie Gugenheim, éditions Service Technique pour l'Éducation, Paris.
- *La tradition juive se nourrit de la Bible et du Talmud, mais aussi des contes nés au long des pérégrinations*, par Marc-Alain Ouaknin et Dory Rotnemer. Collection « Les contes du Ciel et de la Terre », éditions Gallimard Jeunesse.

● **Pour les musulmans**

- *L'Islam enseigne qu'il faut être soumis à Dieu*, par Slimane Zeghidour, collection « Les contes du Ciel et de la Terre », éditions Gallimard Jeunesse.
- *La Tradition musulmane raconte comment Mahomet, une nuit, fut conduit au Ciel et mis en présence de Dieu*, collection « Les contes du Ciel et de la Terre », éditions Gallimard Jeunesse.

Pour clore cette courte bibliographie, je voudrais vous dire deux mots à propos de la Bible, ce livre sur lequel se fondent, en tout ou en partie, ces religions monothéistes, celles qui reconnaissent un seul Dieu (le christianisme, l'islam, le judaïsme). La Bible est le livre le plus lu au monde, sans cesse réédité, à l'heure actuelle, elle est traduite dans 2212 langues ; elle est à elle seule un monde immense à découvrir. Pour en faciliter la connaissance, les éditions Gallimard publient dans leur collection Découverte Cadet *Le Livre de la Bible*, en deux volumes, l'Ancien Testament et le Nouveau Testament. Ce ne sont pas les textes eux-mêmes, mais des guides pour trouver son chemin dans la Bible. Ce sont deux livres précieux pour les jeunes, et pour les lecteurs de tous les âges. Pour les parents et tous ceux qui souhaiteraient se reporter aux textes mêmes de la Bible, je recommande la Bible Segond qui vient de paraître avec une nouvelle traduction et de nombreuses cartes et illustrations en couleurs.

Vous pouvez vous procurer tous ces livres soit chez votre libraire habituel qui pourra, s'il ne les a pas sur place, vous les commander, ou les trouver dans les librairies suivantes :
-La Procure, 3, rue de Mézières - 75006 Paris ; tel. : 0825 887 887
-Librairie Oberlin, 47, rue de Clichy - 75009 Paris ; tel. : 01 45 26 27 27

Il ignore le futur, il ne connaît que le présent

« Tout à l'heure, tu auras du chocolat », ou « Demain tu iras au cirque » L'enfant retient « chocolat », « cirque », mais « tout à l'heure », « demain », n'ont pas encore de sens pour lui. La notion de temps est une des plus longues à acquérir.

Moralité : pour éviter les déceptions, les pleurs, ne parlez que de l'immédiat. (Cela ne va pas à l'encontre de ce que nous disons au chapitre 4. Lorsqu'il s'agit d'un événement important dans la vie de l'enfant, là il faut l'annoncer, car même si l'enfant ne réalise pas bien ce qui peut lui arriver, il l'a inconsciemment enregistré).

L'enfant acquiert tard une autre notion, c'est la valeur de l'argent. Lorsqu'on lui dit : « Je ne peux pas te donner cette voiture, c'est trop cher », cela n'a pas de sens pour le petit enfant : cela commencera à en avoir un lorsque l'enfant fera la différence entre le « mien » et le « tien », qu'il pourra échanger ses jouets, et surtout lorsqu'il commencera à compter.

Ne l'humiliez pas

Dans l'autobus, Guillaume, 3 ans, se gratte le nez. Sa mère est gênée ; au lieu de l'aider discrètement à se moucher, elle lui tape sur la main en disant : « On ne met pas ses doigts dans le nez, tout le monde te regarde ». Guillaume devient tout rouge et baisse la tête. Dans l'autobus, les regards réprobateurs se dirigent vers la maman qui, à son tour, va se sentir humiliée.

C'est l'anniversaire de Sonia, 4 ans, ses amis sont venus jouer chez elle. Sonia refuse de prêter le petit landau de sa poupée. Furieuse, sa maman le prête et en profite pour donner une leçon à sa fille : « Tu es grande maintenant, tu dois apprendre le partage ». Humiliée, Sonia va bouder dans un coin et refuse de jouer avec ses amis, l'anniversaire est gâché.

La morale de ces histoires est que l'humiliation n'est pas une méthode d'éducation, elle gâche toujours les choses. A court terme, elle crée une situation désagréable pour l'enfant, et pour l'adulte. A long terme, l'enfant humilié refoule son agressivité, il est timide et paralysé dans ses relations avec les autres. Et le mépris qu'il a ressenti lui fait perdre confiance en lui-même.

L'éducation sexuelle

L'éducation sexuelle, cela a été beaucoup dit mais il n'est pas inutile de le répéter, ne se réduit pas à une conversation pour apprendre aux enfants comment naissent les bébés, et comment ils sont conçus. L'éducation sexuelle fait partie de la vie, de l'éducation tout court, dont elle n'est qu'un aspect. Elle commence dès les premières années, et se poursuit jusque et même après l'adolescence. Car l'éducation sexuelle doit répondre à plusieurs buts.

Il faut d'abord aider son enfant à prendre conscience du sexe auquel il appartient, et à s'y sentir à l'aise. Certains parents, déçus d'avoir une fille, la traitent comme un garçon, ou réciproquement, ce qui peut créer des difficultés.

Ensuite lorsque l'enfant découvre – en général vers 3 ans – les différences anatomiques entre les sexes, il ne faut pas se choquer de cette découverte qu'il fait en regardant et en touchant ses organes génitaux, et éventuellement ceux de l'autre sexe. « Ne touche pas, c'est vilain ! », « Mais qu'est-ce-que tu fais là ! » sont des réflexions déplacées. C'est culpabiliser l'enfant, et créer dès le départ un lien entre sexe et interdit. Et ne dites pas à votre petit garçon : « Si tu continues à te tripoter, on te coupera ton zizi. » C'est une réflexion encore courante aujourd'hui qui peut inquiéter et culpabiliser un enfant.

Comment se construit l'identité sexuelle de l'enfant ?
Comment parler avec lui de la sexualité ? Comment lui apprendre la tendresse et le respect de l'autre tout en le protégeant ? Dans *La sexualité* (éditions bayard), le docteur Michelle Rouyer entend aider les parents dans cette démarche essentielle.

Pendant longtemps, la masturbation a été condamnée et considérée comme nocive. Aujourd'hui, une approche différente de la sexualité a considéré la masturbation comme faisant partie du développement de l'enfant, et on estime qu'elle n'est pas à réprimer. Dans ces conditions, que faire lorsqu'on voit un enfant se masturber ? Ne pas le gronder, mais lui faire comprendre, ou lui dire, que ce sont des gestes intimes, personnels, qu'il n'a pas à faire devant tout le monde. Cependant un petit garçon ou une petite fille, qui se masturbe trop souvent montre qu'il ressent en lui une trop grande tension, qu'il décharge ainsi. Il est conseillé de consulter un ou une psychologue qui lui expliquera, ainsi qu'à ses parents, la nécessité de certaines limites, tout en prenant en compte le malaise qui est à l'origine de ce comportement.

Puis, c'est l'image des parents qui aidera peu à peu le garçon à devenir un homme, la fille à devenir une femme. Pour les psychanalystes, c'est une des étapes essentielles du développement de l'enfant, vous l'avez d'ailleurs déjà vu au chapitre 4 : l'enfant grandit en cherchant à imiter l'adulte, en cherchant à s'identifier à lui, le garçon à son père, la fille à sa mère.

L'éducation sexuelle, c'est aussi la découverte qu'il existe une relation amoureuse entre un homme et une femme. Cette relation c'est souvent à travers ses parents que l'enfant la découvre en premier. Il est important de raconter à un enfant ce qui a rapproché son papa et sa maman, comment ils se sont connus, le désir qu'ils ont eu d'un enfant, le plaisir qu'ils ont à vivre ensemble.

Et l'initiation aux « mystères » de la vie ? Elle se fera au fur et à mesure que l'enfant posera des questions du genre : « Pourquoi je ne suis pas comme mon petit frère ? », « D'où viennent les enfants ? », « Où j'étais avant d'être née ? », ou même comme ce petit garçon de 4 ans : « Quand j'étais bébé, j'étais une fille. » Ces questions naîtront à l'occasion d'une image, d'un mot entendu, d'une institutrice enceinte, d'une conversation avec un aîné, etc.

L'important c'est :

▪ De respecter l'âge de l'enfant, son stade de compréhension, et aussi son mode de vie : par exemple les enfants n'ont pas les mêmes images, ni les mêmes informations s'ils vont à la crèche, ou s'ils sont enfant unique à la maison.

▪ De ne pas donner de réponse fausse qu'il faudra démentir plus tard car l'enfant trompé une fois risque de ne plus vous croire, et de ne plus vous questionner ; mais ne profitez pas de la question posée pour donner plus de détails que l'enfant n'en demande. D'ailleurs, il oubliera peut-être ce que vous lui avez dit et vous le redemandera trois jours plus tard.

▪ De ne pas se dérober par des « Tu es trop petit » ou « Tu ne peux pas comprendre » : il y a une explication valable pour chaque âge ; et d'éviter l'air gêné, sinon, on crée au départ une relation entre sexe et curiosité malsaine.

▪ Si vous êtes gêné, cela peut se comprendre, il n'est pas aussi facile de parler de sexe que de raconter une histoire, ou si vous êtes pris de court, dites simplement : « Repose-moi la question plus tard, j'aurai plus de temps pour y répondre. » Cela vous donnera le temps d'y réfléchir. Cela dit, tant de livres sont parus sur la naissance et l'éducation sexuelle que vous trouverez pour tous les âges des exemples de réponses aux questions classiques.

Malgré sa dénomination « d'éducation » sexuelle, j'aimerais dire pour terminer qu'il s'agit avant tout d'une histoire de sentiments amoureux, de tendresse et de respect.

• **La sexualité infantile.**

Dans les livres sur l'éducation sexuelle, vous trouverez une expression qui vous étonnera peut-être : sexualité infantile. Rien ne semble plus éloigné d'un enfant que la sexualité qui pour nous représente les relations entre adultes et les plaisirs des sens. Mais si l'on remplace le mot sexualité par le mot sensualité – qui en fait partie intégrante – on comprend mieux : il est facile de voir qu'un enfant a des plaisirs des sens même lorsqu'il est tout petit. Regardez-le qui vient de naître : le goût, le toucher, l'odorat lui procurent des sensations très fortes, visibles au moment de la tétée. Et au fur et à mesure qu'il grandira, il éprouvera d'autres sensations physiques agréables, par exemple lorsqu'il découvrira ses organes sexuels, il y trouvera grand plaisir.

La sexualité ne naît pas à l'âge adulte, elle s'éveille peu à peu, elle prend différentes formes, elle procède par étapes, comme l'intelligence. On accepte facilement de dire d'un bébé qui remplit et vide une boîte, ou manipule et construit, qu'il est intelligent et on sait que dans cette intelligence se trouvent les racines de l'addition et de la soustraction. Il en est de même pour la sexualité, elle n'a pas chez l'enfant les mêmes manifestations ou les mêmes formes que chez l'adulte, car elle n'est pas génitalisée mais elle est présente, et la sexualité adulte y trouve ses origines.

La famille

Régulièrement, institutions, partis politiques et journaux font des sondages pour savoir la place que tient la famille dans le cœur des Français.

C'est normal qu'on se pose la question :

▪ les jeunes se marient moins qu'hier, mais souvent ils vivent en couple et ont des enfants ;

▪ lorsqu'ils se marient, une fois sur trois ils divorcent (hier c'était une fois sur quatre) et après deux ans de mariage seulement (dans certaines régions c'est même une fois sur deux).

La vie de famille n'est plus ce qu'elle était, pour reprendre une expression devenue classique. Eh bien ! cette famille, différente, dispersée, souvent réduite, souvent multiple, recomposée, mosaïque, cette famille, les Français y tiennent. C'est ce qui ressort des enquêtes. On a même l'impression qu'au milieu de l'incertitude actuelle, cette famille multiforme est un refuge, même si les jeunes parents voient leur rôle se répartir différemment à l'intérieur du couple, et même si la famille n'a pas pour eux le même sens que pour la génération précédente.

Au cœur des familles recomposées

Après une séparation, un divorce, les couples ont parfois envie de reconstituer rapidement une famille. Le courrier nous le montre souvent. Louise, 5 ans, souhaite que sa maman retrouve « un amoureux », d'autant plus que, même avant la séparation, son papa a eu une présence épisodique. Cela n'a pas tardé, Louise a vite adopté le nouveau venu, ainsi que son petit garçon qui vient un week-end sur deux.

Cela n'est pas toujours le cas. Arthur, 7 ans et demi, n'accepte pas que sa maman vive avec un autre homme que son papa. Il rend la vie impossible à sa mère, et à son ami lorsqu'il vient à la maison. Arthur ne veut pas que sa maman crée une autre famille.

A l'intérieur des familles recomposées, certains enfants s'entendent bien entre eux, d'autres pas du tout : partage du territoire, des jeux, de la vie quotidienne, peuvent être difficiles. Nadia a bien accepté le remariage de sa maman, mais elle ne supporte pas de partager sa chambre avec une des filles du nouveau mari. Les choses se sont arrangées lorsqu'un bébé est né et que Nadia a pu avoir le bébé dans sa chambre.

Les situations sont variées, il est impossible de les envisager toutes. Mais l'important est :
- d'être patient dans l'adoption réciproque : « l'interadoption » entre l'adulte et les enfants peut prendre du temps ;

- d'être souple pour éviter les contradictions et les conflits éducatifs ;

- d'être respectueux des attachements des enfants. L'enfant dont les parents sont séparés peut se sentir coupable de s'attacher à quelqu'un d'autre. L'enfant a besoin d'être rassuré : ce n'est pas parce qu'il aime la nouvelle compagne de son papa, que sa maman n'a plus de place dans son cœur et dans sa vie.

Le premier enfant

Dans les milieux les plus divers, les aînés se ressemblent : souvent sérieux, anxieux, parfois exclusifs. Pourquoi ?

Parce qu'un premier enfant, on ne l'élève pas comme un deuxième ou un troisième. C'est avec le premier qu'on essaie ses principes éducatifs, qu'on fait ses expériences, qu'on applique à la lettre les recommandations faites.

Pour un premier enfant, on a peur de tout, qu'il ait trop chaud, trop froid, qu'il tombe. Alors, on le couve, on le protège. En même temps, on est pressé de le voir grandir. À peine entré à l'école maternelle, on pense à son avenir.

Ainsi pris par ces soucis, ces principes et ces projets, on n'a plus le temps de « profiter » de cet enfant. Et lui, qu'on presse de grandir, n'a guère le temps d'être un enfant.

Que dire de l'inconfort de sa situation lorsque s'annonce l'arrivée d'un cadet ! Lui, qui était le centre de la famille, se voit brusquement « détrôné ». Le voilà devenu « l'aîné », « le grand », celui à qui on va confier très vite la responsabilité du « petit ». C'est pourquoi, si jeune, il est souvent si sérieux !

Tout cela est inévitable, et les parents qu'on a déjà trop tendance à rendre responsables de toutes les difficultés de leurs enfants, il serait ridicule de leur reprocher aussi de vouloir trop bien faire. Mais nous avons vu beaucoup de parents qui nous ont dit : « Si seulement nous avions su, nous aurions été plus souples avec le premier. » Alors nous vous disons, à vous parents pour la première fois : « Essayez d'être moins tendus. Les principes, c'est nécessaire, mais appliquez-les avec souplesse. Essayez d'être plus décontractés… »

Entre frères et sœurs

Une petite sœur est née, ou un petit frère. Pour vous, parents, c'est la joie. Mais pour les aînés, pour le grand frère ou la grande sœur, c'est un événement déroutant. Il va falloir partager non seulement ses jouets et son territoire, mais surtout l'affection de ses parents, ce qui est autrement précieux. C'est ainsi qu'une certaine anxiété s'instaure, associée à la jalousie, sentiment normal et inévitable dans une telle situation.

L'enfant peut exprimer cette jalousie plus ou moins violemment lorsque la grossesse commence à se voir, que les premiers achats, ou les préparatifs se font. L'enfant peut montrer de l'agressivité vis à vis de sa maman : "Elle est méchante maman, je t'aime mieux toi", dit Ariane, 3 ans, à sa grand-mère. L'enfant peut aussi reporter cette agressivité sur son entourage : petits camarades, poupées, voitures, etc.

Après la naissance, certains enfants n'hésitent pas à dire : « Je ne veux plus du bébé, si on s'en débarrassait ? » Évidemment, il ne faut pas dramatiser, mais faire attention, et bien sûr ne pas gronder.

Savoir que l'enfant risque de souffrir de la présence du nouveau bébé va vous permettre de mieux le préparer à son arrivée : en l'associant aux préparatifs, en lui donnant un cadeau le jour de la naissance, et en suggérant aux autres personnes de la famille d'en faire autant.

Il faut aussi éviter de changer l'aîné de chambre pour y installer le bébé. S'il doit entrer à l'école au moment de la naissance du bébé, soyez attentifs à ses réactions, et voyez ce que nous en disons page 257.

À ces recommandations classiques j'ajouterai ceci : parlez à votre enfant de ce bébé qui va naître en lui expliquant qu'il sera tout petit. Certaines difficultés avec l'aîné viennent du fait qu'il s'attend à avoir un compagnon de jeux et se trouve en face d'un

nouveau-né qui dort la plupart du temps, et qui souvent pleure ; il est parfois déçu. Montrez-lui des photos de lui-même, bébé, et il comprendra mieux qui l'on attend.

Et puis, si après la naissance, votre aîné régresse, comprenez que c'est normal ; en voyant tout le monde en admiration devant le nouveau-né, il se dit : « Pour être admiré, faisons comme le bébé », alors il suce son pouce et remouille sa culotte. Il se comporte également ainsi pour essayer de retrouver cette époque si proche et si confortable, et dont il a encore la mémoire, où c'était lui le petit bébé.

Si l'écart d'âge entre les deux enfants est de trois ans ou plus, ce qui rendra le plus service à l'aîné, c'est de se sentir traité comme un grand. D'ailleurs du seul fait de la naissance, il est devenu l'aîné, c'est déjà une promotion, mais il faut l'accentuer.

Par exemple, qu'il sorte avec son père pendant que sa mère est occupée avec le bébé ; qu'il continue régulièrement à voir ses amis, ou même des plus âgés. En un mot, qu'au lieu de vivre dans l'orbite exclusive de ce duo mère-nouveau-né qui ne peut que le faire souffrir et que le tirer en arrière vers sa petite enfance, on l'aide à regarder devant, en favorisant le contact avec des plus grands. On peut aussi inverser cette situation : lorsque le papa s'occupe du bébé, la maman peut en profiter pour sortir avec son « grand », jouer avec lui, l'écouter, lui parler.

En même temps, montrer à l'aîné que lorsqu'il était petit il était entouré d'autant de sourires, de soins, d'attentions et de petits mots tendres que le nouveau-né, l'apaisera. Et si vous en avez, c'est le moment de sortir les films de « quand j'étais petit » pour les montrer à votre aîné. Vous verrez, l'effet est en général magique.

Enfin, si la jalousie de l'aîné est naturelle au moment de la naissance d'un cadet, il faut savoir qu'elle est un sentiment fraternel habituel – banal – qui circulera à double sens de l'un à l'autre. Dans la vie familiale de tous les jours, le cadet aura souvent l'occasion d'être jaloux de son aîné. La rivalité jouera alors le rôle de frein ou de moteur pour l'un et pour l'autre, suivant les circonstances, et fera partie de l'expérience enrichissante de la fraternité.

C'est ainsi l'aîné qui inaugurera dans la famille tous les événements nouveaux, de la séance chez le coiffeur au cartable de l'école. Il vivra à chaque fois l'inquiétude d'une situation nouvelle, mais aussi la promotion qu'elle représente. Le cadet est souvent l'objet de moins d'exigences, on s'adresse moins à sa responsabilité ; en revanche, vivant, quoique plus jeune, les mêmes expériences que son aîné (par exemple regarder les mêmes émissions de télévision), ou ayant envie de faire comme lui (des devoirs, aller au judo…) il est souvent plus éveillé, plus « dégourdi ».

Et dans la compétition inévitable qui se joue entre frères et sœurs, c'est le rôle des parents d'aider chaque enfant à utiliser les chances que lui donnent son âge et son rang dans la famille.

Cela dit, quoi que vous fassiez, l'aîné sera jaloux. On peut l'aider, on ne peut effacer sa réaction, ce n'est même pas souhaitable, il vaut mieux qu'elle s'exprime.

Je connais un petit garçon à qui on avait fait un cadeau chaque fois que sa petite sœur en recevait un, donné un baiser quasiment aux deux en même temps, vers qui on se tournait à tout instant pour montrer qu'on ne l'oubliait pas, etc. Un jour, quelqu'un ne put s'empêcher de lui dire : « Tu ne trouves pas qu'elle est mignonne ? » Réponse : « Elle commence à me chauffer ma sœur ! »

L'adoption

Aujourd'hui, la plupart des enfants adoptés arrivent de l'étranger. C'est pourquoi nous avons demandé à un spécialiste de l'adoption internationale, le docteur Jean-Vital de Monléon de nous parler de l'accueil d'un enfant adopté.

« Dans notre société, l'adoption n'est pas toujours perçue comme l'équivalent de la filiation biologique, beaucoup la voient encore comme une parenté au rabais. Cela peut empêcher les parents adoptifs de prendre leur place à part entière. C'est pourtant important pour eux, et pour leur enfant, qu'ils se sentent vraiment parents.

Il ne faut pas hésiter, dès l'arrivée de l'enfant, à lui raconter son histoire. Le bébé peut, dès ses premiers jours de vie, percevoir des émotions, sentir que ces mots qu'il ne comprend pas, le concernent profondément. Si les parents osent parler de ce sujet à leur tout-petit, cela leur sera plus facile d'en parler à nouveau lorsque l'enfant grandira. À ce moment-là, lire avec lui un petit livre sur l'adoption, regarder des photos d'avant son arrivée, lui faire sentir votre disponibilité pour répondre à ses interrogations, voilà une façon naturelle d'aborder le sujet.

Plus l'enfant est grand au moment de l'adoption, plus l'histoire qu'il a vécue avant de rencontrer ses parents est longue. Connaître cette histoire, la respecter, permet de mieux comprendre son enfant, ses éventuelles souffrances ou angoisses. Les parents n'osent pas parler avec leur enfant de ses parents biologiques, ils ont peur d'être évincés, de perdre leur place. Les faits montrent que, dans la majorité des cas, les parents de naissance n'occupent en réalité qu'une petite place dans la vie des enfants. En revanche, chercher à les éliminer peut provoquer des catastrophes.

Les parents hésitent aussi à parler à leur enfant de son pays de naissance. « Il sera comme apatride », disent certains. Ou bien : « Dès qu'il le pourra, il voudra partir ». Non, évoquer son pays, le valoriser, aidera l'enfant à assumer sa différence ethnique.

L'enfant a besoin d'un peu de temps pour s'adapter à sa nouvelle vie : la maison, les habitudes, les sons, les odeurs, les câlins, tout est nouveau ; il a parfois besoin, à son arrivée, de soins médicaux, ce qui peut provoquer un peu d'angoisse chez les parents ; mais très vite, il va faire partie de la famille, adopté par tous, grands-parents, amis, voisins.

Et si un jour votre enfant traverse un moment un peu difficile, avant de dire aussitôt que ce problème est lié à l'adoption, rappelez-vous que tous les enfants ont le droit d'avoir des difficultés. »

> **Sur l'adoption, voici les livres que je vous conseille :**
> - Jean-Vital de Monléon, *Naître là-bas, grandir ici. L'adoption internationale*, Editions Belin. Ce livre est destiné aux futurs parents adoptifs et à ceux qui viennent d'adopter un enfant. Le docteur de Monléon a également écrit un livre pour les petits, à partir de 18 mois, pour aider parents et enfants à parler de l'adoption : *Les deux mamans de Petirou*, Hachette Jeunesse.
> - Pierre Verdier, *L'Adoption aujourd'hui*, éditions Bayard-Centurion. Guide juridique et pratique, cet ouvrage permet aussi de réfléchir à la demande d'adoption, à la nature du lien qui va se développer avec l'enfant.

Les grands-parents

À force, les sondages lassent, on n'y croit plus guère. Pourtant récemment, l'un d'eux a attiré mon attention : il disait que les grands-parents ont toujours la cote, et une place privilégiée dans la famille. J'étais ravie, j'ai toujours pensé que les grands-parents étaient la richesse d'une famille.

J'allais dire familièrement, cette reconnaissance n'est pas « volée ». Les grands-parents sont baby-sitters, emmènent les enfants à la crèche, au square, à l'école ; ils font faire les devoirs avec souvent plus d'autorité et de patience que les parents. Ils jouent au Memory, au Monopoly, même à Barbie…

À côté de cette contribution régulière, il y a toute une partie moins visible et importante, même si on ne s'en rend pas toujours compte : les grands-parents, c'est la meilleure manière de relier le présent que vivent les enfants au passé de leur famille, proche ou lointaine.

« Raconte-moi des histoires de quand maman faisait des bêtises et que tu la punissais. » « Et papa ? C'est vrai qu'il avait toujours de bonnes notes ? » En réalisant que leurs parents ont eu leur âge, qu'ils ont aussi eu une enfance, les enfants sont ravis, et ne se lassent pas qu'on le leur redise.

Les grands-parents peuvent aussi raconter leur jeunesse, mai 68, les Beatles, les premiers pas sur la lune, etc.

En mai 68, on révolutionnait, on rejetait le passé, il n'aurait pas fallu parler de patrimoine, de lignée ou d'ancêtres. Ces mots sont revenus aujourd'hui. Il y a des commissions du patrimoine partout, les bureaux d'État civil sont débordés par ceux qui cherchent leurs racines. Dans ces domaines les grands-parents jouent un rôle essentiel : d'une génération à l'autre, ils transmettent l'histoire, les valeurs, les différentes cultures.

Et quand sont épuisées les histoires de la famille, et les récits de l'Histoire avec un

grand H, restent les contes, les légendes, inépuisable trésor, immense choix de livres et de disques que, tout affairés à courir de leur maison à leur travail, les parents n'ont pas toujours le temps d'explorer.

Je parle des plus petits, des enfants à qui l'on raconte des histoires. Après, adolescents, c'est eux qui viennent raconter leurs peines de cœur à leur grand-mère, ils la prennent souvent comme confidente, plus facilement que leur mère.

Mais laissons-là les enfants pour parler un peu de leurs parents. Pour eux, souvent, les grands-parents sont un recours en cas de crise. Et dans les familles éclatées, mosaïque, recomposées, les grands-parents restent un précieux élément de stabilité et de permanence.

En regard de tous ces côtés positifs et de tous ces avantages, il y a, non pas un inconvénient, mais une précaution à prendre : les grands-parents doivent s'abstenir de remarques aux parents, c'est mal perçu et c'est normal. Il faut parfois savoir se taire ! Petite difficulté, mais si on la surmonte on rencontre un vrai bonheur : être à nouveau parent sans contrainte ni soucis quotidiens, dans la liberté, dans la fantaisie.

Les grands parents décrits sont très disponibles, c'est vrai, mais il y en a. Certains le sont moins : ils travaillent, ils ont des activités diverses, ils voyagent. Ils n'ont pas beaucoup de temps pour s'occuper de leurs petits-enfants, ce que leurs enfants supportent parfois difficilement. Si vous avez moins de temps à passer avec vos petits-enfants, ou que vous habitiez loin d'eux, écrivez, envoyez de temps en temps un petit paquet, téléphonez, faxez, servez-vous de tous ces moyens de communication qui portent bien leur nom. Organisez des voyages, petits ou grands, selon votre budget et votre temps. En un mot, maintenez le contact. Malgré vos occupations, même si cela

La journée des grands-parents
Une fois par an, aux États-Unis, les grands-parents sont les bienvenus dans les écoles de leurs petits-enfants. C'est une bonne reconnaissance de l'importance de leur rôle.

vous oblige à changer vos habitudes, essayez de voir vos petits-enfants le plus possible. Dans la famille, votre place existe, elle est importante, ne la laissez pas vide.

Le comportement et le caractère de l'enfant

L'agressivité : qualité ou défaut ?

À certains stades de son développement, l'enfant manifeste de l'agressivité, au moment de l'éducation de la propreté par exemple ; autour de 2 ans, « non » est le mot au centre de ses colères et de ses scènes ; un peu plus tard, c'est en frappant du pied qu'il refuse d'obéir…

Cette réaction de l'enfant n'est pas le signe d'un caractère difficile. Elle apparaît chaque fois que l'enfant doit franchir une étape importante de son évolution. Sa résistance, ses colères, ses refus dénotent une personnalité qui cherche à s'exprimer, à faire sa place entre ses parents.

L'agressivité traduit toujours un état de crise : la difficulté de l'enfant à s'adapter à de nouvelles contraintes, à abandonner certaines habitudes, mais elle exprime aussi le dynamisme et la vitalité d'une personnalité qui peu à peu s'affirme. La crise passée, l'étape franchie, le calme revient, l'enfant ne s'oppose plus systématiquement et retrouve son équilibre. En ce sens, l'agressivité est un signe de bonne santé.

Mais si elle persiste, si elle devient habituelle, elle exprime un vrai malaise affectif. Dans ce cas, l'agressivité est un signal d'alerte pour les parents. Au lieu de conclure « Mon enfant est insupportable », il faut se rendre compte qu'il est malheureux et chercher pourquoi. Réagit-il à trop de sévérité ? Veut-il attirer l'attention d'une mère inattentive ou d'un père trop occupé ? Est-il bouleversé par des disputes ? N'est-il pas jaloux ? Il faut trouver la cause avant que l'agressivité ne risque d'envahir l'enfant et de le gêner dans ses relations avec son entourage. Eventuellement en parler au pédiatre ou à un psychologue d'enfants.

Dès 9-10 mois, il peut arriver que l'enfant éprouve une très forte agressivité, mais qu'il ne puisse pas l'extérioriser : par peur, ou parce qu'il se sent bloqué. L'enfant retourne alors cette agressivité contre lui-même : il se cogne la tête contre les barreaux du lit, par terre, contre un mur (il peut se faire mal), il se balance violemment sans pouvoir se calmer, il se mord le dessus de la main. L'enfant décharge ainsi contre lui-même ses propres tensions. Là aussi, il est important de parler de cette auto-agressivité au pédiatre pour pouvoir aider l'enfant à se détendre, et à s'apaiser. Le pédiatre peut être la première personne à qui parler d'une difficulté psychologique chez l'enfant : comprendre et aider un enfant fait partie de sa pratique courante.

L'enfant violent

Un enfant agressif risque-t-il de devenir un enfant violent, se demandent parfois les parents ? L'agressivité chez l'enfant est en général ressentie comme ponctuelle, limitée, tandis que la violence apparaît à la fois plus brutale et installée plus profondément.

La violence est devenue, dans notre société, un phénomène très médiatisé et qui nous fait peur. Elle nous choque encore plus lorsqu'on la trouve associée à l'enfant, et surtout au jeune enfant. Ce n'est pourtant pas un phénomène nouveau. Les instituteurs ont

toujours connu la violence qui peut régner dans une cour de récréation de l'école maternelle, les grands n'épargnant guère les petits ou les plus faibles. Les auxiliaires de puériculture sont parfois confrontées à une forte agressivité déjà dans certaines sections de crèches, les colères des uns, les morsures des autres.

Il existe bien une violence inhérente à la nature humaine, dès l'enfance. Dans toutes les cultures, c'est le rôle de l'éducation en famille et à l'école de canaliser les expressions de la violence, d'en capter l'énergie pour la transformer en investissements positifs.

Il ne faut pas avoir peur de la violence d'un enfant, mais savoir « décoder » ce qu'elle exprime. Elle peut être le signal d'un trop-plein de frustrations, d'une forte angoisse. Léo, 10 mois, est posé sans douceur dans son parc car le portable de sa maman s'est mis à sonner à l'intérieur de son sac. L'enfant hurle, sa maman le reprend sans le consoler, tout en cherchant fébrilement son téléphone. Léo s'en prend violemment à elle, lui pince le nez, essaie de la griffer, lui tire les cheveux. Sa maman le remet dans son parc tout en répondant au téléphone enfin retrouvé. Léo retourne alors contre lui-même la violence qu'il ressent, en se tapant la tête contre le sol. Il va se mettre à réagir aussi fortement chaque fois qu'il sentira la nervosité de l'entourage.

Après quelques mois d'école, Tom, 4 ans, passe par des phases très violentes. Ses parents attribuent ces réactions, souvent imprévisibles, à l'influence d'un petit garçon qui le fascine et, visiblement, le domine. Le psychologue consulté découvre en fait que le papa, qui a déjà deux filles d'un premier mariage, aime faire des jeux de bagarre, des « jeux de garçons » avec son fils. Tom a été attiré par ce camarade dont les gestes brutaux lui rappellent son papa. Mais entre les deux enfants, les bagarres dégénèrent, la violence déborde ce cadre et envahit la vie de Tom. Le père comprend que l'excitation provoquée par les jeux avec son fils est trop forte. Dorénavant, il s'efforcera de jouer différemment avec son fils.

L'imitation d'un adulte par l'enfant peut aller plus loin et se transformer en ce que les psychanalystes appellent « l'identification à l'agresseur ». Manuella n'a pas supporté la naissance de sa petite sœur, et déjà lorsque sa maman était enceinte, elle cherchait à lui taper sur le ventre. Son comportement devient de plus en plus violent, ses parents la punissent, ils la rejettent fréquemment et l'éloignent du bébé. Manuella semble « prendre sur elle », mais devient très agressive avec des voisins, avec des gens côtoyés dans un magasin ; elle fait à leur égard les mêmes gestes que ses parents envers elle (donner une tape sur la main), elle emploie les mêmes mots (« ça suffit », « tu es vilaine »). La petite fille se sent agressée par ses parents, elle s'identifie à eux et déplace l'agression sur d'autres.

Quelle qu'en soit l'origine, la violence de l'enfant est un signe de souffrance et fait souffrir l'entourage. Essayez de trouver ce qui peut provoquer ces réactions chez l'enfant. Si vous n'y parvenez pas, n'hésitez pas à en parler au pédiatre.

Que faire en présence d'une scène ?

Si la scène est à son début, la diversion peut être efficace. Dites ce qui vous passe par la tête, mais dites-le avec assez de conviction pour produire l'effet de surprise : « Oh ! le joli petit moineau qui vient d'arriver sur le bord de la fenêtre. Comme il est petit, il doit chercher son nid. » « Regarde la dame là-bas qui court… Où va-t-elle si vite ? » Si l'effet est réussi, la colère de l'enfant se dissipe : il cherche des yeux l'oiseau, la dame. « L'oiseau est parti, il a dû retrouver son nid, etc. » « La dame a disparu. Elle a dû entrer dans la maison là-bas. Elle était en retard chez le docteur. » Vous pouvez aussi suggérer à l'enfant de regarder une photo, un livre, un objet qu'il ne connaît pas. L'essentiel est qu'il oublie sa colère.

Une autre suggestion – quand les circonstances s'y prêtent – c'est le pari. Exemple : l'enfant ne veut pas se laisser habiller, ou bien il veut un autre pull-over, celui qui n'est pas sec, etc. Dites-lui : « Je parie que tu ne vas pas être prête avant ton frère ou avant que l'aiguille du réveil soit arrivée ici. » Classique mais souvent efficace.

Vous découvrirez sûrement d'autres moyens pour arrêter une scène. Peut-être inattendus comme celui-ci. Nicolas était très fâché. Sa mère mit un disque pour le calmer. Peine perdue, jusqu'au moment où le disque répéta sans arrêt la même mesure. L'effet fut magique. Nicolas, surpris, arrêta net ses pleurs.

Mais souvent la scène en arrive trop vite à un point où ces petits moyens sont inefficaces : il est impossible de faire entendre raison à l'enfant. Il faut essayer alors d'opposer le calme à la colère, de parler tout doucement ; enfin d'aller mouiller d'eau fraîche un gant de toilette et de le passer sur le front et les tempes de l'enfant. Il hurlera sans doute, mais cela lui fera du bien. Votre sang-froid, pas toujours facile à garder, désarmera sa colère. Et au moindre signe de détente, vos paroles apaisantes, et votre tendresse aideront la crise à se terminer.

Il y a aussi la scène publique, gênante pour les parents : dans un magasin, dans la rue, etc. Là, pas d'autre choix que le recours à la menace : « Tu seras puni à la maison. » Menacer un enfant est toujours pénible ; mais il est des circonstances où l'on n'a pas le choix des moyens.

Il y a enfin la scène qui doit cesser, sinon on manque le train, ou toute autre raison impérative. On peut promettre, pour un arrêt net des cris, un petit jouet, une petite surprise. Méthode peu recommandée mais parfois utile.

Cela dit, devant la menace d'une scène, rappelez-vous ceci : *la nervosité est contagieuse*. Votre enfant vous a peut-être senti nerveux – même si cette nervosité ne s'est pas manifestée envers lui – et il est devenu nerveux à son tour. La première occasion a déclenché la scène. Les choses ne se passent pas toujours ainsi, mais quelquefois.

Il y a une surenchère à la colère. Votre enfant n'est pas sage ; vous lui faites une remarque : il devient insolent ; vous le grondez : il s'emporte ; vous vous emportez à votre tour : il crie ; vous criez : il hurle.

Essayez de ne pas créer cet engrenage. « Mais alors, me direz-vous peut-être, il faut tout laisser faire, ne pas gronder, ne pas sévir ? » Je ne dis pas cela. Mais mieux vaut une gronderie brève, après laquelle on parle d'autre chose, qu'un mécontentement qui dure.

Le silence a une vertu apaisante. Un enfant en colère ne crie pas longtemps si on ne lui répond pas. L'isolement aussi : « Si tu veux crier, va dans ta chambre. »

Et si l'enfant se met souvent en colère, si les scènes, au lieu de diminuer avec l'âge, s'amplifient et semblent s'installer, demandez-vous pourquoi. Dort-il suffisamment ? L'école n'est-elle pas trop fatigante ? Veut-il attirer votre attention parce que vous ne lui donnez pas assez de votre temps ? Réagit-il à trop de sévérité et d'exigence de votre part ? Est-il jaloux de son frère ou de sa sœur ? N'êtes-vous pas trop anxieux ou trop protecteurs ? Là aussi, le conseil d'un tiers (pédiatre ou psychologue) peut vous aider.

L'enfant agité

Beaucoup de nourrissons qui gesticulent et s'agitent au cours des premières semaines, peu à peu s'apaisent et se calment ; ils trouvent spontanément l'alternance entre les moments d'activité et ceux de repos.

Mais certains enfants continuent à se tortiller quand on les habille, à éclabousser toute l'eau du bain, à changer sans cesse de position. Et dès qu'ils sont plus grands, ils sont les premiers à ramper, à se redresser, à toucher à tout.

C'est surtout vers un an que « l'enfant agité » commence à être qualifié d'instable, de casse-cou, alors qu'il s'agit le plus souvent d'un enfant hypertonique et plein de vie. Il faut noter que l'appréciation de cette activité un peu excessive va dépendre du seuil de tolérance de l'environnement. Certains parents s'en réjouissent, d'autres la supportent, d'autres enfin sont accablés, voire agressifs. Il en sera de même plus tard dans le milieu scolaire où un certain nombre de ces enfants, surtout s'ils sont rejetés, deviennent encore plus hyperactifs (ou hyperkinétiques, c'est le terme médical), bruyants, caractériels, irritables, coléreux, etc. Ces enfants, qui créent des difficultés à leur entourage, souffrent. À ce moment-là, il peut être utile de les faire aider de façon espacée mais régulière soit par un psychologue, soit par une psychomotricienne formée à la relaxation. Une vie régulière, la pratique fréquente d'un sport sont conseillées.

Enfants hyperactifs, enfants agités.
Les parents de ces enfants sont parfois découragés et même inquiets. Je leur conseille de lire un livre qui leur redonnera confiance dans l'avenir : *Enfant difficile, enfant prometteur*, du Docteur Stanley Greenspan qui est, selon T. Berry Brazelton, un des grands spécialistes de l'enfance (éditions Odile Jacob-Opus)

Sur l'enfant agité, lisez aussi la page 395, *L'enfant hyperactif*.

Menteur !

À l'âge qui nous intéresse, 4-5 ans, on ne peut ni parler de mensonge, ni de vol. Comme nous l'avons vu dans le chapitre précédent, c'est l'âge de l'imaginaire,

la frontière est mal définie entre le monde que l'enfant invente et les réalités ; l'enfant imagine, transforme, mais il ne ment pas.

Avant de se coucher, Justine, 4 ans, prend ses petits ciseaux ronds et se coupe une mèche de cheveux. A son réveil, sa maman très étonnée, et rétrospectivement inquiète, lui demande ce qui s'est passé. Justine se rend compte qu'elle a fait quelque chose de défendu, elle invente que sa petite amie est venue la voir, et qu'elle ont joué au coiffeur. A la réaction de sa mère, Justine voit qu'elle a fait une bêtise ; elle trouve une « porte de sortie » en inventant une histoire qui n'est pas plausible ; mais il ne s'agit pas d'un mensonge, avec le sens moral que nous lui attribuons.

Et si l'enfant prend un objet qui ne lui appartient pas, il ne s'agit pas non plus d'un vol. Valentin, 5 ans, voit le joli bracelet en or de sa maman posé sur la table de nuit. Il le met dans son cartable et l'offre à son institutrice (qui téléphone aussitôt à la maman).

En punissant l'enfant, en le traitant de menteur ou de voleur, pour des actes qui n'en sont pas, on risque de l'inciter à avoir de tels comportements. Jean Piaget est le premier à avoir établi la naissance du sens moral, qui se situe entre 5 et 7 ans. Cela ne veut pas dire qu'on ne peut pas sensibiliser l'enfant avant cet âge à ce qui est permis, à ce qui est défendu, à ce qui est bien, à ce qui est mal, mais sans insister outre mesure.

Les « complexes »

Avoir des complexes, c'est être dans une situation compliquée, complexe, difficile à dénouer. Certaines de ces situations sont des étapes que l'enfant doit franchir inévitablement (comme le complexe d'Œdipe) pour mûrir et passer à d'autres stades ; mais nous en gardons tous des points sensibles, des fragilités particulières, et certains pourraient être évités. Par exemple, il en est un qui est en partie dû à l'éducation, c'est pour cela que nous vous en parlons ici : le complexe, le sentiment d'infériorité. C'est précisément à propos de ce dernier que s'utilise habituellement l'expression « avoir des complexes ».

Le complexe d'infériorité fait les timides, les éternels découragés, les malades de l'échec, mais aussi leurs contraires (en apparence) : les personnes agressives, sûres d'elles, méprisantes, qui en fait cachent ainsi leur manque de confiance en elles-mêmes ; ce sont des réactions de défense de leur part.

Ce sentiment d'infériorité est un handicap : celui qui en souffre se tient à l'écart, se sent incompris.

Comment faire pour qu'un enfant développe sa confiance en lui-même ? En évitant de lui répéter sans cesse : « Tu n'y arriveras jamais », « Tu ne peux pas », « Tu ne sais pas ».

Et surtout en le laissant aller au bout de ses actes, en ne faisant pas les choses à sa place, en ne parlant pas à sa place ; il faut lui laisser le temps de s'exprimer, se donner le temps de lui répondre avec intérêt. Peu à peu, l'enfant a confiance en lui, il prend des initiatives et la timidité ne s'enracine pas.

Les disputes entre enfants

Les disputes empoisonnent la vie familiale parce qu'elles sont bruyantes, et qu'elles entraînent des cris et de l'énervement. Elles réactivent alors chez les parents les disputes qui se sont passées dans leur propre enfance. Et elles font revivre également la relation qu'ils ont eue avec leurs propres parents. Ainsi, certains disent : « C'est terrible, je ne peux m'empêcher de crier comme le faisait ma mère, alors que je lui en voulais de se comporter ainsi. »

Pourtant se disputer est naturel ; c'est, pour les enfants, une des composantes de la socialisation et de la vie avec les autres. Il suffit d'observer les enfants en collectivité, pour voir que se disputer, se chamailler est un mode d'expression aussi normal que les attitudes de séduction, de domination, d'échange.

Mais lorsque se disputer devient le comportement exclusif de l'enfant – dans ses relations avec les autres, il n'y a ni tendresse, ni partage, ni solidarité – il faut être attentif et en parler avec le pédiatre, éventuellement même avec un psychologue.

Dans une dispute, faut-il intervenir ? Lorsque l'adulte voit que les enfants n'arrivent pas à résoudre eux-mêmes leurs conflits, à dominer leur agressivité, il peut intervenir, mais en prenant certaines précautions :
– Ne pas imiter le ton de la dispute des enfants (par exemple en criant) car cela provoquera encore plus d'énervement.
– Ne donner tort ni à l'un ni à l'autre.
– Essayer de les distraire, de les séparer en douceur.
– Ne pas « charger » l'aîné, tout en tenant compte de la jalousie du plus jeune qui a envie de faire comme le plus grand.
Enfin, il faut tenir compte de l'âge de l'enfant. À certains moments (quand l'enfant dit « À moi, à moi ») il est normal qu'il ne puisse se séparer de l'objet dont il s'est emparé.
On peut alors lui donner un autre objet en échange.

Les frustrations

Les parents vivent parfois dans la crainte que leurs enfants ne soient frustrés. Ils ont raison et tort. Frustrer d'affection peut être grave pour un enfant, vous l'avez vu au chapitre précédent. Mais si un biberon en retard, un jouet cassé, une dispute, même une sanction non méritée peuvent faire de la peine à l'enfant dans l'immédiat, ces incidents n'ont aucune importance pour l'avenir, croyez-moi. Au contraire, l'enfant a besoin de découvrir peu à peu que tout n'est pas facile. Et s'il vit dans une atmosphère de sécurité, il peut très bien supporter quelques frustrations et bénéficier des limites qu'il est bon de lui donner.

La consultation psychologique

En même temps que les joies qu'elle donne, la vie avec un enfant comporte des difficultés, plus ou moins grandes, des crises, voire des problèmes. Ils naissent au fil de la vie quotidienne car les parents imposent à l'enfant des contraintes, parce que l'enfant grandit et que ce seul fait crée des déséquilibres momentanés qui le perturbent, parce que parents et enfants ne se comprennent pas toujours, etc.

De ces difficultés, bon an, mal an, les parents se sortent. Ce livre est d'ailleurs là pour les aider, en particulier lorsqu'il raconte le développement psychomoteur et ce qui peut provoquer les crises. Les parents sont en outre mieux informés de la psychologie de l'enfant par les nombreux travaux et recherches faits depuis des années.

En même temps, ces multiples informations peuvent les faire douter de leurs propres capacités d'éducateurs, les amener à se poser des questions qui ne les auraient pas effleurés auparavant.

C'est ainsi que devant certaines difficultés, les parents se sentent démunis, ils ne savent pas trouver une solution à une crise qui se prolonge, à des tensions particulièrement aiguës. Que faire ?

Parfois les parents hésitent à recourir à un spécialiste qui pourrait les aider : psychologue, psychiatre pour enfants (pédopsychiatre), psychanalyste. Ils ressentent cette consultation comme une démission par rapport à leur rôle. Ils peuvent aussi ne pas avoir confiance dans les « psy » dont ils connaissent parfois mal la profession et les pratiques. Enfin, consulter un spécialiste de la psychologie est souvent porteur d'angoisse, et associé à un manque d'équilibre psychique, voire à un trouble mental. Mais aujourd'hui, la vulgarisation, souvent bien faite, de la psychologie et de la psychanalyse d'enfants, a permis aux parents d'avoir de plus en plus confiance dans ces spécialités.

Où trouver un spécialiste sérieux ?

Avant tout, parlez-en au pédiatre, car la plupart ont constitué des réseaux et ils sauront vous orienter en fonction des troubles de l'enfant. Par exemple, si un enfant a un blocage du langage, et de la communication avec autrui, c'est un symptôme différent d'un simple retard de langage. Le pédiatre saura qui pourra aider votre enfant. Vous pouvez aussi trouver vous-même un spécialiste dans de multiples structures : PMI (Protection Maternelle et Infantile), CMPP (Consultations-Médico-Psycho-Pédagogiques), Centres de guidance infantile, etc. Dans ces centres (où les professionnels sont tous diplômés), il y a des consultations ; on pourra aussi vous donner des adresses « en ville » si vous le désirez. Vous y serez bien accueillis, et vous serez rassurés et mis en confiance par l'absence de médicalisation, en aucun cas on ne cherchera à se substituer a vous.

Dans quels cas s'adresser à un spécialiste ?

La notion de *durée* est importante : il ne faut pas hésiter à consulter si le symptôme s'accentue, ou si le problème se prolonge. Par exemple, si un enfant ne veut pas s'endormir trois soirs de suite, ce n'est pas grave ; si cela dure trois semaines, une aide extérieure peut être utile. Il est important également de tenir compte de la notion de degré, d'*intensité* lorsque les symptômes deviennent trop violents. Un enfant peut parfois se mettre en colère ; cela fait partie de son caractère et de sa façon de réagir. Mais s'il le fait systématiquement, en ne supportant aucune contrariété, et sans pouvoir s'arrêter, cela doit alerter. On pourrait trouver d'autres exemples avec l'alimentation, les pleurs, la trop grande passivité, la tendance à s'isoler.

En conclusion : lorsque vous vous sentez dépassés par une difficulté, lorsqu'elle vous angoisse, n'oubliez pas qu'un spécialiste peut vous aider.

A ce propos, je voudrais vous recommander un livre que j'apprécie beaucoup, celui du professeur Marcel Rufo : *Œdipe toi-même !* (éditions Anne Carrière et Livre de Poche) car cet ouvrage permet aux parents de mieux comprendre leurs enfants. Il aide, en particulier, ceux qui hésitent à demander conseil à un pédopsychiatre. Le professeur Rufo

raconte, sur un ton vivant et chaleureux, à travers des cas précis, comment il a soigné des enfants de tous âges pour des difficultés quotidiennes, aussi bien que pour des problèmes de plus longue durée.

La vie quotidienne

La conversation

À votre avis, quel est le principal grief des adolescents d'aujourd'hui : parents trop sévères, manque de liberté, être trop couvés, ne pas voir assez ses parents, ne pas être assez gâtés ? Voici la réponse qui ressort de différentes enquêtes.

Les adolescents regrettent avant tout de ne pouvoir parler plus avec leurs parents. Les adolescents ne demandent pas avant tout plus de liberté, mais plus de conversations, plus de communication.

En quoi cela regarde-t-il vos enfants dont nous avons parlé tout au long de ce livre, ces enfants qui viennent de naître ou qui ont 3, 4 ou 5 ans ? Cela les regarde directement. Le besoin de communiquer est vital, littéralement : il naît avec la vie. Un enfant a besoin qu'on lui parle à tous les âges et il a besoin qu'on l'écoute. C'est-à-dire qu'il y ait vraiment un dialogue.

Françoise Dolto raconte l'histoire de cette femme qui avait retenu qu'il fallait parler aux enfants, mais qui confondait parler et parler avec : « Elle me dit donc qu'elle n'avait pas arrêté de parler à son bébé, que plus elle lui parlait, moins il la regardait, et qu'il finissait par ne plus la regarder du tout ! Elle était très déprimée, elle prenait sur elle de lui parler tout le temps, pour ne pas se faire le reproche de ne pas lui parler ! Un beau jour, elle s'est dit : « Je lui parle, je lui parle, mais c'est ma bouche qui lui parle ; moi, j'en ai marre, et lui aussi ; je lui ai dit : « Je parle sans arrêt, mais tu en as marre, hein ? » Il m'a regardé pour la première fois depuis longtemps, et je me suis dit, il a bien raison, on va se parler un peu moins et peut-être on se regardera mieux ! » Elle avait tout à fait raison, il ne s'agit pas de parler pour parler, surtout quand on est fatiguée et qu'on fait cela devant sa machine à coudre ou d'autres tâches... » (*Origines, Cahiers du nouveau-né*, n°7, éditions Stock.) »

La communication c'est aussi un geste, un regard, un sourire. Puis, c'est une histoire lue, ou racontée, une promenade, un spectacle. C'est répondre aux questions de l'enfant, sa curiosité est grande.

Parler avec un enfant, c'est lui manifester son intérêt. C'est une certaine manière de le considérer et de l'élever. C'est le contraire de : « Mange et tais-toi » ou de « Je n'ai pas le temps de t'expliquer » ou de « Tu comprendras plus tard ».

Plus tard, les enfants se taisent. À l'adolescence, repliés sur eux-mêmes, ils se renferment. Mais je peux vous promettre que si jusque-là vous avez gardé le contact, vous le maintiendrez même à travers les silences.

Vie privée

Officiellement, l'enfant a des droits définis par l'O.N.U., et classés sous diverses rubriques : droit à l'affection, à la nourriture, aux soins, aux loisirs ; à la protection contre la torture, contre l'exploitation, etc. C'est récent, c'est un grand progrès, c'est bien. Mais aux cinquante-quatre articles énumérés, je voudrais en ajouter un : le droit au rêve, au secret, à l'intimité, en un mot à la vie privée. Pour moi, l'enfant y a droit dès son plus jeune âge.

Il a l'air inoccupé, il rêve, pourquoi l'interrompre sans nécessité ? Pourquoi n'aurait-il pas droit lui aussi à ses moments d'évasion ? Et si l'on pense qu'ils sont inutiles, on peut se dire qu'ils sont un facteur de maturation.

Il a un secret, pourquoi vouloir le connaître ? C'est une sorte d'autonomie, une manière de faire comme vous.

L'intimité, c'est un peu différent : certains parents s'étonnent qu'un enfant ferme sa porte, traduisent : « Il s'est enfermé dans sa chambre », et trouvent naturel d'y faire irruption sans avertir.

Je crois qu'il y a un malentendu : si l'enfant ferme sa porte, ce n'est pas pour s'écarter de vous, mais il trouve normal que l'espace qui lui a été désigné soit bien à lui, et le manifeste ainsi, respectez son geste. Il y a bien d'autres exemples du respect de la vie privée d'un enfant. Il reçoit une lettre à son nom : même s'il ne sait pas encore lire, c'est sa lettre, c'est à lui de l'ouvrir.

Tact, respect de l'autre font partie de la vie privée, il n'est pas trop tôt pour s'y habituer. Réciproquement.

Ce texte a surpris une de mes amies : « Je ne vais quand même pas frapper à la porte de la chambre de mon enfant pour savoir si j'ai le droit d'entrer. » Il ne s'agit pas de frapper trois coups solennels, mais d'un discret signal, chacun trouvera le sien : par la voix : « Coucou, me voilà », ou par un léger toc-toc sur la porte, que sais-je ?

J'ai rencontré des parents carrément indiscrets, j'ai eu envie de faire ce petit rappel que l'enfant pouvait lui aussi avoir sa part de vie privée. C'est en plus la meilleure manière de lui apprendre qu'il n'a pas à entrer dans votre chambre, sans prévenir, si la porte est fermée.

La pudeur

Que nous le voulions ou non, nos regards et ceux de nos enfants sont aujourd'hui sans cesse confrontés à la nudité : à la télévision, dans les magazines, les affiches publicitaires, etc. C'est pourquoi, il nous paraît important de parler de la pudeur des enfants, de dire que ce n'est pas un concept démodé ou désuet, que ce sentiment naturel a sa place dans le développement et l'éducation, même si l'équilibre est parfois difficile à trouver entre le « tout-caché », le « tout-honteux » des générations précédentes et le « tout-montré », le « tout-permis » qui s'étale aujourd'hui.

La pudeur, c'est d'abord la gêne que l'on éprouve spontanément lorsqu'on est vu nu, ou lorsqu'on voit les autres nus. Léa, 6 ans, ne veut pas qu'on la regarde entrer dans son bain : « Laisse-moi » dit-elle à sa mère. Mais la pudeur c'est aussi celle des sentiments : ne pas vouloir montrer ce qui nous touche vraiment, ne pas avoir envie de savoir ce qu'éprouvent les autres. Axelle, 4 ans, adore Noé qui va à la même école qu'elle. Ses parents s'en sont rendu compte, ils en parlent avec amusement autour d'eux, sans voir que cela blesse leur petite fille.

Comment la pudeur vient-elle aux enfants ? Jusqu'à 2 ans, les petits aiment bien être nus ; au bord de la mer, ils enlèvent facilement leur maillot de bain, ou ils ne veulent pas le mettre. Mais en grandissant, certains enfants regrettent d'avoir été photographiés nus ; ils demandent d'ôter la photo de l'album ou du salon ; ou bien ils le pensent mais ils n'osent pas le dire.

La pudeur commence à se manifester vers 2 ans et demi - 3 ans, elle est plus ou moins marquée selon le caractère de chaque enfant et son environnement familial. Apolline, 5 ans, refuse d'aller à la piscine sans mettre un haut de maillot de bain, alors que sa grande sœur n'a jamais manifesté la moindre gêne au même âge.

En même temps, cet âge est celui auquel l'enfant prend conscience d'appartenir à un sexe, il est intéressé par la différence anatomique entre les garçons et les filles, et aussi entre les adultes et les enfants. C'est aux adultes de répondre avec tact aux questions des enfants et à leurs comportements. Il y a des invités au salon et Max, 5 ans, est fier de se promener sans culotte. Devant la gêne et les remarques maladroites des adultes, son père le raccompagne gentiment dans sa chambre, en lui expliquant qu'on n'agit plus ainsi lorsqu'on grandit ; et il lui enfile son pyjama.

Certains croient, à tort, qu'on peut éviter des réactions excessives de pudeur chez les enfants en n'ayant aucune limite dans ce domaine. Pourtant, devenus adolescents, puis adultes, beaucoup de jeunes disent combien ils ont été blessés, ou culpabilisés, par le comportement de parents qui n'avaient aucune pudeur.

Notre société a tendance à oublier que corps et émotions sont indissociables. Pour l'enfant, le corps n'est pas une anatomie médicale ou scientifique, mais un ensemble d'émois, de ressentis, provoqués par ce qu'il voit ou par le regard des autres. Cela appelle délicatesse et respect de la part des adultes.

Le mercredi est fait pour se reposer

Maxime a 7 ans, il est gai, charmant, il aime l'école, il a beaucoup d'amis. Au début de l'année, sa mère lui propose pour le mercredi toute une série d'activités : le matin tennis et musique, l'après-midi théâtre et peinture, le tout enchaîné. Au bout de quelques semaines, Maxime demande à faire la grasse matinée : « le mercredi, c'est pour se reposer », dit-il. Maxime a la chance qu'on lui propose un éventail d'activités, mais quatre dans une seule journée c'est vraiment trop, il a besoin de temps pour lui, pour ses livres, ses puzzles, et pour ses rêves.

Vous avez retrouvé ce mot de rêve déjà à plusieurs endroits de ce livre. J'en reparle à dessein car, pour les parents, le rêve est souvent synonyme d'oisiveté, cette fameuse « mère de tous les vices ». Or à tous les âges le rêve peut être repos, source d'énergie, et source de création.

Les jouets

Nos grands-parents, plus austères, disaient qu'un enfant s'amusait très bien avec un bout de ficelle et un carton et qu'il n'était pas nécessaire de lui acheter des jouets qui en plus étaient chers. Les enfants d'aujourd'hui s'amusent encore avec des cuillers en bois et des petits gobelets. Mais dans une société qui pousse tellement à la consommation, c'est parfois difficile de résister aux achats, en plus, faire des cadeaux aux enfants est un plaisir.

On peut quand même rappeler deux ou trois choses :

Les jouets que vous avez donnés, même s'ils ont coûté cher, appartiennent aux enfants. Si, d'avance, vous ne pouvez supporter l'idée de les voir s'abîmer, offrez-en d'autres. En outre, la joie que procure un jouet n'est pas proportionnelle à son prix. Si l'enfant ne construit pas son jeu de construction comme il est écrit sur la notice, laissez-le faire. Quand il s'installe dans son coin avec son jeu, monologuant, l'air absorbé, ne faites pas comme ces pères qui veulent à tout prix montrer à leurs fils comment on doit faire marcher l'auto mécanique. L'enfant tient beaucoup à être le premier à faire marcher son jouet ; il ne veut pas s'en dessaisir : tout cela est légitime.

Ne vous attendez pas à ce que l'enfant manifeste immédiatement son intérêt ou qu'il s'exclame en ouvrant le paquet : « Oh ! comme c'est joli ! Comme je suis content ! C'est justement ce que je voulais ! » Il est rare qu'un enfant apprécie tout de suite le jouet qu'il reçoit. Généralement, il commence par regarder celui de son frère ou de sa sœur. Mais, quelques jours plus tard, on le voit s'endormir avec le jouet et refuser de s'en séparer.

Que de jouets ! Il ne pourra jamais jouer avec tous ! Pourquoi n'en mettez-vous pas certains de côté discrètement, vous les ressortirez à l'occasion d'une angine, ou simplement un jour où l'enfant s'ennuie.

Il y a un cadeau auquel on ne pense pas assez : le livre. Je suis frappée de voir combien un bébé s'y intéresse. L'enfant le manipule, le regarde, il est intrigué par l'intérêt que les adultes y portent, il s'habitue à cet objet et cela l'achemine peu à peu vers le plaisir de la lecture. Vous ne donnerez jamais trop de livres à vos enfants, et en même temps vous leur rendrez un grand service. Il y a d'ailleurs des paniers de livres dans toutes les crèches.

Toujours plus vite…

Certains parents sont pressés : ils voudraient que leurs enfants fassent des progrès rapides dans tous les domaines ; ils comparent avec les voisins, ils souhaiteraient que leurs enfants marchent plus tôt, parlent plus vite, etc.

Mais pourquoi être tellement obsédé par le temps ? Chaque enfant a son rythme : l'un a des dents à 6 mois, l'autre à 9 ; l'un marche à 9 mois, l'autre à 15. Un élève fait une bonne sixième à 10 ans, un autre seulement à 12. La puberté commence chez l'un à 10 ans, et chez l'autre à 15 ans ! Certains enfants doivent s'arrêter toutes les dix minutes lorsqu'ils révisent leurs leçons, d'autres peuvent rester attentifs vingt minutes. Ces rythmes, il est important de les respecter.

D'ailleurs, quelle importance cela peut-il avoir dans une vie d'avoir marché trois mois plus tôt, ou appris à lire un an avant les autres ? Pourquoi vouloir démarrer de plus en plus tôt alors que la vie devient de plus en plus longue ? En revanche, quelle responsabilité on prend en privant l'enfant de son enfance, car c'est bien ce qu'on fait en le pressant, en voulant brûler les étapes, en essayant à tout prix de sortir l'enfant trop tôt de son petit monde !

Il a 2 ans, il touche à tout, c'est normal, c'est ainsi qu'il découvre ce qui l'entoure. Il a 3 ans, il est turbulent : c'est normal, il se fait des muscles. Il a 4 ans, il n'a pas d'ordre : c'est normal à son âge. Il découvrira l'ordre lorsqu'il découvrira le calcul, à 7-8 ans. Votre enfant traîne, il a l'air de ne rien faire (chose qui agace prodigieusement les parents). Mais non il ne traîne pas, il observe ce qui l'entoure. Jean Rostand racontait que sa passion des sciences naturelles était née dans le jardin de Cambo où il passait des heures, immobile, à observer les insectes.

En éducation, on croit souvent que tout progrès est le résultat d'un effort, ou des enfants, ou des parents. On ne compte pas assez sur le temps, et sur la nature. Or, dans chaque enfant, lentement, au fil des années, naturellement, tout un travail de maturation se fait : maturation physiologique, intellectuelle et affective.

On pouvait craindre que la découverte de la compétence du bébé ferait du tort à l'enfant si elle incitait les parents à cette course à la précocité, à ce « toujours plus vite » dès le jour de sa naissance : puisque l'enfant était éveillé si tôt, il n'y avait qu'à en profiter pour accélérer les mécanismes.

La crainte était fondée, c'est effectivement le raisonnement qu'a tenu un médecin américain, Glen Doman, fondateur des Better Babies Institutes : pour avoir de « meilleurs bébés », Glen Doman mit au point une méthode d'accélération des connaissances et de développement des aptitudes : surstimulés, des bébés arrivèrent à lire à 2 ans, à jouer du violon à 3. Mais à 5 ans, la dépression guettait : les enfants s'arrachaient les cheveux et ne dormaient plus. Et peu à peu les Better Babies Institutes se sont vidés…
Mais la tentation de la précocité existe toujours, périodiquement on entend parler de méthodes magiques pour obtenir des performances des enfants.

À condition de recevoir la stimulation nécessaire pour développer leur intelligence et leur affectivité, les enfants ont le droit de vivre leur vie sans pression excessive. Certains seront plus lents, d'autres plus rapides, mais dans un environnement favorable, les enfants s'épanouiront, chacun à leur rythme.

Un bébé a besoin de calme. Trop de bruit autour de lui, trop de sollicitations sensorielles lui font du mal. Pendant les premiers mois, un bébé a vraiment besoin d'être séparé des bruits extérieurs et de la foule.

Le bilinguisme

L'élargissement de l'Europe, de sept pays à douze puis quinze et aujourd'hui vingt-cinq ; les migrations de la main d'œuvre ; des nationaux quittant leur pays pour des raisons politiques... Tous ces événements ont amené sur le devant de la scène la question du bilinguisme.

Dans la vie des familles, comment se pose la question ? Lorsque les parents sont de nationalité différente, ou lorsqu'ils sont de même nationalité mais vivent à l'étranger, ils se demandent : doit-on choisir, pour parler à l'enfant, la langue du père ou celle de la mère ? Doit-on s'habituer à parler à l'enfant une troisième langue, celle du pays dans lequel il vit avec ses parents ?

Après des recherches, des observations, des hésitations, la solution adoptée aujourd'hui est la plus simple : on conseille aux parents de parler au petit enfant chacun dans sa langue maternelle.

Notre langue maternelle nous vient spontanément aux lèvres, lorsque nous parlons à notre bébé, lorsque nous le berçons, lorsque nous lui chantons des comptines... Et lorsque l'enfant sera en contact avec l'extérieur : halte-garderie, crèche, école, il apprendra, et plus vite qu'on n'aurait cru, la langue du pays dans lequel il vit. Parfois les premiers contacts sont difficiles, mais l'enfant a d'autres moyens de communiquer, par le geste, le sourire, et l'apprentissage se fait peu à peu.

Avec cette pratique on observe généralement que si on s'adresse à l'enfant dans les deux langues, il passe facilement de l'une à l'autre, que la gymnastique lui devient familière et qu'il acquiert par ce jeu une grande souplesse ; on a même l'impression qu'il jongle avec les mots, que connaître deux langues l'amuse.

Finalement on constate que l'enfant bilingue est plus créatif, et que d'avoir à sa disposition deux langues et deux modes de pensée enrichit à tous points de vue sa personnalité.

Quelques difficultés.

▪ Le père et la mère veulent chacun que sa langue soit la préférée et l'enfant se trouve face à un choix qu'il ne peut pas faire, ne voulant peiner ni son père ni sa mère.

▪ Ou bien, la mère trouve que la langue du père est trop difficile à apprendre, qu'elle n'ira jamais dans le pays. Dans ces conditions l'enfant peut aussi refuser de parler la langue du père.

▪ Ce qui peut également poser un problème, c'est lorsque la langue d'origine est peu valorisée. Lorsque l'enfant se rend compte qu'on n'a pas de considération pour sa langue, pire, qu'on pense qu'elle est un handicap, cet enfant a du mal à apprendre une deuxième langue ; il peut même être freiné pour progresser dans sa langue maternelle. C'est ce qui arrive dans certaines écoles avec des enfants d'immigrés. Tandis que lorsqu'un enfant sait que l'instituteur et ses amis apprécient sa langue maternelle, il a envie d'apprendre leur langue pour parler facilement avec eux.

Il est donc important que l'enseignant valorise la langue d'origine de l'enfant : plus cette langue maternelle sera riche, plus la deuxième langue sera développée ; les professeurs l'ont souvent remarqué.

Une difficulté du bilinguisme peut survenir lorsque l'enfant entend trois langues. La maman de Romain est polonaise, le papa est français. Ils se sont rencontrés en Espagne et l'espagnol est leur langue commune. La maman a cru bien faire de parler le moins possible polonais à son bébé ; le papa, très occupé, a eu peu d'échanges verbaux avec

lui ; et la langue que Romain entendait le plus, l'espagnol, ne s'adressait pas directement à lui. Romain s'est désintéressé de la communication verbale. A 3 ans, il ne prononçait que quelques mots utiles, sans phrases. Il a pu surmonter ses difficultés avec des séances précoces d'orthophonie puis de psychothérapie.

● **L'atout d'une seconde langue.**

Parfois, les familles souhaitent faire apprendre à leur enfant très jeune, une autre langue que sa langue maternelle pour lui donner un atout supplémentaire dans ses études.

Attention : lorsque le bilinguisme est imposé à l'enfant, il ne le vit pas spontanément comme dans sa famille. Et il a plus de peine à l'apprendre. Il vaut donc mieux attendre qu'il ait une bonne connaissance de sa propre langue maternelle, qu'il aime la parler, qu'il soit bien socialisé, en d'autres termes qu'il ait au moins 5-6 ans.

Et pour l'apprentissage de cette seconde langue, on choisira une méthode attrayante basée sur le jeu, on ne brusquera pas l'enfant s'il se trompe, ce qui ne ferait que le bloquer. Et si l'on sent que l'enfant a des difficultés, ou trop peu d'intérêt, on n'hésitera pas à arrêter.

● **À savoir sur le bilinguisme.**

Quelles que soient les raisons qui font que votre enfant parle deux langues, au début il fera des mélanges : c'est normal. Dans chaque langue, pour un même objet, l'enfant connaît un ou deux mots : par exemple, en français, pour automobile, *voiture*, en anglais, *car*. Dans la conversation spontanément il emploie l'un ou l'autre de ces mots, il mélange, il n'a pas la maturité pour se rendre compte qu'il s'agit de deux langues. Il les différenciera peu à peu, aidé par ses parents. À partir de 3 ans, en général, il passera d'une langue à l'autre sans problème.

Au cours de l'apprentissage des deux langues, l'enfant peut manifester certains troubles, comme bégayer par exemple. Ce trouble, sans gravité, et passager, disparaît spontanément ; il peut aussi bien apparaître chez un enfant qui ne parle qu'une langue, il n'est pas dû au bilinguisme. Les progrès dans l'acquisition du langage se font à la même vitesse chez l'enfant qui parle une langue que chez celui qui en parle deux en même temps. Et si l'enfant parle plus tard, le bilinguisme n'est pas à incriminer, la cause est à chercher ailleurs.

Quelques situations difficiles

L'enfant élevé par une mère seule

Un certain nombre de jeunes femmes mettent au monde un enfant en sachant qu'elles l'élèveront seules, au moins pendant un certain temps. La première question qui va se poser est celle du père, faut-il parler de lui à l'enfant ? Le père peut être parti avant la naissance ou dans les mois qui ont suivi ; la mère peut avoir fait le choix délibéré d'élever son enfant sans père.

Tout enfant pense à son père.

Il est absent physiquement et matériellement, mais que vous le vouliez ou non, il va jouer un rôle important et dans votre vie et dans celle de votre enfant : d'abord parce que, comme vous-même, le père est à l'origine de la naissance de l'enfant ; ensuite parce que ce père existe ; enfin parce que cet homme, qu'il ait ou non compté sentimentalement pour vous, votre enfant vous rappellera sans cesse son existence. J'ajoute que pour votre enfant, son père jouera un rôle important dans la mesure où tout enfant pense à son père.

Et un enfant sent bien que son père est présent dans les préoccupations de sa mère, que ce soit d'une façon négative ou positive, que sa mère le regrette ou non.

C'est pourquoi, malgré peut-être le drame de l'abandon, malgré des griefs souvent justifiés, malgré un désir conscient de tenir le père à l'écart, ou malgré une indifférence plus ou moins profonde à son égard, la mère doit s'efforcer d'offrir et de conserver pour son enfant une image acceptable du père. Faire naître et entretenir chez un enfant un rejet du père absent peut avoir des conséquences graves.

Il peut en être de même si la mère passe le père complètement sous silence et n'y fait jamais référence. Or, la recherche de son origine paternelle peut s'instaurer très précocement chez un enfant, et le poursuivre tout au long de sa vie d'adulte. Cela d'autant plus que les questions qu'il se pose à sa manière et à chaque étape de son développement seront restées sans réponse.

Si, à travers les réponses, l'enfant a senti à ce sujet la haine ou la dépression de sa mère (« Tu ne peux pas savoir ce qu'il m'a fait souffrir », « Je ne m'en remettrai jamais », « Ton père était ignoble », ou à certaines occasions : « Tu ne vas pas me faire ce que ton père m'a fait »), il risque de s'instaurer en cet enfant, à travers la personne de ce père imaginaire, un rejet ou une crainte des hommes en général. L'enfant peut aussi se dévaloriser lui-même, ou craindre l'hérédité : « Mon père était un caractériel, ou un raté », « Mon père était brutal, j'ai peur d'être comme lui », « Mon père a abandonné ma mère, j'ai peur qu'il m'arrive la même chose. »

C'est donner à l'enfant une fausse idée des relations entre un homme et une femme, et peut-être compromettre l'avenir affectif et sexuel d'une fille comme d'un garçon. Dans l'intérêt de l'avenir de l'enfant, la mère doit préserver autant que possible l'image du père de l'enfant. Certes, il ne s'agit pas de cacher les difficultés et les réalités, mais de les transmettre à l'enfant de telle manière qu'il n'en porte pas la responsabilité, que ces difficultés et réalités n'entravent pas le déroulement de sa propre vie et ses relations avec les autres. Autrement dit, l'enfant a le droit de savoir que son père n'était pas parfait, mais il n'y est pour rien, et cela ne doit pas interférer dans sa vie quotidienne ni dans son propre avenir.

Véronique, 2 ans, ne veut pas s'endormir seule, et se réveille souvent la nuit. Depuis quelque temps, sa maman la prend dans son lit car elle-même est insomniaque et reconnaît qu'elle dort mieux quand elle a « son bébé contre elle ». La mère ne veut plus voir le père de Véronique, ni qu'il voie son enfant. « Ce serait trop facile, dit-elle. J'ai probablement tort, mais je ne peux pas m'empêcher de me venger ainsi du mal qu'il nous a fait. »

En fait les parents sont en instance de divorce, car le père lors d'une période difficile – il était au chômage – s'est drogué, a vendu des objets leur appartenant à tous les deux, et l'enfant a assisté à des scènes pénibles. Cela n'empêche pas le père de Véronique d'être très attaché à sa fille, et de souhaiter la voir. Véronique sursaute souvent le soir lorsqu'elle entend du bruit dans l'escalier, pensant que son père arrive, et souvent elle le réclame la nuit. Pourtant la mère de Véronique ne veut plus que le père et l'enfant se revoient.

Il faudra plusieurs entretiens avec le pédiatre et une assistante sociale pour que des relations moins tendues se rétablissent dans le trio. Le divorce sera prononcé, mais Véronique reverra régulièrement son père, et les troubles du sommeil de la mère et de l'enfant disparaîtront peu à peu.

Ces remarques en amènent une autre. C'est un réflexe naturel, pour la mère, qui vit seule avec son enfant, quelle qu'en soit la cause, de se replier sur lui. Instinctivement, elle a tendance à l'entourer d'un amour exclusif, en partie pour remplacer le père, en partie pour combler sa solitude. Or, en installant son enfant au centre d'un univers à deux, sans le savoir la mère risque de créer chez l'enfant un besoin exagéré d'elle qui le rendrait vite exigeant et incapable de se passer de ses soins et de sa présence.

C'est le rôle de toute mère d'amener jour après jour ses enfants à exister loin d'elle, de préparer leur avenir d'homme, de femme autonome. C'est une entreprise difficile pour celle qui est seule avec son enfant. Elle devra profiter de toutes les occasions pour élargir son univers. Dès les premiers mois, une bonne crèche permettra au nourrisson d'être mêlé à d'autres enfants et confié à d'autres adultes. Plus tard, l'école maternelle, les organismes de loisirs et de vacances (sports, colonies) viendront aussi agrandir son univers. De son côté, la mère qui élève seule son enfant aura avec lui des échanges d'autant plus équilibrés que sa vie à elle sera plus ouverte sur l'extérieur : les contacts qu'elle pourra avoir avec ses amis, dans son métier, lui permettront de ne pas penser exclusivement à ses enfants mais de penser aussi à elle.

Lorsqu'il se sent entouré et aimé et que sa mère a trouvé son équilibre, un enfant se développe comme tous ceux de son âge : il passe par les mêmes stades ; il y a des progrès, des retours en arrière, il y a des étapes paisibles, d'autres tumultueuses. Mais il faut signaler une réaction fréquente de la mère lorsqu'elle se trouve seule : elle a tendance à dramatiser. Et devant un enfant agressif, elle perd souvent son calme, d'autant plus qu'elle croit facilement que cette agressivité est dirigée contre elle, et qu'elle est une sorte de reproche.

En réalité, à certains âges, l'agressivité est au contraire un signe de santé, de progrès, elle est l'expression d'une personnalité qui peu à peu s'exprime. Si la mère seule en face de son enfant sait rester calme, la crise passée, elle verra son enfant lui exprimer à nouveau sa tendresse, et sa confiance.

1. Paris : 01 44 93 44 93
Grenoble : 04 76 87 54 82
Lyon : 04 72 00 05 30
Metz : 03 87 69 04 56

Je vous signale l'existence de Inter-Service-Parents qui informe, renseigne et aide (1).

Le divorce

Dans tous les sondages, qu'ils soient de droite ou de gauche, faits auprès de très jeunes ou de moins jeunes, commandés par des quotidiens ou des hebdomadaires, les résultats se rejoignent dans un grand cri d'amour : « Famille, je vous aime. »

Et cela ne date pas d'aujourd'hui. Pendant ce temps, on s'intéresse de plus en plus au développement précoce de l'enfant, à ses besoins d'attachement à son entourage. On montre la personnalité du bébé, ses capacités d'attachement, la richesse de ses interactions avec l'entourage, leur pauvreté lorsque celui-ci est défaillant, la nécessité d'une continuité dans le milieu qui l'aime, le stimule et l'élève.

Et pourtant, dans le même temps, le nombre de divorces augmente d'année en année :
- trois fois plus aujourd'hui qu'hier ;
- chaque année 150 000 enfants de plus sont ballottés entre les deux foyers, etc.

On tient à la famille, on a la preuve que l'enfant a besoin d'elle, mais on ne craint pas de la défaire, et souvent même très tôt : dans 25 % des cas, dans les quatre ans qui suivent le mariage.

Je dis à Danielle Rapoport, la psychologue de notre équipe, ma difficulté à comprendre le paradoxe : comment peut-on à la fois tant apprécier la famille, tant s'intéresser aux besoins de l'enfant, et si souvent se trouver contraint à prendre une décision contraire à son intérêt ?

Devrait-on accepter comme inéluctable cette progression des chiffres, car déjà on annonce pour demain qu'ils seront en hausse.

Si je pose la question à notre psychologue, c'est qu'elle voit à longueur de journée des couples en difficulté et essaie de les aider. Mais pour elle, lorsqu'un divorce est décidé, rien ne peut l'empêcher. Parfois même un an de plus exaspère les parents et détériore encore plus les relations. La seule porte de sortie est alors d'expliquer aux parents : « Si vous avez échoué dans votre vie de couple, essayez de réussir votre vie de parents, de préserver pour votre enfant une certaine unité, c'est-à-dire l'image de parents qui ne soient pas en conflit ; essayez pour l'enfant de séparer relations conjugales difficiles et relations parentales positives. » C'est difficile pour les parents mais lorsqu'ils comprennent que l'enfance va passer vite, qu'il ne sert à rien de se déchirer, ils parviennent, en général, dans l'intérêt de l'enfant, à trouver des attitudes communes.

Cet effort nécessite un oubli de soi-même, une ouverture à l'avenir de l'enfant et une tolérance vis-à-vis du partenaire qui peut être difficile à réaliser ; souvent un tiers (psychologue, pédiatre, etc.) peut intervenir positivement mais il faut du temps : un an, deux ans, voire même plus. D'ailleurs, au cours de la procédure de divorce elle-même, qui peut se dérouler pendant plusieurs mois, parfois plusieurs années, le juge aux affaires familiales peut désigner des professionnels qui essaieront de dédramatiser le conflit. Par exemple, une enquête socio-familiale, une expertise psychologique ou bien le recours à une médiation familiale permettront peut-être de reprendre le dialogue interrompu et de débloquer une situation dans laquelle les adultes se déchirent et l'enfant est la première victime.

Lors d'une séparation, la plupart des enfants rêvent que leurs parents pourront se retrouver, surtout lorsqu'ils ont préservé certains liens entre eux. Ce désir est bien compréhensible : tout enfant est né de l'union de son père et de sa mère, il se sent déchiré dans son unité, parfois même dans la construction de son identité, lorsque ses parents se séparent. L'enfant se sentira mieux lorsqu'il comprendra qu'on ne peut pas revenir sur les raisons profondes de la séparation, que ces raisons sont indépendantes de lui, et qu'il ne pourra pas changer la situation.

De leur côté, les adultes ne doivent pas entretenir chez l'enfant le faux espoir d'un retour à la vie commune et lui laisser imaginer qu'il a le pouvoir de les rassembler. Romain, 7 ans, est hospitalisé quelques jours. Ses parents, divorcés, se retrouvent quotidiennement à son chevet, parlant devant lui aux médecins, aux infirmières. Romain dit alors à l'une d'entre elles : « Je ne veux pas guérir pour qu'ils restent ensemble »…

Heureusement, il y a bien des parents qui arrivent malgré leur séparation à organiser une vie équilibrée pour leur enfant. C'est cela le plus important, savoir lui montrer qu'ils l'aiment toujours de la même manière et qu'il n'est pas responsable de la séparation. Ces parents savent aussi que l'enfant n'est pas qu'un désir, mais un engagement pour la vie, et cet engagement, ils sont bien décidés à l'assumer.

L'enfant maltraité

Il est difficile de croire et d'imaginer qu'on puisse maltraiter un enfant, surtout lorsqu'il est très jeune. Souvent, les parents eux-mêmes, qui ont eu des gestes violents à l'égard de leur enfant, le nient, même si le pédiatre montre des marques sur le bras et une radio qui le prouve. Je pense que nous avons tous été témoins de situations où un père, une mère, très en colère, lève le bras sur un enfant sans l'intention de lui faire mal, mais finalement, le geste est plus fort que l'intention. On peut dire que la frontière est parfois floue entre le geste brusque et la maltraitance. Lisez à ce sujet l'article *Maltraitance* page 403.

Il faut savoir qu'en France, où pourtant les habitants n'ont pas la réputation d'être particulièrement violents, chaque année 50 000 enfants sont victimes de sévices ou de délaissement.

Pour le grand public, l'enfant maltraité est un enfant battu, un enfant qui n'a rien à manger, et qui a le malheur d'appartenir à un milieu défavorisé. Mais les professionnels de l'enfance, avec l'appui de l'Organisation mondiale de la santé, ont élargi depuis plusieurs années la notion de maltraitance au délaissement, à la carence de soins et de relations. Ils ont en plus insisté sur le fait qu'il pouvait y avoir des enfants maltraités dans tous les milieux : en effet, quelle que soit la catégorie socio-professionnelle, on trouve des pères – et des mères – qui passent à l'acte et maltraitent leur enfant.

On connaît mieux maintenant les caractéristiques de ces parents, ce qui permet d'améliorer la prévention et de les aider plus efficacement : car, dans ce domaine, qui dit « enfant en souffrance » dit « parent en souffrance ».

Qui sont ces parents ?

▪ Des mères très jeunes ou immatures, proches de leur adolescence, dont la grossesse n'a pas été désirée ; ou qui ont de grandes difficultés avec le père de l'enfant : abandon, brutalité, infidélité, etc.

▪ Des personnalités particulièrement vulnérables dont la dépression n'est pas toujours manifeste, mais qui ne peuvent pas supporter les pleurs du bébé et ses demandes, elles se sentiront menacées par la fragilité de l'enfant. Tout en l'aimant, ces parents le rejettent, soit avec des gestes violents, soit par des attitudes d'abandon qui mettent en danger tout le développement de l'enfant.

▪ Des parents qui eux-mêmes n'ont pas eu une enfance sécurisante, qui revivent et « répètent » ce qu'ils ont vécu. Ces adultes n'ont pas forcément été battus lorsqu'ils

> **Pour en savoir plus…**
> Voici deux livres très complets : celui du Pr Michel Manciaux, Marceline Gabel et leurs collaborateurs : *Enfances en danger*, éditions Fleurus. Et celui de Marceline Gabel, Serge Lebovici et Philippe Mazet : *Maltraitance : maintien du lien?* éditions Fleurus. A lire ou consulter en bibliothèque.

étaient enfants, mais ils n'ont pas été aimés et ont gardé de leurs parents une image fruste et brutale, ou froide et angoissante ; leurs parents ont été incapables de les aider à former une personnalité stable et de les préparer à devenir parents à leur tour. Beaucoup même ont été placés dans des conditions traumatisantes qui n'ont pas été cicatrisées à l'âge adulte. Tout adulte qui a eu une enfance difficile et malheureuse ne va pas pour autant humilier et maltraiter son enfant, au contraire : souvent il ne veut pas que son enfant souffre ce qu'il a connu et l'en protège encore plus. Mais il est vrai que les parents maltraitants ont fréquemment souffert dans leur petite enfance.

Comme nous l'avons vu, ces grandes difficultés de relations entre parents et enfants peuvent se retrouver dans tous les milieux. Voici deux cas : Jacqueline, avocate, ne supporte pas que son bébé ait peu d'appétit, lasse de le forcer, elle s'en désintéresse et le laisse seul une grande partie de la journée. Paul, qui est ingénieur, n'admet pas que son bébé pleure et ne peut s'empêcher de le brutaliser.

Dans ces deux cas, les parents de cette mère, de ce père, n'avaient eu aucun investissement affectif, aucune relation chaleureuse avec leur enfant quand il était petit : « Mes parents ne m'aimaient pas, j'ai été très gâtée mais très malheureuse », disait Jacqueline. « J'étais terrorisé par mon père qui, pourtant, n'a jamais levé la main sur moi, mais je n'ai aucun souvenir de tendresse de la part de mes parents.
Ne me séparez pas de mon fils, je ne veux pas qu'il souffre ce que j'ai souffert, aidez-moi plutôt à changer. » C'est ce que disait Paul.

D'autres facteurs peuvent conduire aux mauvais traitements : vivre dans des conditions de logement invivables (par exemple 5 personnes dans 11 m^2) ; avoir un enfant adultérin qui rappelle une filiation qu'on voudrait oublier ; élever l'enfant d'un autre conjoint ; avoir été séparé de son enfant dans les premières semaines de vie ; c'est pourquoi aujourd'hui on cherche à rapprocher le plus possible les parents de leur enfant prématuré ou malade, pour que les liens d'attachement se créent dès le début de la vie.

Parfois la frontière est fragile entre l'affection et les mauvais traitements, et les causes de dérapage sont multiples. Si un jour vous sentez que vous-même, que votre conjoint, vous dérivez vers ce type de relations avec votre enfant, ou si vous êtes déjà passé à l'acte, voyez sans tarder ceux qui pourraient vous aider : le pédiatre, ou la consultation de PMI la plus proche, ou la consultation hospitalière de pédiatrie (ouverte jour et nuit), ou le juge des enfants : n'ayez pas peur de cette appellation et du fait que ce magistrat siège au tribunal, son rôle est de protéger votre enfant, mais aussi de vous protéger en faisant appel à des équipes particulièrement formées à cet égard. Enfin, pour l'enfant plus grand, vous pouvez aussi vous adresser au CMPP (consultation médico-psycho-pédagogique). Toutes ces adresses vous seront fournies par la mairie. Il existe aussi un numéro de téléphone gratuit (le 119), fonctionnant 24 heures sur 24 ; ce numéro s'adresse aux mineurs en détresse ou victimes de mauvais traitements et aux parents qui ont des difficultés relationnelles avec leurs enfants.

Les abus et sévices sexuels

Je voudrais réserver une place particulière aux abus et sévices sexuels qui peuvent toucher de très jeunes enfants. La vigilance reste insuffisante encore, alors qu'on sait actuellement que « l'abuseur » – celui qui utilise l'enfant pour satisfaire ses pulsions sexuelles, par caresses, frottements, exhibition sans pour autant le violer, et parfois en allant jusque là – est le plus souvent un proche de l'enfant : famille, cercle d'amis, voisinage, collectivités qu'il fréquente. La plupart du temps, l'enfant accepte sans rien dire ces gestes pervers parce que pour lui, ce qui est bien, vient de l'adulte, et qu'il ne sait pas encore différencier le bien du mal, le permis de l'interdit. Mais un enfant abusé souffre gravement d'être utilisé ainsi.

Dépression, nervosité inhabituelle, troubles du sommeil, arrêt ou stagnation de la croissance, obsession et provocation de jeux sexuels avec ses petits amis, maux de ventre, etc., sont des signes d'alerte. Devant eux, il faut ouvrir les yeux sur le comportement des proches : grand-parent, oncle, cousin, ami, parfois même conjoint. Certes, ici aussi, la frontière est fragile entre « les caresses qui apaisent et celles qui excitent trop l'enfant », dit la pédopsychiatre Michelle Rouyer, mais il faut être vigilant.

Abus et sévices sexuels ont toujours existé, mais notre société refusait de les voir et de les dénoncer. Sous la pression de nombreux professionnels (pédiatres, travailleurs sociaux, psychologues…), la presse et la télévision en parlent maintenant, et de nouvelles structures sont mises en place pour aider les enfants abusés et leur entourage.

En voyant toutes ces émissions, en lisant tous ces articles commentant les abus sexuels dont sont victimes les enfants, les parents se demandent comment en parler à leurs enfants. La meilleure prévention est effectivement de prévenir les enfants.

On peut commencer à en parler à partir de 3-4 ans en tenant compte du stade de compréhension de l'enfant. Par exemple, vous pouvez expliquer à votre petit garçon, à votre petite fille que certaines personnes ne sont pas normales dans leur comportement avec le corps d'un enfant ; elles ont des regards, des paroles, des gestes qui ne sont pas permis entre les grandes personnes et les petits enfants, et qui peuvent être dangereux pour les enfants.

Vous pouvez aussi mettre l'enfant en garde en l'avertissant que ces personnes peuvent être déjà connues de lui. Vous pouvez ajouter que si cette personne lui dit que ce qu'elle se permet de dire ou de faire, est un secret, qu'il ne faut pas en parler, cela montre bien qu'elle fait quelque chose de défendu. Enfin, il est important de rappeler à cette occasion que l'enfant ne doit pas suivre un adulte, ou un enfant plus grand, qu'il ne connaît pas, même s'ils ont l'air très gentil. S'il était confronté à cette situation, il ne devrait pas hésiter à crier, à se fâcher, à fuir, à prévenir les grandes personnes, à le raconter aussitôt à ses parents.

Bien entendu, vous ne direz pas tout cela d'une traite à l'enfant, surtout s'il est petit, mais par petites touches : par exemple en lisant et en commentant un livre sur le sujet. Ces livres sont nombreux et savent alerter sans faire peur. Ils ont le mérite, grâce à des commentaires adaptés, de ne pas provoquer chez l'enfant un imaginaire disproportionné, allant à contresens du but recherché. Vous choisirez ce livre en fonction de l'âge de l'enfant et de votre propre sensibilité.

▪ Les sévices à un enfant constituent un délit dont la dénonciation est une obligation. *«Le fait pour quiconque ayant eu connaissance de privations, de mauvais traitements ou d'atteintes sexuelles infligés à un mineur de quinze ans... de ne pas en informer les autorités judiciaires ou administratives est puni de trois ans d'emprisonnement et de 300 000 F d'amende»* (article 434-3 du code pénal).

Toute personne qui suspecte ou a connaissance de faits de maltraitance sur un enfant de moins de quinze ans- comme sur toute personne d'une particulière vulnérabilité, personne âgée ou handicapée- doit les dénoncer à l'autorité compétente. Ce n'est pas toujours facile d'entreprendre cette démarche qui peut faire penser à de la délation. De plus, lorsqu'on n'est pas sûr de soi, on préfère se taire : un enfant peut raconter à la sortie de l'école que son camarade est battu, ou qu'une petite fille a subi des gestes déplacés, parce qu'il l'a entendu dans la cour de récréation.

Que faire, que dire ? Ne s'agit-il pas d'inventions d'enfants, de fantasmes ? Doit-on se mêler de ce qui se passe dans certaines familles ? En général, les enfants victimes hésitent à se confier à des adultes, par peur d'être grondé ou de n'être pas cru, ou par honte. Mais ils disent ce qui se passe à certains de leurs camarades.

Dans ces cas-là, n'hésitez pas à parler de ce que vous avez entendu auprès de professionnels de l'enfance (instituteur, directeur d'établissement scolaire, assistante sociale ou pédiatre) qui, en signalant la situation aux autorités compétentes, pourront faire la démarche administrative ou judiciaire que vous ne savez comment entreprendre. Le numéro de téléphone 119 peut également vous renseigner.

Sachez aussi que la brigade des mineurs de la police judiciaire dispose d'équipes spécialisées pour l'écoute et l'audition de l'enfant.

Le deuil et le chagrin

Ce que les enfants pensent de la mort

Tous les enfants s'intéressent à la mort, et habituellement plus tôt qu'on ne le pense, ce qui explique l'étonnement des parents devant certaines questions précoces de leurs enfants. Mais leurs idées sur la mort ne sont pas celles des adultes, car les enfants vivent dans un monde imaginaire, dans un univers bien différent du notre. Vous avez lu dans le chapitre précédent que l'enfant ne faisait pas toujours la distinction entre réalité et imagination ; il vit dans une grande ambivalence où il se sent à la fois très dépendant du monde des adultes, et en même temps tout puissant puisque les adultes répondent à tous ses besoins.

Les idées des enfants sur la mort, ce qu'ils en pensent naturellement, dépendent d'abord de l'âge : la mort n'est pas ressentie de la même manière avant 4 ans, à 10 ans ou à l'adolescence.

Pour le tout-petit,

avant 4 ans, la mort n'est pas naturelle (« on ne meurt pas, on est tué ») ; elle n'est pas irréversible : à tout moment on peut revenir, ou se réveiller (après avoir dit à son camarade de jeux « Pan pan tu es mort », celui-ci se relève). Mais l'idée de la mort peut angoisser les jeunes enfants, elle peut même être vécue par certains comme contagieuse, car l'enfant pense que ce qui arrive aux autres peut lui arriver à lui-même.

Avant 4 ans, la mort est une forme d'absence, de perte, qui peut devenir dramatique si l'adulte ne peut plus répondre aux besoins affectifs de l'enfant, à ses habitudes. Marie, 2 ans, refuse de manger avec sa maman après le décès de sa nourrice, alors qu'auparavant tout se passait bien entre la petite fille et sa mère. La psychologue consultée explique à Marie que même si sa « nounou » n'est plus là, elle peut toujours être dans son cœur. D'ailleurs, ce qui ferait plaisir à sa « nounou », c'est que sa petite Marie continue de manger avec sa maman.

À partir de 3-4 ans,

la mort est comprise comme la cessation des grandes fonctions : quand on est mort, on ne peut plus bouger, plus parler, plus manger, plus avoir d'enfants (pour les petites filles). C'est pourquoi, chez les jeunes enfants, le sommeil est souvent assimilé à la

mort : quand on dort, on ne ressent plus rien, et quand on se réveille au milieu de la nuit, et qu'on appelle, personne ne vient, la maison est plongée dans un « silence de mort ». Le petit enfant se lève, va vérifier que ses parents respirent, et refuse de se rendormir tout seul. Les enfants de cet âge aiment qu'on leur explique combien le sommeil est vivant, et le bien qu'il fait au corps et à l'esprit.

- **Entre 4 et 8 ans,**
l'enfant comprend que la mort est irréversible. Il le comprend, mais il lui faudra des années avant de l'accepter. Mathilde, 6 ans et demi, a perdu son papa dans un accident d'avion. Sa maman lui a expliqué qu'elle ne le reverrait plus, et Mathilde a assisté à l'enterrement. Quelques mois plus tard, sa maman toute joyeuse d'avoir rencontré par hasard une de ses cousines, annonce : « Devine qui j'ai rencontré à l'arrêt de l'autobus », Mathilde répond sans hésitation « Papa ! ».

- **Vers 8-10 ans,**
la mort devient universelle, elle touche tous les êtres vivants, en commençant par les plus âgés, le dernier concerné étant l'enfant lui-même. Sébastien, 10 ans, raisonne sa petite sœur qui réclame avec colère son « Papy » : « Mais tu comprends, il était vieux, c'est normal qu'il soit mort ». À cet âge, les parents peuvent parler à l'enfant du lien indissociable qui existe entre la mort et la vie : l'enfant est capable de comprendre que la mort est liée à la vie, qu'elle en est une partie intégrante.

Quel que soit leur âge, ce que les enfants pensent de la mort et ce qu'ils en ressentent dépend aussi de ce qu'ils en entendent dire autour d'eux et de ce qu'ils en vivent dans les événements de leur vie quotidienne. Tous les enfants sont à un moment ou à un autre confrontés à la mort d'un proche. Anne est en CM2 ; dans sa classe, Lucas décède, après une longue maladie. Pendant sa maladie, Anne et ses camarades lui ont souvent rendu visite à l'hôpital, ils ont apporté leurs cahiers de classe, ils sont venus fêter son anniversaire. Lorsque Lucas meurt, Anne est bouleversée et choisit de ne pas aller à l'enterrement. Mais elle ira quelques semaines plus tard déposer des fleurs sur sa tombe, avec une petite amie. Pendant cette période Anne pose beaucoup de questions sur la mort, et les réponses qui lui sont faites respectent son choix, ce qui est très important. Mais ce n'est pas toujours le cas. Une lectrice nous a écrit que son petit-fils de 3 ans n'avait pas « voulu » aller à l'enterrement de son père et qu'elle avait été choquée qu'on ne l'ait pas obligé à y assister alors que ce petit garçon se protégeait d'une situation trop difficile à supporter.

Ce que les enfants entendent (ou n'entendent pas) de la mort en famille, à l'école est extrêmement variable. Une chose est certaine, c'est qu'elle s'affiche souvent à la télévision, et là ce n'est pas une mort habituelle, mais une mort terrible. Elle apparaît également dans les jeux vidéo où elle est complètement banalisée, cela ne veut pas dire que la mort d'un être proche sera banale pour l'enfant : la disparition de son chat plonge Mathieu, 10 ans, dans un profond chagrin, alors qu'il est passionné de jeux vidéo assez violents.

L'âge, l'entourage, les événements influent sur les idées de la mort qu'ont les enfants. Leur caractère compte aussi ; les réactions peuvent être très différentes d'un enfant à l'autre, à l'intérieur d'une même famille. Certains enfants ne montrent pas leur bouleversement, ne changent pas leurs habitudes et leur entourage pense qu'ils sont indifférents, voire égoïstes. En fait, les enfants sont réservés, pudiques, ils intériorisent leurs émotions. « Moi je ne veux pas m'agiter » dit un peu tristement Sonia à la mort d'un oncle, en continuant à habiller sa poupée.

Lorsqu'un deuil survient dans l'entourage de l'enfant

Après la perte d'un être cher, pour ne pas rester enfermé dans son chagrin, il est nécessaire de « faire le travail de deuil » entend-on souvent aujourd'hui. Qu'est-ce que cela signifie, en particulier chez les enfants ?

Pour arriver à accepter la mort d'un proche, encore faut-il avoir pu reconnaître et exprimer le choc qui a pu s'y rattacher ; ou encore les sentiments d'abandon, voire d'injustice ; ou encore les réactions d'anéantissement. Le travail de deuil, c'est cela : la révolte, la colère, l'abattement, puis peu à peu l'acceptation ; le chagrin est toujours là, mais moins douloureux, la culpabilité s'atténue, les souvenirs s'organisent, les projets reviennent, d'autres joies sont possibles.

Chez l'enfant, le travail de deuil passe par ces étapes avec des particularités puisque son univers est différent du nôtre.

Pour un jeune enfant, on peut être à la fois mort et vivant : il sait que sa mère est morte, mais il ne cessera d'attendre son retour jusqu'à la fin de l'adolescence. Pour donner une réalité à cette perte, il est important de ne pas tenir l'enfant à l'écart des moments de la fin de la vie, de le faire participer selon son âge et sa personnalité. Les enfants ont droit à la vérité, ils en ont besoin ; il est indispensable de leur donner suffisamment d'informations dans des termes accessibles.

Une part du travail de deuil se fait dans l'évocation des souvenirs, et des événements vécus. Chez l'enfant, les capacités de remémoration sont plus courtes du fait de son âge ; il a moins de souvenirs, il vit plus dans le présent et dans le futur que dans le passé. C'est une raison supplémentaire de ne pas écarter à tout prix l'enfant des adultes dans ces circonstances douloureuses.

Stéphanie, 8 ans, sanglote à l'annonce du décès de sa tante chérie, et elle ne quitte plus les bras de sa mère. Certains membres de la famille sont hostiles à ce comportement et trouvent que Stéphanie devrait être tenue à l'écart. Mais la mère et la

fille tiennent bon. Pour l'enterrement elles se sont ressaisies et se sont aidées mutuellement « à se faire belle ». Stéphanie a fait un dessin qu'elle mettra sur le cercueil. Sa mère déposera sur le dessin un petit bijou qui lui avait été offert par sa sœur. Elles se sentent apaisées d'avoir pu accompagner, à leur manière, la jeune femme qui vient de les quitter.

Certaines fois, l'apaisement ne peut survenir, la dépression de l'enfant étonne et déroute son entourage, voire même les professionnels. Tel professeur fait savoir à Valentin « qu'il doit se reprendre, être plus attentif, que la 6e c'est important et que le décès de sa maman ne doit pas l'empêcher de travailler ». Si bien qu'après la baisse des résultats scolaires, Valentin aura des troubles du caractère. Tandis qu'un autre enfant peut devenir malade.

Une autre particularité du travail de deuil chez l'enfant est qu'il ne se fait jamais complètement. Une partie plus ou moins importante de son chagrin reste en attente, et peut se réveiller lors d'une prochaine séparation, parfois bien des années plus tard, pendant l'adolescence, ou même au cours de sa vie d'adulte.

Enfin l'ambivalence des enfants, qui se sentent à la fois très puissants et dépendants, font qu'ils se croient souvent coupables de la mort d'un de leurs proches. Lorsqu'un frère ou une sœur meurt, surtout s'il suscitait une certaine jalousie, l'enfant peut avoir l'impression que les souhaits qu'il a ressentis et parfois même exprimés, se sont réalisés, et qu'il en est la cause directe. L'enfant peut penser : « Pourquoi lui et pas moi ? » ou encore : « J'avais été très méchant avec maman, c'est peut être à cause de ça qu'elle est morte. » Ou encore : « J'avais insulté oncle Fred avant son accident tellement il m'énervait. Qu'est ce qu'il doit penser de moi. » Il est important de déculpabiliser à plusieurs reprises les enfants, de les assurer que personne d'autres, eux y compris, n'est en danger dans la famille, et que tout le monde va continuer à aimer et à penser à la personne disparue.

Nous espérons que ces quelques réflexions et suggestions vous seront utiles, mais ce dont l'enfant a le plus besoin dans ces périodes tristes et perturbées, c'est d'amour et de compréhension, de sécurité, de calme, c'est ainsi que pourront être évitées la survenue de difficultés ultérieures. Si vous sentez que vous n'arrivez pas à aider votre enfant, n'hésitez pas à en parler à votre médecin, à un psychologue. Les professionnels sont aujourd'hui de plus en plus formés pour aider les parents et les enfants à faire face à de telles situations.

Nous avons écrit ce texte en collaboration avec le docteur Michel Hanus, président de la Société de Thanatologie, auteur de *Les Enfants en deuil, Portraits du chagrin*, écrit avec B.M. Sourkes aux éditions Frison Roche. Cet ouvrage permet de mieux comprendre le comportement, ou même le destin, que peuvent avoir les enfants ou les adolescents confrontés à la mort, au suicide, aux disparitions brutales.

Le docteur Michel Hanus est également le fondateur de l'association « Vivre son deuil » (7 rue Taylor, 75010 Paris) ; l'antenne téléphonique de cette association (01 42 38 08 08) est ouverte à tous ceux qui le souhaitent.

Voici enfin quelques livres que nous vous conseillons pour les petits enfants :
Susan Varlay, *Adieu Blaireau*, Gallimard, folio Benjamin ;
Micheline Motte et Frédéric Mansot, *Tu seras toujours avec nous Calinou*, Mâme/Plon ; Dominique de Saint Mars et Serge Bloch, *Grand-Père est mort*, Ainsi va la vie, Calligram.

« Tout est joué à 3 ans »

« Tout dépend de vous ». « Tout est joué à 3 ans ». Ce genre de phrases qu'affectionnent les chercheurs de sensations me semble redoutable. Si je parle de ces affirmations, c'est parce qu'elles sont fréquentes et rencontrent du crédit. Bien sûr, de l'éducation de la petite enfance dépend en partie le comportement de l'adolescent.

Mais tout n'est pas joué pour autant à 3 ans. L'enfant est, par définition, un être en formation, donc un être qui change ; il change sous l'effet de son caractère, de son hérédité, du milieu, sous l'effet des circonstances, de votre influence. Cette interaction ne cesse de se poursuivre pendant toute l'enfance et l'adolescence, et bien au-delà.

Non, rien n'est définitivement joué à 3 ans. Le croire serait tuer l'espoir et l'espérance, serait nier, selon ses convictions, ou l'homme, ou Dieu. Ce serait vraiment à désespérer. Tout peut se jouer, tout peut changer, tout au long de sa vie.

« Tout dépend de vous » me semble faux également, et peut-être plus grave. Ainsi les parents auraient la possibilité de faire de leurs enfants des génies ou des cancres ? Si cela était vrai, dans une même famille tous les enfants élevés avec les mêmes principes se ressembleraient. Si cela était vrai, milieu, caractère, circonstances, rien ne compterait ?

« Tout est joué à 3 ans », « Tout dépend de vous », ces phrases sont caractéristiques d'une littérature qui affectionne la dramatisation, du genre « 12 heures vitales », « 6 mois décisifs », « l'année cruciale », etc. Mais en éducation les mots ont une résonance particulière. Les phrases en cause peuvent rendre malheureux les parents qui se croient éternellement coupables.

Or, comme le disait le philosophe René Dubos, une des possibilités les plus remarquables de l'être humain, c'est sa faculté d'adaptation.

●●

chapitre

6

Un **enfant** en **bonne** santé

Ce chapitre est consacré à la santé de l'enfant. Dans un premier temps, nous allons vous présenter le nouveau-né, vous expliquer les gestes du médecin qui, à la naissance, vérifie que tout va bien.

Puis, nous vous exposerons les points forts de la croissance, vous pourrez la suivre vous-même, en parallèle avec le médecin qui verra votre enfant au cours de visites régulières, contrôlera la vision et l'audition et fera les vaccinations.

Un enfant bien portant est quand même de temps en temps malade. Quels sont les repères de bonne et de mauvaise santé, quand voir le médecin, comment faire baisser la fièvre, que savoir sur les médicaments, l'armoire à pharmacie, etc. Et si l'enfant doit aller à l'hôpital.

Enfin, dans la dernière partie, un dictionnaire complet présente tout ce qui peut, de près ou de loin, concerner la santé de votre enfant : les maladies et leurs symptômes, mais aussi les troubles du comportement, le handicap, etc.

●Le nouveau-né

Votre bébé vient juste de naître, vous avez vu le médecin faire un certain nombre de gestes. Vous souhaitez probablement quelques explications à leur sujet. Mais avant nous vous proposons d'aller voir ensemble ce nouveau-né et de l'examiner en détail.

Le nouveau-né n'est pas un garçon ou une fille en miniature : c'est un être à part, différent de l'adulte non seulement par sa taille, mais par ses proportions, par ses organes et par sa manière de réagir au monde extérieur.

●Tête.

Commençons par la tête. Si on la compare à la nôtre, elle est beaucoup plus grosse par rapport au reste du corps : près du double des proportions qu'elle aura plus tard. Encore cette tête a-t-elle, en proportion, considérablement diminué : dans le sein de sa mère, le futur bébé avait, à l'âge de 2 mois, une tête égale par la taille au reste du corps. Puis le corps avait gagné progressivement en importance.

Cette proportion de la tête par rapport au corps ne cessera de se modifier jusqu'à l'âge adulte. Par bien des côtés d'ailleurs, le nouveau-né tient plus du fœtus que de l'enfant : cette peau plissée, rouge, cette mâchoire inférieure courte et fuyante, ce cou menu, ces épaules étroites, cet abdomen proéminent, ces membres courts, repliés le long du tronc, et ces os tendres sont un souvenir de la vie intra-utérine.

T. Berry Brazelton tenant dans ses bras un nouveau-né.

●Cheveux.

Certains nouveau-nés gardent aussi, de leur vie fœtale, des cheveux noirs et épais, qui disparaissent par la suite. Les cheveux peuvent aussi tomber d'un coup vers 2-3 mois.

●Peau.

D'autres nouveau-nés ont la peau marbrée de taches rouges, qui pâlissent quand on les touche : ces taches disparaîtront aussi.

A signaler : le *milium* du nouveau-né. Il s'agit de petits grains de couleur blanche siégeant sur les joues et le nez

et qui disparaissent spontanément dans les premières semaines ; ce sont de petits kystes épidermiques sans la moindre gravité.

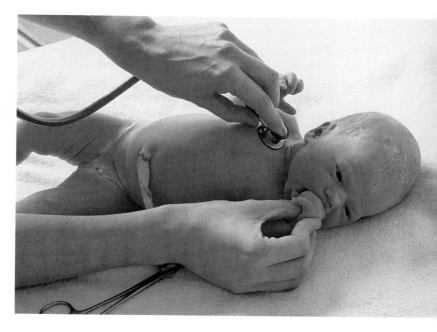

- **Ongles.**

  Souvent, les nouveau-nés ont les ongles longs : il est déconseillé de les couper trop tôt. Cela pourrait provoquer une infection ou un « tour d'ongle ». Il faut cependant les limer si l'enfant se griffe. Les ongles des orteils sont souvent déformés jusqu'à 4 mois. Il est déconseillé de les couper car ils risquent de devenir plus durs et auront tendance à s'enfoncer dans la peau, à s'incarner.

- **Sein.**

  Plus étonnants sont les seins gonflés de certains nouveau-nés, filles ou garçons : ils peuvent, ces seins, sécréter quelques gouttes de lait, ce lait que les nourrices autrefois appelaient « lait de sorcière ». Ce phénomène est dû au bouleversement hormonal qui accompagne la naissance, il est passager et ne nécessite aucun traitement.

- **Acné et pertes vaginales.**

  À ce même bouleversement d'hormones qu'on appelle la « poussée génitale » – sont dus l'acné du nouveau-né (petits grains jaunes et saillants sur le front et les ailes du nez) et les « pertes » chez certaines nouveau-nées, mucosités parfois teintées de sang. Ni l'acné, ni les pertes ne doivent vous inquiéter.

- **Bourses.**

  Enfin, toujours parmi les surprises de la naissance, disons un mot de l'*hydrocèle*, ce liquide accumulé dans les bourses du petit garçon et qui lui donne l'air d'avoir un testicule – ou les deux – volumineux. L'hydrocèle disparaît en règle générale spontanément au bout de quelques semaines ; ce n'est pas le testicule qui est en cause.

- **Selles.**

  Les premières selles sont émises avant que le bébé n'ait reçu sa première nourriture : c'est que le tube digestif contient des résidus (entre 60 et 200 grammes) de sécrétions qui s'y sont produites pendant sa vie de fœtus. Ce sont des matières visqueuses et gris noirâtre appelées *méconium*. Au bout de trois ou quatre jours, le méconium, progressivement remplacé par les selles de lait, a disparu. Les selles sont alors jaunâtres, ou jaune d'or (selon le lait utilisé).

- **Immunisation.**

  En principe, à la naissance, le bébé est protégé contre certaines maladies que sa mère a eues ou contre lesquelles elle a été vaccinée car sa maman lui transmet ses anticorps. Les anticorps maternels peuvent persister dans l'organisme du bébé jusqu'à 6 mois.

Mais la protection n'est efficace que si les anticorps de la maman sont en nombre important. Si leur nombre est insuffisant, un bébé d'un mois ou deux peut attraper la varicelle, ou une autre affection virale. Comme la protection des anticorps n'est pas absolument garantie, évitez à pas votre bébé tout contact avec un enfant contagieux.

- **Cordon.**

Le cordon ombilical va se dessécher et tomber (entre le cinquième et le quinzième jour). Ainsi disparaîtront les derniers souvenirs de la vie intra-utérine.

Dans les jours qui suivent la naissance, le bébé va devenir beaucoup plus joli. Le duvet – ou *lanugo* – qui peut-être le recouvrait, aura disparu à la fin de la première semaine ; la peau va perdre ses marbrures pourpres et éliminer les parcelles d'épiderme qui la salissaient.

- **Le test d'Apgar.**

Ce qui précède est une description de l'aspect du nouveau-né. À la naissance, pour savoir si « tout va bien », on fait le test d'Apgar, qui est un moyen d'apprécier de manière objective la vitalité du bébé à 5 et 10 minutes de vie.

L'examen se base sur cinq données : rythme cardiaque, respiration, coloration, tonus, réponse aux excitations (vigueur du cri). Chacune de ces données est notée de 0 à 2 et un total de 8 à 10 traduit une bonne condition à la naissance. Cet examen porte le nom de la pédiatre américaine, Virginia Apgar, qui l'a mis au point.

Lors du premier examen à la naissance, le médecin ou la sage-femme font obligatoirement certains gestes : ils vérifient la perméabilité du nez, de l'œsophage et de l'anus ; ils font un examen des hanches ; ils administrent une ampoule de vitamine K par la bouche (pour prévenir les hémorragies) ; ils instillent du collyre dans les yeux (pour prévenir une infection oculaire).

- **Les réflexes archaïques.**

Ensuite, le pédiatre vérifie la présence de certains réflexes, appelés archaïques.

Ces réflexes doivent être présents chez le nouveau-né, et leur absence est anormale, témoignant d'un état de dépression générale du système nerveux.

En revanche, à mesure que la maturation de ce système nerveux évolue, ces réflexes archaïques doivent disparaître, dans un ordre donné ; leur persistance au-delà de certains âges est anormale, et peut révéler un développement psychomoteur perturbé.

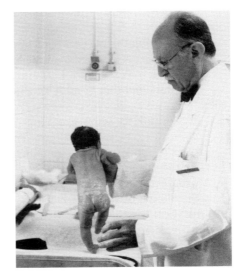

▪ *La marche automatique* est obtenue en plaçant l'enfant debout, légèrement penché en avant ; ce réflexe disparaît en général vers 6 semaines. Voyez la photo ci-contre : ce bébé vient de naître, le pédiatre vérifie qu'il marche.

▪ Pour *le réflexe d'agrippement* ou *grasping*, on exerce une légère pression sur la paume des mains ou la plante des pieds : les doigts ou les orteils se replient. Ce réflexe (illustré page 180) persiste plus longtemps : jusqu'à 6 mois pour la main et jusqu'à 10 mois pour le pied.

▪ Le *réflexe de succion* est recherché en touchant les lèvres. On peut obtenir de même *le réflexe des points cardinaux* : le nourrisson tourne la bouche du côté stimulé ; ces réflexes disparaissent vers 4 mois.

Les points forts de la croissance

La croissance doit être surveillée régulièrement tout au long de l'enfance. Pendant les premiers mois de la vie, le contrôle se fera souvent. Puis la surveillance sera moins fréquente, mais restera régulière jusqu'à l'achèvement de la puberté.

La croissance s'apprécie par la taille, le poids, le périmètre crânien (ou tour de tête), et ce qu'on appelle l'indice de masse corporelle (c'est le rapport entre la taille et le poids). Ces mesures permettent de situer l'enfant par rapport à une moyenne. Elles permettent surtout d'observer l'évolution de la croissance car celle-ci est un phénomène dynamique qui s'apprécie au fil des années.

Pour surveiller la croissance d'un enfant, le médecin mesure le poids, la taille, le périmètre crânien. Ces mesures sont reportées sur des courbes moyennes qui figurent dans le carnet de santé. Elles dessinent, pour chaque enfant, sa propre courbe. Cette courbe le renseigne sur le bon état général de l'enfant, ou, au contraire, indique un problème de santé. Il existe des courbes différentes pour les filles et pour les garçons.

Le poids

Regardons ensemble la feuille reproduite ci-contre (fig. 1), qui est une courbe de croissance en poids des filles, de la naissance à 5 ans.

Dans le sens horizontal, sont indiqués les âges.

Dans le sens vertical, vous pouvez lire les poids : 3 kg, 5 kg, 7 kg, etc.

Après avoir pesé l'enfant, on trace deux lignes droites : l'une horizontale passant par le poids de l'enfant, l'autre verticale passant par son âge. Ces deux lignes vont se couper en un point. Ce point indiquera donc le poids de l'enfant à un âge donné.

Chaque fois qu'on pèsera l'enfant, on refera de même. Et chaque fois on rejoindra les points obtenus. C'est ainsi que peu à peu se dessinera sur la feuille la courbe de croissance (en poids) de l'enfant.

La ligne M représente la courbe moyenne. La partie grisée indique la zone normale, celle où se situent les courbes de la plupart des enfants.

• La courbe de poids de votre enfant

peut se situer au-dessus ou au-dessous de la courbe moyenne, tout en restant dans la zone normale. Si la pente est régulièrement ascendante, parallèle à la courbe moyenne, tout va bien : la croissance est normale.

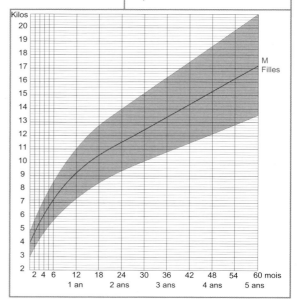

Fig. 1
Courbe de croissance en poids des filles.

1. Ces chiffres sont le résultat de mensurations qui ont été faites sur un grand nombre d'enfants français par le Centre d'étude sur la croissance et le développement de l'enfant, dépendant du Centre international de l'enfance et de la famille.

POIDS						
garçons			en kilos et en grammes		filles	
Moyenne inférieure	M moyenne	Moyenne supérieure	**Age**	Moyenne inférieure	M moyenne	Moyenne supérieure
3	4	5	**1 mois**	2,850	3,750	4,650
6,050	7,600	9,150	**6 mois**	5,550	7,150	8,750
7,650	9,750	11,850	**1 an**	7,250	9,250	11,250
9,800	12,200	14,600	**2 ans**	9,400	11,600	13,800
11,400	14,150	16,900	**3 ans**	10,800	13,600	16,400
12,600	16	19,400	**4 ans**	12,100	15,300	18,500
14	17,800	21,600	**5 ans**	13,500	17,300	21,100

• **Par contre,**

il peut y avoir un arrêt de la prise de poids chez un enfant ayant eu jusque là une croissance normale ; on dit que la courbe "se casse" (fig. 2). Cela correspond à un problème de santé : des infections ORL répétées, une intolérance alimentaire ; cela peut venir aussi d'un problème psychologique. Une fois l'enfant guéri, ou la difficulté psychologique surmontée, on constate un rattrapage du retard de poids et la courbe reprend son "couloir", c'est-à-dire sa vitesse normale.

• **A l'inverse,**

la prise de poids peut devenir excessive et en quelques mois, la courbe sort de la zone moyenne (fig. 2). Dans ce cas, la courbe d'indice de masse corporelle (voir page suivante) est un bon indicateur de début d'obésité, notamment dans les familles à risques.

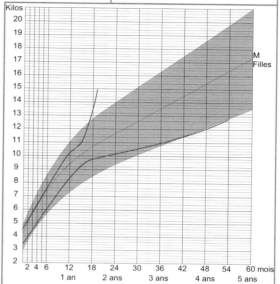

Fig. 2
Deux exemples de déviation de courbes de poids.

Courbes établies d'après M. Sempé et G. Pédron (étude du Centre international de l'enfance et de la famille).

Toujours à propos de la courbe de poids, on voit qu'il existe pour chaque âge un poids moyen, et des variations autour de ce chiffre moyen.

C'est pourquoi il est plus juste de se reporter à un tableau donnant trois chiffres et non pas un seul. Voyez ci-contre. Mais un simple tableau ne rend pas compte de l'aspect dynamique de la croissance. Pour en donner l'idée, il faut observer la courbe dont nous avons parlé plus haut. On y voit l'enfant se lançant dans la vie sur une certaine orbite qu'il ne quittera plus. C'est si vrai que lorsqu'un enfant maigrit, par exemple parce qu'il a été malade, une fois qu'il est guéri, sa courbe se redresse, et il se remet sur son orbite !

Ce n'est d'ailleurs pas le premier jour que l'enfant s'inscrit sur sa courbe : avant de prendre son élan, il recule, maigrit, perd presque le dixième de son poids, qu'il retrouve vers le 10ᵉ jour. Les débuts de l'alimentation sont parfois un peu difficiles ; on ne trouve pas tout de suite le rythme, ni les rations qui conviennent au bébé. Mais, vers le 10ᵉᵐᵉ jour, le vrai démarrage se fait.

Au début, c'est un démarrage en flèche. Regardez d'ailleurs la forme de la courbe : elle grimpe comme une fusée qui s'arrache du sol. L'enfant prend 750 g par mois les trois premiers mois, 600 g les trois mois suivants, 450 à partir du sixième. En tout plus de 6 kg dans l'année ! À partir de 2 ans, il prend sa vitesse de croisière : 1 à 2 kg par an.

• **Faut-il peser souvent un enfant ?**

Sauf indication particulière du médecin, on ne recommande plus aux parents de peser leur bébé à la maison. Le contrôle du poids est fait régulièrement lors des consultations médicales qui sont fréquentes la première année.

Pour contrôler correctement le poids, il faut le faire sur la même balance, le bébé tout nu bien sûr. Les balances qui se trouvent dans les cabinets médicaux sont fiables, la tare est peu sensible aux mouvements du bébé, ce qui n'est pas toujours vrai sur du matériel de location.

Si votre enfant a des troubles digestifs, avec des vomissements ou de la diarrhée, il est conseillé de surveiller plus fréquemment son poids. Même dans ce cas, il vaut mieux consulter le médecin pour faire peser votre enfant, plutôt que de le peser à la maison. Ce qui est important à surveiller, c'est la perte de poids par rapport au poids précédent et par rapport à sa vitesse de croissance.

• L'excès de poids.

On insiste aujourd'hui sur l'intérêt qu'il y a de dépister le plus tôt possible le surpoids afin de repérer un risque d'obésité, ou une obésité naissante, et de prendre rapidement les mesures nécessaires (changement d'habitudes alimentaires, activité physique régulière, etc.). Pour cela, on calcule *l'indice de masse corporelle* : il est égal au poids (en kilos) divisé par la taille au carré (en mètre) ; soit :

$$\frac{\text{poids (kg)}}{\text{taille (m) x taille (m)}}$$

Par exemple, une fille de 4 ans pesant 16 kgs, et mesurant 1 m, a un indice de masse corporelle de 16, ce qui est dans la moyenne normale.

Les courbes d'indice de masse corporelle figurent dans le carnet de santé et s'appellent *Courbes de corpulence*. Le mot peut surprendre puisqu'il s'agit de bébés dès leur plus jeune âge, mais il montre qu'on se préoccupe de surveiller tôt un risque d'obésité. Ces courbes sont reproduites ci-contre. Dans le sens horizontal sont indiqués les âges ; dans le sens vertical les indices de masse corporelle. De la même façon que s'est dessinée la courbe de poids, peu à peu, va se dessiner la courbe de corpulence.

Entre 6 mois et un an, il est normal qu'un enfant soit un peu rond (la courbe monte) ; ensuite, dès que l'enfant se met debout et marche, il perd ses rondeurs (la courbe descend), puis la courbe remonte à nouveau après 6 ans. Si la courbe remonte avant l'âge de 6 ans (rebond), ou si

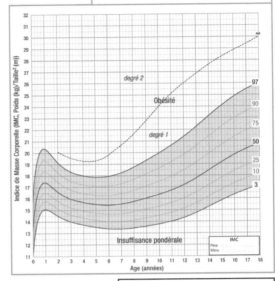

Fig. 1
Courbe de corpulence des garçons.

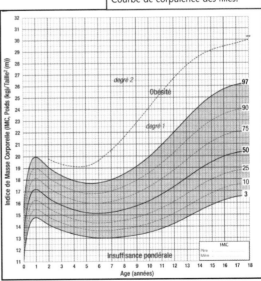

Fig. 2
Courbe de corpulence des filles.

Ces courbes ont été établies en collaboration avec MF Rolland-Cachera (INSERM) et l'Association pour la Prévention et la prise en charge de l'Obésité en Pédiatrie (APOP) et validée par le Comité de Nutrition de la Société Française de Pédiatrie (SFP).

elle «sort» des couloirs en allant vers le haut, il y a un risque d'obésité, même si l'enfant paraît mince. Cela doit entraîner une surveillance particulière (voir le mot *Obésité*, à la fin de ce chapitre).

La taille

La taille est l'élément qui témoigne le mieux de la santé générale de l'enfant. En effet, la taille est moins sujette que le poids aux effets de l'environnement (alimentation, par exemple). Un enfant qui a une croissance normale en taille est en bonne santé.

À chaque visite, la taille est reportée sur le carnet de santé. La taille progresse vite jusqu'à 2 ans. D'un enfant à l'autre, il existe des variations dans cette croissance des premières années. C'est pendant cette période que l'enfant se place dans son couloir de croissance. Par la suite, sa croissance en taille se poursuivra dans le même couloir (voir les courbes page suivante).

Le couloir de croissance de l'enfant est un des facteurs déterminants de sa taille définitive. S'il grandit dans la zone normale, mais dans le couloir inférieur, il sera probablement plus petit que s'il grandit dans le couloir moyen ou supérieur. Mais, comme pour le poids, l'important sera que l'enfant reste dans son couloir.

À partir de 2 ans, la vitesse de la croissance se ralentit. Il est alors suffisant de mesurer l'enfant deux fois par an chez le médecin.

Lorsque leur enfant est plus petit que la moyenne, les parents ont tendance à le mesurer souvent. Essayez de ne pas trop le faire, cela peut complexer l'enfant, d'autant plus qu'il entend sûrement des commentaires à l'école : entre eux, les enfants ne se privent pas de critiquer les différences de taille (et de poids).

TAILLE						
garçons		en centimètres et en millimètres				filles
Moyenne inférieure	M moyenne	Moyenne supérieure	âge	Moyenne inférieure	M moyenne	Moyenne supérieure
49,2	53,2	57,2	1 mois	48,5	52,5	55,5
61,8	66,4	71	6 mois	60,6	65	69,4
69,7	74,3	79,9	1 an	67,8	72,6	77,4
79,9	85,7	91,5	2 ans	78,1	84,3	90,5
87,3	94,3	101,3	3 ans	86,4	92,8	99,2
93,4	101,2	109	4 ans	92,6	99,8	107
99,1	107,5	115,9	5 ans	98,5	106,5	114,5

La courbe de taille présente les mêmes caractéristiques que la courbe de poids ; tout ce que nous avons dit à propos de la courbe de poids et de son interprétation est valable pour la courbe de taille. Et, comme pour le poids, vous voyez ci-dessus un tableau à trois chiffres : la moyenne inférieure, la taille moyenne, la moyenne supérieure.

•Plusieurs facteurs influent sur la taille,
et conditionnent la taille définitive de l'adulte que deviendra l'enfant. Le principal est le facteur ethnique (par exemple les Maliens sont grands et les Pygmées petits) et génétique. La taille des parents est déterminante pour la taille de l'enfant. Si les parents sont tous deux de taille normale, mais petite, l'enfant sera vraisemblablement petit pendant sa croissance et à l'âge adulte. Vous entendrez peut-être dire qu'on peut prévoir la taille de l'adulte à partir de celle de l'enfant de 2 ans, en la multipliant par deux. C'est vrai sur le plan statistique, mais cela ne l'est pas toujours sur le plan individuel.

L'âge de la puberté est le deuxième facteur influençant la taille définitive. Plus la puberté survient tôt, plus l'enfant sera petit, même s'il est transitoirement plus grand que les camarades de son âge pendant qu'il fait sa poussée de croissance pubertaire. Il démarre plus tôt, il s'arrêtera plus tôt.

Pendant la grossesse, certains facteurs influent sur la taille du bébé : l'hypertension, le tabac peuvent ralentir la croissance. Après la naissance, si le décalage de la taille est important, l'enfant sera très surveillé et recevra une alimentation plus riche (comme le lait pour prématuré), de façon à ce qu'il rattrape la courbe le plus vite possible, avant que le retard ne soit définitif.

D'autres facteurs influent sur la croissance. C'est le cas de ce que l'on appelle les facteurs psychosociaux. Les enfants délaissés, mal aimés, soumis à un environnement agressif et contraignant qui ne leur permet pas de s'épanouir sur le plan affectif et de trouver un équilibre psychologique, sont des enfants qui ne grandissent pas normalement. Lorsqu'on donne à ces enfants un environnement familial chaleureux et aimant, dans lequel ils peuvent s'épanouir, ils reprennent une croissance normale et même souvent rattrapent le retard de croissance qu'ils pouvaient avoir acquis.

Un phénomène reste mal compris, c'est l'augmentation de la taille moyenne au cours

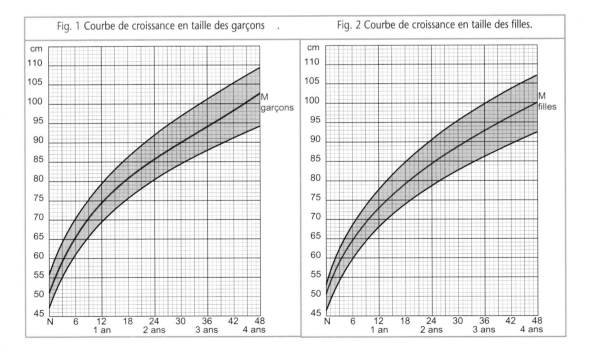

Fig. 1 Courbe de croissance en taille des garçons   .   Fig. 2 Courbe de croissance en taille des filles.

des années. La taille moyenne des enfants à l'âge de 8 ans était en 1960, en France de 1,27 m pour les garçons et de 1,26 m pour les filles. D'après les données de l'année 2000, la taille moyenne est respectivement de 1,31 m et de 1,30 m, soit une augmentation de 4 cm en 40 ans. Plusieurs facteurs jouent certainement un rôle dans cet accroissement de la taille, qui ne peut être expliqué simplement par une modification de l'alimentation, en quantité et en qualité. Le sommeil, le niveau sanitaire ont sûrement leur importance.

Le moteur de la croissance est une hormone, *l'hormone de croissance*, fabriquée par une petite glande située à la base du cerveau que l'on appelle l'hypophyse (voir page 395). L'absence ou l'insuffisance d'hormone de croissance est une cause fréquente de nanisme. Ce manque d'hormone de croissance chez l'enfant de petite taille peut être traité. Un dosage de l'hormone est effectué au laboratoire à la demande d'un médecin spécialiste. Il est contrôlé une deuxième fois et si le dosage est anormalement bas à deux reprises, l'enfant reçoit un traitement par de l'hormone de croissance synthétique, avec une injection tous les jours pendant plusieurs années. Il s'agit d'un traitement contraignant qui n'a d'effet que si l'enfant ne sécrète pas d'hormone de croissance. Il est par contre inefficace sur les petites tailles d'origine familiale.

• **La pratique d'un sport peut-elle entraver la croissance d'un enfant ?**

Pas jusqu'à l'âge qui nous intéresse, c'est-à-dire jusqu'à 6 ans, le sport n'est pas fait intensivement et il n'y a pas encore de compétition.

Pour que la pratique d'un sport ne risque pas de contrarier l'équilibre de l'enfant, ni sa scolarité, je peux vous indiquer dès maintenant quelques précautions à prendre pour l'enfant plus grand.

Il faut que l'enfant pratique son activité avec plaisir, et qu'il ne le fasse pas d'une manière excessive. Il est important de surveiller qu'il n'y a pas de fléchissement scolaire et pas de développement excessif de la musculature ; l'enfant ne doit jamais prendre de médicaments dopants, même lors d'un « coup de pompe » ou d'une mauvaise condition physique temporaire. Avec ces quelques précautions, la pratique du sport ne peut retentir sur le développement de l'enfant, et il n'y a pas à craindre pour sa croissance.

Le périmètre crânien

La mesure régulière du périmètre crânien (PC) est importante pour l'appréciation générale de la croissance. Elle fait partie de l'examen systématique du nourrisson.

La surveillance de la courbe du périmètre crânien est aussi importante que celle de la courbe de taille ou de poids, car la croissance du crâne est liée à la croissance du cerveau. Le cerveau grossit beaucoup pendant les deux premières années de la vie. Après deux ans, la croissance du crâne se ralentit.

Pour mesurer le périmètre crânien, le pédiatre utilise un ruban métrique appliqué autour du crâne sur sa plus grande circonférence, comme vous l'avez vu faire à la naissance de votre enfant. Par la suite, cette mesure est faite régulièrement par le médecin. Et comme pour la taille et le poids, le résultat est reporté sur des courbes de référence donnant, selon l'âge et le sexe, les valeurs moyennes, et la fourchette des valeurs considérées comme normales, englobant 95 % des enfants.

Voici quelques exemples : à la naissance, le périmètre crânien est, pour tous les bébés, d'environ 35 cm ; il est de 42 cm à 6 mois pour les filles ; et de 49 cm à 2 ans pour les garçons.

Comme pour le poids et la taille, la répétition des mesures est significative, et montre si la courbe s'inscrit à l'intérieur de la zone normale, ou si elle s'en écarte franchement. En cas de croissance plus rapide, ou plus lente que la moyenne, le médecin peut demander une échographie cérébrale. Cet examen permet de rassurer sur la croissance du cerveau et il est facile à faire chez le nourrisson.

●En conclusion,

voici quelques points de repères pour suivre la croissance d'un enfant, de la naissance à la puberté : le nouveau-né mesure en moyenne 50 cm, pèse 3, 330 kg, et il a un périmètre crânien de 35 cm. À 5 mois, le poids de naissance a doublé : 6,7 kg. À 4 ans, la taille de naissance a doublé : 1 m. Pendant les premiers mois de la vie, la croissance est très rapide, et tend à se ralentir vers 2 ans, pour garder une vitesse « de croisière » à partir de 4 ans jusqu'au démarrage de la puberté. C'est ainsi qu'après 4 ans, l'enfant prend en moyenne, par an, 2 kg et 6 cm. La puberté débute vers 11 ans chez la fille, et 13 ans chez le garçon. Au cours de la puberté, l'enfant fait une poussée de croissance rapide.

Les dents

Il y a une grande diversité dans la date et dans l'ordre de percée des dents de lait. Et il est tout à fait fréquent que des nourrissons parfaitement bien portants n'aient leur première dent que vers 8 ou 9 mois ou mêmequelquefois après un an. Il existe souvent une tendance familiale à la sortie précoce ou tardive des dents.

Cela dit, voyez dans les dessins dans quel ordre et à quels âges apparaissent en général les dents. Et c'est ainsi que, de 6 mois à 2 ans et demi auront percé vingt dents « de lait » ou dents temporaires.

Pour les troubles de la percée dentaire, voyez à la fin de ce chapitre, l'article *Dents*.

●À partir de quel âge un enfant peut-il se brosser les dents ?

L'enfant peut apprendre à partir de 2 ans-2 ans et demi. Pour cela, lavez-vous les dents devant lui, il voudra vous imiter. Au début, il ne s'en tirera peut-être pas très bien et il ne faut pas trop compter sur l'efficacité du brossage

Fig. 1

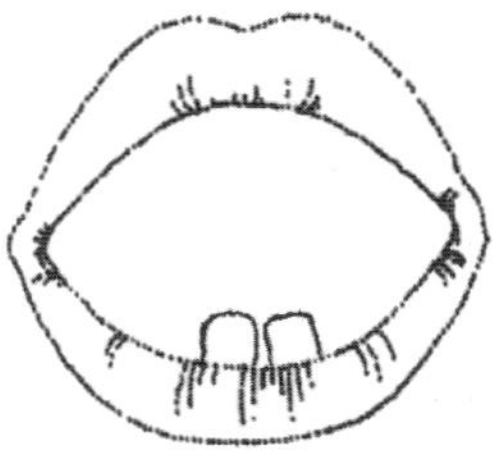

Fig. 2

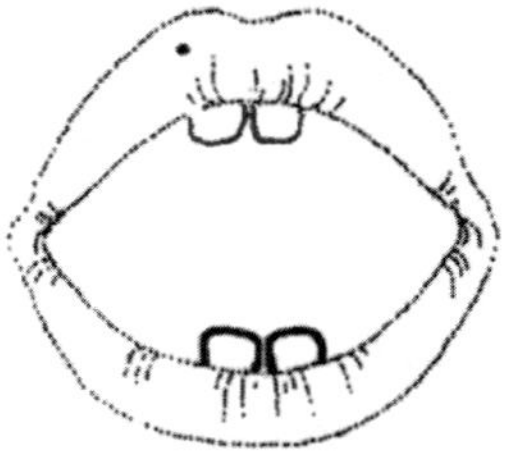

Fig. 3

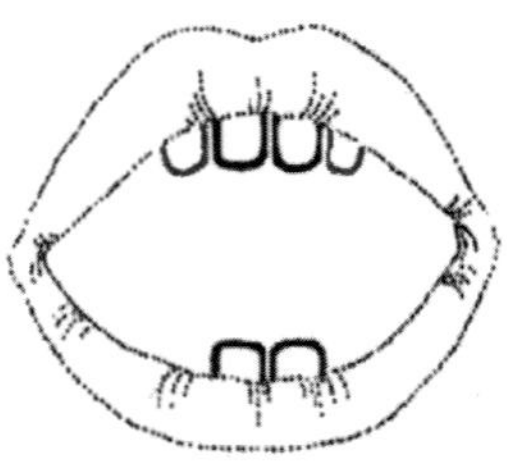

Les premières dents, généralement les incisives centrales inférieures, apparaissent à un âge variable, autour de quatre-cinq mois (Fig. 1).

Puis apparaissent, entre quatre et six mois, les incisives centrales supérieures (Fig.2).

Entre six mois et douze mois (en principe), elles vont être suivies par 2 incisives latérales supérieures (Fig.3).

avant 5 ans. Mais c'est bien qu'il prenne l'habitude de faire ce geste.

Sachez que le brossage est au moins aussi important que le dentifrice : il faut se brosser soigneusement les dents, de haut en bas, devant et derrière, pour bien faire pendant au moins une minute.

Quant à l'action préventive du fluor sur la carie dentaire, elle est aujourd'hui reconnue. Aussi l'utilisation des dentifrices fluorés se répand-elle de plus en plus. L'alimentation est également enrichie en fluor : il existe

Puis par 2 incisives latérales inférieures. En tout 8 dents (Fig. 4).

De douze à dix-huit mois : les 4 premières petites molaires (Fig. 5).

De douze à vingt-quatre mois : les 4 canines (Fig. 6).

De vingt-quatre à trente mois : les 4 secondes petites molaires (Fig. 7).

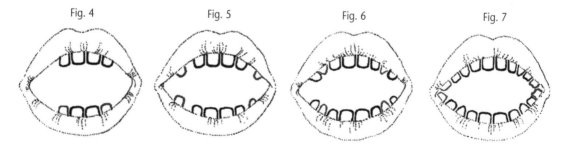

| Fig. 4 | Fig. 5 | Fig. 6 | Fig. 7 |

du sel fluoré, et dans certaines villes, du fluor est ajouté dans l'eau. Le médecin peut aussi donner du fluor en gouttes ou en comprimés.

• Les soins à donner aux dents.

À partir de 3 ans, il serait raisonnable d'emmener votre enfant une fois par an chez le dentiste, même si vous n'avez rien remarqué d'anormal. Des dents non soignées peuvent retentir sur l'état général. Cela dit, pour que votre enfant ait de bonnes dents, il faudra, dès qu'il aura l'âge de mastiquer, lui donner des aliments pour exercer sa mastication. Ce qui veut dire : ne pas le condamner aux purées, aux aliments qui fondent dans la bouche ; lui donner du pain un peu rassis, craquant, bien cuit ; lui faire croquer des pommes, etc. Les bonnes dents se préparent très tôt, comme vous le voyez. En ce qui concerne leur beauté (alignement, écartement, etc.), les traitements orthodontiques ne sont entrepris, s'ils sont nécessaires, qu'à partir de 8-10 ans.

●Ce qui fait mal aux dents.

J'en ai déjà parlé, mais dans ce domaine il n'est pas inutile de se répéter : les bonbons et sucreries diverses sont les ennemis des dents de vos enfants ; ils collent aux dents et laissent séjourner entre elles des dépôts acides qui sont la principale cause de la carie dentaire. Les sucreries sont particulièrement nocives si elles sont données entre les repas. Le maximum de nocivité est atteint par le bonbon donné le soir au coucher. Et par un biberon qu'on laisse à l'enfant pour s'endormir, ce qui est vraiment déconseillé. On a décrit, sous le nom de « syndrome du biberon », des caries multiples des dents « de lait » liées à l'utilisation prolongée (souvent la nuit) d'un biberon contenant un liquide sucré (lisez également l'article *Carie dentaire*, à la fin de ce chapitre).

●Voici maintenant dans quel ordre tomberont les dents de lait et apparaîtront les dents définitives.

Chute des dents de lait (dents temporaires)		Apparition des dents définitives
6-8 ans	incisives médianes	6-8 ans
7-9 ans	incisives latérales	7-9 ans
9-12 ans	canines	9-12 ans
10-12 ans	premières molaires temporaires	
10-12 ans	deuxièmes molaires temporaires	
	premières prémolaires	10-12 ans
	deuxièmes prémolaires	10-12 ans
	premières molaires (dents de six ans)	6-7 ans
	deuxièmes molaires	11-13 ans
	troisièmes molaires (dents de sagesse)	17-21 ans

●La surveillance médicale
régulière

Le médecin

Le médecin va jouer un grand rôle pendant les premières années de votre enfant. Vous aurez à le voir souvent, même si votre enfant est en bonne santé. En effet, pour avoir droit à certaines allocations, trois examens médicaux sont obligatoires pendant les deux premières années. Et plusieurs examens sont remboursés complètement par la Sécurité sociale pendant les six premières années (voir le détail au chapitre 7).

La surveillance d'un enfant peut être assurée par un médecin généraliste ; elle peut être faite également par un pédiatre, qui est un spécialiste, le spécialiste de l'enfant.

Le médecin vous aidera à établir le régime de votre nourrisson : comme vous l'avez vu au chapitre 2, entre 4 mois et un an, le régime change souvent. Puis, visite après visite, le médecin verra se former la personnalité physique mais aussi psychologique de votre enfant. C'est capital ; comme l'a dit un pédiatre : « Le médecin doit s'intéresser avant tout à l'enfant, ensuite à sa maladie. »

Vous avez une autre possibilité pour faire suivre votre enfant, c'est d'aller à la consultation des nourrissons du Centre de protection maternelle et infantile (PMI) de votre Sur la PMI, voyez page 468 quartier. Mais il est important de savoir que ce centre, qui n'est d'ailleurs ouvert qu'à certaines heures, n'est pas un centre de soins ni de traitement : il est à votre disposition pour faire l'examen général de l'enfant, pour surveiller la croissance et le régime, faire d'éventuels dépistages, et des vaccinations ; mais le jour où votre enfant sera malade, vous devrez vous mettre en rapport avec un autre médecin. Si vous n'en connaissez pas, prenez la précaution d'avoir une adresse sous la main ; le carnet de santé fera le lien entre le centre et le médecin que vous serez amené à voir.

Si vous décidez de faire suivre votre enfant par un médecin généraliste ou un pédiatre, choisissez-le avec soin, afin que vous n'ayez pas envie d'en changer. Vous devez avoir entière confiance en lui : s'il prescrit à l'enfant un traitement, vous devez pouvoir le suivre sans hésiter. Cette confiance deviendra réciproque : votre médecin saura ce qu'il peut attendre de vous. Quand vous lui téléphonerez, il se fera une idée de la gravité de la maladie d'après votre description, selon qu'il vous sait inquiet ou qu'il connaît votre sang-froid.

Le carnet de santé

Le carnet de santé comporte trois types d'informations :
▪ Les indications de la surveillance du développement de votre enfant, le poids, la taille, le périmètre crânien, la date d'acquisition de la tenue assise, de la marche, du langage,

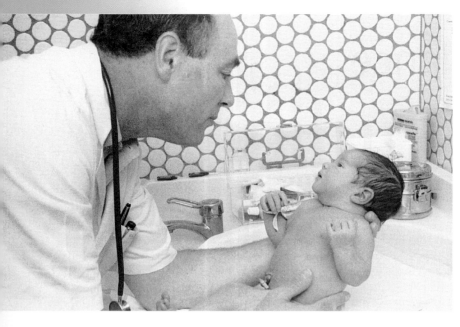

de la dentition. Ainsi, le médecin pourra reconstituer les courbes de croissance – taille et poids – si importantes pour apprécier le développement physique de l'enfant.

▪ Le carnet de vaccinations, document officiel, que l'on doit présenter lors des inscriptions à l'école ; la mention des maladies infectieuses (varicelle, etc.)

▪ Les informations médicales, confidentielles, destinées aux médecins qui sont amenés à voir votre enfant. Elles comprennent les circonstances de la grossesse, de l'accouchement, les principales maladies, les hospitalisations, les éventuelles interventions chirurgicales. Ces pages permettent à tout médecin de connaître les principaux antécédents médicaux et de contacter le médecin, le service hospitalier qui a soigné votre enfant.

Bien rempli, le carnet de santé (voir page 449) constitue un document important : il sera utile durant toute l'enfance, l'adolescence, et même au-delà. Mais les informations dites confidentielles sont en réalité accessibles à toutes personnes à qui on confie l'enfant (assistante maternelle, instituteur, colonie de vacances, etc.) et c'est un fait que regrettent de nombreux médecins. C'est pourquoi certains préfèrent ne rien inscrire de ce qui pourrait nuire à l'enfant et donner directement aux parents les informations médicales concernant leur enfant. En effet, quelqu'un d'extérieur au monde médical, risque de mal interpréter ce qu'a eu l'enfant (et de dire par exemple : « ce n'est pas étonnant qu'il soit dyslexique car il a fait des convulsions étant bébé »), cela peut lui être préjudiciable. Un autre exemple : il y a des enfants qui parlent tard, ou marchent tard, et qui par la suite ont un développement tout à fait normal, mais l'indication de ce retard peut « suivre » l'enfant, et le gêner.

Le carnet de santé est différent du carnet de surveillance médicale de l'enfant remis par la Sécurité sociale, et contenant des feuillets correspondant aux visites médicales conseillées de la naissance à 6 ans (et remboursées à 100%).

Le contrôle de l'audition et de la vision

Ce contrôle est régulièrement fait par le médecin à chaque consultation.

● L'audition

▪ À la naissance, le médecin vérifie que l'enfant entend bien, c'est-à-dire qu'il dirige les yeux ou tourne la tête, en réponse à des stimulations sonores, ou à la parole.

▪ Par la suite, l'audition est vérifiée à l'occasion des différentes étapes de l'acquisition du langage.

Ainsi, jusqu'à 4 mois, tous les bébés babillent naturellement. Mais au-delà de 4 mois, l'enfant sourd, lui, s'arrête de babiller. Pour s'assurer que l'enfant entend bien, le test important à cet âge est donc la persistance du babil au-delà de 4 mois.

Au passage, je vous signale que c'est entre 4 mois et 1 an que l'enfant perd les phonèmes universels et qu'il ne conserve que ceux de sa langue maternelle. (Phonèmes universels : il s'agit des sons articulés par tous les bébés du monde, quelle que soit la langue qu'ils entendent parler autour d'eux).

▪ Autour de 2 ans, le médecin s'assure que l'enfant entend bien en observant ses progrès de langage, sa compréhension.

En cas de doute, le médecin demandera l'avis d'un O.R.L. qui a à sa disposition toute une série de tests sophistiqués. Nous en parlons à l'article *Surdité*.

• La vision

▪ À la naissance, le médecin contrôle que la vision est présente. Il vérifie que l'enfant suit des yeux un objet qui bouge, par exemple un doigt, ou une petite balle rouge ; il s'assure que l'enfant réagit à la lumière. Enfin, il vérifie qu'il arrive à accrocher le regard de l'enfant.

▪ Par la suite, à chaque examen, le médecin s'assure que l'enfant suit bien du regard, et qu'il tourne progressivement la tête pour suivre un objet que l'on déplace.

> Vous pouvez lire également, à la fin de ce chapitre, les articles *Yeux* et *Vision*

▪ Chez l'enfant plus grand (à partir de 2-3 ans), ce qui attire l'attention des parents sur un éventuel défaut de vision, c'est que l'enfant soit maladroit, qu'il soit imprécis dans ces gestes, qu'il n'aime pas dessiner. Les parents en parleront au médecin.

Mais de toute manière, à chaque étape de la scolarité (entrée à l'école maternelle, entrée au CP, etc.), un contrôle de la vision sera effectué par le médecin scolaire. En cas de doute, ou de problème, l'enfant sera adressé à un ophtalmologiste qui dispose de tout un ensemble de tests sophistiqués adaptés à chaque âge.

Vous voyez donc qu'un contrôle régulier de la vision et de l'audition est prévu lors des consultations des premières années, puis au cours de la scolarité. Si pour une raison ou pour une autre (voyage, maladie, déménagement, etc.) ce contrôle n'avait pas pu être fait, c'est à vous, parents, de le signaler au médecin la prochaine fois que vous le verrez. Ou, dans l'intervalle, de l'informer de toute anomalie.

Les vaccinations

La généralisation des vaccinations dans les pays développés a fait disparaître, ou se raréfier considérablement, des maladies contagieuses, épidémiques, souvent graves, parfois mortelles : variole, tétanos, diphtérie, coqueluche, tuberculose, poliomyélite. La même voie est suivie par des maladies d'apparence plus bénigne : oreillons, rubéole (grave chez la femme enceinte pour le fœtus), rougeole ; cette dernière maladie reste dans le monde en voie de développement une grande cause de la mortalité infantile.

Plus récemment, l'hépatite B, la méningite à Hœmophilus B sont entrées dans la prévention vaccinale. L'association de ces vaccins facilite leur utilisation (DTCoq-DTCoqPolio-DTCoqPolioHœmophilus B) et des améliorations de préparation en atténuent les réactions (vaccin acellulaire de la coqueluche).

• Deux nouveaux vaccins

Le vaccin antipneumococcique est fortement recommandé chez les jeunes enfants allant à la crèche, ou ayant des frères et sœurs. Le pneumocoque est un microbe qui entraîne des pneumonies, des otites et parfois des méningites. Ce vaccin est bien toléré. Il se fait en général aux mêmes dates que le DTCoq-Polio, à partir de 2 mois ; mais il peut être fait plus tard. Il est remboursé dans la plupart des cas.

Le vaccin antiméningoccique existe contre le méningocoque A (absent en France) et C (en augmentation régulière). Il n'existe pas contre le méningocoque B responsable des 2/3 des méningites. Ce vaccin est proposé à partir de l'âge de 2 mois. S'il est pratiqué avant un an, il est fait en 2 doses ; après un an, il est fait en une dose. Ce vaccin est réservé pour l'instant à des zones à « risques » dans lesquelles ont été constatés plus de cas que dans le reste de la France : Pyrénées, Landes et Puy de Dôme. Ce vaccin est fait chez les enfants allant à la crèche ou à l'école.

▪ Une vaccination n'est réelle et efficace que si elle est correctement pratiquée, c'est-à-dire complète (nombre d'injections, intervalles maximum entre elles, et surtout rappels dans les délais prescrits). Notre protection à tous est assurée par la vaccination du plus grand nombre possible. La variole a disparu grâce à la bonne volonté de chacun : accepter de faire vacciner ses enfants c'est à la fois les protéger et lutter contre les risques d'épidémie.

> **Nouveau**
> Le vaccin contre la varicelle existe aujourd'hui. Il peut se faire à partir d'un an.

• Quand vacciner ?

Voici le calendrier des vaccinations. Les vaccins obligatoires sont en **gras**. Les autres sont recommandés. Vous trouverez page 439 un tableau détaillant chaque vaccination.

À partir de	
2, 3, 4 mois	**Diphtérie-tétanos**-coqueluche-**polio**, Hæmophilus. L'hépatite B peut être pratiquée au même âge ainsi que le vaccin antipneumococcique.
1 an	Rougeole-oreillons-rubéole (ROR)
1ère année	**B.C.G.** (obligatoire pour l'entrée dans une collectivité)
15-18 mois	**1er rappel D.T.**-coqueluche-**polio**-hœmophilus-antipneumococcique.
3 ans	2ème injection de ROR
5-6 ans	**2e rappel D.T.-polio**-coqueluche (acellulaire).
10-11 ans	**Rappel D.T.-polio**-coqueluche (acellulaire)
16 ans	**Rappel D.T.-polio.**

• Les contre-indications.

Chaque cas est particulier et doit être discuté avec le médecin traitant. Il existe en effet des contre-indications formelles mais elles sont exceptionnelles. Les contre-indications relatives ou temporaires sont surtout des précautions à prendre et des techniques particulières de vaccinations, essentiellement chez les enfants allergiques. Les vaccins se sont beaucoup améliorés ces dernières années, et les réactions vaccinales sont moins fortes.

> **Où vaccine-t-on ?**
> En général, dans le haut du bras ou dans la cuisse

• Conservation du vaccin.

Vous avez acheté un vaccin et vous ne l'utilisez pas tout de suite : mettez-le au réfrigérateur ; en effet, le vaccin doit être conservé à une température voisine de 0 °C, une température de 5° C à 6° C raccourcissant sensiblement la durée de son efficacité. Il ne doit pas être congelé.

Vaccinations particulières à pratiquer si l'enfant part pour l'étranger : voyez à la fin de ce chapitre *Voyages sous les tropiques*.

• Soigner
son enfant

Votre enfant est malade. Que devez-vous faire ?

D'abord l'observer. Les symptômes que vous noterez seront précieux pour le médecin : certains d'entre eux – une éruption sur la peau, par exemple – peuvent avoir disparu lors de la consultation ; d'autre part, vous qui connaissez bien votre enfant, vous pourrez remarquer certains changements survenus dans sa mine, son humeur, son comportement. Vous trouverez plus loin des points de repère qui vous permettront de répondre avec précision aux questions que vous posera le médecin.

Après la consultation médicale, vous continuerez à être attentifs à l'évolution de la maladie, tout en appliquant le traitement prescrit.

Enfin, sachez que votre présence pourra améliorer l'état de votre enfant, non pas seulement à cause des soins que vous lui donnerez, mais aussi à cause de l'apaisement que lui apporteront votre voix, votre sourire, votre main, le seul fait d'être là et d'avoir une attitude calme et rassurante.

Les signes de bonne et de mauvaise santé

Pour vous permettre de l'observer avec le maximum d'utilité et d'efficacité, voici les signes auxquels on reconnaît qu'un enfant est en bonne santé :

▪ ses courbes de poids et de taille sont conformes aux courbes moyennes ;

▪ il a bonne mine et les yeux vifs ; quand vous l'embrassez, vous sentez que ses joues sont fermes et fraîches ;

▪ il est de bonne humeur, il a de l'entrain, il aime jouer, il s'intéresse à ce qui l'entoure ;

▪ il a bon appétit, ses selles sont normales, il dort bien.

Au contraire, la santé d'un enfant laisse à désirer si :

▪ il a perdu du poids, c'est particulièrement vrai pour le nourrisson ;

▪ il a le teint pâle, les yeux cernés ;

▪ il est sans entrain, il suce son pouce en somnolant dans la journée, ne s'intéresse pas à ce qui se passe autour de lui, n'a pas envie de jouer ;

▪ ou, à l'inverse, il est agité, nerveux et fait des caprices pour un rien ;

▪ il dort mal ;

▪ il manque d'appétit, refuse de boire.

Enfin les parents un peu attentifs ont leurs signaux d'alerte personnels. Telle mère de mes amies avait remarqué que, quand sa fille réclamait à l'improviste du jus d'orange, c'était signe qu'elle avait de la fièvre ; c'est normal puisque la fièvre déshydrate et, par conséquent, donne soif.

Mais inversement, il est parfois difficile de porter un jugement objectif sur un enfant qu'on a sans cesse sous les yeux : à cet égard, il peut être utile d'écouter l'avis d'un proche, moins constamment en contact avec l'enfant. « Tiens, il n'a pas bonne mine »,

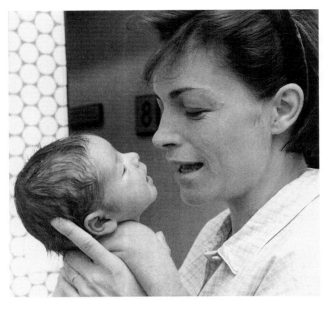

ou « Ta fille n'est pas dans son assiette, aujourd'hui »… N'attachez pas trop d'importance à ce genre de réflexion, mais ne les négligez pas tout à fait. Elles peuvent parfois vous mettre sur la voie d'une maladie qui se prépare.

● Quand faut-il consulter le médecin ?

Les parents aimeraient qu'on puisse leur dire : en présence de tel symptôme consultez le médecin, en présence de tel autre ne le dérangez pas. C'est une liste impossible à faire. Chez l'enfant les symptômes sont difficiles à interpréter, ils changent vite, et ils doivent être considérés dans un contexte d'ensemble, d'où la nécessité de l'examen médical. Et c'est pourquoi un médecin ne reprochera jamais à des parents de l'avoir dérangé même en apparence inutilement.

L'appréciation de la gravité des symptômes est toujours difficile pour les parents, en particulier chez le très jeune enfant. Si l'on ne peut appeler ou consulter le médecin à tout moment pour le moindre symptôme, il vaut mieux parfois ne pas trop tarder ; du rhume à la bronchite ou de la diarrhée à la déshydratation, le délai peut être court chez le nourrisson, particulièrement dans la période néo-natale (le premier mois).

Plus l'enfant est jeune, et plus rapidement il doit être examiné par le médecin en cas de fièvre, de toux, de vomissements ou de selles diarrhéiques qui se répètent, mais aussi devant des pleurs inexpliqués, un refus de boire (ceci à titre d'exemples), cela d'autant plus que le bébé à moins de 3 mois ou qu'il était prématuré.

Chez l'enfant plus grand en revanche, on se basera beaucoup sur un changement de l'état général pour apprécier la nécessité et l'urgence à voir le médecin. La fièvre élevée en particulier n'est pas un signe de gravité à elle seule. Par contre les crises douloureuses abdominales posent un problème que seul le médecin peut résoudre.

Lorsque vous aurez décidé de consulter le médecin, préparez-vous à répondre aux questions qu'il vous posera sur la température, sur les selles, sur votre appréciation de l'état général. N'oubliez pas en plus de dire si l'enfant a été en contact avec un contagieux, et quels sont ses antécédents. Le médecin se fera ainsi une première idée du malade et décidera de l'urgence réelle de l'examen.

● En attendant de voir le médecin.

Gardez l'enfant au calme en essayant d'éviter autour de lui le bruit et l'agitation.

Ne donnez pas de médicament sans prescription. En revanche, vous devez donner à boire à l'enfant s'il a de la fièvre.

Un enfant en bonne santé

Quelques questions que l'on peut se poser

• **Peut-on sortir un enfant qui a de la fièvre pour aller chez le médecin ?**

Même avec une fièvre élevée, un enfant est transportable sans risque, d'autant plus qu'une fièvre élevée n'est pas automatiquement synonyme de gravité (voir l'article *Fièvre*, à la fin de ce chapitre). Le médecin préfère voir l'enfant à son cabinet car il a sous la main le matériel médical qui peut, le cas échéant, être nécessaire à ses examens.

• **Comment couvrir l'enfant malade ?**

Tant qu'il a de la fièvre, vous éviterez de trop le couvrir : vous feriez monter la température. Dans une chambre normalement chauffée (20° C), l'enfant, même s'il est assis dans son lit, sera seulement vêtu de son pyjama ou de sa chemise de nuit, sans pull-over. Sur le lit, une seule couverture.

• **Le confort de l'enfant malade.**

Pensez à aérer la chambre ; pendant ce temps, mettez l'enfant dans une autre pièce en prenant garde qu'il n'ait pas froid. Vous le remettrez dans son lit lorsque la chambre se sera réchauffée. Chaque jour, faites-lui une bonne toilette : visage, cou, mains, pieds même ; cela le rafraîchira, et il se sentira plus à l'aise.

Vous pouvez très bien lui donner un bain, cela lui fera même du bien. Veillez seulement à ce que l'eau soit à température confortable, et la salle de bains correctement chauffée (22° C environ).

Changez les draps le plus souvent possible, rien n'est plus agréable que de se retrouver dans des draps frais lorsqu'on est fiévreux. Voici donc ce que vous pourrez faire pour son confort matériel. Pour son moral bien sûr, il aura besoin d'une présence : son père, sa mère, sa grand-mère, quelqu'un qui lui tienne compagnie, le comprenne, joue avec lui. Si vous ne pouvez lui consacrer beaucoup de temps, des images à colorier, des livres le distrairont. Lorsqu'il est malade, le bébé a souvent besoin de beaucoup dormir ; il faut respecter ce besoin.

Enfin, essayez, même si vous vous faites du souci, de ne pas le lui montrer, les enfants s'inquiètent de voir des visages anxieux.

• **L'enfant qui transpire.**

Lorsque l'enfant a de la fièvre, il transpire. C'est une bonne chose, s'il n'est pas trop couvert, car en s'évaporant la transpiration fait baisser la température. Donnez à boire à l'enfant pour compenser ce qu'il perd, et pensez à changer ses vêtements.

• **Faut-il maintenir l'enfant au lit ?**

Si l'enfant est fatigué et abattu, il restera de lui-même au lit ; mais s'il refuse, inutile de le contrarier : laissez-le se lever et circuler dans la maison. Habillez l'enfant en conséquence en lui mettant notamment des chaussettes de laine, et laissez-le jouer tranquillement. Il vaut mieux cependant que l'enfant joue seul ou avec un adulte, car en dehors des problèmes de contagion, il faut éviter l'excitation qui fatigue.

• **Le régime de l'enfant malade.**

Que donner à manger à un enfant malade ? Ce qu'il désire, dans des limites raisonnables bien sûr. Cela veut dire que s'il a envie d'un bifteck, ou d'une glace, il n'y a pas de raison de les lui refuser. En revanche, s'il ne veut rien manger, n'insistez pas.

Si l'enfant ne manifeste aucun désir particulier, que lui donner ? Le nourrisson, s'il n'a pas de diarrhée, peut avoir son régime habituel, mais sans forcer ; et il faut lui offrir de l'eau à boire en dehors des tétées. S'il a de la diarrhée, il faudra arrêter le lait (sauf le lait maternel) et donner une préparation antidiarrhéique (voir l'article *Diarrhée*).

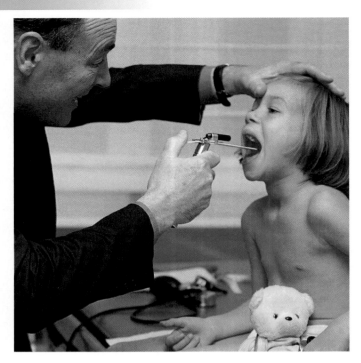

Au jeune enfant, on peut proposer : du bouillon, des légumes, de la compote de pommes, de la banane, que vous écraserez cinq minutes avant et que vous pouvez passer un instant au four : elle aura plus de chance ainsi de plaire à l'enfant. Il peut aussi manger des biscottes ou des gressins, des biscuits.

Mais, encore une fois, ne l'obligez jamais à manger.

En revanche, si l'enfant est fiévreux, vous le ferez boire autant que possible, même la nuit s'il se réveille. La fièvre déshydrate, et un petit organisme n'a pas de grandes réserves d'eau. Que lui faire boire ? Ce qu'il aime, eau, jus de fruits, citronnade, tisane, bouillon, eau sucrée, etc.

Faut-il qu'il boive chaud ? Ce n'est pas nécessaire.

Il aimera sans doute mieux boire frais, ce qui est d'ailleurs conseillé s'il a tendance à vomir.

• Un horaire régulier.

Ce sera plus simple pour vous et plus confortable pour l'enfant de donner les soins (prises de la température, médicaments, etc.) à des heures régulières, au moment des changes et des repas. Vous noterez la température matin et soir. Vous noterez de même les incidents : vomissements, diarrhées, toux… Pensez dès maintenant à la prochaine consultation du médecin, ou à la conversation téléphonique que vous aurez avec lui.

• Attention :

s'il s'agit d'un enfant en âge de saisir les objets, ne laissez pas les médicaments près de son lit ; d'autant plus que souvent les laboratoires, pour faciliter l'absorption des médicaments par les enfants, les rendent le plus attrayants possible par la couleur et surtout par le goût. En contrepartie cela augmente le risque d'intoxication.

• Si le médecin indique un risque de contagion.

Vous vous laverez bien les mains chaque fois que vous vous serez occupés de l'enfant, et vous isolerez le malade des autres enfants et, pour certaines maladies, des futures mères.

• Comment prendre la température ?

Parlons d'abord du thermomètre lui-même.

Le thermomètre à mercure est maintenant retiré du commerce, car s'il était jeté ou cassé, le mercure risquait de polluer l'environnement.

Dans le thermomètre vendu actuellement, le mercure a été remplacé par un métal non dangereux, le gallium (associé à un mélange d'indium et d'étain). Dans les pharmacies, un autre modèle est proposé, le thermomètre électronique (vendu environ 11 €). Il fonctionne avec une pile qui dure environ 3 ans et qui est remplaçable. Il sonne au bout d'une minute pour annoncer le résultat. Ces deux thermomètres sont à usage rectal.

Avant de vous servir d'un thermomètre au gallium, faites redescendre la température au-dessous de 36° en secouant le thermomètre, assurez-vous qu'il est propre, passez le bout à l'alcool, enduisez-le de vaseline, et introduisez-le doucement dans l'anus (les hémorragies ne sont pas rares).

Si l'enfant est un nourrisson, couchez-le sur le dos, levez-lui les jambes d'une main et, de l'autre, comme indiqué sur la photo, introduisez le thermomètre. La partie grise du thermomètre doit être introduite presque tout entière dans l'anus. Lorsqu'il est en place, ne laissez pas votre bébé seul, et tenez le thermomètre. Si l'enfant est plus âgé, couchez-le simplement sur le ventre pour introduire le thermomètre.

Ces deux modèles permettent aussi une prise buccale et axillaire (sous les bras) de la température, mais il faut attendre un peu plus longtemps pour avoir le résultat.

Pour prendre la température il existe des bandelettes à poser sur le front, mais les indications sont moins précises, les bandelettes indiquent plutôt si l'on a pas du tout, un peu ou beaucoup de fièvre.

Il y a enfin un modèle de thermomètre à infrarouge : on introduit un petit embout dans l'oreille (l'embout est jetable), la température est indiquée en quelques secondes. C'est rapide mais cher : entre 55 et 60 €. Ce modèle à infrarouge est utile dans une collectivité d'enfants grâce à son embout jetable.

- **Comment prendre le pouls.**

Avec l'index, on cherche le battement du pouls au poignet, près de la base du pouce. On compte les battements pendant une minute. Le pouls est normalement d'autant plus rapide que l'enfant est plus jeune. Chez le nouveau-né, il bat 120 à 140 fois à la minute. À 2 ans, le pouls a 110 battements, à 6 ans, il en a 100. Ce n'est qu'à la fin de l'adolescence qu'il sera

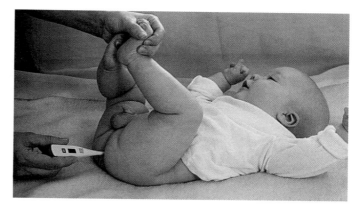

identique au pouls de l'adulte : entre 60 et 80 battements à la minute. Le pouls s'accélère quand l'enfant crie, s'agite, a de la fièvre.

Cela dit, la prise du pouls de l'enfant est difficile en soi et l'interprétation de l'accélération du pouls chez l'enfant (en cas de fièvre) est moins facile que chez l'adulte.

- **Comment examiner la gorge.**

Si l'enfant est trop jeune pour coopérer avec vous, faites-vous aider par une autre personne. Il faut asseoir l'enfant face à la lumière, et lui maintenir la tête, les bras et les jambes. L'un des adultes assied l'enfant sur ses genoux, l'enfant étant adossé à l'adulte. Celui-ci maintient d'un bras les bras de l'enfant, et d'une main (posée sur le front) la tête de l'enfant. Il maintient les jambes de celui-ci entre les siennes. L'autre personne, placée face à l'enfant, mais sans s'interposer entre lui et la lumière, abaisse la langue de l'enfant avec le manche d'une cuillère.

Quand il s'agit d'un enfant plus grand, on l'installe face à la lumière. On se tient en face de lui (sans s'interposer entre lui et la lumière). On lui fait ouvrir la bouche et on lui fait dire « a ». Les amygdales deviennent alors très visibles.

Comment lutter contre la fièvre ?

Il est important de lutter contre la fièvre chez le nourrisson : d'abord pour son confort, et pour diminuer le risque de convulsions fébriles ainsi que celui d'une température excessive : au delà de 41°, il y a un risque vital pour l'enfant.

- **D'abord et avant tout, il ne faut pas trop couvrir l'enfant et même le découvrir :** pyjama léger, pas de couverture, seulement un drap.

  La température de la pièce ne dépassera pas 20°. S'en assurer et baisser le chauffage si nécessaire.

- **Les médicaments.**

  Ils sont utilisés pour lutter contre la fièvre, donc pour faire baisser la température. Ils agissent en 30 à 60 minutes. Leur effet se prolonge 4 à 6 heures.

  ▪ Le médicament conseillé en premier lieu chez les enfants est le paracétamol (Efferalgan, Doliprane) parce qu'il est très bien toléré. Voici la dose préconisée : 60 mg par kilo et par 24 heures, répartie en 4 prises (soit 15 mg par kilo toutes les 6 heures). Le paracétamol existe sous forme de sirop, avec une pipette graduée en fonction du poids de l'enfant : par exemple, une dose « 6 kilos » à donner toutes les 6 heures. La forme orale (sirop ou sachet) agit plus rapidement que le suppositoire.

  ▪ Lorsque le paracétamol seul n'est pas suffisamment efficace, le médecin peut ajouter de l'ibuprofène (Advil, Nureflex).

  ▪ L'aspirine, qui a été beaucoup utilisée chez les enfants, n'est plus conseillée aujourd'hui sans l'avis du médecin. Ce médicament présente en effet des risques d'allergie et de saignement digestifs. Si le médecin prescrit de l'aspirine (Catalgine, Aspégic), voici la dose courante : 50 mg par kilo et par 24 heures, répartie en 4 prises.

- **Le bain.**

  Aussitôt après avoir donné du paracétamol à l'enfant fiévreux, donnez-lui un bain. Le bain fait baisser rapidement la température du corps. Mais son effet est de courte durée (alors que les médicaments agissent plus longtemps). Ne pas sécher l'enfant en le sortant du bain, c'est l'évaporation de l'eau qui fait baisser la température.

  Voici comment procéder : on installe l'enfant dans un bain tiède, confortable comme température, en principe 2 à 3° en dessous de la température de l'enfant (jamais au dessous de 37°) ; au contact de cette eau tiède, la température du corps va baisser. Durée du bain : 10 minutes environ. Si l'enfant frissonne ou pâlit, interrompre le bain plus rapidement. Si nécessaire, le bain peut être renouvelé deux ou trois fois dans la journée.

- **Autre procédé de refroidissement externe.**

  L'enveloppement : on enveloppe l'enfant dans une serviette-éponge trempée dans l'eau tiède pendant la même durée de 10 minutes environ ; l'enveloppement peut être renouvelé également plusieurs fois si nécessaire.

Soins divers

- **Les gouttes nasales.**

  Dans les rhumes et les rhinopharyngites, les sécrétions nasales sont importantes et gênent le nourrisson qui ne sait pas se moucher. La plupart des médecins conseillent des lavages de nez avec une solution isotonique, comme le sérum physiologique en dosettes ou l'eau de mer en spray ; ensuite, on aspire les sécrétions à l'aide d'un mouche-bébé.

● **Affections de la peau et blessures.**

La première chose à faire quand un enfant est écorché est de nettoyer la plaie. Lavez à l'eau et au savon. Ne laissez aucune impureté (terre, épine, etc.) dans la chair. Bien rincer la plaie. Ensuite, désinfectez avec un antiseptique sans alcool. Laissez sécher avant de panser. Voyez à la fin du chapitre, l'article *Plaies*.

● **Pansements.**

Dans la plupart des cas, les pansements adhésifs tout préparés, vendus en pharmacie, suffisent. Mais il faut les changer chaque jour, souvent plus, lorsqu'ils sont souillés.

Si la plaie saigne, mieux vaut utiliser un pansement de gaze léger. Ne serrez pas trop : le sang doit circuler ; le membre ne doit ni gonfler ni être violacé, ni être froid.

Ne couvrez pas la plaie trop hermétiquement : elle doit « respirer ».

Évitez le coton hydrophile.

● **Bandage.**

Ne serrez pas trop. (Voir le paragraphe précédent.)

● **Pansement à la tête.**

Pour que le pansement à la tête tienne pendant que l'enfant dort, coiffez l'enfant d'un bonnet. Il existe des filets pour maintien des pansements.

1. Il s'agit ici d'enveloppements ayant pour but de réchauffer un malade, et non des enveloppements tièdes dont je vous parle plus haut, et dont le but est au contraire de le rafraîchir.

● **Les soins à éviter.**

Les cataplasmes, les vessies de glace, les enveloppements chauds (1), les bouillottes : trop d'accidents par brûlures ont été causés chez de jeunes enfants. Évitez également les frictions du thorax avec des produits alcoolisés, mentholés ou camphrés, achetés sans avis médical.

● **Le nourrisson et les piqûres.**

Il peut arriver que le médecin prescrive une injection médicamenteuse à votre bébé. Même si vous savez bien faire une piqûre, je vous conseille de vous adresser à une infirmière diplômée. La piqûre est toujours ressentie par l'enfant comme un geste agressif auquel il vaut mieux ne pas associer les parents. Aujourd'hui, avant de faire une piqûre, on utilise de plus en plus une pommade anesthésique locale.

● ●

343

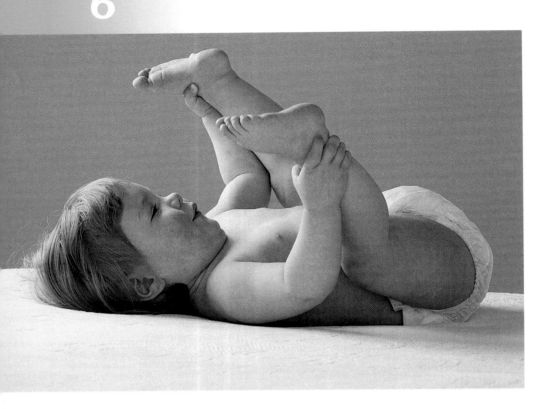

L'enfant et les
médicaments

Votre enfant a une angine, du moins c'est ce que vous pensez. À sa dernière angine – ou à celle de son frère ou de sa sœur – le médecin avait prescrit un médicament (antibiotique en particulier). Il en reste encore. Vous êtes naturellement tenté de vous en servir. N'en faites rien. Ce que vous appelez angine est peut-être le début d'une autre maladie : dans l'enfance, combien de maladies débutent par une gorge rouge !

Par ailleurs, chaque malade pose au médecin un problème particulier. En décidant le traitement vous-même, lorsqu'il s'agit d'un médicament aussi délicat à manier qu'un antibiotique, vous prendriez un risque sérieux.

En outre, administrer un médicament sans prescription risque de faire disparaître des symptômes qui auraient orienté le diagnostic du médecin, et donc son traitement.

Quels sont les traitements simples que vous pouvez appliquer sans avoir consulté le médecin ?

▪ Contre le rhume : le sérum (ou soluté) physiologique en gouttes nasales, ou en spray, les suppositoires à l'eucalyptus, aux essences de pin, pour enfants.

▪ Contre une diarrhée légère chez l'enfant de plus de six mois : le régime sans lait ; les antidiarrhéiques : sachets pour réhydratation (vendus en pharmacie), carottes, eau de riz, farine de riz, compote pomme-coing, banane.

▪ Contre la fièvre : voyez page 342.

▪ Contre la constipation : les suppositoires à la glycérine pour enfants, l'huile de paraffine ; les légumes, les fruits.

▪ Contre l'agitation et l'insomnie : la fleur d'oranger, le tilleul.

▪ Contre le mal au ventre ou l'indigestion : la camomille.

▪ Contre bien des petits maux journaliers : une simple infusion de tilleul est aussi efficace que bien des spécialités pharmaceutiques. Sans parler de la cuillerée de miel dissoute dans un verre d'eau, et que vous apporterez à l'enfant en lui disant : « Ceci va te faire passer ton mal au ventre. » Ce qui arrive en effet souvent.

Attention : danger. En dehors de ces conseils simples mais souvent efficaces, aucun médicament ne doit être administré sans prescription du médecin. Vous éviterez tout particulièrement : les antibiotiques et corticoïdes, même en application externe (pommade, etc.), les solutions huileuses en gouttes nasales, et surtout les *vasoconstricteurs* qui sont dangereux chez l'enfant.

• Dose différente, effet différent.

Si le médecin a prescrit un médicament et que vous n'êtes pas parvenu à le faire prendre à l'enfant, ou s'il n'en a pris que la moitié, informez-en le médecin.

Un médicament jugé inefficace par les parents est souvent un médicament qui n'a pas été pris comme indiqué.

Dose prescrite, répartition dans la journée, durée du traitement sont à observer.

Par ailleurs, aucun médicament n'est anodin : augmenter soi-même la dose en espérant une plus grande efficacité expose à des risques d'intoxication ; de plus, il y a toujours le risque d'une intolérance, d'une allergie, d'effets secondaires indésirables.

En conclusion, méfiez-vous de l'automédication chez les enfants plus encore que chez les adultes.

• Comment faire prendre un médicament à l'enfant malade.

Ce n'est pas toujours facile. Certains enfants protestent. Il faut partir avec l'idée d'être à la fois doux, parce que l'enfant est malade, et ferme, parce que ce médicament lui est indispensable.

Attention : il ne faut pas administrer de force un médicament, pas plus liquide que solide, à un enfant. Le médicament risquerait de se diriger vers les bronches et de provoquer un grave accident (fausse route).

Passons en revue les diverses présentations qu'on trouve en pharmacie.

▪ Sirop. Il ne pose en général pas de problème, parce qu'il a bon goût. (Les enfants en redemandent.) N'oubliez pas d'agiter le flacon pour rendre son contenu bien homogène avant de le verser dans la cuillère. La plupart des sirops sont présentés avec une pipette-doseuse : les graduations correspondent au poids de l'enfant ; il faut remplir la pipette jusqu'à la graduation correspondant au poids de l'enfant, puis en vider le contenu directement dans sa bouche.

▪ Sachet. Le sachet contient de la poudre à diluer dans un peu d'eau. Il peut aussi être mélangé avec une cuillère de yaourt ou de compote.

Attention : les sachets de réhydratation (en cas de diarrhée) doivent toujours être mélangés dans un biberon de 200 ml d'eau.

▪ Suppositoire. Si c'est un nourrisson, maintenez serrées pendant quelques minutes les fesses de l'enfant pour éviter le rejet du suppositoire.

▪ Gélules L'ouvrir, mélanger la poudre à de l'eau sucrée et la donner à la cuiller.

- Combien de temps doit durer le traitement ?

L'enfant avait 40 °C de fièvre. Le médecin a prescrit un antibiotique. Ce matin, la température est tombée à 36,8 °C.

Faut-il cesser le traitement, si, par hasard, le médecin n'en a pas précisé la durée ? Un traitement aux antibiotiques doit être poursuivi quelques jours après la disparition des symptômes. Le principal symptôme, dans une angine, un gros rhume, etc., est évidemment la fièvre. Elle a disparu : poursuivez le traitement pendant quelques jours encore (pour une durée totale de 5 à 10 jours) : la disparition de la fièvre ne signifie pas la guérison définitive ; un traitement arrêté trop tôt risque d'entraîner une rechute de la maladie, ou une reprise à bas bruit (voir le mot *Otite*).

Cela dit, ce qui concerne l'arrêt du traitement est l'affaire du médecin.

- Les médicaments génériques

La mise au point d'un nouveau médicament entraîne d'importantes dépenses de recherche et de développement. Pour amortir ces dépenses, le laboratoire, propriétaire du brevet, a pendant environ 10 ans l'exclusivité de la nouvelle molécule (c'est-à-dire de la composition). Après cette période, le nouveau médicament peut être fabriqué et vendu par d'autres laboratoires ; il est devenu un médicament générique, vendu moins cher puisque le prix de revient est moindre.

Le médicament générique est identique au médicament original en ce qui concerne la nature du principe actif, même s'il en diffère par le nom (qui est celui de la molécule) et par quelques détails de présentation (emballage, couleur…). Le médicament générique peut donc être utilisé sans restriction, avec les mêmes indications et contre-indications. Parfois le générique a un goût différent, moins bien accepté par les enfants ; le médecin prescrira alors un médicament non générique.

L'intérêt majeur du médicament générique est son prix : une efficacité égale et un moindre coût devraient suffire à justifier son utilisation la plus large, à l'heure où est nécessaire une meilleure maîtrise des dépenses de santé publique. Or, malgré cela, les médicaments génériques n'ont pas trouvé en France (contrairement à de nombreux autres pays) une totale adhésion. C'est probablement dû à plusieurs raisons. Les utilisateurs sont méfiants et pensent que le médicament générique est différent de l'original ; et ils ne sont pas très sensibles à la différence de prix puisqu'avec la généralisation de la carte vitale, l'utilisateur ne connaît pas le prix du médicament qu'il achète. De leur côté, les médecins n'ont pas encore tous pris l'habitude de prescrire le médicament générique, ni les pharmacies de le proposer systématiquement.

L'armoire à pharmacie

- Sa place.

Elle doit être placée assez haut pour être inaccessible aux enfants et fermée à clé. Sinon un enfant, tout fier de pouvoir l'ouvrir, pourrait être tenté de prendre un tube ou un flacon, de l'ouvrir et d'y goûter. N'oubliez pas que la banale aspirine, dont on laisse si facilement traîner un tube, et les tranquillisants, sont la première cause des intoxications graves des jeunes enfants. Séparez les médicaments pour enfants des médicaments pour adultes. L'armoire à pharmacie ne doit se trouver ni dans un endroit humide, ni au-dessus d'un radiateur.

- **Son contenu.**
  - Coton hydrophile,
  - compresses stériles,
  - pansements adhésifs,
  - « tulle gras » et Biafine pour les brûlures,
  - un rouleau de gaze,
  - sparadrap,
  - 1 thermomètre médical,
  - 1 boîte de suppositoires à la glycérine pour enfant,
  - Sérum physiologique, ou spray d'eau de mer
  - 1 flacon d'éosine à l'eau (1 %),
  - 1 flacon de savon liquide,
  - 1 tube de vaseline,
  - 1 flacon d'antiseptique type chlorexidine aqueuse,
  - paracétamol (Efferalgan, Doliprane…) en sirop, sachets et suppositoires (dose enfant).

  Pour les petites plaies, la chlorexidine aqueuse est un désinfectant efficace, non alcoolisé (existe également sous forme de gel).

- **On peut aussi avoir :**
  - une boîte de pansements type Stéristrip : ce sont des sortes de papiers collants très utiles pour les petites coupures, car ils permettent de rapprocher les bords de la plaie sans faire de suture ;
  - une boîte type Stop-hémo : ce sont des compresses imprégnées d'une substance coagulante. C'est très utile pour les hémorragies, notamment les saignements de nez.

- **Quels médicaments garder ? Lesquels jeter ?**

  De temps à autre – par exemple au retour des vacances – faites l'inventaire de l'armoire à pharmacie, en ôtant tout ce qui l'encombre et en y ajoutant ce qui lui manque.

  Certains médicaments, dans certaines conditions, se conservent ; d'autres non. Voyons quelques cas particuliers.
  - **Ampoules** : la date limite est indiquée.
  - **Antibiotiques et sulfamides** (comprimés ou sirops) : il ne faut pas les utiliser sans prescription ; même si la date de validité n'est pas dépassée, le traitement terminé, rapportez-les à votre pharmacien qui pourra les donner à des organismes humanitaires.
  - **Cachets, comprimés, dragées** : ils doivent être conservés à l'abri de l'humidité.
  - **Collyres** : une fois ouverts, ils ne sont pas utilisables au-delà de quinze jours.
  - **Pommades** : si, lorsqu'on presse le tube, il sort du liquide, puis de la pommade durcie, jeter le tube ; si la pommade contient un antibiotique ou un corticoïde, ne pas la conserver au-delà de quelques semaines si elle a été ouverte.
  - **Poudres** : se conservent à l'abri de l'humidité.
  - **Sérum physiologique** : en dosettes et spray. Date limite indiquée.
  - **Sirops** : une fois le flacon ouvert, il ne peut être utilisé au-delà de quelques semaines.
  - **Suppositoires** : se conservent à l'abri de la chaleur.

- **Des médicaments dont l'emballage n'a pas été ouvert peuvent-ils être conservés ?**

  Oui, jusqu'à la date indiquée sur la boîte. Aujourd'hui, il y a indiscutablement un grand gâchis dans l'utilisation des médicaments. Les armoires à pharmacie sont trop souvent pleines de produits qui ne seront jamais utilisés (il est conseillé de rapporter à la pharmacie les médicaments inutilisés). D'une manière générale, il vaut mieux renouveler la prescription si nécessaire plutôt que de stocker des médicaments dont on n'est pas sûr de se servir.

Le médicament n'est pas tout

Certains parents attendent trop des médicaments. L'enfant a-t-il de la fièvre ? Ils lui donnent un antibiotique. Une éruption ? Il faut une pommade. C'est confondre maladie avec symptôme. De même, malgré l'abondance des médicaments qui garnissent les étagères des pharmacies, il ne faut pas vous imaginer qu'il existe un remède particulier pour chaque symptôme qui peut se présenter : un remède contre la fatigue ; un fortifiant, des vitamines, si votre enfant vous semble pâle ; un autre pour le faire dormir, etc. De même, l'effet d'un médicament ne peut être immédiat, un délai est nécessaire, il faut savoir patienter.

Le médecin tiendra compte de la personnalité de l'enfant et de l'environnement. Enfin il faut faire confiance à la nature : l'enfant récupère vite et les médicaments destinés à le fortifier sont moins importants qu'une bonne hygiène de vie (alimentation équilibrée, heures de sommeil respectées, etc.).

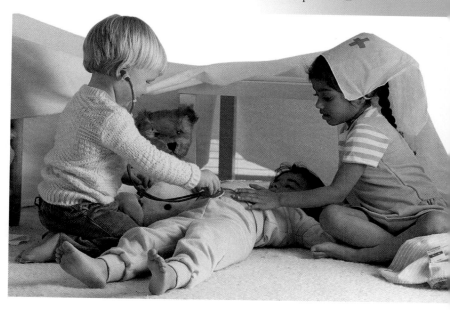

Et si l'enfant doit
aller à l'hôpital

Aujourd'hui les hospitalisations sont plus rares qu'autrefois, et surtout beaucoup plus courtes. L'enfant peut être hospitalisé en urgence pour une maladie aiguë nécessitant un traitement en milieu hospitalier. Il peut aussi être hospitalisé un ou deux jours pour effectuer des examens, soit pour faire un diagnostic, soit pour surveiller un traitement.

L'hospitalisation.

Qu'elle soit décidée brusquement à l'occasion d'une maladie qui alarme, ou prévue et préparée à l'avance pour des examens complémentaires, l'admission de l'enfant à l'hôpital sera d'autant moins traumatisante qu'elle lui aura été expliquée et que les parents seront calmes et confiants.

Dans un service de pédiatrie générale, l'hospitalisation se fait le plus souvent en urgence : soit à la demande du médecin que vous avez consulté, soit parce que vous êtes allés directement aux urgences de l'hôpital, et qu'on a préféré garder votre enfant pour un examen approfondi.

L'enfant va d'abord être vu par le médecin des urgences pédiatriques, ou des urgences générales, selon, l'organisation de l'hôpital. Si une hospitalisation est nécessaire, l'enfant sera revu par le pédiatre de garde.

Les premiers soins et le premier bilan sont faits dans le service des urgences : prise de sang, radiographie, éventuellement scanner, avis du médecin après les résultats, consultation de spécialiste. Le diagnostic établi, l'enfant peut aller sans sa chambre.

Un enfant dont l'état semblait inquiétant le jour de son hospitalisation peut très bien sortir le lendemain ou le jour d'après : parce que les examens biologiques sont rassurants, que la fièvre est tombée, ou que le traitement mis en route est déjà efficace. Par exemple, un nourrisson peut être très vite déshydraté lors d'une gastroentérite virale ; son hospitalisation est alors indispensable ; mais son état peut vite s'améliorer. Le bébé peut alors revenir rapidement à la maison, avec un traitement.

Par contre, dans certains cas, l'enfant doit rester un peu plus longtemps à l'hôpital : par exemple, s'il a besoin d'un traitement par voie veineuse. Pour éviter de faire des gestes douloureux, on pose à l'enfant un "cathlon" ; c'est un petit tuyau en contact avec une veine (comme une perfusion) dont on se sert uniquement pour injecter les antibiotiques. L'enfant n'est immobilisé que pendant les injections : une à trois fois par jour selon le traitement. Il peut se déplacer le reste du temps. Cela dit, il n'est pas très facile de laisser rentrer à la maison un enfant avec un cathlon, même quand il va mieux : l'enfant peut le toucher, il y a des risques d'infection. Le médecin verra si le retour est possible, ou si l'enfant doit rester à l'hôpital le temps du traitement par voie veineuse, souvent au moins huit jours.

● La vie à l'hôpital.

Pendant l'hospitalisation, l'enfant s'adapte en général très vite, grâce en particulier au contact avec les autres enfants, et il supporte bien quelques jours à l'hôpital.

Lors de son installation dans la chambre, l'enfant sera rassuré par la présence d'objets familiers : son doudou, sa peluche. Il est important qu'il ait son propre pyjama, ses pantoufles, sa robe de chambre, sa brosse à dents et son nécessaire de toilette.

Dans un service de pédiatrie, les chambres ne sont pas toutes individuelles. Mais les enfants préfèrent souvent avoir un compagnon, ils sont moins angoissés la nuit si un des parents ne peut pas rester. Bien sûr, les malades contagieux sont isolés, à moins que plusieurs enfants n'aient la même pathologie, ce qui est fréquent en période d'épidémie.

Les visites des parents sont souvent autorisées toute la journée, le matin tôt, et même le soir tard. Pour une hospitalisation de courte durée, il n'est pas indispensable de laisser venir les grands-parents, les oncles et tantes et les amis : votre enfant est sûrement fatigué, les personnes qui viennent en visite parlent entre elles et font du bruit ; pensez également au petit voisin de chambre et à l'équipe qui doit faire les soins. Par contre, les frères et sœurs sont parfois très angoissés et une petite visite les rassure.

Si l'enfant pleure quand vous partez, ne croyez pas qu'il soit préférable de ne pas revenir. Vos visites sont importantes pour lui. Dites-lui quand vous reviendrez. S'il est trop petit pour comprendre, laissez-lui un objet vous appartenant, par exemple votre écharpe, il saura que vous reviendrez.

Soyez convaincus par ailleurs que le personnel d'un service pédiatrique (médecins, infirmières) aime les enfants et entourera le vôtre de sa compétence et de son affection même si celle-ci doit être partagée entre tous.

Les visites médicales ont lieu tous les matins. Renseignez-vous sans impatience ni agressivité : quelques jours sont nécessaires pour juger d'une évolution, pour avoir les résultats des examens. Sachez à qui vous adresser : à l'infirmière, à la surveillante pour les éléments de l'évolution quotidienne (fièvre, selles, état général, appétit…) ; au médecin pour le diagnostic (c'est-à-dire l'identification de la maladie), le pronostic (la prévision de l'évolution de la maladie à court et long terme) et le traitement. Et plutôt que d'attendre dans un coin, demandez un rendez-vous.

Si votre enfant peut quitter l'hôpital, vous le saurez peut-être la veille, ou le jour même, après la visite du matin. Laissez à l'équipe soignante la possibilité de vous joindre pour que votre enfant n'ait pas l'impression d'être oublié.

Il fut une époque où la présence des familles à l'hôpital était tout juste tolérée et réglementée de façon autoritaire et rigide. Heureusement les temps ont changé : actuellement les pédiatres et le personnel des services hospitaliers souhaitent la présence des parents qu'ils encouragent à s'occuper eux-mêmes de leur enfant (repas, petits soins) ; et ceci est vrai aussi bien pour l'enfant déjà grand que pour le nourrisson pour lequel la séparation et l'isolement peuvent avoir des conséquences néfastes.

Les services hospitaliers disposent de plus en plus de chambres pouvant accueillir un parent avec l'enfant (« chambre mère-enfant »). On invite même les parents à s'occuper des petits prématurés, chose tout à fait impensable il y a encore quelques années. Cette collaboration entre l'équipe pédiatrique de l'hôpital et les parents est d'un très grand intérêt pour l'enfant, elle peut en plus changer complètement les rapports entre l'hôpital et les familles.

Dans certains cas, plus rares, l'hospitalisation est programmée à l'avance. Elle doit permettre de faire plusieurs examens en un temps record, un ou deux jours, ou de surveiller, sans urgence, un comportement : troubles digestifs, troubles de l'attention, plaintes diverses mais répétées, etc... Essayez de vous libérer pour cette hospitalisation dont la date est fixée par les impératifs des examens spécialisés. Mais n'espérez pas avoir les résultats tout de suite. En principe, le pédiatre reverra l'enfant en consultation lorsqu'il aura le résultat de tous les examens, ce qui peut mettre parfois quelques semaines.

L'hôpital idéal
La Fondation Hôpitaux de Paris-Hôpitaux de France (qui a lancé la fameuse campagne des pièces jaunes) et l'association *Sparadrap*, ont chacune de leur côté demandé aux enfants de dessiner ou de décrire leur hôpital idéal. Cet hôpital est plein de couleurs, de poésie, de musique, de jouets. Et ce que les enfants souhaitent surtout c'est avoir leurs parents près d'eux.

La douleur

Il y a un autre problème dont on se préoccupe enfin à l'hôpital, c'est celui de la douleur. Elle bouleverse les parents et les culpabilise lorsqu'ils sont impuissants à la soulager. Jusqu'à une période récente, l'hôpital ne répondait pas suffisamment à la souffrance physique de l'enfant, la négligeait, la déniait, et ne savait pas toujours la reconnaître chez les tout-petits, qui eux-mêmes ne savent pas l'exprimer, ou la situer, avec des mots précis ; et les médicaments antalgiques avaient la mauvaise réputation de « drogues ».

Aujourd'hui, sous l'impulsion de quelques équipes sensibilisées au problème de la douleur, des équipes médicales se forment un peu partout pour savoir la soulager à temps. Du prématuré à l'enfant plus grand, la douleur peut être reconnue, évaluée, localisée et traitée.

Si votre enfant souffre, n'hésitez pas à en parler avec les infirmières et le médecin qui s'occupent de lui. Des traitements appropriés pourront lui être administrés.

Sur la douleur
Vous pouvez lire *La douleur de l'enfant* des Docteurs Annie Gauvain-Picquard et Michel Meignier (éditions Calmann-Lévy). Et vous pouvez consulter www.pediadol.org. Par ailleurs un livret est publié par l'association *Sparadrap* (dont vous trouverez les coordonnées page suivante) : *Aïe ! J'ai mal...* (2,30 €) Ce livret explique aux enfants, et à leurs parents, comment mettre en œuvre tous les moyens pour éviter, évaluer et soulager la douleur.

L'intervention chirurgicale

La perspective d'une opération est une épreuve tant pour les parents que pour l'enfant. Les parents redoutent la séparation, la douleur que l'enfant pourra ressentir. L'enfant, quant à lui, éprouve parfois un sentiment confus de culpabilité : « Si on m'abandonne, c'est que je n'ai pas été gentil. »

Même si vous pensez beaucoup à l'opération, n'en parlez pas trop tôt à l'enfant.

Essayez d'être égal à vous-même dans les semaines et les jours qui précèdent.
Parlez, quelques jours avant, de l'obligation d'aller à l'hôpital « pour que tu n'aies plus mal au ventre », « pour enlever la petite boule », etc. Il faut dire en quoi consiste l'intervention, dans les termes les plus simples.

Plus l'enfant est jeune, plus tard vous lui parlerez du séjour à l'hôpital : un ou deux jours, si c'est un tout-petit. Si l'enfant est émotif, sujet aux cauchemars, faites-y seulement une allusion la veille et parlez-en dans la journée tout à loisir : il faut que son esprit ait le temps de se faire à cette idée ; et vous avez, pour l'y aider, beaucoup à dire.

Vous parlerez à l'enfant de la manière dont il va être couché : on lui apportera à manger dans son lit, il n'aura pas besoin de se lever pour aller aux toilettes. Répondez à toutes ses questions. Parlez de l'habillement des infirmières et du médecin. Expliquez les raisons du masque, des gants, du fauteuil ou du lit qui roule. Expliquez l'anesthésie, dites-lui qu'il se réveillera dans sa chambre, et que vous serez là. Dites-lui surtout qu'il y a d'autres enfants qui sont opérés, tous les jours, que le cousin Untel a été opéré lui aussi.

Donnez-lui, pour son séjour à l'hôpital, des jouets qui lui permettront d'extérioriser sa peur ou son hostilité : poupée, panoplie de médecin, crayons pour dessiner, pâte à modeler, jouets à personnages. Sans oublier son ours ou le doudou dont il ne se sépare pas.

▪ Le départ pour la salle d'opération. On vient chercher l'enfant pour l'emmener dans la salle d'opération. Si vous êtes présent, cela peut être un moment difficile pour lui comme pour vous. Ce qui le rassurera le plus sera que vous lui disiez au revoir calmement, sans prolonger les adieux. Laissez-le partir en lui offrant de vous une image apaisante, et essayez d'être là à l'heure où votre enfant se réveillera.

De nombreux services hospitaliers proposent aux parents un livret d'accueil qui confirme et complète les conseils donnés ici. Vous pouvez également vous adresser à l'association *Sparadrap* (48, rue de la Plaine, 75020 - Paris, tél. : 01 43 48 11 80 - http://www.sparadrap.org) qui a publié plusieurs livrets : *Je vais me faire opérer des amygdales ou des végétations*, *Je vais me faire opérer, et on va m'endormir*, *J'aime pas les piqûres*. Cette association a créé un jeu pour découvrir l'hôpital : le *Lotopital*. Dans ce loto, les enfants rencontrent les personnages et les objets familiers du monde hospitalier. C'est une façon de dédramatiser un séjour à venir, ou passé, à l'hôpital. L'humanisation des hôpitaux est devenue une préoccupation majeure de bien des établissements.

●●

la santé de A à Z

Tout ce que vous souhaitez savoir sur les maladies, les symptômes, les troubles du comportement chez l'enfant.

Ce dictionnaire médical a été écrit pour vous donner les explications que vous cherchez sur tel symptôme, telle maladie, telle anomalie du comportement. Mais il n'a pas été écrit pour vous permettre de faire un diagnostic, ni de décider d'un traitement : c'est l'affaire du médecin.

Ce chapitre vous indique aussi que faire en l'attendant. Le médecin ne pourra pas toujours voir votre enfant aussi vite que vous le souhaiterez, il peut se trouver loin (les lettres que je reçois montrent que certains parents sont bien isolés).

Mais alors, se demanderont les lecteurs, puisque le geste thérapeutique final reste l'affaire du médecin, quel peut être l'intérêt d'une information médicale qui, tout en étant simple, se veut aussi complète et aussi précise que possible ?

C'est qu'en réalité, la tâche du médecin, généraliste ou pédiatre, est toujours facilitée par une bonne compréhension de l'entourage et par sa coopération. En médecine d'enfants, tout passe par la description des premiers symptômes et de l'évolution de la maladie sur lesquels la famille apportera au médecin des renseignements précieux.

De la justesse de ces observations découleront souvent le bon diagnostic et la meilleure thérapeutique. Les médecins en général connaissent bien les parents s'ils les voient régulièrement, et ils savent à qui ils peuvent faire une confiance totale et dans quels cas il faut savoir interpréter.

Le but de cette « vulgarisation » est donc, non pas de permettre aux parents de se substituer en tout et pour tout au médecin, mais au contraire d'en devenir les collaborateurs à part entière.

Lisez aujourd'hui ce qui peut vous être utile demain

« Un enfant sauvé parce que sa mère se souvenait avoir lu un article sur les intoxications par produits ménagers… » « Un enfant ranime son petit frère parce qu'on lui avait appris le bouche-à-bouche à l'école… » : vous avez sûrement lu comme moi des titres semblables dans le journal.

Dans bien des cas, la rapidité des secours est une question de vie ou de mort. C'est pourquoi je vous conseille de lire dès aujourd'hui, dans les pages qui suivent, les articles qui concernent la plupart des cas où les minutes comptent. En premier, l'article **Urgence** vous dira que faire dans ce cas. Et aussi : **Accident, Asphyxie, (L'enfant qui a) Avalé un objet, Brûlure, Choc, Chute, Convulsions, Déshydratation, Électrocution, (L'enfant qui) Étouffe, Hémorragie, Intoxication, Morsures, Noyade, Piqûres, Respiration artificielle** et **Tétanos**.

A noter près de votre téléphone

N° de téléphone de votre médecin (généraliste et/ou pédiatre)
15 : en cas d'urgence, ou si vous n'arrivez pas à joindre votre médecin ou celui de garde
18 (Sapeurs Pompiers) : accidents, incendie, explosion
17 (Police/Gendarmerie)

353

A a

Abcès.

L'abcès est une cavité close, une poche contenant du pus. Le pus résulte de la destruction des tissus par les microbes ; il est formé par les débris de cellules et les globules blancs du sang qui ont lutté contre les microbes (le plus souvent un staphylocoque). L'abcès est plus ou moins isolé des tissus sains environnants par une zone inflammatoire qui forme la paroi de l'abcès.

L'abcès est le plus souvent situé sous la peau, et son évolution est visible. Dans une première période, où le pus se forme et se rassemble, la peau à ce niveau est rouge, chaude, douloureuse et dure ; puis cette zone se ramollit ; le pus est alors rassemblé et l'abcès est « mûr » ; il doit être évacué (par une ponction ou une incision), sinon l'ouverture se fera spontanément, par une « fistule » qui permettra l'écoulement du pus à l'extérieur. La douleur et la fièvre sont particulièrement intenses quand le pus est rassemblé : la douleur devient souvent battante, lancinante.

Cette description correspond à l'abcès « chaud » ; mais parfois les signes inflammatoires sont atténués ou absents, et l'évolution insidieuse et prolongée ; on parle d'abcès « froid ».

La peau du nourrisson et de l'enfant étant particulièrement fragile, toute blessure, toute piqûre, même minime, peut servir de porte d'entrée à l'infection et être à l'origine d'un abcès. Le traitement de l'abcès est donc d'abord préventif par une bonne hygiène de la peau et par la désinfection attentive de tous les petits « bobos » ; cette hygiène sera étendue à tous ceux qui sont en contact avec l'enfant (essentiellement en ayant les mains propres).

Une fois que l'abcès est constitué, il est nécessaire de consulter le médecin ; en attendant, des compresses d'eau tiède et alcoolisée calmeront la douleur et aideront à limiter l'extension de l'abcès.

L'abcès, même minime, ne doit jamais être négligé (même si son évolution semble spontanément favorable) puisqu'il constitue cette porte d'entrée à partir de laquelle le microbe peut se disséminer ou se localiser en d'autres points de l'organisme (infections osseuses, pulmonaires, etc.).

Si votre enfant a fréquemment des abcès, cela indique un manque de résistance de l'organisme aux infections, qui peut être dû à une maladie générale (diabète, etc.) ou à un déficit immunitaire ; ce manque de résistance peut être transitoire ou définitif.

Le *phlegmon* est un abcès non (ou mal) limité qui se propage (voir également *Furoncle*).

Le *panaris* est un abcès localisé au doigt, succédant à une plaie souvent minime comme une piqûre ; les plus petites blessures ne doivent donc pas être négligées mais bien désinfectées. Non soigné, le panaris évolue comme un abcès et l'infection peut se disséminer dans toute la main, nécessitant une intervention sous anesthésie générale.

Acariens.

Les acariens (ou dermatophagoïdes) sont des insectes microscopiques qui pullulent dans les habitations, particulièrement dans les matelas et les moquettes. Ils sont fréquemment responsables d'allergies respiratoire et cutanée (asthme et ses équivalents, eczéma).

La lutte contre les acariens, pour supprimer « l'allergène », est un traitement préventif, amenant dans de nombreux cas une nette amélioration. On y parvient par différents moyens qui doivent être utilisés conjointement : insecticides spécifiques, lutte contre l'humidité, aération, utilisation de purificateurs d'air, de housses spéciales pour la literie.
Voir également l'article *Allergie*.

Accident.

Il peut arriver que vous soyez en cause, ou simplement témoin, dans un accident de la voie publique. Voici ce que vous devez savoir faire et ce qu'il ne faut pas faire.

Ce qu'il faut faire :
Prévenir, Alerter, Secourir (PAS disent les secouristes)
- **Prévenir** le suraccident (c'est-à-dire empêcher un nouvel accident) en signalant votre accident aux autres automobilistes.
- **Alerter** : faites le 18 (les Pompiers), en indiquant clairement les véhicules impliqués, le nombre de blessés et leur gravité (il est inconscient/il saigne/il est coincé dans le véhicule, etc.) et donnez l'adresse avec précision. Le temps gagné par une alerte précise est précieux.
- **Secourir** : si le blessé ne respire pas, faites le bouche-à-bouche (voyez la respiration artificielle p. 421). En cas d'hémorragie externe, voyez que faire p. 392. En cas de trouble de conscience, installez le blessé en position latérale de sécurité : allongez le blessé sur le côté et orientez sa bouche vers le sol ; s'il venait à vomir, il ne risquerait pas de s'étouffer.
Déboutonnez les vêtements : col, ceinture, poignet.
Gardez le plus possible votre sang-froid : en montrant au blessé, surtout si c'est un enfant, un visage affolé, vous aggraveriez encore son état.

Ce qu'il ne faut pas faire :
ne déplacez pas l'enfant blessé, à moins de nécessité absolue. L'erreur, souvent fatale dans les accidents graves, est de se précipiter dans la première voiture dont le conducteur propose d'emmener

les blessés à l'hôpital, en y installant ceux-ci tant bien que mal. Il est préférable que l'enfant gravement blessé reste étendu sur le bord de la route et attende l'ambulance.

Si le blessé est évanoui, n'essayez pas de lui faire boire quoi que ce soit.

Acétone.

L'odeur de pomme de reinette de l'haleine signale la présence d'acétone. Celle-ci peut être facilement décelée dans les urines par des bandelettes réactives (Labstix, qui s'achète sans ordonnance). Ce symptôme accompagne des troubles très divers : vomissements répétés, mais aussi fièvre, fatigue, pâleur.

L'acétone est une substance formée dans le foie à partir des graisses. Si elle passe dans les urines ou dans l'haleine, c'est qu'elle est produite en excès. Le simple fait de rester à jeun, en entraînant une utilisation plus grande des graisses de réserve, augmente la formation d'acétone. La présence d'acétone est fréquente chez l'enfant où le seul jeûne d'une nuit peut suffire à provoquer ce déséquilibre, à plus forte raison chez l'enfant malade, fiévreux, qui ne mange pas ou vomit.

D'autre part, en présence de vomissements répétés, avant de parler d'« acétone » il faut être sûr qu'aucune autre affection n'est à l'origine des vomissements : appendicite, méningite, etc. C'est souvent un problème difficile même pour le médecin. Il faut aussi penser au diabète qui sera mis en évidence par la présence de sucre dans les urines et par l'augmentation du sucre sanguin.

Albuminurie (ou protéinure).

La présence d'albumine dans les urines peut être le signe d'une maladie rénale. Cependant, il faut savoir que les bandelettes réactives sont très sensibles et donnent un résultat positif avec seulement des « traces d'albumine » qui ne sont pourtant pas anormales. La fièvre peut également donner des traces d'albumine sur la bandelette. Pour savoir s'il y a vraiment de l'albumine, le médecin demandera un dosage sur la totalité des urines de 24 heures : seule sera retenue une albuminurie supérieure à 0,10 g par 24 heures, constatée à plusieurs dosages. Cette albuminurie nécessitera un bilan approfondi (examen cytobactériologique des urines, radiographies de l'appareil urinaire, fonctionnement rénal…).

L'albuminurie peut révéler différents types d'atteintes rénales (néphrite aiguë ou chronique, infection, malformation).

L'albuminurie modérée survenant seulement en position debout (orthostatique) ne s'observe pas chez le jeune enfant, mais seulement chez l'adolescent.

Alcool.

Si un enfant très jeune a absorbé une boisson alcoolisée, il faut le montrer d'urgence à un médecin (ou l'emmener à l'hôpital), car chez lui l'alcool peut entraîner un coma avec une chute du sucre sanguin. Ceci est valable même pour une petite quantité d'alcool (l'enfant qui finit un ou plusieurs verres laissés après l'apéritif), et ceci est d'autant plus grave que l'enfant est plus jeune.

Un cas particulier : on a introduit de l'alcool dans le nez de l'enfant par erreur, en confondant le flacon d'alcool avec celui de sérum physiologique ou d'autres gouttes nasales. Malgré les cris de l'enfant, ne vous affolez pas : videz plusieurs fois de suite de pleins compte-gouttes de sérum physiologique dans les narines, afin de diluer l'alcool et de laver la muqueuse.

Enfin, il ne faut pas utiliser de manière répétée les *frictions alcoolisées*, l'alcool étant également absorbé par la peau. Et sachez que certains dentifrices ont une teneur en alcool non négligeable.

Allergie.

L'allergie se définit comme un ensemble de réactions de l'organisme qui se défend en formant des anticorps contre une substance étrangère (allergène) ; ces anticorps, lorsqu'ils se trouvent à nouveau en présence de l'allergène, entraînent la libération de substances qui sont responsables des manifestations de l'allergie ; c'est une réaction d'hypersensibilité (on dit que l'organisme est sensibilisé). Sa fréquence est de plus en plus grande.

Les voies de pénétration de l'allergène, et les organes où a lieu la réaction sont principalement la peau, les voies respiratoires (nez, trachée, bronches), et le tube digestif. Les allergènes sont très nombreux. Tout produit étranger peut être potentiellement « allergisant ». La manifestation majeure de l'allergie est le *choc anaphylactique* (voir ce mot)

L'*allergie cutanée* se manifeste par eczéma, urticaire, œdème, éruptions diverses. Les allergènes cutanés peuvent être d'origine chimique : produits d'entretien, cosmétiques, tissus synthétiques, pommades, etc. ; le plus souvent le contact se fait directement par la peau ; mais des médicaments pris par la bouche ou injectés, des aliments (œuf, lait de vache, arachide) peuvent être aussi en cause.

Les manifestations de l'*allergie respiratoire* sont bien connues : asthme bronchique, coryza spasmodique (rhume des foins), conjonctivite mais des troubles plus mineurs ou moins caractéristiques peuvent apparaître (bronchites à répétition, sinusite, trachéite, toux…). Les allergènes les plus fréquents sont ici les pollens, plumes et poils d'animaux, poussières de maison, acariens, microbes, parasites, moisissures.

En ce qui concerne le *tube digestif*, les troubles les plus fréquents sont la diarrhée chronique ou récidivante, les vomissements, les douleurs abdominales ; des manifestations cutanées sont également fréquentes (urticaire), plus rarement des troubles respiratoires. Les allergènes habituels sont d'origine alimentaire : la plus fréquente dans le jeune âge est l'allergie aux protéines du lait de vache. Chez les enfants plus grands, les allergènes alimentaires les plus fréquents sont souvent l'œuf et l'arachide (une allergie sur deux).

L'étude et le traitement d'un état allergique nécessite d'abord un interrogatoire très poussé concernant l'environnement, le mode de vie, les circonstances d'apparition des symptômes dans le but de cerner le ou les allergènes responsables. Les tests cutanés, et éventuellement la recherche des anticorps dans le sang, permettront de faire le diagnostic.

Ces investigations, quand elles sont positives, débouchent sur la suppression de l'allergène, qui est le seul traitement préventif de l'allergie. Mais elles sont souvent difficiles, pas toujours réalisables. Une « désensibilisation » peut être également entreprise par injections de l'allergène très dilué et à doses croissantes ; elle est souvent longue et contraignante et ne se pratique pas avant l'âge de 6-7 ans. Il existe de nouvelles possibilités de désensibilisation par comprimés.

L'allergie est familiale ; le terrain allergique héréditaire, transmis par les parents, peut être reconnu dès la naissance (dosage sanguin des IgE). Chez les enfants de famille allergique, certaines mesures préventives sont conseillées : allaitement maternel exclusif jusqu'à 6 mois et plus, lait hypoallergénique, diversification alimentaire retardée ; lutte contre les allergènes les plus fréquents dans l'environnement : acariens, poussière, plumes et poils d'animaux domestiques… ; dans le domaine alimentaire, l'arachide sera écartée pendant la grossesse dans les familles à risque.
Voir *Asthme, Eczéma, Urticaire.*

Allergie à l'arachide.

La cacahuète, fruit de l'arachide, était déjà redoutée en tant que corps étranger dans les voies respiratoires (voir *Enfant qui étouffe*). Dans un domaine très différent, celui de l'allergie, l'arachide est aujourd'hui reconnue comme le plus fréquent (avec l'œuf) des allergènes alimentaires. Cette allergie est toujours grave ; elle peut se manifester de façon brutale, sous forme d'un état de choc nécessitant un traitement d'urgence.

L'arachide est très présente dans l'alimentation, (dans l'huile du même nom par exemple, ou dans le beurre de cacahuète) mais elle est souvent cachée ou non signalée, ce qui complique le régime : elle entre dans la composition de gâteaux, glaces, charcuteries, céréales ; de certains laits, certaines boites de conserve, du chocolat, de même que certains médicaments.

En novembre 2005, la mention de la présence des allergènes les plus fréquents sera obligatoire sur les étiquettes des produits. Ce sera d'une grande aide pour les parents.

Allergie aux protéines du lait de vache.

L'allergie au lait de vache est une intolérance aux protéines qui sont contenues dans le lait. Par lait, il faut entendre non seulement le lait frais, mais tous les laits industriels premier et deuxième âge, fabriqués à partir de lait de vache.

Cette allergie peut s'exprimer de deux manières :
– la première est aiguë, immédiate : peu après la prise d'un premier (ou des premiers) biberons, l'enfant présente un état de malaise intense, accompagné de vomissements, de selles liquides, parfois une éruption de type urticaire. C'est un véritable état de choc qui peut mettre la vie en danger et qui nécessite un appel d'urgence au 15.
– La seconde manière par laquelle peut se manifester l'allergie aux protéines du lait de vache est plus progressive : une diarrhée persistante apparaît qui ne cessera que si on supprime le lait de l'alimentation de l'enfant et qui reprendra si on lui redonne du lait.

Le diagnostic sera établi par un médecin allergologue après une série d'examens.

Le traitement est (apparemment) simple : exclusion du lait de vache sous toutes ses formes, et son remplacement par des laits spéciaux où les protéines ont été modifiées pour être non allergisantes (hydrolysats). Pendant longtemps, on a proposé de remplacer le lait de vache par du lait à base de soja. Mais cette pratique est aujourd'hui abandonnée car il existe une allergie associée au soja.

Il faut aussi exclure de l'alimentation de l'enfant tous les dérivés du lait, et penser au lait " caché " dans de nombreuses préparations commerciales (petits pots, gâteaux…).

L'allergie au lait n'est pas définitive : elle s'atténue et disparaît habituellement dans la deuxième année ; on peut alors tenter une réintroduction très prudente et progressive du lait de vache qui se fera sous étroite surveillance médicale en milieu hospitalier.
Voir *Allergie, Diarrhée chronique*

Ambiguïtés sexuelles à la naissance - virilisation.

L'ambiguïté sexuelle correspond à un aspect mal différencié des organes génitaux dans le sens masculin ou féminin. Cette ambiguïté résulte d'une anomalie de développement des organes génitaux pendant la vie intra-utérine.

Le cas le plus fréquent, et le plus facile à reconnaître, est celui d'une masculinisation des organes génitaux externes. Chez un nouveau-né de sexe féminin cette masculinisation, plus ou moins complète, entraîne une hypertrophie du clitoris qui prend l'aspect d'un pénis masculin avec fusion des grandes lèvres qui peuvent simuler les bourses, vides cependant de tout testicule.

Cette virilisation fait envisager une maladie des *glandes surrénales*, responsable d'une sécrétion anormalement élevée d'hormones mâles ; ce fonctionnement excessif des glandes surrénales peut entraîner, dès les premiers jours de la vie, outre les signes de virilisation, un état de déshydratation aiguë. Le dépistage de cette maladie se fait maintenant à la naissance par un test sanguin (regroupé avec les tests recherchant la phénylcétonurie, l'hypothyroïdie et la mucoviscidose). Cette virilisation peut aussi provenir de traitements hormonaux faits dans la première partie de la grossesse.

Ces ambiguïtés sexuelles posent, d'abord, des problèmes pratiques, en particulier celui de la déclaration du sexe de l'enfant à la naissance ; les délais administratifs ne permettant pas l'attente des résultats des examens, l'enfant sera déclaré sous la mention « sexe indéterminé » et sous un prénom ambivalent (Dominique, Claude, etc.).

Ultérieurement, l'établissement du sexe de l'enfant dépendra des résultats du bilan très complexe qui aura été effectué : il dépendra de l'étude des chromosomes, et des possibilités de reconstitution chirurgicale des organes génitaux.

Amblyopie.

C'est la perte partielle de l'acuité visuelle d'un ou des deux yeux. Des tests simples (réaction à l'éclairement, poursuite oculaire d'une source lumineuse, etc.) permettent d'apprécier globalement la vision de l'enfant dans les premiers mois ; au moindre doute, un examen ophtalmologique spécialisé sera pratiqué, particulièrement s'il existe des antécédents familiaux (myopie, hypermétropie, strabisme). Voir également *strabisme*.

Amygdales.

Visibles au fond de la gorge, les amygdales sont placées à l'entrée de l'appareil respiratoire ; elles ont un rôle de défense de l'organisme contre les microbes et les virus. L'*amygdalite* et l'*angine* (voir ces mots) sont en effet bien souvent la porte d'entrée d'une infection microbienne ou virale.

Amygdalite - Angine.

L'amygdalite désigne une infection localisée aux amygdales ; le terme d'angine est souvent employé de manière équivalente ou peut désigner une atteinte qui déborde les amygdales pour s'étendre à toute la gorge. L'amygdalite est rare chez le nourrisson chez lequel il s'agit plus souvent d'une rhinopharyngite diffuse ; par contre elle est fréquente chez l'enfant après l'âge de 2 ou 3 ans.

L'examen de la gorge montre des amygdales augmentées de volume, rouges (angine érythémateuse), ou recouvertes de points blancs (angine pultacée). L'enfant a une fièvre souvent élevée, une gêne à avaler, les ganglions du cou sont gonflés et sensibles.

L'angine est souvent d'origine *virale* : elle guérit spontanément sans complications. La *mononucléose infectieuse* (voir ce mot) est responsable d'une angine particulière.

Le risque infectieux est lié aux angines ou amygdalites qui sont d'origine *microbienne*. L'angine diphtérique est devenue heureusement exceptionnelle grâce à la vaccination. Aujourd'hui, il y a surtout l'angine streptococcique, due au streptocoque du groupe A. Le traitement antibiotique est recommandé pour éviter des complications (rhumatisme articulaire aigu, atteinte rénale). La scarlatine est due à une toxine, sécrétée par ce même streptocoque.

Le diagnostic de l'angine à streptocoque peut être confirmé par un test rapide effectué par le médecin lui-même (streptotest).

Amygdalectomie.

L'ablation des amygdales (ou amygdalectomie) est une intervention simple comportant peu de risques si elle est bien surveillée dans ses suites immédiates ; elle n'est pratiquement jamais faite avant l'âge de 4 ou 5 ans.

L'ablation des amygdales est indiquée dans les cas suivants : les angines à répétition (plusieurs par an) ; les amygdales très volumineuses (hypertrophiques), obstructives, qui entraînent une insuffisance respiratoire chronique, avec troubles du sommeil (apnées).

A noter qu'entre 3 et 6 ans, les amygdales sont souvent grosses sans être forcément infectées.

L'amygdalectomie est aujourd'hui moins systématique, les amygdales jouant un rôle mal connu mais certain dans les défenses de l'organisme.

Voir également *Intervention chirurgicale*, page 352.

Anémie.

Votre enfant est pâle ; vous dites qu'il est anémique. Avez-vous raison ? Un enfant peut être pâle sans être anémique : c'est souvent affaire de teint et de constitution. Néanmoins, il est plus prudent de consulter le médecin si cette pâleur est inhabituelle.

Plus que la pâleur de la peau, c'est la pâleur des muqueuses qui renseigne sur l'anémie : les lèvres, les gencives, les paupières.

Un enfant anémique manque de globules rouges : soit après un saignement (un accident, une plaie, une intervention) ; soit parce qu'il ne fabrique pas assez de globules rouges ou que ses globules rouges ne contiennent pas assez d'hémoglobine. Cette substance, qui est le constituant essentiel du globule rouge, contient la quasi-totalité du fer de l'organisme. Elle a pour mission de fixer l'oxygène au niveau des poumons et de le transporter au niveau des tissus.

L'anémie commune du nourrisson est surtout fréquente dans le deuxième semestre de la vie. La responsable est une alimentation insuffisamment riche en fer.

Le fer est un constituant indispensable de l'hémoglobine. Or le lait de vache ne contient pas suffisamment de fer. Il faut donc apporter au régime du nourrisson une source de fer. La plupart des laits infantiles sont supplémentés en fer. (Voyez le chapitre 2, vous y trouverez le régime approprié à chaque âge.) En venant au monde, le nouveau-né apporte avec lui une réserve de fer transmise par sa mère. Et l'un des problèmes que posent les prématurés est précisément qu'ils n'ont pas eu le temps d'accumuler, avant leur naissance, cette réserve de fer. Autre cas particulier : celui des jumeaux qui sont anémiques parce qu'ils doivent partager la réserve de fer donnée par la maman.

L'anémie n'est pas toujours affaire d'alimentation : une maladie infectieuse, des diarrhées fréquentes peuvent être en cause, en empêchant l'organisme d'assimiler le fer apporté par les aliments.

Enfin il y a des maladies (héréditaires) qui résultent d'une fragilité particulière des globules rouges. Il en est ainsi de certaines anomalies des globules rouges (par exemple la *drépanocytose*, voir ce mot). Certaines de ces maladies sont dépistées à la maternité.

En cas d'anémie, le médecin demandera une prise de sang pour étudier la numération-formule sanguine et le taux d'hémoglobine ; cet examen permet de confirmer l'anémie, d'en connaître la profondeur et d'écarter certaines causes graves.

Pour traiter l'anémie simple du nourrisson, le médecin prescrira un sirop de fer pendant deux à trois mois. Et ne vous inquiétez pas dans ce cas si les selles du nourrisson sont noirâtres.

Angine.

Voir *Amygdalite*.

Angiomes.

Ces taches rouges violacées sont dues à des dilatations des petits vaisseaux sanguins de la peau, que l'on peut voir à la naissance. On distingue les angiomes plans, qui sont de simples taches (taches de vin, envies) plus ou moins étendues, et les angiomes en relief sur la peau (fraises…). De petites taches rouges sont très fréquentes chez le nourrisson, au front (aigrette), et à la nuque, à la racine des cheveux ; elles disparaissent habituellement en quelques mois.

Les angiomes proprement dits nécessitent la surveillance d'un spécialiste (pédiatre, dermatologue). La plupart des angiomes régressent spontanément mais lentement, en quelques années. Le médecin conseillera souvent de s'abstenir de toute intervention. Cependant, chaque cas est particulier, et seul le spécialiste est en mesure de préciser la meilleure conduite à tenir, en fonction de la situation plus ou moins apparente, du caractère inesthétique et de la tendance de l'angiome à se développer en surface ou en relief, ou à donner lieu à des saignements répétés.

On observe parfois des angiomes s'étendant sur une grande partie du visage. Pour les diminuer, ou même les supprimer, un progrès récent a été apporté par les techniques de laser.

Anorexie.

Au sens étymologique, c'est la perte de l'appétit. Au sens plus large, on parle d'anorexie pour un trouble du comportement alimentaire qui se traduit par le refus de manger.

Anorexie d'opposition du nourrisson.

Lorsqu'un enfant refuse de manger de manière habituelle, toute maladie organique étant éliminée, la difficulté peut être abordée sur le plan psychologique ; on dit qu'il présente une anorexie d'opposition (ou psychogène).

L'anorexie du nourrisson est relativement fréquente ; elle peut être définie comme un manque d'appétit dont l'origine n'est pas organique mais psychologique et plus particulièrement liée à une perturbation relationnelle entre la mère et son enfant.

Avant de parler d'anorexie, il convient d'abord de savoir qu'il y a de très grandes variations dans l'appétit d'un enfant à l'autre (il y a de petits mangeurs habituels dont le développement ne pose aucun problème), et surtout chez un même enfant dont l'appétit est par nature irrégulier. De plus, il faut faire le décompte objectif de ce que prend l'enfant et l'on s'apercevra souvent que, compte tenu du grignotage, beaucoup d'enfants dits anorexiques, même s'ils ne mangent pas aux heures de repas, s'alimentent de façon très suffisante.

Enfin, avant de parler d'anorexie d'origine psychologique, il faut s'être assuré de l'absence de toute maladie organique en évolution. Pour cela, l'examen médical est toujours nécessaire et doit être même répété et complété par quelques examens complémentaires « de routine », tels que numération-formule sanguine, recherche d'une infection urinaire, réactions tuberculiniques, etc.

Cependant, les caractères de l'anorexie du nourrisson sont déjà très évocateurs en eux-mêmes, car il s'agit d'un refus de la nourriture, sans aucun autre symptôme associé, en particulier fatigue, fièvre, autres troubles digestifs, etc. Si la croissance en taille est normale, et si la croissance en poids est ralentie, voire nulle, il n'y a jamais d'amaigrissement. Toute cassure de la courbe de croissance en taille et en poids ramènerait au contraire à la recherche d'une cause organique. Enfin, les enfants anorexiques sont d'un type très semblable : enfants vifs, actifs, très éveillés, au développement psycho-intellectuel souvent précoce.

Les circonstances d'apparition et de déclenchement sont diverses. Elles surviennent le plus souvent autour de la première année, entre 6 et 18 mois. Il peut s'agir d'une maladie infectieuse même banale du type rhinopharyngite, d'une vaccination, d'une simple poussée dentaire, d'un sevrage un peu brusqué ou d'une diversification trop rapide du régime alimentaire, de l'introduction d'un nouvel aliment mal accepté, de l'emploi de la cuillère ou du verre, des exigences de propreté. L'enfant refuse alors de manger, ce qui est tout à fait justifié de sa part. Mais ce refus angoisse sa mère qui, alors, force l'enfant à manger. Le conflit est là, et se constitue rapidement un cercle vicieux qui renforce par un jeu de miroir l'opposition de l'un et l'anxiété de l'autre.

L'anorexie peut s'installer plus précocement, dès les premières semaines de vie ; elle est souvent liée à une attitude trop rigide vis-à-vis de l'horaire et des quantités. L'anorexie peut aussi s'installer plus tard, elle est alors liée à des problèmes de séparation, de mode de garde, de naissance dans la famille, etc.

À côté de ces formes simples

dont l'évolution habituelle sera favorable, il existe des cas rares, mais nettement plus graves, où l'anorexie entre dans le cadre d'un état dépressif ou psychotique. L'absence de stimulation, la privation affective, la maltraitance sont parfois aussi en cause.

Le *traitement* de l'anorexie du nourrisson est avant tout préventif ; il faut éviter absolument en matière d'alimentation de l'enfant, toute attitude rigide, catégorique, autoritaire ou contraignante. C'est une notion actuellement mieux connue et acceptée, et cela a certainement contribué à diminuer la fréquence de ce type d'anorexie :

▸ ne jamais forcer à manger, ou à finir ;

▸ ne pas être esclave des horaires, en particulier ne pas réveiller un nourrisson pour l'alimenter, ou au contraire lui refuser un biberon supplémentaire de nuit ;

▸ laisser, dès que possible, l'enfant manger seul sans se préoccuper à l'excès des problèmes de propreté.

En fait, l'essentiel est de s'adapter en matière d'alimentation aux particularités de chaque enfant.

Si l'anorexie est installée, le principe du traitement repose essentiellement sur le changement d'attitude de la mère et de l'entourage ; il est important de se convaincre de l'absence de gravité de ce trouble, de se libérer de son angoisse en renonçant à toute attitude rigide et contraignante et en évitant de faire du repas un moment de conflit. Pour cela, il est conseillé d'adopter une attitude d'indifférence, vraie ou en tout cas apparente ; le repas sera pris dans le calme, chaque plat sera présenté puis au bout de quelques minutes retiré sans autres commentaires si l'enfant le refuse. La méthode dite ascendante, qui est encore conseillée par certains pédiatres, consiste pendant quelques jours à ne donner qu'une quantité d'aliments qui reste inférieure à celle qui serait acceptée par l'enfant, de manière à ce que ce soit l'enfant qui réclame : le retournement de situation qui fait de l'enfant le demandeur aboutit en général rapidement au succès.

Si ce n'est pas le cas, et que la situation s'aggrave progressivement, il est important de rechercher ce qui dans l'environnement de cet enfant et des adultes qui s'en occupent continue de provoquer ce refus alimentaire. Les psychologues et les psychanalystes, qui travaillent en étroite collaboration avec les médecins, savent que les causes de l'anorexie sont parfois très profondes : par exemple, lorsque les difficultés alimentaires que l'on retrouve dans la petite enfance des parents, resurgissent chez leur enfant ; dans ce cas, une prise en charge psychothérapique courte – parents, enfant – peut être souvent bénéfique ; son indication ne doit donc pas effrayer les parents.

Enfin, il est important de savoir qu'il n'y a pas de lien entre l'anorexie du jeune enfant et l'anorexie mentale des adolescentes (et des adolescents), dont les causes et l'évolution, encore mal connues aujourd'hui, sont différentes, ainsi que le traitement.

Apgar.

Dans les minutes qui suivent la naissance, la vitalité du nouveau-né est appréciée par un examen que l'on appelle le score d'Apgar.

Voir page 322.

Aphtes.

Ce sont de petites ulcérations arrondies, blanc grisâtre, qui apparaissent dans la bouche, à la face interne des joues et des lèvres. Les aphtes ont tendance à se répéter et leur cause est mal définie : lorsque les aphtes sont nombreux, on dit qu'il y a *stomatite aphteuse* (du latin *stoma* = bouche). L'enfant refuse de manger et de boire, tout contact lui étant douloureux. Il faut donc préparer des aliments fluides et frais (des glaces, par exemple) ; et toucher les aphtes, sans les badigeonner, avec un porte-coton imbibé d'une solution antiseptique.

Si l'enfant a tendance à avoir des aphtes, il est conseillé d'éviter certains aliments tenus parfois pour responsables : noix, noisettes, gruyère.

Voir aussi *Stomatite, Herpès, Muguet.*

Apnée.

C'est un arrêt momentané de la respiration. Chez le nouveau-né, le rythme respiratoire est souvent, dès les premiers jours, irrégulier avec même de brèves pauses de quelques secondes.

Des apnées durant dix secondes et plus, sont fréquentes chez les prématurés. Elles s'accompagnent d'un ralentissement du rythme cardiaque pouvant avoir des conséquences graves. C'est pour cette raison que ces enfants sont placés sous des appareils de surveillance cardiorespiratoire (monitoring).

Appendicite.

Le diagnostic d'appendicite est difficile à faire chez l'enfant car celui-ci localise mal la douleur. En outre le « mal de ventre » peut avoir des causes nombreuses et variées. Il ne faut donc pas hésiter à faire appel au médecin si l'enfant se plaint.

L'appendicite aiguë.

Elle est surtout fréquente après 5 ans. Un enfant qui se plaint soudainement d'avoir mal au ventre, qui vomit, qui n'a pas eu de selle depuis la veille, qui a mauvaise mine, pâle, les yeux cernés, qui refuse de manger, qui a une fièvre légère (38°, 38°5) mais un pouls rapide, doit être vu aussitôt que possible par un médecin : c'est en effet la palpation du ventre qui permettra d'affirmer le diagnostic en trouvant une douleur vive et une réaction de « défense » bien localisées dans la partie inférieure droite de l'abdomen (point appendiculaire).

En attendant, abstenez-vous de donner à l'enfant quoi que ce soit à manger ou à boire et surtout aucun médicament. Évitez aussi la bouillotte et la vessie de glace sur le ventre. Elles risqueraient de masquer les symptômes.

Mais les symptômes ne sont pas toujours évidents et le médecin, dans l'incertitude, préfère souvent adresser l'enfant à un chirurgien, car retarder l'intervention peut exposer à des complications. L'appendicite est un cas d'urgence, il faut opérer vite sinon l'appendice (qui a la forme d'un petit sac plus ou moins long) peut s'ouvrir dans l'abdomen, causant ainsi une infection du péritoine (péritonite). C'est souvent le cas chez le jeune enfant qui présente des signes trompeurs (c'est ce que les médecins appellent la péritonite d'emblée).

Après l'intervention, l'enfant sort habituellement de l'hôpital au bout de huit jours ; il reprend son activité normale après deux à trois semaines.

La notion d'*appendicite chronique* (l'enfant souffre périodiquement de douleurs abdominales moins intenses, sans fièvre ni vomissement) est aujourd'hui controversée. En effet, l'appendicite empêche rapidement toute alimentation. Les douleurs sans vomissement sont plutôt dues à un gonflement des ganglions au niveau de l'appendice ; il s'agit d'une *adénite mésentérique*, qui guérit spontanément.

Appétit.

Cet article devrait être l'un des plus longs du livre car il touche une question qui préoccupe beaucoup de parents. Mais en fait il est court car les grandes questions qui concernent l'appétit sont traitées à différents endroits.

Dans le chapitre « Bien nourrir votre enfant », il est question de l'évolution de l'appétit chez un enfant, car, contrairement à ce que l'on croit souvent, l'appétit est très variable d'un enfant à l'autre. Et des nourrissons ayant un appétit petit et capricieux peuvent avoir une croissance tout à fait normale.

Le manque d'appétit est longuement traité dans le chapitre « Bien nourrir votre enfant », avec l'examen de toutes les causes possibles (voir page 100).

Le refus de manger d'origine psychologique est traité dans ce chapitre (voir *Anorexie d'opposition*).

Quant à l'excès d'appétit, nous le traitons ici. Chez le nourrisson, un gros appétit n'est ni un motif de satisfaction, ni un motif d'inquiétude, mais il faut simplement se rappeler que la bonne santé n'est pas une question de poids (voir *Obésité*). Cette tendance à grossir est souvent héréditaire.

Si l'appétit excessif s'accompagne d'un mauvais état général, il peut s'agir de vers intestinaux, en particulier du ténia. Le médecin pensera également au diabète.

Arthrite aiguë.

C'est l'inflammation d'une articulation qui est d'origine infectieuse, microbienne, virale ou, plus rarement, rhumatismale (dans le cadre d'une maladie rhumatismale générale).

Des douleurs articulaires (*arthralgies*) sont fréquentes au cours de nombreuses maladies par ailleurs bénignes, le plus souvent virales, la grippe par exemple.

Bien plus grave est l'arthrite microbienne avec formation de liquide purulent dans l'articulation. Il s'agit le plus souvent d'une infection qui touche l'os (*ostéoarthrite*).

Quand l'articulation est superficielle (genou, poignet, etc.), les signes de l'inflammation sont visibles : l'articulation est rouge, chaude, gonflée ; elle est douloureuse quand on la touche ou que l'on essaye de la mobiliser. Ces signes sont plus difficiles à apprécier si l'articulation est profonde (hanche, par exemple) ; pour ne pas avoir mal, spontanément le nourrisson maintient le membre immobile, et cette fausse paralysie sera une indication.

Le traitement d'une arthrite septique (avec du pus) est urgent pour protéger le devenir de l'articulation. Il nécessite toujours une hospitalisation rapide avec : un bilan radiologique, une ponction, l'immobilisation, des antibiotiques en perfusion. Le traitement antibiotique dure 6 semaines en moyenne.

Le diagnostic d'arthrite rhumatismale se fait souvent tardivement, lorsqu'on constate l'absence de microbe et devant l'apparition de nouvelles crises douloureuses.

Asphyxie par corps étranger.

Voir *Étouffe (L'enfant qui)*.

Asphyxie par l'oxyde de carbone.

Voir *Intoxication*.

Asthme.

L'asthme est une maladie des bronches qui évolue par crises. La crise d'asthme est liée à un rétrécissement du calibre des bronches , associé à une inflammation de celles-ci, entraînant une gêne surtout à l'expiration de l'air.

L'asthme est le plus souvent une maladie allergique (voir ce mot) comme l'eczéma, l'urticaire, le rhume des foins. Les facteurs qui peuvent provoquer une crise sont très nombreux ; les allergènes les plus fréquents sont les pollens, les poils et les plumes d'animaux, la poussière de maison, les acariens, les cafards, les moisissures ; des allergies alimentaires peuvent aussi être en cause. Tous ces allergènes peuvent être mis en évidence par des tests sanguins et cutanés.

L'asthme est une maladie familiale : il existe probablement dans la famille d'autres asthmatiques, ou bien des personnes qui ont des manifestations allergiques diverses.

La crise d'asthme est d'intensité variable, mais parfois impressionnante quand l'enfant, assis dans son lit, pâle, en sueur, lutte contre la gêne respiratoire, avec des sifflements caractéristiques.

Un traitement approprié, essentiellement basé sur des médicaments qui dilatent les bronches, fera habituellement céder la crise. Mais si celle-ci résiste et se prolonge, appelez le médecin. Si l'enfant va très mal, ne peut plus parler, s'alimenter appelez le 15.

La maladie asthmatique a comme autre caractéristique d'être une maladie de longue durée avec des crises se reproduisant sur un rythme variable ; cela peut aller d'une crise ou deux par an à plusieurs crises par mois, entraînant alors une gêne considérable dans la vie de l'enfant, et en particulier dans sa scolarisation. D'où la nécessité d'un traitement de fond.

Le traitement visant à dilater les bronches a fait récemment de grands progrès grâce aux techniques d'inhalation (aérosols doseurs, chambres d'inhalation) applicables à l'enfant même jeune. Ceci est la base d'un traitement souvent continu et contraignant, mais dont l'efficacité permet d'éviter les hospitalisations en urgence.

Pour surveiller l'efficacité du traitement, il existe un appareil facile à utiliser à la maison : le débitmètre de pointe ou *peak flow*. Au moment de l'expiration, le souffle est diminué chez l'asthmatique selon le degré d'obstruction des bronches. Le débit-mètre permet de mesurer le débit du souffle, et donc de savoir si le traitement est efficace. Cet appareil permet également de prévoir l'apparition d'une crise.

Un traitement de désensibilisation ne peut être entrepris dans les premières années car les allergènes sont difficilement mis en évidence. On peut par contre agir sur l'environnement : lutte contre les acariens, la poussière ; mais aussi le tabac : ceux qui fument autour de l'enfant peuvent aggraver son asthme. Lorsqu'une famille a un terrain allergique, il peut être risqué de donner à l'enfant un animal familier.

Enfin, il ne faut pas méconnaître les facteurs psychologiques qui peuvent jouer un rôle important dans la maladie asthmatique, du moins dans son entretien ou son aggravation. Les situations angoissantes pour l'enfant (conflits familiaux, stress scolaire) peuvent augmenter le nombre et l'intensité des crises. De plus, les manifestations de la maladie elle-même sont un facteur d'anxiété pour l'entourage et pour l'enfant. Aussi un soutien psychologique est-il souvent indiqué.

Autisme et psychose.

L'autisme est la plus sévère des psychoses infantiles, au point que les deux mots sont souvent employés l'un pour l'autre. L'autisme est défini par une anomalie du comportement dont la principale caractéristique est la coupure avec la réalité, l'absence de communication avec le monde environnant. Bien que rétrospectivement des signes puissent être retrouvés dès le début de la vie, ils n'ont pas toujours été décelés à ce moment-là, et ce n'est souvent qu'après 18 mois que le diagnostic est fait.

Le nourrisson est excessivement calme, indifférent, passif, mou, il ne communique ni par le sourire ni par le regard. Plus tard, l'enfant vit replié, solitaire, inexpressif, sans contact avec le réel ; son activité spontanée est pauvre, répétitive (en particulier dans le jeu), on dit même stéréotypée, c'est-à-dire envahie de petits mouvements rythmés avec les mains (marionnettes, griffures) ou avec le corps (balancement). Le comportement est étrange et bizarre, avec des accès d'agitation et d'agressivité ; l'enfant est facilement apeuré par ce qui est nouveau, inhabituel pour lui : les changements les plus anodins dans son entourage, dans son mode de vie, provoquent une augmentation de ses symptômes (activité stéréotypée, agressivité, isolement) ; l'enfant peut être pris pour un malentendant ou un malvoyant ; l'éveil psychomoteur et le développement intellectuel prennent un retard croissant, le langage n'apparaît pas ou est gravement perturbé ; l'absence de socialisation rend la scolarité difficile.

Les causes de l'autisme ne sont pas encore toutes connues. Des origines organiques ont été trouvées depuis une vingtaine d'années : troubles biochimiques, anomalies chromosomiques, syndromes divers dont on commence à mieux comprendre les mécanismes qui les sous-tendent. Des origines psychologiques ont aussi été mises en évidence lorsque l'enfant a été élevé dans un milieu particulièrement carencé sur le plan éducatif et affectif, ou lorsqu'il a été profondément perturbé par son entourage. Heureusement, aujourd'hui, on connaît l'importance des besoins affectifs, relationnels du tout petit enfant. Et les services hospitaliers, les pédiatres, les travailleurs sociaux, les centres de PMI savent mettre en place une prévention efficace.

Les progrès du diagnostic différentiel conduisent à parler non plus de l'autisme mais des autismes en raison de leurs caractéristiques particulières, des variétés de traitement auxquelles ils font appel selon leurs causes. Les origines organiques et psychologiques peuvent aussi s'additionner

Il existe des services de dépistage et de diagnostic dans de nombreux hôpitaux.

Avalé un liquide caustique (l'enfant qui a).

Un liquide caustique (eau de javel par exemple) peut entraîner des brûlures graves de l'œsophage et de l'estomac. L'enfant doit être vu d'urgence en milieu hospitalier. Il ne faut surtout pas essayer de le faire vomir.

Avalé un objet (l'enfant qui a).

L'enfant a avalé un objet, une pièce de monnaie par exemple. Celle-ci peut se diriger dans les voies respiratoires avec un risque d'asphyxie, voir *Étouffe (L'enfant qui)*.

L'objet peut aussi se diriger vers le tube digestif, et ceci est en général sans conséquence. L'objet avalé va cheminer peu à peu tout au long du tube digestif et sera finalement évacué dans les selles. Il n'y a pas d'intervention chirurgicale à prévoir. Le médecin se contente, si l'objet est métallique, de suivre sa progression par des radiographies, et on vérifie l'évacuation dans les selles au bout d'un ou deux jours.

Deux cas peuvent poser problème :

▶ celui d'un objet piquant, type épingle, qui peut rester fixé dans la paroi du tube digestif. Une intervention peut être nécessaire ;

▶ celui d'un liquide caustique (eau de Javel par exemple), voir ci-dessus.

Bb

B.C.G.

Voir *Tuberculose.*

Bec-de-lièvre.

Le terme médical est « fente labio-narinaire et palatine ». Tous les degrés sont possibles entre la simple encoche de la lèvre supérieure et la fente concernant lèvre-nez-palais, réalisant ainsi une large communication entre la bouche et le nez. Il existe des formes familiales de fentes.

Le traitement est souvent progressif : dans un premier temps, on pose une prothèse en plastique, amovible, que les parents apprennent à nettoyer et à remettre en place : la déglutition est ainsi facilitée. Le deuxième temps est celui de la réparation chirurgicale qui se fait à une date variable, selon la malformation.

Les fentes sont parfois dépistées avant la naissance, à l'échographie. Cela permet aux parents de se préparer à cette anomalie de l'enfant, et d'être encadrés par l'équipe médicale.

Plus tard, une surveillance et des traitements éventuels seront nécessaires au plan dentaire, O.R.L. et orthophonique. De toute façon, le pédiatre oriente les parents vers une équipe médicale spécialisée.

Bégaiement.

On parle déjà du bégaiement dans l'Antiquité : on rappelle souvent l'histoire de Démosthène qui avait des difficultés d'élocution et s'exerçait à bien parler en marchant de long en large sur la plage. Mais aujourd'hui encore, l'origine du bégaiement est mal connue. On pense maintenant que ce trouble est dû à la coexistence de facteurs d'origine génétique et de facteurs liés à l'environnement.

Le bégaiement, qui atteint surtout les garçons, concerne 4 % des enfants ; sur quatre enfants touchés, trois vont guérir spontanément, mais si rien n'est fait, le quatrième continuera à bégayer à l'âge adulte.

Le bégaiement est caractérisé par des répétitions (de sons, de syllabes, de mots), des allongements du temps pour émettre un son, des pauses à l'intérieur des mots ou entre les mots.

Entre 2 et 3 ans, beaucoup d'enfants montrent des petites perturbations dans leur expression verbale, des hésitations à exprimer les mots : c'est normal, l'enfant apprend à construire des phrases, il enrichit son vocabulaire, sa pensée va plus vite que sa parole, et il n'a pas encore à sa disposition l'assurance verbale correspondant à ce qu'il veut exprimer et à tout ce qu'il comprend. C'est en général entre 3 et 5 ans qu'on peut faire le diagnostic du bégaiement.

Il est important de ne pas dire à l'enfant : " Fais un effort pour parler comme il faut ", ou " Respire bien, tu vas y arriver ". Il est déconseillé également de faire comme si on ne s'apercevait de rien ou de penser que le trouble va passer tout seul. Ce qu'il faut, c'est en parler au pédiatre qui évaluera le trouble à sa juste mesure ; il conseillera peut-être de consulter un orthophoniste ; ce spécialiste est aujourd'hui bien préparé pour accueillir ces enfants et conseiller leurs parents.

Si un traitement s'avère nécessaire, celui-ci comportera une rééducation orthophonique, associée à de la relaxation en psychomotricité, et parfois un soutien psychologique. L'orthophoniste pourra commencer à aider l'enfant, non pas seulement au niveau du langage, mais aussi sur le souffle, la respiration, la musculature des joues.

Voici une association : Parole et Bégaiement (Internet www.begaiement.org) qui donne aux parents différentes informations. Cette association regroupe des personnes bègues, des parents d'enfants présentant ce trouble et des thérapeutes.

Boiterie.

Un enfant peut se mettre soudainement à boiter simplement parce qu'il est tombé ou a reçu un coup sans qu'on le sache. Cependant, si la boiterie persiste ou réapparaît, il faut montrer l'enfant au médecin, car nombre de maladies sérieuses peuvent être en cause, osseuses et articulaires, localisées à la hanche, au genou, au pied.

Le *rhume de hanche* (voir ce mot) est une maladie bénigne qui entraîne une boiterie disparaissant en quelques jours. Mais cette possibilité ne sera retenue que lorsque toutes les autres auront été éliminées. Il en est de même de la douleur dite « de croissance ».

De toute façon, en cas de boiterie de l'enfant, le médecin fera faire une radiographie des membres inférieurs et du bassin.

Boutons.

Voir *Fièvre éruptive, Impétigo, Peau, Rougeole, Rubéole, Varicelle.*

Bourses.

Voir *Testicules.*

Bronchiolite.

La bronchiolite est une maladie des voies respiratoires, particulière au jeune enfant de moins de 2 ans. Elle est d'origine virale, très contagieuse, survenant l'hiver, par épidémies. Certains facteurs, tenant surtout à l'environnement, peuvent favoriser la bronchiolite : collectivité d'enfants (crèche et hôpital), milieu urbain, tabagisme passif, pollution atmosphérique.

Une gêne respiratoire avec sifflements, semblable à celle d'une crise d'asthme (d'où la dénomination de bronchite asthmatiforme) est le principal symptôme ; s'y associent la toux, une fièvre modérée, une difficulté d'alimentation. La maladie se termine généralement en quelques jours, mais des récidives sont possibles au cours d'un même hiver.

Au-dessous de 6 mois, l'enfant sera très surveillé par le médecin traitant qui pourra décider d'une hospitalisation devant l'apparition de signes de gravité tels que : gêne respiratoire intense, difficulté d'alimentation et troubles digestifs, extrémités bleues et froides, sueurs, pouls très rapide, altération de l'état général, inertie ou agitation, fièvre élevée. Si l'enfant a moins de 3 mois, ou est un ancien prématuré, il faut voir rapidement le médecin ou aller aux urgences.

Le traitement le plus efficace est la *kinésithérapie respiratoire* (voir ce mot) pratiquée par un spécialiste connaissant les techniques de dégagement des voies respiratoires adaptées au jeune enfant. Il faut faire une séance par jour, voire deux en cas d'encombrement important. Il vaut mieux les faire à distance d'un repas, et si possible le soir, pour que l'enfant soit bien dégagé avant de s'endormir. Cette kinésithérapie permet souvent d'éviter l'hospitalisation.

Sont également recommandés : l'humidification de l'air ambiant, une alimentation fractionnée et épaissie, le coucher en position demi-assise.

La transmission virale se faisant par les sécrétions nasales et la salive, mais aussi par les mains, le port d'un masque et les lavages répétés des mains sont recommandés à l'entourage.

Bronchite.

Il arrive qu'un rhume, une grippe se compliquent d'une bronchite. C'est une maladie, elle aussi le plus souvent virale, qui guérit rapidement, sans antibiotiques. C'est pourquoi, si l'enfant tousse – d'abord sec, puis gras – et même avec une fièvre légère, vous ne tarderez pas à consulter le médecin. L'enfant sera gardé à la maison pour éviter une surinfection.

Une kinésithérapie respiratoire est parfois nécessaire pendant quelques jours. La toux peut durer une à deux semaines (voir *Toux*).

Une bronchite qui traîne, qui se répète est souvent la conséquence d'une infection persistante du rhino-pharynx, des sinus, infection qu'il faudra traiter (voir *Rhume, Sinusite, Végétations*), ou de maladies plus générales (Voir *Allergie, Asthme, Mucoviscidose, Reflux gastro-œsophagien*).

Broncho-pneumonie.

Voir *Pneumopathie*.

Brûlures.

Deux éléments entrent en ligne de compte pour évaluer la gravité d'une brûlure : son étendue et sa profondeur.

La gravité immédiate dépend de l'**étendue** de la brûlure à cause du choc qu'elle peut provoquer et de la déshydratation qu'elle entraîne. Il convient donc d'évaluer approximativement cette étendue. Le schéma ci-contre a été fait pour que vous vous rendiez compte des différentes parties du corps chez l'enfant. (Chez l'adulte ces proportions changent) ; au-delà de 5 % de la surface totale du corps, il faut conduire l'enfant à l'hôpital.

La **profondeur** va, quant à elle, conditionner la cicatrisation.

Les brûlures superficielles (1er degré) ne concernent que l'épiderme, c'est-à-dire la couche superficielle de la peau, entraînant une simple rougeur ; elles sont douloureuses mais cicatrisent en une dizaine de jours.

Les brûlures du 2e degré se caractérisent par la présence de bulles ; leur cicatrisation est plus lente, quinze à vingt jours.

La brûlure profonde intéresse la peau, mais aussi les tissus sous-jacents, muscle et os ; la guérison ne sera obtenue que par des greffes.

À surface égale, la profondeur est un élément aggravant. Par ailleurs, certaines localisations font craindre que les cicatrices ne fassent se rétracter la peau : face et cou, plis de flexion (aisselles, coudes…), mains et doigts, poitrine.

Les *causes habituelles* de brûlures chez le jeune enfant sont avant tout les liquides bouillants : l'enfant renverse son bol de chocolat ou de soupe ; son biberon de lait, réchauffé au micro-ondes, est brûlant ; l'enfant a ouvert le robinet d'eau chaude, etc. Les objets chauds que l'enfant peut toucher sont également souvent en cause : la porte du four, la plaque électrique, l'appareil à raclette, le radiateur non protégé, etc.

Cas particuliers : les brûlures par produits ménagers caustiques (eau de Javel, acides…) et les brûlures par l'électricité (prises non protégées…)

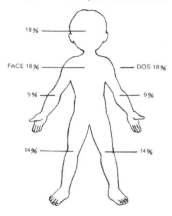

La surface de la peau chez l'enfant

18 %

FACE 18 %   DOS 18 %

9 %   9 %

14 %   14 %

Exemple : la tête (au total) occupe 18 % de la surface

sont localisées aux doigts et à la bouche ; ces brûlures sont peu étendues mais entraînent des lésions en profondeur.

Que faire devant une brûlure ?
"Brûlure : vite sous l'eau" est un slogan de la Société Française d'Etude et de Traitement des Brûlures (SFETB). En effet, le premier geste, quelles que soient la cause et l'étendue de la brûlure, doit être le refroidissement avec de l'eau froide du robinet pendant 5 minutes (eau froide aux alentours de 10 à 15°, mais en aucun cas de l'eau glacée). Ce refroidissement peut être continué plus longtemps, jusqu'à 15 minutes, si la brûlure est peu étendue (moins de 5 % de la surface corporelle). Dans les brûlures étendues, il faut être plus restrictif, car il peut y avoir des risques d'abaissement de la température.

Cette recommandation d'eau froide vous étonnera peut-être, des générations entières ont vécu dans l'idée que le premier geste à faire en cas de brûlure était de mettre un corps gras. Or, dans un premier temps, l'urgence c'est l'eau froide qui va diminuer la profondeur de la brûlure et calmer la douleur. (Vous verrez plus bas que le tulle gras peut être utile dans un second temps.)

Maintenant, voyons plus en détail ce qu'il faut faire selon les cas.

Brûlure étendue : appelez rapidement les secours pendant que quelqu'un, si vous n'êtes pas seul, fera le traitement à l'eau froide indiqué plus haut. Si vous êtes seul, refroidissez d'abord la brûlure, puis téléphonez au service d'urgence (15) ou aux pompiers (18).

N'essayez pas d'ôter ses vêtements à l'enfant, plongez la partie brûlée dans l'eau froide telle quelle.

Et pour la suite on vous dira au téléphone les indications sur ce qui est à faire en attendant le médecin. Si cela est nécessaire, l'enfant sera transféré dans un centre spécialisé où les meilleures conditions de traitement seront réunies (voyez la liste jointe).

Brûlure limitée, peu profonde, de localisation non particulière : d'abord refroidissement à l'eau froide (voir ci-dessus), puis lavage avec une solution antiseptique non alcoolisée (type chlorexidine aqueuse), puis pansement stérile (avec compresse de type « tulle gras » et/ou Biafine) à renouveler tous les jours (après un nouveau lavage antiseptique) ; ne pas mettre d'antiseptique coloré, type mercurochrome, qui risque de troubler – même des spécialistes – dans l'appréciation d'une profondeur de brûlure. Si l'on a un doute, il est prudent de montrer la brûlure au médecin. Une brûlure non guérie en 10-15 jours doit être montrée à un spécialiste, car il s'agit sûrement d'une brûlure plus profonde que prévue.

Contre la douleur, on peut donner à l'enfant les antalgiques habituels (paracétamol). Le médecin prescrira peut-être de la codéine, car les brûlures, même petites, sont très douloureuses. Dans le cas de brûlures étendues, et en milieu hospitalier, des antalgiques plus puissants sont utilisés.

Centres de soins réservés aux brûlés

Bordeaux : Pellegrin
05 56 79 54 62.
Clamart : Percy
01 41 46 60 00.

Lille :
enfants de moins de 3 ans
03 20 44 46 64.
enfants de plus de 3 ans
03 20 44 42 78.
Lyon : Édouard-Herriot
04 72 11 75 98.

Saint-Luc, secteur enfant
04 78 61 89 50.
Marseille : Hôpital Nord
04 91 96 86 65.
Metz : Bonsecours
(brûlures légères)
03 87 55 31 35.
Montpellier : Lapeyronie
04 67 33 82 28.
Nancy : C.H.R.U. Brabois
03 83 15 46 89.

Nantes : C.H.U.-Hôtel-Dieu
02 40 08 35 96.
Paris : Trousseau
(n'accueille que les enfants)
01 44 73 62 54.
Toulouse : Hôpital Purpan
05 34 55 84 72.
Tours : Centre pédiatrique
02 47 47 37 59.

Les centres de brûlés traitent aussi bien les brûlures graves que les petites brûlures.

Cc

Calmants.

L'usage des calmants, somnifères, tranquillisants est en règle générale déconseillé : les troubles du sommeil du petit enfant résultent habituellement de perturbations dans l'environnement ou de causes psychologiques. C'est donc d'abord la cause profonde qu'il faut essayer de déceler afin de la supprimer ; voir aussi *Sommeil (Troubles du)*.

Un traitement sédatif ne sera donné que sur avis médical ; il sera prescrit de manière ponctuelle, pendant un temps très limité, pour passer un cap difficile, sortir d'une situation critique. Il faut se méfier de l'habitude qui conduit rapidement à l'abus.

Candidose.

Voir *Muguet*.

Cardiopathies congénitales.

Ce sont des anomalies du développement du cœur qui se sont constituées durant la vie intra-utérine. Les causes de ces malformations sont le plus souvent inconnues (sauf quelques cas particuliers, par exemple la rubéole et certaines anomalies chromosomiques, comme la trisomie 21).

Il y a différentes sortes de cardiopathies congénitales : parfois l'anomalie concerne les cloisons ou les valves intracardiaques (par exemple les communications interventriculaires), d'autres fois l'anomalie concerne les gros vaisseaux qui partent du cœur (transposition – c'est-à-dire mauvaise position de départ –, communications, rétrécissements plus ou moins étendus).

Certaines cardiopathies se révèlent dès la naissance, ou après quelques jours, par une cyanose ou une défaillance cardiaque, et représentent une menace vitale. D'autres sont silencieuses et bien supportées, et ne sont découvertes que lors d'une auscultation. La *coarctation de l'aorte (sténose)* est une anomalie qui n'est pas exceptionnelle. Elle se dépiste par la diminution des pouls fémoraux (aine). C'est pourquoi le médecin palpe systématiquement ces pouls. Le traitement chirurgical de cette malformation permet une guérison définitive.

Bien qu'il existe encore des malformations non visibles à l'échographie, la plupart sont diagnostiquées avant la naissance. Cela permet une prise en charge précoce : l'accouchement se passe souvent dans un centre spécialisé et l'intervention chirurgicale est faite très rapidement après la naissance.

De grands progrès ont été faits depuis vingt ans tant dans le diagnostic que dans le traitement chirurgical des cardiopathies congénitales. Dans les malformations très complexes, plusieurs interventions seront parfois nécessaires pour donner à l'enfant une autonomie cardiaque satisfaisante, avec parfois la pose d'un pacemaker

Carie dentaire.

Jusqu'à 6 ans, l'enfant a une première dentition : les dents de lait ; mais ne croyez pas que la carie des dents de lait soit sans importance, « puisqu'elles tomberont de toute façon… ». C'est faux : une carie oblige à soigner la dent ou à l'extraire ; or une extraction de dent de lait peut avoir des suites fâcheuses pour la bonne évolution des dents définitives voisines. Sans parler des pénibles séances chez le dentiste que la carie vous réserve…

Un autre inconvénient de la carie : l'enfant mastique moins bien, donc digère mal. Une dent qui ne fait pas son travail fait perdre à la mâchoire une partie de sa capacité de mastication.

Enfin la carie est un foyer microbien qui peut être à l'origine de complications infectieuses générales (fièvre inexpliquée, mauvais état général…). Un soin tout particulier est recommandé chez les enfants qui ont une cardiopathie.

Le meilleur traitement des caries est préventif : apprendre tôt à l'enfant à se brosser les dents, visite systématique chez le dentiste une fois par an, suppression des sucreries, apport de fluor. Le moindre petit point noir sur une dent doit être montré au dentiste. Plus la carie sera soignée tôt, moins le traitement sera long, pénible et coûteux.

Supprimez les sucreries – bonbons, gâteaux qui collent aux dents – entre les repas, particulièrement au coucher. Les mets sucrés pris aux repas sont moins nocifs parce que la salive – abondante lorsqu'on mange – neutralise l'acidité du sucre. Mais les sucreries sont désastreuses avant le sommeil, parce qu'un résidu sucré va séjourner entre les dents pendant toute la nuit.

Le fluor. L'action anticarie du fluor semble démontrée et dans certains pays l'eau est fluorée, de même que le lait ou le sel ; l'apport alimentaire de fluor est assuré par le poisson et certaines eaux de boissons. De plus, on recommande l'usage des dentifrices fluorés, et une dose minime de fluor (sous forme de comprimés ou de gouttes) chaque jour dès les premiers mois et pendant les premières années.

Cauchemars et terreurs nocturnes.

Il arrive qu'en pleine nuit, un enfant s'éveille en sursaut, l'air terrorisé. Il est assis dans son lit, dérouté, comprenant peu à peu que ce qui lui faisait peur n'existe pas, mais encore très troublé : toutes les émotions vécues en rêve sont en effet profondément ressenties par l'enfant. Une fois qu'il se sera rendormi, le reste de la nuit sera sans doute tranquille.

D'autres fois, l'enfant pousse des cris et semble complètement affolé. Parfois même, il sort de son lit, va se réfugier dans un coin de la chambre. Vous lui parlez : il se cramponne à vous. Et pourtant, il n'est pas réveillé et ne vous reconnaît pas. Il répète un mot, ou bien montre du doigt une chose imaginaire. Surtout, ne le réveillez pas, il se calmera sans s'être réveillé ; et, le matin, il ne gardera aucun souvenir de sa nuit.

Que faire s'il est réveillé ? Sur le moment, aller voir l'enfant, lui parler doucement, lui prendre la main, le rassurer d'une voix calme. S'il semble vouloir raconter son rêve, laissez-le l'exprimer pour qu'il s'en délivre, cela le rassurera. Il réclame de la lumière ? Laissez une lumière dans la pièce voisine, dont la porte restera entrouverte, ou mettez une lumière en veilleuse.

À ne pas faire. La pire des maladresses serait évidemment de gronder votre enfant ou de lui faire honte de sa peur. Cela ne servirait qu'à ancrer cette peur en lui-même.

Ne le prenez pas dans votre chambre : inconsciemment, l'enfant aurait dès lors tendance à user de ce moyen pour pouvoir y revenir.

Découvrir la cause. Entre 2 et 5 ans, les petits cauchemars sont fréquents et ne doivent pas inquiéter : ils permettent aux enfants de se libérer des tensions et des conflits de leur journée bien remplie. Mais si les cauchemars se reproduisent trop souvent et envahissent la nuit de votre enfant, il faut en découvrir la cause. Cette cause peut être banale, occasionnelle : le lit de l'enfant est-il assez large pour qu'il y soit à l'aise ? L'enfant n'est-il pas trop serré par ses vêtements ou par les draps ; n'est-il pas trop couvert ? N'a-t-il pas fait un dîner trop copieux ? Ne lui a-t-on pas raconté une histoire effrayante ? N'a-t-il pas vu à la télévision des images qui l'ont troublé ? Votre enfant peut être impressionnable, et ce qui laisse d'autres enfants indifférents peut le troubler, lui.

La cause de ces cauchemars peut aussi être plus subtile et demander un effort de réflexion. Par exemple, il est possible qu'on exige de l'enfant une discipline trop grande ou prématurée : pour ne plus mouiller son lit, pour être sage, etc. Ou bien, l'enfant souffre peut-être à cause d'un frère ou d'une sœur qui se moque de lui. Ou encore, l'ambiance autour de lui, l'activité de ses journées sont trop excitantes : il manque de calme, de silence.

Si rien de cela ne vous paraît à retenir et que les cauchemars persistent, n'attendez pas que l'enfant finisse par prendre en horreur la nuit, le sommeil et son lit : parlez-en au médecin, qui peut-être dirigera l'enfant vers un psychologue.

Pour tâcher de comprendre ce qui se passe dans la tête d'un enfant qui a peur la nuit, qui refuse de dormir ou qui se réveille en sursaut, il faut savoir ce que représente la nuit pour le jeune enfant : la nuit est séparation, parce qu'on est seul dans son lit, loin de ceux qu'on aime ; elle est destruction, parce qu'on ne voit plus les objets familiers, ni les visages, et qu'on n'est pas très sûr qu'ils existent encore.

Ce n'est pas un médicament qui réglera le problème, mais une grande vigilance de votre part et les conseils d'un spécialiste si nécessaire. Voir aussi *Sommeil (Troubles du)*.

Cheveux absents ou qui tombent chez le nourrisson.

Bien des mères s'inquiètent parce que leur bébé est chauve, du moins sur une certaine partie du crâne, celle qui repose directement sur l'oreiller. Cette absence de cheveux, due simplement au frottement, est normale. Bien sûr, d'autres enfants conservent leurs cheveux ; celui qui les perd les a probablement plus fragiles, pour l'instant, et peut-être garde-t-il plus souvent que d'autres la même position, en particulier sur le dos.

Lorsqu'il ne s'agit plus d'un bébé, devant un enfant qui perd ses cheveux, on pense d'abord à un tic d'arrachage, ou torsion du cheveu (trichotillomanie).

À noter que certaines maladies (typhoïde) ou certains médicaments font tomber les cheveux.

Très différentes (et bien plus rares) sont les plaques de peau nue qui apparaissent en n'importe quel point du cuir chevelu, et qui sont dues à un champignon microscopique (teigne). Il faut reconnaître et stopper cette infection le plus tôt possible, d'autant plus qu'elle est contagieuse.

Enfin, chez l'enfant à partir de 2 ans, la chute des cheveux, souvent localisée en plaques (pelade) peut être liée à une perturbation psychologique.

Compte tenu de toutes ces éventualités, un enfant qui perd ses cheveux doit être montré au médecin.

Choc, chute.

Si l'enfant a perdu connaissance, s'il vomit, si du sang coule par sa bouche, son nez ou ses oreilles, s'il a des mouvements anormaux, appelez le 15. En attendant le médecin, observez ces recommandations :

▸ remuez l'enfant le moins possible ;

▸ avec de grandes précautions, couchez l'enfant sur le côté, la bouche orientée vers le sol pour que, si l'enfant vomit ou saigne du nez, l'écoulement ne se fasse pas vers les bronches ;

▸ ne lui donnez ni boisson, ni nourriture.

Fracture d'un membre. Si vous ne constatez aucun des symptômes indiqués plus haut, ni rien d'anormal à première vue, assurez-vous qu'il n'y a pas fracture d'un membre. Pour cela, manipulez doucement le bras, l'avant-bras, le poignet, la jambe, le pied. Si l'enfant semble ne plus pouvoir se servir d'un de ses membres, si le fait de toucher un membre lui cause une douleur violente, une radiographie sera nécessaire.

Une fracture chez un enfant qui a fait une chute peu grave, ou des fractures à répétition sont signes que ses os manquent de solidité. Dans ces cas, le médecin conseillera un bilan plus approfondi.

Chute sur la tête. Si l'enfant a perdu connaissance, même brièvement, il sera conduit d'urgence à l'hôpital. Il pourra y être examiné et surveillé quelques heures.

Pendant les jours (et les nuits) qui suivent, vous serez attentif à ces symptômes : vomissements, fièvre, convulsions, pâleur de plus en plus accentuée et persistante, sommeil troublé – soit somnolence continuelle, soit insomnie.

La première nuit, une surveillance continue est nécessaire (c'est d'ailleurs pourquoi le médecin conseille souvent une courte hospitalisation – au moins 24 heures) : il faut, de temps en temps, appeler l'enfant pour s'assurer qu'il se réveille ; en effet, si une hémorragie intracrânienne se déclarait, l'enfant pourrait passer du sommeil au coma sans qu'on s'en aperçoive.

D'autres symptômes sont inquiétants : changement brusque d'humeur – l'enfant peut paraître soudain indifférent à tout, ou au contraire être très agité ; troubles visuels – il peut, par exemple, se mettre à loucher, maladresse d'un membre. Dans ces différents cas, appelez le médecin d'urgence, ou le 15.

L'enfant est tombé sur un objet pointu. Ou bien c'est le bras ou la jambe qui est touché : en ce cas, il n'y aura rien d'autre qu'une hémorragie ; ou bien c'est la tête, le ventre ou le dos qui a heurté l'objet pointu : en ce cas, appelez le médecin. Si c'est le ventre, faites uriner l'enfant : s'il n'urine pas, ou si les urines sont rouges, vous le signalerez immédiatement au médecin. L'objet a pu léser les reins, la rate ou l'intestin à travers la paroi abdominale. Une échographie abdominale devra être pratiquée.

Si l'enfant est blessé au visage, au menton. S'il y a plaie, il y aura cicatrice. Or, une cicatrice peut être inesthétique et le demeurer. Par exemple, un enfant qui glisse et tombe sur le menton risque de garder toute sa vie un bourrelet inesthétique. Il est donc préférable de montrer l'enfant à un médecin ou de le conduire à l'hôpital, où on lui fera un ou plusieurs points de suture. En attendant, lavez la plaie à l'eau, débarrassez-la des impuretés (terre, sable, etc.), puis badigeonnez-la avec un antiseptique.

Simple écorchure. Lavez, aseptisez comme il est dit plus haut « Soigner son enfant ».

Que faire devant un bleu, une bosse ? Une compresse d'eau froide, ou un cube de glace (enveloppé d'un linge), peuvent atténuer la douleur ; un pansement compressif et/ou un peu d'arnica favoriseront la disparition de l'enflure. De toute façon, l'ecchymose et l'enflure disparaîtront en quelques jours. (Voir « Soigner son enfant ».)

Choc anaphylactique.

C'est la manifestation la plus grave de l'allergie. Elle se caractérise par l'apparition brutale d'un malaise intense (pâleur, sueurs, pouls rapide), parfois associé à de l'urticaire et des œdèmes. Ces symptômes apparaissent dans les minutes qui suivent le contact avec le facteur déclenchant. Le cas typique est celui de la piqûre d'hyménoptère (abeille, guêpe, frelon), mais de nombreux allergènes peuvent être en cause, par exemple alimentaires ou médicamenteux.

Le choc anaphylactique est une urgence extrême. Appelez le 15. Sans attendre les secours, il faut faire une injection d'adrénaline : il existe des préparations auto-injectables que l'entourage de tout enfant à risque doit avoir dans sa pharmacie et savoir utiliser. Sinon, allongez l'enfant, surélevez les membres inférieurs (par un gros oreiller ou une chaise).

Voir *Allergie*

Chromosomes (aberration chromosomique).

Les chromosomes sont au nombre de 46 dans chaque noyau cellulaire. Ils sont appariés 2 à 2 en 23 paires identiques, dont la moitié provient du père, l'autre moitié de la mère. Deux chromosomes sont particuliers. Il s'agit des chromosomes sexuels qui sont XX chez la femme, et XY chez l'homme. Les chromosomes sont le support du *code génétique* qui définit l'hérédité de chaque individu. Les chromo-somes sont bien visibles au microscope lors de la division cellulaire durant laquelle il prennent la forme de bâtonnets de tailles différentes. On peut alors les photographier, les classer par ordre de taille et numéroter les 23 paires établissant ainsi le *caryotype* de l'individu, c'est-à-dire la carte d'identité de ses chromosomes.

Les *aberrations chromosomiques* sont des erreurs du nombre de chromosomes dans une cellule. Elles sont mises en évidence sur le caryotype qui compte un chromo-some en trop (comme dans le trisomie 21 où il existe 3 chromo-somes sur la paire 21 au lieu de 2), ou un chromosome en moins (monosomie). La plupart des aberrations chromosomiques ne sont pas viables et aboutissent à un avortement spontané précoce. (Voir *Trisomie 21*)

Lorsque l'aberration chromosomique porte sur la paire des chromosomes sexuels, elle est compatible avec la vie. On peut avoir une formule X0 (un seul chromosome X), c'est le syndrome de Turner, donnant des filles de petite taille souvent stériles ; ou une formule XXY (un chromosome X supplémentaire), c'est le syndrome de Kleinfelter, donnant des garçons longilignes, stériles. Voir *Turner* (syndrome de).

Dans certains cas, l'aberration est plus complexe : lorsqu'un chromo-some prend une forme de boucle (chromosome en anneau) ; ou lors-qu'une partie d'un chromosome s'est rompue, et que le fragment détaché s'est accroché sur un autre chromosome (translocation chromo-somique). Lorsque ces aberrations sont « équilibrées », c'est-à-dire qu'il n'y a pas de matériel génétique en trop, ou en moins, au total dans la cellule, elles n'ont pas de retentissement clinique, l'enfant est normal. Mais à la génération suivante, ces chromosomes modifiés peuvent être transmis, entraînant un excès ou un défaut de matériel génétique responsable de maladies. Les techniques d'analyse fine du caryotype peuvent mettre en évidence, au sein d'un chromosome, des fragments surajoutés (trisomie partielle), ou des fragments manquants (monosomie partielle ou délétion).

Les aberrations chromosomiques touchent généralement toutes les cellules d'un individu car il s'agit d'un accident génétique survenu lors de la fécondation : le spermatozoïde, ou l'ovule a apporté une quantité anormale (en plus ou en moins) de chromosome. Parfois, cet accident génétique survient dans la cellule après plusieurs divisions cellulaires d'un œuf normal au départ. Cette cellule porteuse d'une aberration chromosomique peut être détruite, ou bien donner une population de cellules avec un caryotype anormal. L'individu porteur de ces cellules a une formule chromosomique sur le caryotype qui est normale pour certaines cellules, anormale pour d'autres. On parle alors de *mosaïque*.

Sauf dans le cadre des chromosomes sexuels (syndrome de Turner, syndrome de Kleinfelter) et des aberrations équilibrées, les aberrations chromosomiques sont presque toujours responsables de troubles sévères, malformations multiples, déficience mentale. Voir aussi *Génétiques (maladies)*.

Circoncision.

Cette intervention, qui consiste à supprimer le prépuce, est faite systématiquement dans les jours qui suivent la naissance dans la religion juive et plus tardivement chez les musulmans ; et elle est également souvent faite dans certains pays pour des raisons d'hygiène ; sinon la circoncision est pratiquée dans les cas indiqués à l'article *Phimosis* (voir ce mot).

Coliques bénignes du nourrisson.

Les coliques dites « bénignes » du nourrisson sont fréquentes, mais déroutantes pour les parents, en raison de leur persistance et de l'inefficacité habituelle des traitements proposés.

Les coliques bénignes se caractérisent par :

- leur date d'apparition : dès les premières semaines ;
- la description d'un enfant qui souffre par crises intermittentes :

cris violents, agitation, abdomen distendu, jambes repliées, émissions de gaz qui parfois marquent la fin de l'accès ; la durée des crises est variable, de quelques minutes à plusieurs heures ;

- la répétition des crises, plutôt dans la seconde moitié de la journée, mais parfois après chaque tétée ;
- leur résistance aux différents traitements ;
- enfin leur disparition à partir du 3e/4e mois.

Ces crises douloureuses, inexpliquées, sont source d'inquiétude pour l'entourage, anxiété que perçoit le nourrisson. Mais, le développement du bébé est satisfaisant et la courbe de poids correcte.

L'examen médical ayant éliminé toute cause organique de cris et pleurs du nourrisson (voir page 373), les coliques bénignes restent sans cause connue. On invoque parfois une intolérance aux constituants du lait (lactose, protéines, voir pages 356 et 398). La distension gazeuse semble être le trouble le plus déterminant.

Connaissant l'évolution spontanément favorable des coliques bénignes, il faudra s'armer de patience devant l'inefficacité des changements de laits et des médicaments antispasmodiques.

L'administration de pansements intestinaux permet parfois de réduire les gaz ; malheureusement ils entraînent souvent une constipation ; c'est pourquoi ils ne sont prescrits qu'aux bébés ayant des selles molles ou liquides.

Lorsque les parents voient leur bébé pleurer et souffrir, ils essaient de trouver des gestes qui l'apaisent : le bercer, le câliner, le porter. Il faut signaler que le massage abdominal et certaines positions sont parfois efficaces : on couche momentanément le bébé sur le côté gauche, avec les jambes repliées.

Coliques de l'enfant au lait maternel.

Le lait maternel est un lait à transit digestif rapide pouvant entraîner une sensation de faim persistante, des selles nombreuses,

liquides, irritantes, accompagnées de coliques et de pleurs. C'est une situation fréquente, qui ne doit pas faire interrompre l'allaitement. Ces coliques disparaissent en général en quelques semaines.

Côlon irritable.

On appelle en pédiatrie *côlon irritable* un état de réactivité excessive du gros intestin qui se manifeste chez le nourrisson par une diarrhée chronique, en dehors de toute infection ou intolérance alimentaire caractérisée (voir *Diarrhée chronique*).

L'enfant a des poussées de selles liquides, abondantes, ou des selles molles, qui contiennent parfois des résidus alimentaires visibles. Ces poussées de selles sont parfois provoquées par des aliments, tels que jus d'orange, légumes verts, etc. Cet état n'entraîne pas d'altération de l'état général : appétit et courbe de poids sont bons et en général, vers l'âge de 3-4 ans, l'enfant guérit.

Chez l'enfant plus grand, les troubles peuvent néanmoins persister, sous une forme différente : la diarrhée fait place à la constipation ou à une alternance diarrhée-constipation, avec crises douloureuses.

Conjonctivite.

C'est une irritation, une inflammation ou une infection de la partie antérieure du globe oculaire. Très souvent, au cours d'un rhume, l'enfant a les yeux rouges. Cette affection disparaîtra quand le rhume sera guéri.

Si, en dehors de tout rhume, l'enfant avait de la conjonctivite – blanc des yeux rouge, yeux qui coulent, paupières collées par le pus, spécialement le matin au réveil – il faudrait le faire examiner par le médecin. En attendant, lavez doucement à l'eau bouillie tiède.

Dans les premières semaines de la vie, une infection persistante des yeux doit faire penser à une légère anomalie du canal lacrymal (canal des larmes), qui sera facilement corrigée par le spécialiste ophtalmologiste.

Conjonctivite du nouveau-né

L'infection oculaire du nouveau-né, par contamination lors de l'accouchement, a pratiquement disparu grâce à l'instillation préventive de nitrate d'argent à la naissance. Mais en raison de la résistance de certains microbes au nitrate (*chlamydia*), on utilise plutôt aujourd'hui une pommade ou un collyre ophtalmique antibiotique (cycline).

Symptôme de rougeole.

Au cours d'un rhume avec fièvre et toux, des yeux très rouges doivent faire penser à la rougeole (voyez ce mot), et aussi à certaines infections virales.

Constipation.

Quand peut-on dire qu'un enfant est constipé ?

Lorsque ses selles sont dures et sèches, souvent fragmentées en petites billes, et lorsqu'elles sont rares – tous les deux ou trois jours seulement. Mais si les selles dures sont un signe certain de constipation, les selles rares peuvent être normales : certains enfants ne vont à la selle que tous les deux jours. On ne peut donc parler avec certitude de constipation tant que la consistance reste normale.

Chez le nouveau-né (le premier mois), la constipation doit toujours inquiéter. Le médecin sera consulté sans attendre pour vérifier qu'il n'y a pas d'obstacle au transit intestinal (1), ou que la constipation n'est pas liée à une maladie digestive nécessitant un régime ou un traitement.

Chez le nourrisson, c'est avant tout une affaire de régime : le bébé nourri au sein est très rarement constipé. Même s'il n'a pas une selle tous les jours, cette selle est molle. S'il y a constipation chez lui, elle provient soit d'une ration de lait insuffisante, soit d'une constipation de la maman. Dans le premier cas, la courbe de poids est ralentie, et l'enfant pleure après les tétées ; il faudra compléter par un biberon, suivant les indications du médecin. Dans le second cas (constipation de la maman), il faudra varier le régime de la mère, tout en évitant cependant les laxatifs et les purgatifs.

Chez le nourrisson nourri au biberon, la constipation est fréquente. Il faut d'abord vous assurer que vous avez bien suivi les prescriptions concernant le choix du lait, la dilution de celui-ci et la quantité à donner à l'enfant. Si la constipation persiste, il faudra en parler au médecin.

Si l'enfant a moins de 3 mois, le médecin remplacera peut-être le lait par un lait acidifié ou plus riche en lactose. Si c'est un enfant plus âgé, le médecin conseillera de diversifier le régime par l'introduction de légumes et de fruits. Le médecin conseillera également de préparer le biberon avec une eau minérale ayant des propriétés laxatives. On peut également remplacer le sucre ordinaire par du miel ou de la dextrine-maltose. Une cause fréquente de constipation est la perte d'eau par transpiration dans les appartements surchauffés. Pensez à donner régulièrement à boire de l'eau à l'enfant.

Chez l'enfant plus grand, le problème est le même que la constipation des adultes. Voyons ce qui peut causer la constipation et, d'abord, en quoi elle consiste.

Après avoir séjourné de deux à quatre heures dans l'estomac, les aliments pénètrent dans les intestins. Leur voyage à travers ceux-ci (6 mètres d'intestin grêle, 1,50 mètre de gros intestin chez l'adulte, même proportion chez le petit enfant) va durer entre dix et vingt heures. Au cours de ce voyage, les parois de l'intestin absorberont tout ce qui peut être utile à l'organisme. Ce qui restera en fin de compte et sera expulsé dans les selles, ce sont les déchets inassimilables, dont la plus grande partie consiste en cellulose provenant des enveloppes des fruits et des légumes. Comment les aliments progressent-ils dans l'intestin ? Grâce aux mouvements de celui-ci, qui sont déclenchés et entretenus par le volume même du contenu intestinal. Selon leur genre et selon leur volume, les aliments progressent plus ou moins vite ; également selon l'activité du corps.

Il y a constipation lorsque le voyage (le « transit intestinal ») est trop long, parce que la selle a le temps de se dessécher et de durcir.

Conclusion : préférons les aliments qui voyagent vite (laits acidifiés) et ceux qui laissent un déchet important (fruits, légumes, céréales) aux aliments qui voyagent lentement (lait de vache ordinaire, laits concentrés) et à ceux qui laissent peu de déchets (sucre, chocolat, viande).

Des causes fréquentes de constipation temporaire sont liées à toute maladie qui entraîne fièvre, perte de l'appétit, séjour au lit.

La *constipation chronique* peut être inapparente car l'enfant va à la selle tous les jours ou presque. La constipation se révèle alors souvent par des accès de douleurs abdominales qui ne disparaîtront qu'après le traitement de la constipation (évacuation du côlon, au besoin par un lavement).

Très souvent, la constipation s'entretient elle-même : l'enfant, qui a mal quand il va à la selle, parce que ses selles sont dures, se retient.

Certains états psychiques (anxiété, agressivité) ou des réactions à des conflits dans la famille peuvent être à l'origine de la constipation. Il est important d'en faire rapidement le diagnostic afin d'éviter à l'enfant et à sa famille des traitements qui se prolongeraient inutilement.

À l'enfant constipé il faut donner à boire, largement, aux repas et en dehors des repas : de l'eau ou des jus de fruits frais ; à manger : des légumes verts, des fruits très mûrs, et tout particulièrement des pruneaux, de la rhubarbe, des marmelades et compotes. Dans la cuisine, remplacer le beurre par une huile végétale. Assaisonner la salade à l'huile d'olive. Supprimer le chocolat ; remplacer le sucre par du miel.

Les médicaments ne seront donnés qu'avec l'accord du médecin.

À l'occasion – car il ne faut pas laisser un enfant plus de trois jours sans aller à la selle – les moyens suivants pourront être utiles : un suppositoire de glycérine pour enfant, une cuillerée à café d'huile de paraffine (2). Ces moyens sont indiqués aussi lorsque les selles, dures, font souffrir l'enfant. Mais ils ne sont qu'un traitement ponctuel et ne guérissent pas la constipation.

À l'égard de la constipation, ayez une attitude décontractée : c'est un trouble bénin, qui n'est sérieux que dans la mesure où il affecte l'appétit et donc fait fléchir la courbe de poids ; ensuite, dramatiser une constipation, c'est la prolonger : du jour où l'enfant se rendra compte qu'on surveille avec inquiétude ses selles, soyez certains que sa constipation résistera à tous les traitements.

Continuez à mettre l'enfant sur le pot chaque jour, sans y attacher un intérêt trop visible et ne l'y laissez pas plus de dix minutes. Ne le grondez pas s'il n'y a pas de résultat, et évitez d'en parler en sa présence.

1 - En particulier le *mégacôlon* congénital, voir ce mot.
2 - Attention au thermomètre : son introduction est souvent efficace, surtout chez un enfant très jeune. Mais ce geste est déconseillé car il peut entraîner des hémorragies de la muqueuse.

Convalescence.

Aujourd'hui, la plupart des maladies aiguës (infectieuses en particulier) durent moins longtemps, elles sont moins graves grâce aux traitements modernes ; elles sont donc moins fatigantes et ne nécessitent pas toute cette période de soins, de précautions, qu'on considérait il y a quelques années comme très importante pour le retour à la vie normale.

À titre d'exemple, la durée moyenne de séjour (toutes maladies confondues) dans un service de pédiatrie est actuellement de quatre à cinq jours ; il y a une dizaine d'années, elle était de quinze jours à trois semaines.

Après une maladie, ou un court séjour à l'hôpital, on peut proposer à l'enfant un rythme plus souple. Par exemple, plutôt qu'un retour rapide à l'école, on peut remettre l'enfant chez la nourrice pendant quelques jours, ce qui le fatiguera moins. Sur le plan psychologique, la douleur, la peur, l'éventuel éloignement à l'hôpital, quelles que soient la durée et la gravité de la maladie, peuvent laisser des traces ; chez certains on peut noter une régression : l'enfant suce son pouce, il redevient bébé, il veut qu'on le gâte.

Du côté des frères et sœurs, il y a aussi un temps de réorganisation nécessaire ; que l'enfant ait été hospitalisé ou non, frères et sœurs ressentent les soins particuliers dont le petit malade est entouré, cela peut provoquer tensions et conflits.

J'ajouterai une observation personnelle : comme d'autres épreuves, la maladie est parfois une étape de maturation. Par exemple, un enfant peut avoir manqué l'école pendant toute une semaine et au retour se remettre très vite à flot et même avoir fait des progrès pendant son absence, et sur le plan physique – parfois il a grandi – et sur le plan intellectuel – souvent il est plus mûr.

En cas de maladie grave de l'enfant ou de maladie chronique, les parents seront soutenus et conseillés par la (le) psychologue du service de pédiatrie.

Convulsions fébriles.

(Également appelées convulsions hyperthermiques ou hyperpyrétiques).

Chez le nourrisson, surtout entre 6 mois et 2 ans, les convulsions fébriles sont relativement fréquentes.

La convulsion fébrile est une convulsion provoquée par la fièvre. Toutes les causes de fièvre peuvent donc être source de convulsions, particulièrement des maladies banales telles que rhino-pharyngites, otites, bronchites, si fréquentes chez le jeune enfant.

Les convulsions fébriles surviennent dans la période où le système nerveux encore immature est particulièrement sensible, c'est-à-dire, comme nous le disions plus haut, environ entre 6 mois et 2 ans.

Ces convulsions fébriles peuvent avoir tendance à se répéter : en fait, théoriquement, chaque nouvelle poussée de fièvre représente un risque mais la brusquerie de l'élévation de la température paraît être le facteur déclenchant le plus important. Par ailleurs, il semble exister une prédisposition familiale.

Les symptômes de la convulsion fébrile. L'enfant pâlit brusquement, perd connaissance, le corps se raidit et les yeux sont révulsés. Au bout de quelques secondes apparaissent les

secousses qui peuvent atteindre les quatre membres et le visage. Cet état se prolonge quelques minutes puis cesse ; l'enfant reprend alors une respiration bruyante tandis que son corps s'affaisse. La perte de conscience a été complète et la crise sera suivie d'un sommeil plus ou moins long.

Ces symptômes sont souvent très atténués et la crise est difficile à identifier quand elle se borne à un court accès de raideur, à quelques secousses musculaires plus ou moins localisées, à une brusque perte de tonus avec chute, à un bref moment d'arrêt de la conscience (l'enfant semble ne pas entendre, ne pas voir), à un simple accès de pâleur. Dans ces formes atténuées, le fait que l'enfant ait eu les yeux révulsés prouve bien qu'il a perdu connaissance.

La convulsion est un phénomène très impressionnant, parfois même effrayant, pour les parents. Mais heureusement la convulsion fébrile est brève et sans gravité en soi.

En présence d'une convulsion fébrile, la conduite à tenir rejoint les indications données pour faire baisser rapidement la température (voir page 342) : d'abord, découvrir l'enfant ; le rafraîchir, utiliser un médicament antithermique (paracétamol) sous forme de sirop ou de sachet car ainsi il agit plus vite. Le médecin appelé complétera les soins indiqués plus haut par les médicaments susceptibles d'arrêter la crise si elle n'a pas cessé spontanément et de l'empêcher de se reproduire.

L'administration de valium intra-rectal permet d'arrêter la crise qui dure plus de cinq minutes.

Après la crise, le médecin demande en général aux parents d'emmener l'enfant à l'hôpital car des examens sont nécessaires. Il faut découvrir la cause de la fièvre ; cette cause est souvent banale *(rhino-pharyngite, infection virale)* ; mais la fièvre est parfois provoquée par une infection grave *(infection urinaire, infection méningée)* qu'il faut traiter.

Par ailleurs, lorsqu'un enfant a présenté une convulsion fébrile, à la moindre poussée de fièvre, il faudra lui administrer les médicaments antithermiques en suivant strictement l'horaire préconisé, et il faudra penser à le découvrir. L'administration préventive de valium est aujourd'hui de moins en moins prescrite.

Un traitement anti-convulsif continu sera parfois prescrit en présence de facteurs qui favorisent les convulsions : âge inférieur à un an, crise particulièrement longue (secousses convulsives pendant plus de 10 à 15 minutes), répétition des crises, anomalies à l'électro-encéphalogramme, antécédents familiaux d'épilepsie. Ce traitement est administré de manière quotidienne, et pendant un à deux ans. Il est très bien toléré.

La crise est spectaculaire et impressionnante, elle peut entraîner une hospitalisation, et donc provoquer une inquiétude bien compréhensible de l'entourage. Mais la crise passée, on laissera l'enfant reprendre une vie normale.

Convulsions sans fièvre.

Beaucoup plus rare que la convulsion par hyperthermie, la convulsion sans fièvre a une tout autre signification. De nombreuses maladies peuvent se manifester ainsi, soit du fait d'un trouble biologique (tels que la chute du sucre ou du calcium sanguins), soit du fait d'une lésion cérébrale. Quand aucune cause ne peut être trouvée, on entre dans le cadre de l'*épilepsie* (voir ce mot).

Coproculture.

C'est un examen des selles destiné à mettre en évidence une infection intestinale. Le médecin le demande souvent en cas de diarrhée importante avec fièvre afin d'identifier le microbe responsable et de tester la sensibilité aux antibiotiques. Le résultat demande plusieurs jours de délai. La recherche de virus dans les selles est beaucoup plus difficile et peu courante.

Coqueluche.

Grâce aux vaccinations, la coqueluche est devenue rare, mais elle n'a pas disparu chez les enfants non vaccinés correctement, ou non encore vaccinés : elle reste une maladie longue et toujours éprouvante pour l'enfant et son entourage.

Après le contact avec un porteur de coqueluche, l'incubation est d'environ huit à dix jours. Les premiers symptômes sont peu caractéristiques : l'enfant a un rhume, il a peu de fièvre, il tousse ; et c'est cette toux qui ne guérit pas, mais au contraire s'accentue, qui attire l'attention.

Au bout de quinze jours, la toux survient par quintes. Lors d'une quinte, le visage de l'enfant se congestionne, les yeux sont rouges et larmoyants ; la fin de la quinte est marquée par une inspiration profonde, appelée « chant du coq ». Souvent l'enfant rejette alors par la bouche un liquide épais et visqueux, difficile à évacuer. Cette expectoration le fait parfois vomir.

Le nombre de quintes est variable au cours des 24 heures, de quelques-unes à plusieurs dizaines ; et plus ces quintes sont nombreuses, plus la maladie est grave. L'évolution générale se fait sur deux à trois semaines, parfois plus, puis les quintes s'atténuent et disparaissent.

Une fièvre élevée lors d'une coqueluche fait envisager une complication, essentiellement respiratoire (foyer pulmonaire, etc.).

La coqueluche est peu accessible aux antibiotiques, et le traitement s'occupera surtout des symptômes : traitement de la toux et calmants généraux, kinésithérapie respiratoire (voir ce mot).

Les quintes survenant à n'importe quelle heure, il faut alimenter l'enfant quand on le peut, à la demande, après la quinte.

La coqueluche du nourrisson (au-dessous de 6 mois) est grave car les quintes peuvent provoquer des pauses respiratoires plus ou moins longues, et le bébé risque l'asphyxie. Par prudence, un nourrisson ayant la coqueluche sera donc placé sous surveillance en milieu hospitalier, au moins pour un certain temps.

La vaccination contre la coqueluche n'est pas obligatoire car le vaccin était accusé d'effets secondaires (fièvre, parfois convulsions, troubles neurologiques). Néanmoins, elle est proposée en association avec les autres vaccins (tétracoq et pentacoq). Actuellement, le vaccin contre la coqueluche est préparé différemment (sur un mode acellulaire), il a ainsi moins d'effets secondaires. On conseille de faire un rappel tous les 10 ans et éventuellement de revacciner les adultes.

Le vaccin peut se faire à partir de l'âge de 2 mois.

Après le contact avec un contagieux, l'administration précoce de gamma-globulines, avant l'apparition des quintes, peut empêcher la maladie ou en tout cas l'atténuer si elle survient.

Les antibiotiques stoppent la contagiosité, bien qu'ils n'aient aucun effet sur la toux de la coqueluche.

Cordon ombilical : rougeur ou suintement.

Chez le nouveau-né, pendant les quinze premiers jours, le cordon ombilical doit être surveillé. Tout suintement, toute rougeur doivent être immédiatement signalés au médecin. De même, tout écoulement de sang ou de pus au moment où le cordon ombilical tombe, ou même plus tard. Il peut arriver qu'un bourgeon plus ou moins charnu se constitue. Le médecin le fera disparaître par une ou plusieurs applications de crayon de nitrate d'argent. Il est normal que l'ombilic soit un peu saillant, et particulièrement lorsque l'enfant crie.

Voyez aussi *Hernie ombilicale*, page 394

Corps étranger.

On désigne sous ce terme général tout objet introduit accidentellement dans les voies naturelles. L'accident est fréquent dans les premières années où l'enfant échappe facilement à la surveillance, même la plus attentive.

Le plus souvent, le corps étranger est introduit dans le nez, l'oreille, les voies respiratoires et digestives, parfois les organes génitaux (vagin, urètre).

Les corps étrangers les plus fréquents sont d'origine végétale ou minérale : cacahuètes, noisettes, haricots, petits cailloux… Ou encore métallique ou plastique : perle, bille, fragments de jouet, crayon…

L'adulte peut avoir assisté à l'accident ; il prend alors les mesures qui s'imposent (voir page 381, l'enfant qui étouffe). Mais, dans certains cas, l'événement est passé inaperçu. Il faudra y penser devant l'écoulement purulent persistant d'une oreille ou d'une narine, devant des pertes vaginales, en face d'une toux ou d'épisodes bronchiques répétés, parfois asthmatiformes.

Le corps étranger dans les voies respiratoires (larynx, trachée, bronches) est la situation la plus grave ; elle a été développée à l'article *Étouffe (l'enfant qui)* (page 381). Le corps étranger dans les voies digestives a été traité page 361 à l'article *Avalé un objet (l'enfant qui)*.

Coup de chaleur.

Le jeune enfant, et plus particulièrement le nourrisson, est très sensible à l'élévation de la température ambiante. L'excès de chaleur constitue une véritable menace qui aboutit à ce qu'on appelle le coup de chaleur.

Le coup de chaleur est une forme particulière de *déshydratation aiguë* (voir ce mot), sans diarrhée. La perte de liquide se fait dans ce cas par la transpiration abondante qui dans un premier temps permet à l'enfant de lutter contre l'élévation de la température. Si cette perte n'est pas compensée par un apport suffisant en eau, la déshydratation s'installe, la transpiration diminue, la température de l'enfant s'élève.

Le coup de chaleur est donc dû d'abord à l'élévation de la température ambiante ; il survient habituellement en été chez un enfant trop habillé ou bien resté dans un milieu clos, par exemple une voiture en plein soleil et vitres fermées. Cependant, le coup de chaleur peut aussi survenir en hiver : l'enfant a un rhume, est un peu fiévreux, il est trop couvert. L'appartement est surchauffé.

Quelle que soit la saison, un coup de chaleur peut donc survenir si on ne donne pas suffisamment à boire à l'enfant.

Quels sont les symptômes du coup de chaleur ? Dans un premier temps, la transpiration de l'enfant est abondante, il est très agité, il a une soif intense ; ensuite, très rapidement, l'enfant se déshydrate, sa température peut dépasser 40°.

Que faire en cas de coup de chaleur ? D'abord, par tous les moyens, essayer de rafraîchir l'enfant : bain frais (2 à 3 degrés au-dessous de la température de l'enfant), enveloppements frais, (voir au début de ce chapitre, « Soigner son enfant »). Il faut aussi donner un médicament contre la fièvre (paracétamol). Et, bien sûr, donner beaucoup à boire à l'enfant (des boissons fraîches).

Si la température ne baisse pas, si l'enfant reste agité, ne pas hésiter à consulter le médecin ou à emmener l'enfant à l'hôpital.

Cela dit, le coup de chaleur est typiquement l'accident qu'on peut éviter en observant les mesures préventives indiquées au début de cet article : ne pas trop couvrir l'enfant, le faire boire, etc.

Coup de soleil.

Le coup de soleil n'est rien d'autre qu'une brûlure au premier ou —plus rarement— au deuxième degré. Sa gravité dépend de la profondeur et de l'étendue de la *brûlure* (voyez cet article).

Le coup de soleil se traduit par une rougeur de la peau, douloureuse, plus ou moins étendue selon la surface exposée. Cette rougeur apparaît au bout de quelques heures. Le coup de soleil peut donner de la fièvre, des troubles du sommeil et, chez le nourrisson, des troubles digestifs.

Le traitement comporte habituellement : des pulvérisations d'eau froide ; un antalgique (doliprane) ; une pommade apaisante (Biafine, vendue en pharmacie). Dans les cas graves, le recours au médecin s'impose.

Sur les bienfaits et les dangers du soleil, voir le chapitre 3, page 153.

Coupure.

La coupure peu profonde. Premiers soins à donner : se laver les mains, puis nettoyer la plaie à l'eau et au savon. Ensuite badigeonner avec une compresse imbibée de désinfectant (type Bétadine). Ne mettre un pansement que si la plaie risque d'être souillée, ou exposée aux frottements. S'assurer que la vaccination antitétanique est à jour.

Surveillez la plaie chaque jour. Si vous constatez qu'elle devient rouge, qu'elle enfle, qu'elle suppure, montrez-la au médecin. Une plaie en voie de cicatrisation est sèche, propre et non douloureuse.

Coupure à un doigt. Ne serrez pas le pansement trop fort. L'air doit pouvoir circuler autour de la plaie, et le sang dans le doigt.

Attention aux cicatrices disgracieuses. Une coupure au visage, à la main, aux bras ou aux jambes peut laisser une cicatrice disgracieuse si elle est profonde. Mieux vaut, dans certains cas, demander à un médecin ou à un chirurgien de faire quelques points de suture plutôt que de laisser la plaie se cicatriser d'elle-même.

La coupure grave qui saigne abondamment. Voir *Hémorragie, Plaies*.

Craniosténoses.

À la naissance, les os du crâne sont séparés par des zones non ossifiées, larges de quelques millimètres, les sutures, qui permettent l'expansion de la boîte crânienne (qui suit elle-même le développement du cerveau). Rappelons que ce développement est très rapide : le volume cérébral double de la naissance à 6 mois, triple à 2 ans, atteint 4/5 de son volume final à 4 ans.

Les sutures crâniennes sont nombreuses, mais les deux principales sont la suture transversale (en arrière du front) et la suture longitudinale (d'avant en arrière au sommet du crâne).

En leurs points de rencontre, les sutures s'élargissent pour former les fontanelles : la plus importante est la fontanelle antérieure ou grande fontanelle ; celle-ci se ferme entre 8 et 18 mois, et les sutures se soudent entre 2 et 3 ans.

La fusion trop rapide des sutures, ou craniosténose, modifie le développement du crâne, et par conséquence, dans les formes graves, celui du cerveau.

Quand toutes les sutures sont atteintes, la craniosténose est totale et entraîne *microcéphalie* (voir ce mot) et atrophie cérébrale. C'est la surveillance régulière du périmètre crânien (voir page 329) qui permet de la dépister. Quand une seule suture est atteinte, il y a simplement une déformation cranio-faciale sans retentissement cérébral.

Les craniosténoses peuvent être isolées, ou associées à d'autres malformations (des membres et des extrémités en particulier).

Le traitement des craniosténoses est chirurgical ; il n'est indiqué que dans les formes sévères qui risquent d'entraîner une atteinte du cerveau : les signes d'alarme sont des troubles oculaires (baisse de l'acuité visuelle, strabisme), qui doivent être dépistés par une surveillance régulière.

Cris du nourrisson.

À l'âge où l'enfant ne parle pas encore, ses cris représentent son moyen de communication, son langage. Ils sont sa manière à lui de dire qu'il est mal à son aise ou qu'il a mal : ses cris expriment besoin, désir, douleur, peur, etc. Chaque cri, selon ce qu'il signifie, a des caractéristiques différentes qui permettent de distinguer très nettement :
— le cri de la faim : vigoureux, puissant, inlassable ;
— le cri de la douleur aiguë : strident, d'intensité proportionnelle à la douleur qui le provoque ;
— le cri de la douleur continue : monotone, grave, incessant ;
— le cri de chagrin, mêlé de sanglots.

Les parents acquièrent vite une connaissance des cris de leur enfant ; ils distinguent les cris les uns des autres selon leurs caractéristiques (voir ci-dessus), leur horaire, mais aussi leur contexte, c'est-à-dire l'ensemble des signes qui les accompagnent : coloration du visage, mimiques, posture, rythme respiratoire, etc. Par exemple les cris qui se répètent tous les soirs à la même heure sont vraiment des cris de la « colique » du premier trimestre (voir *Colique bénigne du nourrisson*). L'enfant peut aussi crier parce qu'il a eu peur, après un bruit violent ou une chute bénigne. Et les parents se rendent bien compte que lorsque l'enfant se met à crier tout à coup, ou à gémir, c'est qu'il souffre. Par exemple, il peut s'agir d'une *otite*, d'une *invagination intestinale aiguë*, d'une *hernie étranglée*, d'une *méningite* (voir ces mots). Attention au gémissement, au petit cri plaintif répété, qui est un vrai cri de souffrance et de maladie, et qui impose une consultation en urgence. Là aussi il peut s'agir d'une otite, d'une invagination, d'une méningite.

Croissance.

Voir au début de ce chapitre.

Croûtes sur la peau chez le nourrisson.

La peau, organe protecteur, a beaucoup moins d'épaisseur chez le nourrisson qu'elle n'en aura par la suite. Elle est donc beaucoup plus sensible et s'infecte plus facilement. C'est pourquoi les affections de la peau, à cet âge, sont nombreuses et variées. A tel stade de l'une ou de l'autre de ces affections, il peut y avoir des croûtes. Pour vous aider à vous y reconnaître, nous avons groupé à l'article *Peau*, d'une manière aussi claire que possible, tous les symptômes qu'il peut vous arriver de remarquer sur la peau de votre enfant, avec des conseils utiles pour chacun d'eux. Voyez aussi *Impétigo*.

Croûtes sur la tête.

(Appelées parfois croûtes de lait.)

Voir chapitre 1 : « Questions annexes sur la toilette et le bain ». Il faut passer de la vaseline sur les croûtes le soir, et, le lendemain, les peigner et les nettoyer avec un shampoing. Si les croûtes persistaient, le médecin vous prescrirait un traitement plus efficace.

Cyanose du nourrisson.

La cyanose est la coloration bleue, plus ou moins intense, de la peau. Quand elle est discrète, elle peut n'apparaître qu'au niveau des doigts et des lèvres. La cyanose s'apprécie en comparant la couleur des ongles de l'enfant à ceux de sa maman (ou d'une autre personne) : la teinte est plus foncée. Elle témoigne d'une insuffisance d'oxygénation du sang qui peut être d'origine respiratoire ou cardiaque. Une cyanose légère des extrémités peut être due au froid qui entraîne une contraction des petits vaisseaux. Elle peut également être due à la fièvre, il est donc important de prendre la température.

Quand la cyanose est permanente, souvent présente dès les premiers jours de la vie, le médecin envisagera une malformation cardiaque (enfant bleu).

Si la cyanose est intense et d'apparition brusque, elle traduit une insuffisance respiratoire aiguë (asphyxie par corps étranger, laryngite, infection respiratoire). Voir *Cardiopathies congénitales*.

Il faut citer aussi la cyanose liée à une intoxication par les nitrites (eau polluée).

Dd

Dartre.

C'est un terme imprécis qui désigne une irritation de la peau, particulièrement au niveau des joues. Cette irritation peut correspondre à un *impétigo*, un *eczéma* (voir ces mots), une intolérance de contact, une *mycose*.

Déficit immunitaire

C'est une atteinte de certaines cellules du sang, de ces cellules qui ont pour rôle de fabriquer les anticorps chargés de défendre l'organisme contre les virus et les bactéries. La forme la plus connue est ce qu'on appelle l'*immunodéficience acquise* due au virus du sida (voir ce mot).

Mais il existe des formes congénitales provoquées par une anomalie génétique de ces cellules. Ce type de déficit immunitaire est rare et il est en général connu dans la famille.

Assez rapidement après la naissance, le nourrisson souffre de graves infections, ce qui oblige à l'hospitaliser fréquemment. Le diagnostic de la maladie se fait par des examens de sang et l'enfant est orienté vers un service d'hématologie très spécialisé.

Les enfants présentant les formes les plus sévères de déficit immunitaire vivent en isolement complet : ce sont « les enfants bulles ». Pour eux, la thérapie génique, c'est-à-dire une intervention directe dans les gènes, représente un grand espoir.

Mais il existe des déficits immunitaires qui sont *transitoires*, en particulier après certaines maladies comme la rougeole, la mononucléose, etc. Voici ce qui se passe : après avoir été atteintes par le virus de ces maladies, les cellules chargées de fabriquer les défenses de l'organisme, ne vont pas fonctionner pendant un ou deux mois. L'enfant est alors plus fragile, plus sensible à d'autres infections. Puis tout rentre spontanément dans l'ordre.

Délire au cours de la fièvre.

Votre enfant a 40° de fièvre. Au milieu de la nuit, il crie ou vous appelle. Vous allez à son chevet. Vous le trouvez agité, tenant des propos sans suite, vous montrant des objets ou des êtres imaginaires qui lui font peur ou le font rire. Rassurez-vous, le délire au cours de la fièvre est fréquent et n'est pas grave. Il convient avant tout de faire baisser la fièvre par les moyens qui vous sont indiqués à l'article *Fièvre*.

Dents.

Troubles de la percée dentaire : la percée des dents de lait s'accompagne souvent de troubles plus ou moins sérieux ; localement, de l'irritation et de la douleur, qui rendent l'enfant grognon et agité et ont un fâcheux effet sur son appétit et son sommeil.

Les joues parfois deviennent rouges, les gencives gonflent, l'enfant salive ; il met ses poings dans sa bouche.

Il arrive aussi qu'un érythème fessier coïncide avec la percée des dents.

Voici ce qui calmera peut-être votre bébé :
— une croûte de pain, une biscotte, un « biscuit de dentition », ou un « anneau de dentition » ;
— aux endroits où la gencive est enflée, des frictions douces avec un baume ou un sirop, ou un morceau de glace enveloppé dans un mouchoir fin ; éventuellement un peu d'aspirine. L'état général est troublé lui aussi : l'enfant a parfois la diarrhée, parfois de la fièvre. Par ailleurs, un enfant sujet aux convulsions risque d'en avoir à cette occasion si la température s'élève.

Il est difficile de savoir si c'est la percée des dents qui provoque la fièvre ou si une maladie fébrile stimule la percée : c'est en ce sens qu'on peut parler de « bronchite dentaire ».

De toute manière, il ne faut pas mettre sur le compte de la poussée dentaire les symptômes qui appartiennent à une autre maladie (otite par exemple). Ce sera le rôle du médecin d'éliminer après examen les autres possibilités.

Les traumatismes dentaires : si votre enfant, à la suite d'un coup ou d'une chute, se casse une dent, ou si elle bouge, il est nécessaire de consulter rapidement un dentiste qui pourra, dans certains cas, préserver la dent (par exemple la réimplanter). Un petit « truc » utile en attendant de conduire l'enfant chez le dentiste : maintenir la dent en place avec du chewing-gum.

Que faire pour qu'un enfant ait de bonnes dents ? D'abord, le nourrir convenablement : les dents étant faites notamment de calcium et de phosphore, il faut que l'enfant trouve ces minéraux dans sa nourriture. Le lait, le fromage, les œufs, les légumes les lui fourniront. La vitamine D, le soleil sont également nécessaires. Ensuite, apprenez à votre enfant à se brosser les dents et évitez les causes de *carie* (voir ce mot).

Dépression.

Dépression du bébé. On parle rarement de la dépression des bébés tant il est difficile d'associer à un tout petit un terme déjà lourd à porter pour les adultes. Ce mot fait peur aux parents, mais même les professionnels de la petite enfance ont mis du temps à accepter qu'un bébé qui ne communique pas avec son entourage, ou passif, est un bébé déprimé.

On ne doit pas confondre la dépression du jeune enfant et l'*autisme* (voir ce mot). Et pourtant, il est important de la déceler pour la soigner. Or un bébé déprimé n'alarme pas facilement l'entourage : il est « trop » sage, il ne dérange pas, il pleure rarement, il ne réclame rien. Cette tristesse, qui n'est pas le calme d'un bébé tranquille en train de jouer, doit alerter comme son regard vague et fuyant, qui n'attend rien des autres.

La dépression d'un bébé peut traduire des perturbations affectives profondes, elle peut provoquer un sentiment d'insécurité et d'abandon qui peut laisser des troubles durables dans le développement naissant de la personnalité ; ces troubles peuvent resurgir plus tard. Mais surtout, la dépression exprime que votre enfant est malheureux. Cela peut vous décourager, provoquer en vous une culpabilité, un désarroi tels que vous le solliciterez moins, que vous ne répondrez pas à ses besoins, sans en avoir d'ailleurs totalement conscience.

Si le comportement de votre bébé vous inquiète, consultez votre pédiatre. La dépression d'un bébé peut avoir une cause organique, traduire un malaise physique plus complexe qu'il n'y paraît (par exemple l'intolérance au gluten). Il peut aussi arriver que votre bébé réagisse à vos soucis, à un passage difficile de votre vie. « Comment pourrait-il s'en rendre compte ? » disent certaines lectrices, « on dirait qu'il comprend mais pourtant ce n'est pas possible. » Si, parce que le bébé ressent émotionnellement et sensoriellement avec beaucoup de force que son entourage n'éprouve plus la même joie à sa présence. Il n'est pas toujours facile de séparer l'enfant de ses propres difficultés.

L'important est de se faire aider : parlez-en au médecin, ou à la consultation de PMI, ou aux professionnels qui s'occupent d'organismes tels que la Maison Verte (voir adresses dans le chapitre suivant).

Dépression chez les plus grands. La dépression chez les bébés est souvent difficile à accepter et à cerner. Il n'en est pas de même à partir de deux ans, lorsqu'on est habitué à voir un enfant de cet âge en pleine découverte du monde, du langage, de l'imitation des adultes et des petits camarades. S'il ne joue plus, s'il reste isolé, ou errant d'un endroit à l'autre sans but, pour s'asseoir ou se coucher de longs moments, s'il perd sourires et joies, si aux colères et aux larmes de détresse ont succédé le renoncement, la résignation, on peut mieux accepter le diagnostic de dépression. En fait, chez le grand enfant, c'est essentiellement le changement d'humeur et de comportement qui alertera.

En grandissant, d'autres signes apparaissent, à l'école ou à la halte-garderie : telle petite fille, si coquette, ne réclame plus d'être coiffée, ne tend plus ses mains salies pour être lavées. Tel petit garçon, toujours prêt à « chiper » la petite voiture de l'autre ou à l'échanger contre un autre trésor, va de groupe en groupe, s'assoit, se balance un peu, ou tourne une mèche de ses cheveux, sans plus d'intérêt… Comme pour le tout-petit, la dépression est toujours plus grave que les manifestations de « mauvais caractère », d'agressivité et de turbulence, pourtant si mal tolérées !

Il ne faut pas hésiter à consulter un spécialiste pour chercher avec lui les causes possibles de dépression et les traiter à plusieurs niveaux : lorsque des médicaments sont prescrits, il s'accompagnent toujours d'un soutien psychologique.

Déshydratation aiguë (toxicose).

La perte d'eau peut menacer la vie du bébé.

En effet, l'eau représente 80 % du poids du corps de l'enfant. Ainsi, un nourrisson de 5 kg a dans son organisme plus de 4 litres d'eau ; si cet enfant perd 500 g en 24 heures, ce qui peut arriver en cas de déshydratation, cela repré-

sentera un dixième de son poids. C'est comme si un adulte de 70 kg perdait 7 kg en une journée. Cette perte peut résulter de troubles digestifs (diarrhée, vomissements). Elle peut survenir également à la suite d'une élévation de la température avec transpiration excessive et si l'on n'a pas donné suffisamment à boire à l'enfant (voir *Coup de chaleur*).

C'est avant un an, et surtout avant 6 mois, que la déshydratation aiguë est redoutable.

Les causes de la déshydratation sont le plus souvent digestives ; l'origine est une infection ou une intoxication alimentaire, ce qui provoque diarrhée et vomissements.

Mais la déshydratation peut être due à une erreur d'alimentation, en particulier dans la dilution des biberons, à une élévation persistante de la température, ou, plus rarement, à un diabète ou à des troubles métaboliques.

Comment reconnaît-on qu'un bébé est déshydraté ? Le comportement de l'enfant change, il devient apathique, voire somnolent, il gémit faiblement, son visage est anxieux, pâle, les yeux sont cernés, le teint gris, la fontanelle est déprimée, il n'y a plus d'urines dans la couche (c'est difficile à vérifier en cas de selles très liquides).

Un signe caractéristique de la déshydratation aiguë est la « persistance du pli cutané » : si l'on pince entre deux doigts la peau de l'abdomen, la peau ne reprend pas immédiatement sa place normale, le pli tarde à s'effacer, comme le ferait un linge mouillé. Ce signe correspond à une déshydratation importante, égale ou supérieure à 10 % du poids du corps. Quand la déshydratation est encore modérée, inférieure à 5 %, tous ces signes sont évidemment moins marqués et c'est en pesant l'enfant qu'on pourra constater et chiffrer la perte de poids par comparaison à un poids antérieur récent.

La déshydratation sera d'autant plus facile à dépister que l'enfant présente des troubles digestifs, comme de la diarrhée ou des vomissements.

Le traitement de la déshydratation à son début est donc le même que celui de la diarrhée aiguë : suppression du lait et réhydratation de l'enfant. Pour le réhydrater, on lui fait boire des solutions toutes prêtes vendues en pharmacie (voir *Diarrhée aiguë*).

Ces préparations sont données d'abord par petites quantités fréquentes, mais pour que la réhydratation soit efficace, il faudra que la quantité totale bue soit de 150-200 ml par kg de poids, et par 24 heures.

Ainsi, un bébé de 5 kg devra boire au moins 3/4 de litre en 24 heures.

En général, ce traitement est suffisant. Mais, dans certains cas, l'enfant refuse de boire et la diarrhée persiste. Le médecin envisage alors une réhydratation par voie veineuse ; celle-ci sera réalisée et surveillée en milieu hospitalier.

L'important est de savoir qu'une déshydratation progresse vite : en quelques heures l'enfant peut être dans un état alarmant si des mesures ne sont pas prises. La déshydratation, malheureusement très fréquente dans les pays en voie de développement, est devenue relativement rare dans les pays occidentaux ; c'est essentiellement dû à l'amélioration des conditions de vie et au fait que les parents savent comment réagir. Il est rare aujourd'hui qu'une diarrhée soit négligée, et la déshydratation est traitée dès son début ; cependant il existe encore des cas graves, quand le traitement est insuffisant ou trop tardif.

Diabète.

Le diabète provient de l'impossibilité pour l'organisme d'assimiler le sucre (glucose) apporté par l'alimentation. Cette impossibilité est due à l'absence d'insuline, qui est une hormone pancréatique. Il en résulte de nombreux symptômes : faim, soif excessives contrastant avec un amaigrissement, urines abondantes et fréquentes. En l'absence de traitement il y a un risque de coma, avec acétone dans les urines. Le diabète est décelé par la présence de glucose dans les urines et par son taux élevé dans le sang. Lors d'une consultation, le médecin peut facilement déceler cette présence de glucose en mettant une bandelette au contact des urines. Le diagnostic est immédiat.

Le diabète de l'enfant nécessite un traitement très précis, qui ne peut se limiter à la seule surveillance du régime : on a recours à l'insuline qui permet l'utilisation du glucose et qui doit être administrée quotidiennement en plusieurs piqûres.

Le diabète est une maladie familiale. Si vous avez un diabétique dans votre famille, vous devez donc signaler le fait au médecin.
Association française des diabétiques,
58, rue Alexandre Dumas, 75544 Paris CEDEX 111, tél. : 01 40 09 24 25.
Aide aux jeunes diabétiques, 17, rue Gazan, 75014 Paris, tél. : 01 44 16 89 89.

Diarrhée aiguë.

Dans la diarrhée, les selles sont plus nombreuses qu'à l'ordinaire, et surtout leur consistance est différente : leur aspect va de la selle molle, mal moulée, à la selle grumeleuse, mêlée de fragments alimentaires, jusqu'à la selle franchement liquide. Parfois les selles sont sanglantes ou purulentes et la diarrhée s'accompagne de fièvre.

La fréquence, la gravité et le traitement de la diarrhée sont différents selon qu'il s'agit du nourrisson ou de l'enfant après 18 mois-2 ans.
Le bébé nourri au sein : il est normal qu'il ait cinq à six selles et même plus par jour, de couleur jaune, de consistance molle ou grumeleuse, ou même liquide ; il s'agit de selles normales qui sont liées au caractère du lait maternel qui traverse rapidement le tube digestif. Les selles ne nécessitent pas de traitement particulier et ne doivent pas inquiéter tant que l'enfant boit bien et a une courbe de poids qui progresse ; elles peuvent cependant entraîner de petites coliques et être irritantes au niveau du siège ; cette consistance peut être atténuée en donnant, par exemple, un peu d'eau bicarbonatée ou de l'eau de chaux. La mère peut continuer à allaiter, mais elle veillera à ne prendre ni laxatif, ni aliments qui puissent provoquer la diarrhée.
Le bébé nourri au biberon : chez lui, la diarrhée, même bénigne en apparence et à son début, doit au contraire être prise très au sérieux. En effet, la diarrhée la plus banale peut aboutir, si elle est négligée, à un état grave de *déshydratation aiguë* (voir ce mot). La perte d'eau et de sels minéraux (sodium, potassium) par les selles représente en effet la principale cause de déshydratation chez le nourrisson.

Si l'enfant a plusieurs selles liquides en quelques heures, même si son état général semble satisfaisant, il ne faut pas tarder à faire appel au médecin. Ce que les parents redoutent le plus, c'est la coloration verte ; en fait, ce qui doit vraiment inquiéter, c'est la selle liquide émise en jet.
Plus l'enfant est jeune, plus il est urgent de voir un médecin. On établira un poids de base (le bébé étant pesé complètement déshabillé) pour surveiller l'évolution dans les heures ou les jours qui suivent.

Que faire ? Avant même toute consultation médicale, arrêter l'alimentation normale en supprimant complètement le lait (sauf le lait maternel), et mettre l'enfant à une diète liquide, sans lait. On lui fera donc boire par petites quantités répétées et tout au long de la journée, des préparations contenant du glucose et des sels minéraux, préparations vendues en pharmacie et qui seront prescrites par le médecin. Ces préparations sont à reconstituer avec un volume d'eau précis.

Après l'âge de 5-6 mois, on ajoutera à ces liquides des aliments à vertu antidiarrhéique, tels que la pomme râpée crue, la banane écrasée, la gelée de coings.

Les quantités totales de liquide qui doivent être données par 24 heures sont importantes : 150 ml par kg de poids au moins, mais en petites quantités de 20 à 30 ml fréquemment répétées.

Cette diète hydrique a pour but de compenser les pertes en eau et en sels minéraux.

Si ce traitement est efficace, la diarrhée s'arrête et l'enfant peut avoir de nouveau une alimentation normale car il n'est pas bon de prolonger la diète hydrique au-delà d'un jour ou deux. Ce retour à la normale devra cependant être progressif, étalé sur trois ou quatre jours : le lait sera peu à peu réintroduit ; parfois un lait spécial est prescrit pour une durée limitée.

Important. La diarrhée aiguë s'accompagne souvent de fièvre et de vomissements. Il peut s'agir d'une **gastro-entérite**, dont le virus en cause est le plus souvent le rotavirus. La gastro-entérite n'est pas grave en soi, mais les vomissements empêchent l'enfant de se nourrir et les risques de *déshydratation* sont très importants. N'hésitez pas à consulter à nouveau, même au bout de quelques heures, si l'enfant a de nombreuses selles et ne peut s'alimenter. L'enfant sera alors hospitalisé, il sera réhydraté par voie veineuse, ce qui permettra à son intestin de se mettre au repos, et lui évitera de se fatiguer inutilement.

Signalons qu'il est assez fréquent, lors du retour à l'alimentation normale, que la diarrhée réapparaisse ; il faut alors revenir en arrière un ou deux jours, et si la rechute se produit, le médecin envisagera les problèmes posés par une intolérance transitoire aux différents composés du lait (voir *Diarrhée chronique*).

Après une gastro-entérite l'enfant peut avoir un colon irritable et ne pas bien digérer. Dans ce cas, le médecin prescrira pendant quelques jours des pansements coliques à base d'argile (ce sont des médicaments à prendre par voie orale).

Le médecin vérifiera que l'enfant reprend du poids, ce qui est le signe de la guérison.

Après vous avoir indiqué le traitement de la diarrhée aiguë, nous vous en donnons maintenant les causes.

Les causes de la diarrhée aiguë
- La cause la plus fréquente est la gastro-entérite virale. La gastro-entérite se manifeste en général par de la diarrhée, des vomissements et de la fièvre. Mais un seul symptôme peut être présent, la diarrhée par exemple.
- En cas de sang et de glaire dans les selles, le médecin recherchera une cause bactérienne ou parasitaire, surtout après un séjour à l'étranger. Le diagnostic sera fait par la coproculture. Un traitement approprié sera administré à l'enfant. Les germes les plus fréquents sont les salmonelles et les shigelles. La transmission se fait par l'eau et par les mains des personnes contaminées.
- La diarrhée accompagne parfois une infection O.R.L., l'otite en particulier. Les selles sont liquides, mais pas trop fréquentes. Elles redeviennent normales lorsque l'enfant reçoit un traitement pour soigner l'infection.

De nos jours, les erreurs de régimes sont devenues rares mais restent possibles :
- dilution insuffisante du lait ou trop grande quantité de lait ;
- aliments tels que viande, légumes, œufs introduits trop tôt ou en trop grande quantité, ou encore dans une période mal choisie : par exemple lors d'une maladie, voire d'une simple poussée dentaire ; excès de farine.

Quelques **précautions** essentielles peuvent éviter l'apparition de la diarrhée chez l'enfant et son aggravation :
- respectez les règles d'hygiène dans la préparation des biberons ;
- évitez au bébé tout contact avec des enfants ayant une gastro-entérite ;
- interrompez l'alimentation lactée dès l'apparition des premières selles diarrhéiques.
Voir aussi *Coproculture, Déshydratation, Diarrhée chronique, Gastro-entérite*.

Diarrhée chronique.

Dans la recherche des causes de diarrhée persistante ou récidivante, on a de plus en plus tendance à incriminer l'intolérance au lait de vache. Cette intolérance peut être constitutionnelle ou acquise, définitive ou passagère ; elle peut être due aux protéines ou aux sucres.

L'intolérance la plus fréquente concerne les protéines. Le mécanisme est mal connu, mais il se rapproche de celui de l'allergie : dès les premiers jours où l'enfant boit du lait industriel, il manifeste des symptômes graves – choc, urticaire, ou plus souvent une diarrhée qui cesse dès qu'on supprime le lait et réapparaît dès que l'enfant en boit à nouveau. Le traitement est donc simple : on supprime le lait de vache courant, on le remplace par un lait spécial dans lequel les protéines ont été modifiées. Cette intolérance s'atténue et même disparaît vers 1-2 ans (voir *Intolérance aux protéines du lait de vache*). La réintroduction du lait se fait en milieu hospitalier, pendant une journée, afin de surveiller l'enfant.

Une autre intolérance, également fréquente, concerne le saccharose, c'est-à-dire le sucre qu'on met dans les biberons, celui que l'on trouve dans les petits pots. Parfois l'intolérance – plus rare – est due au lactose, sucre naturel qui se trouve dans le lait maternel et dans le lait de vache.

Les intolérances aux sucres sont en général temporaires et se voient dans les suites de diarrhées infectieuses. Plus rarement, elles sont constitutionnelles et se manifestent dès les premiers biberons de lait. Enfin, l'intolérance peut être due à une protéine qu'on trouve dans les farines de céréales : le gluten (voir ce mot).

Dans tous ces cas, des laits et régimes étudiés pour supprimer le constituant en cause (protéines, sucre, gluten) font disparaître les symptômes et assurent une croissance satisfaisante ; mais tout écart de régime provoque une rechute.

D'autres maladies peuvent entraîner une diarrhée chronique par défaut de la digestion intestinale (voir *Mucoviscidose*).

Diphtérie.

Cette maladie, si redoutable jadis, est heureusement devenue exceptionnelle de nos jours grâce à la vaccination. Elle peut néanmoins se voir encore chez des enfants non vaccinés, ou lorsque les vaccinations sont négligées (comme en Russie, ou dans d'autres pays de l'Europe de l'Est).

Chez un enfant non vacciné , toute angine grave nécessite de faire un prélèvement de gorge à la recherche du bacille diphtérique.

Doigts (blessure des).

En cas de blessure grave des doigts ou de la main, et notamment si un doigt est complètement sectionné, il faut transporter d'urgence l'enfant dans un service spécialisé dans la chirurgie de la main. Le doigt sectionné sera recueilli dans une compresse et placé dans un sac plastique entouré de glaçons.

Douleur.

La douleur de l'enfant est un symptôme qui alerte. Mais une fois le symptôme reconnu, il est nécessaire de ne pas laisser souffrir l'enfant inutilement, il n'a pas toujours les moyens de demander qu'on le soulage. Il ne faut pas hésiter à demander au médecin, une fois que l'examen médical est fait, le diagnostic porté, de prescrire aussi des médicaments contre la douleur. Le traitement de la douleur est souvent simple, les médicaments antalgiques sont les mêmes que ceux de la fièvre : le paracétamol ou l'ibuprofène. Les doses sont d'ailleurs les mêmes dans les deux indications. On peut ainsi agir de deux manières sur l'inconfort de l'enfant malade et lutter à la fois contre la douleur et contre la fièvre.

Des antalgiques puissants (morphine et dérivés) peuvent être utilisés chez l'enfant dans des cas graves, selon des doses très précises, en général en milieu hospitalier.

Dans les services de pédiatrie, on utilise maintenant une pommade (Emla) pour une anesthésie de la peau de courte durée. Cette pommade est vendue en pharmacie sur prescription médicale et est proposée pour insensibiliser la peau avant une prise de sang et certains vaccins.

Douleurs de croissance.

Toute douleur dans les membres survenant chez un enfant doit être signalée au médecin, surtout si elle se répète ou si elle dure. Avant de parler de douleurs de croissance, il convient d'éliminer un certain nombre de maladies sérieuses. Notez tous les symptômes : angine récente ; température de l'enfant ; mauvais état général ; amaigrissement ; tendance aux saignements ; et, aux endroits douloureux : chaleur, rougeur, gonflement.

Drépanocytose ou anémie drépanocytaire.

Cette maladie est très répandue chez les Noirs originaires d'Afrique, d'Amérique et des Antilles (fréquence qui peut atteindre de 1 à 3 %), et à un moindre degré dans le Bassin méditerranéen et au Proche-Orient.

La drépanocytose est due à une anomalie de l'hémoglobine : cette anomalie entraîne une déformation caractéristique, en faucille (1), des globules rouges qui s'agrègent et bouchent les petits vaisseaux. Cette « falciformation » s'accentue quand la teneur en oxygène diminue ; elle provoque une anémie importante et permanente, et des crises douloureuses, liées à l'obstruction des vaisseaux (crises occlusives), qui peuvent toucher différents territoires ou organes : abdomen, poumons, reins, rate, squelette (vertèbres, hanche, mains, pieds…). Les enfants atteints de drépanocytose sont également très sensibles aux infections (spécialement à pneumocoques et salmonelles) : méningites, pneumonies, ostéomyélites, septicémies.

Autres complications : calculs biliaires, troubles de la fonction rénale (souvent urines abondantes et énurésie), retard de croissance, retentissement psychologique (du fait de l'absentéisme scolaire). Parfois, l'anémie peut s'aggraver brusquement, mettant la vie en danger.

La drépanocytose est une maladie héréditaire transmise par l'alliance de deux parents, chacun étant porteur d'une anomalie partielle qui chez eux n'entraîne aucun symptôme. Le diagnostic néonatal peut se faire dans les familles à risques ; il permet alors une surveillance précoce pour éviter la survenue de complications. Lorsque la maladie est connue dans la famille, un diagnostic anténatal pourra être proposé.

Malheureusement, il n'y a actuellement aucun traitement spécifique. Les enfants drépanocytaires doivent être suivis médicalement de manière régulière et précise. L'effort porte sur la prévention des crises en évitant des causes favorisantes : fatigue, froid, altitude (supérieure à 1 500 m (2), mauvaise hydratation. On essaie également de prévenir les infections par les vaccins et les antibiotiques. Les crises douloureuses intenses nécessitent l'hospitalisation d'urgence.

1- D'où le nom de la maladie, en grec faucille se dit *drepanon*.

2- Les voyages en avion sont permis seulement sur les grandes lignes internationales (cabines pressurisées).

Ee

Eczéma (Dermatite atopique).

Cet eczéma survient sur un terrain familial particulier, appelé terrain atopique, qui concerne également l'*allergie* et ses manifestations cutanées et respiratoires : asthme, *rhinite* (voir ces mots).

L'eczéma apparaît dès les premiers mois (deuxième ou troisième mois en moyenne). Il est facilement reconnu par l'aspect, la localisation et l'évolution des lésions. L'aspect est celui de petites plaques rouges surmontées de fines vésicules qui se rompent rapidement, puis se dessèchent ; une démangeaison intense et permanente oblige l'enfant à se gratter, il est agité et il dort mal.

Chez le nourrisson, l'eczéma se localise avant tout sur la tête (pommettes, front, menton), parfois le cou, la poitrine, le dos des mains. À partir de 18 mois-2 ans, l'eczéma se situe surtout aux plis de flexion des membres : coude, genou ; la peau dans son ensemble est sèche et granuleuse.

L'évolution de l'eczéma se fait par poussées, séparées d'intervalles plus ou moins longs ; une infection microbienne vient parfois le compliquer et le prolonger. L'eczéma peut durer des mois ; mais souvent à partir de 18 mois, une amélioration franche est observée ou tout au moins une forme plus limitée et moins envahissante (seuls les plis de flexion sont concernés) : parfois l'eczéma disparaît, mais il peut être remplacé par de l'asthme.

La cause première de l'eczéma est rarement retrouvée ; cependant, dans quelques cas, une allergie alimentaire peut être responsable (lait, blanc d'œuf, blé...).

Le traitement est long, souvent décourageant du fait des rechutes ; c'est un traitement local basé sur les dérivés de la cortisone dont les modalités d'utilisation (choix, concentration du produit, durée) seront préconisées par le médecin ; on luttera contre la sécheresse de la peau par des crèmes hydratantes, contre la surinfection par des antibiotiques, contre l'agitation et l'insomnie par des sédatifs légers. En cas d'allergie constatée d'un aliment particulier, un régime supprimant cet aliment peut entraîner une amélioration spectaculaire. L'homéopathie peut être également efficace dans le traitement de l'eczéma.

En ce qui concerne les vaccins, ils peuvent être faits, mais en dehors des poussées et avec des précautions particulières comme chez les enfants allergiques ; le BCG peut être pratiqué, mais sera retardé si les lésions sont trop étendues.

Enfin, dernière recommandation : un enfant ayant de l'eczéma doit être mis à l'abri de tout contact avec une personne porteuse d'un herpès buccal, sous peine de graves complications.

Eczéma de contact.

Par opposition au précédent, c'est une maladie locale due à la sensibilité particulière de la peau à un agent extérieur ; cet eczéma reste en général limité aux zones de contact : mains, pieds, visage, oreilles... ; on connaît ainsi des eczémas (ou allergies) au nickel (boucles d'oreilles), au caoutchouc (jouets, ballons...), aux peintures, produits de maquillage... Dans ce cas, il faudra supprimer tout contact avec le produit responsable.

L'eczéma est fréquent pendant les deux premières années. Il peut être léger (derrière les plis des genoux) ou étendu à tout le corps. Il n'est pas grave le plus souvent, mais il entraîne des démangeaisons et donc des risques de surinfection. Pour cette raison, on évite de mettre sur la peau du bébé tout produit pouvant être responsable d'allergie immédiate ou plus tardive. C'est pourquoi l'huile d'amandes douces est déconseillée.

Electrocution.

Si un enfant a mis les doigts dans une prise de courant et ne peut les retirer, coupez le courant au compteur au lieu d'essayer de retirer l'enfant, car vous seriez électrisé vous-même. S'il est électrocuté par un fil électrique, écartez celui-ci avec un bâton ou un objet non conducteur. Si l'enfant ne respire plus, il faut pratiquer immédiatement la respiration artificielle (page 421) et appeler les secours (15 ou 18). Attention à la rallonge branchée qui traîne par terre ; votre enfant peut la porter à sa bouche et s'électrocuter gravement.

Encoprésie.

Lorsqu'un enfant propre a régulièrement la culotte tachée (parfois même on trouve des selles), on parle d'encoprésie.

Ce sont des enfants qui se retiennent trop longtemps ou bien qui ressentent trop tard le besoin d'aller aux toilettes.

Le traitement de l'encoprésie consiste tout d'abord à faire reprendre à l'enfant l'habitude d'aller à la selle, non pas parce qu'il a un besoin urgent, mais pour vider le rectum et le colon, de façon régulière et complète. Pendant cette période de réapprentissage, l'enfant ira régulièrement aux toilettes, à heure fixe (le matin, à midi et le soir), qu'il ait ou non envie d'aller à la selle. À partir de 3-4 ans, on peut lui expliquer qu'il doit s'asseoir sur le siège plusieurs minutes, même s'il ne « fait pas » ; l'enfant prendra ainsi conscience que c'est à lui de contrôler « sa » propreté.

À force de se retenir, l'enfant risque de devenir constipé. On lui donnera un régime riche en fibres et en eau. Si les selles sont trop dures, on peut aider l'enfant en lui donnant, plusieurs jours de suite, un lubrifiant (de l'huile de paraffine, à prendre par la bouche). Ainsi, en quelques jours, il pourra vider complètement son colon puis prendre un rythme régulier, quotidien, de passage aux toilettes.

Mais le meilleur traitement de l'encoprésie est préventif, en habituant l'enfant à aller aux toilettes dès qu'il en ressent le besoin, ou à heures fixes, selon le caractère et le mode de vie de l'enfant. L'encoprésie survient parfois chez des enfants qui se retiennent à l'école lorsque les toilettes sont sales ou inconfortables.

Il faut savoir que l'encoprésie a le plus souvent des causes psychologiques. Si malgré les précautions évoquées plus haut (rythme, reprise d'habitude, etc.) l'encoprésie persiste, il est conseillé de consulter un psychologue pour enfants. En se retenant, l'enfant retient souvent des émotions, des conflits, des peurs que le psychologue saura déceler et traiter.

Voir *Constipation*.

Entorse.

Voir *Fracture*.

Enurésie.

C'est l'absence de contrôle de la vessie à un âge où habituellement l'enfant est propre. Mais l'âge de la propreté varie avec chaque enfant. Certains enfants sont propres très tôt, d'autres plus tard ; de toute façon, on ne peut parler d'énurésie avant l'âge de 5 ans ; de même qu'on ne peut parler d'encoprésie (absence de contrôle de l'anus) avant cet âge.

On parle d'énurésie primaire quand l'enfant n'a jamais été propre ; il s'agit habituellement d'une immaturité de contrôle de la vessie, ou de maladresse au moment de l'apprentissage de la propreté (voir page 167 et suivantes).

On parle d'énurésie secondaire lorsque, avant 4-5 ans, l'enfant qui a déjà été propre se « remouille ». L'incident peut s'interpréter de deux manières. Soit comme une régression à un stade antérieur qui se produit lorsque l'acquisition de la propreté est encore récente, pas très bien établie. Il faut alors savoir ce qui a déclenché cette régression dans la vie de l'enfant. Il ne s'agit pas toujours d'un événement évident, cela peut être un climat psychologique qui l'a perturbé, ou encore des difficultés normales que tout enfant, entre 3 et 6 ans, rencontre pour grandir : par exemple accepter ses frères et sœurs, accepter d'être exclu du couple de ses parents. Mais l'énurésie n'est pas toujours un problème de régression. Elle peut aussi marquer une certaine agressivité que l'enfant ne s'autorise pas avec ses parents ou ses frères et sœurs, et qu'il défoule la nuit.

L'énurésie est en général nocturne, l'enfant se mouillant une ou plusieurs fois par nuit. En général, il ne se rend pas compte qu'il a mouillé son lit, et très souvent il ne le réalise qu'en se réveillant le matin. Mais il existe aussi des énurésies de jour, qui compliquent la vie scolaire.

Le *traitement* de l'énurésie fait appel à de nombreuses méthodes, ce qui montre bien les difficultés rencontrées :
— restreindre les liquides au repas du soir ;
— ne pas mettre de couches pour la nuit ;
— réveils à heures fixes ;
— gymnastique de la vessie (on apprend à l'enfant à arrêter le jet) ;
— appareils de réveil, par alarme sonore, type Pipi-Stop (mais beaucoup trouvent cette méthode trop agressive) ;
— médicaments visant à inhiber les contractions de la vessie, à limiter le volume des urines (hormone anti-diurétique).

Dans tous les cas, le soutien psychologique est primordial. Il est important, avec l'aide des parents, d'obtenir la participation de l'enfant lui-même. Le médecin explique à l'enfant le mécanisme de contrôle de la vessie et comment celle-ci peut se maintenir fermée pendant le sommeil. A partir de 5 ans, l'enfant est tout à fait capable de tenir un petit carnet journalier : s'il est mouillé, il dessine la pluie, s'il est sec c'est un soleil. Et les progrès sont rapides : en quelques semaines les soleils augmentent sur le carnet.

Il arrive que l'énurésie fasse partie de tout un ensemble de difficultés affectives et scolaires. Dans ce cas, le médecin expliquera aux parents pourquoi une aide psychothérapique est nécessaire, qui traitera la globalité de cette situation.

Épilepsie.

L'épilepsie est une maladie caractérisée par la répétition de crises convulsives (ou crises d'épilepsie) ; elles surviennent, en principe, en dehors de toute fièvre, à la différence des *convulsions fébriles* (voir ce mot). Ces crises ne sont pas non plus liées à un désordre biologique tel que l'hypoglycémie (taux de glucose insuffisant dans le sang) ou l'hypocalcémie (taux de calcium insuffisant dans le sang).

Chez l'enfant, les crises épileptiques sont très diverses. La plus fréquente est la forme complète dite « tonico-clonique ». La crise débute par une perte brutale de conscience avec chute. Le corps se raidit, puis il est animé de secousses rythmées des membres et du visage, les yeux sont fixes et révulsés, le visage cyanosé, la respiration bloquée ; après quelques instants, la crise s'arrête, la respiration reprend, bruyante, et l'enfant est sans connaissance, en relâchement musculaire complet avec parfois perte d'urine. Puis, après quelques minutes, il s'endort, et au réveil il ne garde aucun souvenir de la crise.

Il existe aussi des crises incomplètes, limitées à un simple accès de raidissement ou au contraire de mollesse, à une simple révulsion oculaire, à quelques secousses localisées.

Et il existe des formes partielles limitées au visage, survenant en pleine conscience, avec impossibilité de parler, alors que la compréhension reste intacte, et des crises en rapport avec le sommeil survenant soit à l'endormissement, soit au réveil.

En fonction de l'âge, il faut encore citer chez l'enfant à partir de 3 ans, le « petit mal » qui se caractérise par des absences : suspension de la conscience pendant quelques secondes. Chez le nourrisson vers 5-6 mois, les *spasmes* en flexion (voir ce mot) sont une épilepsie grave nécessitant un traitement rapide.

L'important est d'abord de rechercher la cause de l'épilepsie. Est-elle d'origine organique, c'est-à-dire liée à une lésion cérébrale ? Actuellement la réponse peut souvent être donnée grâce au scanner ou à l'IRM (Imagerie par résonance magnétique) cérébrale.

Certaines crises peuvent être déclenchées par des stimulations lumineuses répétées – on a signalé le rôle nocif des écrans (télévisions, ordinateurs, jeux vidéo) chez les personnes prédisposées.

Quand la cause de l'épilepsie n'a pu être trouvée, on parle alors d'épilepsie primaire essentielle. Cette affection se caractérise par une facilité naturelle des cellules nerveuses à provoquer des décharges brutales ; en d'autres termes, certaines personnes font des convulsions plus facilement que d'autres.

Pour faire son diagnostic, le médecin vous demandera de décrire précisément le déroulement de la crise à laquelle vous avez assisté. Il demandera souvent un électro-encéphalogramme et un scanner ou une IRM cérébrale.

Le plus souvent, même si l'épilepsie a une cause organique, le traitement vient aisément à bout des crises.

Dans certains cas rares, l'épilepsie est grave et évolutive. Ces épilepsies difficiles à équilibrer par le traitement devront être prises en charge par des équipes médicales spécialisées.

Bien sûr, l'enfant sujet à des crises d'épilepsie sera suivi médicalement. Il aura généralement un traitement médicamenteux quotidien qu'il devra prendre plusieurs années. L'absence de crise pendant trois ans peut amener le médecin à arrêter progressivement le traitement, selon le type d'épilepsie. Il est cependant important de savoir que l'épilepsie chez l'enfant n'est plus une maladie inguérissable, demandant un traitement à vie ; aujourd'hui, elle peut même dans certains cas être considérée comme bénigne et limitée dans le temps. Néanmoins, le traitement doit être suivi avec beaucoup de rigueur sans excepter un seul jour. Et il ne doit jamais être interrompu sans l'accord médical.

Il conviendra d'organiser pour l'enfant une vie régulière, en évitant en particulier le manque de sommeil. Ceci étant, l'enfant sujet à des crises d'épilepsie doit recevoir une éducation normale, en évitant une surprotection et avoir une scolarisation régulière dans les classes normales de son âge. Une aide psychologique de l'enfant et/ou des parents peut être indiquée dans certains cas.

Les activités habituelles de jeux et les activités sportives sont permises, y compris la natation, mais sous surveillance constante d'un adulte. Moyennant quoi, dans la plupart des cas, l'enfant épileptique pourra se développer harmonieusement tant au plan psychomoteur qu'au plan affectif.
Fondation française pour la recherche sur l'épilepsie, 9, avenue Percier, 75008 Paris, Tél. 01 47 83 65 36.

Voir *Convulsions fébriles* et *Convulsions sans fièvre*.

Equilibre.

Voir *Perte d'équilibre* et *Vertiges*.

Eruption, fièvre éruptive.

On réserve ce nom aux maladies infectieuses classiques : rougeole, scarlatine, varicelle, rubéole, roséole, auxquelles s'ajoutent aujourd'hui un certain nombre de maladies « à virus » (virus ECHO, virus APC, etc.).

Érythème fessier.

Voir *Peau*.

Essouflement.

L'essoufflement rapide, qui empêche l'enfant de jouer normalement, de courir, de se dépenser, est un symptôme à ne pas négliger. Il peut résulter d'une fatigue générale passagère, d'une anémie, mais aussi d'une anomalie cardiaque ou respiratoire. Le médecin prescrira les examens en conséquence.

Etouffe (l'enfant qui).

CORPS ÉTRANGER DANS LES VOIES RESPIRATOIRES (« FAUSSE-ROUTE »).
Parfois, il s'agit d'un bébé qui s'est endormi sous ses couvertures et a manqué d'air ; dans d'autres cas, il a avalé de travers, c'est-à-dire qu'un corps étranger s'est engagé dans les voies respiratoires (c'est le plus fréquemment une cacahuète ou un fragment de jouet), c'est ce qu'on appelle la « fausse-route ». L'arrêt de la respiration peut être subit ou progressif. Dans ce dernier cas, l'enfant commence par tousser, puis il respire lentement, bruyamment, d'une respiration rauque ou sifflante ; il bleuit ; et, s'il n'y a pas eu d'intervention efficace, l'enfant cesse de respirer.

On trouve le bébé inerte dans son berceau.
Si l'enfant est pâle ou violacé, inerte ou bien agité de mouvements convulsifs, mettez-lui la tête en arrière pour faciliter sa respiration. Si celle-ci ne reprend pas, il faut faire la respiration artificielle. Commencez-la comme indiqué à l'article : *Respiration artificielle* et demandez à quelqu'un autour de vous d'appeler le 15 ou le 18.

L'enfant a avalé de travers.
Si l'objet est visible et accessible dans la bouche, on peut essayer de l'enlever avec les doigts, mais avec précaution afin de ne pas repousser l'objet plus en arrière dans la gorge.

En cas d'échec, il était classique de mettre l'enfant tête en bas, et de lui donner dans le dos, à la hauteur de la poitrine, des tapes vigoureuses pour essayer de faire sortir par la bouche ce qui l'empêche de respirer. Actuellement, on conseille d'utiliser la manœuvre de Heimlich.

Manœuvre de Heimlich.
C'est donc la méthode actuellement recommandée chez les enfants en état d'asphyxie du fait de la présence d'un corps étranger dans les voies respiratoires.
Le principe consiste à exercer une forte et brusque compression de bas en haut au niveau du creux de l'estomac.

La manœuvre de Heimlich est pratiquée chez l'enfant en position debout ou assise (figure 1) : on se place derrière l'enfant en lui entourant la taille, et on place un poing fermé au niveau du creux de l'estomac au-dessus de l'ombilic ; puis l'autre main est placée sur le poing, et une brusque pression est alors exercée, dirigée vers le haut et l'arrière (c'est-à-dire vers vous) ;

Figure 1

Figure 2

l'air, chassé des poumons vers la trachée, expulse le corps étranger. Le geste peut être répété plusieurs

fois si nécessaire, chaque poussée étant bien séparée de la précédente.

Chez le nourrisson, la pression sera faite par le bout des doigts et avec beaucoup de précaution en tenant compte de la fragilité des os à cet âge (figure 2).

Chez le nourrisson, on utilise de préférence la manœuvre de Mofenson : l'enfant est placé à plat ventre sur la cuisse de l'intervenant, la tête en avant ; on frappe avec le plat de la main, dans le dos, entre les deux omoplates.

Si vous n'obtenez pas de résultats faites le 15 ou transportez d'urgence l'enfant à l'hôpital tout en continuant le bouche-à-bouche.

Spasme du sanglot. Il s'agit d'un arrêt respiratoire survenant au paroxysme d'une crise de cris et de pleurs. Bien que très impressionnant, ce trouble est sans gravité. Le spasme du sanglot est décrit page 429.

Laryngite avec toux rauque.
L'enfant tousse d'une toux rauque. Au milieu de la nuit, il s'assied dans son lit, très gêné pour respirer. C'est parfois très impressionnant et justifie l'appel d'urgence d'un médecin ou d'emmener l'enfant à l'hôpital. (Voir *Laryngite*.)

Ff

Fatigue.

Depuis des semaines votre enfant est pâle. Il a les yeux cernés, les traits tirés. Il manque d'entrain. Il demande à aller au lit. Il suce son pouce et refuse de jouer. Il n'a pas d'appétit. Pourtant, en apparence, il n'est pas malade, n'a pas de fièvre.

Certes, la fatigue de l'enfant n'est peut-être due qu'à une poussée de croissance – ou au manque de sommeil : il se lève trop tôt pour aller à la crèche ou chez la nourrice, se couche tard, il y a du bruit à la maison (radio, télé…). Mais il se peut aussi que l'enfant soit en train de « préparer » une maladie. Dans l'incertitude, montrez-le au médecin. Un petit bilan, quelques examens, s'ils sont négatifs, vous rassureront.

Fièvre.

On dit qu'un enfant a de la fièvre quand sa température rectale, prise convenablement (voir « Soigner son enfant ») dépasse 38 °C. La température normale varie de 36,5 °C le matin à 37,5 °C le soir, mais un enfant qui s'est beaucoup dépensé et dont on prend la température, sans l'avoir fait se reposer auparavant, peut avoir 38 °C le soir.

Qu'est-ce que la fièvre ?

C'est la preuve que l'organisme réagit à une agression. Cette agression est en général un microbe ou un virus, mais pas toujours. Il y a, chez le nourrisson, la fièvre de lait sec, due à un régime trop concentré. Il y a des fièvres dues à un chauffage excessif, à la déshydratation lorsqu'on ne donne pas assez à boire au nourrisson ou quand l'atmosphère est particulièrement sèche (chauffage central, vents secs du Midi, etc.).

Quand faut-il prendre la température ? La fièvre est en général le premier signe de maladie que découvrent les parents. En effet le premier geste, lorsqu'on voit qu'un enfant n'a pas d'appétit ou qu'il a les mains chaudes, est de prendre sa température.

Ce qui est tout à fait indiqué. Il faut prendre la température d'un enfant chaque fois que quelque chose d'anormal frappe dans son aspect ou sa manière d'être. Mais ce serait une erreur de prendre la température de l'enfant à tout bout de champ, ou de s'alarmer pour quelques dixièmes de plus, si par ailleurs l'état général est bon.

En l'absence de tout symptôme autre que la fièvre, quand faut-il consulter le médecin ?

— Toujours et rapidement si l'enfant a moins de 6 mois.

Si l'enfant a moins de 3 mois, cette fièvre peut traduire l'existence d'une infection maternofœtale contractée au cours de l'accouchement et qui se déclare tardivement. Il faut consulter rapidement son médecin ; si ce n'est pas possible, appelez le 15, le médecin du SAMU vous conseillera ; ou bien emmenez l'enfant aux urgences si l'hôpital n'est pas trop loin.

— Forte fièvre (39° C et plus persistant au delà de 48h) : bien qu'une température élevée ne soit pas à elle seule un signe de gravité, il sera souvent prudent, surtout si l'enfant est jeune, de consulter le médecin.

— Fièvre modérée, 38° C à 39° C : avant de consulter le médecin, considérez l'état général de l'enfant (voir dans « Soigner son enfant » les signes de bonne et de mauvaise santé). Si cet état général est mauvais, voyez le médecin. S'il semble bon, attendez le lendemain. Il y aura probablement un symptôme supplémentaire. Mais si la fièvre, même modérée, durait

au-delà de quatre ou cinq jours, consultez le médecin.

— Au cours d'une maladie, si la fièvre s'élève, consultez le médecin. Il est probable qu'une complication soit survenue.

— Le médecin a prescrit un traitement. Au bout de deux ou trois jours, la fièvre n'a toujours pas baissé. Signalez-le, mais ne vous affolez pas. Laissez au traitement le temps d'agir.

Avant de consulter le médecin, cherchez les autres symptômes.

L'enfant a-t-il vomi ? Tousse-t-il ? Une éruption est-elle apparue en quelque point de son corps ? Comment sont sa gorge, sa langue ? Les selles sont-elles normales ? Et l'appétit ?

Ne vous alarmez pas trop d'une brusque poussée de fièvre chez un enfant.

Chez les enfants, la température s'élève plus vite et plus haut que chez les adultes. Il ne faut donc pas s'alarmer outre mesure de ce seul symptôme. Une fièvre de 38 °C qui dure est plus sérieuse qu'une flambée à 40 °C avec des amygdales rouges. Le thermomètre doit surtout avoir pour but de vous rendre plus vigilant. En outre, certains enfants ont facilement de fortes températures, alors que, chez d'autres, la fièvre est rare et peu élevée.

Faut-il faire tomber la fièvre ?

Certains parents, dès que le thermomètre monte, veulent un traitement et une amélioration immédiate : ils pensent qu'il faut à tout prix faire tomber la fièvre, car à leurs yeux, la fièvre, c'est la maladie. Cette erreur peut être dangereuse. Il est vrai qu'avec une fièvre élevée un enfant de moins de 2 ans risque des convulsions (voir ce mot). Il est vrai aussi que la fièvre fatigue. Mais elle n'est en soi qu'un symptôme, une réaction normale de l'organisme. Elle a son utilité.

383

Une fois la fièvre tombée, ne relâchez pas votre surveillance. La fièvre n'est qu'un signal, qu'une partie de la maladie, et sa disparition n'est pas synonyme de guérison totale ou définitive.

Comment faire baisser la fièvre ?
Pendant longtemps on a utilisé deux médicaments, l'aspirine et le paracétamol (voir page 342). Aujourd'hui l'aspirine n'est utilisée que chez les grands enfants, ou en cas de fièvres rebelles, car elle présente trop de risques d'allergie et de saignements digestifs. Le paracétamol est en général suffisant pour faire baisser la fièvre. On dispose également de moyens de refroidissement externes (bains, enveloppements), voir les détails page 342. Évitez de couvrir un nourrisson qui a de la fièvre.

Après une maladie, ne continuez pas à prendre la température. Le médecin vous a dit : « Vous pouvez recommencer à sortir l'enfant. » Ne continuez pas à prendre sa température : un 37,2 °C le matin ne doit pas vous faire considérer que la maladie n'est pas terminée, si le médecin vous a dit qu'elle l'est. Le vrai signe que l'enfant est guéri n'est pas le thermomètre à 36,8 °C, mais le retour de l'entrain et de l'appétit.

La température trop basse.
Hier, votre enfant avait 39 °C. Ce matin, il a 36,5 °C. Il arrive qu'après une maladie, et alors que l'enfant est guéri, la température tombe à 36 °C et s'y maintienne pendant un ou deux jours. Ce n'est pas grave ; c'est la phase d'hypothermie consécutive aux maladies fébriles.
Cas particulier du nouveau-né : chez lui, une infection grave peut se traduire par une hypothermie.
La fièvre inversée. Certains nourrissons ont 37,7 °C le matin et 37 °C le soir. Cela correspond souvent à une *rhino-pharyngite* latente (voir ce mot).

Fontanelle.

La grande fontanelle est une zone molle en forme de losange, située entre les os du crâne, au-dessus du front du bébé et du nourrisson. Le nouveau-né présente, en plus, une petite fontanelle à l'arrière du crâne, qui se ferme très vite, juste après la naissance.

La grande fontanelle est formée d'un tissu élastique qui permet à la croissance du crâne de s'ajuster à celle du cerveau, croissance qui est importante pendant les premiers mois. Cette fontanelle se ferme normalement entre 8 et 18 mois. Si la fontanelle était toujours présente au-delà de 2 ans, il faudrait en parler au médecin. Inversement sa fermeture (ossification) trop précoce, dans les premiers mois, est anormale (voir *Craniosténose*) et peut avoir des conséquences néfastes sur le développement de l'enfant (voir *Microcéphalie*).

Vous remarquerez que la fontanelle se tend lorsque l'enfant crie : c'est normal. Normal aussi est le battement de la fontanelle, visible et palpable.

La fontanelle doit toujours être plane et élastique. Si elle est bombée et tendue, c'est un signe inquiétant qui fait envisager une atteinte méningée. Si elle est déprimée, elle témoigne d'une déshydratation.

En cas d'accident, si la fontanelle est touchée, il faut aussitôt conduire l'enfant à l'hôpital.

Fractures, entorses et luxations.

À l'occasion d'une chute, d'un choc, d'un coup reçu, un os peut être cassé (c'est une fracture), ou bien une articulation peut être distendue (c'est une entorse), déboîtée (c'est une luxation). Peu importe la différence, car les gestes qu'il faut faire et ceux qu'il ne faut pas faire sont les mêmes :
— gardez votre calme (un enfant s'inquiète vite lorsqu'on s'affole autour de lui) ;
— ne remuez pas l'enfant (sauf pour le mettre à l'abri, s'il est dans un endroit dangereux : sur la chaussée par exemple) ;
— si c'est possible, demandez à l'enfant de montrer l'endroit où il a mal ; examinez-le sans le toucher ;
— si vous le pouvez, immobilisez la

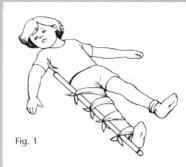

Fig. 1

partie supposée blessée (nous allons voir comment) ; pendant ce temps, demandez à quelqu'un d'appeler :
— le médecin, ou le 15, si l'accident survient à la maison ;
— les pompiers (18), si l'accident survient sur la voie publique ; les pompiers préviendront la police (en ville) ou la gendarmerie (à la campagne).

I. Dans la plupart des cas, c'est un membre qui est fracturé.
Cuisse, jambe et cheville.
L'enfant tombe en courant, ou est heurté violemment par un pare-chocs de voiture par exemple ; il ne peut pas se relever. On voit parfois, malgré les vêtements, que la région douloureuse est déformée ; pour s'en assurer, on peut découdre ou découper les vêtements sans remuer la jambe ; en cas de doute, toujours agir comme si c'était une fracture : ne jamais essayer de redresser la partie blessée. Caler la jambe et le pied avec des coussins, des oreillers, des couvertures ; si l'enfant s'agite, ou s'il faut le déplacer, immobiliser le membre avec une ou deux attelles (n'importe quel objet long et rigide peut servir d'attelle : un

Fig. 2

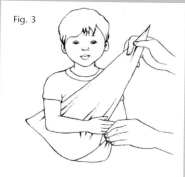

Fig. 3

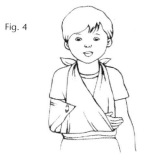

Fig. 4

manche à balai, une planche (figure 1) ; les attacher par des liens peu serrés et glisser du rembourrage entre l'attelle et le membre).

Clavicule, épaule. Bras, avant-bras, main. L'enfant est tombé sur la main ou le coude, ou le bras a été tordu au cours d'un jeu brutal ; le petit blessé, instinctivement, soutient le membre fracturé dans la meilleure position. Aidez-le en soutenant le bras et la main par une écharpe ou, s'il s'agit de l'avant-bras, du poignet ou du doigt, par une gouttière faite avec un magazine (figure 2). Ne cherchez jamais à remuer le bras ni à redresser la fracture.

Un cas particulier : si l'os fracturé a déchiré la peau, débarrassez la plaie de toute espèce de vêtement et recouvrez-la de compresses stériles (ou, à défaut, d'un mouchoir propre), que vous maintiendrez par du sparadrap appliqué doucement, puis procédez comme indi-

qué plus haut et en suivant les figures 3 et 4.

II. Le choc peut avoir porté sur la tête, ou dans le dos.
Il peut s'agir d'un bébé tombé de sa chaise ; ou encore d'un enfant assis sur le siège avant d'une voiture, ou sur les genoux d'une personne assise à l'avant (le moindre coup de frein projette l'enfant sur le pare-brise ou le tableau de bord) ; à moins d'être installé dans un siège homologué, un enfant n'a pas le droit, avant 10 ans, d'être assis à l'avant d'une voiture (voir page 150).
Trois cas peuvent se présenter :
▸ L'enfant est conscient (il pleure ou répond à vos questions) : ne le remuez pas ; maintenez sa tête dans l'axe du corps sans jamais la pencher ni la tourner (il peut y avoir fracture du crâne, de la colonne vertébrale) ;
▸ L'enfant est inconscient, mais respire bien : il faut craindre une fracture du crâne (surtout si un peu de sang s'écoule par le nez ou l'oreille) ; placez l'enfant allongé sur le côté, la tête basse et bien calée sur un petit coussin ;
▸ L'enfant est inconscient et la respiration est arrêtée : pratiquez immédiatement la respiration artificielle.

S'il faut déplacer l'enfant, faites-le glisser doucement sur le sol en le tirant par les pieds, pendant que quelqu'un maintient la tête droite.

Il existe enfin d'autres fractures, difficilement repérables (côtes, mâchoire). Allongez l'enfant sur le côté qu'il préférera, en attendant les secours.

III. Les entorses et luxations.
Elles sont rares chez l'enfant jeune, du fait de la grande souplesse des ligaments et des articulations à cet âge.
Un cas particulier : la *pronation douloureuse* (voir page 418).

Les gestes que nous recommandons seront mieux faits si vous les avez appris, par exemple en suivant un cours de secourisme comme ceux que la Croix-Rouge organise régulièrement.

Furoncle.

Gros bouton, douloureux, qui s'élève progressivement en devenant rouge. Après plusieurs jours, la peau, au centre, devient mince. On voit du pus sous la peau. Puis le bouton se ramollit et laisse s'écouler une masse blanchâtre. Plusieurs furoncles groupés et qui finissent par ne former qu'un seul bouton sont un anthrax.

Les furoncles siègent surtout sur le cuir chevelu, dans le dos, sur les fesses, sur la face postérieure des bras et des jambes. Le furoncle est grave chez le nourrisson parce qu'il signifie qu'un microbe, le staphylocoque doré, a pénétré dans l'organisme. Ce microbe ira peut-être se loger en un autre point : dans l'oreille, les intestins, les voies urinaires, les os, ou dans les voies respiratoires. Les complications qui surviendront risquent alors d'être graves. En attendant le traitement qui sera prescrit, couvrez le furoncle d'une gaze stérile, fixée par un ruban adhésif, pour éviter la propagation de l'infection et le frottement des vêtements. Des furoncles à répétition nécessitent un examen général. (Voir *Abcès*.)
Furoncle chez une personne de l'entourage d'un nourrisson.
Ne laissez pas la personne atteinte d'un furoncle s'approcher de votre enfant ni s'occuper de près ou de loin de son alimentation.

S'il s'agit de la mère, il faut renforcer les mesures d'hygiène (lavages fréquents des mains, port d'un masque).

Gg

Gale.

Ne vous croyez pas déshonoré si le médecin vous dit que votre enfant a la gale ; ce parasite est très contagieux ; l'enfant peut l'avoir attrapé n'importe où. Néanmoins, des contacts répétés et étroits (vêtements, literie) sont nécessaires pour attraper la gale ; la contagion se fait donc le plus souvent à l'intérieur de la famille elle-même, ou à l'école. Les lésions entraînent des démangeaisons importantes ; elles siègent aux poignets, aux plis du coude, aux flancs, aux aisselles, autour des mamelons, aux épaules, au nombril, aux parties génitales, aux fesses, au tendon d'Achille, à la plante des pieds. Aux endroits où le parasite (sarcopte) creuse un tunnel dans la peau et y pond ses œufs, la peau est surélevée, de couleur blanc nacré, ressemblant à un grain de riz précédé d'un petit sillon brun.

On baigne, on savonne, on brosse et on applique une pommade ou une lotion antiparasite spécifique sur tout le corps.

Il faut lessiver le linge de toute la maison : linge de corps et literie ; et désinfecter les vêtements, y compris gants, chaussons, pantoufles avec un spray antiparasitaire.

Il est indispensable que tous les membres de la famille soient examinés et éventuellement traités, car cela ne sert à rien de soigner seulement l'enfant si dans l'entourage la source de contagion persiste.

Gamma-globulines.

Ce sont des anticorps d'origine humaine qui apportent une protection temporaire (quelques semaines) contre virus et bactéries. Elles peuvent être utilisées en injections intramusculaires pour prévenir la maladie ou l'atténuer. Les gamma-globulines ne sont plus prescrites dans les maladies courantes (elles ont été beaucoup utilisées dans les infections à répétition, O.R.L. et des bronches). En effet, ce sont des produits d'origine humaine, et, comme tous les dérivés sanguins, ils présentent un risque théorique de transmission virale.

Néanmoins, des gamma-globulines spécifiques (antitétaniques anti-hépatite B) sont utilisées dans des cas précis.

Ganglions.

Ces petites grosseurs qu'on sent au toucher sous la peau, au cou, sous les oreilles, sous la mâchoire, sous les bras ou à l'aine jouent un rôle dans la fabrication des globules blancs de notre sang, donc dans la défense contre l'infection. Chez les enfants, les ganglions du cou sont souvent gonflés à l'occasion d'une infection locale : rhume, amygdalite, otite, végétations ; ou d'une maladie telle que rougeole, rubéole, etc.

Le gonflement des ganglions s'appelle une adénite. Elle peut être cervicale (ganglions du cou), axillaire (des aisselles), ou inguinale (de l'aine). Quand le gonflement apparaît brusquement, qu'il est rouge, chaud et douloureux, c'est une adénite aiguë bactérienne. Elle s'accompagne de fièvre. Elle évolue comme un abcès (voir ce mot) qu'il faudra éventuellement inciser. La maladie des griffures de chat (voir ce mot) peut également donner une adénite suppurée.

Quand les ganglions existent depuis longtemps, sont durs et indolores, il s'agit d'une adénite chronique, c'est-à-dire permanente. Il faut la signaler au médecin à votre prochaine visite. Les enfants qui, à la moindre maladie, ont les ganglions enflés, sont souvent des enfants pâles, qui se fatiguent vite, manquent de tonus.

Des maladies telles que la rubéole, la mononucléose infectieuse, la toxoplasmose peuvent entraîner une réaction ganglionnaire plus ou moins étendue.

Des maladies du sang plus graves peuvent être également en cause, surtout si l'enfant est pâle, fatigué, se plaint de douleurs dans les membres, etc. Devant tout ganglion qui persiste, le médecin fera pratiquer des examens complémentaires.

Gastrite.

La gastrite est un état inflammatoire de l'estomac. Elle entraîne des douleurs abdominales situées au dessus de l'ombilic et des vomissements. Elle peut être due à un microbe (Helicobacter pylori), responsable chez l'adulte de l'ulcère de l'estomac. Un traitement antibiotique et antiacide assure la guérison.

Gastro-entérite.

C'est une maladie d'origine virale ou bactérienne. Elle entraîne de la diarrhée, des vomissements et de la fièvre. Mais elle peut se limiter à un ou deux de ces symptômes (diarrhée et vomissements par exemple). Voir Diarrhée.

Gaucher (l'enfant).

Il n'y a pas encore très longtemps, lorsqu'un enfant était gaucher, on considérait qu'il avait un vrai handicap pour la vie pratique, les études, etc.

Aujourd'hui, on sait qu'être gaucher est aussi naturel qu'être droitier, puisqu'il s'agit d'une spécificité du cerveau. La difficulté qui peut subsister vient du fait que certains objets courants sont prévus pour les droitiers, comme les ciseaux. Heureusement, de plus en plus souvent, le gaucher trouve des modèles faits pour lui.

Comment s'assurer, pour ne pas le contrarier, qu'un enfant est gaucher ? Jusque vers 1 an-18 mois les bébés jouent avec leurs deux mains. C'est seulement vers 2 ans et demi – 3 ans que l'enfant manifeste une préférence, qui parfois n'est confirmée que vers 4 ans : la latéralisation, la façon dont l'enfant organise son côté prédominant, se met en place lentement. Avant d'encourager l'enfant à se servir de sa main gauche, il faut donc s'assurer qu'il est réellement gaucher. Regardez avec quelle main il allume la lumière, ou comment il ouvre une porte. Cela donne une bonne indication. Tout en l'observant, on doit tenir compte de la préférence de l'enfant à se servir de la main gauche pour qu'il devienne avec elle de plus en plus habile, notamment avant l'entrée à l'école maternelle : en plaçant de ce côté-là les objets dont il se sert (cuillère, crayon, etc.). Mais ne soyez pas trop pressé ; il faut du temps à l'enfant pour qu'il choisisse son côté préféré. A l'école maternelle, les instituteurs laissent le choix jusqu'à 4 ans.

En général, l'enfant gaucher de la main l'est aussi du pied (c'est avec ce pied-là qu'il lance le ballon) et également de l'œil (il se sert bien de l'œil gauche pour viser lorsqu'il joue aux cow-boys). Mais il y a des exceptions.

C'est dans le cas de l'ambidextrie — l'enfant se sert aussi bien de la main gauche que de la main droite — que peut se poser un choix éducatif, surtout si l'enfant présente une maladresse des deux mains. Dans le doute, nous vous conseillons de prendre l'avis d'un psychologue ou d'un psychomotricien (1). Différents tests peuvent aider l'enfant à choisir la main dominante ainsi que la bonne position pour écrire.

1- Au Centre médico-psycho-pédagogique (CMPP) de votre ville.

Gaz intestinaux.

Bébé a des gaz : s'il prend régulièrement du poids et que ses selles sont normales, ne vous faites pas de souci. Veillez toutefois à ce que son régime soit bien équilibré, qu'en particulier il ne comporte pas un excès de farineux, de féculents et de sucres (ce qui est fréquent) : ceux-ci entretiennent des fermentations excessives avec ballonnements, parfois diarrhée. Souvent, au contraire, il s'agit d'une *constipation* (voir ce mot) que quelques mesures simples permettront de supprimer (voir *Coliques*). Si l'enfant a beaucoup de gaz mais ne pleure pas, il n'est pas utile de modifier son alimentation.

Maladies génétiques.

Lorsqu'on parle de maladie génétique, on pense généralement qu'il s'agit d'une maladie héréditaire qui se transmet de génération en génération. En fait, la plupart des maladies génétiques surviennent dans des familles qui n'ont aucun antécédent. Ceci s'explique par la nature même de ces maladies.

Les causes des maladies génétiques. En effet, les plus fréquentes sont dues à un accident génétique. Cet accident survient lors de la fécondation, ou lors des premières divisions cellulaires de l'embryon. Dans le cas de la trisomie 21 par exemple, les parents sont normaux. Mais au moment de la fabrication des ovules, ou des spermatozoïdes, il se produit une erreur : l'ovule, ou le spermatozoïde, reçoit un chromosome 21 supplémentaire. Et si c'est cet ovule, ou ce spermatozoïde, qui assure la fécondation, l'enfant aura trois chromosomes 21 au lieu de deux, et sera trisomique. (Voir *Chromosome* et *Trisomie 21*)

Une autre cause fréquente de maladie génétique est l'existence d'une anomalie sur les deux chromosomes hérités des parents. Pour la mucoviscidose, par exemple, chaque parent a deux chromosomes 7 dont l'un est porteur d'une anomalie sur le gène de la mucoviscidose, et l'autre n'a pas d'anomalie. Le chromosome normal assure la fonction normale. Chaque parent est normal. Les parents ne sont pas malades. L'enfant atteint de mucoviscidose a hérité de chacun de ses parents le chromosome 7 anormal. L'enfant n'a pas de chromosome 7 sain pouvant assurer la fonction normale, et la maladie apparaît.

Dans ce type de maladie génétique, les parents sont normaux, car la mutation qu'ils portent sur un chromosome 7 est compensée par un chromosome 7 normal. Chaque enfant de cette famille peut recevoir un chromosome 7 muté de chacun de ses parents, il est alors malade ; il peut aussi recevoir un chromosome 7 muté d'un de ses parents et un chromosome 7 sain de l'autre parent, il n'est alors pas malade ; il peut encore recevoir de chacun de ses parents un chromosome 7 normal. Ainsi, dans cette famille, il peut y avoir plusieurs enfants malades alors qu'auparavant aucun cas n'était connu dans la famille.

Voici maintenant un exemple de maladie génétique dans laquelle on retrouve des antécédents dans la famille d'un enfant malade : il s'agit d'une maladie portée par le chromosome X. Cette maladie génétique ne touche que les garçons. En effet, les garçons ont un chromosome X et un chromosome Y ; une anomalie sur le chromosome X n'est pas contrebalancée par un chromosome normal. Chez les filles, la mutation sur un chromosome X n'aura pas de conséquence, car les filles ont deux chromosomes X. La myopathie de Duchenne de Boulogne est une maladie liée au chromosome X. La maladie est souvent déjà connue dans la famille, chez les frères de la maman ou chez les fils des sœurs de la maman. Les frères d'un enfant malade ont un risque sur deux d'être malades ; ses sœurs sont bien portantes mais ont un risque sur deux de transmettre la maladie à leurs fils quand elles seront adultes. Dans ces maladies portées par le chromosome X, on peut retrouver des garçons malades dans la famille de la mère du garçon malade, et cela sur plusieurs générations.

Les autres maladies transmises de génération en génération sont rares. Ce sont des maladies dues à une anomalie qui entraîne une maladie même en présence d'un deuxième chromosome normal. Ces maladies sont généralement peu graves et elles n'empêchent pas les personnes qui en sont atteintes de devenir des adultes et d'avoir des enfants. Un parent malade transmet alors la maladie à un enfant sur deux. On retrouve la maladie à chaque génération. Ces maladies héréditaires sont dites « dominantes » car elles apparaissent quel que soit l'état du deuxième chromosome qui leur fait pendant. Dans certains cas, ces maladies dominantes sont graves et ne permettent pas la survie jusqu'à l'âge adulte. Elles ne peuvent alors être transmises et ne se retrouvent pas à plusieurs reprises dans une même famille. Ces maladies graves sont en fait dues à des mutations soudaines.

Après le diagnostic. Bien souvent, il n'y a pas de traitement des maladies génétiques. Il est cependant important d'en faire le diagnostic précis, cela permet de prévoir le devenir de l'enfant, les soins qu'il faut lui apporter, l'encadrement dont il aura besoin.

Cela permet aussi de savoir si la maladie génétique est un accident, ne comportant pas de risques pour les autres enfants de la famille, puis pour les descendants.

Si la maladie génétique n'est pas accidentelle, il est important de connaître le plus précisément possible le risque pour une nouvelle grossesse, et pour les autres membres de la famille. Dans certains cas, il est possible de faire, pour les enfants à venir, le diagnostic prénatal en début de grossesse. C'est pourquoi une consultation spécialisée est nécessaire.

Genu valgum (genoux qui se touchent).

Le *genu valgum* est une "anomalie" de la position des membres inférieurs ; elle se manifeste dans les premières années de la marche : cuisses et genoux étant en contact, un écart plus ou moins important est bien visible, et se remarque au niveau des chevilles. Cela s'explique car, chez le jeune enfant, les ligaments sont lâches et les muscles sont encore faibles ; et il y a en plus la charge du poids du corps.

Ainsi, même chez un enfant bien portant, un écart de 4 à 5 cm peut souvent s'observer, surtout s'il s'agit d'un enfant un peu lourd. Le *genu valgum* dit « de croissance » ne doit pas susciter d'inquiétude : après l'âge de 5-6 ans, il régresse. En attendant, on évitera la marche prolongée, on favorisera l'usage du tricycle qui contribue au renforcement des ligaments et des muscles tout en supprimant la charge du poids.

Un écart accentué, supérieur à 10 cm, mérite cependant la consultation d'un spécialiste en orthopédie infantile ; le port d'attelles durant la nuit peut être conseillé pendant quelques mois.

Gluten. Maladie coeliaque.

Le gluten est une protéine contenue dans les farines de céréales, particulièrement le blé, l'orge, l'avoine, le seigle (mais absente dans le riz et le maïs). L'intolérance digestive au gluten entraîne chez l'enfant une diarrhée chronique et un arrêt de la croissance qui surviennent peu de temps après l'introduction de ces céréales dans l'alimentation. Le comportement de l'enfant change également, il a l'air triste, se replie sur lui-même, il refuse de manger, son abdomen est ballonné. Ces symptômes, qui s'apparentent à ceux de la dépression, disparaissent d'une manière spectaculaire dès que le régime est commencé. Avant de commencer le régime, on fait une prise de sang pour rechercher la présence d'anticorps contre le gluten. Si cette recherche est positive, le médecin fera confirmer cette présence par une biopsie intestinale (petite intervention sans danger, même chez le nourrisson de quelques mois).

La guérison est obtenue par un régime qui supprime le gluten, même en quantité minime. Ce régime est à poursuivre plusieurs années , et souvent même à vie, avec une grande rigueur sous peine de rechute.

C'est pour réduire ce type d'intolérance qu'actuellement on utilise systématiquement, pendant les six premiers mois, des farines sans gluten.

Griffes du chat (maladie des).

Les griffures du chat peuvent provoquer une maladie par transmission d'un agent parasitaire. L'incubation varie de dix à trente jours. Dans le territoire correspondant à la griffure (par exemple sous le bras pour une griffure à la main) apparaît un ganglion qui finit par suppurer. Il peut durer de un à trois mois et prendre un volume important. Un traitement antibiotique est efficace et, s'il est institué suffisamment tôt, il empêchera la suppuration. Dans le cas contraire, il faudra évacuer le pus par ponction(s).

Griffures.

Certains bébés très actifs prennent la fâcheuse habitude de se gratter le visage, jusqu'à se faire des écorchures. C'est une manière pour eux d'explorer leur corps. Vous pouvez leur couper les ongles (pendant leur sommeil, c'est plus facile), mais je ne conseille pas de leur mettre des moufles. Ne craignez rien : ces petites écorchures se cicatriseront d'elles-mêmes, elles sont sans danger du moment qu'elles viennent de l'enfant lui-même. Il n'y a rien d'autre à faire.

Grince des dents (l'enfant qui).

En dormant, certains enfants font entendre un grincement de dents.

Si ce grincement devient habituel, il exprime vraisemblablement un petit trouble psychologique ; il faut faire appel à votre compréhension pour découvrir la cause du trouble : jalousie à l'égard d'un frère ou d'une sœur ? Sentiment d'abandon ? De petits faits souvent passés inaperçus des parents peuvent avoir créé, à un moment quelconque de la première enfance, un certain état de tension, d'angoisse, qui se révèle de cette manière. À force d'affection, cette habitude disparaîtra en même temps que sa cause. Il ne faut donc pas lui accorder une importance exagérée.

Grippe. État grippal.

On ne doit pas appeler grippe n'importe quel état fébrile. C'est le médecin qui doit en faire le diagnostic, car bien des maladies d'enfant débutent à la façon d'une grippe : par des frissons, une brusque poussée de température avec rougeur du visage, sécheresse de la gorge, douleurs dans le dos et dans les membres. La toux – sèche et de plus en plus violente – n'est pas davantage un signe qui permette de reconnaître la grippe. Chez le jeune enfant, la diarrhée et les vomissements ne sont pas rares. Souvent, la fièvre décrit, dans sa courbe, deux « clochers », à 24 ou 48 heures d'intervalle.

Ce qui est important, une fois que le médecin aura identifié la grippe, c'est de garder l'enfant au lit et de l'obliger à se reposer pendant les quelques jours de fièvre ; il en aura d'ailleurs envie. Outre le traitement conseillé, faites-le boire souvent : jus de fruits frais, citron pressé.

En période d'épidémie, il faut éviter la fatigue, le refroidissement et les réunions où il y a beaucoup de monde.

Une mère grippée devra porter un masque pour s'occuper de son bébé. Elle peut cependant continuer à l'allaiter.

Chez le jeune enfant, la grippe (et les infections virales voisines) peut prendre des formes diverses et de gravités très différentes : simple *rhino-pharyngite, laryngite, trachéo-bronchite, broncho-pneumonie, bronchite asthmatiforme* (voir ces mots). La gêne respiratoire et le retentissement sur l'état général justifieront parfois l'hospitalisation.

La vaccination est souhaitable chez les enfants ayant un risque particulier : maladie pulmonaire, malformation cardiaque, grands prématurés… Elle se fait alors tous les ans. Chez les enfant de moins de 2 ans, on pratique deux injections de chacune une demi-dose à 1 mois d'intervalle. Pour l'instant, la vaccination n'est pas indiquée chez les enfants en bonne santé.

Guthrie (test de).

Il permet de déceler la *phénylcétonurie* (voir ce mot). Il est réalisé sur une goutte de sang prélevée au doigt ou au talon, par simple piqûre, peu douloureuse. La goutte de sang est déposée sur un buvard. Une fois séché, le buvard est envoyé à un laboratoire de dépistage qui ne contactera les parents qu'en cas d'anomalie ou de la nécessité d'un contrôle.

Ce test est effectué à la maternité, avant la sortie de l'enfant. S'il révèle une anomalie, après vérification, un régime approprié est mis en route qui permet d'éviter l'expression de la maladie (phénylcétonurie).

Gynécologie de la petite fille.

Les problèmes gynécologiques de la petite fille sont fréquents mais ils sont le plus souvent bénins.

La vulvite. Elle est due à la fragilité de la muqueuse, en particulier vers 3-4 ans. Comme il n'existe pas de sécrétion hormonale à cet âge, la muqueuse s'irrite facilement ; cela entraîne des brûlures, des rougeurs, des démangeaisons. L'irritation est également favorisée par la chaleur.

Le traitement de la vulvite est simple : une toilette locale, si possible trois fois par jour, à l'eau et au savon. Le rinçage se fera avec la douche, ainsi il sera plus efficace, et le séchage sera bien soigneux. On peut compléter les soins en appliquant de la chlorhexidine aqueuse après la toilette.

L'irritation disparaît en 3-4 jours mais la vulvite a tendance à se répéter. D'ailleurs, certaines petites filles y sont plus sensibles que d'autres.

En cas d'écoulement, il est recommandé de consulter le médecin car il existe probablement une autre cause qui nécessite un traitement approprié. Il peut s'agir : de vers intestinaux ; d'un corps étranger se trouvant dans le vagin ; d'une infection bactérienne.

La coalescence des petites lèvres. Il s'agit d'une petite peau transparente, apparaissant progressivement et entraînant un accolement des petites lèvres : on ne peut plus les écarter.

Cette anomalie est bénigne. Bien que l'on ait conseillé pendant longtemps de faire des tractions douces, on pense aujourd'hui qu'il vaut mieux ne rien faire : en effet, cette coalescence disparaît spontanément à la puberté.

Elle est différente de *l'imperforation hyménéale*, qui existe dès la naissance et qui est une fermeture vaginale complète. Cette malformation est dépistée lors des examens systématiques de la petite fille, et elle doit être traitée par la chirurgie car, à la puberté, elle empêche l'évacuation des règles et elle donne des douleurs abdominales.

Les traumatismes vulvaires. Ils sont relativement fréquents entre 2 et 5 ans et ils dépendent de l'activité physique de l'enfant : escalade des « maisons de singe » à barreaux, apprentissage du vélo, etc. La chute est souvent douloureuse, l'enfant pleure aussitôt. En cas de saignement, ou si la douleur persiste, accompagnée de pâleur, il sera prudent de consulter le médecin. Vous expliquerez à la petite fille que celui-ci va regarder, qu'il ne lui fera pas mal. Le plus souvent, il s'agit d'une petite plaie qui nécessite des soins antiseptiques simples. Il est rare qu'on ait besoin de faire un geste chirurgical (points de suture). En revanche, il peut exister un hématome important qui va disparaître peu à peu mais qui est très douloureux.

Les saignements. Mis à part le cas des chutes et des traumatismes, les saignements vaginaux sont exceptionnels. Ils doivent toujours être signalés au médecin.

Dans cet article sur la gynécologie de la petite fille, il faut dire un mot des abus sexuels (voir aussi page 309). En effet, devant des rougeurs, des petites plaies, et des propos à ce sujet de l'enfant, la question peut se poser de l'abus ou d'attouchements sexuels. Il faut en parler au médecin le plus rapidement possible, en essayant de ne pas orienter d'avance le discours de l'enfant. Le pédiatre, le médecin de famille est ici l'interlocuteur privilégié de l'enfant ; il saura le questionner, l'écouter et respecter son intimité. En fonction de la situation, le médecin pourra alors se mettre en relation avec une consultation hospitalière ou avec une équipe de protection de l'enfance pour décider d'une conduite à suivre.

Hh

Hæmophilus.

Chez l'enfant de moins de 4 ans, le microbe de l'*hœmophilus influenzae*, est responsable d'infections graves (méningites, épiglottites, foyers pulmonaires) et moins graves (otites, conjonctivites, surinfections bronchiques).

Il existe plusieurs types de ce microbe ; le type B entraîne des infections sévères. Aujourd'hui, on dispose d'un vaccin antihæmophilus B, qui se fait en association avec d'autres vaccins, dans les vaccins pentavalents (voir page 439). Depuis la généralisation de cette vaccination, les infections graves ont pratiquement disparu. Les autres infections sont traitées par des antibiotiques.

Hanche luxable.

La luxation congénitale de la hanche a été relativement fréquente dans certaines régions (Bretagne et Auvergne) à cause des mariages consanguins.

Cette luxation est plus fréquente dans certaines familles et surtout chez les bébés qui, dans l'utérus, restent en position de siège jusqu'à la naissance.

À la naissance, l'extrémité supérieure de l'os de la cuisse (tête du fémur) n'est pas complètement formée. C'est durant la première année que cette extrémité va s'ossifier en se moulant dans une cavité de l'os du bassin.

Mais il peut arriver que cette cavité soit mal formée : trop plate ou trop inclinée ; l'extrémité supérieure de l'os de la cuisse peut en sortir aisément : c'est ce qu'on appelle la hanche luxable, anomalie qui peut affecter un seul côté, ou les deux. Rarement, il arrive que la tête du fémur soit en permanence à l'extérieur de la cavité :

c'est la *hanche luxée* dont le traitement est long et parfois complexe.

La recherche de la hanche luxable est systématique et fait partie des examens médicaux de la naissance et des jours suivants : elle se traduit par le signe du « ressaut ». La radiographie à la naissance est inutile car non concluante ; elle ne le devient qu'à 3-4 mois. Un progrès a été apporté par l'échographie pratiquée entre 4 et 6 semaines. L'examen clinique sera répété tout au long de la première année, jusqu'à la marche. Le traitement ne sera mis en œuvre que si l'anomalie de la hanche est confirmée ; les cuisses du bébé sont maintenues écartées par un " coussinet d'abduction " ou une culotte spéciale, pour une durée variable selon chaque cas et en fonction de l'évolution.

Handicap.

L'enfant avec un handicap a une déficience qui peut affecter et diminuer différents aspects de sa personnalité : handicap intellectuel, handicap moteur, handicap psychique (psychose), handicap sensoriel portant sur la vue, sur l'audition, etc.

Les signes d'alarme. Pour traiter ces handicaps, on insiste actuellement sur la nécessité de les reconnaître aussi précocement que possible : dans les premières semaines ou mois de la vie. En réalité, ces dépistages restent souvent difficiles si tôt. On peut cependant envisager des signes d'alarme ; mais ces signes, reconnus par les parents eux-mêmes ou par le médecin, ne prennent leur véritable signification qu'en fonction de leur évolution dans le temps et de leur association avec différents autres symptômes ; le diagnostic de handicap, sauf cas évident, ne peut

résulter d'un seul examen, mais seulement de la comparaison d'examens successifs.

En ce qui concerne en particulier le développement psychique et moteur, il faut bien comprendre que, en fonction des stades par lesquels passe le nourrisson, ce qui est normal à un âge ne l'est plus à l'autre, et inversement. C'est une des raisons qui rendent si utiles les examens conseillés tous les mois pendant la première année.

Ces signes d'alarme qui, selon les cas, s'effaceront ou se préciseront avec le temps, porteront par exemple sur la persistance de certaines réactions et de réflexes normaux durant les trois premiers mois, mais qui doivent s'effacer par la suite. Une anomalie peut également concerner le tonus musculaire selon l'âge : normalement l'hypertonie des premiers mois est remplacée par une hypotonie. Un autre signe d'alarme peut venir de l'absence de certaines acquisitions, par exemple la tenue de la tête, du sourire, de la poursuite oculaire, le retard de la station assise, de la station debout, de la marche, du langage, etc.

Mais dans tous ces domaines, on ne tiendra compte que d'anomalies qui dépasseront largement les délais normaux moyens (voir *Retard, l'enfant en*). Une attention particulière sera également donnée aux anomalies du comportement : anomalies de la motricité spontanée (mouvements, gestes, postures), de l'activité en général, du contact avec l'entourage et des réactions à l'environnement.

On insiste actuellement sur les déficiences sensorielles qui ont été longtemps considérées comme d'identification difficile chez le très jeune enfant : déficience visuelle que l'on s'efforcera de reconnaître très tôt en étudiant la réaction du nourrisson à la lumière vive, et la poursuite oculaire d'objets colorés ; déficience auditive qui peut être abordée de plus en plus précocement grâce à des techniques spéciales (voir *Strabisme, Surdité*).

Si votre enfant a un handicap.
D'emblée à la naissance, ou à la suite d'examens successifs, on a diagnostiqué que votre bébé avait un handicap. Ou encore, il se développe mal dans les premiers mois et, semaine après semaine, le diagnostic, révélé plus tardivement, devient évident. Le choc que vous subissez, les épreuves que vous traversez alors, qui pourrait les atténuer ou vous soulager ?

Pour commencer, le médecin va s'efforcer de préciser le diagnostic. Il va falloir d'abord rechercher la nature du handicap en évaluant la cause motrice, intellectuelle, sensorielle (vue, audition), psychologique ou relationnelle. Il faudra aussi estimer la sévérité du handicap par des examens médicaux précis. La recherche de la cause du handicap est importante, notamment pour savoir s'il s'agit d'un handicap accidentel, ou s'il existe un risque qu'il se renouvelle dans la famille. Cette recherche de l'origine du handicap va permettre d'identifier les maladies qui peuvent bénéficier d'un traitement spécifique.

Cette recherche d'un diagnostic, d'une cause responsable du handicap, ne doivent pas gêner les soins et l'aide dont a besoin l'enfant qui souffre d'un handicap même si cet enfant est tout petit. Il va en effet falloir procurer à l'enfant tout ce qui peut l'aider à se développer au mieux de ses possibilités, d'autant que celles-ci sont limitées dans certains domaines. Il faut aussi aider l'enfant à vivre avec ses difficultés et à les surmonter. Ceci ne peut se faire que lorsque le handicap est bien compris et que l'entourage de l'enfant a la volonté de se battre pour l'aider. En effet, un enfant handicapé demande beaucoup d'efforts, de courage aux parents qui ont besoin d'être aidés et conseillés. Pour eux, bien sûr, mais aussi pour leur enfant, pour ses frères et sœurs. Car, pour la plupart des handicaps, une prise

en charge précoce est bénéfique : l'assistance éducative des tout-petits ayant un handicap sensoriel, moteur, psychique ou mental, a fait de grands progrès, et votre enfant doit en bénéficier.

Bien sûr, quand on découvre un handicap chez son enfant, la tendance est parfois de se replier sur soi-même, ou de se replier sur l'enfant pour le protéger, pour se protéger. Il y a une sorte de réaction qui refuse le contact avec l'extérieur car on sent plus ou moins consciemment que l'extérieur ne recherche pas le contact. De ce point de vue, il y a souvent un effort important à faire mais qui est nécessaire pour l'enfant et pour soi-même. D'ailleurs heureusement aujourd'hui, les mentalités sont en train de changer : par exemple des haltes-garderies, des crèches, des écoles maternelles s'ouvrent aux enfants handicapés, à leur famille. Et les aides extérieures sont nombreuses, les consultations hospitalières des services de pédiatrie spécialisée (neuro-pédiatrie) donnent les conseils nécessaires, ainsi que les centres de protection maternelle et infantile et les centres d'action médico-sociale précoce.

À l'heure de la création de l'Europe, et au moment où les différents États s'engagent à débloquer des fonds pour la recherche et l'action en faveur des enfants porteurs de handicap, la France commence à participer à ce mouvement ; elle a été précédée dans cette direction par la Belgique et les pays nordiques où existent déjà : des familles d'accueil formées à l'éducation de ces enfants ; des établissements pédagogiques à petits effectifs et débouchant sur des enseignements préprofessionnels et professionnels adaptés ; des villages intégrant dans leur vie quotidienne un certain nombre d'enfants, d'adolescents et d'adultes porteurs de handicap, etc.

Des adresses. Nous ne pouvons pas détailler ici tout ce qui peut être fait pour votre enfant et pour vous, tant chaque cas est particulier, mais ne restez pas sans vous informer.

Vous pouvez vous adresser au Centre d'assistance éducative du tout-petit 29, rue du Colonel-Rozanoff, 75012 Paris ;
Tél. : 01 43 45 86 70
qui est le premier centre d'action médico-sociale précoce (CAMSP) créé en France. Vous pouvez aussi vous adresser à l'Association nationale des équipes d'action médico-sociale précoce
(ANECAMS), 10, rue Erard,
escalier 5, 75012 Paris.
Tél. : 01 43 42 09 10.
Vous pouvez aussi vous adressez à l'APATE (Association pour l'accueil de tous les enfants), 30, rue Érard, 75012 Paris,
Tél. : 01 43 43 96 14. Cette association cherche à promouvoir l'intégration sociale et pédagogiques des tout-petits porteurs de handicaps (ou malades) dans les haltes-garderies, les crèches, les écoles.

A cette adresse (30 rue Erard), se trouve également une halte-garderie particulière, créée par Cécile Herrou, la première en France de ce genre : la Maison Dagobert accueille en effet un tiers d'enfants porteurs de handicap, ou de maladies nécessitant des traitements quotidiens. Ces enfants sont intégrés à part entière parmi les autres. Cette halte-garderie a trouvé un prolongement dans la Maison Gulliver, école maternelle qui fonctionne sur le même principe, et à la même adresse.

Sous peine de transformer ce livre en un dictionnaire, nous ne pouvons donner ici les adresses pour toute la France. Voici les sièges des principales associations qui vous fourniront, dans votre département, l'adresse auprès de laquelle vous pourrez vous renseigner. Grâce à ces associations, vous pourrez rencontrer des parents confrontés aux mêmes difficultés que les vôtres, ce qui s'avère souvent très important. Associations dont la vocation est de fournir une documentation et des adresses dans tout le domaine de l'action sociale :
– CEDIAS, Centre de documentation, d'information et d'action sociale,
5, rue Las Cases, 75007 Paris. Tél. : 01 45 51 66 10.

– CTNERHI (Centre technique national d'études sur les handicaps et les inadaptations),
236 bis, rue de Tolbiac, 75013 Paris. Tél. : 01 45 65 59 00.

Associations nationales spécialisées par handicap :
– UNAPEI, Union nationale des associations de parents d'enfants inadaptés,
15, rue Coysevox, 75018 Paris,
Tél. : 01 44 85 50 50.
– Fédération nationale des associations de parents d'enfants déficients visuels,
12, rue de Picpus,
75012 Paris.
Tél. : 01 43 42 40 40, permanence du lundi au vendredi de 14 heures à 17 heures.
– Association des paralysés de France,
17, bd Auguste-Blanqui,
75013 Paris.
Tél. : 01 40 78 69 00.
– Association nationale des cardiaques congénitaux, Château des Côtes, 78350 Les Loges en Josas, http//www.ancc.asso.fr
– Association de placement et d'aide pour adultes et jeunes handicapés, APAJH
6, rue Hospitalière Saint-Gervais, 75004 Paris.
Tél. : 01 42 78 06 40.
– Union nationale des amis et familles de malades mentaux,
12, impasse Compoint,
75017 Paris.
Tél. : 01 42 63 03 03.

Comment obtenir une aide ?
Pour obtenir une aide, les parents d'enfants ayant un handicap doivent d'abord s'adresser à leur caisse d'Allocations familiales. À défaut d'intervention de cet organisme, il peut être fait appel à l'Aide sociale. Voir les détails dans le « Mémento Pratique ».

Même si du chemin reste à faire, l'**intégration** de l'enfant porteur d'un handicap a fait des progrès ces dernières années. Lors de vos demandes d'intégration à l'école, vous pouvez vous appuyer sur la circulaire de novembre 1999 (n° 99-187), intitulée « Mise en place de groupes départementaux de coordination Handiscol ». Cette circulaire expose 20 mesures pour faire de l'intégration scolaire le mode de scolarisation privilégiée.

Voici quelques livres. Sur l'enfant avec un handicap, nous vous conseillons le livre de Janine Lévy, *Le Bébé avec un handicap*, aux éditions du Seuil. Dans un langage clair et sensible, ce livre a le grand mérite d'envisager toutes les situations, très diverses, dans lesquelles le problème du handicap se pose ; il tient compte de l'individualité de chaque enfant, que ce soit dans sa famille ou dans son milieu éducatif. Et par ses témoignages, ce livre est le porte-parole des parents et des professionnels.

Nous vous recommandons également *Le Miroir brisé* (éditions Calmann Lévy), de Simone Sausse. L'auteur est une psychanalyste attachée aux équipes parisiennes que nous avons citées plus haut. Ce livre dit comment l'enfant pourra grandir malgré et avec son handicap, comment les parents peuvent être aidés dans cette épreuve, et donne la parole aux enfants qui ont peu ou pas de langage.

Et la revue *Déclic*, un mensuel s'adressant aux familles touchées par le handicap, ainsi qu'aux professionnels (14 avenue Berthelot, 69361 Lyon CEDEX 07, Tel. 04 78 72 72 72).

Nous vous conseillons également les films de Jeanine Lévy et Danielle Rapoport :
– *Avec un handicap*
– *Un enfant parmi les autres*
– *Toujours parmi les autres.*
Ces films sont diffusés par le Service du Film de Recherche Scientifique (SFRS).

Hémophilie.

Cette maladie hémorragique est due à l'absence de facteurs nécessaires à la coagulation du sang (il en existe plusieurs variétés, l'hémophilie A étant la plus fréquente). L'hémophilie est venue au premier rang de l'actualité du fait des accidents liés à son traitement dans les années 80 (voir *Sida*).

C'est une maladie héréditaire n'atteignant que les garçons mais transmise par les femmes chez qui elle n'apparaît pas.

Les premiers symptômes se manifestent habituellement à l'âge de la marche : après une petite blessure ou un traumatisme minime, les saignements sont abondants et prolongés et les hématomes importants ; il peut y avoir également des saignements internes, en particulier à l'intérieur des articulations (spécialement le genou) qui seront source de séquelles ultérieures (ankylose). Si la maladie est méconnue, l'hémorragie peut venir aussi compliquer une intervention chirurgicale, O.R.L. par exemple.

Le traitement consiste en transfusions répétées de sang frais, de plasma ou de globulines antihémophiliques. Une prise en charge par une équipe spécialisée est nécessaire compte tenu des multiples problèmes liés à la maladie et à son traitement.

L'enfant doit mener une vie protégée, c'est-à-dire à l'abri des risques traumatiques, ce qui exclut tous les jeux et sports violents. Les injections intramusculaires doivent être formellement exclues.
Association Française des hémophiles :
6, rue Alexandre-Cabanel,
75015 Paris.
Tél. : 01 45 67 77 67.

Hémorragie.

Blessure légère. L'enfant s'est coupé, est tombé, s'est égratigné, etc., la blessure saigne (voir *Coupure*).

Une hémorragie à la suite d'une coupure peut être stoppée si l'on appuie sur la plaie avec le doigt pendant quelque temps. Ensuite, vous badigeonnerez de Mercurochrome et vous mettrez un pansement adhésif.

Hémorragie par blessure grave. L'enfant s'est coupé profondément avec du verre, un couteau, etc. Dégagez la blessure en ôtant, en déchirant ou même en coupant les vêtements. Enlevez les débris (verre, métal, graviers, etc.) qui se trouvent près de la blessure, mais ne touchez pas à ceux qui sont enfoncés dans la plaie.

Ne cherchez pas à désinfecter la

392

blessure. Posez sur la plaie un gros pansement et appuyez fortement. (Le vaisseau est alors comprimé sur le plan résistant que forme l'os.) Continuez à presser pendant cinq minutes au moins. Fixez ensuite solidement le pansement avec des bandes. Si vous n'avez pas de pansement, utilisez un tampon formé par un mouchoir, une serviette, etc., propres de préférence ; mais même si vous n'avez pas de tissu propre, n'hésitez pas : arrêtez d'abord l'hémorragie, l'infection est secondaire. Et, selon le cas, transportez l'enfant à l'hôpital, ou appelez le 15 ou le 18.

Il est difficile dans la pratique de distinguer le saignement d'une artère ou d'une veine. Généralement :
– *veine sectionnée* : le sang s'écoule en nappe, il est rouge sombre ;
– *artère sectionnée* : le sang jaillit en gros jet saccadé. Il est rouge vif.

Si le pansement indiqué ci-dessus ne suffit pas à arrêter l'hémorragie, dans le cas d'une artère sectionnée, comprimez avec le pouce l'artère sectionnée au-dessus de la plaie, c'est-à-dire entre celle-ci et le cœur.

Saignement de nez sans cause apparente. Il faut commencer par moucher l'enfant, la tête penchée en avant. Puis, on essaiera d'arrêter le saignement en introduisant dans la narine qui saigne de la gaze, ou bien de l'éponge hémostatique stérile (vendue en pharmacie, qu'il sera bon d'avoir chez soi), et en comprimant avec le doigt l'aile du nez pendant 10 minutes. Si le saignement persiste, il faudra voir le médecin.

Lorsqu'un enfant a fréquemment des saignements de nez, il faut en parler au médecin, car il peut s'agir d'une dilatation de vaisseaux de la muqueuse nasale ou, parfois, d'un trouble de la coagulation du sang.

Sang dans les selles. Voir *Selles*.
Saignement génital. Voir page 321 et 389.

Hémorragique (maladie).

Le deuxième ou troisième jour de la vie, parfois plus tard, le nouveau-né peut présenter des saignements : soit dans les vomissements, soit dans les selles ou les urines, soit à la plaie ombilicale. Ces saignements sont dus à un déficit de vitamine K, facteur indispensable à la coagulation du sang. Un traitement préventif est assuré par l'administration systématique de vitamine K dès la naissance ; le traitement doit être prolongé pendant au moins 6 semaines en cas d'allaitement exclusif, mais non en cas d'allaitement artificiel car le lait adapté au nourrisson est enrichi en vitamine K.

Hépatites virales.

L'atteinte du foie d'origine virale est fréquente chez l'enfant : il s'agit essentiellement des virus A ou B contre lesquels on dispose aujourd'hui de vaccins efficaces.

Le début de l'hépatite virale est le plus souvent progressif et peu évocateur : l'enfant est fatigué, perd l'appétit, se plaint du ventre, vomit ; quelques fois viennent s'ajouter une éruption ressemblant à de l'urticaire, des douleurs articulaires ; après quelques jours apparaît la coloration jaune de la peau, plus ou moins intense, tandis que les urines peu abondantes sont foncées et les selles décolorées. Bien souvent ces symptômes sont atténués, même absents, limités à un simple état de fatigue inexpliquée. Les examens de laboratoire confirment le diagnostic (élévation des « transaminases ») et précisent le virus en cause.

L'hépatite A est en forte régression dans les pays industrialisés grâce à l'assainissement de l'eau ; son évolution est habituellement simple, sans complications, la maladie dure quelques jours, au maximum 2 à 3 semaines. Le traitement se borne au repos (sans maintien au lit obligatoire ni mesures diététiques particulières).

Le virus se transmet par voie digestive et la contagion se fait par l'eau, les aliments souillés, les selles. L'hépatite A est rare en France, et souvent accidentelle : lors de leur préparation, des aliments sont contaminés par une personne portant le virus. Par contre, elle est très fréquente dans les pays en voie de développement, et dans toutes les pays chauds où le virus peut être présent dans l'eau, sur les fruits et les légumes.

Le vaccin contre l'hépatite A se fait en deux injections à 30 jours d'intervalle, suivies d'un rappel 6 à 12 mois plus tard ; il est indiqué chez les personnes à risque : voyageurs (en zone tropicale), personnels de crèches, personnels de cuisine, personnes ayant un malade dans la famille, etc. Chez un enfant amené à voyager dans certaines régions (pays du Maghreb ou zone tropicale), la vaccination sera proposée dès l'âge d'un an.

L'hépatite B était en augmentation avant la généralisation de la vaccination. C'est une maladie grave qui peut devenir chronique et abîmer le foie pendant de nombreuses années. L'hépatite B se transmet par le sang (1).

Le vaccin contre l'hépatite B peut être ajouté aux autres vaccinations dès les premiers mois : 2 injections à 1 mois d'intervalle et un rappel au bout de 6 mois. Il n'est pas obligatoire.

Un cas particulier : l'hépatite du nouveau-né (hépatite à virus B). Si la mère a contracté la maladie (même avant la grossesse), le risque de transmettre le virus directement à l'enfant pendant l'accouchement est important. L'enfant peut contracter une hépatite très grave, ou une hépatite chronique. Dès sa naissance, il recevra donc, de façon préventive, une ou deux doses de gammaglobulines spécifiques et la vaccination sera commencée.

Le dépistage de l'hépatite B est maintenant fait systématiquement pendant la grossesse.

1- Signalons que l'hépatite B peut aussi se transmettre par voie sexuelle. Mais l'enfant vacciné jeune sera protégé à l'âge adulte, à condition que les rappels aient été faits.

Il existe une **hépatite C**, plus rare, dont les symptômes sont semblables à ceux de l'hépatite A, mais l'évolution comparable à celle de l'hépatite B, avec un passage possible à la chronicité.

L'hépatite C se transmet également par le sang. Il n'existe pas encore de vaccin.

Hernie.

Hernie ombilicale (au nombril). Chez certains nourrissons, l'ombilic fait une saillie, qui augmente de volume quand il crie. Le médecin vous rassurera, car ces hernies disparaissent d'elles-mêmes et ne s'étranglent jamais. Cependant, si la hernie est de très gros volume, ou si elle persiste après quelques années, une intervention chirurgicale sera indiquée.
Hernie inguinale (au pli de l'aine, c'est-à-dire au bas du ventre, à droite ou à gauche des organes génitaux). Si une boule dure apparaît (elle peut parfois s'engager dans les bourses), montrez l'enfant au médecin. Une intervention chirurgicale bénigne (quelques jours de clinique ou d'hôpital) sera peut-être nécessaire ultérieurement. Cette hernie est surtout fréquente chez les garçons. Elle peut cependant survenir chez la fillette. Il s'agit alors d'une hernie de l'ovaire, qui doit être opérée sans attendre.
Hernie étranglée. Si la hernie devient dure, douloureuse, ne rentre plus, elle est étranglée. L'intervention chirurgicale d'urgence est le plus souvent nécessaire.

Herpangine.

Contrairement à ce que son nom pourrait laisser croire, l'herpangine est due à un groupe de virus différent de celui de l'herpès : il s'agit du virus Coxsackie A. L'herpangine survient par petites épidémies, elle débute brusquement par de la fièvre, un malaise général, des douleurs musculaires et une angine. Celle-ci se caractérise par la présence, sur les amygdales, le voile du palais, parfois la langue, de petites vésicules qui se rompent rapidement et laissent

place à des ulcérations superficielles. Les ulcérations s'effacent en quelques jours. Le médecin prescrira un traitement local adapté. L'évolution est simple, sur une semaine environ.

Herpès.

Chez l'enfant, l'un des virus herpétiques (différent de l'herpès génital) se manifeste de deux façons :
— soit par une stomatite (voir ce mot) intense avec fièvre élevée et une altération de l'état général qui peut nécessiter une hospitalisation : il s'agit de la primo-infection herpétique ;
— soit par de petites vésicules groupées en bouquet au coin de la bouche : il s'agit de l'herpès labial qui peut durer quelques jours, mais qui peut récidiver sous l'influence de divers facteurs : fièvre, soleil, stress…

On dispose d'un médicament efficace ; il est utilisé par voie générale dans la primo-infection herpétique et par voie locale lorsque l'herpès récidive.

Hirschsprung (maladie de).

Voir *Mégacolon*.

Homéopathie.

Les traitements homéopathiques sont de plus en plus fréquemment utilisés chez l'enfant. Ils sont basés sur la constatation qu'un même médicament qui, chez une personne saine entraîne certains symptômes, peut guérir les mêmes symptômes chez une personne malade.

Cette observation a été faite pour la première fois au 18e siècle avec la quinine : ce médicament, qui provoque de la fièvre à forte dose, permet au contraire de lutter contre la fièvre s'il est employé à dose plus faible. Ainsi, une substance capable de produire certains effets, serait capable de corriger ces mêmes symptômes constatés chez un sujet malade.

Les substances utilisées en

homéopathie agissent en quantités faibles, très diluées, même à doses infinitésimales, sans que le mécanisme soit d'ailleurs bien compris.

En médecine homéopathique, les symptômes du malade sont étudiés minutieusement car les traitements proposés sont dirigés sur le symptôme indépendamment de sa cause.

Les médicaments utilisés en homéopathie sont d'origine végétale (par exemple aconit, belladone, arnica, etc.), plus rarement animale (apis, cantharis), ou bien ce sont des substances chimiques simples (argent, mercure, antimoine, phosphore, cuivre, etc.).

L'homéopathie a le mérite d'être une thérapeutique douce et d'application facile, donnée sous forme de petites granules à laisser fondre dans la bouche. Elle est donc bien adaptée à l'enfant et, de plus, n'offre aucun danger de toxicité. Elle a, en outre, l'intérêt de traiter non seulement le ou les symptômes, mais aussi de tenir compte de chaque malade : en effet, elle met au premier plan la notion de terrain constitutionnel, de tempérament, de prédisposition de tel ou tel type de maladie.

L'efficacité de l'homéopathie a été constatée dans certaines maladies aiguës ou chroniques, particulièrement dans des cas où les médicaments classiques se sont montrés inefficaces (par exemple les rhinopharyngites à répétition et l'asthme).

Il est donc possible que les traitements homéopathiques soient conseillés seuls, ou en complément des traitements classiques (allopathiques), par des pédiatres ayant acquis une compétence en ce domaine.

Hoquet chez le nourrisson.

Voir page 54.

Hormone de croissance.

L'hormone de croissance est une protéine sécrétée par une petite glande située à la base du cerveau, nommée l'hypophyse. Cette hormone circule dans le sang et permet la croissance osseuse pendant l'enfance. Une production insuffisante de cette hormone entraîne un retard de croissance qui persiste à l'âge adulte. C'est une des causes du nanisme et de certains accidents d'hypoglycémie dans l'enfance.

Pour éviter un nanisme sévère, si un déficit de l'hormone de croissance est mis en évidence chez un enfant, il est possible de traiter cet enfant pendant la croissance par des injections, intramusculaires ou sous-cutanées, d'hormone de croissance à raison de 3 à 7 injections par semaine pendant plusieurs années. On utilise une hormone de synthèse, fabriquée par des laboratoires pharmaceutiques avec des techniques génétiques. Ce traitement est bien toléré, et souvent très efficace ; il permet à l'enfant de rattraper son retard de taille, puis de poursuivre sa croissance sur les courbes normales (voir page 328), et d'atteindre une taille adulte satisfaisante. Ce traitement ne peut être prescrit que par des pédiatres spécialisés en endocrinologie. Renseignez-vous à l'hôpital le plus proche de votre domicile.

Autrefois, dans les années 70 et 80, on ne savait pas fabriquer l'hormone de croissance, et on utilisait de l'hormone naturelle. Cette hormone était extraite d'hypophyses humaines. Les hypophyses étaient prélevées au cours des autopsies dans les hôpitaux. C'est par cette hormone naturelle, extraite d'hypophyses humaines, qu'est survenue la contamination de certains enfants qui ont développé la maladie de Creutzfeldt-Jakob, maladie neurologique dégénérative, aboutissant au décès en quelques mois. Depuis 1989, cette hormone naturelle n'est plus employée, et on utilise exclusivement l'hormone de synthèse qui ne comporte pas de risque infectieux.

Hospitalisation.

Voir « Si l'enfant doit aller à l'hôpital » (page 349).

Hydrocèle.

Voir *Testicules.*

Hydrocution.

L'hydrocution est un accident grave, différent de la noyade proprement dite, et survenant lors de l'entrée dans l'eau ; il s'agit d'une syncope : le sujet perd connaissance et coule immédiatement. L'évolution est souvent très grave si les manœuvres de réanimation cardio-respiratoire n'ont pas été entreprises aussitôt. Pendant que les gestes d'urgence sont pratiqués, il faut appeler le 15 ou le 18. Le mécanisme est encore mal connu ; on met en cause la trop grande différence de température air-eau (syncope thermodifférentielle).

Conseils préventifs : éviter l'exposition solaire prolongée avant le bain, entrer dans l'eau progressivement, ne jamais contraindre un enfant réticent.

Hyperactif (enfant).

Certains enfants sont très vifs, très actifs, sans cesse en mouvement ; ils en sont parfois pénibles (voir *L'enfant agité*, page 295). Mais ce n'est que lorsque l'enfant a une hyperactivité permanente, peu d'activités suivies, et que cela retentit sur ses capacités d'attention et d'apprentissage, que l'on parle du syndrome d'hyperactivité et de déficit d'attention.

L'enfant hyperactif peut devenir plus calme grâce à des séances régulières de psychomotricité, de relaxation. Mais il est important que les parents et l'école comprennent que l'enfant ne fait pas exprès d'être turbulent, que c'est sa nature, qu'il faut l'aider plutôt que le réprimander.

Un médicament peut être donné pour calmer les formes graves, pathologiques, d'hyperactivité. Ce médicament (la *ritaline*) ne peut être prescrit que par un médecin hospitalier. Il est donné, assez rarement, lorsque le comportement de l'enfant n'est plus sup-

porté ni par la famille, ni par l'école. Ce traitement est généralement donné du lundi au vendredi, avec arrêt pendant les week-ends et les vacances. Il sera arrêté au plus tard à l'adolescence.

Hypertension artérielle.

Bien que rare, l'hypertension artérielle peut se voir chez le nourrisson et l'enfant ; elle a des causes diverses (avant tout rénales), mais elle peut être aussi sans cause décelable, comme chez l'adulte.

La prise de la pression artérielle est difficile chez l'enfant en raison de l'agitation et de la réaction émotive ; cependant elle tend à devenir un geste de plus en plus couramment effectué lors de l'examen du médecin. Il est surtout important de savoir que les résultats obtenus doivent être interprétés avec beaucoup de précaution : tout chiffre qui pourrait paraître anormal sera vérifié à plusieurs reprises et dans les meilleures conditions (calme, repos, mise en confiance, etc.) et confronté aux normes qui varient en fonction du sexe, de l'âge et de la taille.

Hypospadias.

L'orifice (méat) urinaire, au lieu d'être situé normalement à l'extrémité de la verge, se trouve à sa face inférieure, plus ou moins en arrière ; le jet est dirigé vers le bas. Il existe parfois une courbure de la verge, et les testicules ne sont pas descendus dans les bourses. Une intervention chirurgicale est nécessaire et donne de bons résultats.

Hypothyroïdie congénitale.

Voir *Thyroïde.*

Hypotrophie.

L'hypotrophie du nourrisson est définie comme une croissance insuffisante, particulièrement en poids. Il est rare en Europe que la cause en soit une insuffisance alimentaire. Les causes habituelles sont : les infections répétées ou prolongées (otites, infections urinaires, etc.) ; les malformations d'organes (cœur, reins, etc.) ; les troubles de la digestion et de l'absorption intestinale (mucoviscidose, intolérance à certains constituants du lait, intolérance au gluten – qui est une protéine contenue dans les farines de céréales) ; les maladies chroniques. Dans ces cas, les enfants présentent une cassure de la courbe de poids qui conduit le médecin à faire pratiquer un bilan. Par contre, certains enfants ont une croissance régulière, mais au-dessous de la moyenne, l'origine est surtout familiale.

Hypotrophie du nouveau-né.

▼ (Retard de croissance intra-utérin).

Le nouveau-né hypotrophe est, contrairement au prématuré, un enfant dont la durée de gestation a été normale, mais qui naît avec un petit poids (inférieur à 2 500 g) et une petite taille. On parle dans ce cas de retard de croissance intra-utérin dont les causes sont multiples et peuvent être maternelles (infection, toxémie, intoxication médicamenteuse, abus du tabac), ou placentaires.

Ii - Jj

Ictère du nouveau-né.

Dans les jours qui suivent la naissance, de nombreux bébés prennent une couleur jaune orangée plus ou moins accentuée. C'est l'ictère du nouveau-né, incident bénin dont la cause est connue.

En naissant, le bébé apporte avec lui une réserve de globules rouges (ces cellules qui dans le sang servent à transporter l'oxygène). Le circuit sanguin étant ouvert et les poumons déployés, il détruit une partie de ses globules rouges. Chez la plupart des bébés, l'élimination se fait sans problème, grâce à la rate et au foie. Chez les autres, le foie, pas encore tout à fait mature, ne peut éliminer la totalité des déchets (bilirubine) provenant de cette destruction globulaire. Ces « pigments biliaires » s'accumulent dans le sang, déterminant la jaunisse (ou ictère) du nouveau-né, qui s'efface habituellement en quelques jours. La lumière accélère cette baisse de l'hyperbilirubinémie ; c'est pourquoi le nouveau-né qui a la jaunisse sera parfois mis « sous lampe » (photothérapie blanche ou bleue) pendant quelques jours, plusieurs heures par jour, après avoir pris soin de lui protéger les yeux.

Autres causes de l'ictère du nouveau-né : le groupe sanguin du bébé, différent de celui de sa maman ; la prématurité ; la malformation des voies biliaires (c'est heureusement très rare).

A noter que l'allaitement entraîne parfois la persistance de l'ictère pendant le premier mois, c'est sans danger pour le bébé.

Imagerie médicale

Radiographie, échographie, scanner, IRM : ces examens, dont certains sont couramment pratiqués chez les enfants, permettent de visualiser l'intérieur du corps humain. C'est ce qu'on appelle l'imagerie médicale.

L'usage de la **radiographie** (rayons X) est limité à cause du risque d'irradiation en cas d'examens répétés, mais cet examen conserve tout son intérêt dans le domaine pulmonaire et osseux. Par exemple, lorsqu'un enfant fait une chute et que l'on craint une fracture, le médecin fait passer une radiographie.

L'échographie (ultra-sons) qui n'a pas l'inconvénient du rayonnement, est devenue l'examen de base, elle est renouvelable autant que nécessaire. Elle est utilisée systématiquement pour suivre chez la future mère le déroulement de la grossesse, et chez les enfants, les échographies abdominale, cardiaque, rénale, de hanche, etc. sont devenues courantes. Ainsi lorsqu'un enfant se plaint de douleurs abdominales, le premier examen demandé est l'échographie. L'échographie a cependant ses limites dans la précision et l'interprétation des images.

Le scanner (dont le nom médical est la tomodensitométrie) visualise en coupes successives l'ensemble de l'organe étudié ; le scanner cérébral est très utile dans le domaine des maladies neurologiques (tumeurs, anomalies vasculaires) et les traumatismes crâniens. Un enfant ayant fait une chute sur la tête passera un scanner pour vérifier l'absence de complications cérébrales.

L'IRM (Imagerie par Résonnance Magnétique) est encore plus précise que le scanner puisqu'elle peut atteindre le moindre détail anatomique.

On comprend que ces examens ne puissent être mis sur le même plan : la radiographie standard et l'échographie sont les examens demandés en premier et ils sont souvent suffisants pour le diagnostic. Le scanner et l'IRM sont des examens coûteux, nécessitant des appareils très perfectionnés.

Impétigo.

Cette infection microbienne de la peau chez le nourrisson est due à un staphylocoque ou à un streptocoque. Elle débute par une petite bulle, qui s'étend en quelques heures, puis se ride. Elle est cernée d'un halo rouge. Très vite, la bulle se rompt : il en sort un liquide trouble, poisseux, qui se dessèche et produit des croûtes jaunâtres, friables comme de la cire d'abeille, puis brunâtres. C'est l'aspect que l'on peut habituellement constater.

L'impétigo atteint souvent le visage – autour du nez, de la bouche – et le cuir chevelu. L'intérieur de la bouche peut être également infecté (stomatite). Les croûtes sont parfois très épaisses. L'impétigo est très contagieux : l'enfant s'infecte lui-même par les doigts et propage les lésions ; de plus, il transmet l'infection aux autres enfants par contact direct. C'est pourquoi l'éviction scolaire est recommandée en cas de lésions étendues.

Le médecin prescrira un traitement local, à base d'antiseptique, de pommade antibiotique, et, éventuellement, des antibiotiques par voie générale.

Indigestion, embarras gastrique.

Chez le nourrisson, comme chez l'enfant plus grand, il est bien difficile de donner une définition précise de l'embarras gastrique car des symptômes courants comme les vomissements, les douleurs abdominales ou la fièvre peuvent avoir des causes diverses qui vont de l'indigestion la plus banale à l'hépatite virale, en passant par la crise d'appendicite aiguë. C'est pourquoi la vigilance s'impose : après 24 heures d'attente et d'observation, il sera prudent de consulter le médecin.

Infection urinaire.

Chez le nourrisson, l'infection de l'appareil urinaire est fréquente. Il ne faut pas s'attendre aux symptômes habituels chez l'adulte (brûlures, envies fréquentes d'uriner, etc.). Au contraire, l'infection urinaire de l'enfant s'accompagne de peu de symptômes, ou bien ceux-ci sont trompeurs : elle se manifeste le plus souvent par des accès de fièvre, avec des frissons et c'est l'absence d'autre cause à cette fièvre (rhinopharyngite par exemple) qui attirera l'attention. On constate souvent un mauvais état général avec manque d'appétit, pâleur, prise de poids insuffisante, douleurs abdominales.

C'est l'analyse d'urine faite par un laboratoire (1) qui permettra de reconnaître l'infection, et le médecin la demandera systématiquement devant tout état mal caractérisé. Mais, en attendant, un test simple et immédiat (bandelette urinaire) peut donner une forte probabilité Un traitement antibiotique sera prescrit, souvent en milieu hospitalier, car, chez le nourrisson, les antibiotiques sont plus efficaces par voie intraveineuse. L'enfant recevra ensuite un traitement antibiotique par la bouche jusqu'au bilan échographique. L'infection urinaire est sujette à se reproduire et la guérison définitive est parfois difficile. Cette répétition est souvent due à la présence d'une malformation des voies urinaires. C'est pourquoi on prescrira, même chez le petit nourrisson, une échographie et une radiographie des voies urinaires appelée cystographie. Si une anomalie est ainsi révélée, le traitement est plus complexe, et vous serez adressé à un spécialiste urologue. Le reflux de l'urine à contre-courant de la vessie vers le rein est une cause d'infection à répétition (reflux vésico-urétéro-rénal). Des analyses d'urines seront régulièrement faites.

Cystite : la cystite correspond à une infection urinaire restant localisée à la vessie. On dit qu'il s'agit d'une infection « basse, par opposition à l'infection « haute », atteignant les voies urinaires supérieures jusqu'au rein. La cystite est très fréquente chez la petite fille, elle est favorisée par la proximité de l'orifice urinaire et de l'anus ; il faut apprendre à l'enfant à s'essuyer d'avant en arrière, il ne faut pas abuser des bains prolongés et ne pas utiliser de produits moussants irritants.

1- Comment recueillir les urines ? Voir page 438.

Intolérance au lactose

Elle est due à la diminution ou à la perte de la capacité de digérer le lactose (sucre du lait). Elle peut survenir progressivement chez l'enfant, ou bien soudainement dans les suites d'une gastro-entérite virale. Elle est rare chez le tout-petit. Elle se manifeste par des troubles digestifs (ballonnements, maux de ventre…).

En cas d'intolérance au lactose, seul le lait en boisson est à éviter. De petites quantités de lait incluses dans les plats ou les desserts sont bien supportées. Les fromages peuvent être consommés car ils sont dépourvus de lactose, ainsi que les yaourts dont les ferments lactiques dégradent le lactose.

Il est important de faire la différence entre l'intolérance au lactose et l'*allergie aux protéines de lait* (voir ce mot) car le régime alimentaire est différent.

Intoxication.

Trois situations peuvent se présenter :

Vous voyez l'enfant avaler un produit toxique (médicament, alcool, produit d'entretien, etc.)
Ce que vous devez faire :
- avant tout garder votre sang-froid ;
- téléphoner au centre antipoison ou au SAMU (15). Ce sont eux qui vous indiqueront quelle conduite avoir et s'il faut transporter l'enfant à l'hôpital. Dans ce cas, c'est l'hôpital qui prendra contact avec les centres antipoison, effectuera les premières mesures d'urgence (évacuation gastrique, réanimation…) et décidera du transfert éventuel dans un service spécialisé ;
- si l'état de l'enfant est très grave, appeler le SAMU, qui vous conseillera et organisera éventuellement le transport à l'hôpital ;
- répondre avec le plus de précisions possible en ce qui concerne le produit (nature, quantité), l'heure de l'accident, les premiers symptômes observés. Apporter les produits (ainsi que les emballages) à l'hôpital. Votre enfant présente certains symptômes faisant penser qu'il a absorbé un produit toxique : il titube, ou il est somnolent, ou il ne tient pas debout.
- Il faut **immédiatement** appeler le SAMU (15) et le médecin que vous aurez au téléphone décidera avec vous de la conduite à tenir.
- Essayez de trouver ce que l'enfant a pu absorber, pensez à regarder sur le sol, sous les meubles, ou encore dans les poches de l'enfant.

Au cas où il vous serait impossible d'aller à l'hôpital ou de joindre un médecin, voici les **centres antipoison :**
Bordeaux : Pellegrin
05 56 96 40 80.
Lille : CHR
08 25 81 28 22.
Lyon : Édouard-Herriot
04 72 11 69 11.
Marseille : Salvator
04 91 75 25 25.
Nancy : Central
03 83 32 36 36.
Paris : Fernand-Widal
01 40 05 48 48.
Rennes : CHR
02 99 59 22 22.

Toulouse : Purpan
05 61 77 74 47.

Vous croyez que votre enfant a avalé un produit toxique mais vous n'en êtes pas sûr. Il est prudent de prendre conseil auprès du médecin et, si vous n'arrivez pas à le joindre, de téléphoner au SAMU (15). Dans ce cas, nous vous faisons la même recommandation que plus haut : essayez de trouver ce que l'enfant a pu absorber.

Recommandation particulière : on croit souvent qu'il faut faire boire un enfant quand on redoute une intoxication. Cela n'est recommandé dans aucun cas, pour aucune boisson (en particulier le lait). Cela peut même être dangereux. Il est dangereux également d'essayer de faire vomir.

Maximum de risque : entre 1 an et 4 ans. C'est à cet âge et surtout chez les garçons que les intoxications sont les plus nombreuses.

Les médicaments et les produits ménagers sont les grands responsables. Il n'est pas inutile de redire que médicaments et produits d'entretien ne doivent jamais être accessibles par l'enfant : ils doivent être rangés en hauteur. C'est une recommandation très simple mais qui, si elle est oubliée, peut être lourde de conséquences (sur les dangers de la maison, voyez le chapitre 3).

Intoxications alimentaires.

On rassemble sous ce nom les troubles, parfois graves, consécutifs à l'ingestion d'aliments contaminés par diverses bactéries (d'où le terme souvent employé de «toxi-infections alimentaires»). Les plus fréquentes de ces intoxications sont les *salmonelloses* (voir ce mot), la *listériose* (voir ce mot), et surtout celle due au *staphylocoque* dont nous parlons dans cet article.

Les aliments — surtout crèmes, pâtisseries, mais aussi viande, poisson — sont contaminés par des personnes atteintes d'infections cutanées (furoncle, panaris). De plus, lorsque les aliments sont conservés à température ambiante,

cela permet au staphylocoque de se développer rapidement, c'est ce qu'on appelle la rupture de la chaîne du froid. Ces intoxications provoquent souvent de petites épidémies dans les collectivités, à la cantine par exemple.

Quelques heures après le repas, apparaissent brusquement des troubles digestifs : des vomissements, des douleurs abdominales, une diarrhée pouvant entraîner une déshydratation importante (voir le mot *Diarrhée*). L'évolution est le plus souvent rapidement favorable, mais quelques formes plus graves peuvent nécessiter une courte hospitalisation.

Intoxication par l'oxyde de carbone.

Elle se produit lorsqu'il y a un mauvais fonctionnement d'un appareil de chauffage ou d'un chauffe-eau, dans un local mal ventilé ; c'est souvent une intoxication collective familiale. L'oxyde de carbone est un gaz inodore (contrairement au gaz de ville) qui en se fixant sur l'hémoglobine, empêche l'oxygénation correcte de l'organisme ; cette intoxication entraîne des lésions graves, particulièrement au niveau du système nerveux.

Les premiers symptômes sont des maux de tête, des nausées et des vomissements.

Puis, la personne intoxiquée peut perdre conscience, et s'il n'y a pas eu d'intervention rapide, elle peut même être plongée dans le coma. Une coloration rouge de la peau et des muqueuses doit faire penser à l'intoxication par l'oxyde de carbone.

Ce qu'il faut faire : appeler les pompiers ; sortir l'enfant de la pièce et aérer ; en attendant les secours, si nécessaire, pratiquer la respiration artificielle, et le massage cardiaque ; si l'enfant respire normalement, le mettre en position dite de sécurité (c'est-à-dire allongé sur le côté, la bouche orientée vers le sol), pour qu'il ne s'étouffe pas.

Si le diagnostic d'intoxication par oxyde de carbone est confirmé, l'enfant sera conduit

d'urgence dans un centre spécialisé pour un traitement par oxygène « hyperbare » en caisson.

La prévention passe par la vérification et l'entretien réguliers des appareils de chauffage.

Invagination intestinale aiguë.

L'invagination veut dire qu'une partie de l'intestin rentre, se replie sur elle-même, à la manière d'un téléscope.

C'est une urgence chirurgicale propre au nourrisson, dont nous avons parlé à l'article *Cris du nourrisson* parce qu'elle provoque des crises très douloureuses, avec pleurs, altération de l'état général et pâleur, séparées d'accalmies complètes.

Le début est brusque : un bébé en pleine santé tout à coup refuse le biberon ; puis les crises se succèdent ; huit à douze heures plus tard, apparaît une selle mêlée de sang, ou une petite émission de sang. Devant ces symptômes, il est urgent de transporter l'enfant à l'hôpital. Si le diagnostic est confirmé par les radios du côlon, l'intervention chirurgicale sera faite rapidement. Cette intervention est destinée à « réduire » l'invagination. Il est possible que cette réduction se fasse spontanément, ou lors de l'examen radiologique, mais il sera toujours nécessaire de le vérifier chirurgicalement.

Jambes arquées.

Durant les douze premiers mois : c'est la plupart du temps sans gravité. Les jambes sont normalement arquées dans la position du fœtus. Elles se redressent peu à peu. Elles seront droites quand l'enfant se mettra à marcher.

À l'âge de la marche : le rachitisme était une cause bien connue des jambes arquées, mais non la seule (voir *Rachitisme*). Plus fréquemment de nos jours, les jambes arquées peuvent se voir chez des enfants lourds. Le sommet de la courbure se situe alors au niveau du genou, c'est le genu valgum, (voir ce mot) alors que dans le rachitisme, c'est la partie inférieure de la jambe qui est déformée.

Il est inutile de faire porter des semelles orthopédiques à un enfant aux jambes arquées.

Seuls des cas très accentués nécessitent de véritables traitements orthopédiques.

Jumeaux.

En général, les jumeaux ont un poids inférieur à la moyenne et ils sont souvent un peu prématurés. Du coup, le démarrage de leur croissance est un peu plus long, et le séjour à la maternité légèrement prolongé. Mais, s'ils ne sont pas de grands prématurés (ce qui est fréquent chez les jumeaux), ils ne posent pas de problèmes particuliers de santé, en-dehors d'une anémie banale par manque de fer. En effet, les deux bébés se sont partagé les réserves prévues pour un seul enfant, et, dès la naissance, le stock est vite épuisé. Dans ce cas, un apport supplémentaire est rapidement nécessaire.

Sur les jumeaux, voyez aussi les pages 263 et suivantes.

Jaunisse.

Voir *Ictère du nouveau-né* et *Hépatite*.

Kk - Ll

Kawasaki (maladie de).

Décrite d'abord au Japon il y a une trentaine d'années, cette maladie n'est pas exceptionnelle chez le nourrisson et l'enfant au-dessous de 5 ans. La cause est encore inconnue. Les symptômes associent une fièvre élevée, prolongée au-delà d'une semaine, une éruption siégeant principalement sur le tronc (pouvant faire penser à une rougeole ou une scarlatine), la bouche, le pharynx et les yeux (pharyngite, lèvres sèches et fissurées, langue « fraisée », rouge avec des papilles apparentes, conjonctivite…), des ganglions au niveau du cou.

Un élément très caractéristique est observé aux mains et aux pieds qui sont enflés, rouges, et qui « pèlent », à partir du 10e jour, en lambeaux aux paumes et aux plantes des pieds (ce qui renforce encore la ressemblance avec la scarlatine). La maladie peut durer plusieurs semaines, même plusieurs mois si elle n'est pas traitée. Dans la plupart des cas, l'enfant guérit sans séquelles, mais des complications cardiaques peuvent survenir (atteinte des artères coronaires). Cette maladie nécessite donc un traitement en milieu hospitalier et une surveillance cardiologique régulière et prolongée.

Kinésithérapie respiratoire.

C'est actuellement un point important du traitement des maladies respiratoires de l'enfant, telles que bronchites à répétition, asthme, et surtout mucoviscidose et bronchiolites du nourrisson. Grâce à la kinésithérapie respiratoire, l'évolution de ces maladies a été considérablement améliorée.

Des techniques particulières permettent l'évacuation des sécrétions qui encombrent les bronches (toilette bronchique, drainage postural, vibrations de la paroi du thorax, exercices respiratoires divers) ; elles sont appliquées, dès le plus jeune âge, par des kinésithérapeutes entraînés, à raison d'une ou même plusieurs séances quotidiennes en période aiguë, plus espacées ensuite. Les rudiments de la technique peuvent être appris par les parents.

Les séances sont impressionnantes quand l'enfant est jeune : il peut être cyanosé (couleur bleutée) et ensuite très fatigué. C'est normal lorsque le drainage est efficace. Les parents se rendent bien compte du soulagement que ressent l'enfant après les séances. C'est pourquoi il est préférable de les faire le soir pour que l'enfant dorme bien ensuite.

Entre novembre et février, qui est la période des bronchiolites, les kinésithérapeutes organisent des gardes pour pouvoir assurer les séances du week-end et des jours fériés. Les séances sont prises en charge par la Sécurité Sociale.

Voir *Bronchiolite*.

Langage (retard du).

L'absence de langage organisé (association de deux mots) au-delà de 3 ans n'est pas normale et doit amener à se poser différentes questions.

Il faut d'abord s'assurer que l'enfant entend bien ; pour cela le médecin fera un examen de l'audition (voir *Surdité*). Il peut s'agir d'une surdité légère partielle, limitée au niveau de la conversation normale, et qui a pu tout à fait passer inaperçue.

En second lieu, un handicap mental doit être éliminé en observant le comportement de l'enfant, ses jeux, son niveau de compréhension ; au besoin, le médecin fera préciser le niveau intellectuel de l'enfant par des tests psychologiques adaptés.

Enfin, l'absence de langage peut, dans quelques rares cas, être le témoin d'un trouble grave du développement de la personnalité et de difficultés majeures avec l'entourage.

Ces différentes possibilités éliminées, il s'agit d'un retard « simple » du langage : l'enfant a une compréhension parfaite et un comportement normal, mais il n'émet que quelques mots plus ou moins bien articulés sans les associer entre eux, sans phrase, même simple. Les raisons en sont mal connues, on a parfois invoqué un manque de stimulation, des problèmes affectifs, etc. Le retard de langage est en général rapidement rattrapé, mais il peut nécessiter une rééducation en raison des difficultés qu'il peut entraîner, particulièrement à l'école.

Langage (Troubles du).

Voir *Bégaiement* et *Zézaiement*.

Langue (Frein de la).

Trop court, le frein gêne les mouvements de la langue et serait susceptible d'entraîner ultérieurement des anomalies de langage. Pour couper le frein de la langue, une petite intervention est nécessaire ; il vaut mieux la faire faire en milieu chirurgical, ou O.R.L.

Laryngite.

Dans le vocabulaire courant, la laryngite est un accident sans gravité, une inflammation de la gorge qui fait un peu tousser et qui casse la voix. Or chez l'enfant, avoir une toux rauque, aboyante, une gêne pour respirer, c'est aussi une laryngite, mais le pronostic est différent.

Il y a deux sortes de laryngites de l'enfant ; l'une est plus grave que l'autre, mais elles sont difficiles à distinguer au début. C'est pourquoi il est recommandé d'emmener l'enfant à l'hôpital.

— La laryngite striduleuse (ou faux croup) : le début est brusque, le plus souvent la nuit, et la gêne à respirer est impressionnante. Il s'agit d'un spasme laryngé qui disparaît en quelques heures mais qui a tendance à se répéter.

— L'autre forme de laryngite est provoquée par un virus (c'est la laryngite œdémateuse infectieuse virale). Le début est moins brusque que dans le cas du faux croup, mais l'évolution est plus grave et nécessite surveillance et traitement spécifique à l'hôpital.

L'épiglottite. C'est une forme particulière de laryngite, rare mais très grave. Elle se caractérise par une fièvre élevée, une gêne à la déglutition et une difficulté respiratoire qui s'aggrave rapidement ; un point particulier : l'enfant reste assis, et refuse de s'allonger ; il ne faut surtout pas l'y obliger sous peine d'aggravation brutale. L'épiglottite est d'origine microbienne (le germe habituel est l'hémophilus) ; elle nécessite un traitement d'urgence en milieu hospitalier.

Listériose.

Cette maladie est due à un microbe (listéria monocytogène) qui peut contaminer de nombreux aliments, particulièrement les fromages préparés à partir de lait cru, mais aussi les charcuteries en gelée, pâtés, rillettes, langue de porc... En général, la listériose donne peu ou pas de symptômes ; elle se signale par un simple « état grippal », passager, qui guérit rapidement, mais elle peut être plus grave chez la personne âgée, ou celle atteinte d'une autre maladie qui diminue les défenses de l'organisme.

Le cas de la femme enceinte est particulier : atteinte de manière inapparente en fin de grossesse, la future maman transmet la maladie au bébé. Dès les premiers jours de vie, le nouveau-né présente un état de souffrance générale grave avec hypothermie, détresse respiratoire, atteinte méningée.

La listériose est sensible aux antibiotiques qui peuvent être administrés au nouveau-né et à la mère. Mais, aujourd'hui, on insiste beaucoup sur la prévention : ne pas consommer des aliments à risques (voir plus haut) et respecter absolument la « chaîne du froid » pour transporter les aliments jusque dans le réfrigérateur familial.

Luxation congénitale de la hanche.

Voir *Hanche luxable*.

Lyme (maladie de).

Voir *Tiques*.

Mm - Nn

Maigreur et amaigrissement.

Être maigre, cela ne veut pas dire être malade. Mais si être constitutionnellement maigre ne doit pas inquiéter, maigrir est un symptôme qui n'est pas normal, chez l'enfant comme chez l'adulte.

Devant un enfant qui est maigre, ou qui ne grossit pas, ou qui grossit très lentement, il y a deux questions à se poser : d'abord vous – père ou mère –, n'étiez-vous pas comme lui au même âge ? Ensuite votre enfant a-t-il bonne mine, de l'entrain, de l'appétit, un sommeil calme et d'une durée normale ?

La réponse est oui ? Alors la maigreur de votre enfant est affaire de constitution, et vous n'avez pas à vous inquiéter.

Si la réponse est non, vérifiez que l'alimentation de l'enfant est régulière et équilibrée, et que le rythme des journées et des activités n'est pas trop soutenu. Si l'enfant dort mal, il faut vérifier qu'il n'a pas d'oxyures, ou de parasites ; ce n'est pas grave mais cela entraîne des cauchemars et perturbe l'alimentation.

Enfin, si l'enfant perd du poids – ce qui se constate sur la balance – et donc maigrit, et encore plus s'il est fatigué ou fébrile, il faut consulter le médecin. Celui-ci recherchera une maladie organique ; par exemple le diabète provoque souvent un amaigrissement important.

Maladies infantiles (fièvres éruptives).

Voir *Rougeole, Rubéole, Oreillons, Varicelle, Roséole.*

Malabsorption intestinale.

Voir *Gluten, Diarrhée chronique, Mucoviscidose.*

Malaises du nourrisson.

On rassemble actuellement, sous ce terme un peu imprécis, des troubles de survenue brutale tels que : accès de pâleur ou de cyanose, arrêt respiratoire (apnée), épisode d'hypotonie, avec parfois perte de connaissance ; dans certains cas, quelques mouvements saccadés et la révulsion oculaire font penser à une convulsion.

Ces malaises sont de courte durée (quelques secondes ou minutes) et cessent en général spontanément, ou grâce à quelques manœuvres simples de stimulation et de réanimation. Mais ils peuvent se reproduire ou parfois laisser des séquelles.

La survenue d'un malaise chez le nourrisson est toujours un événement impressionnant pour l'entourage qui en a été témoin. Parfois la crainte que le malaise se reproduise de façon plus grave inquiète. La survenue d'un malaise doit toujours faire consulter le médecin pour s'assurer que l'enfant n'a pas de maladie pouvant entraîner de nouveaux troubles. Il faut aussi en rechercher la cause car parfois ils justifient un traitement adapté.

Les mécanismes et les causes des malaises sont nombreux : digestifs (reflux gastro-œsophagien), cardiaques (troubles du rythme), respiratoires (bronchiolite), obstruction des voies respiratoires supérieures ou encore métaboliques.

La gravité de ces malaises, et les traitements qui sont parfois nécessaires, dépendent de leur répétition éventuelle, de leur durée, de leur cause.

Le pédiatre parlera peut-être de *malaise vagal*. Ce type de malaise est provoqué par la stimulation du nerf vague, par exemple dans le cas du reflux gastro-œsophagien. Cette stimulation entraîne un ralentissement transitoire du rythme cardiaque, qui peut être suffisamment marqué pour provoquer de la pâleur, voire une perte de connaissance brève. Un traitement médicamenteux est parfois conseillé, après des explorations complètes du rythme cardiaque.

Étant donné toutes les causes possibles des malaises décrits ci-dessus, on comprendra qu'avant de conseiller le meilleur traitement, le pédiatre aura besoin d'hospitaliser l'enfant pour un bilan complet avec, entre autres, Phmétrie, Holter cardiaque, enregistrement polygraphique du sommeil…

Voir aussi *Convulsions fébriles, Epilepsie, Reflux gastro-œsophagien, Spasme du sanglot.*

Maltraitance. Enfants battus.

La notion de maltraitance a d'abord été limitée aux enfants victimes de violences et de sévices corporels. Sous le terme d'« enfants battus », on a rassemblé certains symptômes qui doivent attirer l'attention s'ils sont nombreux et répétés : lésions cutanées (ecchymoses, hématomes, plaies et cicatrices diverses, traces de brûlures) ; lésions osseuses (fractures des membres, des côtes, du nez, du crâne ; des fractures anciennes sont parfois visibles sur les radiographies du squelette). À ces symptômes s'ajoutent souvent des troubles du comportement (enfant triste, apathique, craintif, ou au contraire instable, agité, avide d'affection), un retard d'acquisitions psychomotrices et un retard de la croissance physique.

Aujourd'hui, la notion de maltraitance s'étend de manière plus générale aux enfants négligés, délaissés, carencés, tant au plan nutritionnel que psycho-affectif. Et récemment, ce sont les sévices sexuels qui ont surtout attiré l'attention.

Les pouvoirs publics ont mis en place des campagnes d'information concernant les droits de l'enfant et leur respect, et la prise en charge des enfants maltraités par les services médico-sociaux et éventuellement judiciaires.

Les professionnels (pédiatres, psychologues, magistrats, etc.) insistent sur l'intérêt de reconnaître les familles à risque pour pouvoir agir préventivement. (Voir aussi « L'enfant maltraité », page 309, « L'enfant secoué » page 426 et « Les droits de l'enfant », page 473.)

Marche (retard de la).

L'acquisition de la marche est une étape majeure dans la vie de l'enfant car elle est le témoin de son bon développement physique, psychique, affectif.

Les conditions nécessaires à la marche sont nombreuses : elle nécessite d'abord l'intégrité du squelette, des muscles, du système nerveux, en particulier du cerveau ; elle suppose aussi une croissance normale qui, elle-même, ne peut se faire qu'avec une alimentation correcte, riche en protéines et en vitamines. L'environnement psychologique et affectif joue également un rôle comme dans toutes les acquisitions : non stimulé, un enfant fait plus difficilement des progrès, que ce soit pour parler ou pour marcher.

La marche ne peut être acquise que chez l'enfant capable de s'asseoir seul, de se mettre debout et de se déplacer le long des meubles. L'âge habituel de la marche se situe entre 12 et 14 mois, mais il est variable d'un enfant à l'autre, la fourchette s'étend de 10 à 18 mois ; ce n'est qu'après cet âge que l'on peut parler de retard. L'apparition de la marche peut être retardée temporairement par une maladie passagère ou la succession de maladies ; un poids excessif est souvent la cause d'un retard de la marche de quelques semaines ou mois. Certains enfants prennent l'habitude de se déplacer sur les fesses et cette habitude peut retarder l'âge de la marche.

Après 18 mois, un examen médical est donc nécessaire pour un bilan qui recherchera les différentes causes possibles d'un retard important : une atteinte osseuse telle qu'une malformation passée inaperçue, particulièrement au niveau de la hanche, une atrophie musculaire des membres inférieurs en cause dans les myopathies et d'autres maladies neuromusculaires. L'atteinte du système nerveux par lésion cérébrale, congénitale ou acquise, peut entraîner des paralysies, des troubles de l'équilibre qui empêcheront l'acquisition d'une marche normale.

Si l'intelligence a un développement normal, il s'agit d'une infirmité motrice cérébrale (I.M.C.), mais parfois le retard est plus important ; il dépasse le domaine de la motricité, il témoigne d'une déficience psychomotrice globale plus ou moins profonde.

Des méthodes éducatives adaptées à ces cas permettront aux enfants de se développer selon leurs possibilités (voir *Handicap*).

Ces causes majeures étant éliminées, un retard de la marche peut poser le problème d'un bon équilibre nutritionnel et en particulier celui d'un déficit en vitamine D (voir *Rachitisme*). On pourra également, en cas de retard, se demander si l'enfant vit dans un contexte affectif favorable et suffisamment stimulant.

Mégacôlon congénital (maladie d'Hirschsprung).

Cette affection rare mais grave entraîne une constipation opiniâtre (présente souvent dès la naissance) associée à un gros ventre et à un retard de croissance. Devant ces symptômes, le médecin aura demandé une radiographie de l'intestin qui révélera un côlon (gros intestin) dilaté, au-dessus d'une zone rétrécie voisine de l'anus qui fait obstacle à la progression normale des matières fécales. Si cette malformation est confirmée par un prélèvement (biopsie rectale), une intervention chirurgicale est nécessaire.

Mégalérythème.

Cette maladie virale, appelée également « cinquième maladie », donne lieu à une éruption qui débute au visage, particulièrement au niveau des joues qui prennent un aspect « soufflé ». Puis l'éruption s'étend aux membres, la fièvre est modérée ou absente. L'éruption est simple, sans complication, et la maladie dure une semaine environ.

Méningite.

Le mot méningite fait encore peur aujourd'hui, mais, en réalité, grâce aux traitements modernes, le pronostic de la méningite s'est considérablement amélioré.

Chez le nourrisson, la fièvre, l'hypotonie brutale, associées à une fontanelle bombée et tendue, des gémissements, un refus d'alimentation, sont des symptômes évocateurs d'une atteinte méningée. Il faut d'urgence consulter le médecin ou aller à l'hôpital.

Chez le grand enfant, les symptômes de méningite sont des vomissements abondants et faciles, en jet, un mal de tête intense, de la fièvre, une raideur douloureuse de la nuque ; là aussi il faut d'urgence voir le médecin.

En général l'enfant est hospitalisé. Une ponction lombaire est nécessaire à la confirmation du diagnostic. Selon les résultats de cet examen, on peut distinguer les méningites suppurées d'origine microbienne et les méningites virales.

Méningites suppurées. Les plus

fréquentes de ces méningites sup-purées sont les méningites à méningocoque, parfois pneumo-coque. La méningite à haemophi-lus survient toujours avant 4 ans, et a pratiquement disparu grâce à la vaccination.

Les symptômes indiqués plus haut sont particulièrement intenses, spécialement la fièvre et la raideur de la nuque ; une érup-tion de *purpura cutané* (voir ce mot) est parfois présente. La ponc-tion lombaire retire un liquide purulent contenant des microbes. D'autres germes peuvent être en cause : staphylocoque, colibacille, ou listeria chez le nouveau-né.

Grâce aux antibiotiques, l'évo-lution des méningites suppurées est en général favorable et sans séquelles. Il faut cependant retenir que la surdité est une séquelle encore fréquente des méningites et que celles-ci sont d'autant plus graves que l'enfant est plus jeune (particulièrement chez le nouveau-né).

Ces méningites suppurées, et plus spécialement la méningite à méningocoque, surviennent assez souvent par petites épidémies et des mesures d'hygiène doivent être prises. Pour les enfants qui sont en contact avec le malade, il n'y a pas d'éviction scolaire. Mais des prélèvements de gorge per-mettent de dépister les porteurs de germes. Et un traitement pré-ventif par antibiotiques d'une durée de cinq jours sera prescrit à toutes les personnes ayant eu avec le malade des contacts proches et répétés ; la désinfection des locaux scolaires est encore habituelle, mais non leur fermeture.

Il existe un vaccin contre le méningocoque, qui n'est malheu-reusement actif que sur le type de méningocoque le moins fréquent (type C). Un vaccin anti-hæmophi-lus est maintenant disponible et il est conseillé de le faire en même temps que les vaccins obligatoires de la première année de la vie.

Méningites virales. On les appelle encore « méningites à liquide clair » ou « méningites lymphocytaires » parce que le liquide retiré par la ponction lom-baire n'est pas purulent et ne

contient pas de microbes. Les symptômes sont les mêmes que dans le cas de méningite suppu-rée, mais ils sont plus atténués. L'évolution se fait spontanément vers la guérison, en quelques jours, sans antibiotiques.

Un exemple de ces méningites est donné par celle qui vient par-fois compliquer les *oreillons* (voir ce mot), mais de nombreux autres virus peuvent être en cause, dont l'identification peut être faite par la constatation d'une augmenta-tion des anticorps qu'ils entraînent dans le sang.

Méningite tuberculeuse. Elle est devenue très rare chez les enfants vaccinés par le BCG.

Méningocèle-myéloméningocèle.

Voir *Spina bifida*.

Mérycisme.

Certains nourrissons et jeunes enfants font remonter leurs ali-ments dans la bouche et les remâ-chent à la manière des ruminants. Il s'agit d'un trouble du comporte-ment, en général passager, lié dans la majorité des cas à des diffi-cultés affectives.

Si l'enfant perd du poids, il est important de le signaler au méde-cin car dans ses manifestations extrêmes, cette rumination, appe-lée mérycisme, peut nécessiter une prise en charge psychologique, une guidance parentale, et parfois une hospitalisation.

Microbes et virus

Les maladies infectieuses, si fréquentes chez les enfants, sont dues au développement dans le corps humain, de micro-orga-nismes : les microbes et les virus. Il est important de connaître la diffé-rence entre les deux car les mala-dies qu'ils provoquent ne se trai-tent pas de la même façon.

Les **microbes** (ou bactéries) ont été découverts dès la fin du XIXe siècle, à partir des recherches de

Louis Pasteur : visibles au micro-scope, ils sont facilement identifiés par des procédés de laboratoire simple. Les microbes se séparent en deux catégories : les *cocci* de forme arrondie (staphylo, strepto, pneumo, méningo-coque) et les *bacilles* de forme allongée (bacille de Koch de la tuberculose, bacille du tétanos, colibacille…).

Les microbes sont responsables de nombreuses infections locales et/ou générales ; ces infections peuvent atteindre les voies respira-toires, digestives, urinaires, le sys-tème nerveux (par exemple, les méningites bactériennes), ou les os et les articulations.

Les **virus**, beaucoup plus petits, échappent au microscope conven-tionnel ; et de ce fait, ils ont été découverts plus tardivement. Les virus ne sont identifiés que par des techniques de laboratoire plus complexes. Mais, comme ils pro-duisent des anticorps, on peut ainsi les identifier plus facilement.

Les virus sont responsables de nombreuses infections O.R.L. (angine, otite), infections des voies respiratoires, du système nerveux (méningites virales), de la grippe, et également des principales mala-dies de l'enfance (rougeole, rubéole, varicelle, oreillons…). Les maladies virales sont plus fré-quentes et plus contagieuses que les infections bactériennes ; mais à la différence des infections bacté-riennes, elles sont en général bénignes et de courte durée. Elles peuvent parfois se compliquer : une bronchite ou une otite peu-vent guérir rapidement, mais il arrive qu'une infection bacté-rienne vienne s'ajouter à la mala-die virale.

Nous ne parlons ici que des maladies virales courantes et fré-quentes. Il en existe de plus graves comme celle due au virus du sida (voir ce mot).

Sur le plan pratique la grande différence entre les microbes et les virus réside dans leur réaction vis à vis des antibiotiques : les microbes sont sensibles aux antibiotiques, ils sont détruits par eux ; tandis que les virus n'y sont pas sensibles. L'oubli de cette notion conduit à un usage abusif des antibiotiques compte tenu du fait qu'il y a plus d'infections virales que d'infections microbiennes.

Il n'est pas toujours facile pour le médecin de faire la différence entre une infection microbienne et une infection virale lorsqu'il n'y a pas d'autre symptôme que la fièvre. En fait, il est rarement nécessaire de donner dès le début un traitement antibiotique, particulièrement dans les affections O.R.L. de l'enfant. La prise pendant quelques jours de médicaments destinés à faire baisser la fièvre est en général suffisante.

A noter : il existe aujourd'hui un test simple et rapide (effectué par le médecin lui-même) qui permet de faire le diagnostic de l'angine à streptocoque et de donner aussitôt le traitement approprié.

Microcéphalie ou microcrânie.

On parle de microcéphalie quand le périmètre crânien (P.C.) est nettement au-dessous de la moyenne, ou plus précisément s'écarte de la fourchette des valeurs normales pour l'âge et le sexe (voir *Périmètre crânien*, page 329). Plus qu'une mesure isolée, c'est l'accroissement insuffisant du P.C. mesuré de mois en mois, qui est significatif.

La microcrânie peut être due à une anomalie de la boîte crânienne elle-même, par exemple en cas de soudure trop rapide des os du crâne, ce qu'on appelle la *crâniosténose* (voir ce mot) : à l'intérieur, le cerveau est limité dans son développement.

Mais le plus souvent l'atteinte initiale concerne le cerveau lui-même (microcéphalie), et secondairement le crâne qui se moule sur son contenu. Sont alors associés un retard des acquisitions psychomotrices, et parfois des convulsions. Les responsables sont des maladies contractées pendant la grossesse – rubéole, toxoplasmose par exemple – ou pendant la période néonatale – souffrance néonatale, méningite. Le scanner, ou l'IRM (Imagerie par résonance magnétique), permettent de voir les lésions cérébrales.

La microcéphalie peut être également associée à une anomalie chromosomique (voir *Mongolisme*). Il est fréquent qu'aucune cause ne puisse être trouvée. L'enfant devra être pris en charge par une équipe spécialisée.

Migraine.

La migraine est une variété particulière de mal de tête qui répond à une description bien précise.

La migraine est rare avant 4 ans et concerne surtout l'âge scolaire. Elle est toujours difficile à diagnostiquer parmi les nombreuses autres causes de mal de tête de l'enfant – voir *Tête (Mal de), Céphalée*. Les éléments qui caractérisent un état migraineux sont : le siège de la douleur qui est frontal et unilatéral (d'un seul côté), rétro-oculaire ; son caractère pulsatile (battant) ; l'accompagnement de nausées ou vomissements, de troubles visuels (scintillement, trou noir) ; enfin et surtout son évolution : les crises de migraine peuvent durer plusieurs heures, et se répéter sous l'action de divers facteurs : psychologiques (contrariétés, pression scolaire), alimentaires, etc.

Tous ces caractères sont souvent imprécis chez l'enfant. Des crises douloureuses abdominales avec mal de tête discret, ou même absent peuvent être également dues à un état migraineux.

De toute façon, le diagnostic de migraine se fait après élimination de toutes les autres possibilités ; l'argument principal en faveur d'une migraine chez l'enfant est l'existence d'antécédents familiaux semblables.

Le traitement, qu'il s'agisse de la crise elle-même ou d'un traitement de fond, fait appel à des médicaments complexes qui ne peuvent être utilisés que sur prescription et sous surveillance médicale. Le calme, un bon équilibre psychologique sont des éléments essentiels de la vie des enfants sujets aux migraines.

Myxoedème congénital.

Voir *Thyroïde*.

Mongolisme.

Voir *Trisomie 21*.

Mononucléose infectieuse.

C'est une maladie virale relativement peu fréquente chez l'enfant très jeune, plus fréquente chez le grand enfant et chez l'adolescent.

La mononucléose infectieuse se manifeste par une angine accompagnée de fièvre et de ganglions au niveau du cou, mais également fréquemment dans d'autres endroits (aisselles, aines).

Le diagnostic est fait grâce aux examens de laboratoire : M.N.I. test et réaction de Paul et Bunnel. L'évolution est toujours favorable, cependant une fatigue peut persister pendant plusieurs semaines. La mononucléose entraîne parfois une atteinte hépatique (voir *Hépatite*) et fréquemment, quand l'angine a été traitée par la pénicilline (ampicilline), une éruption vers le dixième jour.

Voir *Angine, Ganglions*.

Morsures d'animaux : Chien ou chat.

Les morsures ne doivent jamais être négligées, même si elles sont minimes. Les risques sont l'infection microbienne, le tétanos, la rage. Il faut d'abord nettoyer la plaie avec un antiseptique, puis montrer l'enfant au médecin qui prescrira un antibiotique et vérifiera si la vaccination antitétanique est à jour ; sinon il fera un rappel. Même si la rage est maintenant éradiquée en France, par prudence l'animal sera emmené chez le vétérinaire. Si l'animal n'a pas été correctement vacciné, ou si le propriétaire n'a pas été identifié, la vaccination antirabique sera entreprise chez l'enfant. Il existe un centre spécialisé dans chaque département. Le vaccin est devenu très simple : 3 injections, sans effet secondaire.

Un certain nombre de morsures de chien pourraient peut-être être évitées si quelques précautions étaient prises ; ne jamais laisser l'enfant seul avec l'animal (même réputé inoffensif), apprendre à l'enfant quelques règles élémentaires de cohabitation : respecter le « territoire » du chien (couche, gamelle…), ne pas le déranger quand il mange, ne pas l'importuner, reconnaître les signes d'agressivité (par exemple s'il montre ses crocs). Voyez aussi page 157.

Morsures de serpents : vipère.

Contrairement à ce qu'on a longtemps pensé, les morsures de vipère ne sont pas toujours graves : 30 à 40 % restent sans symptôme et sans conséquence. Cependant, chez l'enfant, l'évolution peut être plus sévère que chez l'adulte, car la même quantité de venin se diffuse dans un organisme de poids moindre.

Les *symptômes* éventuels apparaissent dans les heures qui suivent la morsure ; s'ils sont importants, cela montre que l'atteinte est grave. La douleur est minime, elle permet de situer l'endroit de la morsure : deux points rouges séparés de quelques millimètres correspondant aux deux crochets. À cet endroit, un gonflement avec ecchymose se développe, qui peut rester localisé ou s'étendre rapidement à tout le membre. Des signes généraux peuvent alors apparaître : vomissements, douleurs abdominales, accélération cardiaque, hypotension, au pire état de choc.

Que faire en cas de morsure de vipère ? Les gestes préconisés autrefois ne sont plus recommandés, car ils sont inefficaces et peuvent être même aggravants : garrot, glace, incision, succion, aspiration. Le sérum antivipérin lui-même est d'utilisation discutée car il est souvent mal toléré : il a des effets secondaires parfois graves.

Voici ce qu'il est aujourd'hui recommandé de faire. D'abord, garder son sang froid, et éviter toute précipitation inutile qui risquerait d'agiter et d'inquiéter l'enfant. Après un simple nettoyage de la plaie, avec du savon et un antiseptique local, l'enfant sera maintenu allongé, et sera transporté vers le centre hospitalier le plus proche. Le traitement dépendra de la gravité des symptômes.

Mort subite du nourrisson (M.S.N).

La mort subite du nourrisson (M.S.N.) est le décès brutal et imprévu, généralement pendant le sommeil, d'un nourrisson en apparence bien portant, ou ne présentant que des symptômes banals et peu alarmants. Elle atteint surtout les enfants de moins de 6 mois (avec un pic de fréquence entre 2 et 4 mois), et essentiellement pendant l'hiver.

De nombreuses hypothèses ont été avancées concernant les mécanismes et les causes de la mort subite. Actuellement, on considère qu'il peut y avoir différentes causes : malformations ; accidents ; maltraitance ; médicaments calmants dépresseurs des centres respiratoires ; infections saisonnières aiguës, virales ou bactériennes ; reflux gastro-œsophagien ; fausses routes alimentaires.

À ces différentes causes peut s'ajouter un élément déterminant : la manière dont le bébé est couché. Les statistiques montrent aujourd'hui que si l'enfant est couché sur le ventre, la mort subite est plus fréquente. En effet, la position sur le ventre peut favoriser une asphyxie, une hyperthermie, ou la respiration d'un air confiné (appauvri en oxygène et riche en gaz carbonique).

Cette position sur le ventre est rarement à elle seule responsable du décès, mais elle s'avère comme particulièrement dangereuse lorsque le nourrisson est malade, ou dans une des situations énumérées au deuxième paragraphe. La position sur le ventre est donc formellement déconseillée.

Quant à l'hypothèse des pauses respiratoires prolongées, associées à un ralentissement du rythme cardiaque, comme cause de la mort subite, cette hypothèse n'a jamais été démontrée scientifiquement. C'est pourquoi les enregistrements, durant le sommeil, des rythmes respiratoires et cardiaques, ne permettent pas de prévoir un risque de mort subite ; de même les techniques de surveillance à domicile (monitoring) donnant l'alarme en cas de pause respiratoire prolongée, n'ont pas réduit la fréquence de mort subite. En plus, cette surveillance donne une fausse sécurité et crée un facteur d'angoisse supplémentaire pour les parents.

Par contre, la position de couchage sur le dos a permis d'obtenir une diminution considérable de la mort subite (supérieure à 50 %) en quelques années.

Pour prévenir la mort subite, il y a d'autres mesures pratiques à prendre : faire dormir l'enfant sur un matelas ferme, ne pas mettre d'oreiller, ne pas trop le couvrir – au lieu d'une couverture, mettre à l'enfant un surpyjama – jamais de couette, ne pas dépasser 19-20 °C pour la température de la chambre. Enfin, dernière précaution, il ne faut pas fumer dans l'environnement d'un bébé, ce qui est de toute manière déconseillé.

Lorsque les parents se trouvent confrontés au drame de la mort subite d'un bébé, ils cherchent à connaître la cause. Les hôpitaux des grandes villes ont tous un centre d'accueil (Centre de Référence). C'est auprès du responsable d'un de ces centres que les parents peuvent s'adresser pour essayer de comprendre ce qui a provoqué la mort de leur bébé (ce qu'on ne trouve pas toujours).

Il existe aussi des associations de parents regroupées au sein d'une Fédération. En voici l'adresse, elle vous indiquera l'association de votre région :
Naître et Vivre,
5 rue La Pérouse, 75116 Paris,
01 47 23 05 08
01 47 23 98 22

Pour certains parents, de telles associations sont un soutien. Ils pourront y rencontrer des couples ayant vécu la même épreuve qu'eux. Les parents se sentent coupables devant la mort d'un bébé, il se reprochent souvent de ne pas avoir été assez vigilants. En parler peut les aider. Mais parfois les parents auront besoin d'une aide supplémentaire, qu'ils pourront trouver auprès d'un professionnel : les Centres de Référence ont en général un psychologue dans leur équipe.

Enfin, il a été démontré que la M.S.N. n'était pas un phénomène héréditaire et que les couples qui ont été victimes de ce drame n'ont pas à craindre une récidive pour un autre enfant.

Mouvements rythmés.

Il n'est pas rare de voir un nourrisson ou un enfant plus grand se balancer la tête pendant des heures, soit de droite à gauche, soit comme s'il saluait, ou encore balancer tout le haut du corps. D'autres bébés donnent des coups de tête contre leur lit. Ces mouvements se voient chez des enfants parfaitement normaux. Dans ces mouvements rythmés, l'enfant trouve une satisfaction du même ordre que dans les manipulations des organes génitaux.

Les mouvements rythmés de l'enfant, au moment où il va s'endormir ou lorsqu'il est fatigué, sont normaux. En revanche, lorsqu'ils deviennent envahissants, il faudra rechercher dans la vie affective de l'enfant : manque-t-il de soins, d'affection ? Est-il jaloux d'un frère ou d'une sœur ? Vous avez vu au chapitre 5 que la vie affective de l'enfant commençait bien avant qu'il ne soit capable d'exprimer ses émotions ou ses souffrances. Pourquoi ne consulteriez-vous pas un psychologue ? Les parents ne comprennent pas toujours les souffrances d'un très jeune enfant

Cela dit, il n'existe pas de traitement standard contre les mouvements rythmés. Il ne faut surtout pas vouloir lutter contre eux par la contrainte ou la menace. Les mouvements rythmés disparaissent généralement entre 2 et 4 ans.

Cependant, un traitement sédatif prescrit par le médecin peut avoir de bons effets.

Mucoviscidose (ou fibrose kystique du pancréas).

Maladie grave (d'origine génétique, dont le gène a été récemment localisé et identifié), à laquelle il faut penser chez un enfant qui présente une toux persistante, surtout si elle est associée à de la diarrhée et à un retard de croissance. Chez le nouveau-né, le méconium (les premières selles) très épais ne peut être évacué, entraînant une occlusion intestinale (iléus méconial).

Cette maladie est diagnostiquée par une analyse simple de la sueur. Aujourd'hui, le dépistage néonatal par un test sanguin est devenu systématique.

L'évolution est variable d'un cas à l'autre : elle est la plus grave dans l'iléus méconial et dans les cas à manifestations respiratoires précoces. Une prise en charge par des équipes médicales spécialisées est nécessaire, avec kinésithérapie respiratoire quotidienne.

Vaincre la mucoviscidose : 181, rue de Tolbiac, 75013 Paris. Tél.: 01 40 78 91 91.

Muguet.

Cette infection est due à un champignon microscopique (*Candida albicans*). Elle se manifeste au niveau de la bouche sous forme de petites plaques blanches ressemblant à des grumeaux de lait. L'ensemble de la muqueuse est rouge vif et douloureux au contact : le nourrisson refuse souvent de s'alimenter. Ce qui est visible au niveau de la bouche peut s'étendre sur l'ensemble du tube digestif jusqu'à l'anus.

Au traitement local, le médecin associera généralement un traitement général.

En cas d'allaitement maternel, il faut appliquer la lotion sur les mammelons après chaque tétée, pour éviter une recontamination.

Mutisme.

Le mutisme, c'est la disparition de la parole chez un enfant ayant jusque-là un développement normal ; il se différencie donc totalement du retard de langage. Le mutisme est toujours d'origine psychologique. Parfois, il s'agit d'un mutisme partiel qui n'apparaît qu'en dehors du milieu familial – à l'école par exemple, il traduit la timidité de l'enfant ; le niveau intellectuel est normal. Le trouble s'atténue et disparaît en général avec la mise en confiance de l'enfant.

Très différent est le mutisme total apparu brusquement après un choc émotionnel violent ; l'anorexie, les troubles du sommeil, l'énurésie sont souvent associés (voir ces mots) au mutisme. En général, en quelques jours ou quelques semaines, le mutisme disparaît complètement ; un bégaiement peut cependant lui faire suite.

Un dernier cas est celui où le mutisme est associé à des troubles du comportement : indifférence, désintérêt et absence de contact avec l'environnement ; on peut alors craindre des troubles graves de la personnalité. Le médecin orientera vers une consultation spécialisée.

Myopathie.

La myopathie de Duchenne de Boulogne (ou dystrophie musculaire progressive) est une maladie des cellules musculaires dont la dégénérescence progressive aboutit à l'atrophie, entraînant une faiblesse et une incapacité croissantes. Dans sa forme la plus fréquente, la myopathie est une maladie génétique qui atteint exclusivement les garçons (un risque sur deux pour chaque naissance de garçon, pas de risque pour les naissances de filles). La maladie débute vers 4 à 5 ans, et les signes qui attirent l'attention sont la difficulté de l'enfant à se relever de la position accroupie ou assise par terre, l'existence de gros mollets et des douleurs dans les jambes à l'effort.

Le gène en a été récemment localisé. Il permet la fabrication d'une molécule nécessaire à la bonne contraction musculaire. Les soins permettent d'amoindrir les conséquences de la maladie, notamment sur la respiration et la motricité. Cependant l'évolution de la maladie reste inéluctable et aucun traitement ne permet actuellement d'arrêter la destruction musculaire progressive. Le décès survient souvent avant trente ans. Quand la maladie est connue dans la famille, un test permet le dépistage pendant la grossesse.

Il existe d'autres formes de myopathies. Certaines sont congénitales, se manifestant dès la naissance par une faiblesse musculaire provoquant une hypotonie parfois très profonde. Il s'agit le plus souvent de maladies génétiques. Ces myopathies ne sont pas toutes aussi graves que la myopathie de Duchenne de Boulogne. Ce n'est parfois qu'à l'âge adulte que la faiblesse musculaire aura des conséquences importantes sur la motricité ou la respiration. Un diagnostic précoce dès l'enfance et des soins réguliers permettent souvent d'amoindrir les conséquences de ces maladies.
Association française contre les myopathies,
9, place de Rungis, BP 419,
75626 Paris CEDEX 13.
Tél. : 01 44 16 75 02.

Néphrite.

Chez l'enfant, la néphrite résulte le plus souvent d'une infection par le streptocoque hémolytique qui a d'abord donné lieu à une angine. Dix à quinze jours après celle-ci, apparaissent des anomalies urinaires : urines peu abondantes, rouges ; œdème (gonflement) du visage, parfois des maux de ventre ou de tête, des vomissements. Le médecin consulté demandera un examen des urines qui révélera la présence d'albumine et de sang (mais non de microbes). Le régime sans sel et le repos au lit étaient les deux points essentiels du traitement à appliquer ; mais ils sont moins stricts de nos jours que dans le passé.

Néphrose lipoïdique.

Il s'agit d'un autre type d'atteinte rénale dont la cause est encore mal connue. Les symptômes principaux sont l'œdème, souvent important, et la présence de grandes quantités d'albumine dans l'urine. Bien qu'une guérison rapide soit possible, le traitement sera souvent prolongé (cortisone). Les rechutes sont fréquentes et dans les formes graves on sera conduit à pratiquer une ponction-biopsie du rein pour examiner le tissu rénal.

Nez (objet dans le).

Si vous ne pouvez pas retirer aux premières tentatives l'objet que l'enfant a introduit dans son nez, n'insistez pas : vous risquez d'enfoncer le corps étranger plus profondément et de blesser la muqueuse fragile de l'intérieur du nez. Conduisez plutôt l'enfant chez un oto-rhino-laryngologiste : il dispose des instruments et de l'habilité nécessaire.

Noyade

L'enfant ne respire plus ? Sans tarder et sans essayer de faire sortir l'eau des poumons, commencez le bouche-à-bouche. Si vous êtes arrivé à temps, la respiration reviendra vite après les premiers mouvements de respiration artificielle. Faites transporter l'enfant à l'hôpital.

Si le cœur ne bat plus, pratiquez la respiration artificielle, pendant qu'une autre personne pratiquera le massage cardiaque externe (voir *Réanimation*). Alternez les compressions sur le sternum et l'insufflation. Si vous êtes seul, vous aurez à faire vous-même les deux mouvements, mais toujours en alternant.

Pendant ces opérations, il faut faire appeler les secours spécialisés : maître-nageur (plages, piscines), SAMU (15), pompiers (18).

En France, la noyade est la première cause de mortalité par accident domestique chez les enfants de 1 à 4 ans. Je vous rappelle les règles de la prévention de la noyade : familiarisez très tôt l'enfant avec l'eau, et qu'il apprenne à nager ; ne le perdez jamais de vue quand il se baigne (même dans une baignoire) ; enfin, l'entrée dans l'eau doit être progressive, surtout après une exposition au soleil.

Obésité.

L'obésité débute en général à partir de trois ou quatre ans. Les enfants obèses ne sont pas forcément de gros nourrissons. Ce sont des enfants qui petit à petit prennent du poids de façon excessive et de plus en plus rapide. Au début, cette prise de poids passe inaperçue car, pendant un certain temps, leur taille s'accroît parallèlement. Cependant, le poids continue de grimper de façon continue.

On dépiste précocement le risque d'obésité en surveillant les courbes de corpulence qui figurent dans le carnet de santé (voir page 326).

En règle générale, un enfant est trop gros parce qu'il mange trop ou qu'il ne bouge pas assez.

Il est rare que les parents en conviennent ; en effet, la composition des repas est la plupart du temps normale. Mais les parents oublient d'évaluer en calories la quantité de tartines mangées au petit déjeuner, à 10 heures, au goûter ; et les bonbons, biscuits, chips, boissons sucrées, gâteaux et glaces absorbés entre-temps. Les excès de gras et de sucre : voilà ce qui fait grossir ; ainsi que de ne pas avoir une activité physique suffisante ; l'abus de télévision (en général accompagné de grignotage) est en cause. On ne sait pas toujours que la télévision, ou l'ordinateur, représentent une activité physique nulle, équivalente au sommeil. Aucun régime ne peut être efficace sans une augmentation importante de l'activité physique. Certes, l'hérédité joue : il existe des familles de « gros ». Dans ce cas, l'obésité s'accompagne de signes particuliers. Mais ce sont souvent des familles où l'on mange trop. À ce sujet, on insiste sur le rôle éducatif que jouent les parents.

Quant aux troubles glandulaires causes d'obésité, le cas est rare. Ne soyez donc pas étonné si le médecin dirige son interrogatoire, son examen et finalement son traitement sur l'excès et les habitudes alimentaires avant toute autre chose.

Comme chez l'adulte, et plus encore, une alimentation équilibrée est la base du traitement de l'obésité de l'enfant, mais demande un apprentissage, une surveillance médicale précise et continue, et beaucoup de volonté et de persévérance pour obtenir et maintenir le résultat escompté. Il est souvent nécessaire d'associer à la surveillance médicale et diététique une aide psychologique. Le régime proposé fait appel à des règles d'hygiène qui permettent à toute la famille d'avoir une bonne alimentation. Il est important que tous respectent ces règles. Par exemple, il est vivement déconseillé que les parents, frères et sœurs, reprennent trois fois du dessert au chocolat devant un enfant qui est le seul à avoir un régime.

Occlusion intestinale.

C'est l'arrêt total de l'évacuation des matières et des gaz ; chez le nourrisson, l'*invagination intestinale*, la *hernie étranglée* (voir ces mots) entraînent une occlusion intestinale.

Dans les premiers jours de la vie, diverses malformations du tube digestif peuvent entraîner une occlusion : absence de développement plus ou moins complète et plus ou moins étendue d'une partie de l'intestin, ou absence de fixation entraînant une torsion (*volvulus*). Le premier symptôme est souvent l'apparition de vomissements bilieux : ils indiquent que l'obstacle se trouve peu après l'endroit où les voies biliaires débouchent dans l'intestin.

Dans tous les cas, il s'agit d'une urgence chirurgicale.

Voir également à *Mucoviscidose*, le cas particulier de l'*iléus méconial*.

Ongles (enfant qui se ronge les).

Cette habitude est assez fréquente chez les enfants, surtout chez les enfants en âge scolaire.

Bien que ce geste ait été souvent interprété comme le signe d'une certaine tension nerveuse, il n'est pas seulement le fait d'enfants anxieux et renfermés. Certains enfants, apparemment bien adaptés à la vie, rongent régulièrement leurs ongles.

Ce qu'il est important de connaître à l'âge qui nous intéresse, c'est le moment où l'enfant se ronge les ongles : avant de s'endormir ? Quand il joue seul à la maison ? À l'école ? On peut alors se poser les questions qui en découlent : a-t-il du mal à s'endormir ? Est-il heureux avec la personne qui le garde ? S'ennuie-t-il à l'école ?

Il vaut mieux chercher les causes d'un geste totalement involontaire, plutôt que d'essayer de le faire disparaître à tout prix, surtout avec des moyens dont l'efficacité est douteuse (badigeonnage des ongles avec un vernis amer vendu en pharmacie…).

Lorsqu'une habitude est prise, il est difficile de la perdre. À vouloir la supprimer, on risque seulement de la déplacer. Il n'est pas rare que des enfants s'arrêtent de sucer leur pouce pour faire plaisir à leurs parents et se mettent alors à se ronger les ongles.

Si vous n'attachez pas trop d'importance à cette habitude, un jour plus ou moins proche, l'enfant décidera de lui-même de faire l'effort de s'arrêter. En attendant, veillez à son équilibre, à sa santé, et soyez attentifs à ses besoins.

Oreille (objet introduit dans l').

Si vous avez la moindre difficulté à extraire l'objet que l'enfant a introduit dans son oreille, n'insistez pas : vous risquez de blesser le conduit auditif. Conduisez l'enfant chez un oto-rhino-laryngologiste. Il dispose des instruments nécessaires.

Voir *Corps étranger*.

Oreilles décollées.

Hélas ! le sparadrap ni le bonnet n'y changeront rien. En outre, vous ferez pleurer l'enfant chaque fois que vous changerez ce sparadrap collant les oreilles au crâne. Il faut vous résigner à attendre quelques années : alors, une intervention chirurgicale corrigera aisément ce défaut. C'est une opération très bénigne. Meilleur âge pour l'opération : 8-9 ans.

Oreilles percées.

Les mères demandent parfois si on peut percer les oreilles d'une petite fille pour y mettre des boucles. Il n'y a pas d'inconvénient si cette petite intervention se fait dans de bonnes conditions d'asepsie, avec des instruments à usage unique. Mais il faut signaler que l'allergie au nickel (un des constituants métalliques de la boucle d'oreille) est fréquente.

Oreillons.

Cette maladie contagieuse survient surtout au printemps et en hiver. Elle est très rare avant un an. On ne peut en principe l'avoir qu'une fois dans sa vie. (Le nouveau-né dont la mère a eu les oreillons est immunisé lui-même six ou sept mois.) L'incubation est longue : en général trois semaines.

Le malade est contagieux quelques jours avant l'apparition des symptômes. Il le reste pendant une dizaine de jours.

Le principal symptôme est un gonflement des glandes parotides situées au-dessous des oreilles. Ce gonflement peut se manifester des deux côtés ou d'un seul. L'enfant est gêné pour avaler, parfois même simplement pour ouvrir la bouche. La zone enflée est douloureuse quand on la touche. La tuméfaction – très variable dans son volume – atteint son maximum en trois jours ; elle demeure ainsi pendant deux jours, puis disparaît progressivement. Autres symptômes : toujours de la fièvre (pendant cinq ou six jours), généralement des maux de tête, quelquefois des vomissements et des douleurs diverses, surtout abdominales.

Il est en principe facile pour le médecin de reconnaître les oreillons ; on peut cependant les confondre avec une adénite (voir *Ganglions*).

Des complications sont possibles, en particulier la méningite, dont l'évolution est le plus souvent bénigne, la surdité (celle-ci définitive) et la pancréatite.

L'atteinte des glandes génitales (l'orchite, très douloureuse) ne se voit chez le garçon qu'après la puberté. (Contrairement à l'opinion courante, elle n'entraîne que rarement la stérilité.)

Aujourd'hui, en France, les oreillons sont devenus très rares grâce à la vaccination systématique chez les enfants. Le vaccin se fait en général en association avec ceux contre la rougeole et la rubéole (vaccin R.O.R.). La vaccination est encore plus efficace depuis qu'elle est proposée deux fois : d'abord dès l'âge d'un an, puis à partir de 3 ans.

Organes génitaux (irritation des).

Vous avez remarqué que l'enfant portait fréquemment les mains à ses organes génitaux. Chez le petit garçon, le prépuce est rouge, gonflé, parfois collé par une gouttelette de pus ; le *phimosis* (voir ce

mot) favorise ces manifestations ; chez la petite fille, les grandes lèvres peuvent être également irritées et enflammées, et un écoulement est parfois abondant (voir *Vulvite*, à l'article *Gynécologie de la petite fille*).

Dans les deux cas, il faut éviter les vêtements serrés, la macération. Il faut aussi se méfier du sable pendant les vacances au bord de la mer. Et faire une toilette locale à l'eau et au savon, si possible 3 fois par jour, bien rincer et bien sécher. Il ne faut pas hésiter à consulter le médecin si l'irritation persiste.

Orgelet.

L'orgelet est un petit furoncle situé à la base d'un cil ; il disparaît en général rapidement avec l'application locale d'une pommade antibiotique, mais il peut cependant réapparaître.

Le *chalazion* désigne l'infection d'une petite glande située au bord de la paupière.

Voir *Abcès*, *Furoncle*.

Orties (piqûres d').

Appliquez des compresses d'eau vinaigrée. Si les piqûres sont nombreuses, donnez un antihistaminique.

Otite.

L'otite est une inflammation et/ou une infection de la partie de l'oreille qui se trouve derrière le tympan. Elle accompagne souvent les rhino-pharyngites. Elle est particulièrement fréquente chez le nourrisson.

Quels sont les signes qui font penser à l'otite ? Chez le bébé, c'est difficile parce qu'il ne sait pas dire qu'il a mal aux oreilles ; et les cris, le frottement de la tête sur l'oreiller, qui pourraient alerter, ne sont pas toujours présents. Mais il y a d'autres signes qui peuvent attirer l'attention : les symptômes de l'otite sont souvent des troubles digestifs– vomissements, diarrhée –, une fièvre traînante (38° - 38°5) et chez un nourrisson déjà enrhumé, l'agitation, l'insomnie. La consultation du médecin comporte l'examen systématique des tympans.

Chez l'enfant plus grand, la situation est différente car il sait dire où il a mal.

Comment se soigne une otite ?

Au début, lorsque l'otite est dite « congestive », le traitement est le même que celui de la *rhino-pharyngite* (voir ce mot). Le médecin ajoutera simplement des gouttes à mettre dans les oreilles pour diminuer la douleur.

Quand l'enfant a moins de 2 ans, ou que l'otite est purulente, le médecin prescrira un traitement antibiotique adapté.

Si les signes persistent malgré ce traitement, ou que l'otite reprend à l'arrêt des antibiotiques, l'enfant sera vu par un O.R.L. qui pourra faire une **paracentèse** : celle-ci consiste à percer le tympan et à aspirer le pus qui est coincé derrière.

Parfois le tympan se perce spontanément : la douleur se calme et les parents constatent une tache de pus sur le drap de l'enfant. Dans ce cas, il convient également de consulter le médecin car l'évolution de l'otite n'est pas obligatoirement terminée.

Après le traitement, il est important de vérifier l'état des tympans les semaines qui suivent. En effet le risque après un traitement antibiotique, est de voir se constituer à bas bruit des complications : l'otite devient traînante, guérit incomplètement ou reprend. La propagation à la *mastoïde* (voir ce mot) est rare de nos jours, mais on peut la redouter chez un enfant qui guérit mal, qui reste fébrile, qui perd du poids.

Après une ou plusieurs otites aiguës traitées par antibiotiques, il peut y avoir dans l'oreille non plus du pus, mais un liquide épais, gluant ; c'est une otite séreuse qui peut entraîner une atteinte de l'audition, avec toutes ses conséquences. Le traitement comporte la mise en place d'aérateurs (yoyos) qui resteront plusieurs mois.

La répétition des otites aiguës est une indication pour l'ablation des végétations.

Pp

Pâleur.

Le diagnostic est différent selon que la pâleur est permanente et durable ou subite et passagère ; selon que la pâleur persiste ou s'aggrave peu à peu, et plus ou moins rapidement.

Une pâleur qui persiste, même s'il faut tenir compte d'un teint clair ou mat, doit faire penser à une anémie (voir ce mot).

Une pâleur subite, surtout si elle s'accompagne de malaises et de troubles de conscience, est un cas d'urgence dont la cause doit être recherchée sans tarder ; il peut s'agir d'une convulsion, fébrile ou non, d'une intoxication, d'anomalies du rythme cardiaque (*tachycardie paroxystique*, voir ce mot) ; il peut s'agir également d'un traumatisme crânien ou abdominal entraînant une hémorragie interne ; dans ce cas, l'enfant devra être surveillé car l'hémorragie peut se manifester seulement quelques jours plus tard.

Heureusement, l'accès brutal de pâleur est souvent lié à une peur soudaine : un bruit, une chute peu grave. Certains enfants bloquent même leur respiration jusqu'au malaise, c'est le spasme du sanglot (voir ce mot). Dans ce cas, l'enfant peut bleuir au lieu de pâlir.

Dans tous les cas de pâleur, qu'elle soit permanente, ou fréquente, il faut en parler au médecin qui fera peut-être faire un bilan biologique.

Par contre la pâleur après un traumatisme, par exemple une chute grave (d'un chariot à roulettes, d'un vélo) devra être surveillée en milieu hospitalier.

Parasitoses.

Voir *Gale, Poux, Vers intestinaux*.

Peau : irritations, rougeurs et éruptions.

Vous avez remarqué un bouton, une rougeur, une ampoule sur la peau de votre enfant, et vous êtes perplexe : de quoi s'agit-il ? Que faut-il faire ?

La peau de l'enfant, surtout celle du bébé, a un épiderme très mince, qui la rend vulnérable aux atteintes venues de l'extérieur comme de l'intérieur. Avec l'âge, la fragilité de la peau diminue, mais la peau de l'enfant reste une plaque sensible où se révèlent l'allergie (urticaire, eczéma) et les fièvres éruptives (rougeole, varicelle, etc.).

Les rougeurs et éruptions de la peau peuvent donc être les symptômes de maladies très diverses, dont certaines sont difficiles à reconnaître et délicates à soigner. En dehors des affections bénignes dont nous allons vous parler et qui relèvent plus de l'hygiène que de la médecine, votre rôle est donc d'observer, afin de renseigner avec précision le médecin, et de suivre ses prescriptions.

Le bébé a la peau hypersensible. Certaines peaux de nourrissons sont à ce point sensibles qu'en les touchant seulement on fait apparaître une rougeur, qui s'efface peu après. Le frottement d'une étoffe, un parfum ou un colorant entrant dans une savonnette, la sueur (certains bébés transpirent plus que d'autres, sans pour cela se porter plus mal), l'eau de Cologne, même très diluée, provoquent sur de tels épidermes de l'irritation.

Le tour de la taille et le cou sont les lieux de prédilection de ces irritations.

L'air et le soleil sont leur meilleur traitement. Mais attention : le soleil peut aussi faire beaucoup de mal. Voir au chapitre 3 : « Le soleil » et l'article *Coup de soleil*.

L'érythème fessier (ou rougeurs du siège) est dû au contact prolongé de la peau avec les urines et les selles. Des changes fréquents constituent la meilleure prévention de l'érythème. Il faut bien sécher le siège. Sur une peau saine, il est inutile d'appliquer un produit particulier.

Si des lésions apparaissent, le meilleur traitement reste l'éosine (solution aqueuse à 1 %) et l'exposition prolongée à l'air ; si les lésions sont étendues, on utilisera pour la nuit des pommades cicatrisantes et protectrices (type aloplastine, mitosyl, liniment oléocalcaire...). Si ces lésions persistent, mieux vaut consulter le médecin. Certains érythèmes fessiers sont d'origine mycosique et nécessitent un traitement adapté.

Dans les plis de l'aine et du cou, sous les aisselles, derrière l'oreille : l'intertrigo. La peau suinte ; elle a un aspect brillant. Des vêtements trop serrés autour du cou, des petits bourrelets difficiles d'accès, des soins de toilette insuffisants, la transpiration sont causes de cette inflammation des plis, qu'il faut guérir dès qu'elle apparaît car elle peut s'étendre. Faites une toilette soigneuse. Habillez l'enfant de vêtements en matière naturelle comme le coton ou la laine. Appliquez dans les plis infectés un antiseptique léger comme l'éosine en solution dans l'eau à 1 %.

D'innombrables points rouges, ou des petits boutons blancs : les éruptions dues à la sueur. Elles se situent essentiellement sur la nuque, dans le dos, et parfois autour de la taille, chez les bébés qui portent une bande abdominale (voir *Sudamina*).

Souvent, l'enfant est agité et dort mal. Évitez de trop couvrir l'enfant ou de le maintenir dans une pièce trop chaude. Localement, nettoyage à l'eau et au savon doux.

Si l'éruption persistait, voyez le médecin.

En dehors de ces bobos relevant de l'hygiène, toute anomalie sur la peau d'un nourrisson ou d'un jeune enfant doit être signalée au médecin.

Ce qu'il faut dire au médecin. Si vous téléphonez au médecin, voici quelques-uns des renseignements qu'il vous demandera en premier : d'abord l'âge de l'enfant, certaines maladies n'apparaissant qu'à un âge précis. Et, avant d'appeler le médecin, faites ces quelques observations qui le guideront dans son diagnostic : fièvre ? Caractéristiques de l'éruption ? Prise de médicaments ?

Prenez la température de l'enfant. Les maladies de la peau ne s'accompagnent généralement pas de fièvre. En revanche, de la fièvre avec une éruption subite indique très probablement une « fièvre éruptive » : rougeole, scarlatine, rubéole, etc. Donc, connaître la température de l'enfant est essentiel pour établir le diagnostic.

Une éruption peut disparaître en quelques heures (en particulier dans la rubéole). Il est important que, avant de voir le médecin, vous vous posiez les questions suivantes :

— Où avez-vous remarqué les taches : sur tout le corps ? sur les fesses ? aux plis des cuisses, des bras ? sur la poitrine, le ventre ? sous les bras ? sur le cou ? sur la figure, les sourcils, autour de la bouche, derrière les oreilles ? Où les rougeurs ont-elles débuté ? Dans quel ordre se sont-elles étendues ? S'effacent-elles à la pression ?

— Taille des rougeurs : tête d'épingle, lentille.

— Couleur des taches : rose, rouge cerise, rouge violacé.

— Les rougeurs sont-elles franchement séparées les unes des autres ? Forment-elles une nappe continue ?

— S'effacent-elles à la pression ? (Voir *Purpura*.)

— Existe-t-il des vésicules (ampoules), des croûtes ? L'enfant se gratte-t-il ?

— Au toucher, la peau est-elle lisse ou rugueuse ? Présente-t-elle des saillies molles ou dures ?

Ces détails vous semblent peut-être infimes, mais ils sont utiles parce que, dans chaque fièvre éruptive, les rougeurs ont un aspect et une localisation particuliers. Néanmoins, le médecin fera plus facilement le diagnostic en voyant l'enfant. Si celui-ci n'a pas de fièvre, il n'y a pas d'urgence : l'évolution de ces éruptions est en général bénigne.

Voyez aussi les articles concernant les maladies de peau : *Eczéma*, *Impétigo*.

Pemphigus.

C'est une maladie de la peau qui atteint les nouveau-nés ou les petits nourrissons. Elle débute par une tache rouge qui devient une bulle (d'où ce nom de *pemphigus*, qui vient du mot grec signifiant « bulle ») au contour clair, grosse comme un grain de blé. Cette bulle molle se rompt au bout de quelques heures. Il reste une surélévation, ou si vous préférez un gros bouton dont le centre est une plaque parfaitement ronde, rouge vif et suintante. La peau commence à redevenir normale huit à dix jours après. N'importe quelle partie du corps peut être touchée, sauf la paume des mains et la plante des pieds. La maladie vient par poussées successives.

Le pemphigus est très contagieux. Il survient dans les collectivités : maternités, etc. Le bébé a parfois de la température : 38°, 39° ou davantage. Il s'alimente moins bien et peut avoir des troubles intestinaux.

Le médecin donnera un antibiotique, car cette maladie due à un microbe (streptocoque ou staphylocoque) est assez tenace et peut être à l'origine de complications infectieuses plus graves.

Perte d'équilibre (ataxie cérébelleuse).

L'ataxie cérébelleuse est un trouble de l'équilibre entraînant une démarche titubante.

La survenue de perte d'équilibre chez l'enfant peut avoir des causes différentes. Souvent il s'agit d'un trouble du cervelet, région du cerveau située à l'arrière de la tête, dans la boîte crânienne. Le plus souvent, cette ataxie survient soudainement chez l'enfant qui allait parfaitement bien jusque-là. Il s'agit dans la très grande majorité des cas d'une intoxication médicamenteuse, l'enfant ayant absorbé, à l'insu de son entourage, un médicament qui ne lui était pas destiné (somnifère, calmant). Ces médicaments (comme l'alcool) entraînent un trouble passager du fonctionnement du cervelet.

L'évolution de cette ataxie aiguë, par intoxication, est favorable, en quelques heures le plus souvent. L'ivresse par absorption d'alcool est une cause classique d'ataxie aiguë, elle est plus fréquente chez l'adulte que chez l'enfant. Dans l'un et l'autre cas (intoxication médicamenteuse et absorption d'alcool), l'enfant sera conduit rapidement au centre hospitalier le plus proche (voir *Intoxication*).

Plus rarement, l'ataxie aiguë est due à une infection virale. La varicelle, en particulier, peut se compliquer d'une ataxie aiguë qui dure parfois plusieurs jours, mais qui régresse le plus souvent sans séquelles.

Les ataxies aiguës disparaissent spontanément.

Beaucoup plus inquiétants sont les troubles de l'équilibre qui s'installent progressivement en plusieurs semaines. On redoute alors une tumeur de la région du cervelet, et il est impératif de faire des radiographies (scanner cérébral ou IRM cérébrale) pour permettre un traitement approprié dans un service hospitalier spécialisé. Voir aussi *Vertiges*.

Phénylcétonurie.

C'est une maladie rare, mais sérieuse, car elle entraîne un retard mental important. Ce retard peut être évité si, la maladie étant reconnue très tôt, dès les premiers jours de la vie, l'enfant est soumis à un régime alimentaire particulier qui sera poursuivi des années.

Des tests simples, pratiqués sur

les urines (Phénistix) et surtout sur le sang (test de Guthrie), permettent de déceler la maladie. Ce dernier test est obligatoirement pratiqué dans toutes les maternités. Si le test est positif, des dosages de vérification seront demandés afin d'être sûr du diagnostic avant la mise en place du traitement.

Voir *Guthrie*.

Phimosis.

Le prépuce est un repli cutané qui recouvre le gland, et le découvre quand il est tiré en arrière. Cette manœuvre de décalottage peut être impossible soit par adhérence entre le prépuce et le gland, soit parce qu'il y a phimosis, c'est-à-dire un prépuce serré ne laissant qu'un orifice très étroit.

Il y a quelques années, il était admis que, pour des raisons d'hygiène, les adhérences devaient être libérées et le phimosis traité par la circoncision dès le plus jeune âge. Actuellement, on pense que le phimosis correspond en fait à un état anatomique normal, que dans bien des cas la seule croissance modifiera et corrigera. En conséquence, les manœuvres de traction et les tentatives de décalottage ne sont plus conseillées. Si le décalottage est facile, rien ne s'oppose à la toilette locale. Si toute tentative s'avère difficile et douloureuse, il faut s'abstenir.

En dehors de toute raison ethnique ou religieuse, la réduction du phimosis par circoncision chirurgicale peut être faite plus tard (vers 3-4 ans). La seule indication pour une intervention précoce résulte d'une gêne à l'émission de l'urine avec gonflement de l'extrémité du prépuce.

Un décalottage forcé peut conduire à une complication, le paraphimosis : impossibilité de recalotter, le prépuce rétracté formant un anneau de striction irréductible à la base de la verge ; une intervention d'urgence est nécessaire.

L'inflammation du prépuce (gonflement, rougeur, brûlures à la miction, émission de pus) guérit en général rapidement par un traitement antiseptique local (bains de verge ou de siège).

Photothérapie.

Voir *Ictère*.

Pieds.

Malposition à la naissance. Pieds bots. Metatarsus varus.
Grâce à leur dépistage précoce, les malpositions congénitales des pieds guérissent dans leur grande majorité sans séquelles, si le traitement est entrepris dès les premiers jours de la vie.

Ces malpositions sont la conséquence d'une mauvaise position des pieds dans l'utérus, pour des raisons actuellement mal connues.

La plus fréquente de ces malpositions est le *metatarsus varus*, déformation en dedans de l'avant-pied.

Les autres malpositions telles le pied *varus* ou *valgus* (rotation interne ou externe) ou le pied *talus* (flexion) sont tout aussi bénignes si les articulations du pied restent souples.

En fait, les difficultés apparaissent lorsqu'à la déformation s'associent une raideur, des rétractions musculaires et/ou une luxation (pied bot, pied convexe…).

Dans ces malpositions, la mise en place, dès les premiers jours de la vie, d'une kinésithérapie faite de manipulations, d'assouplissement et de réduction, de sollicitations musculaires avec, dans l'intervalle des séances (quotidiennes au début), le maintien par un système léger de contention (adhésif), permet d'obtenir de bons résultats.

Pieds en dedans.

Au début de la marche il est fréquent que les pieds tournent vers l'intérieur ; cette « anomalie » est temporaire, et se corrige spontanément en quelques mois ; elle est souvent associée et provoquée par une légère courbure de l'ensemble des membres inférieurs (voir *Jambes arquées*), courbure

elle-même favorisée par la surcharge de poids, chez des enfants lourds et/ou qui ont marché tôt. Plus rarement, c'est l'avant-pied qui est seul concerné (voir *Metatarsus varus*) ; la déviation persiste à la marche si elle n'a pas été traitée dès la naissance. Le port de chaussures spéciales est alors nécessaire. Dans les cas graves, une intervention chirurgicale peut être envisagée.

Une autre anomalie, au niveau de la hanche, peut entraîner le pied en rotation interne, c'est l'exagération de l'antéversion du col du fémur. Cette anomalie se corrige également le plus souvent avec la croissance.

Pieds plats.

C'est un des soucis courants des parents. Chez le jeune enfant, le pied est potelé, aussi bien dessous que dessus, ce qui fait que, lorsque l'enfant est debout, pieds nus, la plante de ses pieds, étalée par le poids du corps, adhère entièrement au sol, même à l'endroit de la voûte plantaire : en appui, le pied est plat, mais lorsque l'enfant est couché, la voussure plantaire est normale.

Ce n'est que lorsque l'enfant sera un peu plus grand qu'on pourra se rendre compte de l'état de cette voûte. D'ici là, même si vous craignez que votre enfant n'ait les pieds plats, ne lui imposez pas de semelles de soutien sans prescription médicale.

Chaussez l'enfant comme il est indiqué au chapitre 1. Faites-le marcher pieds nus ou en chaussettes ; il faut que les muscles de ses pieds travaillent, ce qui arrive lorsque les pieds s'agrippent au sol ou s'adaptent à un relief varié.

Un bon exercice, qu'il faudra lui présenter comme un jeu, consiste à saisir des objets avec les orteils. Faites-le aussi marcher sur la pointe des pieds. Quand votre enfant sera plus grand, offrez-lui une corde à sauter, et si vous le pouvez, faites-lui faire de la danse. Enfin, à bicyclette ou en tricycle, faites pédaler l'enfant avec l'avant-pied.

Pinçon.

L'enfant s'est pincé le doigt dans une porte : la douleur est très vive ; pour la calmer, le froid est bon moyen (eau froide, cube de glace) ; le médecin peut éventuellement percer l'ongle, ce qui libérera la tension provoquée par l'hématome formé sous l'ongle. Si le traumatisme est important, l'ongle sera décollé ; il sera peu à peu éliminé et remplacé par un ongle nouveau.

Le doigt du jeune enfant étant fragile, il faudrait penser à une fracture si le doigt était déformé, bleu et gonflé. Montrez-le, en ce cas, à un médecin.

Piqûre.

Par épingle, aiguille, piquant d'oursin, épine de rosier, de cactus, etc. Désinfectez. Si un corps étranger est resté dans la peau, essayez de l'extraire avec une pince à épiler ou une aiguille passée dans une flamme. Faites sortir un peu de sang et désinfectez une seconde fois. Surveillez l'endroit de la piqûre les jours suivants : s'il y a enflure, rougeur, douleur, montrez-la au médecin (voir *Abcès*). Piqûres d'orties : voir *Orties*.

Piqûres d'insectes.

Abeilles, guêpes, frelons. Certains organismes sont très sensibles aux piqûres d'hyménoptères (abeilles, guêpes, frelons), d'autres moins.

Après une piqûre, il faut enlever le dard (ce qui n'est pas toujours facile) et appliquer localement de la glace et une solution vinaigrée. La zone rouge, douloureuse, persistera plusieurs jours.

Ces piqûres peuvent être graves dans certaines circonstances : piqûres multiples, piqûres localisées à des endroits tels que la gorge ou la bouche, prédisposition allergique.

À la suite de piqûres, des réactions peuvent apparaître, telles que vomissements, accélération cardiaque, gêne respiratoire. Et des troubles graves mettant la vie en danger se manifestent parfois : œdème plus ou moins généralisé, œdème du larynx, troubles importants de la circulation. Devant l'un de ces symptômes, ou devant une piqûre localisée à la gorge ou à la bouche, il faut conduire d'urgence l'enfant à l'hôpital ou téléphoner au SAMU (15).

En cas de réaction anormalement importante (symptômes indiqués plus haut), il est nécessaire d'envisager une désensibilisation spécifique qui sera pratiquée dans un centre spécialisé.

Aoûtat. À la fin de l'été, ces minuscules insectes provoquent parfois de cruelles démangeaisons aux jambes de l'enfant qui s'est promené dans l'herbe. Vous trouverez chez le pharmacien des préparations pour soigner ces irritations. Il existe aussi des pommades préventives.

Araignée. On constate localement au point de piqûre une zone gonflée, rouge et douloureuse avec parfois malaise, fièvre, mais sans signe de gravité. On se contentera d'une désinfection locale, d'application de glace, d'un peu de paracétamol.

Moustiques. Les piqûres de moustiques, quand elles sont nombreuses, peuvent agiter l'enfant, infecter la peau par les doigts de l'enfant qui se gratte, et même, chez les nourrissons, donner de la fièvre. Nettoyer au savon acide ou à l'eau vinaigrée les points de piqûre. On trouve aussi chez le pharmacien des préparations pour calmer les démangeaisons.

Préventivement, pour éloigner les moustiques, outre les insecticides pulvérisés dans la chambre (en l'absence de l'enfant), on peut appliquer sur les parties découvertes de la peau d'un bébé de l'essence de verveine-citronnelle. Ce préventif agira pendant deux ou trois heures.

Taon. Tamponnez à l'eau vinaigrée. Si l'enfant a très mal, donnez-lui du paracétamol.

Tique. Voir ce mot.

Plagiocéphalie

La plagiocéphalie est un aplatissement du crâne, dans sa partie postérieure, parfois plus important d'un côté que de l'autre. Elle est due le plus souvent au fait que l'ossification des os du crâne n'étant pas terminée à la naissance, ces derniers se déforment facilement en fonction de la position de couchage du nourrisson. La plagiocéphalie est devenue beaucoup plus fréquente à cause de la recommandation de coucher les bébés sur le dos. Elle est sans conséquence à condition de s'assurer qu'elle ne s'accompagne pas de crâniosténose (soudure prématurée des sutures crâniennes), d'où l'importance de la surveillance régulière du périmètre crânien. En général, la plagiocéphalie se corrige spontanément entre 1 et 2 ans.

Exceptionnellement, une déformation très importante, avec un préjudice esthétique notable, pourra justifier une intervention chirurgicale de remodelage des os du crâne.

Plaies.

Plaie peu profonde : voir *Coupure*.

Une plaie profonde ou superficielle mais étendue (au-delà de quelques centimètres) doit être montrée au médecin en urgence pour nettoyage et suture, et tout particulièrement les plaies du visage qui pourraient entraîner des cicatrices inesthétiques.

En cas d'hémorragie (voir ce mot), même apparemment abondante, un pansement compressif est habituellement suffisant, l'usage du garrot étant de moins en moins recommandé.

Pneumopathie, Pneumonie.

(Les médecins parlent plus volontiers aujourd'hui de foyer pulmonaire.) Soignée au début, la pneumopathie guérit rapidement. Aussi tout enfant dont la température s'élève rapidement, dont les joues sont rouges, la respiration rapide (quelquefois avec battement des ailes du nez), et qui tousse, doit être vu rapidement par le médecin. La radiographie confirmera l'atteinte pulmonaire et précisera son étendue. Les pneumopathies peuvent être d'origine microbienne (staphylocoque, pneumocoque, mycoplasme, *clamydia*), ou virale. Un traitement antibiotique est habituellement efficace en quelques jours.

Poliomyélite.

Pendant longtemps cette maladie a été très redoutée du fait des complications respiratoires immédiates qu'elle entraîne et des séquelles qu'elle laisse, en particulier paralysies et atrophies musculaires. En fait, dans nos régions, la poliomyélite a quasiment disparu depuis l'introduction d'un vaccin très efficace et obligatoire, fait à partir de l'âge de 2 mois, en association avec d'autres vaccins (voir page 336).

Le risque n'existe que dans les pays qui ont une couverture vaccinale insuffisante. Mais heureusement beaucoup de pays en voie de développement proposent des campagnes de vaccination, avec l'aide de l'Organisation Mondiale de la Santé. Il est important de faire vacciner les enfants très jeunes car la contamination se fait par l'eau au moment de baignades ou lors de sa consommation, et cela déclenche ensuite des épidémies.

Polydipsie - Polyurie.

La polydipsie est une soif intense, entraînant l'absorption anormale de liquide ; la polyurie est caractérisée par l'élimination excessive d'urines. Ces deux symptômes ne doivent pas être fondés sur une simple impression, mais être vérifiés et quantifiés par la mesure des boissons ingérées et des urines éliminées par 24 heures. Le diabète sucré en est la première cause (voir *Diabète*), par insuffisance d'insuline pancréatique.

Le *diabète insipide* est une maladie différente. Elle est due au déficit en hormone antidiurétique d'origine hypophysaire, ou à l'absence de réponse du rein à cette hormone.

Enfin, il existe un trouble du comportement appelé *potomanie* qui entraîne une polydipsie. Une mise en observation et des examens en milieu hospitalier précisent ces diagnostics.

Polype rectal.

Le polype est une tumeur bénigne qui siège habituellement au niveau du rectum ; il se manifeste par des saignements (rectorragies) de sang rouge, accompagnant ou suivant les selles. Minimes mais répétés, les saignements peuvent entraîner une anémie importante, et la recherche de sang dans les selles fait partie du bilan d'une anémie inexpliquée. La rectoscopie – c'est-à-dire l'exploration du rectum – permet de localiser le polype – il y en a parfois plusieurs – et de l'ôter.

Pouce (l'enfant qui suce son).

Le nourrisson. Sucer son pouce à cet âge est normal, tellement normal que la succion du pouce, on l'a constaté, commence souvent avant la naissance : des bébés naissent avec le pouce rougi parce qu'ils l'ont sucé avant de venir au monde. Sucer son pouce permet d'abord au bébé de satisfaire son besoin naturel de succion, à laquelle il trouve un grand plaisir. Ce peut être aussi pour lui – comme plus tard pour l'enfant quand il cherche à s'endormir – une manière de s'isoler.

Du sevrage à 6 ans. Deux enfants sur trois continuent à sucer leur pouce à 1, 2, 3 ou 4 ans. Ils le font notamment : à l'heure du coucher ; quand ils s'ennuient ; quand ils ne sont pas bien portants, lors d'une poussée dentaire ; lors d'un événement qui leur fait craindre d'être moins aimés : naissance d'un petit frère ou d'une petite sœur ; lorsqu'ils ont des parents trop attentionnés et anxieux ou, au contraire, souvent absents et peu tendres. Parfois, ces enfants ont été sevrés trop tôt ou trop vite.

Que faire ? Les rassurer, les entourer de tendresse et de calme, et prendre patience. Vont-ils se déformer la mâchoire ? Très probablement non, car les dents définitives n'ont pas encore percé.

Après 6 ans. L'enfant qui continue à sucer son pouce après 6 ans ne pose pas nécessairement un problème psychologique. Il s'agit le plus souvent d'un petit rite qu'il garde pour s'endormir. Néanmoins, c'est quelquefois un signal auquel on doit être attentif. N'y aurait-il pas chez cet enfant des problèmes scolaires auxquels vous répondriez par une sévérité excessive ? S'il suce son pouce, c'est qu'il manifeste, inconsciemment, un désir de retour à la petite enfance. L'activité intellectuelle à laquelle l'astreint l'école dépasse peut-être ses possibilités présentes : c'est pourquoi il cherche refuge dans une attitude « bébé ». Faites preuve de plus de compréhension, donnez-lui des activités mieux adaptées à son âge, il cessera de sucer son pouce.

En revanche, il peut y avoir un problème physique, celui des dents : comme c'est l'époque de la dentition définitive, et comme l'enfant suce son pouce avec toute la force de ses 6 ans, il risque de se déformer la mâchoire. Il faudra peut-être voir un orthodontiste pour réparer d'éventuels dégâts (1).

Y a-t-il un moyen d'empêcher la succion du pouce ?
Certains partisans de la manière forte n'hésitent pas à conseiller de mettre des gants à l'enfant, d'enduire son pouce d'une substance amère, voire même de lui attacher les mains ! Ces moyens sont inutiles, inefficaces et risquent de perturber encore davantage l'enfant.

1. Les traitements orthodontiques sont remboursés par la Sécurité sociale.

Poux.

Il peut arriver qu'un enfant parfaitement propre attrape par

417

hasard des poux. Vous vous en apercevrez aux démangeaisons très intenses qui le feront se gratter le cuir chevelu. En l'examinant de près, vous verrez les œufs (lentes) attachés aux cheveux : ils sont petits, ronds, gris. Il faut pulvériser dans les cheveux une préparation que vous aura indiquée le pharmacien, puis laver et frictionner énergiquement avec un shampooing spécial. Deux semaines après, recommencer ce traitement. Laver les vêtements de l'enfant, et tout le linge qui le concerne, en particulier draps et taie d'oreiller.

Les poux sont très contagieux, un enfant les transmet à ses frères et sœurs et à ses camarades de classe, c'est ce qui explique les mesures d'hygiène régulièrement préconisées par l'école. À la maison, il est conseillé d'appliquer un traitement préventif à toute la famille.

Prématuré.

Toute naissance survenant avant 37 semaines d'aménorrhée (c'est-à-dire à partir de la date des dernières règles) est considérée comme prématurée. C'est uniquement une définition de temps de grossesse, mais il peut s'ajouter d'autres pathologies comme : un poids insuffisant par rapport à l'âge gestationnel, des problèmes infectieux, des malformations nécessitant un traitement chirurgical. Ces problèmes, indépendants de la prématurité, peuvent amener l'obstétricien à avancer la date de la naissance : on considère alors que la prématurité provoquée est moins risquée que le maintien de la grossesse, et que les soins à donner au bébé la justifient. La naissance prématurée peut également survenir spontanément, après des contractions, sans aucune anomalie associée.

Toutes les fonctions du bébé sont matures au bout de 9 mois. Un bébé prématuré présente donc une immaturité des fonctions vitales, plus ou moins marquée selon son âge gestationnel.

Entre 35 et 37 semaines. Le problème immédiat est souvent respiratoire et peut nécessiter une aide en réanimation. Celle-ci est très courte : 48 à 72 heures suffisent habituellement pour obtenir une maturation pulmonaire. La meilleure prise en charge de la grossesse et de la naissance permet d'éviter le plus souvent ce problème respiratoire, et la grande majorité des prématurés de 35 semaines est prise en charge en néonatologie ou en unité mère-enfant (voir page 182). Par contre le bébé peut avoir du mal à téter, il faut le faire boire très souvent, parfois même installer un "gavage" : une petite sonde (mise dans la bouche) par laquelle le lait arrive goutte à goutte directement dans l'estomac.

Entre 32 et 35 semaines. Le problème respiratoire est plus fréquent mais non systématique, la prise en charge en réanimation est prolongée. Deux médicaments ont beaucoup amélioré le pronostic respiratoire : les corticoïdes intraveineux donnés à la maman avant la naissance ; le surfactant donné au bébé lors de son séjour en réanimation permet la maturation pulmonaire.

La maturation digestive est souvent insuffisante, et le bébé reçoit sa ration alimentaire par un gavage, mais également grâce à une perfusion.

La surveillance neurologique est régulière avec des échographies et un électroencéphalogramme, mais la maturation cérébrale est correcte au-dessus de 32 semaines.

Entre 25 et 32 semaines. Le bébé prématuré présente une immaturité globale avec une fragilité importante. Son évolution est imprévisible au départ, elle dépend de la survenue possible de complications : hémorragies cérébrales de gravité variable ; maladie respiratoire avec besoin en oxygène prolongé ; troubles digestifs nécessitant la reprise de la perfusion ; infections résistantes aux antibiotiques.

Les séquelles et la mortalité des très grands prématurés (les bébés nés entre 25 et 30 semaines) sont d'origine neurologique, la période critique se situant pendant la première semaine de vie. L'autonomie respiratoire est souvent obtenue en 2 semaines. L'enfant peut passer ensuite dans une unité de soins intensifs, puis en néonatologie. La surveillance médicale doit être prolongée même après le retour à domicile. L'enfant aura régulièrement un bilan neurologique, auditif et visuel. La prise en charge en psychomotricité et dans les CAMPS (Centre d'action-médico-psycho-sociale) permet de dépister rapidement les retards d'acquisitions, et d'aider les parents à stimuler leur enfant.

Le rattrapage dépend de l'histoire de l'enfant, de son âge de naissance, de la durée de séjour en réanimation et de son propre pouvoir d'adaptation. Chaque enfant est différent, chaque évolution est individuelle.

Pendant les deux premières années, il y a un décalage entre l'âge calculé depuis la date de naissance, et l'âge de développement réel. Ce décalage, très net pendant les neuf premiers mois, s'amenuise rapidement dès que l'enfant a acquis la marche, puis le langage. Une étape importante ultérieure sera la rentrée à l'école primaire, avec l'apprentissage de la lecture et de l'écriture.

En attendant, il faut faire confiance à l'enfant, et croire à ses grandes facilités d'adaptation, avec le soutien d'une équipe pluridisciplinaire.

Sur l'enfant prématuré, vous pouvez lire également les pages 182 et suivantes.

Prolapsus rectal.

C'est l'extériorisation par l'anus d'une partie du rectum (partie terminale de l'intestin). Ce prolapsus se manifeste par l'apparition d'un bourrelet rouge lors des efforts pour aller à la selle, des cris, de la toux ; il est réductible spontanément ou manuellement. Ce prolapsus rectal est le plus souvent secondaire à une constipation chronique. Une cause rare qu'il peut exceptionnellement révéler est la mucoviscidose.

La guérison est habituelle par traitement médical, l'intervention rarement nécessaire.

Pronation douloureuse.

La pronation douloureuse est une petite luxation au niveau du coude ; à la suite d'une traction brusque sur l'avant-bras, l'enfant ne peut plus bouger son membre supérieur ; une manœuvre simple permet au médecin de remettre les choses en place.

Prurigo.

L'enfant se gratte beaucoup, il est agité et il dort mal. Parfois, il perd l'appétit, il est constipé ou au contraire il a de la diarrhée. Pendant ce temps apparaissent sur sa peau des taches rouges. Elles ont 1 mm de diamètre et sont un peu surélevées. Elles peuvent apparaître n'importe où, sauf sur le cuir chevelu. Elles grossissent et prennent une couleur rouge sombre, ou terne. Parfois, une vésicule rapidement ouverte laisse place à une petite croûte jaunâtre. Au toucher, le bouton est très dur. Il disparaît en huit ou dix jours, laissant une tache ; puis celle-ci disparaîtra à son tour.

Mais le prurigo peut reparaître : il y a souvent des rechutes à intervalles plus ou moins éloignés.

Le prurigo est considéré comme une manifestation d'allergie (voir ce mot) au même titre que l'urticaire : allergie alimentaire ou allergie à la piqûre de certains insectes.

S'il s'agit d'un nourrisson, ne changez rien à son régime sans prescription du médecin. Localement, appliquez une solution de chlorhexidine. Si les croûtes sont infectées, couvrez-les d'un pansement. Et surtout, armez-vous de patience : le prurigo finit toujours par disparaître.

Dans les cas sévères (par l'intensité des boutons et la fréquence des poussées), on peut entreprendre un traitement de « désensibilisation ». Et le médecin adressera probablement l'enfant à un spécialiste de l'allergie.

Purpura.

Le purpura se caractérise par l'apparition sur la peau de taches rouges de dimensions variables, le plus souvent en simple pointillé, mais parfois en plaques très étendues comme des ecchymoses.

Ces taches sont faites de sang issu des petits vaisseaux sous-cutanés si bien que lorsqu'on étire la peau, la tache ne s'efface pas. Leur apparition est soit isolée, soit accompagnée de symptômes divers tels que fièvre, saignements, douleurs, etc.

Le purpura peut être lié à une diminution du nombre des « plaquettes » (cellules qui, dans le sang, participent à la coagulation). Il peut aussi être dû à une altération des petits vaisseaux eux-mêmes.

Les causes du purpura peuvent être nombreuses ; soit d'origine infectieuse : microbienne (méningocoque) ou virale (rubéole, mononucléose, etc.) ; soit d'origine toxique et la plupart des médicaments peuvent être mis en cause. Enfin le purpura peut être présent dans des maladies sanguines graves par atteinte de la moelle osseuse.

Le purpura chez le nouveau-né.
Il faut signaler d'abord la fréquence de petits éléments purpuriques présents sur le visage après un accouchement difficile : il s'agit là de petites ruptures vasculaires sans gravité ; les petites hémorragies conjonctivales sont également sans gravité.

Par contre, l'existence d'un purpura avec diminution importante du nombre des plaquettes – dont on se rendra compte par une analyse du sang – est un élément qui fait craindre une infection néo-natale.

Le purpura des méningites.
L'existence d'un purpura chez un enfant qui a de la fièvre doit faire penser à une atteinte méningée. C'est un cas grave, prévenez le SAMU (15) et l'enfant sera hospitalisé d'urgence. Pratiquement, comme vous ne pourrez distinguer le purpura d'une éruption banale type rougeole ou rubéole, devant toute éruption accompagnée de fièvre, il sera prudent de consulter le médecin.

Le purpura rhumatoïde.
Ce purpura atteint les membres inférieurs ; lui sont associées des manifestations abdominales qui peuvent poser des problèmes chirurgicaux (invagination intestinale), et parfois une atteinte rénale qui se traduit par la présence de sang et d'albumine dans les urines. Les plaquettes sont normales en nombre. La guérison survient après une ou plusieurs rechutes.

Le purpura avec chute des plaquettes sans cause décelable :
dans ce cas, on parle de **purpura essentiel** ou **idiopathique**.
En général, la guérison survient en quelques semaines après un traitement approprié, mais dans certains cas, l'évolution se prolonge au-delà de cinq à six mois ; on parle alors de *purpura chronique* qui pose des problèmes de traitement plus complexes.

Qq - Rr

Quotient intellectuel (QI), Quotient de développement (QD)

La capacité intellectuelle d'un adulte normal se mesure par des tests étalonnés qui permettent de classer un individu sur une échelle de quotient intellectuel : le QI.

La valeur 100 est donnée pour le niveau de réponse aux tests atteint par le plus grand nombre de personnes. Cette valeur 100 est donc donnée pour désigner une intelligence normale, moyenne. Tout le monde n'a pas la même intelligence, et les réponses aux tests de QI sont répartis autour de 100, pour certains un peu plus, pour d'autres un peu moins. La proportion de la population atteignant un niveau de réponse donné, diminue quand on s'éloigne de 100. Par définition, le plus grand nombre répond aux tests à 100. Le nombre de personnes ayant répondu à 90 ou 110 est moins important. Le nombre de personnes est encore moindre pour les niveaux 80 et 120.

Chez l'enfant, avant 4-5 ans, on parle plutôt de quotient de développement (QD) ; on évalue le développement psychomoteur, l'intelligence sensorimotrice, le langage, la sociabilité. On calcule le quotient de développement d'un enfant en comparant le niveau de ses performances aux performances moyennes d'un enfant de son âge. Par exemple, un enfant âgé de 3 ans, qui montre un niveau d'acquisition correspondant à ce que fait un enfant de 4 ans, a un QD de 130. C'est un enfant en avance et précoce.

Rachitisme.

Cette maladie provient d'une insuffisance de vitamine D. La vitamine D n'existe quasiment pas dans l'alimentation, encore moins dans celle des jeunes enfants. Le grand fournisseur en est le soleil qui permet à notre corps de la fabriquer par son action directe sur la peau. Mais on évite d'exposer les bébés au soleil car ils sont fragiles.

La vitamine D permet la construction de l'os, et le tout jeune enfant a une croissance très rapide. L'absence de vitamine D entraîne une absorption insuffisante du calcium par l'os. Cela peut se traduire, selon l'âge, par une mollesse des os du crâne, un élargissement des os des poignets et des chevilles, un retard dans la fermeture de la fontanelle, un retard de la position assise, un retard de la marche, ou encore par les jambes arquées (1), une déformation de la colonne vertébrale, de la cage thoracique et du bassin. Le rachitisme peut entraîner une hypocalcémie, c'est-à-dire une baisse du taux de calcium dans le sang ; et cette hypocalcémie peut être la cause de convulsion (voir *Convulsion* et *Tétanie*).

Pour prévenir le rachitisme, on donne de la vitamine D. Celle-ci est présente dans tous les laits infantiles et il y en a un peu dans le lait maternel. On conseille de donner à tous les enfants, quel que soit leur mode d'alimentation, une dose journalière de vitamine D, sous forme de solution pharmaceutique ; cela pendant les deux premières années. Si vous avez négligé cette prévention, le rachitisme constaté sera traité par une dose forte et unique de vitamine D. Jusqu'à la fin de la croissance, la prise d'une à deux doses annuelles de vitamine D est vivement recommandée.

Les enfants à peau foncée étant plus sujets que les autres au rachitisme (parce que la pigmentation de leur peau fait écran aux rayons ultra-violets) doivent être particulièrement surveillés.

1. Attention : il ne faut pas conclure trop vite à des jambes arquées rachitiques (voir *Jambes arquées*).

Réanimation. Respiration artificielle. Massage cardiaque.

En cas d'asphyxie ou d'autre accident avec arrêt de la respiration, appelez le SAMU (15).

Mais, avant l'arrivée des secours, pour ne pas perdre une seconde, commencez vous-même la respiration artificielle. La méthode la plus simple et la plus efficace est le bouche-à-bouche. Elle est valable dans tous les cas d'arrêt respiratoire : noyade, asphyxie (par le gaz ou par un objet), électrocution, accidents de la route.

L'important est de faire vite : un arrêt de la respiration durant plus de quelques minutes entraîne des lésions cérébrales irréversibles.

Ce qu'il faut faire (voir schémas page suivante) :
1. Ouvrez le col ou tout ce qui serre le cou et la poitrine.
2. Basculez la tête en arrière pour bien dégager les voies respiratoires et maintenez le menton en le tenant en avant et vers le haut, (fig. A). Autrement, la langue affaissée au fond de la gorge bloquerait l'entrée de celle-ci. Avec les doigts, ou un mouchoir, enlevez un éventuel corps étranger dans la bouche.
3. Prenez une profonde inspiration, ouvrez largement votre bouche (fig. B) et appliquez-la fermement autour de la bouche ouverte en pinçant le nez (fig. C), ou autour de la bouche et du nez chez le nourrisson.

Chez l'enfant, l'insufflation doit être d'autant plus brève et plus douce que l'enfant est plus petit.

Chez le bébé, insufflez à la fois dans la bouche et dans le nez en coiffant les deux avec votre bouche.

4. Redressez-vous après chaque insufflation.

5. Soufflez jusqu'à ce que vous voyiez la poitrine de l'enfant se soulever. À ce moment-là, cessez d'insuffler.

6. Maintenez la tête basculée en arrière pendant tout le temps de la respiration artificielle.

Continuez celle-ci à la cadence de 20 à 40 insufflations par minute. Continuez jusqu'à ce que la respiration soit normale.

Difficultés : soit que la langue obstrue le fond de la gorge, soit qu'un obstacle quelconque empêche l'air de passer.

Pour remédier à l'obstruction par la langue, il suffit de renverser encore plus la tête en arrière.

Si un objet est logé dans la gorge et empêche l'insufflation, nettoyez la gorge, puis très vite reprenez l'insufflation. Si vous n'avez pas réussi à extraire l'objet, essayez de le déloger en utilisant la manœuvre de Heimlich (voyez les figures à l'article *Étouffe (L'enfant qui)*, page 382).

Signes que le bouche-à-bouche réussit :

1. L'enfant rosit.

2. La respiration reprend.

Respiration artificielle.

En images, les gestes à faire pour le bouche-à-bouche.

Fig. A

Fig. B

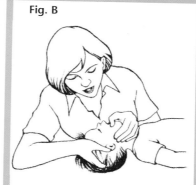

Fig. C

Massage du cœur.

Si l'asphyxie a duré trop longtemps (plus de quelques minutes), le cœur s'arrête lui aussi. La ressuscitation cardiaque est alors indiquée. Elle n'est pas sans danger. Il faut n'y avoir recours que si l'on a bien constaté que le cœur ne battait plus (voir plus bas) et ne l'utiliser que si l'on a reçu un enseignement précis. Sans abandonner la respiration bouche-à-bouche, si on est seul, il faut alterner le bouche-à-bouche et le massage cardiaque externe.

Principe du massage du cœur (schéma ci-dessous).

L'enfant étant couché sur le dos, le massage cardiaque externe consiste

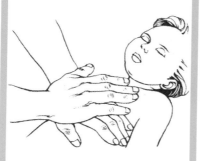

à exercer avec les paumes de la main de fortes pressions sur le tiers inférieur du sternum, environ 80 à 100 fois par minute. Ne pas appuyer sur les côtes : elles sont fragiles.

À noter : Pour le nourrisson, les pressions sont exercées par les deux pouces croisés l'un sur l'autre, les deux mains encerclant la base du thorax.

Régurgitation. Rot.

Le rot, point de mire familial et symbole de bien-être pour le nourrisson, est l'évacuation sonore de l'air dégluti et accumulé dans la partie supérieure de l'estomac, durant la tétée. En général, le rot survient dans les minutes qui suivent la tétée, l'enfant étant maintenu en position verticale. Cette quantité d'air est variable : importante chez les enfants qui boivent rapidement, elle peut être minime ; dans ce cas le rot peut se faire attendre, voire être absent : ceci est sans conséquence, même si le rot survient alors que l'enfant a été recouché.

La régurgitation est le rejet d'une petite quantité de lait, survenant peu après le repas, en particulier au moment du « rot ». Elle est fréquente et banale les premiers mois, et sans signification pathologique ; favorisée par l'alimentation liquide et la position couchée, elle disparaîtra avec l'alimentation semi-solide et l'acquisition de la position assise. L'utilisation d'un lait acide (plus vite évacué de l'estomac) et épaissi (voir *Vomissements*) peut améliorer la situation ; on évitera également l'atmosphère tabagique autour de l'enfant. Il existe des laits « antirégurgitation », encore plus épais (vendus en pharmacie).

Cependant, des régurgitations abondantes, répétées, survenant à tout moment (y compris la nuit), font penser à un reflux gastro-œsophagien (voir ce mot), particulièrement si elles sont associées à des « malaises », à des crises d'agitation et de pleurs, à des troubles respiratoires (toux nocturne), à un ralentissement de la croissance. Il conviendra de consulter le médecin sans attendre.

Reflux gastro-oesophagien.

En raison d'un mauvais fonctionnement de la zone de jonction entre l'estomac et l'œsophage, le contenu liquide et acide de l'estomac remonte à contresens dans l'œsophage. En dehors des vomissements qu'elle provoque, cette anomalie peut entraîner des lésions de l'œsophage : irritation, ulcérations, voire saignement. C'est ce qu'on appelle l'*œsophagite* ; elle est responsable de douleurs pouvant gêner l'alimentation et le sommeil. Plus rarement, le reflux peut provoquer des fausses routes alimentaires dans les voies respiratoires (toux, bronchites, foyers pulmonaires).

Le reflux peut être mis en évidence par des examens radiologiques et surtout par la pH-métrie et la fibroscopie de l'œsophage, examens qui permettent également d'en apprécier la gravité.

La fibroscopie permet de voir directement les lésions en introduisant (par le nez ou par la bouche) une sonde optique.

La pH-métrie consiste à mesurer l'acidité de la partie inférieure de l'œsophage : on introduit une sonde par le nez et cette sonde est reliée à un appareil de mesure qui enregistre un tracé. Cet enregistrement se fait sur une durée de 24 heures.

Mais ces examens ne sont pas pratiqués lors d'un banal reflux. Ils seront faits si l'enfant a un malaise inexpliqué, ou si, malgré le traitement, l'enfant continue à avoir mal.

En effet, le reflux est extrêmement fréquent et le traitement consiste essentiellement à épaissir l'alimentation : on ajoute une préparation spéciale et/ou on introduit une alimentation diversifiée et semi-solide. Le médecin conseillera aussi de maintenir le bébé en position verticale (et il vous indiquera comment réaliser cette position un peu antinaturelle), particulièrement après les repas, et prescrira, selon les cas, un traitement antireflux et antiacide.

Les enfants qui présentent un reflux « crachotent » ou vomissent régulièrement jusqu'à l'âge de la marche. Dans la mesure où l'enfant ne souffre pas, le reflux ne l'empêche pas de grossir normalement.

Reflux vésico-urétéral.

Il s'agit du passage de l'urine à contre-courant, remontant de la vessie vers le rein.

Ceci entraîne des infections urinaires répétées qui, en se propageant au rein, risquent d'y créer des lésions graves. Les examens radiographiques des voies urinaires révèlent le trouble et son degré de gravité (selon la hauteur du reflux vers le rein). Le traitement est d'abord médical : antibiotiques et antiseptiques urinaires en cures alternées, pendant un temps prolongé (plusieurs mois) ; en cas d'échec (récidive de l'infection, persistance du reflux au bout d'un an), une intervention chirurgicale devra probablement être envisagée.

Respiration bruyante, sifflante, stridor.

À moins qu'il ne s'agisse d'un enfant qui ronfle (voir *Ronflement*), toute respiration bruyante ou sifflante doit être signalée sans retard au médecin. Surtout si l'enfant est malade, avec de la fièvre. Il peut s'agir d'une simple rhinopharyngite ou d'une bronchite, mais aussi de maladies plus graves : asthme, corps étranger dans les voies respiratoires, laryngite, etc.

Certains enfants présentent dès la naissance un bruit respiratoire parfois comparé au gloussement de la poule. Il s'agit du stridor congénital qui est dû à une malformation du larynx. C'est sans gravité. Il n'y a pas de traitement particulier et ce bruit inquiétant disparaîtra peu à peu au bout de quelques mois.

Retard (enfant en).

Certains enfants sont en retard pour une acquisition donnée, par exemple le langage, la propreté. On entend dire : « Il est paresseux, il se laisse vivre, il n'a pas envie de grandir ». Faut-il se rassurer ou être inquiet des capacités de son enfant devant un retard ?

On est en général rassuré quand le retard ne concerne qu'une seule acquisition, et lorsque auparavant l'enfant a toujours fait ses acquisitions en temps et en heure. Dans ces cas rassurants, il faut vérifier que les progrès surviennent avant un âge limite au-delà duquel il est raisonnable de consulter. Le plus souvent tout rentre naturellement dans l'ordre.

Beaucoup d'acquisitions sont atteintes par l'enfant à un âge donné, que l'on considère comme un âge moyen. Autour de cet âge, des variations individuelles importantes sont fréquentes. Par exemple, la marche est acquise en moyenne à 14 mois, mais quelques enfants marchent dès 10 mois, d'autres ne marchent seuls qu'à 16 ou 18 mois. On peut parfois s'inquiéter d'un tel décalage, notamment lorsque la différence est manifeste avec les autres enfants de l'entourage. Souvent, ces retards n'ont pas de gravité et l'enfant le rattrape rapidement. Cependant, il faut être vigilant et s'assurer que l'enfant ne dépasse pas certaines limites.

Les acquisitions variables concernent l'âge de la marche (10 mois à 18 mois), l'âge de l'acquisition du langage (les premiers mots, les premières phrases, la richesse du vocabulaire, voir le chapitre 4).

Certains facteurs liés au mode de vie et à l'éducation de l'enfant interviennent de façon importante dans les acquisitions aussi diverses que la propreté, le langage, et même la politesse. Ces acquisitions sont variables et font souvent référence à des valeurs culturelles qui sont indépendantes des capacités de l'enfant. Pour ces acquisitions, le retard n'est souvent pas perçu de la même façon par les familiers que l'entourage moins proche.

D'autres acquisitions sont atteintes par la plupart des enfants au même âge, quels que soient la culture, le milieu, l'origine ethnique de l'enfant. Ces acquisitions concernent souvent le contrôle postural : la tenue de la tête (autour de 3 mois), la tenue assise autonome (autour de 9 mois), la tenue debout avec appui (à 10 mois), sont des performances qui sont atteintes avec peu de variations. Le retard de ces performances doit amener assez rapidement à consulter le médecin pour s'assurer qu'il n'y a pas de problème qui empêche l'enfant de progresser. En effet, certains retards sont le témoin d'une déficience de l'enfant, et peuvent être le premier signe d'un handicap futur ou d'une maladie débutante.

Rhumatismes.

Cela peut paraître étonnant de consacrer un article au rhumatisme qu'on croit généralement être une maladie d'adulte. On connaît pourtant différentes formes de rhumatisme chez l'enfant.

Le rhumatisme articulaire aigu est aujourd'hui exceptionnel. Il atteint en général plusieurs articulations simultanément, chaque articulation étant rouge, chaude, douloureuse pendant quelques jours ; la complication redoutée est l'atteinte cardiaque.

Cette maladie, due au streptocoque, pouvait survenir après une angine ; mais le traitement systématique des angines par la pénicilline en a grandement réduit la fréquence.

Le rhumatisme chronique. On en connaît deux aspects chez l'enfant :
– La maladie de Still où les atteintes articulaires sont souvent au second plan dans un tableau associant une fièvre élevée et oscillante, une éruption cutanée et parfois un épanchement dans le péricarde. Cette forme évolue vers la guérison après quelques semaines de traitement par la cortisone.
– L'autre forme est plus proche du rhumatisme de l'adulte : les atteintes articulaires se font de manière progressive, par poussées successives, vers une ankylose et un handicap plus ou moins marqués. Elle nécessite un traitement prolongé par la cortisone ou d'autres anti-inflammatoires.

Rhume - Rhinite - Rhino-pharyngite.

La **rhinite**, c'est le nom médical du simple rhume. Elle débute par un écoulement clair, qui peu à peu devient plus épais et verdâtre ; la température reste peu élevée et l'état général bon. La rhinite est banale, son évolution simple mais, particulièrement chez le très jeune nourrisson, elle peut entraîner des petits troubles tels que : mauvais sommeil, gêne pour se nourrir ou pour respirer.

Le traitement se bornera à dégager le nez par des instillations répétées de sérum physiologique, ou d'eau de mer (en spray) et l'utilisation du mouche-bébé (qui est très efficace en cas de rhinite).

La **rhino-pharyngite** est un rhume qui s'étend aux fosses nasales postérieures (cavum) et à l'ensemble du pharynx. Les symptômes sont souvent plus marqués : à l'écoulement du nez s'ajoutent une fièvre qui peut être élevée et monter brusquement, une toux, un refus de manger, de la diarrhée.

Le traitement est simple : comme pour la rhinite, il faut dégager le nez avec du sérum physiologique et donner à l'enfant des médicaments contre la fièvre (voir ce mot). En général la rhino-pharyngite guérit en quelques jours.

Cependant, des complications peuvent survenir qui sont l'otite, la laryngite, la trachéo-bronchite et le foyer pulmonaire (voir ces mots).
Les **rhino-pharyngites à répétition** constituent en fait un vrai problème chez le nourrisson. En hiver, ces rhino-pharyngites répétées exposent aux complications dont nous avons parlé plus haut, particulièrement aux otites. Elles entraînent un encombrement permanent du nez, et une toux persistante, mais elles retentissent rarement sur l'état général.

À l'origine de ces rechutes, on met en cause des facteurs personnels de terrain : allergie, déficit immunitaire, carences diverses, en fer par exemple ; mais aussi des facteurs d'environnement, tels que le chauffage excessif et la sécheresse des habitations, la contagion dans les crèches et les écoles, la pollution. On insiste également beaucoup sur le rôle néfaste des fumeurs dans l'environnement familial (tabagisme passif).

On peut considérer aussi qu'il s'agit d'une véritable maladie d'adaptation des voies respiratoires supérieures aux multiples agressions microbiennes et surtout virales. Cette succession de rhino-pharyngites semble nécessaire à la constitution de l'immunité. En général, elles cesseront vers l'âge de 6 à 7 ans.

En attendant, la situation pose des problèmes de traitement souvent difficiles ; il faut s'armer de patience, éviter les antibiotiques, connaître les mesures préventives pour diminuer ou éviter la contagion : lorsque l'enfant passe d'un rhume à l'autre, il devient nécessaire, sinon facile, de le retirer de la crèche ou de l'école pour un temps, et si possible de le faire changer de climat ; un climat sec et ensoleillé est souvent très efficace. Le problème de l'ablation des *végétations* (voir ce mot) se pose surtout si l'enfant a fréquemment des otites.

Rhume de hanche.

(Synovite aiguë transitoire de la hanche).
Comme son nom l'indique, cette maladie est bénigne et de courte durée. Elle est parfois accompagnée d'une rhinopharyngite banale, avec peu ou pas de fièvre ; elle se manifeste par une boiterie douloureuse, d'apparition brusque. La radiographie montre un gonflement des tissus qui entourent l'articulation de la hanche, sans lésion osseuse. Cette maladie guérit spontanément en quelques jours, avec simplement du repos.
Voir *Boiterie*.

Ronflement.

Un enfant qui ronfle a probablement des végétations. Vous devez signaler le fait au médecin qui vous orientera vers l'oto-rhino-laryngologiste.

Roséole (Exanthème subit du jeune enfant de moins de 3 ans).

Cette maladie contagieuse, d'origine virale, survient au printemps, en automne, par petites épidémies. Elle se caractérise par une fièvre élevée, qui apparaît brusquement et qui persiste sans autre symptôme pendant plusieurs jours.

Du 4e au 5e jour, la fièvre disparaît aussi brusquement qu'elle est venue, tandis qu'apparaît une éruption du type de la rubéole, parfois très discrète et ne durant pas plus d'un jour ou deux, parfois quelques heures. Cette évolution, fièvre élevée isolée de quelques jours, suivie d'une éruption passagère, est typique de la roséole. Cette maladie est bénigne, malgré la relative fréquence des convulsions lors des accès de fièvre.

Rougeole.

C'est une maladie due à un virus ; elle est très fréquente chez l'enfant à partir d'un an et évolue, en général, par épidémie et au printemps.

Les premiers *symptômes* de la rougeole apparaissent, en général, dix à quinze jours après la contagion : rhume, fièvre, mais surtout une toux importante, un peu rauque, un faciès très particulier avec larmoiements qui, très souvent, feront envisager la rougeole même en l'absence de contagion connue, à plus forte raison en cas d'une épidémie.

L'*éruption* apparaît au bout de quelques jours sous forme de petites taches débutant derrière les oreilles, au visage, aux membres et s'étendant sur tout le corps. Très rapidement la fièvre tombe et, en l'absence de complications, au bout de quatre à cinq jours, l'éruption s'atténue et disparaît ; la convalescence est rapide.

Il est rare de nos jours que la rougeole se complique, mais cela reste possible en particulier chez tout enfant dont l'état général est déficient, et chez les enfants de race noire. Les otites et les foyers broncho-pulmonaires sont les plus fréquents ; l'atteinte du système nerveux (encéphalite) est très rare.

L'enfant est contagieux essentiellement avant l'apparition de l'éruption, d'autant plus qu'à ce stade, aucune précaution d'isolement n'aura été prise.

Il existe une *vaccination contre la rougeole* qui peut être administrée dès l'âge de 12 à 14 mois. Ce vaccin est en général associé au vaccin rubéole-oreillons (ROR). ; il est fait en une seule injection. Mais la persistance d'épidémie de rougeole laisse penser qu'un certain nombre d'enfants (5 à 10 %) ne sont pas protégés par une seule injection ; c'est pourquoi, actuellement, il est recommandé d'en faire une seconde, à partir de 3 ans. Le vaccin peut provoquer une petite poussée de fièvre. Cette vaccination n'est pas obligatoire, mais la seule façon d'éviter une épidémie de rougeole est de vacciner le plus grand nombre possible d'enfants.

La protection apportée par le vaccin est très rapide. Il est donc possible d'empêcher la maladie s'il est fait dans les cinq jours qui suivent le contact avec un rougeoleux, le vaccin agissant plus rapidement que le virus de la rougeole lui-même.

À titre préventif, après un contact avec un rougeoleux, on peut donc vacciner rapidement dans la limite de ces cinq jours.

Rubéole.

Cette maladie, très bénigne pour les enfants, n'est redoutable que dans un seul cas, celui de la future maman, surtout pendant les trois premiers mois de la grossesse : durant cette période, si le virus de la rubéole atteint le fœtus, il peut causer chez lui diverses malformations (système nerveux, cœur, œil, oreille).

Un simple examen de sang (sérodiagnostic) permet de savoir si une jeune femme a eu la rubéole ; ce sérodiagnostic est fait dans le cadre de l'examen prénatal.

La maladie débute le plus souvent par un malaise général assez léger, sans rhume. Des taches rouges, discrètes, apparaissent d'abord au visage, puis s'étendent au tronc et aux extrémités. L'éruption disparaît généralement le troisième jour. La fièvre dépasse rarement 38° à 38°5 et ne dure guère plus de deux jours. Il y a fréquemment des ganglions.

L'enfant est contagieux quelques jours avant l'apparition des symptômes et le reste pendant la durée de l'éruption. On ne peut avoir la rubéole qu'une fois, mais il faut savoir que plusieurs autres maladies à virus ressemblent par leurs symptômes à la rubéole.

Dès qu'il sera guéri, l'enfant pourra retourner à l'école ou au jardin d'enfants. Ses frères et sœurs peuvent continuer à fréquenter l'école.

En cas de rubéole dans une école, le personnel enseignant doit obligatoirement être informé. Les institutrices et les professeurs qui seraient enceintes, et qui présenteraient un test sérologique négatif, peuvent avoir un congé jusqu'au 4e mois de leur grossesse.

Il existe un vaccin contre la rubéole, en général associé aux vaccins contre la rougeole et les oreillons (R.O.R.). Cette vaccination est pratiquée entre 12 et 14 mois (voir rougeole).

Rumination.

Voir *Mérycisme*.

Ss

Saignement de nez.

Voir à la fin de l'article *Hémorragie*. Le terme médical du saignement de nez est *épistaxis*.

Saignement des lèvres.

En cas de blessure à la lèvre, stoppez l'hémorragie en comprimant, nettoyez avec du savon, puis rincez. La salive servira de désinfectant et de cicatrisant. Si la plaie est importante, consultez le médecin.

Salmonellose intestinale.

Les salmonelles sont des microbes du groupe des bacilles de la typhoïde. Chez le nourrisson, ces microbes peuvent entraîner des diarrhées aiguës, survenant parfois par petites épidémies dans les crèches ou dans les familles. L'évolution peut être assez sévère avec selles nombreuses et sanglantes, déshydratation, fièvre élevée, etc.

C'est la coproculture (examen des selles) qui permet d'identifier le microbe.

Actuellement, on ne recommande pas de traitement antibiotique systématique, sauf dans les formes graves. La guérison est obtenue par simple réhydratation et régime antidiarrhéique.

Saturnisme.

C'est l'intoxication par le plomb ; les victimes en sont de jeunes enfants qui portent à la bouche et avalent des particules de peintures anciennes (contenant du plomb) dans des logements vétustes et insalubres.

Les troubles sont digestifs (douleurs abdominales, constipation ou diarrhée), nerveux (instabilité, convulsions), rénaux et sanguins (anémie).

Un traitement permet d'éliminer par les urines le plomb accumulé dans l'organisme.

Scarlatine.

La scarlatine est due à une variété de streptocoques (hémolytiques). Elle est aujourd'hui moins grave qu'elle ne l'était autrefois. L'*incubation* est courte, en moyenne quatre à cinq jours, et les premiers *symptômes* apparaissent brusquement. Il s'agit d'une angine avec fièvre élevée, gonflement des ganglions du cou, souvent un état de malaise et des vomissements.

Rapidement l'éruption apparaît sur l'ensemble du corps sous forme d'une nappe rouge, avec de petits éléments granuleux. La langue a un aspect caractéristique avec une éruption rouge vif, en V, évoquant une fraise. Le diagnostic est alors facile et le traitement se fait par la pénicilline.

Après l'éruption, la peau se met souvent à desquamer : de grands lambeaux de peau se détachent au niveau des mains et des pieds.

Depuis les antibiotiques, les complications (autrefois redoutables) sont très rares : atteintes rénales et articulaires.

Actuellement, il est rare de voir de grandes scarlatines typiques, mais bien plus souvent des formes atténuées, incomplètes qui peuvent se limiter à une éruption peu intense et de courte durée, qu'il est plus difficile d'attribuer d'emblée à la scarlatine. Beaucoup de maladies virales, ainsi que des réactions d'intolérance à des médicaments, donnent lieu à une éruption « scarlatiforme ». Les éléments suivants aideront le médecin à reconnaître la scarlatine : contagion, angine préalable, présence de streptocoque hémolytique dans un prélèvement de gorge, desquamation de la peau des extrémités. Elle peut être détectée par un test effectué au cabinet du médecin (streptotest).

La scarlatine n'est plus contagieuse après deux jours de traitement par pénicilline, et l'éviction scolaire n'est que de deux jours si l'enfant est traité.

Scoliose.

Déviations de la colonne vertébrale (scoliose, cyphose, cypho-scoliose, lordose). Les positions anormales de la colonne vertébrale sont appelées : cyphose (dos rond), lordose (cambrure excessive), et scoliose (déviation dans le sens latéral). Ces anomalies étant souvent combinées entre elles, on parle alors de cypho-scoliose.

Chez le nourrisson.

Dans les premiers mois, le dos est souvent rond. Peu à peu il deviendra plat jusqu'à l'acquisition de la station assise sans appui, étape importante du développement psychomoteur ; il est recommandé durant cette période de ne pas asseoir l'enfant sans soutien.

Cependant de véritables scolioses ou cypho-scolioses peuvent exister chez le nourrisson du fait de malformations vertébrales visibles sur la radiographie.

Chez l'enfant plus grand.

Au moment de la marche et surtout au cours de la deuxième et de la troisième année, une lordose lombaire (cambrure excessive) est fréquente ; l'abdomen qui fait une saillie en avant témoigne bien de « l'hypotonie » musculaire habituelle à cet âge. C'est une étape transitoire qui disparaîtra progressivement au cours de l'enfance.

Les déviations de la colonne vertébrale sont aisément reconnues par l'entourage même de l'enfant : une épaule est plus basse que l'autre, la colonne a perdu sa rectitude et présente une courbure vers la droite ou la gauche ; enfin il peut exister une gibbosité (bosse) d'un côté.

Si ces anomalies disparaissent quand on fait pencher l'enfant en avant, il s'agit d'une simple attitude scoliotique qui vient souvent compenser une inégalité de longueur temporaire des membres inférieurs. Dans ce cas qui est fréquent, une simple talonnette réglera le déséquilibre à condition qu'il ne soit pas supérieur à 2 cm. D'une manière générale ces scolioses d'attitude évoluent favorablement avec un traitement simple à base de gymnastique rééducative et d'activité sportive adaptée.

Les *déformations fixées* peuvent être la conséquence de maladies neurologiques ou musculaires, mais le plus souvent elles surviennent chez les enfants tout à fait normaux, sans cause apparente, et sont beaucoup plus fréquentes chez la fille que chez le garçon.

Ces déformations fixées demandent une surveillance très attentive afin d'en apprécier le profil évolutif : stabilité ou tendance plus ou moins rapide à l'aggravation ; des examens répétés seront donc nécessaires, semestriels ou annuels, comprenant des radiographies qui permettront de faire des bilans comparatifs précis. Les scolioses peuvent être minimes dans les premières années et passer inaperçues. La période critique est à la poussée de croissance pubertaire, entre 11 et 15 ans, particulièrement chez les filles. Un corset peut alors être indiqué.

Secoué (syndrome de l'enfant secoué)

Ce syndrome est une forme de maltraitance qui a la particularité de ne laisser aucune trace sur le corps. Le bébé secoué avec trop de violence peut avoir une hémorragie intra-cérébrale qui peut laisser des séquelles dramatiques (cécité, paralysie, arriération, voire décès).

Mais il faut aussi prévenir les parents des risques qu'ils font courir à leurs enfants en les secouant par jeu, par exemple lorsqu'ils les font sauter sur leurs genoux, ou lorsqu'ils les « envoient en l'air ». Comme l'écrit le docteur F. Roussel dans la revue *Le Pédiatre*, « le bébé est un être fragile, qu'il faut manipuler avec douceur et délicatesse, et qu'il faut plutôt penser à protéger qu'à bousculer ».

Seins.

Développement prématuré des seins. Chez certaines petites filles, le développement des seins survient avant l'âge de la puberté. Il faut alors vérifier qu'il ne s'agit pas d'une puberté précoce provoquée par une maladie des ovaires, des surrénales ou de l'hypophyse. Pour le savoir, le médecin prescrira des examens biologiques (dosages hormonaux) et des examens des ovaires, de l'utérus et des glandes surrénales (échographie). Le plus souvent, le développement prématuré des seins est isolé, sans maladie hormonale. Le volume des seins reste limité et il n'y a pas d'autres signes de puberté (pilosité). Il s'agit d'une situation bénigne, sans gravité et qui n'a aucun retentissement sur la croissance en taille, ni sur la puberté qui se fera normalement quelques années plus tard (en moyenne elle débute à 11 ans chez la fille).

Seins gonflés chez le nouveau-né : voir au début de ce chapitre.

Selles anormales.

Vous avez vu au chapitre 2 à quels signes on reconnaît que les selles du nourrisson sont normales. Voyons ce qui peut rendre les selles anormales – en dehors de la *constipation* et de la *diarrhée* (voir ces mots).

Grumeaux. En petit nombre, ils n'ont aucune signification particulière chez le nourrisson, s'il n'y a pas diarrhée.

Glaires. Ce sont des filaments visqueux, blancs ou verdâtres. Une irritation des intestins, aussi bien qu'un simple rhume, peuvent en être cause.

Si l'enfant est enrhumé, la présence de glaires dans ses selles est normale ; il faut simplement soigner le rhume. Si l'enfant n'a aucune affection des voies respiratoires, les glaires sont le témoin d'une atteinte de la muqueuse intestinale elle-même (entérocolite). Ne tardez pas à en parler au médecin.

Pus. Si du pus se mêle aux glaires dans les selles, c'est qu'une infection existe quelque part dans le tube digestif : le pus est un ensemble de globules blancs du sang, de microbes et de déchets de muqueuse mêlés.

Sang. Si vous voyez une tache de sang dans les couches ou dans le pot de l'enfant, à plus forte raison si du sang s'écoule par l'anus, il est bien évident qu'il faut appeler aussitôt le médecin. Une chose à ne pas oublier : garder les couches, ne pas vider le pot qui contient la selle. Il peut aussi s'agir d'un accident qui se produit quelquefois : vous avez pris la température de l'enfant ce jour-là. Sans le vouloir – et bien que le thermomètre ne soit pas brisé – vous l'avez blessé. Ce genre d'hémorragie est généralement bénin.

Autre cause possible de l'hémorragie : l'enfant est constipé (voir *Constipation*).

Si l'enfant a de la diarrhée, l'intestin, irrité, peut également saigner. Il faut soigner la diarrhée.

Enfin, une autre cause possible de cette hémorragie est l'invagination intestinale, dont nous vous parlons à l'article *Cris du nourrisson*.

Voir également *Polype rectal*.

Selles vertes. Cette couleur n'est pas forcément un signe inquiétant. Elle signale seulement une accélération du passage dans l'intestin : les aliments digérés ont traversé rapidement l'intestin et n'ont pas eu le temps de prendre leur couleur normale. Mais il faut savoir aussi que les selles s'oxydent à l'air : elles ont donc pu devenir vertes après avoir été évacuées par l'enfant.

Selles décolorées. Le lait de vache,

le lait concentré donnent souvent des selles grises au nourrisson.

Selles très décolorées, presque blanches : c'est parfois le premier symptôme d'une hépatite, d'une obstruction des voies biliaires chez le nouveau-né.

Selles colorées. Enfin, rappelons que les épinards et les betteraves donnent leur couleur aux selles, et que les carottes s'y retrouvent en petits fragments. Le fer donne aux selles une couleur noire. Toute selle que vous jugerez anormale sera gardée pour être montrée au médecin.

Sida.

Le sida (syndrome d'immuno-déficience acquise) est dû à un virus VIH (virus de l'immuno-déficience humaine) qui s'attaque au système immunitaire et entraîne un grave affaiblissement des moyens de défense de l'organisme.

Lorsqu'une personne est infectée par le virus, elle développe des anticorps spécifiques qui peuvent être décelés dans le sang par un test de laboratoire. Le résultat peut être connu dans les 48 heures. Cette personne infectée par le virus est dite séropositive.

Une femme enceinte séropositive transmet les anticorps spécifiques à son enfant, mais cela ne veut pas dire que l'enfant soit contaminé. Pour dépister les enfants la première année, on utilise une technique de culture virale, ou d'amplification génique (PCR), qui est coûteuse et dont les résultats ne sont connus qu'au bout d'un mois ; cette technique doit être répétée plusieurs fois. En France, la culture virale est effectuée à la maternité dans les cinq premiers jours de vie, puis à l'âge d'1 mois, et entre 3 et 6 mois. Elle est remboursée par la sécurité sociale après entente préalable. Une culture virale négative à 3 mois assure à 95 % l'absence de transmission du virus de la mère à l'enfant.

Le taux de contamination est très variable selon le degré d'agressivité du virus. Une femme séropositive, sans signes cliniques de gravité, peut bénéficier en France d'un traitement préventif en cours de grossesse. Dans ce cas, le risque de transmission est inférieur à 8 %.

Le risque de transmission est malheureusement très supérieur : en cas de contamination récente de la maman, en cas de maladie déclarée, et pour toutes les femmes dont les conditions de vie ou l'accès aux soins sont difficiles. Ceci explique l'ampleur de l'épidémie dans les pays africains lorsque les femmes ne peuvent pas bénéficier d'une prévention sanitaire efficace. Le taux de transmission peut alors atteindre 30 %. La contamination par le lait maternel est possible et contre-indique l'allaitement.

Lorsque l'enfant est contaminé pendant la grossesse, deux cas peuvent se présenter :

- soit la maladie se déclare rapidement, dans les premiers mois, avec une succession d'infections graves, un retard de croissance, une altération de l'état général. Les examens biologiques sont très perturbés et l'espérance de vie précaire. Ces enfants sont actuellement traités par trithérapie mais on n'a pas encore assez de recul pour juger de l'efficacité du traitement.

- Soit le virus est décelé dans le sang, mais avec un examen clinique normal. Heureusement, c'est la majorité des cas. Au bout d'un an, l'enfant présente une quantité moins importante de virus, il a ses propres anticorps ; le virus est en sommeil, mais il peut se réveiller progressivement et l'état de santé s'aggraver. Certains enfants n'ont toujours pas déclaré de signes de gravité à l'âge de 10 ans. Néanmoins, ils doivent être surveillés une fois par an dans un service spécialisé.

Les avancées thérapeutiques permettent d'espérer un avenir moins sombre pour les enfants contaminés. Le désir de grossesse d'une femme séropositive doit être respecté et pris en compte par l'ensemble des soignants. Il est important que le couple soit orienté vers un praticien connaissant bien les difficultés et les possibilités de la prise en charge. Seules des informations précises permettront d'aider les parents dans une décision de grossesse, puis dans le suivi de l'enfant.

Sinusite.

Sinusite maxillaire.

Les sinus maxillaires sont des cavités qui se trouvent dans les os de la face (sous les orbites, de part et d'autre des fosses nasales). Ces sinus ne se développant pas avant 2-3 ans, leur infection n'est guère possible avant cet âge. Par la suite, la sinusite aiguë est rare.

Par contre, la sinusite chronique est très fréquente chez l'enfant ; elle se traduit par des poussées de fièvre, une toux persistante, souvent nocturne, des bronchites à répétition. La radiographie montre des sinus opaques. La sinusite chronique n'est souvent qu'un élément d'une atteinte étendue de toutes les voies respiratoires dont la cause la plus fréquente est l'allergie.

Sinusite frontale. Elle est rare chez l'enfant car les sinus creusés dans les cavités des os du front n'ont leur complet développement qu'après 10-12 ans.

L'ethmoïdite aiguë est une infection de l'ethmoïde, os qui ferme en haut et en arrière les fosses nasales, et qui est creusé de cavités. Elle se traduit par une fièvre élevée et un gonflement important de la paupière supérieure débutant à l'angle interne de l'œil. Les germes les plus fréquents sont le staphylocoque, et surtout l'hémophilus ; un traitement antibiotique intensif est nécessaire, en milieu hospitalier, afin d'éviter des complications graves des yeux et du cerveau.

Sommeil (troubles du).

Au chapitre 3, dans « Il dort », nous avons longuement parlé du sommeil (durée, importance, caractéristiques, etc.) et de toutes les circonstances qui favorisent un bon sommeil chez l'enfant. Ici nous voudrions évoquer ce qui peut le perturber.

Les troubles du sommeil sont fréquents chez le jeune enfant ; ils sont le plus souvent passagers et sans gravité. Mais, dans certains cas, par leur intensité et leur persistance, ces troubles peuvent retentir sur la santé de l'enfant et surtout sur l'équilibre de la famille.

Des causes simples, parfois minimes, peuvent perturber le sommeil de l'enfant : poussées dentaires, otite, rhino-pharyngite, gêne pour respirer (végétations) ; ou bien l'enfant a trop chaud, il est mouillé ; ou encore il y a trop de lumière ou trop de bruit autour de lui.

Ces incidents pratiques éliminés, la cause habituelle des troubles du sommeil est d'ordre psychologique.

Lorsque l'anxiété provoque l'insomnie. À partir d'un an-un an et demi (mais cela peut aussi arriver plus tard), l'enfant fait souvent des difficultés pour aller se coucher. Pourquoi ? Parce qu'il a peur du noir ; ou bien parce que le fait d'aller dormir lui donne une impression d'abandon et de solitude. Et pour se rassurer, l'enfant réclame une présence, des objets familiers, ou exige des gestes routiniers. Ces réactions de l'enfant montrent qu'il prend conscience de son environnement, et donc qu'il fait des progrès. Au premier abord, toute nouveauté déroute l'enfant mais le fait peu à peu grandir.

Il n'en est pas moins vrai que si cette anxiété survient de façon inattendue, ou bien prolongée, ou excessive, c'est une sonnette d'alarme et il faut essayer de comprendre ce qui se passe.

Tel enfant refuse depuis quelques jours d'aller se coucher, et c'est chaque soir le drame. Après « enquête », les parents se rendent compte que l'enfant ne supporte plus son lit à barreaux dans lequel il se sent enfermé. Tout rentre dans l'ordre avec l'installation d'un grand lit, duquel d'ailleurs l'enfant n'éprouve plus le besoin de sortir… Ou bien dans cette famille, pour raisons professionnelles, le père part souvent en voyage. Chaque fois la mère est angoissée, ce qui retentit sur l'enfant : il a un sommeil agité et appelle plusieurs fois au cours de la nuit. Une conversation avec le pédiatre a permis à la mère de se rendre compte que son inquiétude ne devait pas (autant que possible) se communiquer à l'enfant.

Ou encore cette maman, infirmière, rentre souvent tard le soir. Et l'enfant ne veut pas aller se cou-cher tant qu'il n'a pas vu sa mère. Il est pourtant important de respecter les besoins en sommeil de l'enfant. Il pourra peut-être faire une sieste un peu plus longue pour pouvoir attendre sa maman le soir. Ou bien la mère fera en sorte que les besoins affectifs soient comblés à un autre moment, le week-end par exemple.

Lorsque l'excitation provoque l'insomnie. Les causes d'excitation pouvant empêcher un enfant de dormir sont nombreuses.

Cela peut être une méconnaissance des rythmes du sommeil : tel enfant fait de trop longues siestes chez la nourrice ou commence à s'endormir chez elle. Lorsqu'il arrive chez lui, il est repris par une phase d'éveil et n'arrive plus à trouver la détente qui lui permettrait de s'endormir.

Tel autre enfant est un « couche-tôt ». Mais comme c'est seulement le soir que la famille se retrouve, les parents jouent avec l'enfant et l'excitent à une heure où il n'est plus disponible. C'est bien compréhensible qu'il n'arrive plus à s'endormir.

Ou bien l'entourage – parents ou nourrice – stimule trop l'enfant pour qu'il parle ou marche ; ou bien il exige trop de l'enfant pour qu'il soit propre.

Ou encore l'enfant est trop jeune pour passer une si longue journée à l'école. Et les adultes savent bien que la fatigue peut empêcher de dormir.

Le réveil précoce. Certains enfants, spontanément, se réveillent tôt ; c'est leur rythme personnel de sommeil, ce sont des « lève-tôt ».

Pour que l'enfant attende avec patience son petit déjeuner, il faudrait qu'il ait de quoi s'occuper. Le soir, quand l'enfant sera endormi, placez près de son lit ses jouets préférés. Il prendra l'habitude de s'amuser, assis dans son lit, tout en monologuant à voix basse. Si l'enfant se réveille vraiment trop tôt, écourtez la sieste de l'après-midi, ou mettez-le au lit un peu plus tard.

Mais il y a aussi l'enfant qui est obligé de se lever tôt à cause des horaires de ses parents. Cette situation fréquente a une influence néfaste sur la santé des enfants. En effet, ce réveil provoqué entraîne non seulement un manque de sommeil total, mais surtout un manque de sommeil paradoxal, ce sommeil si important pour l'enfant (voir page 117), et qui prédomine en fin de nuit. Il faut donc coucher l'enfant plus tôt.

Les somnifères. Tout ce que nous avons dit à propos du sommeil et de ses troubles montre bien que la solution ne réside pas dans les somnifères. Tout au plus, et pendant une période limitée, le médecin pourra-t-il en conseiller pour sortir d'une situation qui paraît bloquée : il arrive en effet que les troubles du sommeil de l'enfant perturbent complètement la vie familiale et provoquent un énervement général, préjudiciable pour tous.

Des gestes simples, auxquels on ne pense pas toujours, peuvent être d'un grand secours : on donne à l'enfant dans un biberon – ou un verre – un peu d'eau ou de lait tiède, ou de tisane, par exemple de tilleul. Ce sont des calmants naturels qui peuvent apaiser l'enfant. Comme le dit le docteur Soulé, parfois le meilleur somnifère, c'est la cuillerée d'eau qu'on donne à l'enfant en lui racontant une histoire à « dormir couché »…

En conclusion, comme beaucoup d'autres troubles, l'insomnie de l'enfant n'est pas un symptôme grave qu'il faut absolument faire disparaître par des médicaments. Il faut comprendre ce qui la provoque pour essayer d'y remédier. Les troubles du sommeil de l'enfant révèlent souvent des perturbations à l'intérieur de la famille ; et parfois une discussion avec un tiers (le pédiatre ou le psychologue, par exemple) pourra être très utile.

Voir aussi *Calmants, Cauchemars, Mouvements rythmés.*

Spasme du sanglot.

La description du spasme du sanglot est simple et toujours la même : à l'occasion d'une contrariété, d'une peur soudaine, ou d'une douleur vive, l'enfant, habituellement entre 6 mois et 2 ans, crie, pleure, ses sanglots deviennent de plus en plus saccadés et violents, sa respiration se bloque, son visage

Ss

bleuit (cyanose) : au bout de quelques secondes (qui peuvent paraître très longues à l'entourage), et sous l'effet de stimulations telles que petites tapes, eau froide sur le visage, la respiration reprend ; si l'accès se prolonge, l'enfant peut perdre connaissance un court instant ; une variante est possible : la forme blanche où l'enfant reste très pâle.

Ce tableau impressionnant, et qui a tendance à se répéter, est cependant sans gravité réelle, dans l'immédiat ou à long terme. Un facteur psychologique intervient dans le déclenchement du spasme du sanglot : un enfant nerveux peut, consciemment ou non, provoquer ce spasme pour obtenir ce qu'il veut. Il est donc important d'avoir envers l'enfant une fermeté douce et constante, et d'éviter un comportement autoritaire et rigide.

Spasmes en flexion.

Il s'agit d'un type d'épilepsie particulière au nourrisson – vers l'âge de 6 mois – qui s'accompagne d'un arrêt du développement psychomoteur et d'un changement inexpliqué du comportement. Les crises se passent habituellement de la manière suivante : des secousses brèves surviennent en série. Elles sont espacées de quelques minutes. Au cours de chaque spasme, l'enfant se ramasse sur lui-même, fléchissant brusquement la tête, le tronc et les quatre membres, puis se relâche rapidement. Parfois, c'est au contraire une extension du corps et des membres.

La cause de ces spasmes n'est pas connue, sauf dans certains cas d'anomalies congénitales du système nerveux. Le médecin sera vu sans attendre car un traitement doit être institué rapidement (voir *Epilepsie*).

Spina bifida - Méningocèle - Myéloméningocèle.

Le terme de *spina bifida* désigne une anomalie congénitale des vertèbres. Pendant la formation de la colonne vertébrale la partie postérieure ne se soude pas et la vertèbre reste ouverte en arrière. Cette ouverture anormale laisse souvent un passage aux structures neurologiques sous-jacentes (méninges et moelle épinière), normalement contenues dans le canal rachidien. Cette malformation se produit le plus souvent à la partie inférieure de la colonne (région lombaire et sacrum), plus rarement dans les régions dorsales ou la nuque. Il s'agit de malformations majeures aux conséquences tellement graves que dès la naissance une décision doit être prise : soit celle d'une abstention de traitement, soit la décision d'un traitement neurochirurgical pour réintégrer la moelle extériorisée, avec les risques majeurs d'infection que cela comporte et des séquelles très sévères sur la motricité des membres et la continence sphinctérienne.

Actuellement, le diagnostic est le plus souvent fait pendant la grossesse, lors des échographies systématiques. C'est alors la question de l'interruption de grossesse qui se pose.

Cette malformation peut malheureusement se reproduire, ce qui nécessitera une surveillance particulière lors d'une grossesse ultérieure.

Sténose du pylore.

C'est une malformation du tube digestif assez fréquente chez l'enfant, plus souvent chez le garçon que chez la fille. Il s'agit de l'épaississement de l'anneau musculaire (pylore) qui sépare l'estomac de la première partie de l'intestin. Cet obstacle empêche l'estomac de s'évacuer normalement, ce qui entraîne des vomissements ; ils commencent environ quinze jours après la naissance et deviennent de plus en plus abondants et « explosifs » ; l'enfant est à la fois affamé et constipé. Un examen radiologique ou échographique permet d'identifier la malformation, et une intervention chirurgicale simple assure une guérison définitive.

Sternum

Voir *Thorax (dépression thoracique)*.

Stomatite.

Elle peut être d'origine virale (voir *Herpès*), parfois microbienne (voir *Impétigo*), ou mycosique (voir *Muguet*). Dans cette affection, l'intérieur de la bouche (joues, langue, gencives) est couvert de petites ulcérations blanches qui recouvrent des plaies douloureuses. Lorsque cette membrane blanche tombe, une ulcération très pénible subsiste. Quand la bouche est couverte de ces ulcérations, l'enfant ne peut supporter le contact des aliments, même liquides. Le seul fait d'avaler sa salive est douloureux. Cela dure quatre à cinq jours. La stomatite entraîne une salivation excessive, une haleine fétide, et de la fièvre.

Le médecin vous prescrira des soins locaux (badigeonnages) et éventuellement des antibiotiques et des antifongiques. Attendez-vous à des difficultés et armez-vous de patience. Vous alimenterez surtout l'enfant en lui faisant boire des boissons sucrées et glacées et en lui donnant une alimentation liquide ou mixée. Donnez-lui ce qu'il acceptera le mieux : jus de fruits, lait, glaces, etc. Il est important que l'enfant atteint d'une stomatite évite tout contact avec un autre enfant car c'est très contagieux. Voir *Aphtes* et *Herpès*.

Strabisme.

Durant les deux premiers mois, il est fréquent d'observer que le nourrisson louche légèrement, et de temps en temps, parce que les mouvements des deux yeux ne sont pas encore parfaitement coordonnés : habituellement ce strabisme intermittent se corrige spontanément.

Par contre, si le strabisme est important et permanent, l'enfant doit être montré sans tarder, dès la fin du premier mois, à l'ophtalmologiste, car un traitement a d'autant plus de chance de réussir qu'il est entrepris plus tôt.

Le strabisme résulte d'un défaut de vision d'un œil, et c'est cet œil qu'il convient de rééduquer en le faisant travailler. Pour cela, on prescrira le port d'un bandage occlusif de l'œil sain. Des verres correcteurs peuvent être également prescrits.

Ce n'est que lorsque l'enfant aura retrouvé une bonne vue qu'une correction chirurgicale, dans un but esthétique, pourra être réalisée entre 2 et 4 ans.

Stridor.

Voir *Respiration bruyante*.

Sudamina.

C'est une éruption due à la transpiration. Elle est faite de très petits boutons rouges siégeant plus particulièrement au niveau du cou et du dos. Elle disparaît aisément si l'on prend soin de s'assurer que la peau du nourrisson reste propre et surtout sèche.

Surdité.

La surdité n'est pas rare chez l'enfant, chez lequel elle a pour première conséquence, même quand elle est partielle, de gêner le développement du langage. Elle peut rester longtemps méconnue et l'on peut croire, à tort, à un retard du développement alors que l'intelligence est normale. Un enfant qui chante faux, c'est parfois un enfant qui n'entend pas bien ; faites vérifier son audition.

Le dépistage de la surdité est d'autant plus difficile que l'enfant est plus jeune. Les parents doivent observer les réactions de l'enfant aux bruits habituels (voix basse, radio, montre, bruits de porte, etc.). Au moindre doute, l'enfant doit être montré à des spécialistes qui utiliseront des méthodes de dépistage adaptées à son âge.

Le dépistage de la surdité fait partie de l'examen du 9ᵉ mois et du 24ᵉ mois.

Récemment, ont été introduits des tests simples qui permettent de reconnaître (ou tout au moins de présumer) la surdité profonde dès les premiers jours ou semaines de vie. Ce dépistage précoce de la surdité est maintenant souvent pratiqué dans les maternités. Il permet à des équipes spécialisées de prendre en charge très tôt la surdité et de mettre en place les mesures appropriées.

Si l'enfant semble ne pas entendre, mais que les tests d'audition sont normaux, il peut s'agir d'une anomalie du comportement, relevant d'un spécialiste (voir l'article *Psychose*).

Les causes de la surdité sont diverses :
- surdité existant à la naissance, le plus souvent profonde ; cette surdité est soit héréditaire, soit liée à une infection pendant la grossesse (en particulier la rubéole) ;
- surdité acquise, le plus souvent partielle, après certaines maladies infectieuses, en cas d'otites chroniques négligées, ou bien attribuée à certains antibiotiques (gentamicine). Les possibilités de traitement dépendent des lésions et sont du domaine du spécialiste.

Surrénales (hyperplasie des glandes).

Voir *Ambiguités sexuelles*.

Syndrome néphrotique.

Voir *Néphrose lipoïdique*.

Tt

Tabagisme passif.

L'enfant vivant dans un environnement de fumeurs subit, par personne interposée, les effets nocifs du tabac. Quelques cigarettes par jour suffisent à entraîner des troubles.

La fumée du tabac est irritante pour les voies respiratoires de l'enfant et entraîne des lésions bronchiques (« parents fumeurs : enfants tousseurs ») d'où la fréquence des bronchites, bronchidites, pneumopathies, rhino-pharyngites, sinusites et otites.

Le tabagisme passif est également un facteur favorisant et aggravant des maladies respiratoires de l'enfant (asthme, mucoviscidose…). Il a aussi été incriminé dans la mort subite du nourrisson.

Taches sur la peau à la naissance.

Les plus fréquentes des petites anomalies de la peau que peut présenter un enfant à la naissance sont les *angiomes,* voir ce mot.

Les *nœvus* sont des taches pigmentées, brunes, plus ou moins étendues, qui peuvent se trouver à n'importe quel endroit du corps. Le traitement varie avec chaque cas. Il faut consulter un médecin spécialiste qui en décidera.

Un cas particulier à signaler : la *tache mongoloïde,* ainsi appelée parce qu'elle est très fréquente chez les Asiatiques ; elle est brun bleuté et se situe en bas du dos. La tache mongoloïde est une marque normale et s'atténue avec l'âge.

Tachycardie.

C'est l'accélération du rythme cardiaque. Chez l'enfant, le rythme cardiaque normal est d'autant plus rapide que l'enfant est plus jeune (120-140 pulsations par minute dans les premiers mois, 100-110 jusqu'à 4-6 ans) ; le rythme cardiaque est très variable, accéléré par les cris, l'agitation et l'effort, les émotions, et surtout la fièvre, quelle que soit sa cause.

En dehors de ces circonstances, une tachycardie permanente dûment constatée oriente vers une atteinte cardiaque, une malformation en particulier ; mais il y a aussi des causes extracardiaques telles que l'hyperfonctionnement thyroïdien, la prise de certains médicaments (théophylline par exemple).

L'autre éventualité est celle des accès ou crises de tachycardie qu'on appelle *tachycardie paroxystique,* survenant chez le nourrisson dans les premiers mois. Elles sont dues à une anomalie de fonctionnement du système nerveux intracardiaque. Le début est brusque et le retentissement sur l'état général rapide : teint gris, agitation ou prostration. Sans intervention, en 24-28 heures, l'évolution se ferait vers une insuffisance cardiaque. Il faut hospitaliser l'enfant d'urgence pour le mettre sous contrôle d'un moniteur (fréquence cardiaque, électrocardiogramme, tension artérielle). En général, le traitement donne un résultat favorable, mais il y a cependant des possibilités de récidives dans les mois qui suivent.

Testicules.

Testicules non descendus (ectopie testiculaire).

Bien souvent, l'absence d'un ou des deux testicules dans les bourses du nourrisson ou du petit garçon est sans gravité. Il suffit d'examiner l'enfant dans de bonnes conditions : soit allongé, soit dans un bain chaud, puis d'appuyer doucement sur la région des aines (au-dessus des parties génitales), pour faire descendre la glande. Nul doute que ces « testicules migrateurs » prendront un jour, avant la puberté, leur place définitive.

Cependant, dans certains cas, on ne peut « abaisser » le ou les testicules. Il faut alors voir le médecin ; il vous conseillera peut-être, une intervention chirurgicale entre 2 et 6 ans. En effet, un testicule non descendu après cet âge a peu de chances de descendre spontanément et est exposé à certaines complications (stérilité notamment).

Bourses volumineuses. Chez le nouveau-né, on nomme *hydrocèle* une accumulation de liquide dans les bourses, plus précisément dans l'enveloppe qui entoure les testicules.

Le *kyste du cordon* est une petite boule de liquide qui surmonte le testicule ; il est de même origine que l'hydrocèle : la persistance anormale d'un canal qui a permis la descente du testicule, d'abord situé dans l'abdomen, vers les bourses. Hydrocèle et kyste se résolvent spontanément en quelques semaines ou mois ; dans le cas contraire, après un an, une petite intervention chirurgicale sera nécessaire.

Torsion du testicule. Chez le nourrisson et même le nouveau-né, la torsion du testicule se traduit par l'augmentation de volume d'une bourse qui est rouge, violacée ; bien que peu douloureuse et sans fièvre, ni autre trouble, c'est une urgence car sans une intervention chirurgicale, la glande risque d'être gravement lésée.

Tests sanguins de dépistage à la naissance.

Certaines maladies sont dépistées dès la naissance ; le traitement qui leur est appliqué est d'autant plus efficace qu'il commence tôt.

Le prélèvement sanguin (quelques gouttes) est fait avant la sortie de la maternité, ce qui permet de s'adresser à tous les nouveau-nés.

Les maladies dépistées sont la *phénylcétonurie*, l'*hypothyroïdie et la mucoviscidose*. Le dépistage de l'hyperplasie des *surrénales* se fait de plus en plus souvent (voir ces mots).

Tétanie du nourrisson.

C'est un état qui se caractérise par des convulsions et une tendance à la contracture des extrémités. La tétanie provient d'une insuffisance de calcium dans l'organisme. Comme l'organisme a besoin de soleil pour assimiler le calcium, il arrive que des nourrissons, qui n'ont pas reçu de vitamine D, présentent, associés au rachitisme, des signes de tétanie. Le médecin prescrira un traitement à base de vitamine D et de calcium.

Voir *Convulsions* et *Rachitisme*.

Tétanos.

Cette redoutable maladie – le plus souvent mortelle – a heureusement donné lieu à une vaccination, obligatoire en France, efficace à 100 % (voir « Les vaccinations » au début de ce chapitre.). Veillez à faire faire régulièrement les rappels nécessaires : les bacilles et les spores qui causent le tétanos sont très répandus dans la terre, la poussière, les excréments animaux ; donc les risques sont très grands, surtout à la campagne. Le plus redoutable n'est pas la blessure profonde ou étendue – en effet, celle-ci sera forcément vue par le médecin, lequel pensera au risque de tétanos –, c'est le clou rouillé dans le pied, le barbelé dans les jambes, l'écharde sous l'ongle : ces bobos, oubliés au bout de quelques jours et parfois négligés.

De même, une piqûre d'insecte ou une morsure de chien ou de chat peuvent être une porte d'entrée pour l'agent du tétanos. Toute blessure, même minime, doit donc être soigneusement nettoyée et désinfectée.

Chez les enfants non-vaccinés, ou chez ceux dont la vaccination est ancienne et n'a pas été entretenue, le médecin décidera s'il faut prescrire des gamma-globulines antitétaniques, conjointement à une première injection de vaccin ou un rappel. Il faudra ensuite poursuivre la vaccination.

Tête (mal de) - Céphalée.

Le mal de tête est fréquent chez l'enfant. S'il s'agit d'un mal de tête subit, intense, associé à des vomissements et de la fièvre, on pense bien sûr d'abord à la méningite, et le médecin doit examiner l'enfant sans tarder. Bien souvent, il ne s'agira, heureusement, que d'une infection grippale saisonnière, ou du début d'une maladie infectieuse éruptive.

Tout autre est le problème posé par un mal de tête répétitif devenu peu à peu habituel, surtout s'il perturbe l'enfant dans ses activités et ses jeux. Les causes en sont nombreuses : il faudra faire vérifier la vue de l'enfant, penser à une cause O.R.L. (sinusite), éliminer une lésion cérébrale, penser encore à une hypertension artérielle, à une possible intoxication par l'oxyde de carbone.

En fait, seul le médecin pourra entreprendre le bilan nécessaire qui pourra parfois aller jusqu'au scanner cérébral.

Mais le plus souvent, on ne trouve aucune cause au mal de tête de l'enfant. L'anxiété et le stress jouent un rôle car l'enfant, en général, se plaint plus souvent au moment de l'école, ou lorsqu'il se trouve devant une situation inconnue, qui l'inquiète, comme un déménagement, ou un séjour loin de ses parents (voir également *Migraine*).

Thorax (Dépression thoracique)

Certains enfants présentent à la partie inférieure du sternum – sur le devant du thorax, en bas-, un petit enfoncement " en entonnoir " ; cette anomalie remarquée dès les premiers mois est sans conséquence sur le développement, en particulier au plan respiratoire ; elle est seulement inesthétique, mais l'indication d'une correction chirurgicale ne concerne que des cas très accentués.

Thyroïde.

La glande thyroïde – qui se trouve à l'avant du cou – joue un rôle capital dans la croissance de l'enfant. Il peut arriver que cette glande soit absente ou mal développée : c'est l'*hypothyroïdie* ; ou au contraire qu'elle fonctionne trop : c'est l'*hyperthyroïdie*.

L'*hypothyroïdie congénitale* est due à l'absence, ou à l'insuffisance de fonctionnement, de la glande thyroïde. Non traitée, cette affection entraîne une arriération mentale (crétinisme) et un retard important de la croissance en taille.

En raison de sa grande fréquence, l'hypothyroïdie est dépistée systématiquement à la naissance par un prélèvement sanguin (on procède de la même façon et en même temps que pour le test de Guthrie, voir ce mot). Le laboratoire de dépistage ne contacte les parents qu'en cas d'anomalie, ou de nécessité d'un contrôle. Si nécessaire, le traitement débute vers un mois, et évite l'apparition des troubles dus à l'hypothyroïdie.

À l'inverse de l'insuffisance thyroïdienne, un bébé peut présenter à la naissance un *hyperfonctionnement de la thyroïde*, particulièrement chez un enfant né d'une mère présentant cette affection. Les principaux symptômes sont l'agitation du nouveau-né, les yeux saillants et le gonflement du cou (goitre), l'accélération du pouls, la diarrhée. Un traitement médical (antithyroïdien) sera prescrit et l'enfant sera hospitalisé jusqu'à ce que la glande thyroïde fonctionne bien.

Tics.

Chez l'enfant de 3-4 ans, les tics sont rares ; ils sont fréquents vers 7-8 ans. Ce sont des mouvements anormaux, involontaires, liés à une contraction musculaire brusque et de courte durée, se répétant avec une fréquence variable, mais toujours identique à elle-même.

Les tics les plus fréquents sont les clignements de paupières, les bruits de bouche, certaines manipulations des cheveux, et des mouvements de la tête ou des épaules, etc.

Les tics témoignent d'une certaine tension et d'anxiété ; ils sont en fait surtout gênants et irritants pour l'entourage, dans la mesure où ni la persuasion et moins encore la contrainte n'ont d'effet sur eux.

Les médicaments courants sont peu actifs sur les tics. Il convient surtout de s'armer de patience et d'essayer d'affecter une relative indifférence, ce qui n'est pas toujours facile. Mais normalement les tics disparaissent spontanément.

Si ce n'est pas le cas, un avis médical spécialisé (pédiatre) sera nécessaire pour préciser la nature du tic et prescrire un traitement adapté (aide psychologique, médicament plus actif, selon le cas).

Tiques.

Les tiques (tique de chien, tique des bois) peuvent transmettre à l'homme différentes maladies, souvent en été (on peut être piqué en marchant jambes nues dans les broussailles).

Dans le midi de la France et autour de la Méditerranée (et également en Afrique et en Inde), les tiques peuvent transmettre une fièvre boutonneuse méditerranéenne qui est une *rickettsiose* (les *rickettsi* sont des agents infectieux intermédiaires entre les bactéries et les virus). Elle associe une fièvre prolongée et une éruption généralisée à tout le corps, avec parfois une lésion visible au point d'inoculation (tache noire) ; les antibiotiques sont efficaces.

Une autre affection consécutive à la morsure de tiques est la *maladie de Lyme* qui associe des éruptions cutanées (érythème migrateur), des paralysies (faciales en particulier) et des atteintes méningées et articulaires. Cette maladie guérit par un traitement antibiotique.

Pour éviter la maladie de Lyme, il faut enlever la tique dans les 24 heures (en l'ayant endormie au préalable, si possible avec de l'éther). Cela peut se faire au cabinet du médecin.

Torticolis.

Chez l'enfant, le torticolis peut avoir plusieurs causes : la plus fréquente est un traumatisme qui a d'ailleurs pu passer inaperçu ; une mauvaise position en dormant peut provoquer un torticolis dit positionnel ; le strabisme peut, lui, provoquer un torticolis « compensateur ». Une infection rhino-pharyngée avec ganglions cervicaux peut aussi être en cause. Enfin, certains médicaments (en particulier le Primpéran prescrit en cas de vomissements) peuvent provoquer des spasmes musculaires du cou entraînant une attitude de torticolis.

Dans tous ces cas, en quelques jours le torticolis disparaît, sans qu'il soit nécessaire de prendre des mesures particulières.

Si le torticolis persistait au-delà de quelques jours, il faudrait faire un examen plus approfondi à la recherche d'une cause traumatique, neurologique ou rhumatismale (voir *Rhumatisme*).

Torticolis congénital.

Une attitude de torticolis (tête inclinée d'un côté et menton tourné du côté opposé) peut attirer l'attention chez le nourrisson, dans les premières semaines. Le torticolis congénital est une anomalie due à une atteinte du muscle du cou (sternocléidomastoïdien).

Cette anomalie a pu être provoquée soit par la position de l'enfant pendant la grossesse, soit par l'étirement du muscle du cou au moment de l'accouchement. Dans ce cas, il n'est pas rare de palper une masse dure au sein du muscle ; cela correspond à un hématome en train de se calcifier. Le traitement se fait par kinésithérapie ; celle-ci commence dès les premiers jours après la naissance et peut durer plusieurs semaines.

L'ostéopathie crânienne, pratiquée par un ostéopathe qualifié dans cette discipline chez le nourrisson, donne de très bons résultats en 1 à 3 séances.

Plus rarement le nourrisson présente une malformation des vertèbres cervicales ; cela nécessite un avis très spécialisé.

Toux.

À l'état normal, les voies respiratoires sont nettoyées en permanence grâce au mouvement des cils vibratiles qui les tapissent. La toux est un phénomène réflexe qui permet d'expulser des corps étrangers, ou des sécrétions anormales par leur abondance ou leur viscosité. En ce sens, la toux est un mécanisme de défense utile qu'il ne faut pas vouloir calmer à tout prix, surtout lorsqu'elle est efficace, « productive », c'est-à-dire lorsqu'elle évacue des sécrétions.

Pour soigner la toux, le médecin cherchera d'abord son origine, et pour cela vous posera un certain nombre de questions : date d'apparition, horaires, intensité, tonalité (sèche ou grasse). Il vous demandera si la toux est accompagnée de certains signes : fièvre, écoulement du nez, gêne respiratoire, glaires (visibles éventuellement dans les selles ou dans les vomissements), etc. Il vérifiera également une possible contagion, principalement pour la *coqueluche* et la *rougeole* (voir ces mots).

On peut distinguer de nombreuses variétés de toux :
- les toux aiguës accompagnées de fièvre témoignent le plus souvent chez le jeune enfant d'une atteinte des voies aériennes supérieures (*rhino-pharyngite à répétition*, voir ce mot) ;
- les toux chroniques sont dues également le plus souvent à des infections plus ou moins latentes des voies respiratoires supérieures (*adénoïdite, sinusite,* etc.) ;
- les toux sans fièvre font plus penser à des phénomènes d'allergie, comme l'asthme : ici la toux est souvent sèche et spasmodique ; il peut s'agir également d'un corps étranger que l'enfant a inhalé,

même si l'incident est passé inaperçu ;

- la toux qui se produit la nuit est souvent liée, chez le nourrisson enrhumé, à l'accumulation et à la stagnation des sécrétions et glaires. Pour calmer l'enfant, il faut le redresser car c'est la position horizontale qui favorise cet encombrement ; la toux nocturne est également évocatrice du *reflux gastro-œsophagien* (voir ce mot).

- une toux rauque, aboyante, est d'origine laryngée (voir *Laryngite*) ;

- les quintes, elles, sont caractéristiques de la coqueluche.

Un cas très particulier : celui de la toux survenant brusquement chez un enfant, en pleine journée, sans fièvre, accès de toux éventuellement associé à une gêne respiratoire plus ou moins accentuée avec cyanose du visage ; ces circonstances doivent immédiatement faire penser à la possibilité d'inhalation d'un corps étranger. Cet incident peut être passé inaperçu, ou avoir été oublié, car il peut remonter à plusieurs semaines ou mois ; l'inhalation d'un corps étranger devra être suspectée en cas de bronchite traînante, de foyer pulmonaire à répétition, ou de crise d'asthme.

Le corps étranger sera retrouvé par une broncoscopie (fibroscopie des bronches). Cet examen consiste à introduire dans les bronches principales un tube muni d'un système optique. La broncoscopie permet également de retirer le corps étranger (voir *Corps étranger*).

Traitement de la toux.
Dans une certaine mesure, la toux grasse, « productive », doit être respectée, et elle ne nécessite pas de donner des calmants qui risquent de faire stagner les glaires. Le médecin prescrira plutôt des fluidifiants ; et, chez le jeune enfant, il fera faire de la kinésithérapie respiratoire qui favorise le rejet des glaires.

Chez les enfants qui toussent de façon chronique le médecin recherchera s'il n'y a pas une cause allergique afin de pouvoir le soigner. Dans ce cas, il faudra être attentif à l'environnement de l'enfant : éviter les poussières, les oreillers en plumes, les atmosphères trop chaudes, trop sèches, ou les odeurs de tabac. On a parfois recours, avec succès, au traitement utilisé dans les crises d'*asthme* (voir ce mot).

Toxoplasmose.

C'est une maladie due à un parasite transmis en général par de la viande peu cuite ou le contact avec les déjections du chat. Nous en avons parlé en détail dans *J'attends un enfant*, étant donné le risque majeur que constitue pour l'enfant la toxoplasmose contractée par la mère durant la grossesse (l'enfant peut naître porteur de séquelles neurologiques sévères).

À côté de cette forme dite congénitale, la toxoplasmose peut être contractée à tout âge par le nourrisson et l'enfant : c'est la toxoplasmose acquise, dont l'évolution est le plus souvent bénigne. Elle se manifeste par de la fièvre, des ganglions plus ou moins généralisés, de la fatigue, des douleurs musculaires, parfois des éruptions. Elle ne nécessite un traitement que dans les formes sévères ou prolongées. Il est tout à fait souhaitable pour une fille d'avoir la toxoplasmose (comme la rubéole) pour être immunisée avant l'âge où elle pourra avoir un enfant. Mais la forme de la toxoplasmose est souvent si discrète que la plupart du temps, on contracte la maladie sans le savoir. Résultat : 85 % des jeunes femmes sont déjà immunisées. Et cette immunisation sera découverte lors de l'examen prénatal obligatoire.

Transpiration.

La transpiration est très utile et même indispensable : c'est le meilleur moyen qu'a le corps de lutter contre une chaleur excessive, qu'elle soit extérieure ou interne (fièvre).

La transpiration est très efficace car l'évaporation de l'eau au niveau de la peau consomme des calories et fait baisser la température interne. Mais si la perte d'eau est trop importante et n'est pas remplacée, il y a risque de *déshydratation* et de *coup de chaleur* (voir ces mots ; voir également *Fièvre, Mucoviscidose, Sudamina*).

Lorsqu'un enfant transpire beaucoup, il faut :
- ne pas trop le couvrir (éviter en particulier les vêtements trop serrés, trop fermés et synthétiques) ;
- s'assurer que la température de la pièce ne dépasse pas 19-20° maximum ;
- et surtout, le faire boire abondamment (de l'eau) pour compenser les pertes.

Tremblements Trémulations.

Chez le nouveau-né et durant les premiers mois, des excitations minimes peuvent entraîner des réponses excessives : brusques secousses des membres, tremblement du menton, frissons ; il en est souvent ainsi lors du bain ou des changes ; tout ceci est normal, lié à l'immaturité du système nerveux et disparaît en quelques semaines.

Un cas particulier. Dans la période néo-natale, des trémulations répétées sont considérées comme des convulsions. Ces trémulations sont provoquées par des taux de glucose ou de calcium sanguins trop bas, qu'il est important de corriger d'urgence. Si ces trémulations surviennent après le retour à la maison, vous les signalerez sans tarder au médecin.

Chez l'enfant plus grand, des réactions de tremblements peuvent persister, particulièrement sous l'influence d'émotions ; elles ne sont pas inquiétantes.

Trisomie 21.

L'enfant souffrant d'une trisomie 21 est cet enfant que, hier encore, on appelait mongolien, parce qu'il présente dans son visage des traits que l'on retrouve chez certains Asiatiques. L'appellation de mongolien a été abandonnée pour le terme scientifique de trisomique 21.

Ce changement de terme est un progrès qui traduit un changement d'attitude vis-à-vis de ces enfants. On les élève avec les autres, en tenant compte de leurs difficultés : on les intègre très tôt dans une crèche, dans une halte-garderie, à l'école maternelle, et ils peuvent bénéficier d'un soutien éducatif particulier. Cette évolution est très positive ; elle aide, dans une certaine mesure, les enfants atteints de trisomie 21 à s'épanouir au mieux de leurs possibilités.

Les familles doivent demander à être conseillées et orientées le plus tôt possible ; elles peuvent s'adresser aux centres d'action médico-sociale précoce (CAMSP) – il s'en ouvre de plus en plus actuellement (les adresses sont à demander à la mairie) – à des équipes pédiatriques spécialisées, à des associations de parents d'enfants inadaptés (voir *Handicap*), à des associations de parents trisomiques, (voir à la fin de l'article).

La psychomotricité et l'orthophonie précoces améliorent en particulier le tonus et le mode d'expression de ces enfants, ce qui facilite considérablement leur acceptation par les autres enfants et leurs parents. Et ceci, d'autant plus que les enfants atteints de trisomie 21 sont des compagnons de jeux très sociables, gais et joyeux, dès lors qu'on pose sur eux un regard positif et stimulant.

La trisomie 21 est la plus fréquente des aberrations chromosomiques (anomalies portant sur les chromosomes). Chez l'homme, le patrimoine héréditaire est porté par 23 paires de chromosomes. L'enfant mongolien est dit trisomique 21, parce qu'il a un chromosome supplémentaire (trois au lieu de deux) dans la paire 21. Cette anomalie entraîne un retard variable du développement mental, et diverses malformations, parfois cardiaques.

La cause de ce chromosome surnuméraire fait l'objet de nombreuses recherches. On sait que l'âge de la mère, après 40 ans, en augmente considérablement la fréquence. Depuis peu, on discute de l'influence de l'âge du père dans les causes de la présence de ce chromosome supplémentaire. L'amniocentèse permet de déceler l'anomalie chromosomique avant la naissance : on étudie des cellules du fœtus recueillies par ponction du liquide amniotique. Voir *Chromosomes* et *Maladies génétiques*.

Voici l'adresse de la Fédération des associations pour l'insertion sociale des personnes porteuses d'une trisomie 21 :
— FAIT 21 : 32 rue Antoine Durafour 42000 Saint-Etienne
Tél. : 04 77 37 87 29
Fax : 04 77 33 99 02
fait21@wanadoo.fr
Et celle de l'antenne parisienne de FAIT 21 : 102, rue Didot, 75014 Paris
Tél : 01 45 41 22 21
Fax : 01 45 41 22 47
fait21-paris@wanadoo.fr

Sur ce sujet, **voici les livres** que nous vous conseillons :
Trisomie 21, aide et conseils, de Monique Cuilleret, éditions Masson. Dans une première partie, cet ouvrage traite des problèmes liés aux premiers âges de la vie : annonce du diagnostic, prise en charge précoce, âge scolaire, etc. La deuxième partie est consacrée à l'adolescent et à l'adulte.
L'Enfant avec un handicap, de Janine Lévy, aux éditions du Seuil, traite du handicap d'une façon générale ; mais les parents d'enfants trisomiques pourront y trouver un grand éventail de réponses aux questions qu'ils se posent.

Tuberculose (réactions tuberculiniques - BCG).

La tuberculose reste une maladie fréquente. Elle est même en recrudescence depuis quelques années.

La tuberculose est due au bacille de Koch (B.K.), elle se transmet par contact direct. Le nourrisson et le jeune enfant sont particulièrement sensibles à cette contagion, et c'est pour les proté-ger qu'on les vaccine par le BCG (bacille de Calmette et Guérin, noms des inventeurs du vaccin). Le contaminateur peut être un malade qui s'ignore, mais aussi parfois un malade qui se croit guéri.

Le premier contact d'un enfant non vacciné avec le B.K. provoque la primo-infection tuberculeuse. Cette primo-infection peut rester muette, latente et se traduire seulement par des réactions tuberculiniques qui deviennent positives (voir plus loin) ; mais cette primo-infection peut aussi se manifester par une véritable maladie : fièvre, mauvais état général, anorexie et amaigrissement ; la radiographie des poumons révèle alors des anomalies (ganglions autour de la trachée et des bronches). Chez le nourrisson, la méningite tuberculeuse est l'éventualité la plus grave.

Lorsqu'une primo-infection est découverte, on recherchera le contaminateur ; pour le nourrisson et le jeune enfant, on le trouvera le plus souvent dans l'entourage proche. Un traitement médical simple (prise par la bouche d'antibiotiques antituberculeux) sera suivi pendant une durée de six à neuf mois, sans modifier la vie de l'enfant.

Les réactions tuberculiniques.

A propos de la tuberculose chez l'enfant, il est important de connaître la signification de ce qu'on appelle les réactions tuberculiniques ; ce sont elles qui permettent de savoir si l'enfant a été en contact avec le B.K., ou s'il a été vacciné par le BCG Les réactions tuberculiniques sont des tests cutanés, c'est-à-dire que l'on examine la réaction de la peau au contact de la tuberculine, substance extraite de B.K. tués :
- lorsqu'il n'y a pas eu de contact avec le bacille, ou pas de vaccin BCG, la peau ne réagit pas, les réactions sont négatives ;
- s'il y a eu contact, ou vaccin BCG, la peau réagit, les réactions sont positives.

Vaccinations et tests
Le schéma des vaccinations, ainsi

que celui des tests, a été récemment modifié par l'Organisation Mondiale de la Santé (OMS). Voici les dernières recommandations de l'OMS.

Il existe deux types de vaccination.

- Le **monovax**, destiné au nourrisson, peut se faire dès la maternité. Il s'agit d'un vaccin BCG par bague (introduit dans l'épaisseur de la peau grâce à de petites pointes). Il se fait généralement en haut du bras, à la face interne, ou externe. Il ne donne pas de fièvre mais il faut attendre 48 heures avant de donner le bain.

- Le **vaccin BCG intradermique** se fait par injection, également dans l'épaisseur de la peau, en haut du bras. Il est indiqué à partir d'un an. Il peut donner une réaction de suintement, avec un ganglion : c'est la " bcgite ". C'est le seul vaccin considéré comme efficace par l'OMS.

Le résultat de la vaccination est contrôlé par un test. Il en existe deux types.

- Le **monotest** (test par bague) se fait sur l'avant bras. Il se pratique essentiellement chez les enfants de moins d'un an. Il donne une réponse positive ou négative mais il ne permet pas de donner une mesure, contrairement à l'intradermoréaction.

- L'**intradermoréaction** (IDR) est un test par injection dans la peau de l'avant bras. Elle permet de faire une mesure en millimètres, non celle de la rougeur mais celle de l'induration (le gonflement) entraînée par l'injection ; on peut ainsi comparer par rapport aux tests précédents (une IDR positive à 4 mm peut passer à 15 mm après une contagion). C'est le test conseillé par l'OMS.

L'intradermoréaction est beaucoup moins douloureuse depuis qu'on utilise la pommade anesthésiante Emla une heure avant l'injection. L'intradermoréaction doit être très soigneusement faite pour être fiable.

Quand doit-on vacciner ?

On vaccine le bébé le plus tôt possible, par un Monovax, sauf contre-indication précisée par le médecin. Les infections virales bénignes peuvent faire repousser la vaccination mais elles ne sont pas une contre-indication même si elles sont fréquentes. A partir d'un an, il vaut mieux faire un vaccin intradermique.

Le vaccin est obligatoire avant l'entrée dans une collectivité d'enfants (crèche, école). De toute façon, il doit être fait avant 6 ans.

Quand doit-on faire un test ?

On le fait quelques mois après la vaccination. Si l'enfant est petit (moins d'un an), on fait un monotest. S'il est plus âgé, on fait une intradermoréaction.

Après une intradermoréaction positive, il est inutile de recontrôler les années suivantes. On ne refera un contrôle qu'en cas de contact avec une personne tuberculeuse dans la famille ou dans la classe.

En cas d'intradermoréaction négative, l'enfant sera revacciné avec un vaccin intradermique. Mais il semble inutile de vacciner plus de deux fois dans la vie si les réactions sont toujours négatives.

Contrairement à ce que pensent souvent les parents, un vaccin bien fait avec des réactions positives n'empêche pas toujours l'enfant de contracter la tuberculose, mais le vaccin évite les formes graves de la maladie (méningite tuberculeuse). C'est pour cette raison que tous les enfants d'une famille seront surveillés en cas de contact rapproché avec un adulte tuberculeux, même s'ils ont été vaccinés.

Enfin, il n'est pas toujours facile de dire s'il y a tuberculose uniquement en comparant les réponses de deux intradermoréactions. Dans ce cas, le médecin sera amené à proposer un bilan – radio pulmonaire, recherche du bacille par tubage gastrique – au terme duquel un traitement sera proposé, plus ou moins complexe et prolongé selon les cas.

La tuberculose ne doit pas être une maladie " oubliée " par les familles. Les parents doivent en particulier signaler à leur médecin la présence d'un adulte " tousseur " dans l'entourage proche de l'enfant.

Turner (syndrome de).

Le syndrome de Turner est une anomalie chromosomique (voir *Chromosomes*) qui porte sur les chromosomes sexuels : les petites filles atteintes de ce syndrome n'ont qu'un chromosome X au lieu de deux (cela se traduit par la formule XO) ; elles n'ont pas d'ovaires et leurs caractères sexuels ne se développent pas ; elles restent de petite taille et présentent des malformations dont la plus visible est le « cou palmé » (un repli de peau élargit le cou de l'oreille jusqu'à l'épaule). À la naissance, ces petites filles présentent un œdème du dos des mains et des pieds, et des plis au niveau de la nuque.

Un suivi en milieu spécialisé est nécessaire. Actuellement, le traitement par l'hormone de croissance de synthèse permet de rattraper le retard de la taille, et un traitement, par les hormones sexuelles, permet de déclencher la puberté.

Typhoïde (fièvre).

Cette maladie, qui se transmet par les eaux, le lait, les crèmes et glaces, et par les coquillages, est exceptionnelle.

Elle débute par de la fièvre et les symptômes, au début, sont communs à bien d'autres maladies : perte de l'appétit, vomissements, mal au ventre, diarrhée (mais chez l'enfant, il est possible que la diarrhée soit absente). Ensuite, une fièvre élevée (40°) persiste malgré les premiers traitements ; elle est accompagnée de diarrhée liquide et d'une profonde altération de l'état général.

Étant donné la fièvre élevée, vous aurez consulté le médecin. S'il suspecte une fièvre typhoïde, il est probable qu'il fera hospitaliser l'enfant. Fort heureusement, on dispose d'antibiotiques efficaces ; mais il faut vous attendre à une convalescence longue. La typhoïde affaiblit considérablement le malade, qui en sort très amaigri et fatigué.

Si vous craignez, pour une raison quelconque (un voyage dans un pays où les conditions d'hygiène ne sont pas satisfaisantes, par exemple), que votre enfant ne soit exposé à la typhoïde, faites-le vacciner après en avoir parlé au médecin.

À l'heure actuelle, le vaccin est conseillé, mais non obligatoire, et donc souvent délaissé. Il est pourtant souhaitable dans certaines circonstances, en particulier en cas de séjour dans un pays où la maladie est fréquente. Le vaccin se fait en une seule injection et ne provoque pas de réaction.

Un enfant qui a eu la typhoïde ne peut retourner à l'école pendant vingt jours après guérison, sauf sur présentation d'un certificat médical attestant que deux analyses de selles (coprocultures) pratiquées à huit jours d'intervalle ont été négatives.

Enfants vivant au même foyer : pas d'éviction scolaire.

Uu

Urines.

(Voir aussi *Infection urinaire, Néphrite, Reflux vésico-urétéral.*) Symptômes qui doivent vous faire penser que l'enfant est peut-être atteint d'un trouble des voies urinaires : enfant de plus de 3 ans qui se mouille régulièrement dans la journée, qui a sans cesse envie d'uriner, enfant qui a mal quand il urine, urines rouges, urines troubles. Devant l'un de ces symptômes, il faut faire examiner l'enfant.

Vous devez savoir aussi, pour ne pas vous alarmer si le cas se produit, que certaines substances colorent les urines : betteraves, rhubarbe, certains colorants entrant parfois dans la composition des bonbons ; des médicaments : le bleu de méthylène, la quinine (bleu-vert). Enfin, la fièvre donne à l'urine une couleur foncée.

Comment recueillir les urines chez le nourrisson et l'enfant ?

S'il s'agit d'un examen bactériologique (recherche d'une infection urinaire par exemple), les urines doivent être recueillies avec le maximum de soin. Tout d'abord nettoyage méticuleux de la région génito-urinaire, puis recueil pendant le jet, chez l'enfant déjà grand. Pour le petit, on peut recueillir les urines au moyen d'une poche plastique stérile. Si au bout d'une heure, il n'y a pas de résultat, il faut changer la poche (vendue en pharmacie), car elle risque d'être souillée par des selles ou simplement par le contact avec la peau.

Urgence (Qui appeler en cas d')

- **Votre médecin traitant** (généraliste et/ou pédiatre). Il vous connaît bien et peut, dans la plupart des cas, apporter lui-même une réponse à votre problème par des soins et des conseils adaptés. En cas d'absence, son répondeur téléphonique vous dira qui appeler.

- **Le SAMU** (tél. : 15), c'est-à-dire Service d'Aide Médicale Urgente, est réservé aux cas graves : perte de connaissance, hémorragie, étouffement, intoxication, accident grave. Le SAMU assure une écoute téléphonique, 24 h sur 24, par un médecin régulateur qui décide de la réponse à donner en fonction de la gravité et du lieu où vous habitez :

- conseil médical : que faire ? Faut-il aller aux urgences ? Ou bien est-il plus simple et plus efficace de se rendre au cabinet du médecin de garde, ou de demander une visite à domicile si l'enfant ne peut être déplacé ?

- envoi d'une ambulance privée

- envoi des pompiers secouristes (accompagnés parfois par un médecin)

- envoi d'une équipe de réanimation par la route ou par hélicoptère (SMUR, Service Mobile d'Urgence et de Réanimation)

Il est important de réserver les appels vers le SAMU aux urgences graves : les SAMU sont aujourd'hui débordés d'appels sans gravité. Cependant, dans certains départements, un médecin généraliste répond aux appels ne relevant pas de l'urgence.

- **Les pompiers** (tél. : 18) pour tout événement survenant sur la voie publique : accidents de la circulation, chute d'une grande hauteur, malaises, etc. Les pompiers (18) et le SAMU (15) travaillent en collaboration

- **Les forces de l'ordre** (Police en ville, Gendarmerie à la campagne) sont alertées par le 17.

Dans tous les cas :
Donnez calmement vos noms, adresse, numéro de téléphone. Décrivez ce qui se passe. Répondez aux questions. Ne raccrochez que lorsqu'on vous l'aura demandé.

Urticaire.

Plaques rose clair sur un fond blanchâtre, légèrement surélevées, à contour irrégulier, et variables dans leur localisation d'un moment à l'autre, ressemblant à des piqûres d'orties et causant d'intenses démangeaisons. L'urticaire peut se manifester dès l'enfance. Les causes en sont variées. Ce sont tantôt des aliments : œuf (le blanc surtout), poisson, viande de cheval, chocolat, jus d'orange, fraises ; tantôt des médicaments, quelle que soit la voie par laquelle ils ont été absorbés : par la bouche, par piqûre intramusculaire ou par pommade (la pénicilline en est un exemple) ; enfin des contacts de produits chimiques ou de végétaux (l'herbe, par exemple, si l'enfant s'est assis dans un pré). Avec l'aide du médecin, vous tenterez de reconnaître l'agent responsable (pour le supprimer), afin d'éviter de nouvelles crises. C'est souvent très difficile. Pour calmer les démangeaisons, donnez une cuiller à café de sirop antihistaminique.

Certains vers intestinaux, les ascaris, peuvent être une cause d'urticaire.

L'urticaire est parfois associé à des œdèmes (gonflement) plus ou moins étendus (visage, organes génitaux, etc.). L'œdème du larynx peut provoquer une gêne respiratoire grave et doit être traité d'urgence.

Vv

Tableau des vaccinations

VACCINS	BCG contre la tuberculose	Diphtérie Tétanos Coqueluche Polio (DTCP)	Rougeole Rubéole Oreillons associés (ROR)	Hæmophilus B (méningite)	Hépatite B
OBLIGATOIRE OU CONSEILLÉ	Obligatoire pour l'entrée en crèche et collectivité d'enfants (halte-garderie, école). De toute façon obligatoire au plus tard à 6 ans.	Diphtérie : obligatoire Tétanos : obligatoire Coqueluche : conseillé Polio : obligatoire	Conseillé	Conseillé	Conseillé
ÂGE	Conseillé dans la 1ère année	À partir de 2 mois	À partir de 12 mois	À partir de 2 mois	De préférence avant 10 ans
MODE D'ADMINISTRATION	Bague monovax Voie intra-dermique	3 injections à un mois d'intervalle plus une 4e injection (rappel) à 18 mois	1 injection	3 injections à 1 mois d'intervalle, plus une 4e injection (rappel) à 18 mois, injection associée au DTCP.	2 injections à 1 mois d'intervalle, la 3e injection entre 5 et 12 mois après la 2e.
RÉACTIONS APRÈS VACCINATION	– Rougeur, induration, suintement 2 à 3 semaines après la vaccination – Ganglions	– Douleur, induration locale – Fièvre pendant 24 à 48 heures.	Fièvre modérée 7 à 10 jours après l'injection		
CONTRE-INDICATIONS	Déficit immunitaire et sida	Technique particulière de vaccination chez les allergiques. Vaccin contre la coqueluche contre-indiqué en cas de problèmes neurologiques.	Déficit immunitaire		
DURÉE D'EFFICACITÉ	Très variable d'un enfant à l'autre	5 ans	Plus de 10 ans		
RAPPEL		Diphtérie, Tétanos, Polio : tous les 5 ans. Coqueluche : tous les 10 ans	Une 2ème injection est souhaitable à partir de 3 ans.		
REMARQUES PARTICULIÈRES		Le vaccin contre la coqueluche utilisé aujourd'hui (vaccin acellulaire) est mieux toléré que celui qu'on faisait auparavant.	En cas d'épidémie de rougeole dans une collectivité, la vaccination est efficace si elle est pratiquée moins de 3 jours après le contact ; à faire chez les enfants de plus de 9 mois.		

Varicelle.

La varicelle est la plus fréquente des maladies éruptives de l'enfance : elle est pratiquement inévitable en raison de sa grande contagiosité. Comme toutes les maladies éruptives, la varicelle est contagieuse dans les jours qui précèdent l'éruption. La contagion se fait par contact direct, par la salive et les lésions cutanées ; les vésicules sont très contagieuses ; les croûtes le sont jusqu'à ce que les lésions soient sèches ; après le contact, l'incubation dure 14 jours en moyenne.

Parfois précédée d'un malaise général avec légère fièvre, l'éruption est caractéristique : elle s'étend à tout le corps, prédominant au tronc, atteignant la face, la bouche et le cuir chevelu. Elle est faite d'éléments séparés, chacun évoluant par plusieurs stades successifs dont le plus facile à reconnaître est la vésicule, petite bulle de quelques millimètres au contenu clair, qui au bout de 48 heures se dessèche pour faire place à une croûte ; celle-ci tombe après cinq-six jours, en laissant une cicatrice blanche qui pourra persister plusieurs semaines.

Cette éruption évolue en plusieurs poussées à deux-trois jours d'intervalle, d'où la coexistence d'éléments d'âge et d'aspect différents. L'éruption entraîne des démangeaisons parfois intenses, l'enfant ne peut s'empêcher de se gratter et cela peut entraîner une surinfection microbienne et retarder la cicatrisation. Au total, la maladie dure une quinzaine de jours.

La varicelle est généralement bénigne. Dans quelques cas l'éruption est intense, la fièvre est élevée pendant quelques jours mais l'évolution reste favorable.
Une complication rare atteint le système nerveux, en particulier le cervelet : des troubles de l'équilibre apparaissent alors pendant l'éruption, mais parfois plus tardivement. La guérison demande en général quelques semaines.

Dans la forme commune de la varicelle, le traitement consistera simplement en mesures d'hygiène : ongles courts et propres pour éviter le grattage et la surinfection, vêtements légers et amples ; le talc est formellement déconseillé. La prescription médicale se limitera à une solution antiseptique, en applications légères sur les vésicules ou les croûtes les plus importantes ; le médecin y ajoutera un sédatif léger si les démangeaisons sont trop fortes et si l'enfant dort mal (l'aspirine et l'ibuprofène sont interdits).

L'éviction scolaire, ou de la crèche, est d'une semaine. Un vaccin contre la varicelle vient d'être commercialisé.

Le virus de la varicelle est identique à celui du zona. La varicelle d'un enfant peut provoquer un zona chez un adulte, particulièrement chez une personne âgée. Voir *Zona*.

Variole.

D'après l'OMS (Organisation mondiale de la santé), la variole est une maladie qui a disparu. C'est grâce à la vaccination dans le monde entier, aux mesures d'isolement rigoureuses qui ont été prises dans tous les pays quand un cas était signalé (isolement qui frappe le malade lui-même, mais aussi tous ceux qui l'ont approché), et grâce enfin à la revaccination systématique en cas de menace d'épidémie. En conséquence, la vaccination antivariolique n'est plus pratiquée nulle part.

Végétations adénoïdes.

(Voir *Rhino-pharyngites à répétition*.) Il existe chez l'enfant, en plus des amygdales visibles au fond de la gorge, une troisième amygdale (appelée *tissu adénoïde*) ; elle est située dans l'arrière-fond des fosses nasales, derrière le palais, elle est invisible à l'examen direct de la gorge. Ce tissu adénoïde a pour rôle de protéger les voies respiratoires contre les agressions microbiennes et virales. À la suite d'infections successives, il arrive que ce tissu s'hypertrophie et constitue un foyer microbien persistant au carrefour nez-gorge-oreille ; il va être à la fois conséquence et cause de nouvelles rhino-pharyngites, compliquées très souvent d'otites et d'infections des voies respiratoires sous-jacentes.

Cette hypertrophie correspond à ce que l'on appelle les *végétations*, elles donnent lieu à l'*adénoïdite chronique* : nez bouché en permanence obligeant à respirer la bouche ouverte, ronflement, nasonnement, toux persistante, petite fièvre continue à 37°-38°, et parfois inversée (c'est-à-dire plus élevée le matin), ganglions cervicaux, mauvaise croissance, manque d'appétit et de tonus ; c'est cet ensemble de troubles qui était jadis décrit sous le nom de lymphatisme.

Dans ce cas, le spécialiste O.R.L. peut proposer de supprimer les végétations (*adénoïdectomie*). Il s'agit d'une intervention simple et rapide, sans risque, ne nécessitant pas d'hospitalisation. Elle peut néanmoins difficilement se faire avant l'âge de 1 an.

Ventre (gros ventre).

Jusqu'à l'âge de 4-5 ans, l'enfant est hypotonique, « mou », sa musculature générale est peu développée, et en particulier sa paroi abdominale est faible. Il est donc fréquent et normal de constater, en position debout, un ventre proéminent, avec souvent une saillie, voire une petite hernie de l'ombilic (voir *Hernie*). Il en est de même de la cambrure exagérée du dos (voir *Scoliose, Lordose, Genu valgum*).

La manière dont se tiendra l'enfant s'améliorera avec la croissance, et ses muscles se développeront. Mais il peut être utile de faire faire à l'enfant, dès le plus jeune âge, une petite gymnastique abdominale adaptée. Parlez-en au médecin.

Cette hypotonie générale est cependant favorisée par une alimentation trop riche en féculents, et par l'insuffisance d'apport en vitamine D.

Si le gros ventre est accompagné d'anomalies des selles, d'une insuffisance ou d'un arrêt de la croissance en poids et taille, des maladies sérieuses devront être envisagées : voir les articles *Constipation* et *Mégacôlon, Diarrhée chronique, Intolérance digestive.*

Ventre (mal au ventre. Douleurs abdominales).

Les douleurs abdominales sont sans doute le problème le plus fréquent et le plus difficile à résoudre de la médecine des enfants. En effet, les causes en sont très nombreuses, allant de l'organique au fonctionnel, de l'urgence chirurgicale au trouble psychologique.

En fait, l'urgence chirurgicale est en général facilement envisagée dans le cas d'une douleur survenant brusquement chez un enfant en bonne santé ; la douleur est de localisation précise, intense, et oblige l'enfant à se coucher ; cette douleur est accompagnée de fièvre, de vomissements. Il peut s'agir d'une *appendicite aiguë,* d'une *invagination intestinale,* d'une *occlusion,* d'une *hernie étranglée* (voir ces mots).

Si cette douleur ne disparaît pas au bout de quelques heures, le médecin devra être consulté, et il jugera si l'enfant doit être hospitalisé.

Cependant, des symptômes assez semblables peuvent être liés à des situations non chirurgicales ; en effet, les douleurs abdominales sont fréquentes lors d'une infection virale saisonnière et épidémique : « état grippal », angine, rhino-bronchite, foyer pulmonaire ; les douleurs abdominales sont généralement présentes dans d'autres maladies, telles que *hépatite, infection urinaire, purpura rhumatoïde* (voir ces mots) ; enfin, elles peuvent accompagner une *constipation* temporaire ou chronique, ou encore être dues à la présence de *parasites intestinaux* ou à une *intolérance au lactose* (voir ces mots).

À propos des douleurs abdominales, le médecin est souvent confronté à un problème bien différent : l'enfant a de temps en temps mal au ventre, cela souvent depuis plusieurs mois ; en général, ces douleurs sont bien supportées par l'enfant, mais elles inquiètent la famille par leur répétition, leur persistance, malgré différents traitements et les nombreux examens déjà pratiqués sans résultat.

Ces douleurs sont le plus souvent d'origine psychologique et ont des caractères assez particuliers :
- localisées autour du nombril, elles apparaissent brusquement, surtout dans la matinée et autour du repas de midi, pour disparaître dans la soirée ;
- elles se produisent par périodes de plusieurs jours, séparées par des périodes de calme ;
- elles n'empêchent pas l'enfant de jouer ;
- enfin, souvent, elles sont associées à un état de fatigue avec manque d'appétit et troubles du sommeil.

C'est par cette douleur de ventre que l'enfant exprime ses difficultés psychologiques : il s'agit parfois d'un enfant « immature », surprotégé, ou le plus souvent d'un enfant anxieux et angoissé : il redoute l'école, des difficultés existent entre les parents, ou bien il a été séparé d'eux, etc.

Il est important, pour la famille comme pour le médecin, de ne pas passer à côté d'une maladie organique ; pour se rassurer, il conviendra donc de faire subir à l'enfant un examen complet, et également quelques examens complémentaires : numération, vitesse de sédimentation, examen des urines, examen des selles à la recherche de vers intestinaux (un traitement de principe sera souvent prescrit, même si les parasites ne sont pas formellement retrouvés). D'autres examens « plus lourds », en particulier les examens radiologiques de l'intestin et des voies urinaires, une échographie abdominale sont souvent demandés.

Si tous ces examens sont négatifs, ce qui sera le plus souvent le cas, il faudra rechercher l'origine de ces troubles dans le domaine psychologique, éventuellement avec l'aide d'un psychologue.

En même temps, il faut essayer de se convaincre – ce n'est pas toujours facile lorsque l'enfant a l'air de souffrir – du caractère bénin de ces douleurs abdominales ; et une fois rassurés sur l'absence de maladie organique, ne pas dramatiser et savoir adopter une attitude « d'indifférence attentive », certes difficile mais souvent efficace.

Verrues.

Ce sont de petites tumeurs cutanées bénignes, d'origine virale. Elles sont habituellement en relief, dures, grisâtres, de quelques millimètres d'épaisseur et de diamètre ; elles sont parfois planes ou à peine surélevées, lisses et jaunâtres. Uniques ou souvent multiples, les verrues siègent sur le dos des mains, des doigts, en fait en un point quelconque du corps (visage, front, etc.)

Un cas particulier : **la verrue plantaire,** étendue en profondeur, douloureuse, dont la contamination se fait par le sol et l'eau (marche pieds nus en piscine).

Le molluscum contagiosum est à rapprocher des verrues ; il est également d'origine virale. Il se manifeste par de petites papules, lisses, cireuses, légèrement déprimées et plus claires en leur centre. La contagiosité est importante et la dissémination par grattage peut entraîner une éruption plus ou moins étendue.

Traitement. En sachant que les verrues peuvent disparaître spontanément, le traitement fait d'abord appel à des moyens simples : par exemple des applications répétées de pommades salicylées (en protégeant la peau alentour). L'homéopathie peut également donner de bons résultats.

Le traitement par l'azote liquide et l'ablation à la curette sont les méthodes les plus radicales. Pour que l'enfant ne souffre pas on applique, une demi-heure avant l'intervention, de la crème anesthésiante sur les verrues.

Le *molluscum contagiosum* se traite de la même manière mais parfois avec plus de difficulté en raison de la multiplicité des éléments.

Vers intestinaux.

Les parasitoses intestinales sont fréquentes chez le petit enfant ; c'est bien compréhensible, il touche à tout, et porte tout à sa bouche ; de plus, ces parasitoses sont très répandues dans les collectivités d'enfants car elles se transmettent facilement.

Comment savoir qu'un enfant « a des vers » ?

Les signes sont nombreux et divers (et ne sont d'ailleurs pas propres aux parasitoses, ils peuvent être des indications d'autres troubles) : douleurs alternées de diarrhée ou constipation, une altération de l'état général (mauvais appétit) et des troubles du comportement (instabilité, mauvais sommeil, etc.). La numération sanguine attire parfois l'attention (augmentation du taux des éosinophiles) ; la recherche des parasites (ou des œufs dans les selles) n'est pas toujours positive.

Les oxyures sont les plus fréquents, du fait d'une transmission facile dans le milieu familial ou scolaire, et d'une réinfestation par l'enfant lui-même. Un signe particulier est la démangeaison (prurit) surtout le soir et donc l'irritation de la région de l'anus ou de la vulve. Les vers peuvent être vus dans les selles sous forme de petits filaments blancs et mobiles, de quelques millimètres. La recherche des œufs peut être effectuée par le « scotch-test » : une cellophane adhésive est mise en place sur la région anale. Mais, en pratique, si on soupçonne la présence d'oxyures, on donne un traitement à l'enfant.

Les ascaris se transmettent par l'intermédiaire des légumes, fruits, terre, sable, etc., souillés par les déjections des chiens et des chats. L'ascaris a la particularité d'avoir, dans l'organisme, un cycle complexe : l'œuf donne une larve qui va séjourner successivement dans l'estomac et le foie puis traverser les poumons et les bronches pour finalement aboutir dans le tube digestif où il deviendra adulte. Ce cycle complet dure environ deux mois. Outre les symptômes déjà décrits, d'autres manifestations de type allergique peuvent être observées : démangeaisons, urticaire et troubles respiratoires. Les ascaris et leurs œufs sont rarement trouvés dans les selles. Ils peuvent être mis en évidence par l'examen radiologique de l'intestin ; ils peuvent être rejetés par l'anus, ou lors de vomissements.

Le tænia est transmis par l'intermédiaire de la viande de bœuf ou de porc mal cuite. Les œufs sont contenus dans les anneaux qui sont évacués par l'anus, mais en dehors des selles : on les retrouvera parfois dans les vêtements et la literie. Il n'y a pas de symptôme spécifique et, en dehors de l'identification des anneaux, on n'aura souvent qu'un simple doute.

Le traitement des parasites intestinaux est actuellement simple et efficace, grâce à de nouveaux médicaments. Chaque parasite a son traitement particulier. Une cure unique est suffisante dans le cas de l'ascaris et du tænia. Pour les oxyures, une deuxième cure à deux semaines d'intervalle est nécessaire, et il faut surtout insister sur les mesures d'hygiène qui éviteront la réinfestation : les ongles seront coupés courts, le pyjama fermé pour éviter le grattage et le linge soigneusement lavé ; il est également indispensable que tous les membres de la même famille, adultes compris, suivent en même temps le traitement, sinon l'enfant ne guérira pas car il risque d'être sans cesse réinfesté.

Vertiges.

Un des centres de l'équilibre est situé dans l'oreille interne. Chez l'enfant, des accès de vertiges peuvent se voir dans les situations suivantes.
- Accès brusques de vertiges chez l'enfant de 2-3 ans. Il se plaint que « tout tourne autour de lui ». Il s'allonge, vomit parfois. Ce phénomène passe généralement en moins d'une minute. Quand ces vertiges surviennent de façon répétée on parle de *vertige paroxystique bénin*. Le médecin consulté s'assurera qu'il s'agit d'une affection sans gravité.

- La *labyrinthite* est un vertige qui apparaît rapidement, en quelques heures, chez un enfant qui se met à vomir, ne tient plus debout, dit que « tout tourne autour de lui ». Cette labyrinthite est due à une infection virale de l'oreille interne et passe spontanément en quelques jours, sans traitement.
- Certains vertiges peuvent être d'origine psychologique.

Dans tous les cas de vertiges, il faut consulter le médecin qui en déterminera l'origine et établira le traitement approprié.

Voir aussi *Perte d'équilibre*.

Vision (anomalies de la).

Les anomalies de la vision sont *l'hypermétropie* (vision nette de loin), la *myopie* (vision nette de près), l'*astigmatisme* (trouble de la perception dans le sens vertical et horizontal), le *strabisme* (voir ce mot).

Potentiellement, ces défauts sont tous graves car ils entraînent rapidement une baisse de l'acuité visuelle de l'œil concerné (*amblyopie*) : en effet le cerveau, qui reçoit les images des deux yeux, et normalement les superpose et les fusionne, sélectionne et privilégie les images du bon œil, tandis que celles de l'œil atteint sont occultées, et l'œil ne travaille plus normalement.

Si le défaut est dépisté et corrigé avant 18 mois, la récupération sera complète ; entre 2 et 6 ans, elle sera plus difficile ; au-delà elle sera incertaine. C'est dire l'importance d'un dépistage précoce des anomalies de la vision, dépistage sur lequel tous les spécialistes insistent actuellement.

Les parents et les proches sont les premiers à pouvoir repérer les petites anomalies du comportement de l'enfant, qui sont autant de signes d'alerte : dans les premiers mois l'absence de fixation du regard, de la poursuite oculaire, de réaction à la lumière, de reconnaissance des visages familiers ; plus tard une maladresse à la manipulation des objets, une marche hésitante, des petits traumatismes répétés. De même l'enfant qui se frotte les yeux, qui plisse fréquemment les paupières devra attirer l'attention.

Ces remarques seront toutes signalées au médecin, particulièrement au cours des visites de surveillance de la première année, et au moindre doute l'enfant sera adressé en consultation ophtalmologique spécialisée, où des tests adaptés à l'âge de l'enfant seront pratiqués.

Voir *Yeux*.

Vomissements.

Chez le nourrisson, les vomissements sont fréquents. Leurs causes sont multiples, et correspondent à des situations de signification et de gravité très différentes. Ce qui est important, c'est d'observer dans quelles circonstances sont apparus les vomissements, et quels sont les signes qui les accompagnent.

Vomissements d'apparition récente et brusque. Des vomissements apparus brusquement, accompagnés de fièvre, de diarrhée, ne sont qu'un élément dans le cadre d'une maladie infectieuse, telle que la *rhino-pharyngite*, l'*otite*, la *gastroentérite* (voir ces mots) ; il peut s'agir aussi de *méningite*, d'*infection urinaire*, etc. Les vomissements risquent d'entraîner une déshydratation.

Une autre situation est représentée par des vomissements apparus brusquement aussi, mais sans fièvre, et s'accompagnant rapidement d'un refus de boire, de signes de douleur (comme dans les coliques), d'un arrêt des selles : c'est ici la possibilité d'une occlusion intestinale, d'une hernie étranglée, surtout d'une *invagination* (voir ce mot). C'est une urgence.

Vomissements répétés et persistants. Ils sont rarement d'origine alimentaire (en particulier, le choix du lait n'est en général pas en cause), sauf en cas de repas trop abondant ou pris trop rapidement, par des enfants « voraces », qui avalent beaucoup d'air. En fait, la cause la plus fréquente des vomissements répétés chez le nourrisson est le *reflux gastro-œsophagien* (voir ce mot), et les malformations de l'œsophage à sa jonction avec l'estomac (*cardia*). Le reflux gastro-œsophagien relève d'un traitement médical.

La *sténose du pylore*, malformation dans laquelle les vomissements surviennent quelques semaines après la naissance, relève d'un traitement chirurgical simple (voir *Sténose*).

Enfin, les vomissements peuvent être d'origine psychologique ; leurs causes sont à rapprocher de celles de l'*anorexie* (voir ce mot) ; les vomissements sont alors une réaction du bébé à un conflit dans le domaine des relations mère-enfant ou autre (voir également *Mérycisme*).

Chez l'enfant plus grand, les signes d'accompagnement des vomissements restent le meilleur fil conducteur. Des vomissements d'apparition soudaine avec fièvre et douleurs abdominales posent le problème d'une cause chirurgicale – appendicite aiguë en premier lieu – mais il peut s'agir aussi de méningite, d'hépatite virale, etc.

Voyage sous les tropiques.

Emmener un enfant dans un voyage lointain, dans un pays chaud, en zone tropicale implique un certain nombre de précautions, en fonction non seulement du climat, mais surtout de l'état sanitaire et de la fréquence de certaines maladies dans les pays concernés.

Les vaccinations : aux vaccinations courantes, B.C.G., Diphtérie-Tétanos-Coqueluche-Polio-Haemophilus B, Rougeole — vérifier si elles sont correctes, faire les rappels si nécessaire —, on ajoutera Hépatite B et A, et selon les cas Typhoïde, Méningocoque A et C, Fièvre jaune, Rage, Choléra.

La prévention du paludisme. Cette maladie sévit dans une grande partie du monde. Elle peut être mortelle et elle nécessite de prendre des médicaments pour la prévenir puisqu'il n'existe pas de vaccin efficace. On utilisait la Nivaquine®, mais le parasite du paludisme est souvent devenu résistant à ce médicament. Aujourd'hui, on donne un nouveau médicament, la Malarone®.

Si vous n'avez pas d'impératifs professionnels, pour partir avec un enfant choisissez plutôt une destination où il n'y a pas de paludisme. Sinon, il faut demander conseil à un médecin spécialiste des maladies tropicales (à l'Institut Pasteur) ou au service médical des aéroports.

La rage est une maladie fréquente dans toute l'Afrique, l'Asie, l'Amérique du Sud. Il est important de faire vacciner préventivement les enfants (le vaccin comporte trois injections et n'a pas d'effet secondaire). En effet, les enfants ne sont pas toujours capables de dire s'ils ont été mordillés, ou griffés sans gravité, par un chien ou un chat avec lequel ils auraient joué.

Le problème de l'eau : la pollution de l'eau explique la fréquence des *diarrhées* et en conséquence de la *déshydratation* (voir ces mots) ; on utilisera pour la boisson, et pour la préparation des biberons, de l'eau minérale capsulée, et à défaut de l'eau bouillie.

Climatisation : il est conseillé de régler l'appareil quelques degrés au dessous de la température ambiante (par exemple 25° si à l'extérieur il fait 30°) pour éviter la sensation de froid, en entrant dans la pièce.

Autres recommandations : précaution dans la préparatrion des aliments, désinfection immédiate des plaies même minimes ; éviter la marche dans les broussailles, dans les mares et dans les cours d'eau.

Yy - Zz

Yeux.

Les problèmes concernant les yeux ont été évoqués dans d'autres articles, voir *Amblyopie, Conjonctivite, Orgelet, Strabisme, Vision,* etc.

Imperforation des voies lacrymales chez le nouveau-né.

Il arrive que le petit canal qui permet l'évacuation des larmes ne soit pas ouvert. Dix à quinze jours après la naissance apparaissent : un larmoiement, du pus et un petit gonflement à l'angle interne de l'œil. En général, la guérison se fait spontanément. Un collyre antibiotique est souvent prescrit pour éviter une infection. Si les symptômes persistent après 3 mois, l'ophtalmologiste débouchera le canal au moyen d'une petite sonde.

Traumatismes de l'œil.

Qu'il s'agisse de contusions ou de plaies du globe oculaire, elles doivent être, dans tous les cas, montrées rapidement à l'ophtalmologiste ; en effet, ces plaies peuvent entraîner des lésions graves de la cornée, du cristallin ou de la rétine, susceptibles de se

Schéma de l'œil

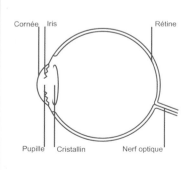

révéler ultérieurement par une baisse de l'acuité visuelle.

Les mouvements anormaux des yeux doivent faire rechercher une anomalie de la vision (cécité, maladie de la rétine) ou une maladie neurologique.

Les reflets anormaux de la pupille, en particulier lorsque celle-ci est d'un blanc laiteux, témoignent du mauvais passage de la lumière jusqu'à la rétine.

Il peut s'agir d'une *cataracte*, qui est une opacification du cristallin. Le cristallin est la lentille optique de l'œil (voir le schéma ci-contre). La cataracte doit s'opérer rapidement pour sauver l'œil.

Il peut également s'agir d'une tumeur de l'œil, appelée *rétinoblastome*, qu'il faudra aussi opérer rapidement.

La recherche d'un reflet anormal est effectuée à la naissance. Mais, quel que soit l'âge de l'enfant, il faut faire pratiquer un examen ophtalmologique si l'on découvre un reflet anormal de l'œil, ou une anomalie du comportement visuel. Les parents sont souvent les premiers à remarquer un reflet anormal de l'œil ; dans ce cas, il est recommandé de le signaler aussitôt au médecin.

Dépistage des troubles visuels.

Comme cela a déjà été dit pour les troubles de l'audition, il est important de dépister le plus tôt possible les troubles visuels chez l'enfant, non seulement le strabisme, mais les anomalies de l'acuité visuelle, de manière à débuter très tôt la rééducation. Des tests ophtalmologiques adaptés (avec des dessins) permettent ce dépistage dès le plus jeune âge.

L'enfant peut porter des lunettes très jeune, même à quelques mois. Voir *Vision (anomalies de la).*

Zézaiement.

Les défauts de prononciation sont dus à une mauvaise position de la langue. On pensait autrefois que les dents étaient en cause. Aujourd'hui, on pense au contraire que le défaut de prononciation précède l'anomalie dentaire, qu'il en est la cause ; puis l'anomalie dentaire entretient ce défaut. Les défauts de prononciation peuvent être corrigés par un orthophoniste dès l'âge de 4-5 ans.

Zona.

Le zona se manifeste par des petites vésicules dont la localisation est souvent très caractéristique : toujours d'un seul côté, en bande dans la région thoracique, c'est le *zona intercostal ;* ou bien regroupées au niveau du pavillon de l'oreille, ou encore du front et des paupières, c'est le *zona ophtalmique,* qui peut entraîner des lésions oculaires. Ces vésicules se dessèchent rapidement, remplacées par des petites croûtes qui tombent en une dizaine de jours. Habituellement, cette éruption provoque une sensation de brûlure, plus ou moins intense.

Le zona est dû au même virus que la varicelle ; il y a donc un rapport entre ces deux maladies et des contagions possibles.

chapitre 7

Mémento pratique

Les droits et les devoirs
des parents

Parents, vous avez des droits : remboursements, allocations, aides diverses. Mais vous avez aussi des obligations. Pour vous aider à vous y reconnaître dans les uns et les autres, voici, exposé aussi clairement que possible, ce que vous devez savoir sur :

▪ **la déclaration de naissance, le congé du père après la naissance, le livret de famille, le nom de l'enfant,** page 449.

▪ **la sécurité sociale** (congé après l'accouchement, remboursements, etc.), page 450.

▪ **les prestations familiales,** c'est-à-dire les allocations auxquelles vous pouvez avoir droit, page 456.

▪ **les crèches, assistantes maternelles,** garderies, jeunes filles au pair, centres maternels, etc. page 464

▪ **le rôle de la PMI,** page 468

▪ les renseignements et adresses qui pourront vous aider **si vous êtes seule,** page 469.

▪ **l'autorité parentale** et la façon dont elle s'exerce lorsque les parents ne sont pas mariés ou se séparent, page 471.

▪ **les droits de l'enfant,** page 472.

▪ **des adresses utiles,** page 475.

▪ Les lectrices et les lecteurs **belges** et **suisses,** ainsi que ceux habitant au **Québec** et dans les pays du **Maghreb,** trouveront des informations sur la protection de la maternité dans leurs pays, pages 477 et suivantes.

▪ **Séjourner et travailler en Europe et ailleurs :** de quelle prise en charge peut-on bénéficier lorsqu'on a besoin de soins à l'étranger ? page 488.

> La déclaration de naissance

Dès la naissance de votre enfant, le médecin ou la sage-femme vous remettra un certificat attestant cette naissance. Votre mari – ou une autre personne –, muni du livret de famille et de ce certificat, déclarera la naissance de votre enfant à la mairie de la commune où a eu lieu l'accouchement. Cette déclaration peut aussi être faite par la maternité. L'enfant sera alors inscrit sur le livret de famille. Les services de la mairie doivent remettre un **carnet de santé** pour l'enfant en enregistrant la naissance.
À défaut, ce carnet peut être demandé au service départemental de PMI ou remplacé par ce service en cas de perte.

Cette déclaration est obligatoire et doit être faite dans les trois jours qui suivent la naissance. Le jour de l'accouchement n'est pas compté dans ce délai et, si le troisième jour est férié, le délai est prolongé jusqu'au premier jour ouvrable suivant.

Si les père et mère de l'enfant, ou l'un des deux, ne sont pas désignés à l'officier d'état civil, aucune mention ne doit être faite à ce sujet sur les registres de l'état civil.

Passé ce délai, l'officier d'état civil n'a plus le droit de dresser l'acte de la naissance avant qu'un jugement du tribunal ne soit intervenu, ce qui entraîne des formalités longues et coûteuses. Une déclaration faite en retard peut, en outre, entraîner un emprisonnement de quatre jours à six mois et une amende (plus les frais).

La personne qui déclarera la naissance fera au moins quatre photocopies du livret de famille, ou de l'extrait d'acte naissance, qui seront nécessaires pour les démarches ultérieures : allocations familiales, etc.

> Le congé du père après la naissance

Le congé de paternité est accordé au père à l'occasion de la naissance de son enfant (le lien de filiation doit être établi).

Qui peut en bénéficier ?

Les salariés ; les travailleurs indépendants (commerçants, artisans, professions libérales, agriculteurs) ; les fonctionnaires ; les militaires.

Durée de l'arrêt de travail

Elle est de 11 jours en cas de naissance simple ; de 18 jours en cas de naissances multiples. Ce congé doit être pris dans les 4 mois de l'arrivée de l'enfant. Il n'est pas fractionnable.

A noter : le congé peut être pris après les 3 jours déjà accordés par l'employeur. Ces 3 jours sont pris en charge par l'employeur. Les 11 jours de congé de paternité sont pris en charge par la sécurité sociale.

Les montants des indemnités du père sont calculés comme les indemnités maternité de la mère (voir page 450).

En cas d'adoption, les pères ont droit à ce congé, en tenant compte des particularités du congé d'adoption qui peut être fractionné entre les deux parents. Voyez page 452.

> Le livret de famille

Le père et la mère d'un enfant naturel peuvent avoir chacun un livret de famille lorsqu'ils reconnaissent l'enfant, ou un livret commun.

Il est possible de demander un autre livret de famille si vous l'avez perdu ou s'il vous a été volé ; en cas de divorce, séparation de fait ou mésentente, si vous n'êtes plus en possession du livret de famille, il est également possible d'en demander un autre.

> Le nom de l'enfant

▮▮Depuis le 1er janvier 2005, une nouvelle loi modifie profondément les règles de transmission du nom.

Avant cette date, l'enfant recevait à sa naissance un nom : celui de son père si les parents étaient mariés, ou si les parents non mariés avaient reconnu leur enfant ensemble : c'était le **nom patronymique.**

Désormais, le choix est laissé aux parents de transmettre à leur enfant soit le nom du père, soit le nom de la mère, soit les deux noms accolés dans l'ordre de leur choix. Un seul nom par parent sera choisi pour éviter que l'enfant ait un nom quadruple. Pour la même raison, un seul des deux noms sera transmissible.

Le nom choisi, qui devient le **nom de famille**, devra être le même pour l'ensemble des enfants du couple.

Ces dispositions sont applicables aux parents mariés. Elles concernent également les parents non mariés qui ont reconnu leur enfant simultanément, ou qui font la déclaration ensemble à l'état civil.

▮**Le nom d'usage :** malgré les nouvelles règles sur la transmission du nom (applicables en janvier 2005), les règles concernant le nom d'usage restent valables. Ainsi, toute personne majeure peut ajouter à son nom celui de ses parents qui ne lui a pas transmis le sien. Ou bien, chacun des époux peut utiliser dans la vie courante le nom de son conjoint, en l'ajoutant à son propre nom, ou même, pour la femme, en le substituant au sien. C'est ce qu'on appelle le nom d'usage ; il peut figurer sur les documents administratifs (carte d'identité, passeport), mais il ne peut pas être inscrit sur les registres d'état-civil, ni transmis aux descendants.

▮Pour plus de détails, voici les références des lois auxquelles vous pouvez vous reporter :
- sur le nom de famille, loi du 4 mars 2002 ;
- sur le changement de nom, loi du 8 janvier 1993 ;
- sur le nom d'usage, loi du 23 décembre 1985.

Un texte de loi peut se consulter au Journal Officiel (dans toutes les bibliothèques) ou bien sur internet www.legifrance.gouv.fr

La Sécurité sociale

Elle vous a aidée à couvrir une grande partie des frais de la naissance ; elle va vous aider, après l'accouchement, à surveiller la santé de votre enfant, et la vôtre.

Les avantages consentis font partie de l'assurance maternité, que vous connaissez bien pour en avoir déjà bénéficié pendant votre grossesse. Les avantages sont les suivants :

Pour la maman :

▐ Des indemnités journalières permettant aux femmes, personnellement assurées sociales, de se reposer pendant les dix semaines (ou plus) qui suivent l'accouchement.

▐ Le remboursement de l'examen obligatoire que la maman doit passer après la naissance, dans les huit semaines qui suivent l'accouchement.

Les consultations supplémentaires, nécessitées par l'état de la maman, sont remboursées aux conditions ordinaires, de même que les médicaments.

Pour le bébé :

▐ Le remboursement des examens médicaux auxquels l'enfant doit être soumis, même s'il est en bonne santé. Ces examens médicaux sont au nombre de 9 au cours de la première année, de 3 au cours de la deuxième année, et de 2 par an jusqu'à six ans. Pour ces examens, le médecin remplit des feuilles de maladie sur lesquelles vous devez coller les étiquettes correspondantes. Vous trouverez ces étiquettes :

– pour les trois premiers mois, dans le guide de surveillance de la mère et du nourrisson ;

– pour les examens suivants, dans les trois guides de surveillance que vous enverra la Sécurité sociale.

Si vous avez droit aux allocations familiales, le médecin remplit également les attestations que vous envoie la CAF, pour les trois examens obligatoires : celui du 8e jour (examen néo-natal), celui du 9e mois, celui du 24e mois. Le paiement des allocations familiales dépend de l'envoi de ces attestations.

Ces trois examens (8e jour, 9e mois, 24e mois) donnent lieu à l'établissement, par le médecin, d'un **certificat médical confidentiel** envoyé aux services de la PMI du Ministère de la Santé. Ces certificats permettent de savoir si l'enfant est suivi médicalement, et d'actualiser la politique médicale et sociale de la petite enfance. L'absence de ces certificats donne lieu à une enquête, faite par des assistantes sociales ou des puéricultrices, pour vérifier les conditions dans lesquelles l'enfant est élevé et pour constater son état de santé.

▐ Si votre enfant tombe malade, les visites médicales supplémentaires et les médicaments vous seront remboursés aux conditions ordinaires (dans ce cas vous utiliserez une feuille de maladie).

À noter : si un bébé tombe malade au cours de la période de 30 jours qui suit la naissance, les soins qui lui seront dispensés dans un établissement de santé seront pris à charge à 100 %, que le bébé soit hospitalisé ou non.

▐ La prise en charge des prématurés aux conditions définies plus loin (page 455).

> Qui peut bénéficier de ces avantages ?

Toute personne résidant en France peut bénéficier des remboursements de la Sécurité sociale :

▐ soit qu'elle appartienne à un régime obligatoire par elle-même ou parce qu'elle est à la charge d'un assuré social : par mariage, filiation, concubinage, PACS ;

▐ soit qu'elle adhère à la Couverture Maladie Universelle (CMU). Cette assurance est gérée par le régime général d'assurance des travailleurs salariés qui donne tous renseignements utiles pour y adhérer.

> Ce qu'il faut faire pour bénéficier des avantages de la Sécurité sociale

▪ En quittant la maternité, envoyez à la caisse d'assurance maladie le certificat d'accouchement qui vous a été remis par le médecin ou la sage-femme de l'établissement dans lequel a eu lieu votre accouchement, et le certificat de santé néo-natal (c'est celui du 8e jour de l'enfant) ; envoyez à la caisse d'allocations familiales le certificat qui la concerne.

Si vous avez droit à une indemnité de repos, vous enverrez à votre caisse l'attestation de prolongation d'arrêt de travail (attestation qui se trouve dans le carnet de maternité).

Pour plus de détails sur le repos après l'accouchement, voyez plus loin.

▪ Passez aux dates indiquées les examens médicaux obligatoires tant pour la maman que pour l'enfant. Les examens médicaux peuvent être passés soit chez un médecin, soit dans un centre agréé ou dans un établissement de soins agréé.

L'examen postnatal doit être fait par un médecin ou une sage-femme. Le bébé peut, dès la naissance, être inscrit dans un centre de PMI : les consultations sont gratuites, et vous pourrez y amener votre bébé régulièrement pour toutes les visites (voir page 468).

▪ Si vous avez **la carte vitale** et si votre praticien est informatisé, la feuille de maladie disparaît car elle est transmise électroniquement à votre caisse d'assurance maladie. Sinon, il vous faudra envoyer la feuille de maladie avec les étiquettes correspondantes.

▪ Après chaque visite, envoyez à la caisse d'allocations familiales le feuillet qui lui est destiné (vous verrez plus loin pourquoi). **Attention** : Si vous passez une visite supplémentaire, ne manquez pas de faire remplir par le médecin une feuille de maladie ordinaire pour que la consultation vous soit remboursée par la Sécurité sociale.

Le congé
après l'accouchement

Le congé postnatal est de 10 semaines au moins. Vous percevrez une indemnité journalière de la Sécurité sociale représentant 100 % du salaire journalier net de base, diminué de 0,5 % du CRDS (1), dans la limite du plafond de la Sécurité sociale ; soit 66,92 € par jour maximum - 0,5 %. Et pour les départements du Bas-Rhin, du Haut-Rhin et de la Moselle, l'indemnité est de 64,92 € – 0,5 %.

À noter : certaines catégories professionnelles qui bénéficient d'un taux réduit de cotisations peuvent demander à la Sécurité sociale une correction du montant de leur indemnité journalière pour ne pas être lésées (journalistes, VRP, etc.)

Certaines conventions collectives prévoient un complément d'indemnisation qui sera versé par votre employeur.

Votre repos doit être effectif, des contrôles à domicile ont lieu. Vous pouvez prendre un repos moins long, mais pour toucher les indemnités journalières de repos, il faut que vous arrêtiez votre travail huit semaines au moins, dont six semaines après l'accouchement. Les indemnités journalières perçues correspondent au nombre de jours d'arrêt de travail.

(1) CRDS : Contribution au Remboursement de la dette sociale.

> Cas où le congé peut être prolongé

▪ Accouchement avant la date prévue. Le congé est augmenté du nombre de jours non pris avant la naissance.

▪ Naissance du 3e enfant (ou plus) : le congé postnatal est de 18 semaines (ou de 16 semaines si 2 semaines supplémentaires ont été prises pour le repos prénatal). Le congé total de maternité est alors de **26 semaines.**

▪ Naissance de jumeaux :
le congé postnatal est de 22 semaines (ou de 18 semaines
si 4 semaines supplémentaires ont été prises pour le repos prénatal). Le congé total de maternité est alors de **34 semaines.**

▪ Naissance de triplés ou plus : le congé postnatal est de 22 semaines, le congé prénatal de 24 semaines. Le congé total de maternité est alors de **46 semaines.**

🔳 Hospitalisation de l'enfant : si l'enfant est encore hospitalisé 6 semaines après sa naissance, la mère peut reprendre son travail et utiliser la suite de son congé lorsque l'enfant sera de retour à la maison. Mais il faut pour cela que la mère ait déjà pris un congé ininterrompu de 8 semaines, dont 6 après la naissance.

🔳 Si votre état de santé le nécessite, il vous est possible sur prescription médicale d'obtenir une prolongation de congé de 4 semaines, pour suites de couches pathologiques. Vous percevrez l'indemnité journalière de maladie (environ la moitié du salaire).

> Les parents adoptifs

🔳 Les parents adoptifs ont droit à 10 semaines de congé d'adoption à partir du jour où l'enfant est arrivé au foyer (et 18 semaines à partir du 3e enfant). En cas d'adoption multiple, les parents adoptifs ont droit à 22 semaines de congé.

Ce congé peut être pris par le père ou par la mère, ou partagé entre les deux. En cas de partage du congé d'adoption entre le père et la mère, et dans ce cas uniquement, la durée du congé est désormais prolongée de celle du nouveau congé de paternité, soit :

- 11 jours, en cas d'adoption simple ;
- 18 jours, en cas d'adoptions multiples.

Qu'il s'agisse d'une adoption simple ou d'une adoption multiple, le congé d'adoption partagé entre le père et la mère ne peut être fractionné en plus de deux périodes dont la plus courte ne peut être inférieure à onze jours (soit celle du congé de paternité). Ces deux périodes peuvent être prises simultanément par les deux parents.

Le fractionnement minimum du congé entre les parents est 11 jours pour la première période au minimum, 70 jours pour la seconde période au maximum.

Pour les pères relevant du régime des professions libérales, ainsi que pour les fonctionnaires, les textes prévoient qu'ils bénéficient d'un congé de paternité en cas d'adoption, au même titre et dans les mêmes conditions qu'en cas de naissance. Ainsi, le congé doit être pris dans les quatre mois de l'arrivée au foyer de l'enfant.

Les indemnités journalières de Sécurité sociale sont versées soit au père soit à la mère pour les périodes qui les concernent.

À noter : comme les bénéficiaires du congé maternité, durant le congé d'adoption et les 4 semaines qui le suivent, vous êtes protégé contre le licenciement. Cette période est également assimilée à une période de travail et donne droit aux mêmes avantages d'ancienneté que le congé maternité.

Les salariés dont l'entreprise est passée aux 35 heures par un accord prévoyant la création d'un compte épargne-temps peuvent utiliser ce mécanisme dans le cadre d'un projet d'adoption. Les jours ainsi épargnés pourront être pris pour permettre aux parents de se rendre plus disponibles afin de favoriser l'accueil de l'enfant au sein de son nouveau foyer.

Congé pour départ à l'étranger.

Tout salarié, titulaire de l'agrément d'adoption, a désormais le droit de bénéficier d'un congé lorsqu'il se rend dans les DOM, les TOM ou à l'étranger en vue d'adopter un ou plusieurs enfants. Le droit à ce congé est possible pour une durée maximum de 6 semaines par agrément. Ce congé n'est pas rémunéré.

Dans le secteur public, les fonctionnaires titulaires de l'agrément à l'adoption, ont droit à une mise en disponibilité de 6 semaines au maximum afin d'effectuer un déplacement en vue de l'adoption d'un ou plusieurs enfants.

> Les agricultrices

Une allocation de remplacement est proposée aux agricultrices cessant leur activité à l'occasion de leur maternité ; elle permet une prise en charge totale des frais destinés à assurer leur remplacement au cours de leurs congés de maternité. Pour pouvoir bénéficier de cette allocation, l'exploitante agricole devra notamment :

- avoir participé de manière constante aux travaux de l'exploitation ou de l'entreprise agricole

- remplir les conditions d'assujettissement à l'assurance maladie, maternité des non-salariés agricoles, dix mois au moins avant la date présumée de l'accouchement ou la date d'adoption

- cesser tout travail sur l'exploitation pendant deux semaines dans une période commençant six semaines avant la date présumée de l'accouchement et se terminant dix semaines après celui-ci ; des délais particuliers sont établis en cas de naissance multiple ou d'accouchement par césarienne

- être effectivement remplacée dans les travaux qu'elle effectue sur l'exploitation par l'intermédiaire d'un groupement d'employeurs ayant pour objet principal de mettre des remplaçants à la disposition d'exploitants agricoles.

L'allocation est versée pendant seize semaines maximum, des délais particuliers étant prévus en cas d'état pathologique résultant de la grossesse, de naissance ou d'adoption multiples et/ou d'accouchement par césarienne.

L'intéressée doit présenter sa demande trente jours au moins avant la date prévue pour l'interruption d'activité à l'organisme assureur dont elle relève pour l'assurance maladie des exploitants agricoles.

> *Les femmes exerçant une profession indépendante*

Les femmes exerçant une profession indépendante (artisane, commerçante, profession libérale), assurées à titre personnel, bénéficient d'un nouveau dispositif de prestations en cas de maternité.

▮ L'allocation forfaitaire de repos maternel est destinée à compenser partiellement la diminution de revenus entraînée par la maternité ou l'adoption d'un enfant.

Maternité : le montant est de 2476 €, versé en 2 fois, que la grossesse soit normale, pathologique, qu'il s'agisse de la naissance d'un seul enfant, ou d'une naissance multiple.

Adoption : le montant est de 1238 €.

▮ L'indemnité forfaitaire d'interruption d'activité est versée à la seule condition que l'intéressée cesse son activité pendant 30 jours consécutifs.

En cas de maternité : le montant est de 1238 €. Cette indemnité est de : 1857 € pour 45 jours, de 2476 € pour 60 jours.

En cas de grossesse pathologique et de naissance multiple, la femme a droit à un arrêt d'activité supplémentaire de 30 jours soit : 1238 €. Dans ce cas, l'arrêt total est de 90 jours maximum.

En cas d'adoption : pour 30 jours, le montant est de 1238 €, de 1857 € pour 45 jours. S'il s'agit d'adoption multiple : la femme a droit à un arrêt d'activité supplémentaire de 30 jours, soit au total 4333 €. Dans ce cas, l'arrêt total est de 75 jours maximum.

Pour les conjointes non salariées collaboratrices d'un membre d'une profession libérale, d'un commerçant ou d'un artisan, deux allocations existent qui peuvent se cumuler :

▮ l'allocation de repos maternel est destinée à compenser partiellement la diminution des revenus entraînée par la maternité ou l'adoption d'un enfant :

maternité : maximum de 2476 € ; adoption : maximum de 1228 €.

▮ L'indemnité de remplacement est destinée à compenser les frais engagés en cas de remplacement dans l'activité professionnelle ou au foyer par du personnel salarié. Le montant maximum est de 1289,24 € (maternité), 1933,86 € (grossesse pathologique), 644,62 € (adoption). Cette indemnité est versée au maximum pendant 28 jours à partir de la naissance (42 jours en cas de grossesse pathologique, 56 jours en cas de naissance multiple, 66 jours en cas de naissance multiple et grossesse pathologique).

À savoir : si vous exercez une activité secondaire, à titre salariée, vous pouvez cumuler les prestations en espèces de l'assurance-maternité du régime des professions indépendantes avec celles du régime général des salariées. En revanche, vous n'aurez pas droit aux prestations de maternité du régime des professions indépendantes si vous exercez votre activité indépendante à titre accessoire.

À noter : que vous soyez assurée à titre personnel ou que vous soyez conjointe collaboratrice, vous ne percevrez l'indemnité de remplacement que si vous engagez une personne salariée pendant une durée minimale d'une semaine. Le remplacement doit intervenir dans une période débutant 6 semaines avant l'accouchement et se terminant 10 semaines après.

> Un congé sans solde

La mère peut, à l'expiration de son congé de maternité, ne pas reprendre son travail. Plusieurs possibilités lui sont offertes suivant l'endroit où elle travaille.

◾ Dans le secteur public, les fonctionnaires – et les agents communaux – peuvent de plein droit obtenir un congé sans solde pendant trois ans maximum. À la fin de ce congé, la mère sera réintégrée dans son emploi. Par ailleurs, les fonctionnaires (et pas seulement les mères de famille) peuvent demander de travailler à temps partiel. La demande doit être faite par écrit et motivée. Mais c'est un droit qu'on n'est pas obligé de leur accorder, cela dépend de l'organisation du service.

◾ Dans le secteur privé, c'est une nouvelle réglementation qui s'applique du fait de la mise en place de la prestation d'accueil du jeune enfant (PAJE) et du complément "libre choix d'activité" (voir page 457 et suivantes). Elle concerne tous les parents dont l'enfant est né ou adopté depuis le 1er janvier 2004.

Formalités : la mère et le père doivent prévenir leur employeur de leur intention de prendre ce congé par lettre recommandée avec AR, et ce au moins un mois avant l'expiration du congé de

Droit à une action de formation professionnelle. Le salarié réembauché, ou qui reprend son activité après un arrêt à temps plein ou à temps partiel, bénéficie d'un droit à une action de formation professionnelle. Ce droit est aussi ouvert au salarié avant l'expiration de son congé ou de sa période de travail à temps partiel, ce qui écourte cette période de congé.

Aussi longtemps que dure le congé, vous conservez vos droits aux prestations en nature (remboursements des soins médicaux, frais pharmaceutiques...). En revanche, les indemnités journalières ne peuvent être servies que sous certaines conditions, se renseigner à son centre.

> Protection contre le licenciement

Un employeur n'a pas le droit de licencier une femme enceinte (sauf cas particulier), ou en congé de maternité ou en congé d'adoption et pendant les quatre semaines qui suivent. Si vous faites l'objet d'un licenciement pendant votre congé d'adoption, vous devez envoyer à votre employeur une attestation délivrée par le service départemental d'aide sociale à l'enfance (ou l'œuvre d'adoption qui a procédé au placement) par lettre recommandée avec accusé de réception, dans les 15 jours qui suivent la notification du licenciement.

> Le congé de présence parentale pour enfant gravement malade

Ce congé doit permettre aux familles de faire face à la survenue brutale d'un accident ou d'une maladie grave de leur enfant. Un certificat médical établi par un médecin hospitalier, attestant la « nécessité de soins et de présence d'un des parents aux côtés de l'enfant », doit être fourni. L'employeur ne peut s'opposer à ce congé.

Le contrat de travail et la protection sociale sont maintenus.

La durée minimale du congé est de 4 mois (2 mois en cas d'affection périnatale) renouvelable 3 fois (voir page 461).

Les remboursements

🔳 Frais d'accouchement et de séjour : les remboursements varient suivant l'endroit où vous avez accouché :

1° à l'hôpital : l'intégralité des frais est réglée directement par la caisse à l'hôpital ;

2° dans une clinique conventionnée : ces cliniques ont passé une convention spéciale avec la caisse de Sécurité sociale suivant laquelle les frais de séjour – et dans certains cas les honoraires de l'accoucheur – sont réglés directement par la Caisse de Sécurité sociale à la clinique ;

3° dans une clinique agréée : forfait pour les honoraires de l'accoucheur et les frais pharmaceutiques ; forfait également pour les frais de séjour, la différence entre le remboursement de la Sécurité sociale et le prix effectif du séjour étant à la charge de l'assurée.

Le séjour à l'hôpital ou en clinique ne doit pas dépasser 12 jours. Si une prolongation du séjour est justifiée médicalement, les frais en sont remboursés par l'assurance maladie ;

4° à domicile : remboursement des frais médicaux et pharmaceutiques sous forme de forfaits.

🔳 Césarienne : l'intervention chirurgicale est remboursée à 100 % du tarif de la sec. soc.

🔳 Consultations médicales : si vous ne les avez pas passées gratuitement dans un centre, elles vous seront remboursées au tarif officiel de la Caisse quel que soit le prix demandé par le médecin. S'il vous a demandé une somme supérieure au tarif de la convention, ce dépassement restera à votre charge, ou pourra être pris en charge par une assurance complémentaire, si vous en avez une.

🔳 Médicaments : remboursement, au tarif de la caisse, des médicaments prescrits en cas de maladie.

À noter : pendant les 4 derniers mois de la grossesse, le ticket modérateur est supprimé pour tous les soins dispensés aux femmes enceintes, autrement dit, les remboursements sont à 100 % (sauf pour les médicaments comportant une vignette bleue qui sont remboursés à 35 %).

🔳 Protection sociale complémentaire : pour être remboursée du ticket modérateur, et dans certains cas du montant des dépassements de tarifs demandés par les médecins, vous pouvez adhérer à une mutuelle ou à une assurance complémentaire. Avant d'adhérer, comparez les tarifs demandés par les mutuelles, ou les compagnies d'assurances, ainsi que les montants des remboursements.

🔳 Prématurés : les soins spéciaux nécessités par leur naissance avant terme sont remboursés à 100 %. Le lait maternel donné aux prématurés est pris en charge par la Sécurité sociale à 100 %. Certains laits médicamenteux sont remboursés.

La **carte Vitale.** Cette carte à puce, utilisable chez le médecin, pharmacien, infirmière, kinésithérapeute, laboratoire (à condition qu'ils soient informatisés) évite de remplir les feuilles de soin et de les expédier. Dés la naissance de votre enfant, pensez à le faire enregistrer sur votre carte, ou sur celle de son père, pour que les soins soient remboursés. Cette manœuvre peut être effectuée dans votre centre de sécurité sociale, ou dans tous les établissements de santé publique où vous êtes amenés à consulter : renseignez-vous.

Les prestations familiales

Les prestations familiales comprennent plusieurs allocations qui ont pour but d'aider les familles à subvenir aux besoins de leur enfant. Certaines allocations sont versées avec des conditions de ressources, qui se basent sur les revenus de l'année précédente. Pour bénéficier de ces allocations, vous devez habiter la France métropolitaine. Dans les départements d'outre-mer, il existe des dispositions particulières concernant les montants et les plafonds de revenus. Les prestations familiales sont en général payables chaque mois. Les enfants sont considérés à charge jusqu'à 20 ans. Certaines prestations sont diminuées de la CRDS.

Ce tableau résume les conditions à remplir pour bénéficier des différentes prestations familiales. Vous trouverez le détail de ces prestations dans les pages qui suivent.

		PRESTATIONS	CONDITIONS À REMPLIR
AVEC CONDITIONS DE RESSOURCES	PAJE	Prestation d'accueil du jeune enfant (PAJE) : - Prime à la naissance ou à l'adoption - Allocation de base	Faire la déclaration de grossesse avant la fin du 3ème mois. Passer les examens médicaux obligatoires. Adopter ou accueillir en vue d'adoption un (ou plusieurs) enfant(s) âgé(s) de moins de 20 ans
		Prestation d'accueil du jeune enfant (PAJE) : complément de libre choix du mode de garde	Avoir un enfant de moins de 6 ans Employer une assistante maternelle agréée ou une garde à domicile Avoir une activité professionnelle minimum
		Prestation d'accueil du jeune enfant (PAJE) : complément de libre choix d'activité	Avoir un enfant de moins de 3 ans Avoir cessé de travailler ou travailler à temps partiel Avoir exercé une activité professionnelle minimum
		Complément familial (CF)	Avoir 3 enfants à charge de plus de 3 ans
		Allocation de parent isolé (API)	Vivre seul et avoir un ou plusieurs enfants à charge ou être enceinte
		Prime de déménagement	Famille à partir du 3ème enfant (du 3ème mois de grossesse au dernier jour du mois qui précède ses 2 ans) Recevoir l'AL ou l'APL
		Les aides au logement (AL)	Voir détail page 460
		Allocation de rentrée scolaire	Dès le premier enfant
SANS CONDITIONS DE RESSOURCES		Allocations familiales (AF)	Avoir au moins deux enfants à charge
		Allocation de soutien familial (ASF)	L'enfant doit être à la charge d'un seul parent, orphelin ou abandonné
		Allocation de présence parentale (APP)	Avoir un enfant malade dont l'état grave nécessite momentanément la présence d'un de ses parents auprès de lui
		Allocation d'éducation spéciale (AES)	Avoir un enfant avec un handicap à 80 % ou à 50 %

La PAJE
Prestation d'accueil
du jeune enfant

La PAJE comprend : la prime à la naissance ou à l'adoption, l'allocation de base, le complément de libre choix d'activité, le complément de libre choix du mode de garde.

La PAJE remplace : l'allocation parentale du jeune enfant, l'aide à la famille pour l'emploi d'une assistante maternelle agréée, l'allocation de garde à domicile, l'allocation parentale d'éducation, l'allocation d'adoption. Ces allocations ne sont donc plus attribuées pour toute naissance ou adoption postérieure au 1er janvier 2004. Les familles qui les percevaient avant cette date continuent d'en être bénéficiaires tant qu'elles remplissent les conditions. Si une naissance ou une adoption survient, la PAJE remplacera ces allocations.

> La prime à la naissance ou à l'adoption

Elle concerne les enfants nés ou adoptés à partir du 1er janvier 2004.

Conditions. Déclarer votre grossesse à la CAF (Caisse d'allocations familiales) et à la CPAM (sécurité sociale) avant la fin des 14 premières semaines de grossesse.

En cas d'adoption, l'enfant doit avoir moins de 20 ans et vous avoir été confié par une institution, un organisme ou une autorité étrangère agréés.

Ressources. Les ressources de la famille ne doivent pas dépasser un certain plafond. Pour un couple avec un revenu et un enfant, le plafond maximum est de 24 588 € ; pour une personne seule, ou un couple avec deux revenus, et un enfant, il est de 32 493 €.

Montant. Il est forfaitaire : 812,37 € par enfant né ou adopté, ou autant de fois cette somme que d'enfants nés d'une même grossesse (jumeaux, triplés et plus), ou d'enfants adoptés ou accueillis simultanément. La prime est versée en une seule fois, soit au cours du 7ème mois de grossesse, soit le mois de l'arrivée au foyer de l'enfant adopté, ou le mois de l'adoption. La prime n'est pas due si la grossesse s'interrompt avant la fin du 5ème mois .

> L'allocations de base

Conditions. L'enfant doit avoir moins de 3 ans, ou moins de 20 ans s'il a été adopté.

Il doit passer trois examens médicaux obligatoires qui se situent dans les huit premiers jours de la naissance, puis au cours du 9ème ou 10ème mois et enfin le 24ème ou 25ème mois.

Si l'enfant adopté a moins de 2 ans, les mêmes examens sont obligatoires. Le non respect de ces obligations peut entraîner, en partie ou en totalité, la perte des droits.

Les ressources ne doivent pas dépasser un certain plafond, le même que celui de la prime de naissance.

Durée. Cette allocation est versée du mois de naissance de l'enfant au mois précédant son 3ème anniversaire. Et pour un enfant adopté : du mois de son arrivée au foyer, et pendant 3 ans, dans la limite de l'âge de 20 ans.

Montant. Il est de 162,47 € par mois. Plusieurs allocations de base seront versées en cas de naissances multiples ou d'adoptions simultanées de plusieurs enfants.

L'allocation de base est cumulable avec l'APP (allocation de présence parentale, voir page 461). En revanche, elle ne l'est pas avec le CF (complément familial, voir page 459).

Pour étudier si vous avez droit à la prime de naissance et à l'allocation de base, la CAF a besoin des justificatifs suivants :

- la déclaration de grossesse ;
- le justificatif concernant l'adoption ou le placement de l'enfant ;
- la déclaration de ressources de l'année de référence ;
- le formulaire de déclaration de situation ;
- la photocopie lisible d'un justificatif de l'identité de l'enfant (extrait de naissance, livret de famille) ;
- l'attestation du 1er certificat de santé de l'enfant (celui fait dans les 8 premiers jours).

> Le complément de libre choix du mode de garde

Votre enfant (né ou adopté) a moins de 6 ans, vous avez peut-être droit à ce complément si vous employez une assistante maternelle agréée ou une aide à domicile pour le garder.

Conditions. Vous devez avoir une activité professionnelle rémunérée qui doit vous procurer un revenu minimum de 353,59 € si vous vivez seul ou de 707,18 € pour un couple. D'autre part, si vous êtes non salarié, vous devez avoir réglé vos cotisations sociales d'assurance vieillesse.

Enfin, vous ne pouvez pas dépasser comme rémunération de l'assistante maternelle 5 fois le montant du SMIC horaire brut, soit 38,05 € par jour de garde.

Exceptions. Cas où il n'y a pas à justifier d'une activité minimum :
- les bénéficiaires de l'allocation adulte handicapé (AAH) ;
- les bénéficiaires de l'allocation d'insertion ou de l'allocation de solidarité spécifique inscrites au chômage ainsi que les titulaires d'un contrat d'insertion ou de travail ; demandeurs d'emplois ou en formation rémunérée ; les étudiants (pour un couple, les deux personnes doivent être étudiantes).

Montants. Le montant varie selon les revenus, la composition de la famille et l'âge de l'enfant.

Le plafond de ressources donnant droit à ce complément varie entre 14 622 € et 32 493 €. Dans le cas d'un enfant de moins de 3 ans, les sommes pouvant être perçues varient de 355,93 € à 152,54 €. Pour un enfant de 3 à 6 ans : de 178 € à 76,27 €. Il restera toujours à votre charge 15 % du salaire versé à l'assistante maternelle ou à la personne effectuant la garde à domicile. La CAF, pour sa part, prendra en charge l'intégralité des cotisations sociales dues pour l'emploi d'une assistante maternelle et 50 % de ces mêmes cotisations pour une garde à domicile, dans la limite de 382 € pour un enfant jusqu'à 3 ans, et 191 € de 3 à 6 ans.

Formalités. Vous devez remplir un formulaire de demande de "PAJE complément de libre choix de mode de garde" et l'adresser à votre CAF. Pour toute embauche à domicile, vous devrez compléter l'autorisation de prélèvement jointe au formulaire pour régler les charges sociales employeur. Le centre *Pajemploi* vous adressera alors un carnet de volets destinés à déclarer chaque mois la rémunération de votre salarié. Cela permet de calculer le montant des cotisations en vous indiquant le solde qui reste à votre charge. Le salarié recevra directement une attestation d'emploi équivalente à un bulletin de salaire.

> Le complément de libre choix d'activité

Pour avoir droit à ce complément, vous ou votre conjoint ne devez plus exercer d'activité professionnelle, ou l'exercer à temps partiel, pour vous occuper de votre enfant.

Conditions. Il faut avoir exercé une activité professionnelle minimum. Le complément prend en compte le nombre d'enfants à charge.

La période d'activité de référence est :
- dans les 2 ans qui précèdent la naissance ou l'adoption (pour un enfant)
- de 2 ans d'activité dans les 4 ans qui précèdent (pour 2 enfants)
- de 2 ans d'activité dans les 5 ans qui précèdent (pour 3 enfants et plus).

Vous ne pouvez pas demander ce complément si vous recevez :
- l'allocation adulte handicapé
- une pension d'invalidité, de retraite
- des indemnités journalières maladie, maternité, paternité ou d'accident du travail
- une allocation chômage

Toutefois, vous pouvez demander à l'ASSEDIC de suspendre ses versements pour bénéficier du complément et retrouver vos droits quand le complément ne sera plus versé.

Montant. Il va dépendre de votre droit à l'allocation de base de la PAJE. Et il variera si vous ne travaillez plus, ou si vous êtes salarié et que vous continuez votre activité à temps partiel, ou si vous êtes non salarié ou VRP et travaillez à temps partiel. Les calculs de ce complément étant très spécifiques, nous vous conseillons d'en demander le montant éventuel à la CAF.

Durée. Elle varie selon le nombre d'enfants. Avec un seul enfant à charge, le complément sera versé pendant 6 mois. Si vous avez plusieurs enfants à charge, il sera versé jusqu'au mois précédant le 3ème anniversaire de l'enfant pour lequel il est sollicité.

Enfin, si vous reprenez une activité professionnelle à temps partiel entre le 18ème mois et le 29ème mois de l'enfant, le complément sera maintenu 2 mois.

A noter : les compléments de libre choix de mode de garde et de libre choix d'activité ne sont pas cumulables.

Les autres allocations

Le complément familial, l'allocation de parent isolé, la prime de déménagement, les aides au logement, l'allocation de rentrée scolaire sont soumises à des conditions de ressources. Les allocations familiales, de soutien familial, de présence parentale, d'éducation spéciale n'ont pas de conditions de ressources.

> Le complément familial (CF)

Qui peut en bénéficier ?

Les personnes résidant en France, quelle que soit leur nationalité, ayant ou non une activité professionnelle.

Conditions. Avoir au moins 3 enfants de 3 ans et plus, et ne pas bénéficier de l'allocation parentale d'éducation (APE) ou du complément de libre choix d'activité de la PAJE.

Vos ressources ne doivent pas dépasser le plafond correspondant à votre situation (se renseigner directement auprès de votre CAF).

Durée de versement. Le complément familial est versé à partir du 3ème anniversaire de votre plus jeune enfant. Le versement prend fin dès qu'il vous reste à charge moins de trois enfants âgés de plus de 3 ans ou dès que vous bénéficiez de l'allocation de base de la PAJE pour un nouvel enfant.

Montant. Que vous ayez trois enfants à charge ou plus, vous recevrez 147,27 € par mois ou un peu moins si vous avez droit au complément familial réduit.

> L'allocation de parent isolé (API)

Cette allocation est destinée à garantir un revenu familial minimum à toute personne qui se trouve subitement seule pour assumer la charge d'un ou plusieurs enfants, ou qui se trouve en état de grossesse.

Conditions.

▪ Avoir un ou plusieurs enfants à charge (si la mère vit dans sa famille, elle est présumée assumer la charge des enfants dont elle a la garde), ou être enceinte. Les enfants peuvent être légitimes, naturels ou reconnus.

Les femmes enceintes doivent avoir déclaré leur grossesse et subir dans les délais les examens prénatals.

▪ Vivre seul : c'est-à-dire être célibataire, veuf, séparé, divorcé, abandonné et ne pas vivre maritalement.

▪ Avoir des ressources inférieures à un minimum garanti. Par mois, le montant maximum est de : 530,39 € pour une femme enceinte sans enfant ; 707,19 € pour une personne seule ayant un enfant à charge ; par enfant en plus on ajoute : 176,80 €.

Montant. Le montant de l'allocation versée est égal à la différence entre les sommes indiquées et la moyenne mensuelle de vos ressources des trois derniers mois. Il varie donc d'un bénéficiaire à l'autre.

Durée. L'allocation sera versée au maximum pendant douze mois, mais cette durée pourra être prolongée jusqu'à ce que le dernier enfant ait atteint l'âge de 3 ans. Le montant de l'allocation sera révisé tous les trois mois en fonction des revenus du trimestre écoulé.

> La prime de déménagement

C'est une prime à laquelle vous pouvez prétendre si vous avez la charge d'au moins trois enfants nés ou à naître et si vous vous installez dans un nouveau logement ouvrant droit aux allocations de logement (allocation de logement familial ou APL)

Votre emménagement doit avoir lieu entre le 4ᵉ mois de grossesse et le dernier jour du mois précédant celui du 2ᵉ anniversaire de l'enfant.

Vous devez faire votre demande au plus tard six mois après la date du déménagement en fournissant à la CAF une facture acquittée d'un déménageur, ou des justificatifs de frais divers si vous avez effectué votre déménagement vous-même..

La prime de déménagement est égale aux frais que vous avez engagés, dans la limite du plafond suivant : 848,62 € pour 3 enfants à charge, et 70,72 € par enfant en plus.

> Les aides aux logement

Si vous payez un loyer, ou remboursez un prêt pour votre résidence principale, et si vos ressources sont modestes, vous pouvez bénéficier de l'une des trois aides au logement suivantes : l'aide personnalisée au logement (APL), l'allocation de logement familial (ALF) ou l'allocation de logement social (ALS). Elles ne sont pas cumulables et l'ordre de priorité est le suivant : APL, ALF, ALS.

La plupart des conditions d'attribution sont identiques pour ces trois prestations. L'APL est destinée à toute personne locataire d'un logement neuf ou ancien. L'ALF concerne les personnes qui n'entrent pas dans le champ d'application de l'APL et qui ont des enfants (nés ou à naître) ou certaines autres personnes à charge ; ou forment un ménage marié depuis moins de 5 ans, le mariage ayant eu lieu avant les 40 ans de chacun des conjoints. L'ALS s'adresse à ceux qui ne peuvent bénéficier ni de l'APL, ni de l'ALF.

Les étudiants, qu'ils vivent seuls ou en couple, peuvent bénéficier d'une allocation logement.

Il ne nous est pas possible de donner ici tous les renseignements sur les conditions et formalités à remplir pour bénéficier de ces allocations. Mais vous pourrez trouver tous renseignements à votre caisse d'allocations familiales.

> L'allocation de rentrée scolaire (ARS)

Cette allocation est versée à toutes les familles dès le premier enfant, même si elles ne perçoivent aucune prestation familiale, mais il ne faut pas dépasser un certain plafond de ressources. Les familles ne percevant pas de prestations familiales doivent se procurer un dossier de demande d'allocation de rentrée scolaire. Les autres familles n'ont aucune demande à faire.

Qui peut en bénéficier ? Chaque enfant à charge de 6 à 16 ans révolus au 15 septembre de l'année considérée ; ceux de 16 à 18 ans qui doivent poursuivre leurs études ou être placés en apprentissage et ne pas percevoir de rémunération mensuelle supérieure à 55 % du SMIC ; pour les enfants de 16 à 18 ans, la CAF envoie à la famille une déclaration de situation qui doit lui être renvoyée accompagnée d'un justificatif de scolarité ou d'apprentissage.

Condition à remplir. Pour l'année 2004, il fallait que les revenus nets imposables de l'année 2003 avec un enfant à charge ne dépassent pas 16 726 €. (plus 3 860 € par enfant à charge).

Les familles dont les revenus dépassent de peu le plafond, auront droit à une allocation différentielle.

Montant. En septembre 2004, le versement a été de 257,61 € et 258,90 après CRDS.

> Les allocations familiales (AF)

Conditions.

▪ Les allocations familiales sont versées à partir du deuxième enfant à charge. Un enfant unique, ou le dernier ou le seul enfant à charge d'une famille de plusieurs enfants, ne donne donc pas droit à ces allocations.

▪ Ces enfants à charge doivent être soumis, s'ils ont moins de six ans, aux examens médicaux obligatoires.

À noter : l'enfant à charge ne doit pas être bénéficiaire, à titre personnel, d'une ou plusieurs prestations familiales, de l'allocation logement, ou de l'aide personnalisée au logement.

Durée. Les allocations familiales sont versées à compter du mois civil qui suit la naissance ou l'accueil d'un deuxième enfant, puis d'un troisième, etc. Quand vous n'avez plus qu'un seul enfant ou aucun enfant à charge, les allocations sont interrompues à la fin du mois civil précédant ce changement de situation.

Une allocation forfaitaire de 71,55 € par mois est versée pendant un an aux familles de trois enfants ou plus dont l'aîné atteint son 20ème anniversaire.

Les allocations familiales sont versées jusqu'à 20 ans si les enfants continuent leurs études.

Formalités. Si vous avez déclaré à votre CAF l'arrivée de votre deuxième enfant, vous recevrez une déclaration de situation à compléter afin de percevoir les prestations. Si vous n'êtes pas déjà allocataire, retirez auprès de la CAF une déclaration de situation.

Montant. Il varie selon le nombre d'enfants à charge :
- 2 enfants : 113,15 €
- 3 enfants : 258,12 €
- 4 enfants : 403,09 €
- par enfant en plus : + 144,97 €.

Le montant des allocations familiales est majoré quand les enfants grandissent. Lorsque l'enfant atteint l'âge de 11 ans, vous recevrez pour lui, en plus du montant de base des AF, une majoration mensuelle de 31,82 € à partir du mois civil qui suit son anniversaire. Cette majoration mensuelle passera à 56,57 € le mois suivant ses 16 ans.

> L'allocation de soutien familial (ASF)

Cette allocation remplace l'allocation d'orphelin.

Qui peut en bénéficier ?

Les personnes qui assument la charge :

🔳 d'un enfant orphelin de père et/ou de mère) ;

🔳 d'un enfant dont la filiation n'est pas établie légalement à l'égard de ses parents ou de l'un d'eux ;

🔳 d'un enfant dont les parents (ou l'un d'eux) ne font pas face à leurs obligations d'entretien ou de versement d'une pension alimentaire (1).

Cette allocation concerne les familles adoptives jusqu'à l'adoption plénière de l'enfant. Elle est faite pour les familles ayant un enfant à charge, et ce peut être en vue de son adoption.

Montant. Les taux sont fixés en pourcentage de la base mensuelle de calcul des allocations familiales :

30 % (soit 106,08 €) pour un enfant orphelin de père et de mère, 22,5 % (soit 79,56 €) pour un enfant dont la filiation n'est établie qu'à l'égard de sa mère.

L'allocation de soutien familial est cumulable avec toutes les autres prestations, avec des conditions particulières pour l'allocation de base de la PAJE (enfant adopté).

L'allocation de soutien familial est supprimée en cas de mariage, de remariage, de concubinage ou de PACS de l'allocataire, sauf lorsque celui-ci a recueilli l'enfant et qu'il n'est ni sa mère, ni son père.

1-En cas de versement partiel d'une pension alimentaire, vous pouvez recevoir une allocation de soutien familial différentielle.

> L'allocation de présence parentale (APP)

Cette allocation s'adresse aux bénéficiaires du congé de présence parentale (voir page 433). Elle concerne tous les parents résidant en France dont l'enfant présente un état de santé (maladie grave ou accident) nécessitant pendant une durée de 4 mois minimum (2 mois pour les grands prématurés) une réduction ou une cessation d'activité professionnelle. Les deux parents peuvent en bénéficier alternativement ou simultanément en exerçant leur activité à temps partiel. Tous les salariés des secteurs publics ou privés, les demandeurs d'emplois indemnisés ou en formation professionnelle rémunérée peuvent en bénéficier. D'autres catégories (non salariés, employés de maison) y ont droit selon des modalités particulières (renseignez-vous auprès de votre CAF)

Conditions. Le parent doit se procurer un "imprimé-demande" auprès de la CAF de son lieu de résidence. L'imprimé administratif sera complété par le médecin : il précise le diagnostic (sous pli cacheté), le traitement, la durée prévisible des soins, la nécessité de la présence du parent. Une demande de prestation sera jointe si le parent n'est pas déjà allocataire.

Les salariés doivent fournir, une attestation de l'employeur ou une déclaration sur l'honneur portant sur la cessation ou la réduction d'activité. Pour les chômeurs indemnisés, une déclaration sur l'honneur précisant la durée d'interruption de recherche d'emploi. Pour les stagiaires en formation professionnelle rémunérée, une attestation du formateur précisant la date de cessation de formation ou une déclaration sur l'honneur.

Le droit à l'allocation est ouvert à compter du premier jour de cessation d'activité.

Montant mensuel (avant CRDS) :

🔳 Cessation d'activité totale :

- pour une personne seule = 982,59 €

- pour un couple = 827,44 €

🔳 Cessation d'activité à temps partiel, au plus égale à 50 % :

- pour une personne seule = 517,16 €

- pour un couple = 413,74 €

🔳 Travail compris entre 50 et 80% d'un temps plein pratiqué dans l'entreprise :

pour une personne seule = 333,33 €

- pour un couple = 252,07 €

Si la garde de l'enfant est partagée par les deux parents, ils peuvent recevoir chacun une allocation à temps partiel, même si le cumul des deux prestations excède le montant de l'allocation à temps plein. Par contre, ils ne peuvent cumuler deux allocations à taux plein, ni cumuler une allocation à taux plein et une allocation à temps partiel.

Les cumuls interdits.

L'APP n'est pas cumulable avec : les indemnités journalières maladie, maternité, paternité ou accident du travail, l'allocation forfaitaire de repos maternel ou allocation de remplacement maternité, une pension de retraite ou d'invalidité, le complément libre choix d'activité de la PAJE, l'allocation parentale d'éducation si vous y avez droit pour un enfant de moins de trois ans, l'allocation adulte handicapé, un complément d'allocation d'éducation spéciale, une allocation chômage.

> L'allocation d'éducation spéciale (AES)

Cette allocation et ses compléments sont destinés à aider les parents qui assument la charge d'un enfant ayant un handicap sans qu'il soit tenu compte de leurs ressources. Elle est accordée sur décision de la commission départementale d'éducation spéciale (CDES) qui appréciera l'état de l'enfant. Cette allocation peut être demandée en même temps que l'Allocation de présence parentale. C'est le montant de la prestation la plus intéressante qui vous sera versée.

L'allocation principale : conditions.

Le bénéficiaire :

▪ doit habiter en France ou dans un département d'outre-mer ;

▪ il doit assumer la charge effective et permanente de l'enfant. Cette condition est considérée remplie par la famille si l'enfant placé en externat, internat, semi-internat dans un établissement d'éducation spécialisée ou dans une famille d'accueil, revient au foyer en fin de semaine et si la pension versée à l'établissement ou à la famille est suffisante pour couvrir son entretien.

L'enfant ayant un handicap :

▪ doit avoir moins de 20 ans et ne pas bénéficier de revenus professionnels supérieurs à 55 % du SMIC ;

▪ doit avoir un taux d'incapacité permanente au moins égal à 80 %, ou compris entre 50 % et 79 % s'il est placé en externat, internat, semi-internat ou dans un établissement d'éducation spécialisée, ou pris en charge par un service de soin ou de rééducation à domicile.

Le complément d'allocation est accordé lorsque l'enfant ayant un handicap doit avoir recours à l'aide d'une tierce personne, ou expose ses parents à des dépenses particulièrement coûteuses, ou les amène à suspendre ou interrompre leur activité professionnelle.

Montant.

Allocation principale : 113,15 €.

Complément :
1ère catégorie = 84,86 €.
2è catégorie = 229,83 €.
3è catégorie = 325,30 €
4è catégorie = 504,11 €.
5è catégorie = 644,28 €.
6è catégorie = 945,87 €.

> La retraite de la mère de famille

Avantages accordés aux mères salariées.

▪ Pour les mères qui travaillent, chaque enfant élevé entre la naissance et leur 15ème anniversaire leur donne une bonification d'un trimestre par année, jusqu'à un maximum de 8 trimestres par enfant.

▪ Pour une mère de 3 enfants, le montant de la retraite est augmenté de 10 %.

Les mères qui ont obtenu un congé parental d'éducation peuvent bénéficier d'une majoration de trimestres d'assurance égale à la durée effective à ce ou ces congés. Cette majoration ne peut se cumuler avec les deux années supplémentaires par enfant. Il faudra choisir entre ces deux avantages au moment de la liquidation de la retraite.

Allocation versée aux mères de 5 enfants qui n'ont pas été salariées.

Pour les mères qui ont élevé 5 enfants pendant 9 ans au moins avant leur 16è année et qui ne dépassent pas un certain plafond de ressources (assez bas), il existe une allocation aux mères de famille. Cette allocation est versée à partir de 65 ans, ou de 60 ans en cas d'état de santé déficient.

À noter. Ces mères doivent être françaises (ou appartenir à un pays ayant passé une convention avec la France), et doivent avoir élevé 5 enfants de nationalité française au moment de la demande d'allocation.

Pour percevoir cette allocation, s'adresser à la caisse d'Assurance vieillesse de la Sécurité sociale de votre département (CNAVTS).

Assurance vieillesse des personnes chargées de famille.

Les caisses d'Allocations familiales affilient à l'assurance vieillesse certaines personnes. Cette assurance concerne soit la personne seule (homme ou femme), soit dans un couple celui :

▪ qui n'a pas d'activité professionnelle ;

▪ qui perçoit la PAJE (allocation de base, complément libre choix d'activité);

▪ qui assume la charge d'un enfant de moins de trois ans ou de trois enfants ; ou bien la charge d'un enfant ou d'un adulte handicapé.

Les prestations de protection sociale

> L'aide sociale à l'enfance

L'aide sociale à l'enfance (ASE) peut être amenée à intervenir auprès d'une femme enceinte dans une situation précaire, en lui accordant notamment une aide financière ponctuelle ou renouvelée afin de l'aider pour l'enfant à naître.

L'ASE est confiée aux conseils généraux qui font appliquer ses missions par les services le représentant (les services sociaux, la PMI, le service de l'aide sociale à l'enfance). Les aides sont différentes d'un département à l'autre, vous devez vous renseigner auprès des services compétents de votre département afin d'obtenir un secours ou une aide matérielle.

> Le RMI (revenu minimum d'insertion)

Bénéficiaires. Toute personne en difficulté, âgée de plus de 25 ans (ou de moins de 25 ans ayant un ou plusieurs enfants à charge ou un enfant à naître), résidant en France (depuis 3 ans au moins pour les étrangers) a droit à un minimum de ressources si elle s'engage à participer aux activités d'insertions définies avec elle, qu'elle vive seule ou en ménage.

Montant mensuel. Il s'agit d'une allocation différentielle entre un montant fixé pour une personne seule (auquel on applique des majorations en fonction de la composition de la famille) et les ressources de la famille.

- Personne seule : 417,88 € (367,73 € après abattement du forfait logement).
- Couple sans enfant ou isolé avec un enfant : 626,82 € (526,53 € après abattement du forfait logement).

- Par personne à charge supplémentaire : 125,36 €.
- À partir de la 3ᵉ personne supplémentaire : 167,15 €.

Ces chiffres sont un peu inférieurs pour les départements d'outre-mer.

Ressources prises en compte pour le calcul de l'allocation attribuée :

▪ à 100 % : salaires, revenus, pensions, allocations familiales, (sauf les majorations des allocations familiales pour âge des enfants ainsi que l'allocation pendant la grossesse, et les allocations spécialisées) ;

▪ partiellement : les aides personnelles au logement et certaines rémunérations d'activités professionnelles ou de stages qui doivent faciliter l'insertion.

Crèches, assistantes maternelles, aide familiales, etc.

Dans cette rubrique, vous trouverez des renseignements pratiques à propos des différents modes de garde de l'enfant : comment trouver une assistante maternelle ? Qu'est-ce qu'une crèche parentale ? Dans quel cas faire appel à une aide familiale ? Etc.

> Crèche, haltes-garderies...

Vous souhaitez peut-être confier votre enfant à un mode de garde collectif : crèche collective, crèche familiale, crèche parentale, jardin d'enfants, jardin maternel, halte-garderie.

Pour avoir des adresses, demandez à votre mairie. Elle vous indiquera les coordonnées des différents services (sociaux, PMI, associations) qui les connaissent. Certaines municipalités éditent et mettent à la disposition des parents des petits guides récapitulatifs.

Toutes ces structures bénéficient d'un agrément des services du Conseil général et de la DASS (Direction de l'Action Sanitaire et Sociale) qui sont chargés de s'assurer du respect des règles qui les régissent : autorisation d'ouverture, accueil, encadrement, nombre d'enfants accueillis.

Ces structures accueillent des enfants de 2 mois et demi à 3 ans, c'est le cas pour les crèches collectives, familiales, parentales ; de 2 à 3 ans pour les jardins maternels ; de 2 à 4 ans ou 6 ans pour les jardins d'enfants, et enfin de 2 mois et demi à 6 ans pour les haltes garderies.

Les crèches collectives sont organisées pour accueillir un nombre relativement important d'enfants. **Les crèches parentales** sont mises en place et gérées par les parents qui participent eux-mêmes à la garde des enfants, avec le soutien d'une personne qualifiée. **Les crèches familiales** assurent la garde des enfants chez des assistantes maternelles encadrées par une équipe de puéricultrices. **Les jardins maternels** accueillent des enfants qui n'ont en général jamais bénéficié d'un mode de garde collectif. **Les jardins d'enfants** sont une structure intermédiaire entre la crèche et l'école maternelle. Quant aux **haltes-garderies,** elles ont comme priorité d'accueillir les enfants dont un des parents ne travaille pas. Elles acceptent parfois les enfants dont les mères travaillent à temps partiel.

Vous devez prendre contact avec ces structures dès que vous savez que vous êtes enceinte afin de connaître leurs conditions d'inscription et d'ouverture.

Tous ces modes de garde sont dirigés et encadrés par un personnel qualifié et formé dans le domaine de la petite enfance. Ils ont la particularité d'assurer une surveillance médicale (le BCG est obligatoire) et la participation financière demandée est en fonction des revenus de la famille. Ils peuvent recevoir des enfants avec un handicap après une visite médicale auprès du médecin de l'établissement qui doit donner un avis favorable.

Ces structures ont la charge de garder les enfants, mais elles veillent aussi au développement harmonieux de chacun en lui permettant de se familiariser avec la vie en collectivité, ou de connaître une transition entre l'univers familial et l'école maternelle.

> Vous voulez confier votre enfant à une assistante maternelle

Pour trouver une assistante maternelle, vous devez vous adresser à votre mairie. Elle vous indiquera les coordonnées des différents services (sociaux, PMI, associations) qui les connaissent.

L'agrément est donné aux assistantes maternelles par le Conseil général (par l'intermédiaire des services le représentant). Il est valable 5 ans et concerne les enfants âgés de 2 mois et demi à 3 ans ou 6 ans. Il permet de garantir les conditions d'accueil, de santé, d'hygiène et de sécurité nécessaires à l'épanouissement de l'enfant.

Actuellement, les assistantes maternelles s'engagent dans le cadre de leur agrément à suivre une formation ; celle-ci est déjà dispensée de manière obligatoire dans certains départements.

Vous pouvez choisir une assistante maternelle habitant près de votre domicile ou près de votre travail.

Vous devez la déclarer à l'URSSAF dans les 8 jours de votre embauche après avoir établi avec elle un contrat de travail ; vous devez lui établir un bulletin de salaire mensuel et remplir une déclaration trimestrielle afin de vous acquitter des cotisations dues.

Pour 8 heures de garde, la rémunération de l'assistante maternelle est au minimum de 2,25 fois le SMIC et ne doit pas dépasser 5 fois le SMIC (le SMIC est de 7,61 €). Au-delà de ce temps de garde, vous devez ajouter 1 huitième du salaire minimum journalier par heure supplémentaire. Pour moins de 8 heures, le calcul se fait au prorata des heures de garde. La rémunération sera précisée dans le contrat.

Vous devez ajouter l'indemnité de congés payés qui correspond à un dixième du total des sommes versées (salaires et primes) ainsi qu'une indemnité compensatrice en cas d'absence injustifiée de l'enfant (la moitié du salaire de base convenu). Les prix sont variables selon votre secteur d'habitation. Peuvent être ajoutées les indemnités de nourriture et d'entretien (qui font l'objet d'une négociation).

Vous devez enfin vous assurer que l'assistante maternelle est affiliée personnellement à la sécurité sociale, qu'elle est assurée pour son activité et qu'elle déclare l'arrivée de votre enfant. En cas de maladie, d'accident ou de rupture du contrat de travail, vous devez effectuer les démarches de déclaration auprès des organismes concernés.

> La pouponnière

Elle a comme particularité de garder jour et nuit des enfants de moins de trois ans accomplis qui ne peuvent rester ni dans leur famille ni bénéficier d'un autre mode de garde. Il existe deux catégories de pouponnières : celles à caractère médical qui accueillent des enfants malades et celles à caractère social qui accueillent des enfants qui ne peuvent être momentanément maintenus dans leur famille. Ces dernières prennent aussi en charge des enfants qui leur sont confiés directement par la famille.

> Les aides familiales

Ce sont des aides ménagères, ou des travailleuses familiales, qui ont reçu une formation pour pouvoir remplacer momentanément une mère de famille dans l'impossibilité de s'occuper de son foyer ; ou bien pour l'aider en cas de difficulté (par exemple lors d'une naissance multiple). Elles viennent à domicile, s'occupent du ménage et des enfants. On ne peut pas leur demander de faire de gros travaux.

Pour les trouver, il faut s'adresser au service social de la mairie, ou à la caisse d'Allocations familiales.

Le coût de l'intervention auprès de la famille est pris en charge, en partie, par la caisse d'Allocations familiales ; la participation familiale dépend du nombre d'enfants et du revenu.

> L'employée de maison

Pour les personnes qui gardent des enfants au domicile des parents, il n'y a pas de réglementation particulière. Il faut les déclarer à l'URSSAF dans les 8 jours de l'embauche. On doit leur appliquer la loi de médecine du travail comme pour tous les salariés, c'est-à-dire : une visite médicale, avec radioscopie lorsqu'on les engage ; une visite annuelle ensuite pour les personnes âgées de plus de 18 ans ; pour les moins de 18 ans, une visite médicale chaque trimestre. Cette surveillance médicale doit être effectuée par des services médicaux du travail. Dans la pratique, cette réglementation n'est pas encore imposée aux employeurs de gens de maison.

Mais il y a grand intérêt à faire passer ces visites à toute personne qu'on engage pour s'occuper d'un bébé.

L'essentiel de vos rapports avec votre employée de maison est réglé par la convention collective nationale des employés de maison du 24 novembre 1999 entrée en vigueur le 11 mars 2000. Vous pouvez vous la procurer (brochure n° 3180) au Journal Officiel, 26, rue Desaix, 75257 Paris Cedex 15.

À noter : l'employée de maison fait partie des emplois familiaux (voir ci-dessous) et donne droit à une réduction des impôts.

> La jeune fille au pair

La stagiaire aide familiale au pair, plus connue sous la dénomination de jeune fille au pair, est également une solution pour garder un enfant à temps partiel (5 h par jour, 6 jours par semaine, plus 3 soirées de baby-sitting).

Elle doit suivre obligatoirement des cours de français dans une école ou une université reconnues par l'administration et être âgée au moins de 18 ans et de 30 ans au plus.

En plus du gîte (une chambre individuelle), du couvert, elle doit recevoir au minimum 274 € d'argent de poche par mois. Vous devez

aussi lui payer son titre de transport.

Elle doit être immatriculée à la Sécurité sociale et vous devez vous faire immatriculer comme employeur à l'URSSAF. Vous aurez à verser des cotisations de Sécurité sociale et de retraite complémentaire (part patronale uniquement).

À noter : la jeune fille au pair ne permet pas la réduction d'impôt pour l'emploi d'un salarié à domicile.

Attention : le bulletin de paie est obligatoire pour une employée au pair.

> Pour vous renseigner

- Amicale nationale des familles d'accueil et des assistantes maternelles sans frontières (40 antennes en France) : 239, rue des Quatre-Roues, 86000 Poitiers
Tél. 05 49 88 23 06

- Des guides pratiques très complets présentent les conditions d'exercice et les différents statuts de la profession. Ils sont édités par l'association *Les petites familles* (Familles d'accueil-Assistantes maternelles)
275, chemin Canedeau, 83330 Le Plan-du-Castellet
Tél. 04 94 98 74 43

- Le journal officiel a fait paraître une brochure consacrée aux structures d'accueil des jeunes enfants. Vous trouverez dans cet ouvrage l'ensemble des textes législatifs et réglementaires

concernant les crèches, pouponnières, haltes-garderies, garderies et jardins d'enfants. Un chapitre entier est consacré au statut des assistantes maternelles employées par le secteur privé ou par une collectivité publique : conditions d'agrément et de rémunération, calcul des congés payés, etc.

Crèches, pouponnières, haltes-garderies, garderies et jardins d'enfants, assistant(e)s maternel(le)s, brochure n°1208, avril 2004, 16 € plus 3,35 € de port. En vente au Journal Officiel, 26 rue Desaix, 75015 Paris.

- Pour avoir des informations sur les crèches parentales, vous pouvez vous adresser à l'ACEPP (association des collectifs enfants - parents - professionnels)
01 44 73 85 20.

> Frais de garde et impôts

Vous pouvez bénéficier d'une réduction d'impôt pour les frais de garde de vos enfants ayant moins de 7 ans au 31 décembre de l'année d'imposition.

Cette réduction est égale à :

▪ 25% des dépenses engagées, dans la limite de 2 300 € par enfant (soit une réduction d'impôt de 575 € maximum), lorsque la garde est assurée hors de votre domicile par une assistante maternelle agréée ou par un établissement tel que crèche, garderie...

▪ 50 % des dépenses engagées (salaire plus charges sociales) dans la limite de 10 000 €.

La réduction d'impôt ne peut donc excéder 5 000 € lorsque la garde est assurée à votre domicile par un(e) employé de maison déclaré(e) à l'URSSAF.

La réduction d'impôt porte sur les dépenses effectivement engagées pour la garde des enfants (vous devez indiquer sur votre déclaration le montant exact des frais de garde, le nom et l'adresse de l'assistante maternelle, crèche publique ou privée, à qui vous avez payé cette somme).

> Vous allaitez votre enfant, pouvez-vous bénéficier d'une réduction horaire ?

Vous pouvez bénéficier, dans l'année qui suit la naissance, d'une réduction d'une heure par jour, non rémunérée, répartie en périodes de trente minutes le matin et trente minutes l'après-midi.

Une convention ou un accord collectifs, un usage, peuvent modifier cette répartition, ou prévoir une réduction d'horaire plus importante.

> Pouvez-vous vous absenter pour soigner votre enfant malade ?

La loi prévoit deux cas :

▪**Le congé légal pour enfant malade.** Tout salarié peut bénéficier (par année) d'un congé non rémunéré, d'une durée maximale de 3 jours, en cas de maladie, d'accident ou de handicap graves d'un enfant de moins de 16 ans. La durée de ce congé pourra être de 5 jours si l'enfant a moins d'un an, ou si le salarié assume la charge de 3 enfants (ou plus) de moins de 16 ans.

▪**Travail à temps partiel.** Il est possible de travailler à temps partiel, pour une durée d'un an maximum (4 mois au minimum renouvelables deux fois), à condition de justifier d'un an minimum d'ancienneté : en cas de maladie, accident ou handicap graves d'un enfant à charge (et en âge d'ouvrir droit aux prestations familiales).

▪ **A noter** : voir aussi le congé de présence parentale pour enfant gravement malade, page 454.

La PMI (Protection maternelle et infantile)

La protection maternelle et infantile (PMI) a gardé le nom qu'elle portait à sa création, en 1945, mais elle s'adresse, bien sûr, aux deux parents.

Le **rôle** de la PMI est de répondre à toutes les demandes des parents et des futurs parents. Elle s'occupe plus particulièrement des enfants de la naissance à 6 ans, mais elle s'intéresse aussi au bébé avant sa naissance en surveillant l'état de santé de sa maman. C'est pourquoi, dans les grandes villes, certaines consultations sont directement rattachées à un hôpital. Il y a des consultations de PMI dans la plupart des villes et en milieu rural. Certaines sont itinérantes pour toucher le plus de familles possible. Votre maternité, ou le service social de la mairie, vous indiquera le centre de PMI le plus proche de chez vous.

La **composition** d'une équipe de PMI est variable d'un endroit à l'autre. L'équipe de base est constituée d'un médecin, d'infirmières puéricultrices et d'auxiliaires de puériculture.

Il y a en plus des intervenants permanents ou ponctuels, comme des psychologues, des éducateurs de jeunes enfants, ou d'autres spécialistes recrutés à la suite des demandes de familles (sages-femmes, assistantes sociales, psychomotriciennes, etc.).

Les **consultations** de PMI sont ouvertes à tous et elles sont gratuites. Elles ne se contentent pas de surveiller l'état médical de l'enfant. Elles ont un rôle d'écoute, de conseil, de prise en charge si les familles le demandent. On peut se rendre à une consultation de PMI pour faire peser son bébé, pour le faire vacciner, pour parler d'un problème d'alimentation, de sommeil, pour avoir des informations sur l'hygiène quotidienne, ou bien pour faire part des difficultés, psychologiques ou autres, rencontrées avec un enfant. Si vous êtes dans l'impossibilité de vous déplacer, une puéricultrice peut se rendre à votre domicile si vous le souhaitez. Ces visites à domicile rassurent les jeunes mamans, particulièrement celles dont l'enfant présente un problème de développement, ou un handicap. Tous ces rôles sont parties intégrantes des missions de service public de la PMI.

Les membres d'une équipe de PMI peuvent intervenir auprès de petits groupes d'enfants en présence de leurs parents. Cela permet un échange entre ces familles qui sont souvent confrontées aux mêmes difficultés ; les parents peuvent relativiser ce qu'ils vivent avec leur enfant et se rendre compte qu'il n'a pas un comportement si différent de celui des autres enfants. Les parents arrivent ainsi à trouver eux-mêmes la réponse à leur questionnement. Les échanges permettent aussi aux femmes isolées de rencontrer d'autres mères ou d'autres parents.

Les consultations de PMI peuvent, dans certains endroits aider les parents à trouver un mode de garde pour leur enfant. Elles donnent les informations nécessaires pour devenir assistante maternelle, ou même pour créer son propre mode de garde avec d'autres familles. Les initiatives locales sont nombreuses, n'hésitez pas à vous renseigner.

Vous voyez que les missions et services de la PMI sont variés. Au moment de la naissance, les parents reçoivent une information à ce sujet dont ils ne comprennent pas toujours l'utilité car ils ont effectué toutes les formalités nécessaires. Gardez cette information, elle vous servira peut-être.

Si vous êtes seule

> La Sécurité sociale

▪Les mères seules à charge d'un assuré social (dans la limite d'âge prévue par la loi) bénéficient des prestations de Sécurité sociale comme ayants droit d'un assuré social.

▪Les étudiantes bénéficient du régime des étudiants (1) ; elles ont droit aux prestations de Sécurité sociale pour elles et leurs ayants droit.

▪En ce qui concerne les femmes divorcées et les veuves, les prestations de l'assurance maternité continuent à leur être versées pendant un an (après la transcription du divorce, ou le décès du conjoint), ou jusqu'à ce que le dernier enfant ait plus de 3 ans.

▪Les femmes divorcées, les veuves, les femmes vivant en concubinage (ou maritalement) sont assurées sociales sans limitation de durée si elles ont plus de 45 ans et si elles ont (ont eu) au moins trois enfants à charge. Elles bénéficient d'un statut personnel.

▪En cas de mariage postérieur à la conception ou à la naissance du bébé, une mère non assurée sociale bénéficie des prestations de Sécurité sociale, à partir de la date du mariage, sur le compte de son mari.

▪Si vous n'entrez dans aucune de ces catégories, vous pouvez demander d'adhérer à la CMU (Couverture Maladie Universelle), gratuitement, ou en versant des cotisations en fonction de vos revenus.

1-Les étudiants bénéficient jusqu'à 28 ans de la Sécurité sociale étudiante, mais toutes les écoles n'y ouvrent pas droit. D'autre part, ceux qui ne peuvent bénéficier de la Sécurité sociale de leurs parents peuvent être inscrits à la Sécurité sociale des étudiants avant 20 ans.

> Prestations familiales et protection sociale

Les conditions sont les mêmes que pour les femmes mariées. Cependant, vous bénéficierez de la PAJE, de la naissance jusqu'au 3ᵉ anniversaire de l'enfant à condition que vos ressources ne dépassent pas un certain plafond. Cette prestation est cumulable avec l'allocation de parent isolé (voir page 459) jusqu'aux limites des plafonds de ressources définis par la CAF.

▪ Les femmes enceintes et les mères dépourvues de ressources ou disposant de ressources insuffisantes peuvent bénéficier de diverses allocations d'aide sociale à l'enfance, et peuvent loger dans des centres maternels.

▪ Une allocation mensuelle peut être accordée pendant les 6 semaines qui précèdent la naissance si aucune prestation familiale n'est perçue.

Le montant varie en fonction des ressources de la future mère. Cette allocation est versée à partir du jour de la demande. Pour tous renseignements, s'adresser au centre communal d'action sociale, services sociaux.

▪ La gratuité de l'accouchement est assurée aux femmes privées de ressources si elles adhèrent à la CMU.

▪ L'allocation mensuelle peut être maintenue après l'accouchement ou accordée à la mère qui n'a pas assez de ressources pour vivre.

> Renseignements divers
pour les mères seules

◼ Les mères seules peuvent obtenir un livret de famille. La demande doit être faite à la mairie du lieu de naissance.

◼ Ce qui est dit plus loin à propos de la reconnaissance de l'enfant, de l'exercice de l'autorité parentale et du nom de l'enfant concerne également les mères seules.

◼ Si une mère, qui élève seule son enfant, désire améliorer sa formation professionnelle, sa candidature à un stage de formation agréé par l'État sera retenue en priorité ; et le fait d'avoir un enfant à charge lui permettra d'obtenir une rémunération différente suivant son contrat de formation.

◼ La mère seule ou divorcée a droit dans sa déclaration de revenus à porter l'enfant à charge pour 1 part pour le premier enfant, 1/2 part pour le second et 1 part pour chacun des suivants. Une veuve avec enfant a droit pour elle-même à deux parts, et à une demi-part par enfant pour les deux premiers et une part pour chacun des suivants.

L'allocation veuvage. Les veuves d'un assuré (régime général ou régime agricole), non remariées, âgées de moins de 55 ans, ont droit à l'assurance veuvage pendant 2 ans. Si vous avez au moins 50 ans au moment du décès, vous pouvez la percevoir jusqu'à 55 ans. Le conjoint de moins de 55 ans doit prouver que l'assuré décédé a bien été affilié à l'assurance vieillesse au moins 3 mois (90 jours) dans l'année précédant son décès (sans compter le mois du décès).

◼ Plafond de ressources.
Ne pas disposer de plus de 1 915,42 € de ressources personnelles au cours des 3 mois civils précédant le décès ou la demande.

◼ Montant maximum.
1ère et 2e année : 510,78 € par mois ;

◼ **À noter**.
Les ressources, augmentées du montant de l'allocation, ne doivent pas dépasser le plafond trimestriel (1 915,42 €). Sinon le montant mensuel de l'allocation est diminué en conséquence.

Si vous reprenez une activité professionnelle salariée ou non salariée, le cumul intégral est possible entre l'allocation veuvage et vos revenus pendant 3 mois ; ensuite le montant est dégressif en fonction de vos revenus pendant 9 mois.

Attention : Ce dispositif est en principe supprimé depuis le 1er juillet 2004, à la suite de la réforme des pensions de réversions.

> Les centres maternels

Ils sont réservés en priorité aux mères isolées, sans ressources, ni logement. Ils ont en général deux sections : prénatale et postnatale.

◼ Dans la section prénatale, la femme est reçue à titre gratuit avec une prise en charge de la DDASS de son domicile.

◼ Dans la section postnatale (après le congé de maternité) une participation aux frais est demandée à la mère en fonction de ses ressources car les prestations sociales sont prises en compte. Ces centres peuvent aussi accueillir des femmes ayant des enfants et qui sont momentanément privées de logement et de ressources.

Pour avoir des adresses, les futures mères doivent s'adresser au service social de la mairie.

Des assistantes maternelles, dépendant de l'Aide sociale à l'Enfance, accueillent en placement permanent des enfants sans famille ou dont les familles connaissent des difficultés momentanées. Elles sont surveillées par des puéricultrices. La famille, si elle le peut, verse une modeste participation.

À noter : dans les départements où il n'y a pas de centres maternels, les hôpitaux susceptibles de recevoir les femmes enceintes doivent obligatoirement recevoir les femmes enceintes qui le demandent durant le mois qui précède l'accouchement et celui qui le suit, et ceci gratuitement si elles n'ont pas de ressources.

L'autorité parentale

En une vingtaine d'années, les comportements familiaux se sont modifiés sous l'effet de la diminution du nombre des mariages et de l'augmentation du nombre des divorces. Le droit de la famille a dû tenir compte de ces changements et redéfinir la façon dont peut être exercée l'autorité des parents sur leur enfant. Voici quelques précisions à ce sujet.

L'autorité parentale est un ensemble de droits et de devoirs des parents établis dans l'intérêt de l'enfant. Cette autorité est exercée par le père et la mère jusqu'à la majorité de l'enfant.
La loi de mars 2002 donne les mêmes droits à tous les parents, qu'ils soient mariés, non mariés, séparés.

Les parents doivent veiller à la sécurité, la santé, la moralité, l'éducation de l'enfant afin qu'il se développe dans le respect dû à sa personne. Les parents doivent associer l'enfant aux décisions qui le concernent selon son âge et son degré de maturité. Les parents peuvent prendre des décisions importantes concernant l'enfant : inscription dans une école, sortie du territoire national, décisions à propos de sa santé, son éducation religieuse, son patrimoine...

▪ Lorsque les parents sont mariés, l'autorité parentale est exercée en commun par les parents.

▪ L'autorité parentale est également exercée en commun par les deux parents, même s'ils ne sont pas mariés, même s'ils ne vivent pas ensemble ; il suffit qu'ils aient chacun reconnu l'enfant dans la première année suivant sa naissance. Si la reconnaissance n'a pas été faite dans ce délai, l'autorité parentale appartient au parent qui a reconnu l'enfant en premier. Il est toutefois possible aux parents d'obtenir par la suite l'exercice partagé de l'autorité parentale. Pour cela, ils doivent faire une démarche auprès du Tribunal de Grande Instance (juge aux affaires familiales).

▪ Une mère seule a automatiquement l'autorité parentale.

▪ Si un des parents décède, l'autre parent exerce seul l'autorité parentale.

> En cas de séparation

▪ En règle générale, la séparation des parents n'a pas d'incidence sur l'exercice de l'autorité parentale. La loi précise que « chacun des père et mère doit maintenir des relations personnelles avec l'enfant et respecter les liens de celui-ci avec l'autre parent ».

▪ Lorsque les parents sont séparés, le **juge aux affaires familiales** joue un rôle important puisqu'il est chargé de garantir le maintien des liens entre l'enfant et chacun de ses parents. Le juge règle les questions qui lui sont soumises et qui concernent l'intérêt de l'enfant. Il peut aussi homologuer un accord amiable pris par les parents. Il peut par exemple ordonner que sur le passeport des parents soit inscrite l'interdiction de sortie du territoire de l'enfant, sans l'autorisation des deux parents.

▪ Le juge aux affaires familiales peut, à la demande de la mère, du père, du procureur de la République, modifier les conditions de l'exercice de l'autorité parentale. Il peut par exemple l'attribuer à un seul des parents. Le parent qui n'a pas l'autorité parentale conserve néanmoins un droit de regard sur les décisions concernant son enfant, même si son accord n'a pas à être systématiquement demandé.

▪ Le juge peut également intervenir à la demande d'un parent, ou en cas de désaccord, sur le mode de résidence de l'enfant.

▪ Lorsque la résidence de l'enfant est fixée chez l'un des parents (le plus souvent la mère), l'autre parent bénéficie d'un droit de visite et d'hébergement qui s'exerce en général un week-end sur deux et la moitié des petites et des grandes vacances scolaires. Mais les juges accordent presque systématiquement aux parents qui en font la demande de pouvoir, en plus, recevoir leur enfant un ou deux jours en milieu de semaine (par exemple, deux nuits plus la journée du mercredi).

▪ La résidence de l'enfant peut aussi être fixée en alternance au domicile de chacun des parents, au rythme variable de quelques jours, une semaine, une quinzaine sur deux, c'est la **résidence alternée.**

Cette solution présente l'avantage de l'équité : les parents participent autant l'un que l'autre à l'éducation de leurs enfants. La résidence alternée n'est envisageable qu'en cas d'entente entre eux, et à éviter en cas de conflit, même si le juge a le pouvoir de l'imposer.

Elle suppose que les domiciles des parents ne soient pas éloignés entre eux, ni de l'école de leur enfant. Il faudra aussi tenir compte de l'âge de l'enfant : un tout petit a besoin de plus de stabilité qu'un plus grand.

Elle présente le risque que l'enfant se sente ballotté, et finalement jamais vraiment chez lui (cette petite fille qui demandait : « une semaine je suis chez papa, une semaine je suis chez maman, mais chez moi, où c'est ? »).

Pour essayer de préserver la place de chacun des parents, tout en donnant la priorité à "l'intérêt de l'enfant", les juges prennent leurs décisions en fonction de certains critères : âge de l'enfant; habitudes de vie et rôle de chacun des parents depuis la naissance ; disponibilité vis-à-vis de l'enfant selon les occupations professionnelles ; aptitude de chacun des parents à assumer ses devoirs et à respecter les droits de l'autre parent.

◾ Pour aider les parents à exercer ensemble l'autorité parentale, le juge peut leur proposer de rencontrer un médiateur familial.

◾ Toutes les modalités de l'exercice de l'autorité parentale sont régies par la loi du 8 janvier 1993 et par celle du 4 mars 2002.

> Frères et sœurs, grands-parents

◾ La loi prévoit que « l'enfant ne doit pas être séparé de ses frères et sœurs, sauf si cela n'est pas possible ou si son intérêt commande une autre solution. S'il y a lieu, le juge statue sur les relations personnelles entre les frères et les sœurs ».

◾ La loi reconnaît à l'enfant le droit d'entretenir des relations personnelles avec ses ascendants (grands-parents), et des tiers (par exemple un beau-parent). En cas de difficulté, c'est le juge aux affaires familiales qui fixera les modalités de ces relations.

Les droits de l'enfant

Dans nos sociétés occidentales, l'idée selon laquelle les enfants doivent être spécialement protégés est récente : elle date du milieu du XIXᵉ siècle avec la protection des enfants au travail. Au XXᵉ siècle, un dispositif de protection médicale, sociale puis judiciaire de l'enfance, s'est mis en place progressivement : il a eu notamment pour résultat de réduire la mortalité infantile et d'améliorer les conditions de vie des familles en difficulté.
Et des droits particuliers de l'enfant sont peu à peu reconnus.

> La convention internationale des droits de l'enfant

Le but de cette convention est de protéger l'enfant, jusqu'à sa majorité, dans sa dignité et dans ses droits. L'enfant est reconnu comme un sujet de droit à part entière. Ce principe a été admis par l'Assemblée Générale de l'Organisation des Nations unies (ONU). Cette convention, est définitivement entrée en vigueur le 6 septembre 1990 après que vingt pays membres de l'ONU l'aient signée (dont la France).

Les droits de l'enfant sont énumérés dans 54 articles et peuvent être regroupés sous 3 rubriques (appelées « les 3 P ») :

◾ le droit à certaines prestations, telles que amour, nourriture, soins médicaux, éducation, loisirs, etc. ;

◾ le droit à une protection contre les atteintes à son intégrité physique ou psychologique, contre la torture ou l'exploitation, etc. ;

◾ le droit de participer aux décisions qui le concernent.

Sur ces 3 points, la France fait partie des pays qui font aux enfants un sort privilégié par rapport à bien d'autres pays, même si notre droit n'est pas exempt de contradictions ; mais il est perfectible et régulièrement adapté.

◾ le 20 novembre, jour anniversaire de l'adoption par l'Organisation des Nations unies de la Convention internationale des droits de l'enfant, est désormais la journée nationale des droits de l'enfant.

> Les droits et les devoirs de l'enfant en France

La majorité civile est fixée à 18 ans. Avant cet âge, l'enfant, sauf émancipation (à partir de 15 ans) est toujours sous la responsabilité d'un adulte (parent ou tuteur) ou d'une institution, mais cela ne veut pas dire qu'il ne jouisse d'aucun droit.

L'enfant a droit à une famille, d'abord la sienne, à défaut une autre par adoption. En cas de défaillance parentale, un tuteur est désigné par le conseil de famille, sous le contrôle du juge des tutelles.

Les relations entre les parents et leurs enfants ont été organisées pendant longtemps par les règles de la puissance paternelle. Aujourd'hui la loi ne parle plus de puissance paternelle mais d'autorité parentale et cette autorité se définit désormais dans l'intérêt de l'enfant (Voir page 471).

Voici quelques-uns des droits et devoirs des parents/enfants :

◼ l'enfant doit être scolarisé : l'absentéisme scolaire peut être sanctionné par des poursuites pénales à l'encontre des parents.

◼ Chacun des parents contribue à l'entretien et à l'éducation des enfants en proportion de ses ressources, de celles de l'autre parent ainsi que des besoins de l'enfant. Cette obligation ne cesse pas de plein droit lorsque l'enfant est majeur.

◼ Si ses parents divorcent, l'enfant peut être entendu par le juge ou une personne désignée par ce dernier dès que l'enfant '' est capable de discernement''; cette audition sera éventuellement réalisée par un enquêteur social ou un expert (psychologue ou psychiatre) qui rédigeront un rapport pour le juge. En cas d'audition, le professionnel (juge ou enquêteur) s'efforcera de faire comprendre à l'enfant que ce n'est pas lui, l'enfant, qui prend la responsabilité de la décision, qu'en aucun cas il n'a à choisir mais qu'on tiendra compte de ce qu'il va dire.

◼ A tout âge, l'enfant a le droit de saisir un juge des enfants et de demander à être assisté d'un avocat, s'il estime être en danger physique ou moral.

La plupart des ordres des avocats, présents auprès d'un tribunal de Grande Instance, comportent une "antenne des mineurs" qui permet de faire désigner un avocat pour l'enfant. Dans certaines situations familiales conflictuelles, la voix de l'enfant doit pouvoir être entendue, à l'abri de toute manipulation.

En cas de mauvais traitements ou de négligence sur leurs enfants, les parents peuvent être condamnés pénalement (prison et amende) et civilement (déchéance de l'autorité parentale).

◼ Un des rôles du **juge des enfants** est de protéger les enfants qui souffrent de maltraitance. Il assiste aussi les familles, qui ont besoin d'être guidées dans leur rôle éducatif, par le biais d'équipes spécialisées : c'est ce que l'on appelle les mesures d'assistance éducative en milieu ouvert (AEMO). Ces mesures sont mises en place dans tous les cas de mauvais traitements physiques ou psychiques, d'absence de soins, ou lorsque la moralité des enfants est en danger compte tenu du milieu dans lequel vivent les parents. Ou bien encore lorsqu'il apparaît qu'en raison des carences parentales l'enfant risque de se retrouver dans une situation d'échec scolaire inéluctable.

Si ces mesures d'assistance paraissent insuffisantes en raison de la gravité de la situation dans laquelle se trouve l'enfant, le juge peut décider de son placement. Il peut même, dans certains cas, décider de retirer l'enfant à celui des parents qui avait l'autorité parentale pour le confier à l'autre parent.

◼ L'enfant peut consulter seul un médecin ou un thérapeute, sans en référer à ses parents.

◼ Le consentement personnel de l'enfant de plus de 13 ans est requis dans les cas suivants :
– en cas d'adoption ;
– en cas de changement de nom ne résultant pas de l'établissement ou d'une modification d'un lien de filiation et en cas de changement de prénom. Par exemple si le nom, ou le prénom, ou l'association nom-prénom sont ridicules.

◼ L'enfant doit, autant que faire se peut, être associé aux décisions le concernant dans le domaine de la santé. Aujourd'hui, les équipes hospitalières et les médecins de famille sont formés pour donner à l'enfant, selon son âge, des informations et des explications en cas de maladie, intervention, traitements, etc.

C'est ainsi que, de plus en plus, l'enfant n'est plus traité comme "l'incapable" qu'il est au sens juridique, mais, le plus souvent possible, associé aux décisions qui le concernent.

◼ Les droits reconnus aux enfants ont des contreparties en terme de devoirs. Ainsi « à tout âge, l'enfant doit honneur et respect à ses père et mère » (article 371 du Code civil).

Et, devenus adultes, les enfants doivent venir en aide à leur père et mère qui sont dans le besoin (article 205 du Code civil).

> *Le défenseur des enfants*

Le défenseur des enfants est une autorité indépendante. Il est chargé de défendre et de promouvoir des droits de l'enfant reconnus par la loi ou par un engagement international régulièrement ratifié ou approuvé. Il reçoit les réclamations individuelles d'enfants mineurs ou de leurs représentants légaux qui estiment qu'une personne publique ou privée n'a pas respecté les droits de l'enfant. Lorsqu'il est saisi directement par l'enfant mineur, le défenseur peut en informer son représentant légal. Les réclamations peuvent lui être présentées par les associations reconnues d'utilité publique qui défendent les droits des enfants.

Dans quel cas le défenseur peut-il vous aider ?

La tâche du défenseur des enfants est complexe et recouvre de nombreux domaines. Il cherche toujours à agir dans le sens et l'intérêt des enfants, quelle que soit la sollicitude qu'il éprouve pour la souffrance des parents.

Les réclamations pour lesquelles le défenseur a été saisi sont les suivantes :

◼ litige touchant la sphère familiale et ayant des conséquences, réelles ou supposées, sur la situation des enfants : séparations, divorces, désignation de la résidence principale, présentation d'enfants, droit d'hébergement et de visite, placement en centre, placement en famille d'accueil ;

◼ violences, négligences, abus sexuels et cruauté envers des enfants ;

◼ recherche pour retrouver ses origines ;

◼ signalement de risques divers (sectes, risque sanitaire tels que le saturnisme, etc.) ;

◼ mineurs étrangers isolés ;

◼ non-respect des droits d'un enfant sous prétexte d'un handicap physique ou mental ;

◼ non-respect des droits d'un enfant en milieu scolaire, hospitalier, carcéral, etc.

Son adresse :

Défenseur des enfants, 35, rue Saint-Dominique 75007 Paris, site Internet : htpp ://www.defenseurdesenfants.fr

Les services du Défenseur des enfants ne sont pas équipés pour traiter les situations d'urgence. Voici quelques numéros de téléphone à appeler en cas d'urgence. La plupart sont des numéros « verts » pour lesquels l'appel est gratuit.

- Allo Enfance maltraitée (SNATEM) : 119 et 0 800 05 41 41 (appel gratuit d'un poste fixe).

- Jeunes violence écoute : 0 800 20 22 23

- Fil Santé jeunes : 0 800 235 236

- Inter Service Parents : 01 44 93 44 93

- Enfance et Partage : 0 800 05 12 34

- SOS Amitié : 01 42 96 26 26

- Croix-Rouge Ecoute Enfants-Parents : 0 800 85 88 58

Le SAMU (Tel. : 15) dispose de tous les numéros d'urgence dans chaque département.

Des adresses utiles

> Des informations juridiques et sociales...

Vous êtes à la recherche d'informations concernant votre travail, le droit de la famille, des questions sociales, juridiques, etc. Voici quelques organismes à votre disposition :

◗ Centre national d'information et de documentation des femmes et des familles (CNIDFF), 7, rue du Jura, 75013 Paris, Tel. : 01 42 17 12 00.
Il existe de nombreuses antennes en France intitulées CIDF-CEDIFF-CIDFF

◗ Le 39 39
(0,12 € la minute)
Ce numéro de téléphone, le 39 39, permet d'obtenir une réponse à toute question administrative.
◗ Fédérations syndicales des familles monoparentales,
53,rue Riquet, 75019 Paris.
Tél. : 01 44 89 86 80
Ce numéro vous indiquera votre antenne départementale.
◗ Inter-Service-Parents (service téléphonique de la Fédération des écoles des parents et des éducateurs).
Une équipe polyvalente, spécialiste de l'écoute, composée de juristes, conseillères scolaires, conseillères conjugales, conseillères en vacances, loisirs... vous informe, dans le respect de l'anonymat.

Grenoble : 08 10 65 90 09 ; Espace écoute-jeunes (13-25 ans) : 04 76 87 16 87
Lyon : 04 72 00 05 30
Metz : 03 87 69 04 56
Paris : 01 44 93 44 93
Fil santé Jeunes (12-25 ans)
Tél. : 0800 235 236
(n° national)
◗ Association nationale

de la coordination des centres Retravailler
31, rue Buzenval 75020 Paris
Tél. : 01 43 67 09 92.
Regroupe 58 établissements en France et 31 en Europe. En vous adressant à l'Union, vous pourrez connaître l'adresse la plus proche de votre domicile. « Retravailler » s'adresse à tous (femmes et hommes), que vous ayez fait des études ou non, pour vous permettre de faire un bilan de votre situation, de vous orienter, d'étudier et de valider votre projet si vous en avez un. L'accueil est très personnalisé, chaque cas est analysé pour en déterminer la prise en charge financière (ANPE, ...)
◗ Paris – Aide aux victimes
14 rue Ferrus
75014 Paris
Fax : 01 45 89 90 26
Cet organisme vient en aide à toutes les victimes, quelle que soit l'origine de leur détresse, physique ou psychologique (accident de la circulation, agression sexuelle, etc.). Soit cet organisme prend en charge directement les personnes, soit il les oriente vers les services à même de les aider.
◗ Les particuliers peuvent prendre contact, par simple lettre, avec le juge aux affaires familiales (en ce qui concerne l'autorité parentale, la pension alimentaire, le droit de visite, la résidence de l'enfant) ou avec le juge des enfants (maltraitance, assistance éducative, problèmes de délinquance). Ces juges siègent au tribunal de grande instance. En cas d'urgence, des procédures particulières sont prévues ; dans ces cas, il vaut mieux s'adresser à un avocat.
◗ Dans tous les tribunaux de grande instance, des consultations juridiques gratuites sont organisées par les ordres des avocats.

> Des lieux d'écoute, d'accueil, de rencontre...

▪Association française des centres de consultation conjugale,
228, rue de Vaugirard, 75015 Paris
Tél. : 01 45 66 50 00
Chaque centre possède un réseau de spécialistes des problèmes familiaux.

▪Fédération nationale couple et famille,
28, Place Saint-Georges, 75009 Paris
Tél. : 01 42 85 25 98
Elle s'adresse à tous ceux qui ont besoin d'être écoutés et aidés : couples en difficulté, femmes en détresse, parents, adolescents, personnes seules. 40 associations en métropole.

▪IRAEC (Institut de recherche pour l'enfant et le couple),
41, rue Joseph-de-Maistre, 75018 Paris.
Tél. : 01 42 28 42 85.

Vous êtes enceinte ou vous êtes déjà parent ; vous vous posez des questions, vous pouvez aller au club parents-enfants. Vous y trouverez un lieu d'accueil et de jeu. (Adhésion annuelle).

▪SOS Grossesse
51, rue Jeanne-d'Arc, 75013 Paris
Tél. : 01 45 84 55 91
a des antennes en province : Aix-en-Provence, Aurillac, Chambéry, Grenoble, Saint-Étienne.

▪Secours aux futures mères
6, cour Saint-Eloi 75012 Paris
Tél. l'après-midi 01 43 41 55 65
300 antennes locales.
Ces associations aident matériellement et moralement toute femme enceinte dès le début de la grossesse.

▪La Maison verte (créée par Françoise Dolto) est un lieu d'accueil pour les enfants, les parents (et futurs parents). Les enfants y viennent accompagnés d'un adulte (père, mère, personne qui les garde) et sont accueillis dans un climat de sécurité.
Dans chaque région, il y a des équivalents qui s'appellent Maison ouverte. Pour en savoir plus, vous pouvez vous adresser à la
Maison verte, 13, rue Meilhac,
75015 Paris. Tél. : 01 43 06 02 82

▪La maison de l'École des Parents
164, boulevard Voltaire, 75011 Paris
Tél. : 01 44 93 24 10
Ce lieu accueille les enfants de la naissance à 4 ans accompagnés de leurs parents, grands-parents, assistantes maternelles...

▪Le planning familial,
10, rue Vivienne, 75002 Paris
Tél. : 0800 803 803
C'est un lieu d'information et de documentation : contraception, conseil conjugal et familial, etc.

> Quelques adresses parisiennes

▪SOS Urgence-Mamans
71, avenue Henri Martin, 75016 Paris
Tél. : 01 45 03 00 02
Ce service assure un dépannage immédiat et temporaire pour tous parents confrontés à un problème inattendu et ne pouvant assurer la garde de leurs enfants. Il s'agit d'un accueil familial par des familles bénévoles sélectionnées et formées. Les parents participent à leur convenance aux frais de l'association.
▪Toujours aussi dynamique, l'École des Parents

a créé un nouveau service pour aider les parents dans leurs questions quotidiennes : éducation, santé, droit familial, loisirs. Le Café de l'École des Parents est un espace chaleureux, convivial, ouvert aux parents qui souhaitent s'informer, consulter Internet, échanger et débattre autour d'une tasse de café.
162, boulevard Voltaire
01 43 67 54 00
www. café-des-parents.com

Belgique
La protection de la maternité

Les questions concernant le travail, la grossesse, les allocations familiales, les prestations familiales garanties sont réglées par différents arrêtés et lois. La Belgique dispose d'un système de sécurité sociale dont le but est de garantir un minimum vital à tous les citoyens. Il faut distinguer plusieurs régimes : salariés, indépendants, fonctionnaires, groupes particuliers, etc. Selon que vous appartenez à l'un ou l'autre de ces régimes, vous ne bénéficierez pas toujours des mêmes possibilités. Pour connaître l'ensemble de vos droits, vous pouvez vous adresser à :

l'Office National de Sécurité Sociale (ONSS), Rue Joseph II, 47, 1000 Bruxelles. Tél. : 02/238 32 11.

Si vous êtes salariée : à la caisse où vous cotisez si vous êtes indépendante ; et à votre service du personnel si vous êtes agent du secteur public.

> *Vous attendez un enfant*

Vous pouvez être suivie par le médecin de votre choix, ou aller à une consultation de gynécologie-obstétrique, ou à la consultation prénatale de l'ONE (Office de la Naissance et de l'Enfance, voir les adresses plus loin).

Vous pouvez vous procurer la liste de tous les hôpitaux et maternités au ministère de la Santé publique, Administration des Établissements de Soins, Service d'Études, Cité administrative de l'État, Quartier Vésale, Boulevard Pacheco, 19 boite 5, 1010 Bruxelles. Tél. : 02/210 47 67.

Vous ne travaillez pas.

◼ Vous vivez avec votre mari, ou vos parents, ou votre ami et vous êtes à sa (leur) charge. En étant inscrite sur son (leur) carnet de mutuelle, à condition de remplir certaines conditions, vous bénéficierez du remboursement des frais (ou d'une partie des frais) médicaux, pharmaceutiques et hospitaliers.

Adressez-vous à l'Institut National d'Assurance Maladie Invalidité (INAMI), Avenue de Tervuren 211, 1150 Bruxelles.

Tél. : 02/739 71 11, si la personne avec qui vous vivez est salariée, et si elle est indépendante :

à l'Institut national d'assurances sociales pour travailleurs indépendants (INASTI), Place Jean Jacobs 6, 1000 Bruxelles.

Tél. : 02/507 62 11. Vous pouvez aussi vous renseigner auprès d'une mutuelle.

◼ Vous vivez seule et vous n'êtes à charge de personne : vous êtes remboursée, si vous êtes personnellement affiliée à une mutuelle comme « personne non protégée » et si vous remplissez deux conditions : y être inscrite depuis 6 mois ; avoir payé les cotisations mensuelles.

Renseignez-vous à l'INAMI (voir ci-dessus).

Vous êtes travailleuse indépendante.

Votre mutuelle ne rembourse que les « gros risques » : accouchement, hospitalisation... Si vous voulez que vos autres frais médicaux soient remboursés, vous devez payer une cotisation supplémentaire à votre mutuelle. La mutuelle ne compense pas la perte de revenus causée par l'arrêt de travail dû à une incapacité de travail en raison de la grossesse. Vous bénéficierez, à certaines conditions, d'un congé de maternité indemnisé : 3 semaines à prendre de façon ininterrompue dès le lendemain de l'accouchement.

Pour tout renseignement, s'adresser à votre caisse d'Assurances sociales ou à l'INASTI (voir ci-dessus).

Vous êtes salariée.

Dès que vous avez connaissance de votre état de grossesse, vous avez l'obligation d'avertir votre employeur (arrêté royal du 02/05/1995 concernant la protection de la maternité). Vous avez le droit de vous absenter pour des examens prénataux qui ne peuvent avoir lieu en dehors des heures de travail.

◼ Restriction du droit de licencier.

– Secteur privé : l'employeur ne peut pas vous licencier dès qu'il a eu connaissance par un certificat médical, de la grossesse jusqu'à un mois après le retour de congé de maternité.

Exception : licenciement pour des motifs étrangers à la grossesse.

– Secteur public : les agents de l'État ne sont pas concernés, car ils bénéficient de la sécurité de l'emploi.

◼ L'incapacité de travail pendant la grossesse existe pour tous les travailleurs. Un certificat médical est nécessaire. L'indemnisation varie selon le statut de la femme salariée.

◼ Le congé de repos. Ce congé n'existe que dans le secteur privé. Il doit être demandé à l'employeur. La femme peut le prendre à partir du 5ᵉ mois de sa grossesse avec un certificat de son médecin. Il n'y a pas de salaire, pas de garantie d'emploi, pas d'indemnité de la mutuelle (les droits sont maintenus).

Vous êtes agent de l'État ou chômeuse.

La législation relative à la protection de la maternité est sensiblement la même que celle des travailleurs salariés. Toutefois, certaines mesures sont plus spécifiques, renseignez-vous auprès de votre administration ou, si vous êtes chômeuse, auprès de l'Office national de l'Emploi (ONEM), bd de l'Empereur, 7, 1000 Bruxelles. Tél. : 02/515 41 11.

Travail et maternité.

Vous pouvez trouver des informations au service juridique de la GSC (service de presse et d'information, rue Guimard, 1, 1040 Bruxelles.

Tél. : 02/509 96 96).

> Le congé de maternité

Le congé prénatal est de 7 semaines dont 6 semaines peuvent être reportées à la demande de la femme après le congé postnatal. Il est interdit à la future mère de travailler pendant les 7 jours qui précèdent la date présumée de l'accouchement. En cas de naissance prématurée, ces 7 jours ne sont pas récupérables.

En cas de naissance multiple, le congé prénatal est augmenté de 2 semaines qui peuvent être reportées après le congé postnatal. Ce congé est donc de 9 semaines. En tout état de cause, la semaine précédant la date de l'accouchement ne peut être reportée.

Le congé postnatal de 8 semaines est à prendre obligatoirement après l'accouchement.

Le congé de maternité doit avoir une durée minimale de 9 semaines, il peut avoir une durée maximale de 15 semaines, que le congé prénatal soit ou non reporté. La femme est libre de prendre ou non les six semaines de repos prénatal ; celles-ci peuvent être prises soit après le congé postnatal, soit avant le repos prénatal obligatoire, soit en partie avant le congé prénatal obligatoire et en partie après le congé postnatal.

Seul le congé prénatal — s'il n'a pas été pris en tout ou en partie — peut être reporté au moment où le nouveau-né entre au foyer s'il est resté hospitalisé pendant au moins huit semaines à compter de sa naissance.

L'indemnisation varie selon votre statut, renseignez-vous auprès de votre employeur et de votre mutuelle, ou, si vous êtes chômeuse, auprès de votre mutuelle.

> Congé à la naissance et après la naissance

Congé du père.

Dans le secteur privé, la durée du congé du père est de 10 jours. Ceux-ci doivent être pris, à choisir, dans les 30 jours à dater du jour de l'accouchement de son épouse. Le travailleur bénéficiera pendant les trois premiers jours du maintien de sa rémunération et d'une allocation à charge de sa mutuelle pour le restant de la période. A noter : il en est de même pour le congé d'adoption. Si les parents ne sont pas mariés, le père doit avoir reconnu l'enfant.

Dans le secteur public : en principe, la durée du congé du père est de 10 jours payés par l'employeur. Toutefois, certains organismes publics appliquent toujours la durée de 4 jours ouvrables. Il est préférable de se renseigner auprès des organismes compétents.

Conversion du congé de maternité en congé de paternité.

(Loi du 29 décembre 1990 – Arrêté royal du 27 juillet 1994 et du 9 novembre 1994).

En cas de décès ou d'hospitalisation de la mère, le père de l'enfant peut, à la place de la mère, épuiser le reste du congé post natal y compris le congé prénatal que la mère n'aurait pas pris.

Dès que le salarié a averti son employeur par un écrit recommandé, ou en le remettant contre accusé de réception, sans oublier une attestation médicale de l'hospitalisation de la mère, aucun licenciement sauf pour des motifs étrangers au congé de paternité ne peut avoir lieu. Ces dispositions ne sont pas applicables au secteur public.

Congé parental.

Dans le **secteur public,** le père ou la mère de l'enfant peut : soit suspendre complètement l'exécution du contrat de travail pendant trois mois, soit opter pour un mi-temps d'une période de six mois, soit opter pour un 4/5 de temps pendant 3 mois minimum et 15 mois maximum lorsqu'il(elle) travaille à temps plein. Ce droit s'étend également au personnel – statutaire et contractuel – des provinces, des communes, des agglomérations, fédérations de communes et à leurs employeurs. Est également visé, le personnel des établissements publics et associations de droit public dépendant des pouvoirs cités ci-avant. Le droit au congé parental devra être exercé durant la période s'écoulant de la naissance de l'enfant jusqu'à son quatrième anniversaire, sauf exception en cas d'incapacité de 66 % de l'enfant.

Le salarié du **secteur privé** peut bénéficier d'un congé parental d'une durée ininterrompue de 3 mois ; il faut qu'il ait été sous contrat avec son employeur pendant 12 mois au cours des 15 mois précédant la demande. L'indemnité est de 491,93 € pour une interruption complète ; de 226,75 € pour un mi-temps ; de 90,70 € pour un cinquième de temps. Ces montants s'appliquent à tous les secteurs où le congé parental existe.

Le congé d'allaitement.

Aucune disposition légale générale ne consacre actuellement le droit à un tel congé. Dès lors, l'accord de l'employeur est à demander. Dans ce cas, il appartiendra à l'employeur et à la mère de fixer la durée du congé. Au cours de cette période, la mère ne pourra prétendre au paiement des indemnités de maternité versées par sa mutuelle ou à une rémunération à la charge de son employeur.

La mère qui souhaite allaiter son enfant avertira son employeur qui devra prendre éventuellement les mesures qui s'imposent.

En cas de suspension totale de l'exécution du contrat de travail (congé prophylactique) et ce, jusques et y compris le 5ème mois suivant l'accouchement, la mère bénéficiera par sa mutuelle d'une indemnité de maternité (au taux de 60 %).

Ce droit ne peut être exercé que durant la période de 7 mois après la naissance de l'enfant. L'employeur doit être averti 2 mois – réductible de commun accord – à l'avance et la preuve de l'allaitement sera apportée, notamment par certificat médical, au début et chaque mois. Le droit concerne une pause d'allaitement d'une demi-heure pour 4 heures de travail et deux pauses d'une demi-heure chacune pour au moins 7 heures 30 de travail, étant entendu qu'elles doivent être prises dans la même journée, en une ou deux fois, sans autre cumul ou récupération possible.

Le congé pour élever son enfant, pour soigner un enfant malade.

Ces congés varient selon le statut professionnel de la mère. La protection de la maternité est réglée par la loi du 16 mars 1971 sur le travail (article 39 à 45).

> Après la naissance

La déclaration de naissance.

Dès la naissance de votre enfant, l'accoucheur vous remettra un certificat attestant cette naissance. Il faut que le père, la mère (ou les deux) la déclare dans les 15 jours qui suivent l'accouchement (lorsque le dernier jour de ce délai est un samedi, dimanche ou un jour férié légal, le délai est prolongé jusqu'au premier jour ouvrable qui suit), à l'officier de l'état civil (en fait, à l'administration communale, bureau de l'état civil) du lieu où l'enfant est né. Sur présentation du certificat de l'accoucheur, de la carte d'identité de la mère (ou son passeport) et du carnet de mariage, si la mère est mariée, il sera remis à celui qui vient déclarer la naissance :

1) Une attestation pour l'allocation de naissance à envoyer le plus rapidement possible à la caisse d'Allocations familiales à laquelle est affilié le dernier employeur de la mère ou du père, ou à la caisse compétente, si le père ou la mère est indépendant(e), fonctionnaire ou sans profession déclarée.

2) Une attestation d'assurance maternité à envoyer à la mutualité.

La déclaration de naissance est réglée par la loi du 30 mars 1984 soit les articles 55 à 62 du Code civil.

La pause carrière.

Elle permet au travailleur du secteur public de suspendre totalement ou partiellement ses activités professionnelles pendant un certain temps et de retrouver son ancien emploi.

Pour en connaître les détails, demander la brochure éditée par le service d'information du ministère de l'Intérieur et de la Fonction publique,
rue Royale, 60-62
1000 Bruxelles. Tél. : 02/500 21 11.

L'interruption de carrière, dans le secteur privé, est remplacée depuis début 2002 par le système du crédit temps.

Pour une information complète et précise sur cette matière, il est possible de prendre contact avec l'ONEM tél. : 02/515 42 89.

> Avantages financiers

Si vous avez droit aux allocations familiales, vous aurez une allocation de naissance, à l'occasion de la naissance de votre enfant. Adressez-vous à l'ONAFTS, rue de Trèves 9, 1040 Bruxelles. Tél. : 02/237 21 11, numéro vert : 0800 94 434 pour des renseignements généraux, ou à l'INASTI (voir plus haut).

Il existe un ordre de priorité établi par la loi en ce qui concerne l'ouverture de ce droit :
1) le père ;
2) à défaut, la mère.

C'est donc à la caisse où est affilié le dernier employeur du père (à défaut de la mère) qu'il convient de remettre l'attestation d'allocation de naissance.

Si le père (ou à défaut, la mère) est indépendant, la caisse compétente est celle où il est affilié.

Si le père (ou à défaut, la mère) est fonctionnaire, la caisse compétente est l'employeur lui-même (État, Communauté ...).

Allocations familiales.

Les allocations familiales sont versées au profit de tout enfant à partir du 2e mois jusqu'à la fin de sa scolarité obligatoire. Elles continuent à être versées si l'enfant étudie, est apprenti, handicapé ... Le montant des allocations familiales augmente suivant le nombre d'enfants.

Pour tout renseignement, s'adresser à l'ONAFTS ou à l'INASTI selon votre statut.

Prestations familiales garanties.

Si aucune des conditions d'octroi pour les allocations familiales ou de naissance ne peuvent être remplies, l'enfant belge bénéficie quand même de ces allocations selon le système des « prestations familiales garanties ». L'octroi et le montant de ces allocations dépendent des revenus des personnes qui ont la charge de l'enfant. Tout renseignement est donné par l'ONAFST.

Allocations familiales en cas d'abandon.

Vous ne travaillez pas, votre mari a quitté le domicile conjugal et vous ne percevez plus d'allocations familiales, vous continuerez, à certaines conditions, à recevoir ces allocations.

Les allocations familiales sont réglées par l'arrêté royal du 19 décembre 1939 qui coordonne les lois sur les allocations familiales. Les prestations familiales garanties sont réglées par la loi du 20 juillet 1971.

> *La filiation*

La filiation étant un sujet complexe, il vaut mieux vous adresser à une boutique de droit, un avocat, un notaire, à votre administration communale ou à un greffe de Justice de Paix. Sachez néanmoins qu'il y a de nouvelles dispositions en matière de filiation avec la loi du 31 mars 87 entrée en vigueur le 06 juin 87. En particulier, il n'y a plus d'inégalité de statut entre les enfants qu'ils soient nés dans le mariage ou hors mariage.

Vous pouvez demander la brochure « Tous les enfants égaux en droit » publiée par INFOR-FEMMES, rue Bréderode, 29, 1000 Bruxelles. Tél. : 02/511 47 46. Cet organisme dispose d'un centre de planning familial susceptible de donner des informations dans toute matière juridique et sociale :
INFOR-FEMMES-PLANNING
Tél. : 02/511 38 38.

Vous pouvez aussi consulter les notes faites par le service juridique de l'Office de la naissance et de l'enfance (ONE).

> *L'autorité parentale*

Le principe de l'autorité parentale conjointe a été établi par la loi du 13 avril 1995. Un parent ne peut agir sans l'accord de l'autre parent quand il s'agit de prendre une décision relative à la personne de l'enfant, ou à l'administration de ses biens. Ce principe est valable que les parents vivent ensemble, ou qu'ils vivent séparément ; qu'ils soient mariés, ou non mariés.

Néanmoins, à l'égard des tiers de bonne foi, chacun des père et mère est réputé agir avec l'accord de l'autre.

Exception : quand les parents ne vivent pas ensemble, le tribunal peut confier à un parent l'exercice exclusif de l'autorité parentale. Dans ce cas, le juge fixe les modalités selon lesquelles l'autre parent maintient des relations personnelles avec l'enfant.

🔲 Pour connaître la consultation prénatale de **l'Office de la naissance et de l'enfance** (ONE) la plus proche de chez vous, adressez-vous au : Siège central, chaussée de Charleroi, 95, 1060 Bruxelles. Tél. : 02/542 12 11.

🔲 Ce mémento destiné aux lectrices belges a été réalisé grâce à la documentation fournie par l'ONE (Office de la naissance et de l'enfance) et au travail effectué par le Service juridique de l'ONE, ce dont nous les remercions.

La Suisse
La protection de la maternité

Le droit suisse ne prévoit pas d'assurance maternité proprement dite, sauf dans le canton de Genève. Les questions concernant le travail, la grossesse et l'accouchement sont réglées par des lois différentes : la loi sur le travail, la loi sur l'assurance maladie et le Code des obligations, ainsi que les conventions collectives de travail. Les prestations vont donc dépendre d'une part des assurances contractées par les femmes enceintes et d'autre part des employeurs et des conventions collectives qui améliorent les dispositions minimales. Certaines dispositions sont en cours de révision. C'est pourquoi nous vous recommandons de vous informer auprès des centres officiels de consultation en matière de grossesse dont vous trouverez la liste ci-après.

ASSURANCE MATERNITÉ

A Genève, l'assurance maternité cantonale genevoise est entrée en vigueur en juillet 2001. Elle offre aux mères un congé de 16 semaines à compter de la date de l'accouchement (112 jours). L'allocation couvre 80 % du salaire. Elle concerne toutes les mères, salariées et indépendantes, et chômeuses qui cotisent à l'AVS (Assurance vieillesse survivant), ont travaillé dans le canton et qui ont cotisé au minimum les 3 mois précédent le jour de l'accouchement.

De même, lors de l'adoption d'un enfant de moins de 8 ans, le parent (père ou mère) qui cesse effectivement son travail pendant le congé d'adoption a droit à l'allocation égale à 80 % du gain assuré durant 16 semaines à partir de l'autorisation d'adoption. Si l'employeur refuse de faire les démarches, c'est à la femme assurée de faire valoir son droit auprès de la caisse de compensation compétente.

Il est important que les femmes qui arrêtent de travailler pendant la grossesse s'inscrivent au chômage.

Pour toute demande d'information, s'adresser à : Caisse cantonale genevoise de compensation (CCGC), 54, route de Chêne, case postale, 1211 Genève 29,
Tél. : 022 718 67 67
Fax : 022 718 67 15.

Pour l'instant, Genève est le seul canton qui a mis en place une assurance maternité. D'autres projets sont à l'étude, mais actuellement, aucun autre projet de loi n'a abouti. Au niveau fédéral, une loi a été adoptée par les Chambres qui prévoit

14 semaines de congé maternité payées à 80 %. Cette loi sera prochainement soumise à une votation populaire.

ASSURANCE MALADIE

Depuis l'introduction de la LaMal (Loi fédérale sur l'assurance maladie), toute personne domiciliée en Suisse doit s'assurer pour les soins en cas de maladie. « L'assurance obligatoire des soins prend en charge, en plus de coûts des mêmes prestations que pour la maladie, ceux des prestations spécifiques de maternité ». (Article 29, chapitre 3, section 1, Catalogue). L'assurance de base prend en charge les frais de grossesse à 100 % sans les déductions habituelles de participation, ni de franchise. Pour accoucher en clinique, il faut disposer d'une assurance complémentaire.

CODE DES OBLIGATIONS

Interdiction de licencier une femme enceinte.

Depuis le 1er janvier 1989, un employeur ne peut plus congédier une femme enceinte, excepté pendant la période d'essai ou si de justes motifs l'autorisent à dénoncer immédiatement le contrat. Cette période d'interdiction de licencier s'étend jusqu'à 16 semaines après l'accouchement. Si la grossesse intervient avant la fin du délai de congé, le délai est suspendu et il ne continue de courir qu'après la fin de la période protégée.

Cette période de protection n'est pas applicable si le congé est donné par l'employée. Celle-ci peut donc résilier son contrat durant la grossesse et les seize semaines qui suivent son accouchement en respectant les délais et les termes de congé.

Droit au salaire pendant le congé maternité.

Dans les cantons qui ne bénéficient pas d'une assurance maternité (pour le moment, cela concerne tous les cantons sauf Genève), l'employeur doit verser le salaire en cas de grossesse et d'accouchement de la même manière qu'en cas de maladie, à moins que l'employée ne soit soumise à une convention collective de travail ou une assurance perte de gains qui améliore ses droits. Le droit au salaire dépend du nombre d'années dans l'entreprise et de la couverture éventuelle par une assurance pour perte de gain. Le salaire est dû selon le barème suivant : pendant les 12 premiers mois de travail : 3 semaines ; de 1 à 2 ans de travail : 1 mois ; de 2 à 4 ans de travail : 2 mois ; et ainsi de suite... L'arrêt obligatoire de travail de 8 semaines qui suit l'accouchement n'est pas obligatoirement payé dans toute sa durée. L'échelle prise en considération peut varier d'un canton à l'autre.

LOI FÉDÉRALE SUR LE TRAVAIL

Conditions de travail des femmes enceintes.

¶ Il est interdit d'employer des femmes pendant les 8 semaines qui suivent l'accouchement. Par contre, il n'y a pas d'arrêt obligatoire du travail avant l'accouchement. Jusqu'à la 16e semaine qui suit l'accouchement, les femmes ne peuvent travailler que si elles y consentent.

¶ La loi prévoit que l'employeur mette à disposition des femmes enceintes et des femmes qui allaitent une couchette confortable dans un local séparé, pour leur permettre de s'allonger et de se reposer (art. 34, Ordonnance 3, Ltr).

¶ La femme enceinte, ou la mère qui allaite, ne peut en aucun cas travailler plus de 9 heures dans une journée de travail. Elle n'est pas autorisée à faire des heures supplémentaires (même à temps partiel). Elle a le droit de quitter son travail pour une courte durée en avertissant simplement son ou sa supérieure hiérarchique et sans présenter un certificat médical. On ne peut donc pas lui reprocher un abandon de poste. Ces absences ne sont cependant pas forcément toutes payées. Le salaire sera versé selon l'échelle de Berne (art. 324 a CO).

¶ Dès le 6ème mois de grossesse, la femme enceinte ne doit pas travailler plus de 4 heures par jour en station debout, comme par exemple les infirmières, les aides hospitalières, les vendeuses et les serveuses, les ouvrières devant une machine, les employées de nettoyage, etc. (art. 35 a, alinéas 1 et 2 Ltr et art. 60 et 61 Ordonnance 1 Ltr).

¶ Il est recommandé aux femmes enceintes de demander un travail de jour dès le début de la grossesse. L'employeur est tenu de leur proposer un travail entre 6 h et 20 h. Dès le 8ème mois de grossesse, et de la 8ème à la 16ème semaine après l'accouchement, le travail de nuit est interdit et un travail équivalent de jour entre 6 h et 20 h doit être proposé. Si c'est impossible, l'employée a droit à 80 % de son salaire de base et elle est dispensée d'aller travailler. Elle recevra aussi une indemnité équitable pour la perte du salaire en nature. Les indemnités pour le travail de nuit ne seront pas prises en compte (art. 35 a et 35 b Ltr).

¶ Les mères qui allaitent ne peuvent être occupées sans leur consentement. Elles peuvent disposer du temps nécessaire à l'allaitement.

¶ La loi sur le travail prévoit l'obligation d'accorder à la femme qui en fait la demande une pause de midi d'au moins une heure et demie jusqu'à ce que l'enfant ait atteint sa 15ème année.

ALLOCATIONS FAMILIALES

Des allocations familiales sont versées au père ou à la mère de l'enfant par la caisse à laquelle est affilié l'employeur.

En Suisse, la plupart des cantons romands versent une allocation d'accueil à l'enfant, ou prime de naissance, puis une allocation mensuelle. Se renseigner auprès des caisses d'Allocations familiales de chaque canton.

DROIT DE FILIATION, ET RENSEIGNEMENTS JURIDIQUES.

Les mères seules ou les couples non mariés peuvent obtenir tous les renseignements sur leurs droits et devoirs envers l'enfant, ainsi que sur la reconnaissance en paternité auprès des centres officiels de grossesse ou de l'autorité tutélaire du canton et de l'office de l'état civil.

Aide financière.

Se renseigner sur les possibilités d'assistance auprès des centres officiels de grossesse, du service social des hôpitaux régionaux ou universitaires.

¶ Le Pour en savoir plus, vous pouvez téléphoner à Infomaternité, Infoline, tél : 0900 55 55 61 (20 ct./min.) mardi de 13 à 15 h. Vous pouvez aussi consulter le livre : *Les droits des parents et des enfants*, de la grossesse ou de l'adoption à la majorité, des allocations pour enfants au salaire des apprentis, Fédération Romande des consommateurs, Pro Juventute, Lausanne, octobre 2002.

> *Centres officiels de grossesse*

Berne
Hôpital régional, Planning
familial : 2502 Bienne
Tél. : 032/324 24 15
Planning familial :
Chemin des charmilles, 4
2740 Moutier,
Tél. : 032/494 30 51
Planning familial :
Hôpital du district de Courtelary.
2610 Saint-Imier,
Tél. : 032/942 24 55

Fribourg-Freiburg
Planning familial :
Grand-Fontaine 50,
1700 Fribourg,
Tél. : 026/305 29 55
Planning familial :
Place de la Gare 3b,
1630 Bulle,
Tél. : 026/305 2955
Hôpital de Meyriez
N° postal 3302 Morat
Tél. : 026/305 29 55

Genève
Planning familial :
Centre d'information familiale et
de régulation des naissances
(CIFERN),
47, bd de la Cluse,
1205 Genève
Tél. : 022/321 01 91

Jura
Planning familial :
rue Molière, 13
2800 Delémont,
Tél. : 032/422 34 44
Planning familial :
rue Auguste Cuenin, 14
2900 Porrentruy,
Tél. : 032/466 66 44

Neuchâtel
Planning familial :
fbg de l'Hôpital, 27,
2 000 Neuchâtel,
Tél. : 032/717 74 35
Planning familial :
rue Sophie-Mairet, 31,
2300 La Chaux-de-Fonds,
Tél. : 032/967 20 91

Valais-Wallis
Planning familial :
av. de la Gare 38,
1920 Martigny,
Tél. : 027/722 66 80
Planning familial.
Centre d'information, de
régulation des naissances et d'aide
aux couples (CIRENAC)
Rue du Fay 2b
1870 Monthey,
Tél. : 024/471 00 13
Planning familial :
place de la Gare, 10
3960 Sierre,
Tél. : 027/455 58 18
Planning familial :
rue des Remparts 6,
1950 Sion
Tél. : 027/323 46 48
Familienberatung und
Schwangerschaftshilfe Alte
Simplon Strasse, 3900 Brig,
Tél. : 027/923 93 13
Familienberatung und
Schwangerschaftshilfe :
3953 Leuk-Stadt, Untere
Burgschaft
Tél. : 027/473 31 38
Familienberatung und
Schwangerschaftshilfe :
Spitelgasser, 3930 Visp,
Tél. : 027/946 51 73

Vaud
Planning familial, Maternité du
Centre hospitalier universitaire
vaudois (CHUV) :
av. Pierre-Decker,
1011 Lausanne
Tél. : 021/314 32 48
Centre de planning familial
et de grossesse Pro Fa :
av. Georgette 1, 1003 Lausanne
Tél. : 021/312 25 93
Centre de grossesse (sage femme
et assistante sociale)
Avenue de Rumine 2
1003 Lausanne
Tél. : 021/323 19 02

Centre de planning familial
et de grossesse Pro Fa :
rue de Lausanne 21,
1020 Renens
Tél. : 021/635 90 26
Centre de planning familial
et de grossesse Pro Fa :
rue du Clos, 9
1800 Vevey
Tél. : 021/925 53 16
Centre de planning familial
et de grossesse Pro Fa :
rue des Pêcheurs 8
1400 Yverdon,
Tél. : 024/423 69 00
Centre de planning familial
et de grossesse Pro Fa :
rue Juste-Olivier 7
1260 Nyon,
Tél. : 022/362 14 74
Planning familial : Place du
Casino 1, 1110 Morges,
Tel. : 021/804 66 44
Centre de Planning familial
et de grossesse Pro Fa
Chemin du Grand-Chêne 1
1860 Aigle,
Tél. : 024/468 86 08

Tessin
Centri di pianificazione Familiare
- Ospedale regionale La Carità
6600 Locarno
tél : 091/811 45 51
- Ospedale regionale Civico
6900 Lugano
tél : 091/811 61 48
- Ospedale regionale Bellinzona e
valli, 6500 Bellinzona
tél : 091/811 92 32
- Ospedale regionale Beata
Vergine, 6850 Mendrisio
tél : 091/811 36 50

Le Québec
La protection de la maternité

Le suivi médical de la grossesse est assuré par le régime d'assurance maladie : gratuité des visites médicales et des examens. Ce régime couvre les frais d'hospitalisation, de même que les frais de diagnostic et de suivi, de soins médicaux et chirurgicaux, ainsi que les services des cliniques de soins d'urgence. La majeure partie des frais de médicaments est couverte par un régime d'assurance obligatoire. Il n'existe pas de maternités privées au Québec.

Le suivi de la grossesse

La femme choisit le médecin avec lequel elle désire accoucher ou le service de maternité où elle souhaite accoucher. Le premier examen médical se fait entre 6 et 12 semaines de grossesse. Ensuite, la femme consulte une fois par mois jusqu'au 8e mois, puis plus souvent jusqu'à l'accouchement en fonction du déroulement de sa grossesse.

La femme salariée

Les droits des Québécoises durant la grossesse sont principalement inscrits dans la Loi sur les conditions de travail. La femme enceinte salariée a la garantie de conserver son emploi pendant une période déterminée et de recevoir une indemnisation. Par ailleurs, selon les conventions collectives ou les avantages sociaux en vigueur dans les entreprises, les femmes qui travaillent peuvent éventuellement bénéficier de dispositifs qui améliorent les garanties générales.

Une salariée peut s'absenter de son travail (sans salaire) pour des examens liés à la grossesse. Elle doit aviser son employeur le plus tôt possible.

Le congé de maternité

La Loi sur les conditions de travail prévoit que les salariées québécoises ont droit à un congé de maternité sans salaire d'une durée maximale de 18 semaines continues. Le congé ne peut commencer qu'au début de la 16e semaine précédant la date prévue pour l'accouchement. La salariée doit fournir à son employeur un avis écrit mentionnant la date de son départ pour son congé de maternité, ainsi que la date de son retour, trois semaines avant son départ, ou moins si son état de santé l'oblige à s'arrêter plus tôt. À la fin du congé de maternité, l'employeur doit réintégrer la salariée dans son poste habituel et lui verser le salaire et les avantages auxquels elle aurait eu droit si elle était restée à son poste.

Le congé parental

Le père et la mère d'un nouveau-né, et la personne qui adopte un enfant n'ayant pas l'âge scolaire, ont droit à un congé parental sans salaire de 52 semaines continues au maximum. Le salarié qui adopte l'enfant de son conjoint n'a pas droit à ce congé. Le congé parental peut être pris après qu'un avis d'au moins trois semaines, indiquant la date de début et celle de retour au travail, a été donné à l'employeur. À la fin d'un congé parental n'excédant pas 12 semaines, le salarié doit être réintégré dans son poste habituel avec les mêmes avantages. Si le congé dure plus de 12 semaines, le poste habituel du salarié n'est plus garanti par la loi, l'employeur est seulement tenu de l'affecter à un emploi comparable dans le même établissement, avec au moins le salaire auquel il aurait eu droit s'il était resté au travail et, le cas échéant, avec un régime de retraite et d'assurance équivalent.

Naissance ou adoption

Un salarié peut s'absenter de son travail pendant cinq jours à l'occasion de la naissance de son enfant, ou de l'adoption d'un enfant. Les deux premières journées d'absence sont rémunérées si le salarié a 60 jours de service continu. Ce congé ne peut être pris après l'expiration des 15 jours qui suivent l'arrivée de l'enfant. Le salarié qui adopte l'enfant de son conjoint ne peut s'absenter que pendant deux jours sans salaire.

Pour en savoir plus, consultez le site internet de la Commission des normes du travail, à la rubrique : http://www.cnt.gouv.qc.ca

Obligations parentales

Un salarié peut s'absenter cinq jours par an sans salaire pour remplir des obligations liées à la garde, à la santé ou à l'éducation de son enfant mineur, lorsque sa présence est nécessaire en raison de circonstances imprévues. Ce congé peut être fractionné en journées. Une journée peut aussi être fractionnée si l'employeur y consent.

Les prestations de maternité

En vertu de la Loi sur l'assurance-emploi, des prestations de maternité peuvent être versées à la mère naturelle pendant une période déterminée entourant la naissance de l'enfant. Ces prestations, qui sont d'une durée maximale de 15 semaines, peuvent être prolongées si l'enfant est hospitalisé après sa naissance.

Les prestations parentales

Des prestations parentales, d'une durée maximale de 10 semaines, peuvent être versées aux parents (père ou mère) naturels ou adoptifs. Cette période peut être prolongée à 15 semaines si l'enfant est âgé de six mois, ou plus, à son arrivée à la maison, et s'il est atteint de troubles qui nécessitent une période de soins plus longue. Les prestations parentales peuvent être réparties entre les deux parents.

Le taux et la durée des prestations maternité et parentales demeurent les mêmes si vous mettez au monde ou adoptez plus d'un enfant à la fois.

Les prestations de maladie

Des prestations de maladie peuvent être versées en plus des prestations de maternité et des prestations parentales. La couverture des prestations totales ne peut cependant dépasser un maximum de 30 semaines.

Pour avoir droit à ces trois types de prestations, les personnes doivent avoir accumulé un minimum de 600 heures de travail au cours des 52 dernières semaines, ou depuis le début de leur dernière période de prestations.

Pour en savoir plus consultez le site internet du Développement des ressources humaines du Canada : www.hrdc-drhc.qc.ca

Le programme d'allocation de maternité (PRALMA)

Ce programme apporte une compensation financière (allocation d'un montant forfaitaire unique) à la femme salariée qui doit s'absenter du travail pour cause de grossesse et qui satisfait aux critères d'admissibilité.

Pour en savoir plus consultez le site internet du ministère de l'Emploi et de la Solidarité : http://www.mess.gouv.qc.ca

Si vous désirez obtenir des renseignements directement, vous pouvez vous adresser au ministère de l'emploi, de la solidarité sociale et de la famille en composant le (418) 646-4099 dans la région de Québec ou, sans frais, le 1 800 463-4022.

Le programme pour une maternité sans danger

Ce programme de prévention vise d'abord le maintien dans un emploi sans danger des salariées enceintes ou qui allaitent. La femme enceinte, ou qui allaite, et qui travaille dans des conditions dangereuses pour sa santé ou pour celle de son enfant, a le droit d'être immédiatement affectée à d'autres tâches ne comportant pas de dangers. S'il n'est pas possible de modifier son poste de travail ou son affectation, la salariée a le droit de cesser de travailler temporairement et de recevoir des indemnités de la Commission de la santé et de la sécurité au travail.

Pour en savoir plus consultez le site internet de la Commission de la santé et de la sécurité au travail : http://www.csst.qc.ca

La déclaration de naissance

Les parents doivent remplir la déclaration de naissance du nouveau-né et la transmettre au Directeur de l'état civil au cours des trente jours suivant la naissance, afin que l'enfant soit reconnu citoyen à part entière.

Pour en savoir plus, consultez le site internet du Directeur de l'état civil : http://www.etatcivil.gouv.qc.ca

L'assurance-maladie

Les parents doivent inscrire leur nouveau-né à la Régie de l'assurance-maladie afin qu'il obtienne une carte d'assurance-maladie. Cette carte permet de bénéficier de services médicaux, dentaires, optométriques, etc.

Pour en savoir plus consultez le site internet de la Régie de l'assurance-maladie : http://www.ramq. gouv.qc.ca

Autres adresses utiles

- http://www.gouv.qc.ca
- Ministère de la Santé et des Services sociaux

Direction de la promotion de la santé et du bien-être, 1075, Chemin Sainte-Foy, 2E Québec G1S 2M1

Les pays du Maghreb
La protection de la maternité

> L'Algérie

L'assurance maternité garantit deux types de prestations :

1) les prestations en nature concernent : le remboursement des frais médicaux (visite médicale chez le médecin traitant ou le gynécologue) ; le remboursement des frais d'analyse (examens médicaux demandés par le médecin) ; le remboursement des frais de médicaments (prescrits sur ordonnance) ; le remboursement des frais d'accouchement (en cas d'accouchement normal en clinique privée).

2) les prestations en espèces : c'est l'indemnité journalière versée en remplacement du salaire que la femme ne perçoit plus pendant son congé de maternité.

Qui peut bénéficier de l'assurance maternité ?

La femme salariée et assurée sociale a droit aux prestations en nature et en espèces.

La femme au foyer, dont le mari est assuré social, a droit aux prestations en nature.

La femme occupant une profession libérale ou commerçante, n'a droit, elle aussi, qu'aux prestations en nature.

Les conditions à remplir.

Le point essentiel est la durée de travail exigée avant la grossesse. Pour bénéficier des prestations en nature, l'assuré social (la femme enceinte ou son mari), doit avoir travaillé :

— durant au moins 9 jours ou 60 heures pendant les trois mois précédant la date de la constatation de la grossesse.

— durant au moins 36 jours ou 240 heures pendant l'année précédant la date de la constatation de la grossesse.

Les prestations en espèces (indemnité journalière) sont accordées à la femme enceinte assurée sociale qui a travaillé au moins durant 9 jours ou 60 heures pendant les trois mois précédant la date de la première constatation médicale de la grossesse et qui a continué à travailler jusqu'à son congé de maternité.

Lors d'une démission, d'un congé sans solde ou d'une mise en disponibilité, une femme enceinte ne bénéficie plus de l'assurance maternité, ne cotisant plus à la sécurité sociale.

Les formalités.

Il faut envoyer à la caisse de Sécurité sociale un certificat médical de constatation de grossesse, établi par le médecin ou la sage-femme diplômée, et ce avant la fin du troisième mois de grossesse. Sur ce certificat sera mentionné obligatoirement la date présumée de l'accouchement.

Grâce à ce certificat, la caisse délivre, un carnet appelé : guide de la future mère, sur lequel sera porté le numéro d'immatriculation à la Sécurité sociale. Ce carnet, composé de nombreux feuillets (huit au total), rassemble toutes les formalités à accomplir, au fur et à mesure que la grossesse avance. Ces feuillets, dûment remplis et signés par le médecin à chaque visite médicale, doivent être adressés à la caisse de Sécurité sociale, le plus tôt possible après leur établissement. Les visites obligatoires sont au nombre de 3.

Après la naissance, il faut aussitôt envoyer le certificat d'accouchement (établi par le médecin ou la sage-femme).

Le certificat postnatal est établi par le gynécologue ou la sage-femme, après examen gynécologique, huit semaines après l'accouchement. C'est la quatrième et la dernière visite médicale obligatoire.

Les frais d'accouchement.

Quand l'accouchement a lieu dans un service de maternité, à l'hôpital ou dans une polyclinique, la prise en charge est totale et les soins sont gratuits.

Quand l'accouchement est pratiqué dans une clinique conventionnée avec la sécurité sociale, il n'y a pas lieu d'avancer les frais d'accouchement ni de séjour. Ils sont payés directement par la caisse de Sécurité sociale sur présentation du bon de prise en charge (feuillet n° 6) et d'une fiche familiale d'état civil. Par contre, si la clinique choisie n'est pas conventionnée, le séjour de la mère et de l'enfant, et éventuellement le traitement, sont payants. La somme doit être versée dans son intégralité. Ce n'est que plus tard que l'assuré social est remboursé par la sécurité sociale sur présentation du certificat d'accouchement (feuillet n° 7), et de la facture.

Le remboursement se fait selon les tarifs imposés par la sécurité sociale et pour une hospitalisation de huit jours au maximum.

Le congé de maternité.

Il est de quatorze semaines. Habituellement,

il est pris six semaines avant et huit semaines après l'accouchement. Il est possible de prendre un congé moins long avant l'accouchement et de reporter après l'accouchement ce qui n'a pas été pris, pour totaliser quatorze semaines. Toutefois, il faut cesser le travail au moins une semaine avant l'accouchement. En cas d'accouchement prématuré, la totalité du congé (14 semaines) peut être prise après l'accouchement.

Autres congés.

En dehors du congé de maternité, d'autres congés peuvent être pris.

Pendant la grossesse : une femme enceinte peut prendre un congé de maladie. Elle doit présenter un certificat médical délivré par son médecin.

Après l'accouchement : dans certains cas, la femme peut bénéficier d'un congé de maladie sur présentation d'un certificat médical. La durée du congé dépend de l'état de santé de la mère.

Les indemnités.

La femme qui travaille a droit à des indemnités journalières dont le montant représente 100 % du salaire journalier de base. Les indemnités sont versées pendant la durée du congé maternel (14 semaines).

Le congé de paternité.

Le père bénéficie lui aussi d'un congé payé d'une durée de trois jours. Ce congé est pris après la naissance de l'enfant mais pas obligatoirement à partir du jour de la naissance.

La femme qui allaite.

Elle a droit, pendant son travail, à des absences spéciales, qui lui seront payées. Celles-ci sont de deux heures par jour pendant les six premiers mois après l'accouchement, et de une heure par jour les six mois suivants. Pour cela, un certificat médical doit être fourni par le médecin traitant.

La filiation.

La filiation est exclusivement patrilinéaire.

L'enfant de la femme non mariée n'a pas et ne peut avoir de père aux yeux de la loi. La filiation adoptive est également proscrite.

Le nom.

La femme mariée conserve son nom patronymique et y adjoint celui de son époux.

Le nom de l'enfant découle de la filiation patrilinéaire et l'article 28 du Code civil stipule que « le nom d'un homme s'étend à ses enfants ».

Pour d'autres renseignements sur la protection de la maternité, voici l'adresse du ministère de la Santé :
125, chemin Abderrahmane Laala, Alger.
Tél. : 00 213 21279900
00 213 21279803

> Le Maroc

Si la femme travaille.

La femme en état de grossesse médicalement constaté peut quitter son travail sans préavis et sans avoir à payer une indemnité compensatrice de préavis ni de rupture de contrat. Elle bénéficie d'une période de repos de 14 semaines consécutives, prises pendant la période qui précède l'accouchement et celle qui la suit (il est interdit d'employer les femmes dans les sept semaines qui suivent leur accouchement). Cette période peut être prolongée sur présentation d'un certificat attestant une maladie liée à la grossesse ou à l'accouchement sans pouvoir excéder huit semaines avant la date présumée de l'accouchement et quatorze semaines après la date de celui-ci.

L'employeur qui rompt le contrat de travail d'une femme pendant cette période est puni d'une amende de 10 000 à 20 000 dirhams, sans préjudice de dommages-intérêts au profit de la femme licenciée ; il faut toutefois, que celle-ci ait préalablement averti l'employeur du motif de son absence. Au niveau du tribunal de première instance, l'assistance judiciaire est accordée de plein droit aux femmes enceintes, ou venant d'accoucher, qui sont licenciées.

L'allaitement.

Les femmes disposent, pendant une période de douze mois, à compter de la date de reprise du travail après l'accouchement, d'une demi-heure le matin et une demi-heure l'après-midi pour allaiter leur enfant. Cette heure est indépendante des repos en vigueur dans l'établissement et est rémunérée comme temps de travail.

Une chambre spéciale d'allaitement doit être aménagée dans tout établissement ou à proximité immédiate de tout établissement occupant au moins cinquante femmes âgées de plus de seize ans.

Les chambres d'allaitement peuvent être utilisées comme des garderies d'enfants. Les conditions d'admission des enfants, d'installation, d'hygiène et de surveillance des chambres d'allaitement sont déterminées par l'autorité gouvernementale chargée du travail.

L'indemnité journalière.

La femme assurée peut bénéficier d'une indemnité journalière, égale à 100% du salaire de base (dans la limite d'un salaire mensuel plafonné à 6000 dirhams). Pour cela, elle doit :

— justifier de 54 jours continus ou discontinus de cotisations à la Caisse nationale de sécurité sociale pendant 10 mois précédant la date présumée de l'accouchement ;

— être domiciliée au Maroc.

L'indemnité journalière est versée pendant 12 semaines, dont 6 au minimum après la date de l'accouchement.

La déclaration de naissance.

Elle doit être faite dans un délai de 30 jours à compter de la date de la naissance, auprès de l'officier de l'état civil compétent qui en dresse un acte. Passé ce délai, seul un jugement du tribunal de première instance pourra autoriser l'officier d'état civil à inscrire la déclaration. La naissance est déclarée par les proches du nouveau-né dans l'ordre suivant :

le père ou la mère ; le tuteur testamentaire ; le frère ; le neveu. Le frère germain a priorité sur le frère consanguin et celui-ci sur le frère utérin. De même, le plus âgé a priorité sur le plus jeune que lui. Si une personne est empêchée, pour une quelconque raison, de faire la déclaration, celle-ci sera faite par la personne qui la suit dans l'ordre ci-dessus.

Nom de la femme mariée.

Au Maroc, la femme mariée conserve son nom de jeune fille et n'est nullement tenue de porter le nom de son mari.

La filiation.

L'enfant **légitime** est celui issu du mariage, né au minimum 6 mois après la célébration de ce mariage et au maximum une année après sa dissolution.

L'enfant **naturel** est celui né en dehors du mariage. Vis-à-vis du père, la filiation non légitime ne crée aucun lien de parenté, ne crée aucune obligation en ce qui concerne le père. L'enfant naturel sera rattaché à la mère dont il prendra le nom. L'enfant de père inconnu est déclaré par la mère ou par la personne en tenant lieu ; elle lui choisit un prénom, un prénom de père ainsi qu'un nom de famille qui lui est propre.

Pour d'autres renseignements voici l'adresse du Ministère de la santé: 335 avenue Mohammed V, Rabat, Tél : (07) 76 99 70
Fax : (07) 76 99 99

> La Tunisie

Si la femme travaille.

La femme enceinte peut quitter son emploi sans délai-congé, et sans avoir à payer d'indemnité de rupture. L'employeur ne peut pas rompre le contrat de travail d'une femme enceinte avant et après l'accouchement.

L'indemnité de maternité.

C'est l'indemnité journalière à laquelle peut prétendre la femme salariée qui interrompt son travail à cause de sa grossesse ou pour son accouchement. Pour en bénéficier, il faut remplir les conditions suivantes :

— être affiliée à la caisse nationale de Sécurité sociale ;

— totaliser 80 jours de travail au moins pendant les quatre trimestres précédant celui de l'accouchement ;

— pour la période prénatale, remettre à la caisse une attestation d'un médecin ou d'une sage-femme, déterminant la date probable de l'accouchement ;

— pour la période postnatale envoyer ou remettre à la caisse, dans le mois qui suit l'accouchement, une copie de l'acte de naissance ;

— faire une demande d'indemnité de couches.

L'indemnité journalière est égale à 2/3 du salaire journalier moyen. Son plafond est fixé actuellement à 4,610 dinars par jour. Elle est versée pendant 30 jours à compter de la date de l'accouchement. Elle peut être prolongée de 15 jours sur production d'un certificat médical.

Dans la fonction publique, la femme bénéficie d'un congé de 2 mois à plein traitement, et de 4 mois à demi-salaire.

L'allaitement.

Après l'accouchement, et pendant une année, la femme a droit chaque jour à deux repos, d'une demi-heure chacun, durant les heures de travail afin de pouvoir allaiter son bébé. Ces deux repos sont distincts des repos que doit accorder l'employeur à ses employés pendant la journée de travail. Lorsque l'établissement emploie plus de cinquante femmes, l'employeur doit aménager une salle d'allaitement.

Le nom de la femme mariée.

Aucune mesure légale n'oblige la femme à porter le nom de son époux. Elle peut ne porter que son nom patronymique. D'ailleurs, les actes juridiques concernant la femme, mariée ou non, sont obligatoirement établis en son nom patronymique.

La filiation.

La filiation **légitime** (enfant né dans le cadre du mariage) est exclusivement paternelle.
La filiation **naturelle** (hors mariage) et **adultérine** est exclusivement maternelle.
La filiation **adoptive** établit entre l'adoptant et l'adopté des rapports juridiques similaires à ceux de la filiation légitime.

Pour d'autres renseignements sur la protection de la maternité, voici l'adresse du ministère de la Santé : place Bab-Saadoun, 1006 Tunis.

Séjourner et travailler en Europe et ailleurs

De quelle prise en charge les Français peuvent-ils bénéficier s'ils ont besoin de soins à l'étranger ? C'est une question qui nous a parfois été posée à propos de la famille en général (parents et enfants) et de la femme enceinte en particulier.

Vous séjournez dans un pays de l'Union européenne

Il est nécessaire de vous procurer auprès de votre caisse d'assurance maladie "la carte européenne d'assurance maladie" qui est individuelle et nominative (une par personne, enfant compris) ; elle est valable un an et gratuite. Elle permet de bénéficier de la prise en charge des soins médicaux nécessaires pendant votre déplacement. Elle vous sera délivrée si vous êtes en règle avec l'assurance maladie. Vous devez la demander au moins 2 semaines avant la date présumée de votre départ auprès de votre caisse primaire d'assurance maladie par téléphone, en vous déplaçant ou par écrit ; elle vous parviendra par courrier. En cas de non réception, un certificat provisoire de remplacement vous sera délivré. Les pays concernés sont tous les Etats membres de l'Union européenne soit : l'Allemagne, l'Autriche, la Belgique, Chypre, le Danemark, l'Espagne, l'Estonie, la Finlande, la Grèce, la Hongrie, l'Irlande, l'Italie, la Lettonie, la Lituanie, le Luxembourg, Malte, les Pays-Bas, la Pologne, le Portugal, la République tchèque, le Royaume-Uni, la Slovaquie, la Slovénie, la Suède. Autres pays signataires : l'Islande, le Liechtenstein, la Norvège et la Suisse.

Remarque : si vous n'avez pas effectué cette demande, conservez toutes les factures et les justificatifs de paiement et demandez le remboursement à votre caisse primaire d'assurance maladie à votre retour.

Vous séjournez hors d'Europe

La Fonction des Relations internationales de la caisse d'assurance maladie peut vous préciser si le pays concerné a signé un accord avec la sécurité sociale française. En effet, selon la législation propre à chaque pays, vous devez éventuellement accomplir des démarches avant votre départ ou vous mettre en rapport avec l'organisme local. Il est donc important de vous renseigner au préalable.

Renseignements au 01 40 19 55 30 à 33.

A signaler : de nombreuses assurances privées couvrent les soins à l'étranger et, si nécessaire, le rapatriement en France.

Vous êtes salarié d'une entreprise qui vous détache à l'étranger.

Pendant votre séjour vous restez soumis à la législation française de sécurité sociale et votre employeur continue de verser des cotisations au régime français. Votre employeur transmet une demande de détachement à la caisse primaire et vous en remet un exemplaire. Les soins médicaux ou hospitaliers sont remboursés par la caisse du pays de détachement dans la plupart des Etats signataires d'une convention avec la France et par la caisse française dans les autres cas.

Vous partez travailler à l'étranger en tant que salarié d'une entreprise de droit français ou étranger, vous êtes considéré comme « expatrié ».

Dans ce cas, vous pouvez soit :

- Bénéficier du système en vigueur dans le pays où vous travaillez. Ce système peut être intéressant. Il peut aussi proposer des cotisations élevées et des remboursements assez faibles.
- Adhérer à l'assurance volontaire maladie-maternité de la **Caisse des Français de l'Etranger (CFE)**.

Cette assurance vous permet de conserver le bénéfice de la Sécurité sociale. Il n'y a pas de rupture avec vos droits antérieurs, pas de trimestres perdus pour votre retraite, la continuité de votre couverture sociale est assurée.

La CFE est une caisse d'assurance volontaire. Vous pouvez donc choisir de cotiser à un ou plusieurs régimes et adapter ainsi votre protection sociale à votre situation professionnelle et familiale.

Pour adhérer à la CFE, vous devez :

- être de nationalité française ;
- exercer une activité salariée à l'étranger ou dans les Territoires d'outre-mer ;
- résider à l'étranger ;

les frontaliers qui résident en France mais travaillent hors de France ne peuvent adhérer à la CFE.

Quelques renseignements à propos des
prestations maternité :

Il faut déclarer la grossesse dans les meilleurs délais :

- En France, à l'aide de l'imprimé spécifique que vous remet le médecin.

- A l'étranger, avec un certificat médical indiquant la date présumée de la conception.

Sur demande, un guide maternité sera envoyé à la future mère. Ce guide comporte un feuillet précisant les dates des examens de surveillance à effectuer ; des étiquettes à coller sur les feuilles des soins correspondant aux examens liés à la grossesse.

Les documents nécessaires à votre indemnisation vous seront envoyés par la CFE au moment où vous déclarerez votre grossesse.

Pour bénéficier de l'assurance maternité, il faut justifier de 10 mois d'adhésion à la date présumée de l'accouchement. Si vous avez choisi une option « indemnités journalières », vous les recevrez pendant 16 semaines maximum. Leur montant dépend de la catégorie dans laquelle vous cotisez.

A noter : la CFE prend en charge les frais liés à la maternité, dans la limite des tarifs et taux pratiqués en métropole. Ce taux peut se révéler insuffisant, surtout dans les pays où le coût médical est élevé. Pour vous permettre d'obtenir de meilleurs remboursements et pour faciliter vos démarches, la CFE a passé des accords avec des assurances complémentaires : consultez le site indiqué ci-dessous pour en connaître la liste.

La CFE couvre automatiquement ses assurés et leurs ayants droits pendant leurs séjours temporaires en France d'une durée inférieure à 3 mois (tarifs et taux de la sécurité sociale).

Pour tous renseignements (adhésion, cotisation, prise en charge, etc.) sur la Caisse des Français de l'Etranger, adressez-vous à la CFE BP 100, 77950 Rubelles (France) ou consultez le site Internet www.cfe.fr

Index

L'heure du courrier

Le meilleur moment de la journée, c'est l'heure du courrier.
Les lettres arrivent des quatre coins de France, et du monde entier. Ce courrier
me fait vraiment plaisir. Écrire un livre est un long monologue, recevoir une
lettre le transforme en dialogue et montre qu'il a atteint son but.
Ces témoignages sont pour moi, et pour toute l'équipe de *J'élève mon enfant*,
un encouragement à poursuivre un travail qui chaque année s'amplifie. Je réponds
à toutes ces lectrices comme je répondrais à une amie, et je conserve
précieusement leurs lettres, comme un trésor. Si vous souhaitez m'écrire,
une page vous est réservée : voyez ci-contre.
J'élève mon enfant, son auteur et son équipe ont aussi une adresse Internet.
Cela veut dire pour les lectrices et les lecteurs une autre possibilité de
correspondre avec nous. Si vous y pensez, précisez le prénom de votre enfant, son
âge, l'endroit où vous habitez. Nous aurons l'impression de mieux vous connaître.
Voici notre adresse :

e-mail : lpernoud@horay-editeur.fr

http://www.horay-editeur.fr

Chère lectrice, cher lecteur,

puis-je vous redire que ce livre est fait pour vous, mais aussi avec vous. Dites-moi si vous avez cherché un mot, une explication, qui ne s'y trouvait pas. Je vous remercie de me le signaler. J'en tiendrai compte dans la prochaine édition.

Laurence Pernoud
Éditions Pierre Horay
22 bis, passage Dauphine
75006 Paris

Vous aimez nous écrire, nous aimons vous répondre. Nous le faisons toujours, sauf si vous oubliez de nous indiquer votre adresse, cela arrive...
Si vous souhaitez que je vous réponde, veuillez m'indiquer :

Votre nom :
Votre adresse :

Les prénoms de l'enfant :
Sa date de naissance :
Est-il votre premier enfant :

Maquette : Vincent Lever
Mise en pages : Nicolas Marchand
Couverture : Nadine Pellé

Crédits

Dessins
Noëlle Herrenschmidt : 22, 26 à 28, 50, 51, 115, 122, 123, 126 à 129, 134, 135, 180, 193, 201, 213, 217, 225, 231, 239, 247, 382, 384, 385, 421 - **Pascale Desmazières** : 36, 40, 54, 56, 58, 63, 64, 65, 71, 91, 104, 117, 139, 141, 143, 153, 156, 157, 164, 168, 179, 183, 190, 199, 245, 253, 272, 276, 280, 282, 283, 287, 294, 297, 315, 317, 329, 338 - **Hubert de Lartigue** : 23, 32 à 35 - **Danièle Molez** : 144 à 147 - **Editions Horay** : 324, 325, 328, 331, 332, 333, 363, 444

Photographies
Billot : 265 - **Chaumat** : 194, 334, 338, 340 - **Cosmos**/Perri : 143 - **Diaf** : Gyssels 48 - Le Bot 116 - **Diaphor** : Carton 148 - Legay 78 - Mores 102 - **Digitalvision** : Carrie Beecroft & Nick White 59, 447 - Nancy Rockwell 305 - **Editing** : Lallier 293 - Schuller 53, 229 - **Editions Horay** : 76 à 81, 87, 88 - **Fotogram Stone**/Thomas : 299 - **Getty Images**/Eyewire : 37- **Getty Images**/PhotoDisc : 163, 198, 277, 291, 312 - **Graphic Obsession** : 181- **Herrenschmidt** : 74 - **Jerrican** : Clément 211, 344 - **Magnum**/Inge Morath : 279 - **Métis**/Voyeux : 92, 197 - **Ney** : 45, 160 - **Option Photo** : 296 - Bantry 243, 267 - Hansen 21 - Lefret 209 - Meierson 286 - Murovi 105 - Tsunori 498 - **Oredia** : 81, 99, 125, 233 - **Osti** : 315 - **Pécresse** : 84, 86 à 89 - **Petit Format** : Brun 40 - Lousada 67, 166, 208, 319, 349 - Rombout 73 - Verpoorten 121 - **Photoalto** : 82, 171, 187, 221, 252, 255, 258, 270, 302 - **Photothèque SDP**/Panier : 244 - **Rapho** : Baret 289 - Frainey 106, 158 - Guerri 288 - Pasquier 159, 256 - Winckler 207 - **Scoop** : Dannic 154 - Melet 320 - **SDP Fotostock** : 114 - **Studio X** : 113, 136, 269, 273 - Heineman 341 - Leiber 321 - Raith 1° couv, 11, 17, 30, 43, 75, 152, 157, 173, 174, 176, 191, 202, 215, 218, 223, 237, 248, 323 - Schäffer 96, 331 - Steiner 101 - **Top**/ Hinous : 25 - **Vu**/Descamps : 310 - **Winckler** : 18, 227, 263, 322

Achevé d'imprimer en France en décembre 2004
sur les presses de l'imprimerie Corlet, Condé-sur-Noireau
Dépôt légal : 2005. N° d'éditeur : 1014 - N° d'imprimeur : 81611